2026
판례·기출
증보판

조충환·양건

형사소송법 Ⅱ

개정 형사소송법·최신 판례 및 기출문제 완벽 반영

경찰채용·승진 / 경찰간부 / 검찰직·법원직
교정보호직·승진 / 철도경찰직 / 해양경찰직

조충환·양건 편저

동영상강의 www.pmg.co.kr

조충환·양건

SPA 형사소송법

2026 SPA 형사소송법 판례·기출증보판을 출간하면서

이번 2026 판례·기출증보판에서는 최근의 출제경향을 반영하여 다음과 같은 사안에 중점을 두었습니다.

첫째, 기출문제 반영
작년 SPA 형사소송법 출간 이후의 2024년 기출문제(경위공채, 순경 1차·2차, 경력채용, 9급 검찰·마약수사·교정·보호·철도경찰, 9급 법원직, 7급 국가직, 해경경위공채·순경 등)와 2025년 기출문제(변호사시험, 소방간부, 경찰대편입 등)를 전부 비교·분석하여 본문에 수정·교체·추가·기출표기를 하였고 기출문제(객관식)에도 추가하였습니다. 다만, 25년 경찰승진 기출문제는 시험일정 지연으로 이번 증보판에 반영하지 못하였습니다.

둘째, 판례 반영
최근 판례(2025.1.15. 대법원 판례공보 및 미간행판례)까지 빠짐없이 반영하였으며, 최근의 출제경향에 맞추어 기존 판례의 일부를 수정·교체·추가하였고, 판례마다 기출표기를 최신순으로 정리하였습니다.

셋째, 반복학습
본문 ⇨ 확인학습(OX문제) ⇨ 기출문제의 3단계 방식으로 편집하여 기본서, 판례집, 요약집(Sub-note), OX문제집, 객관식문제(기출문제)집을 별개로 공부하지 않고도, SPA 형사소송법 1회독시 3회 이상의 반복학습의 효과로 한번에 형사소송법을 끝낼 수 있도록 하였습니다.

넷째, 강약과 시간절약
법조문, 이론, 판례를 사안마다 키워드와 기출표기를 색표기하여 중요도를 파악하고, 반복학습시 시간을 단축하도록 하였습니다.

SPA 형사소송법을 이해 위주로 반복학습하신다면 본 교재 한 권만으로도 어느 시험에서든지 고득점으로 합격·승진하는 데 아무런 지장이 없을 것이라 확신합니다.
우리 모두 어려운 시기에 무엇보다도 건강에 유의하시고 초지일관하시길 바라며, 수험생 여러분의 조기 합격과 승진을 믿고 간절히 기원합니다.

2025. 2.
공편저자 조충환·양건

CONTENTS

이 책의 차례

형사소송법 Ⅰ

제2장 강제처분과 강제수사

제3장 수사의 종결

CONTENTS

이 책의 차례

형사소송법 Ⅱ

Part 04 공 판

제1장 공판절차

CONTENTS

이 책의 **차례**

CONTENTS

이 책의 차례

형사소송법 Ⅲ

기출지문 확인학습

핵심정리

형사소송법 관련법령

조충환·양건

형사소송법

공 판

CHAPTER

01 공판절차

사건에 대한 법원의 심리는 모두 공판절차에서 행해진다. 이러한 의미에서 공판절차는 형사절차의 핵심이며 정점이라 할 수 있다. 특히 공판중심주의적 법정심리절차와 관련한 부분, 공소장변경, 증인신문, 간이공판절차, 국민참여재판 등에 대하여는 더욱 관심을 가져야 할 부분이다.

제1절 공판절차의 기본원칙

1 공판절차의 의의

공판절차란 공소가 제기되어 사건이 법원에 계속된 이후 그 소송절차가 종결될 때까지의 모든 절차를 말하며, 공판기일의 절차와 공판기일 외의 절차로 구분된다. 공판기일의 절차를 협의의 공판절차라고 한다.

용어 해설 **공판 · 공판절차 · 공판정 · 공판기일 · 공판중심주의**

1. **공판** : 법원이 증거조사를 통하여 피고사건에 대해 심증을 형성하는 활동
2. **공판절차** : 공판이 이루어지는 형사절차
3. **공판정** : 공판이 공개적으로 이루어지는 법정
4. **공판기일** : 공판정에서 공판이 이루어지는 날
5. **공판중심주의** : 법원이 피고사건의 실체에 대한 유 · 무죄의 심증형성은 공개된 법정에서의 심리에 의하여야 한다는 원칙

다른 절차와의 구별

즉결심판절차	법관이 공개된 장소에서 피고인을 출석시켜 심판하는 재판절차이기는 하나, 이는 공판기일에서의 절차가 아니고 공판 전의 절차에 해당한다.
약식절차	지방법원의 관할사건에 대하여 검사의 청구가 있을 때에 공판절차를 경유하지 않고 검사가 제출한 자료만을 조사하여 약식명령으로 과하는 서면절차이다.
증거보전절차	미리 증거를 보전하지 않으면 그 증거를 사용하기 곤란한 사정이 있는 경우 제1회 공판기일 전에 한하여 인정되는 절차로서 공판절차와는 무관하다.

2 공판절차의 기본원칙

공판절차를 진행함에 있어서 헌법과 형사소송법이 요구하고 있는 몇가지 원칙이 있다. 그런데 공판절차의 기본원칙은 공정한 재판을 실현하기 위한 담보장치로서 형사절차의 구조(직권주의, 당사자주의)와 관계없이 일반적으로 준수가 요구되는 사항이다(헌재결 1996.12.26, 94헌바1).

(1) 구두변론주의

구두변론주의란 법원은 당사자의 구두에 의한 공격·방어를 기초로 하여 심판을 해야 한다는 원칙을 말한다. 형사소송법은 공판중심주의를 실현하기 위하여 구두변론주의 원칙을 명시하고 있다(제275조의 3). 구두변론주의는 구두주의와 변론주의를 내용으로 한다.

① **구두주의** : 구두주의란 구두에 의하여 제공된 소송자료에 의하여 재판을 행하는 주의를 말한다(서면주의의 대립개념). 구두에 의한 진술은 법관에게 신선한 인상을 주고, 태도증거를 확보할 수 있어 실체적 진실발견에 충실할 수 있다. 따라서 구두주의는 실체형성행위에 대해서만 타당한 원칙이며, 절차형성행위에 대해서는 서면주의가 지배된다(형식적 확실성이 요청되므로).

② **변론주의** : 변론주의란 당사자의 변론(주장과 입증)에 의하여 재판하는 주의를 말한다.

(2) 직접심리주의

직접심리주의란 공판정에서 직접 조사한 증거만을 재판의 기초로 삼는다는 원칙을 말한다. 직접주의는 심증형성의 합리성 또는 진실발견이념에 봉사하고 피고인에게 반대신문의 기회를 주어 피고인을 보호하며 공개주의를 실현하는 바탕이 된다.

① **형식적 직접심리주의** : 수소법원이 재판의 기초가 되는 증거를 직접 조사해야 한다는 원칙이다. 형사소송법 제167조, 제177조, 제301조 등은 형식적 직접심리주의의 한 표현이다.

② **실질적 직접심리주의** : 법원이 사실증명 여부를 판단함에 있어서 증명의 대상이 되는 사실과 가장 가까운 원본증거를 재판의 기초로 삼아야 한다는 원칙이다. 형사소송법은 전문증거는 원칙적으로 유죄인정의 증거로 할 수 없으며, 예외적인 경우에만 이를 증거로 할 수 있다고 규정(제310조의 2)하여 실질적 직접심리주의를 명시하고 있다. 24. 경찰승진

관련판례

1. 검사가 다수인의 집합에 의하여 구성되는 집합범이나 2인 이상이 공동하여 죄를 범한 공범의 관계에 있는 피고인들에 대하여 여러 개의 사건으로 나누어 공소를 제기한 경우에, 법원이 변론을 병합하지 아니하였다고 하여 형사소송절차에서의 구두변론주의와 직접심리주의에 위반한 것이라고 볼 수 없다(대판 1990.6.22, 90도764). 11. 9급 법원직
2. 법관의 면전에서 직접 조사한 증거만을 재판의 기초로 삼을 수 있고 증명 대상이 되는 사실과 가장 가까운 원본 증거를 재판의 기초로 삼아야 하며, 원본 증거의 대체물 사용은 원칙적으로 허용되어서는 안 된다(대판 2009.1.30, 2008도7917).

(3) 공개주의

① 의의 및 기능

㉠ 공개주의란 일반국민에게 법원의 재판과정에 대한 방청을 허용하는 것을 말한다.

㉡ 법원의 심판절차를 국민의 감시하에 둠으로써 재판의 공정을 기하고 재판에 대한 국민의 신뢰를 유지하는 기능을 한다.

㉢ 공개주의와 대립개념으로 밀행주의(방청을 전혀 허용하지 않고 비밀로 심판을 행하는 주의)와 당사자공개주의(일정한 소송관계인에 한하여 참여를 허용하는 주의)가 있으나, 우리나라는 공개주의에 입각해 있다(헌법 제27조 제3항·제109조, 법원조직법 제57조). 24. 경찰승진

② **내용 및 위반의 효과**

㉠ 공개주의는 누구나 방청인으로서 공판절차에 참여할 수 있다는 추상적 기능성이 보장된다는 것을 내용으로 한다(일반공개주의).

공개주의는 모든 사람에게 예외 없이 재판과정을 공개하는 현실적 보장을 의미하는 것은 아니다.

㉡ 공개재판의 원칙에 반하는 공판절차는 절대적 항소이유(제361의 5 제9호) 및 상대적 상고이유(제383조 제1호)가 된다. 14. 7급 국가직, 17. 9급 검찰·마약수사

관련판례

1. 헌법 제109조에 규정된 재판공개의 원칙이 법원이 판결하기 전에 당사자에게 미리 그 내용을 알려줄 것을 의미하는 것은 아니다(대판 2008.12.24, 2006도1427). 14. 7급 국가직
2. 검찰청이 보관하고 있는 불기소처분기록에 포함된 불기소결정서는 특별한 사정이 없는 한 변호인의 열람·지정에 의한 공개의 대상이 된다(대판 2012.5.24, 2012도1284). 18. 9급 검찰·마약수사
3. 공개금지사유가 없음에도 불구하고 재판의 심리에 관한 공개를 금지하기로 결정하였다면 그러한 공개금지결정은 피고인의 공개재판을 받을 권리를 침해한 것으로서 그 절차에 의하여 이루어진 증인의 증언은 증거능력이 없고,17. 9급 검찰·마약수사 변호인의 반대신문권이 보장되었더라도 달리 볼 수 없으며, 이러한 법리는 공개금지결정의 선고가 없는 등으로 공개금지결정의 사유를 알 수 없는 경우에도 마찬가지이다(대판 2013.7.26, 2013도2511).
4. 헌법 제109조는 재판공개의 원칙을 규정하고 있는 것으로서 검사의 공소제기절차에는 적용될 여지가 없다. 따라서 공소가 제기되기 전까지 피고인이 그 내용이나 공소제기 여부를 알 수 없었다거나 피고인의 소송기록 열람·등사권이 제한되어 있었다고 하더라도 그 공소제기절차가 위 헌법 규정을 위반하였다고는 할 수 없다(대판 2008.12.24, 2006도1427).

③ **공개주의의 예외와 제한** : 공개주의도 절대적으로 보장될 것을 요하는 원칙은 아니다. 공개주의의 적용이 배제되는 경우로 다음과 같은 유형을 들 수 있다.

㉠ **방청인의 제한** : 재판장은 법정질서를 유지하기 위하여 필요하다고 인정되면 방청석만큼 방청권을 발행하여 그 소지자에 한해 방청을 허용할 수 있다(법정 방청 및 촬영 등에 관한 규칙 제2조). 그렇다고 해서 공개주의에 위반되는 것은 아니다. 19. 경찰간부

㉡ **퇴정명령** : 재판장은 법정의 존엄과 질서를 해할 우려가 있는 자의 입정금지 또는 퇴정을 명할 수 있다(법원조직법 제58조 제2항). 역시 공개주의에 반하는 것이 아니다.

㉢ **사건의 성질에 따른 제한** : 재판의 심리가 국가의 안전보장 또는 안녕질서를 방해하거나 선량한 풍속을 해할 염려가 있는 때에는 법원은 결정으로 재판을 공개하지 않을 수 있다(법원조직법 제57조 제1항).

비공개결정 ⇨ 법원(재판장 ×)

☗ 공개하지 않을 수 있는 것은 심리에 한하므로, 판결선고의 비공개는 허용될 수 없음. 01. 법원사무관, 04. 9급 법원직, 12. 순경, 12·19. 경찰간부

㉣ **소년보호사건** : 소년보호사건에 대한 심리는 비공개를 원칙으로 한다(소년법 제24조 제2항). 14. 9급 교정·보호·철도경찰

☗ 소년에 대한 형사사건 ⇨ 원칙적 공개(헌법 제109조, 소년법 제48조, 법원조직법 제57조 제1항) 19. 경찰간부

㉤ **법정에서의 촬영과 녹음·속기**

ⓐ 누구든지 법정 안에서는 재판장의 허가 없이 녹화, 촬영, 중계방송 등을 하지 못한다(법원조직법 제59조). 17. 9급 검찰·마약수사 재판장(법원 ×)은 피고인의 동의가 있는 때에 한하여 신청에 대한 허가를 할 수 있다. 다만, 공공의 이익을 위하여 상당하다고 인정되는 경우에는 피고인의 동의 여부를 불문하고 허가할 수 있다(법정 방청 및 촬영 등에 관한 규칙 제4조).

☗ 재판장은 공공의 이익을 위하여 상당한 이유가 있는 경우라도 피고인의 동의가 있는 경우에 한하여 법정 안에서 녹화, 촬영, 중계방송 등의 행위를 허가할 수 있다. (×) 14. 7급 국가직, 19. 경찰간부

ⓑ 법원은 검사, 피고인 또는 변호인의 신청이 있는 때에는 특별한 사정이 없는 한 공판정에서의 심리의 전부 또는 일부를 속기사로 하여금 속기하게 하거나 녹음장치 또는 영상녹화장치를 사용하여 녹음 또는 영상녹화하여야 하며, 필요하다고 인정하는 때에는 직권으로 이를 명할 수 있다(제56조의 2 제1항). 20. 순경 1차

ⓒ 속기, 녹음 또는 영상녹화의 신청은 공판기일·공판준비기일을 열기 전까지 하여야 한다(규칙 제30조의 2 제1항 : 2014. 12. 30. 개정). – 당사자의 법정녹음 신청권을 폭넓게 보장하기 위해 속기·녹음신청권의 시간적 제한을 완화하였음.

개정 전 : 신청은 공판기일의 1주일 전까지 하여야 한다. 다만, 지정된 공판기일부터 1주일이 남지 않은 시점에서 공판기일 지정의 통지가 있는 경우에는 통지받은 다음 날까지 신청할 수 있다(규칙 제30조의 2 제1항). 14. 경찰간부

ⓓ 피고인, 변호인 또는 검사의 신청이 있음에도 불구하고 특별한 사정이 있는 때에는 속기, 녹음 또는 영상녹화를 하지 아니하거나 신청하는 것과 다른 방법으로 속기, 녹음 또는 영상녹화를 할 수 있다. 다만, 이 경우 재판장은 공판기일에 그 취지를 고지하여야 한다(규칙 제30조의 2 제2항).

ⓔ 법원은 속기록·녹음물 또는 영상녹화물을 공판조서와 별도로 보관하여야 한다(제56조의 2 제2항). 검사, 피고인 또는 변호인은 비용을 부담하고 제2항에 따른 속기록·녹음물 또는 영상녹화물의 사본을 청구할 수 있다(동조 제3항).

관련판례

검사가 사전에 공판정에서의 녹음을 신청한 사실이 없고, 법원이 직권으로 녹음을 명한 바도 없으나 조서 작성의 편의를 위한 녹음이 이루어진 경우, 형사소송법 제56조의 2 제1항에 근거하여 이루어진 공판정에서의 심리에 관한 녹음이 있다고 할 수 없으므로 검사는 녹음물의 사본을 청구할 수 없다(대결 2012.4.20, 2012모459).

ⓕ 재판장은 법 제56조의 2 제3항에도 불구하고 피해자 또는 그 밖의 소송관계인의 사생활에 관한 비밀 보호 또는 신변에 대한 위해 방지 등을 위하여 특히 필요하다고 인정하는 경우에는 속기록, 녹음물 또는 영상녹화물의 사본의 교부를 불허하거나 그 범위를 제한할 수 있다(규칙 제38조의 2 제1항 : 2014. 12. 30. 개정).

개정 전 : 재판장은 법 제56조의 2 제3항에도 불구하고 피해자의 사생활에 관한 비밀 보호 또는 신변에 대한 위해 방지 등을 위하여 특히 필요하다고 인정하는 경우에는 속기록, 녹음물 또는 영상녹화물의 사본의 교부를 불허하거나 그 범위를 제한할 수 있다(규칙 제38조의 2 제1항).

ⓖ 조서에는 서면, 사진, 속기록, 녹음물, 영상녹화물, 녹취서 등 법원이 적당하다고 인정한 것을 인용하고 소송기록에 첨부하거나 전자적 형태로 보관하여 조서의 일부로 할 수 있다(규칙 제29조 제1항). 제1항에 따라 속기록, 녹음물, 영상녹화물, 녹취서를 조서의 일부로 한 경우라도 재판장은 법원사무관 등으로 하여금 피고인, 증인, 그 밖의 소송관계인의 진술 중 중요한 사항을 요약하여 조서의 일부로 기재하게 할 수 있다(동조 제2항 : 2014. 12. 30. 신설).

ⓗ 속기록, 녹음물, 영상녹화물 또는 녹취서는 전자적 형태로 이를 보관할 수 있으며, 재판이 확정되면 폐기한다. 14. 경찰간부 다만, 속기록, 녹음물, 영상녹화물 또는 녹취서가 조서의 일부가 된 경우에는 그러하지 아니하다(규칙 제39조).

(4) 집중심리주의

집중심리주의란 법원이 공판기일에 하나의 사건을 집중적으로 심리하고, 공판기일이 연장되는 경우에도 시간적 간격을 두지 않고 계속적으로 심리해야 한다는 원칙을 말한다.

이렇게 함으로써 신속재판의 이념을 실현할 수 있고 심리중단으로 인한 법관의 심증약화를 방지하여 공정한 재판과 심증형성의 합리성을 확보할 수 있기 때문이다.

형사소송법에 집중심리주의에 대한 명문의 규정이 없었으나, 2007년 개정법에서 새로이 도입되었다(제267조의 2).

특정강력범죄의 심리와 판결에 한하여 집중심리가 적용된다. (×) 12. 경찰간부

정리

제267조의 2

1. 공판기일의 심리는 집중되어야 한다(제1항). 11. 9급 교정 · 보호 · 철도경찰
2. 심리에 2일 이상 필요시 부득이한 사정이 없는 한 매일 계속 개정해야 한다(제2항).
3. 재판장은 여러 공판기일을 일괄하여 지정할 수 있다(제3항).
4. 재판장은 부득이한 사정으로 매일 계속 개정하지 못한 경우에도 특별한 사정이 없는 한 전회의 공판기일로부터 14일 이내로 다음 공판기일을 지정하여야 한다(제4항). 09. 9급 법원직
5. 소송관계인은 기일을 준수하고 심리에 지장을 초래하지 아니하도록 하여야 하며, 재판장은 이에 필요한 조치를 할 수 있다(제5항).

기출문제

01 **공개주의에 대한 설명으로 옳지 않은 것은?**(다툼이 있는 경우 판례에 의함) 17. 9급 검찰·마약수사

① 소년에 대한 형사사건의 심리는 공개하지 아니하나, 법원은 적당하다고 인정하는 자에게 참석을 허가할 수 있다.
② 누구든지 법정 안에서는 재판장의 허가 없이 녹화, 촬영, 중계방송 등의 행위를 하지 못한다.
③ 공개금지사유가 없음에도 불구하고 재판의 심리에 관한 공개를 금지하기로 결정하였다면 그 절차에 따라 이루어진 증인의 증언은 증거능력이 없다.
④ 공판의 공개에 관한 규정을 위반한 경우는 절대적 항소이유에 해당한다.

해설 ① 소년에 대한 형사사건은 소년법에 특별한 규정이 없는 한 형사소송법이 적용되므로(소년법 제48조), 소년에 대한 형사사건의 심리와 재판도 원칙적으로 공개하여야 한다(헌법 제109조, 법원조직법 제57조 제1항).
② 법원조직법 제59조
③ 대판 2013.7.26, 2013도2511
④ 제361조의 5 제9호

02 **공판절차의 기본원칙에 관한 설명으로 가장 적절하지 않은 것은?**(다툼이 있는 경우 판례에 의함) 24. 경찰승진

① 헌법은 공개재판을 받을 권리를 피고인의 기본권으로 보장하고 있을 뿐만 아니라 원칙적으로 재판의 심리와 판결을 공개하도록 규정하고 있다.
② 형사소송법은 공판중심주의를 실현하기 위해 구두변론주의 원칙을 명시하고 있으며, 이는 당사자의 주장과 입증만에 의해 재판을 하게 되는 당사자처분주의에 바탕을 두고 있다.
③ 형사소송법은 증명대상이 되는 사실과 가장 가까운 원본증거를 재판의 기초로 삼아야 하며, 원본증거의 대체물 사용은 원칙적으로 허용되지 않는다는 실질적 직접주의를 채택하고 있다.
④ 형사소송법에는 집중심리에 대한 명문의 규정이 있다.

해설 ① 헌법 제27조 제3항, 제109조
② 형사소송법은 공판중심주의를 실현하기 위하여 구두변론주의 원칙을 명시하고 있다(제275조의 3). 당사자처분권주의란 소송의 종결에 관하여 당사자의 처분에 맡기는 원칙을 말하며, 민사소송이 당사자처분권주의에 바탕을 두고 있다. 그러나 국가형벌권을 실현하는 절차인 형사소송에 있어서는 형식적 진실로서는 만족할 수 없고 법원은 당사자의 주장이나 입증에 구속됨이 없이 실체적 진실을 규명할 것이 요구된다.
③ 대판 2012.6.14, 2011도5313
④ 제267조의 2

Answer 01. ① 02. ②

제2절 공판심리범위

1 심판의 대상

법원은 검사가 공소제기한 사건에 한하여 심판하여야 한다(불고불리원칙). 법원의 심판대상은 공소장에 기재된 공소사실에 한하느냐, 아니면 공소사실과 동일성이 인정되는 범위 내의 전부이냐 하는 것이 심판대상에 관한 문제이다. 이에 대하여 견해의 대립이 있으나, 공소장에 기재된 사실이 현실적인 심판대상이고 공소사실과 동일성이 인정되는 사실은 비록 공소장에 기재되어 있지는 아니하더라도 잠재적 심판대상이 된다는 견해인 이원설이 다수설·판례의 입장이다.

관련판례

• 심판대상

1. 상상적 경합관계에 있는 수죄 중 일부 죄만이 기소되었음에도 불구하고 기소되지 않은 부분까지 유죄로 인정하여 상상적 경합범으로 의율하였다면 위법이며 판결 결과에 영향을 미친 것이라고 할 수 있다(대판 1999.5.14, 99도202).
2. 법원의 심판대상은 공소사실과 공소장에 예비적·택일적으로 기재되거나 소송의 발전에 따라 추가 또는 변경된 사실에 한한다고 할 것이므로 공소사실과 동일성이 인정되는 사실일지라도 소송진행에 의하여 현실로 심판의 대상이 되지 아니한 이상 이를 심판하지 않았다 하여 잘못이라고 할 수 없다(대판 1983.11.8, 82도2119). 17. 경찰간부
3. 검사는 공소장의 공소사실과 적용법조 등을 명백히 함으로써 공소제기의 취지를 명확히 하여야 하는데, 검사가 어떠한 행위를 기소한 것인지는 기본적으로 공소장의 기재 자체를 기준으로 하되, 심리의 경과 및 검사의 주장내용 등도 고려하여 판단하여야 한다(대판 2017.6.15, 2017도3448).

• 불고불리의 원칙에 위배되지 아니한 경우

1. 제1심법원이 포괄일죄에 해당하는 업무상 배임죄의 범죄사실을 유죄로 인정함에 있어 공소장변경절차 없이 전체 범행기간 중 특정 월의 범행 목적물 제조량을 공소사실 기재보다 일부 초과하여 인정한 것이 불고불리의 원칙에 위배된 것이라 할 수 없다(대판 2006.10.12, 2004도4896).
2. 공소장의 적용법조의 오기나 누락으로 잘못 기재된 적용법조에 규정된 법정형보다 법원이 그 공소장의 적용법조의 오기나 누락을 바로잡아 직권으로 적용한 법조에 규정된 법정형이 더 무겁다는 이유만으로 그 법령적용이 불고불리의 원칙에 위배되어 위법하다고 할 수 없다(대판 2006.4.14, 2005도9743).
3. 피고인의 방어권 행사에 실질적인 불이익을 초래할 염려가 없는 경우에는 공소사실과 기본적 사실이 동일한 범위 내에서 법원이 공소장변경절차를 거치지 아니하고 공소사실과 다르게 사실을 인정하거나, 오기임이 분명한 것을 증거에 의하여 바로잡아 인정하는 것은 불고불리의 원칙에 위배되지 않는다(대판 2002.7.12, 2002도2134). 16. 순경 2차
4. 법원이 공소사실의 "입찰내정가"를 "입찰에 있어서 낙찰가능성이 있는 공사가액"의 의미로 판단한 것은 불고불리의 원칙에 위배되지 않다(대판 1995.9.29, 95도489).
5. 공소사실에서 피고인을 회사의 대표이사로 선임한 내용의 서류를 "이사회의사록"이라 표시하지 아니하고 착오로 "임시주주총회의사록"이라고 표시한 것을, 법원이 바로 잡아 피고인이 임시주주총회의사록이 아니라 이사회의사록을 위조한 것으로 범죄사실을 인정하였다고 하여 공소사실의 동일성

을 해하였다고 할 수 없으며, 피고인의 방어권 행사에 불이익을 주지 아니하였다면 불고불리의 원칙에 위배되었다고 할 수 없다(대판 1994.7.29, 93도1091).

6. 공소장의 내용을 보다 명확히 하기 위하여 사소한 오류를 바로잡기 위하여는 공소장변경의 절차를 거칠 필요없이 정정하여 범죄사실을 인정할 수 있다 할 것인바, "운영위원회"로 되어있는 것을 "간부회의"로, "지도이념으로 하되"를 "지도이념으로 논의하기로 하되"로 바꾸어 인정하였다고 하여 이를 가리켜 기소하지 아니한 사실을 심판한 것도 아니며 이는 판결결과에 아무런 영향도 없다(대판 1986.9.23, 86도1547).
7. 공소장에 국가보안법 제7조 제5항만 게기하고 준용할 형을 규정한 동법 제7조 제1항을 누락하고 있는 경우 원심이 위 누락된 법조를 적용한 것은 정당하며, 이와 같은 경우에 공소장변경의 절차를 필요로 하는 것도 아니고, 공소의 제기가 없는 사실에 대하여 판결을 한 것으로 볼 수도 없으므로 불고불리의 원칙에 반한다 할 수 없다(대판 1983.12.27, 83도2755).
8. 누범가중의 사유가 되는 피고인의 전과사실은 범죄사실에 해당하는 것이 아니라 양형사유에 불과한 것이므로, 공소장에 기재되어 있지 아니한 전과사실을 인정하고 피고인을 누범으로 처벌하였다 하여도 거기에 어떤 위법 사유가 있다고 할 수 없는 것이다(대판 1971.12.21, 71도2004).
9. 피고인의 자동차 운전수로서의 업무상 주의의무의 해태를 인정함에 있어서 검사가 지적하지 아니한 사항에 속하는 도로의 중앙선에 구애됨이 없이 아무런 장애물이 없는 11m 넓이의 도로중앙을 통과하지 아니한 점에도 두고 이를 피고인의 업무상 주의의무 해태의 근거의 하나로 판시하였다 하여서 불고불리의 원칙에 배치되는 위법이 있다고는 볼 수 없다(대판 1965.1.19, 64도719).

• 불고불리의 원칙에 위배된 경우

1. 몰수나 추징을 선고하려면 몰수나 추징의 요건이 공소가 제기된 공소사실과 관련되어야 한다. 공소사실이 인정되지 않는 경우에 이와 별개의 공소가 제기되지 아니한 범죄사실을 법원이 인정하여 그에 관하여 몰수나 추징을 선고하는 것은 불고불리의 원칙에 위배되어 불가능하다(대판 2008.11.13, 2006도4885). 21. 7급 국가직
2. 상상적 경합관계에 있는 두 죄 중 어느 한 죄로만 공소가 제기된 경우, 법원이 공소장변경절차를 거치지 아니하고 다른 죄로 바꾸어 인정하거나 다른 죄를 추가로 인정하는 것은 불고불리의 원칙에 위배된다(대판 2007.5.10, 2007도2372). 21. 7급 국가직
3. 공소장에는 피고인이 미공개정보 이용행위의 금지위반으로 인하여 얻은 이익액이 명시되어 있지 아니하고, 나아가 그 이익액을 산정할 수 있는 거래가액 등 기초적인 자료조차 공소장에 기재되어 있지 아니하며, 공소제기 후 공소장이 변경되지도 아니하였으므로, 검사가 피고인의 미공개정보 이용행위 등과 관련하여 형을 선고한 것은 불고불리의 원칙에 위반하여 위법하다(대판 2004.3.26, 2003도7112).

2 공소장변경

(1) 공소장변경의 의의

① **개념** : 공소장변경이라 함은 검사가 공소사실의 동일성을 해하지 아니하는 범위 내에서 법원의 허가를 얻어 공소장에 기재된 공소사실 또는 적용법조를 추가 · 변경 · 철회하는 것을 말한다(제298조 제1항). 09. 9급 법원직

☗ 공소장변경은 공소사실의 동일성이 인정되는 범위 내에서 별도의 공소제기 없이 공소사실 및 적용법조를 변경하는 제도라는 점에서 새로운 범죄사실에 대해 심판을 구하는 추가기소와 구별되며, 공소사실 전부를 철회하여 소송절차를 종결시키는 공소취소와도 구별된다. 또한 법원의 허가 없이 공소장의 명백한 오기나 누락을 보충하는 데 그치는 공소장 정정과도 다르다.

② **제도의 가치**

㉠ **피고인의 방어권보장** : 공소사실과 동일성이 인정되는 사실이라 할지라도 공소장변경절차에 의해 변경되지 않는 사실은 법원이 심판할 수가 없다. 만일 공소장에 기재된 공소사실 이외의 범죄사실로 법원이 심판한다면 피고인의 방어활동은 공염불이 되고 만다. 피고인은 공소장에 나타난 공소사실에 초점을 맞추어 방어활동을 전개하기 때문이다. 따라서 공소장변경제도는 피고인의 방어권을 보장하려는 데 그 제도적 가치가 있다.

㉡ **형벌권의 적정한 실현** : 공소장에 기재된 범죄사실에 대하여 실체판결이 확정되면 그와 동일성이 인정되는 사실전부에 일사부재리의 효력이 발생하여 그 이후로는 거듭 심판할 수가 없게 되는바, 공소장변경을 인정하지 않고 오로지 공소장에 기재된 범죄사실만을 심판할 수 있도록 한다면 현실적으로 형벌권이 지나치게 축소 실현되는 셈이 된다. 그러므로 공소장변경제도는 일사부재리의 효력에 의해 차단될 수 있는 형벌권 행사를 가능케 하는 것이라 할 수 있다.

(2) 공소장변경의 내용

공소장변경은 공소사실이나 적용법조를 추가·철회·변경하는 방식으로 이루어지게 되며, 주로 공소사실이 문제된다. 공소사실과 적용법조는 별도로 변경할 수도 있고 병행하여 변경할 수도 있으며, 죄명도 함께 추가·철회·변경하는 것이 일반적이다.

① **추가** : 추가란 공소장에 기재된 공소사실 이외에 새로운 공소사실과 그에 대한 적용법조를 부가하는 것을 말한다.

예 • 상습도박의 경우에 그 범죄사실과 포괄1죄의 관계에 있는 다른 도박사실을 추가하는 경우
• 사기의 공소사실에 배임의 공소사실을 예비적으로 추가하는 경우
• 배임의 공소사실에 횡령의 공소사실을 택일적으로 추가하는 경우

② **철회** : 철회란 종전의 공소사실이나 적용법조 중 일부를 심판대상에서 제외시키는 것을 말한다.

예 • 과형상 1죄 또는 포괄1죄의 일부를 철회
• 예비적·택일적으로 기재된 공소사실의 일부를 철회

☗ 경합범의 공소사실 중 일부를 철회하는 것은 공소사실의 철회가 아니라 공소취소이다.

③ **변경** : 변경이란 공소사실이나 적용법조의 내용을 고치는 것을 말한다.

예 • 살인의 공소사실을 업무상 과실치사의 공소사실로 변경
• 강도의 공소사실을 강도강간의 공소사실로 변경
• 절도의 공소사실을 예비적으로 장물취득의 공소사실로 변경

관련판례

1. 적용법조의 기재에 오기 · 누락이 있거나 또는 적용법조에 해당하는 구성요건이 충족되지 않을 때에는 공소사실의 동일성이 인정되는 범위 내로서 피고인의 방어에 실질적인 불이익을 주지 않는 한도에서 법원이 공소장변경의 절차를 거침이 없이 직권으로 공소장 기재와 다른 법조를 적용할 수 있지만, 공소장에 기재된 적용법조를 단순한 오기나 누락으로 볼 수 없고 구성요건이 충족됨에도 법원이 공소장변경의 절차를 거치지 아니하고 임의적으로 다른 법조를 적용하여 처단할 수는 없다(대판 2015.11.12, 2015도12372).
2. 피고인이 공무원이 취급하는 사건에 관하여 청탁 또는 알선을 할 의사와 능력이 없음에도 청탁 또는 알선을 한다고 기망하고 이에 속은 피해자로부터 이른바 청탁자금 명목으로 금품을 받았다면 이러한 피고인의 행위는 형법 제347조 제1항의 사기죄와 변호사법 제111조 위반죄에 각 해당하고 위 두 죄는 상상적 경합의 관계에 있는 것이지만, 그렇다고 하여 그 중 어느 한 죄로만 공소가 제기된 경우에 법원이 공소장변경절차를 거치지 아니하고 다른 죄로 바꾸어 인정하거나 다른 죄를 추가로 인정하는 것은 불고불리의 원칙에 위배된다고 할 것이다(대판 2007.5.10, 2007도2372). 21. 7급 국가직
3. 포괄일죄를 구성하는 일부 범죄사실이 먼저 단순일죄로 기소된 후 그 나머지 범죄사실이 포괄일죄로 추가기소되고 단순일죄의 범죄사실도 추가기소된 포괄일죄를 구성하는 행위의 일부임이 밝혀진 경우라면, 검사로서는 원칙적으로 먼저 기소한 사건의 범죄사실에 추가기소의 공소장에 기재한 범죄사실을 추가하여 전체를 상습범행으로 변경하고 그 죄명과 적용법조도 이에 맞추어 변경하는 공소장변경 신청을 하고, 추가기소한 사건에 대하여는 공소취소를 하는 것이 형사소송법의 규정에 충실한 온당한 처리이다. 그러나 추가기소의 공소장 제출은 포괄일죄를 구성하는 행위로서 먼저 기소된 공소장에 누락된 것을 추가 보충하고 죄명과 적용법조를 포괄일죄의 죄명과 적용법조로 변경하는 취지의 것으로서 그 추가기소에 의하여 공소장변경이 이루어진 것으로 보아 전후에 기소된 범죄사실 전부에 대하여 실체판단을 하여야 하고 추가기소에 대하여 공소기각판결을 할 필요가 없다(대판 1996.10.11, 96도1698). 20. 경찰간부
4. 상상적 경합관계에 있는 공소사실 중 일부가 먼저 기소된 후 그 나머지 공소사실이 추가기소되고 이들 공소사실이 상상적 경합관계에 있음이 밝혀진 경우라면, 그 추가기소에 의하여 공소장변경이 이루어진 것으로 보아 전후에 기소된 공소사실 전부에 대하여 실체판단을 하여야 하고 추가기소에 대하여 공소기각판결을 할 필요가 없다(대판 2012.6.28, 2012도2087).
5. 공소장에 기재된 수개의 공소사실이 경합범의 관계에 있는 경우에 그 일부 사실을 철회하는 경우에는, 공소사실 상호간에 동일성이 인정되지 않으므로 일부철회라는 공소장변경의 방식이 아니라 공소취소라는 방식을 취해야 한다(대판 1992.4.24, 91도1438). 23. 소방간부

(3) 공소장변경의 허용범위

공소장변경은 공소사실과 동일성이 인정되는 범위 내에서만 허용된다(제298조 제1항). 09 · 21. 9급 법원직, 14. 경찰간부

공소사실의 동일성은 '공소제기의 효력', '공소장변경의 한계', '기판력이 미치는 범위', '심판의 범위'를 결정하는 기준이 된다는 점에서 매우 중요한 의미를 지니고 있다.

① **공소사실의 동일성의 의의** : 공소사실의 동일성이란 공소사실의 단일성과 협의의 동일성을 포함하는 개념이다(다수설). 단일성이란 소송의 어느 한 시점에서 관찰할 때 사건이 1개인 것을 말하며(예 상상적 경합관계에 있는 범죄들은 단일한 범죄에 해당), 협의의 동일성이란 소송절차의 비교되는 두 시점에서 사건을 비교하였을 때 사건의 전후가 동일한 경우를 말한다.

사건이 단일하다고 하기 위해서는 피고인이 1인, 범죄사실이 1개임을 요한다.

② **동일성 판단기준** : 어떠한 기준에 의하여 동일성 여부를 판단할 것인가에 관하여 견해의 대립이 있다.

㉠ **다수설**(기본적 사실동일설) : 공소사실의 동일 여부는 그 사실의 기초가 되는 사회적인 사실관계가 기본적인 점에 있어서 동일한가 여부에 의하여 판단하여야 하며, 사실관계의 지엽적인 점이 동일하지 않더라도 기본적 사실관계(중요한 사실관계)만 동일하면 공소사실의 동일성이 인정된다고 한다.

예 폭행하였다는 기본적인 사실관계만 같다면 상해죄의 공소사실과 상해치사죄의 공소사실은 그 동일성이 인정된다.

㉡ **판례** : 대법원도 일관되게 공소사실의 동일성은 그 사실의 기초가 되는 사회적 사실관계가 기본적인 점에서 동일한 것인가에 따라서 판단해야 한다고 하여 기본적 사실동일설을 따르고 있다. 그러나 1994년 대법원판결은 범행의 일시와 범행객체가 유사한 장물취득과 강도상해에 대하여 "그 수단・방법・상대방 등 범죄사실의 내용이나 행위가 별개이고, 행위의 태양이나 피해법익도 다르고 죄질에도 현저한 차이가 있어 장물취득죄와 강도상해죄 사이에는 동일성이 있다고 보기 어렵다."고 판시함으로써, 공소사실의 동일성이 그 사실의 기초가 되는 사회적 사실관계가 기본적인 점에서 동일하면 그대로 유지되지만, 이러한 기본적인 사실관계의 동일성을 판단함에 있어서는 그 사실의 동일성이 갖는 기능을 염두에 두고 피고인의 행위와 그 사회적인 사실관계를 기본으로 하되 규범적 요소도 아울러 고려하여야 한다고 판시하여 사실적 요소와 규범적 요소도 함께 고려하는 입장을 취하고 있다. 13. 9급 교정・보호・철도경찰, 15・21. 9급 법원직・9급 검찰・마약수사

관련판례

1. 공소사실이나 범죄사실의 동일성은 형사소송법상의 개념이므로 이것이 형사소송절차에서 가지는 의의나 소송법적 기능을 고려하여야 할 것이고, 따라서 두 죄의 기본적 사실관계가 동일한가의 여부는 그 규범적 요소를 전적으로 배제한 채 순수하게 사회적・전법률적인 관점에서만 파악할 수는 없고, 그 자연적・사회적 사실관계나 피고인의 행위가 동일한 것인가 외에 그 규범적 요소도 기본적 사실관계 동일성의 실질적 내용의 일부를 이루는 것이라고 보는 것이 상당하다(대판 1994.3.22, 93도2080 전원합의체). 20. 순경 1차, 22. 9급 검찰・마약・교정・보호・철도경찰

▶ **구체적 사안** : 피고인은 1992. 11. 30. 서울형사지방법원에서 장물취득 등으로 징역 장기 1년, 단기 10월의 형을 선고받고 항소하였다가 항소를 취하하여 확정되었는데, 유죄로 확정된 장물취득죄의 범죄사실은, 피고인이 공동피고인 甲・乙과 공모하여 1992. 9. 24. 02 : 00경 서울 서초구 방배동에 있는 공중전화박스 옆에서 丙 등이 전날인 같은 달 23. 23 : 40경 서울 구로구 구로동 노상에서

피해자로부터 강취한 피해자 소유의 국민카드 1매를 장물인 정을 알면서도 교부받아 취득하였다는 것이고, 이 사건 강도상해죄의 공소사실은 피고인이 위 甲·乙·丙 등과 합동하여 1992. 9. 23. 23 : 40경 서울 구로구 구로동 번지불상 앞길에서 술에 취하여 졸고 있던 피해자에게 다가가 주먹과 발로 피해자의 얼굴 및 몸통 부위를 수회 때리고 차 피해자의 반항을 억압한 후 피해자의 상·하의 호주머니에서 피해자 소유의 신용카드 등을 강취하고, 그로 인하여 피해자에게 상해를 입혔다는 것이다. 사정이 위와 같다면, 유죄로 확정된 장물취득죄와 원심이 유죄로 인정한 이 사건 강도상해죄는 범행일시가 근접하고 위 장물취득죄의 장물이 이 사건 강도상해죄의 목적물 중 일부이기는 하나, 그 범행의 일시, 장소가 서로 다르고, 강도상해죄는 피해자를 폭행하여 상해를 입히고 재물을 강취하였다는 것인데 반하여 위 장물취득죄는 위와 같은 강도상해의 범행이 완료된 이후에 강도상해죄의 범인이 아닌 피고인이 다른 장소에서 그 장물을 교부받았음을 내용으로 하는 것으로서 그 수단, 방법, 상대방 등 범죄사실의 내용이나 행위가 별개이고, 행위의 태양이나 피해법익도 다르고 죄질에도 현저한 차이가 있어, 위 장물취득죄와 이 사건 강도상해죄 사이에는 동일성이 있다고 보기 어렵다. 그러므로 피고인이 받은 장물취득죄의 확정판결의 기판력이 이 사건 강도상해죄의 공소사실에 미치는지 여부는, 사실의 동일성이 갖는 법률적 기능을 염두에 두고, 피고인의 행위와 그 사회적인 사실관계를 기본으로 하되 그 규범적 요소도 고려에 넣어 판단하여야 할 것이고, 17. 9급 법원직 피고인에 대한 법적 안정성의 보호와 국가의 적정한 형벌권행사가 조화가 이루어질 수 있도록 하여야 할 것인 바, 장물취득죄의 범죄사실과 이 사건 강도상해죄의 공소사실은 그 기본적인 점에서 같다고 할 수 없고, 위 장물취득죄의 확정판결의 기판력은 이 사건 강도상해죄의 공소사실에는 미치지 않는다고 보는 것이 상당하다(대판 1994.3.22, 93도2080 전원합의체).

2. 포괄1죄에 있어서 공소장변경허가 여부를 결정함에 있어서는 포괄1죄를 구성하는 개개 공소사실별로 종전 것과의 동일성 여부를 따지기보다는, 변경된 공소사실이 전체적으로 포괄1죄의 범주 내에 있는지 여부, 즉 단일하고 계속된 범의하에 동종의 범행을 반복하여 행하고 그 피해법익도 동일한 경우에 해당한다고 볼 수 있는지 여부에 초점을 맞추어야 한다(대판 2006.4.27, 2006도514). 21. 순경 1차, 23. 7급 국가직, 22·25. 소방간부

3. 최초의 공소사실과 변경된 공소사실간에 그 일시만 달리하는 경우 성질상 두개의 공소사실이 양립할 수 있다고 볼 사정이 있는 경우에는 기본적 사실은 동일하다고 볼 수 없다 할 것이지만, 일방의 범죄가 성립되는 때에는 타방의 범죄의 성립은 인정할 수 없다고 볼 정도로 양자가 밀접한 관계에 있는 경우에는 양자의 기본적 사실관계는 동일한 것이다(대판 2007.5.10, 2007도1048).

동일성 인정 여부에 관한 판례 정리

동일성 인정	동일성 부정
1. 허위진술을 하도록 참고인을 협박하였다는 공소사실과 위와 같이 협박하여 겁을 먹은 참고인으로 하여금 허위로 진술케 함으로써 수사기관에 검거되어 신병이 확보된 채 조사를 받고 있던 자를 증거불충분으로 풀려나게 하여 도피케 하였다는 공소사실은 허위진술을 하도록 참고인을 강요·협박하였다는 기본적 사실관계가 동일하여 공소사실의 동일성이	1. '공무원인 甲이 여행업자 乙과 공모하여 탐방행사의 여행 경비를 부풀려 과다 청구하는 방법으로 학부모들을 기망하여 2017. 5. 1.부터 2018. 9. 23.까지 총 11회에 걸쳐 6,500만원을 편취하였다.'라는 공소사실로 기소하였다가, '공무원인 甲이 자신에게 탐방행사를 맡겨준 사례금 명목으로 2018. 8. 1.부터 2018. 12. 1.까지 총 5회에 걸쳐 乙로부터

있다고 할 것이다(대판 1987.2.10, 85도897). 16. 9급 검찰 · 마약수사

2. 흉기를 휴대하고 다방에 모여 강도예비를 하였다는 공소사실을 정당한 이유 없이 폭력범죄에 공용될 우려가 있는 흉기를 휴대하고 있었다는 폭력행위 등 처벌에 관한 법률 제7조 소정의 죄로 공소장변경을 하였다면, 그 변경 전의 공소사실과 변경 후의 공소사실은 그 기본적 사실이 동일하므로 공소장변경은 적법하다(대판 1987.1.20, 86도2396). 16. 9급 검찰 · 마약수사, 19. 경찰간부

3. 중개수수료 교부자를 甲에서 乙로 공소장을 변경하더라도 피고인이 공소사실 기재 일시 장소에서 위 계약을 중개한 후 법정 수수료 상한을 초과한 중개수수료를 교부받았다는 사실에는 변함이 없으므로, 공소사실의 동일성이 인정된다(대판 2010.6.24, 2009도9593). 15. 순경 3차, 17. 순경 2차, 19. 경찰간부

4. '피고인이 甲과 합동하여 1997. 2. 2. 00 : 00경 동두천시 생연동 400의 3 앞길에서 피해자 정원형 소유의 경기5 크1760호 그레이스 승합차를 절취하였다.'는 것이고, 예비적으로 추가한 공소사실은 '피고인이 1997. 2. 3. 01 : 40경(1997. 2. 2. 01 : 40경의 오기인 것으로 보인다) 동두천시 생연동 소재 신천교에서 같은 동 398 소재 금시당 앞길까지 甲이 절취하여 온 피해자 정원형 소유의 경기5 크1760호 그레이스 승합차가 장물인 정을 알면서 운전하여 가 장물을 운반하였다.'는 것이어서, 그 시기와 장소 및 행위의 태양을 다소 달리하기는 하나 시기와 장소는 매우 근접해 있고, 피해자와 피해품이 같아 그로 인하여 침해되는 법익이 다르다고 볼 수 없으므로 기본적인 사실관계가 동일하다고 할 것이다(대판 1999.5.14, 98도1438). 12. 교정특채

5. 경범죄처벌법 위반죄의 범죄사실은 '피고인이 1994. 7. 30. 21 : 00경 경북 봉화군 소재 담배집 마당에서 음주소란을 피웠다.'는 것이고, 한편 이 사건 폭력행위 등 처벌에 관한 법률 위반죄의 공소사실은 '피고인이 같은 일시경 같은 장소에서 피해자와 말다툼을 하다가 도끼 머리 부분으로 피해자의 뒷머리를 스치게 하여 피해자에게 약 2주간의 치료를 요하는 두부타박상 등을 가하였다.'는 것으로, 이 사건 공소

1,300만원의 뇌물을 수수하였다.'라는 공소사실을 예비적으로 추가한 경우, 당초의 공소사실(사기)과 예비적 공소사실(뇌물수수)은 기본적인 사실관계가 동일하다고 보기 어렵다(대판 2017.8.29, 2015도1968). 19. 7급 국가직

2. "피고인은 1997. 4. 3. 21 : 50경 서울 용산구 이태원동에 있는 햄버거가게 화장실에서 피해자를 칼로 찔러 乙과 공모하여 피해자를 살해하였다."라는 내용으로 기소되었는데, 선행사건에서 피고인에 대하여 유죄로 확정된 '증거인멸죄 등'의 범죄사실의 요지는 "피고인은 1997. 2. 초순부터 1997. 4. 3. 22 : 00경까지 정당한 이유 없이 범죄에 공용될 우려가 있는 위험한 물건인 휴대용 칼을 소지하였고, 1997. 4. 3. 23 : 00경 乙이 범행 후 햄버거가게 화장실에 버린 칼을 집어 들고 나와 용산 미8군영 내 하수구에 버려 타인의 형사사건에 관한 증거를 인멸하였다."라는 것이다. 살인죄와 선행사건에서 유죄로 확정된 증거인멸죄 등은 범행의 일시, 장소와 행위 태양이 서로 다르고, 보호법익이 서로 다르며 죄질에서도 현저한 차이가 있다. 따라서 이 사건 살인죄의 공소사실과 증거인멸죄 등의 범죄사실 사이에 기본적 사실관계의 동일성을 인정할 수 없다(대판 2017.1.25, 2016도15526). 17. 순경 1차

3. 검사가 당초 '피고인이 甲에게 필로폰 약 0.3g을 교부하였다.'고 하여 마약류관리에 관한 법률 위반(향정)으로 공소를 제기하였다가 '피고인이 甲에게 필로폰을 구해 주겠다고 속여 甲 등에게서 필로폰 대금 등을 편취하였다.'는 사기 범죄사실을 예비적으로 추가하는 공소장변경을 신청한 사안에서, 위 두 범죄사실은 기본적인 사실관계가 동일하다고 볼 수 없다(대판 2012.4.13, 2010도16659). 19. 경찰간부 · 7급 국가직, 20. 순경 1차, 22. 9급 검찰 · 마약 · 교정 · 보호 · 철도경찰

4. 피고인이 유사석유제품을 판매하였다는 석유 및 석유대체연료사업법('석유사업법')위반죄의 범죄사실로 유죄판결을 받아 확정되었는데, 위와 같은 유사석유제품을 제조하여 판매하고도 그에 관한 부가가치세 등을 신고 · 납부하지 않고 조세를 포탈하였다는 공소사실로 기소된 사안에서 석유

사실과 즉결심판의 범죄사실은 그 기본적 사실관계가 동일한 것이라고 하지 않을 수 없다(대판 1996.6.28, 95도1270). 11. 경찰승진

▶ **비교판례**

① 피고인이 경범죄처벌법상 '음주소란' 범칙행위로 범칙금 통고처분을 받아 이를 납부하였는데, 이와 근접한 일시·장소에서 위험한 물건인 과도(果刀)를 들고 피해자를 쫓아가며 "죽여 버린다."고 소리쳐 협박하였다는 내용의 폭력행위 등 처벌에 관한 법률 위반으로 기소된 사안의 경우, 범칙행위인 '음주소란'과 공소사실인 '흉기휴대협박행위'는 기본적 사실관계가 동일하다고 볼 수 없다(대판 2012.9.13, 2012도6612).

② 피고인에게 적용된 경범죄처벌법 '인근소란' 등의 범칙행위와 '흉기인 야채 손질용 칼 2자루를 휴대하여 피해자의 신체를 상해하였다.'는 폭력행위 등 처벌에 관한 법률 위반(집단·흉기 등 상해)의 공소사실은 범죄사실의 내용이나 그 행위의 수단 및 태양, 각 행위에 따른 피해법익이 다르고, 그 죄질에도 현저한 차이가 있으며, 위 범칙행위의 내용이나 수단 및 태양 등에 비추어 그 행위과정에서나 이로 인한 결과에 통상적으로 흉기휴대상해 행위까지 포함된다거나 이를 예상할 수 있다고는 볼 수 없어 기본적 사실관계가 동일한 것으로 평가할 수 없다(대판 2011.4.28, 2009도12249).

6. "피고인들은 합동하여 1985. 12. 24. 19 : 40경 시내버스정류장에서 피해자 왼쪽 손에 손가방을 들고 그곳에 정차한 86번 시내버스를 타려고 할 때, 피고인 B는 속칭 바람을 잡고, 피고인 A는 위 피해자가 들고 있던 손가방을 열고 그 속에 들어있던 위 피해자 소유의 현금과 자기앞수표를 절취한 것이다."라는 공소사실과, "피고인들은 1985. 12. 24. 19 : 00경 피해자 성명미상 여자(35세 가량) 앞을 가로막으며 피고인 B는 피해자의 뒷편에서, 피고인 A는 피해자의 옆에서 승차할 승객들을 미는 등 정류장의 질서를 어지럽히고 정당한 이유 없이 피해자의 길을 막는 등 다수인에게 불안감을 조성한 것이다."라는 경범죄처벌법 위반의 범죄사실은, 범죄사실의 기초가 사업법 위반죄의 범죄사실과 공소사실 사이에 기본적 사실관계의 동일성을 인정할 수 없다(대판 2017.12.5, 2013도7649). 19. 경찰간부

5. 검사가 피고인들의 토지거래허가구역 내 토지에 대한 미등기 전매 후 근저당권설정행위를 배임으로 기소하였다가, 원심에서 매매대금 편취에 대한 사기 공소사실을 예비적으로 추가하는 공소장변경신청을 한 사안의 경우, 위 각 범죄사실은 기본적 사실관계가 동일하다고 볼 수 없다(대판 2012.4.13, 2011도3469). 19. 7급 국가직

6. 인터넷 성형쇼핑몰 형태의 통신판매 사이트를 운영하는 피고인들이 '병원 시술상품을 판매하는 배너광고를 게시하면서 배너의 구매 개수와 시술후기를 허위로 게시하였다.'는 표시·광고의 공정화에 관한 법률 위반죄의 범죄사실과 '영리를 목적으로 병원 시술상품을 판매하는 배너광고를 게시하는 방법으로 병원에 환자들을 소개·유인·알선하고, 그 대가로 환자들이 지급한 진료비 중 일정 비율을 수수료로 의사들로부터 지급받았다.'는 의료법 위반 공소사실은 동일성이 없다(대판 2019.4.25, 2018도20928).

7. 무역회사 대표이사인 피고인이 수입신고서에 '청콩', '카오피콩'을 수입하는 것으로 신고하고 실제로는 '콩나물콩'을 수입한 사안의 경우, '청콩', '카오피콩'과 '콩나물콩'은 동종의 물품으로 관세액도 동일하지만, 수입 당시 '콩나물콩'은 '청콩'이나 '카오피콩'과 달리 사전세액심사 대상물품이었으므로 양자를 동일성이 인정되는 물품이라고 할 수 없다(대판 2011.11.10, 2009도12443).

8. 판결로 확정된 사기죄의 범죄사실은 피고인이 제3자를 기망하여 리스계약 당사자가 되게 함으로써 리스대금 상당의 재산상 이익을 취득하였다는 것임에 반하여, 이 사건 공소사실은 피고인이 리스회사를 위하여 이 사건 승차를 보관 중 횡령하였다는 것으로 양자가 리스계약을 매개로 한 것이라는 관련성은 있으나 범행일시, 상대방 등 범죄사실의 내용이나 행위가 별개이고, 행위의 태양이나 피해법익도 달라 양자 사이에 동일성이 있다고 보기 어렵다(대판 2011.5.26, 2010도17349).

되는 사회적 사실관계가 기본적인 점에서 동일한 것이다(대판 1987.2.10, 86도2454). 11. 경찰승진

7. 청객행위를 하는 피해자를 발로차고 넘어뜨리는 등 폭행행위를 하여 사망에 이르게 하였다는 폭행치사의 공소범죄사실과 동일한 일시 · 장소에서 청객행위를 이유로 폭력전과를 과시하여 피해자와 시비하며 붙들고 싸우다가 경찰지서에 연행되어 즉결심판을 받았다면, 위 두개의 범죄사실의 기초가 되는 사회적 사실관계는 그 기본적인 점에서 동일한 것이라고 보는 것이 상당하다(대판 1979.1.30, 78도3062). 11. 경찰승진

8. 피고인이 피해자를 살해하려고 목을 누르는 등 폭행을 가하였으나 미수에 그쳤다는 살인미수의 공소사실에 대하여 피해자를 강간하려고 위와 같은 폭행을 가하였으나 미수에 그치고 피해자에게 상해를 입혔다는 강간치상의 공소사실로 변경하는 경우 동일성을 해친다고 볼 수 없다(대판 1984.6.26, 84도666). 19. 경찰간부, 20. 순경 1차

9. "피고인은 2006. 10. 17.경부터 2008. 9. 30.경까지 요양병원'의 실제 운영자 A에게 월 3,000,000원을 대가로 받고 의사면허증을 대여하였다."는 범죄사실과 "의사가 아닌 자는 병원을 개설할 수 없음에도 피고인은 의사면허가 없는 A가 운영하는 병원을 피고인 명의로 개설하기로 공모하고, 피고인 명의로 요양병원을 개설하였다."는 범죄사실은 피고인이 의사면허증을 대여해 준 행위와 비의료인의 의료기관 개설행위에 가담한 행위는 모두 피고인이 단일한 범의 아래 저지른 일련의 행위로서 밀접한 관계에 있고 죄질 및 피해법익도 유사하므로, 양 사실은 그 기본적 사실관계가 동일한 것이라고 하지 않을 수 없다(대판 2012.9.13, 2010도11338). 19. 7급 국가직

10. 공공의 안녕질서에 직접적인 위협을 끼칠 것이 명백하다는 등의 이유로 금지통고된 집회를 주최하였다는 집회 및 시위에 관한 법률 위반 공소사실과 위 집회와 그 이후 계속된 폭력적인 시위에 참가하였다는 이른바 질서위협 집회 및 시위 참가로 인한 같은 법 위반죄 공소사실은 기본적 사실관계가 동일한 것으로 평가할 수 있다(대판 2017.8.23, 2015도11679).

9. 피고인이 의약품이 아닌 '신기한 비누'를 의학적 효능 · 효과가 있는 것으로 오인될 우려가 있는 광고를 하였다는 약사법 위반죄의 범죄사실과 의약품을 제조하려는 자는 식품의약품안전청장의 허가를 받아야 함에도 위 피고인이 '허가를 받지 아니한 채 의약품인 신기한 비누를 제조, 판매하였다.'는 '보건범죄단속에 관한 특별조치법 위반(부정의약품제조 등)'의 공소사실은 행위의 태양과 보호법익 및 죄질이 전혀 다르고, 범행일시 및 장소도 극히 일부만 중복될 뿐이므로, 양자 사이에 동일성이 있다고 보기는 어렵다(대판 2010.10.14, 2009도4785).

10. 과실로 교통사고를 발생시켰다는 각 '교통사고처리 특례법 위반죄'와 고의로 교통사고를 낸 뒤 보험금을 청구하여 수령하거나 미수에 그쳤다는 '사기 및 사기미수죄'는 그 기본적 사실관계가 동일하다고 볼 수 없다(대판 2010.2.25, 2009도14263). 16. 9급 검찰 · 마약수사, 22. 9급 검찰 · 마약 · 교정 · 보호 · 철도경찰

11. 약식명령이 확정된 무등록 석유판매행위로 인한 석유 및 석유대체연료 사업법 위반죄의 범죄사실과 밀수입품 알선행위로 인한 관세법 위반죄의 공소사실 사이에는 그 행위의 태양이나 피해법익, 죄질에 현저한 차이가 있어, 약식명령이 확정된 범죄사실과 위 공소사실 사이에는 동일성이 인정되지 않는다(대판 2009.3.12, 2008도7689).

12. 비자금의 사용으로 인한 업무상 횡령의 점과 비자금의 조성으로 인한 업무상 배임의 점은 기본적 사실관계가 동일하다고 보기 어렵다(대판 2009.2.26, 2007도4784).

13. 약식명령이 확정된 의료법 위반죄의 '무자격자 안마행위'와 성매매알선 등 행위의 처벌에 관한 법률 위반죄의 '유사성교행위'라는 공소사실 상호간에 그 기초가 되는 사회적 사실관계가 동일한 것이라고 평가할 수 없다(대판 2009.1.30, 2008도9207).

14. 상해의 공소사실에 폭력행위 등 처벌에 관한 법률 위반(집단 · 흉기 등 협박) 등의 공소사실을 추가하여 공소장변경신청을 한 사안에서, 범행 장소와 피해자가 동일하고 시간적으로 밀접되어 있으나

11. "피고인이 2013. 5. 12.경 부천시 원미구 소재 새마을금고 앞에서 동네 후배인 이○○로부터 그 명의의 새마을금고 통장과 현금카드를 양수하였다."의 확정판결 사실과(전자금융거래법 위반), "피고인과 성명불상자가 공동하여 통장을 만들어주지 아니하면 위해를 가할 것처럼 행동하며 위협적인 말투로 통장을 만들어 달라고 겁을 주어 2013. 5. 12.경 부천시 원미구 소재 새마을금고에서 피해자 이○○로 하여금 자신들이 원하는 비밀번호를 설정하고 피해자 명의의 새마을금고 통장을 개설하게 하여 위 통장 및 접근매체를 갈취하였다."인 사실은 그 범행일시, 장소, 상대방 및 범행대상인 접근매체가 동일하고, 피고인이 피해자에게 겁을 주어 접근매체를 갈취한 행위는 접근매체 양수를 위한 단일한 범의 아래 진행된 일련의 행위로서 위 양수의 원인이 되어서 위 양수행위와 불가분의 밀접한 관계에 있다고 할 것이므로, 그 기본적 사실관계가 동일한 것이라고 하지 않을 수 없다(대판 2015.9.10, 2015도7081).
12. "피고인(甲)이 2008. 7. 25. 자신의 주거지에서 주식회사 엘지파워콤에 전화를 걸어 행사할 목적으로 권한 없이 마치 자신이 乙인 것처럼 행세하면서 乙의 주민등록번호 등을 불러주는 방법으로 그 담당자로 하여금 乙 명의의 엘지파워콤 서비스 신청서 1부를 작성하게 함으로써 乙 명의의 서비스 신청서 1부를 위조하고, 이를 비치하게 하여 행사하였다."는 사실과 "피고인이 2008. 7. 25. 자신의 주거지에서 엘지파워콤의 초고속인터넷을 설치하면서 행사할 목적으로 권한 없이 마치 자신이 乙인 것처럼 행세하면서 인터넷을 설치한 자가 제시하는 휴대정보단말기(PDA)에 乙 명의로 서명함으로써 피고인은 행사할 목적으로 사서명인 乙의 서명을 위조하고 이를 비치하게 하여 행사하였다."는 사실은 그 기초가 되는 사회적 사실관계가 범행의 일시와 장소, 상대방, 행위 태양, 수단과 방법 등 기본적인 점에서 동일할 뿐만 아니라, 규범적으로 보아 공소사실의 동일성이 있다(대판 2013.2.28, 2011도14986).
13. 피고인에 대하여 '공인중개사 자격이 없고 중개사무소 개설등록을 하지 않았는데도 甲, 乙과 공모하여 부동산 매매계약을 중개한 대가로 丙에게서 수단·방법 등 범죄사실의 내용이나 행위태양이 다를 뿐만 아니라 죄질에도 현저한 차이가 있어 기본적인 사실관계가 동일하지 않으므로 공소사실의 동일성을 인정할 수 없다(대판 2008.12.11, 2008도3656).
15. 유사수신행위의 규제에 관한 법률 제3조에서 금지하고 있는 유사수신행위 그 자체에는 기망행위가 포함되어 있지 않고, 이러한 위 법률 위반죄와 특정경제범죄 가중처벌 등에 관한 법률 위반(사기)죄는 각 그 구성요건을 달리하는 별개의 범죄로서, 서로 행위의 태양이나 보호법익을 달리하고 있어 양 죄는 상상적 경합관계가 아니라 실체적 경합관계로 봄이 상당할 뿐만 아니라, 그 기본적 사실관계에 있어서도 동일하다고 볼 수 없다(대판 2008.2.29, 2007도10414).
16. 약식명령이 확정된 소방법 위반의 범죄사실과 업무상 과실치상·업무상 실화의 공소사실 모두 인화물질을 매개로 동일 장소·일시에서 근접하여 이루어졌다는 점에서는 일부 중복되는 면이 있으나, 각 위반행위의 내용과 태양 및 책임의 근거, 직접적인 보호법익 등이 다를 뿐만 아니라 그 죄질에도 현저한 차이가 있는 이상 이들 행위 상호간에는 그 기초가 되는 사회적 사실관계가 동일한 것이라고 평가할 수 없다(대판 2005.1.13, 2004도6390).
17. 검사는 당초 '피고인이 2000. 2. 27. 04 : 00경 인천 부평구 일신동 110에 있는 대림상회 내에서 청소년에게 청소년 유해약물인 디스 담배를 1갑 판매하였다.'는 범죄사실로 공소를 제기하여 약식명령을 청구하였다가, 2001.5. 15. 제1심의 제5회 공판기일에 재정한 피고인의 동의하에 구술에 의하여, '피고인이 2000. 2. 26. 20 : 00경 위 대림상회 내에서 청소년에게 청소년 유해약물인 디스 담배 1갑을 판매하였다.'는 것으로 범죄사실을 변경하는 경우에 공소가 제기된 당초의 범죄사실과 검사가 공소장변경신청을 한 범죄사실은 범행 일시와 상대방은 물론 그 수단·방법 등 범죄사실의 내용이나 행위태양이 다르고 경합범관계에 있으므로 그 기본적인 사실관계가 동일하다고 할 수 없다(대판 2002.3.29, 2002도587).

甲, 乙 및 피고인의 수고비 합계 2천만원을 교부받아 중개행위를 하였다.'는 공인중개사의 업무 및 부동산 거래신고에 관한 법률 위반 공소사실로 벌금의 약식명령이 확정되었는데, 그 후 피고인이 '피해자 丙에게서 甲, 乙에 대한 소개비 조로 2천만원을 교부받아 丙을 위하여 보관하던 중 임의로 사용하여 횡령하였다.'는 공소사실로 기소된 사안의 경우, 확정된 약식명령의 공소사실과 양립할 수 없는 관계에 있고, 양자의 행위 객체인 금품이 丙이 교부한 2천만원으로 동일한 점에 비추어 양자는 행위 태양이나 피해법익 등을 서로 달리하지만 규범적으로는 공소사실의 동일성이 인정된다(대판 2012.5.24, 2010도3950).

14. 피해자를 주식회사 ○○○에서 △△ 디자인(△△ Design Pty Ltd)으로 변경한다 하더라도 피고인이 공소사실 기재 일시 장소에서 저작권 침해행위를 하였다는 사실과 침해행위의 태양 및 침해된 저작권이 어떠한 저작물에 대한 것인지에 변함이 없는 이상, 위 공소장변경 전후의 공소사실은 상호 동일성을 인정할 수 있어 그 공소장변경은 적법하다고 할 것이다(대판 2008.2.28, 2007도8705). 09. 9급 국가직
15. 음주상태로 자동차를 운전하다가 제1차 사고를 내고 그대로 진행하여 20분 후 제2차 사고를 낸 후 음주측정을 받아 도로교통법 위반(음주운전)죄로 약식명령을 받아 확정되었는데, 그 후 제1차 사고 당시의 음주운전으로 기소된 사안의 경우, 위 공소사실이 약식명령이 확정된 도로교통법 위반(음주운전)죄와 포괄일죄 관계에 있다(대판 2007.7.26, 2007도4404).
16. 공소장변경을 신청한 공소사실은, 범행의 일시와 장소 및 피해내용 등은 모두 위와 같고, 다만 기망행위의 방법으로, "사실은 피고인이 약 5억원 정도의 채무가 있고 피고인 소유의 부동산에 이미 담보가 설정되어 있어 위 약속어음을 할인하더라도 지급기일에 이를 결제할 의사나 능력이 없음에도 마치 지급기일에 틀림없이 결제할 것처럼 가장하였다."는 것을 추가하였을 뿐이므로, 결국 이는 원래의 공소사실과 동일성의 범위를 벗어난 것으로 볼 수 없다(대판 1999.4.13, 99도375).
18. 피고인이 공소외인으로부터 피해자를 위한 합의금을 교부받아 보관 중 이를 횡령하였다는 원래의 공소사실과 피고인이 피해자를 기망하여 위임장 사본을 편취하였다는 예비적으로 추가한 공소사실 사이에 동일성이 있다고 보기 어렵다(대판 2001.3.27, 2001도116).
19. 사전분양으로 인한 주택건설촉진법 위반죄의 공소사실과 아파트를 분양할 의사와 능력 없이 분양계약자들로부터 분양대금을 상습적으로 편취하였다는 내용의 특정경제범죄 가중처벌 등에 관한 법률위반(사기)죄의 공소사실 사이에 행위의 태양이나 피해법익 등에 있어 다를 뿐 아니라 죄질에도 현저한 차이가 있어 동일성이 있다고 보기 어렵다(대판 1998.8.21, 97도2487).
20. 2개월 내에 작위의무를 이행하라는 행정청의 지시를 이행하지 아니한 행위와 7개월 후 다시 같은 내용의 지시를 받고 이를 이행하지 아니한 행위는 성립의 근거와 일시 및 이행기간이 뚜렷이 구별되어 서로 양립이 가능한 전혀 별개의 범죄로서 동일성이 없다(대판 1994.4.26, 93도1731).
21. 공소장변경 전후의 각 문서의 명칭, 작성일시, 작성목적, 작성방법 및 형상과 내용 등이 전혀 달라서 허위공문서작성죄의 공소사실의 동일성이 인정되지 아니한다(대판 1993.9.10, 93도1203).
22. 축산업협동조합 상무대리인 피고인이 위 조합 소유의 사료를 판매하여 이를 횡령하였다는 공소사실과 위 피고인이 위 조합 이사회의 의결 없이 축산업협동조합법 제144조 제4호를 위반하였다는 공소사실은 동일성을 인정할 수 없다(대판 1989.1.24, 87도1978).
23. 공소사실은 피고인이 그의 상사에게 의사국가고시에 부정한 방법으로 합격케 하여 달라는 청탁으로 제3자에게 전달하여 달라고 금 250,000원을 교부하였다는 것으로 이는 피고인이 의사고시응시준비를 위하여 장기결근을 하였는데 그의 상사가 이를 출근한 것으로 처리하여 봉급까지 타게 해주어 고맙다는 뜻에서 그에게 금 200,000원을 제공하였다는 것과는 그 기본적 사실을 달리하는 것이므로 이를 심판의 대상으로 삼을 수는 없다(대판 1985.6.25, 85도546).

17. 감금죄의 공소사실과 그 감금 상태에서 피해자 명의의 인감증명서를 이용하여 회사의 대표이사 명의나 회사 부지의 소유자 명의를 변경하여 경영권을 빼앗았다는 내용의 폭력행위 등 처벌에 관한 법률위반죄의 공소사실 사이에 동일성이 있다(대판 1998.8.21, 98도749).
18. 당초 공소사실은 향정신성의약품 제조에 사용하고 남은 원료물질을 향정신성의약품 제조목적으로 은닉 · 보관하여 이를 소지하였다는 것인데, 그 소지 일자가 당초 일자보다 뒤로, 그 제조목적이 단순히 매매목적으로 공소사실이 변경신청된 사건에서, 원래 범죄의 일시는 공소사실의 특정을 위한 요인이지 범죄사실의 기본적 요소가 아닐 뿐더러 피고인이 동일한 원료물질을 같은 장소에 당초 공소사실에 적시된 일자로부터 압수될 때까지 계속하여 은닉 · 보관해 왔다면, 그 두 공소사실은 기본적 사실관계에서 동일하다(대판 1994.9.23, 93도680).
19. 피고인 甲이 1984. 10. 초순 일자 불상 피고인 乙로부터 금 150만원을 교부받아 뇌물을 수수한 것이라는 당초의 공소사실과 같은 해 9월 말 일자불상경 같은 사람으로부터 위 금액을 교부받아 뇌물을 수수한 것이라는 변경된 공소사실은 동일한 범죄사실로 인정된다(대판 1990.5.8, 89도1450).
20. 검사가 공소제기된 사기죄의 공소사실인 "피고인은 위조한 10만원권 수표 1매를 진정하게 성립된 것인양 그 정을 모르는 여관주인에게 밀린 숙박비 일부로 교부하여 동 액수를 공받음으로써 동액 상당의 재산상 이득을 편취한 것이다."를 "피고인은 위조한 10만원권 수표 1매를 그 정을 모르는 여관주인에게 밀린 숙박비 지불조로 교부하여 그로 하여금 그의 거래은행을 통하여 동 수표의 지급위탁은행에 진정하게 성립된 것인 양 제시케하여 이에 속은 동 은행 담당자로부터 수표 액면금 100,000원을 교부받으려고 하였으나 위조사실이 발각되어 그 목적을 달하지 못하고 미수에 그친 것이다."의 사기미수로 공소장변경허가신청을 한 경우, 공소제기된 사기사실과 공소장변경허가신청된 사기미수 사실은 피고인이 위조한 수표를 그 정을 모르는
24. 피고인이 1982. 8. 3. 18 : 00경 회집에서 피해자(甲)에게 폭행을 하여 상처를 입혔다는 것(주위적 공소사실)과 피고인의 위 폭행이 폭행습벽의 발로라는 것(예비적 공소사실)에 대하여 피고인이 제1심 판결선고 후인 1983. 5. 27. 피고인의 매형에게 한 폭행, 협박사실을 추가하는 공소장변경신청은 공소사실의 동일성이 인정될 수 없는 경우이다(대판 1984.3.13, 84도219).
25. 범죄단체 등에 소속된 조직원이 저지른 폭력행위 등 처벌에 관한 법률위반죄 등의 개별적 범행과 폭력행위처벌법 위반(단체 등의 활동)죄는 범행의 목적이나 행위 등 측면에서 일부 중첩되는 부분이 있더라도, 일반적으로 구성요건을 달리하는 별개의 범죄로서 범행의 상대방, 범행 수단 내지 방법, 결과 등이 다를 뿐만 아니라 그 보호법익이 일치한다고 볼 수 없다. 상상적 경합이 아닌 실체적 경합관계에 있으므로 공소사실의 기본적인 사실관계가 동일하다고 볼 수 없다(대판 2022.9.7, 2022도6993).

자를 속여, 밀린 숙박비조로 변제하여 재산상 이득을 얻고자 한 기본적인 사실관계에 있어서 동일하다(대판 1990.2.13, 89도1457).

21. 공소장변경 전의 횡령공소사실과 변경 후의 사기공소사실이 그 기초되는 사회적 사실관계가 기본적인 점(피해자에게 다방을 경영하게 해주겠다는 명목으로 금원수령)에서 동일하다(대판 1983.11.8, 83도2500).
22. 일방의 범죄가 성립되는 때에는 타방의 범죄의 성립은 인정할 수 없다고 볼 정도로 양자가 밀접한 관계가 있는 경우에는 그간의 시간적 간격이 긴 경우라도 양자의 기본적 사실관계는 동일한 것이라고 할 것인바, 최초의 공소사실이 피고인은 1981. 1. 14. 19 : 00경 甲의 집에서 피해자 乙의 얼굴을 1회 때려 폭행했다는 것인데 그 일시만을 "1979. 12. 중순경"으로 변경된 경우에 있어서 피고인 및 피해자의 진술과 증언에 의하여 공소사실과 같은 시비나 폭행을 1981. 1. 중순경이 아니고 1979. 12. 중순경에 있었던 일을 경찰에서 잘못 진술했다는 취지로 인정되고, 양 공소사실의 내용에 의하더라도 그 폭행한 장소, 수단, 방법, 부위, 회수나 피해자가 같아서 양 사실을 별개의 다른 사실이 아니고 1개의 동일한 사실이라고 보지 않을 수 없다면 양 공소사실은 동일성의 범위 안에 있다고 할 것이다(대판 1982.12.28, 82도2156).
23. 방위소집의 해제를 받을 목적으로 호적등본의 해당란을 사실과 다르게 기입한 등본을 방위해제원서에 첨부 제출하였다는 범죄사실에 대하여 공문서위조 및 동 행사로 기소한 공소장을 위계에 의한 공무집행방해죄로 죄명과 적용법조의 변경을 허가한 조치는 그 기본적 사실관계가 동일하여 공소사실의 동일성이 있다(대판 1978.11.1, 78도1540).
24. 처음에 어느 물건을 장물인 줄 알면서 남에게 양여하였다하여 장물양여죄로 공소를 제기하였다가 나중에 그 물건을 절취한 사실을 이유로 야간주거침입절도나 절도로서 공소장에 기재한 공소사실을 변경하는 것은 그 공소사실에 있어서 동일성을 해하는 것이라고는 볼 수 없다(대판 1964.12.29, 64도664).

25. 피고인이 저녁 시간에 무면허인 상태로 차량을 운전하여 인근 식당까지 이동하고(제1 무면허운전 혐의), 약 3시간이 경과 후 식당 인근에서 시동이 켜진 위 차량에서 술에 취해 잠이 든 상태로 발견되어 경찰에 의해 음주측정을 받은 다음(제2 무면허운전 및 음주운전 혐의), 검사가 피고인에 대하여 제2 무면허운전 및 음주운전을 하였다는 혐의로 기소하였다. 제2 무면허운전과 제1 무면허운전은 시간 및 장소에 있어 일부 차이가 있으나, 같은 날 동일 차량을 무면허로 운전하려는 단일하고 계속된 범의 아래 동종 범행을 같은 방법으로 반복한 것으로 포괄하여 일죄에 해당하고 그 기초가 되는 사회적 사실관계도 기본적인 점에서 동일하다(대판 2022.10.27, 2022도8806).
26. '피고인이 건축물에 해당하는 컨테이너를 허가 없이 건축하였다.'는 기존 공소사실을 '피고인이 가설건축물에 해당하는 컨테이너를 신고 없이 축조하였다.'는 공소사실로 변경하는 내용의 검사의 공소장변경허가신청을 허가하여 공소장변경이 이루어진 사안에서, 관련 행정소송에서는 처분사유의 추가·변경이 허용되지 않는다는 대법원 판결이 선고·확정되었다고 하더라도 기존 공소사실과 변경된 공소사실은 형사소송의 공소장변경에서 요구하는 기본적 사실관계의 동일성이 인정되므로 공소장변경이 적법하다(대판 2022.12.29, 2022도9845).
27. A회사의 대표이사인 피고인이 B회사 측으로부터 A회사와 B회사 등 사이에 체결된 토지 매매계약의 매매대금을 지급받아 이를 횡령하였다는 특정경제범죄 가중처벌 등에 관한 법률 위반(횡령)과 피고인이 B회사 측으로부터 A회사 소유 토지를 양도해 달라는 부정한 청탁을 받고 개인적인 대가 명목으로 위 금원을 교부받았다는 배임수재 공소사실은 동일성이 인정된다(대판 2024.12.12, 2020도3273).

PART 04

⑷ 공소장변경의 필요성

법원이 공소장에 기재된 사실과 다른 사실을 인정하기 위해서는(공소사실의 동일성을 전제) 항상 공소장변경이 선행되어야 하는 것은 아니다. 따라서 어떤 범위까지 법원은 공소장변경 없이 공소장에 기재된 사실과 다른 사실을 인정할 수 있고, 어떤 경우에 공소장변경을 요하는가 하는 것이 필요성에 관한 문제인바, 견해의 대립이 있다.

① 판단기준

㉠ 공소장에 기재되어 있는 사실과 다른 사실을 인정할 때에는 공소장변경을 필요로 하며, 다만 모든 사실의 차이에 공소장변경을 요구하는 것은 소송경제에 지나치게 반하므로 피고인의 방어권 행사에 실질적으로 불이익을 줄 염려가 없는 경우에는 공소장변경 없이 다른 사실을 인정할 수 있다고 하는 견해(사실기재설)가 통설・판례의 입장이다.

관련판례

1. 피고인의 방어권행사에 실질적인 불이익을 초래할 염려가 없는 경우에는 공소사실과 기본적 사실이 동일한 범위 내에서 법원이 공소장변경절차를 거치지 아니하고 다르게 인정하였다 할지라도 불고불리의 원칙에 위반되지 않는다(대판 1994.12.9, 94도1888). 12・13. 9급 검찰・마약수사, 14. 9급 교정・보호・철도경찰, 16. 순경 2차, 15・17. 9급 법원직, 17. 경찰승진・7급 국가직, 16・21. 순경 1차
2. 공소사실과 동일성이 인정되는 사실이라 할지라도 위와 같은 공소장이나 공소장변경신청서에 공소사실로 기재되어 현실로 심판의 대상이 되지 아니한 사실은 피고인의 방어에 실질적 불이익을 초래할 염려가 있으면 법원이 임의로 공소사실과 다르게 인정할 수 없는 것이며, 이와 같은 사실을 인정하려면 공소장변경을 요한다(대판 1991.5.28, 90도1977). 17. 경찰간부
3. 적용법조의 기재에 오기・누락이 있거나 또는 적용법조에 해당하는 구성요건이 충족되지 않을 때에는 공소사실의 동일성이 인정되는 범위 내로서 피고인의 방어에 실질적인 불이익을 주지 않는 한도에서 법원이 공소장변경의 절차를 거침이 없이 직권으로 공소장 기재와 다른 법조를 적용할 수 있지만, 17. 7급 국가직 공소장에 기재된 적용법조를 단순한 오기나 누락으로 볼 수 없고 구성요건이 충족됨에도 법원이 공소장변경의 절차를 거치지 아니하고 임의적으로 다른 법조를 적용하여 처단할 수는 없다(대판 2015.11.12, 2015도12372). 16. 9급 법원직
4. 피고인의 방어권 행사에 있어서 실질적인 불이익 여부는 그 공소사실의 기본적 동일성이라는 요소 외에도 법정형의 경중 및 그러한 경중의 차이에 따라 피고인이 자신의 방어에 들일 노력・시간・비용에 관한 판단을 달리할 가능성이 뚜렷한지 여부 등의 여러 요소를 종합하여 판단하여야 한다(대판 2007.12.27, 2007도4749).
5. 법원은 공소사실의 동일성이 인정되는 범위 내에서 공소가 제기된 범죄사실에 포함된 보다 가벼운 범죄사실이 인정되는 경우에 심리의 경과에 비추어 피고인의 방어권 행사에 실질적 불이익을 초래할 염려가 없다고 인정되는 때에는 공소장이 변경되지 않았더라도 직권으로 공소장에 기재된 공소사실과 다른 공소사실을 인정할 수 있고, 24. 9급 검찰・마약수사 이러한 이치는 공소제기된 범죄는 친고죄나 반의사불벌죄가 아닌 반면 법원이 직권으로 인정하는 범죄는 친고죄나 반의사불벌죄라 하여 달라질 것은 아니다(대판 2006.5.25, 2004도3934).

• 실질적인 불이익의 존재 유무

1. 공소장에 적용법조를 도로교통법 제148조의 2 제2항 제2호(혈중알콜농도 0.1% 이상 0.2% 미만 상태에서 운전)로 기재하여 공소제기한 경우, 법원이 공소장변경 없이 그보다 형이 무거운 도로교통법 제148조의 2 제1항 제1호(2회 이상 음주운전 전과가 있는 상태에서 다시 음주운전)를 인정하는 것은 불고불리원칙에 위반하여 피고인의 방어권 행사에 실질적 불이익을 초래한다(대판 2019.6.13, 2019도4608).
2. '미성년자약취 후 재물취득 미수'에 의한 특정범죄 가중처벌 등에 관한 법률 위반죄로 공소제기하였는데, 법원이 공소장변경 없이 '미성년자 약취 후 재물요구 기수'에 의한 같은 법 위반죄로 인정하여 미수감경을 배제하는 것은 피고인의 방어권 행사에 실질적인 불이익을 초래할 염려가 있다(대판 2008.7.10, 2008도3747). 12. 변호사시험
3. 정당법상 당원이 될 수 없는 피고인들이 특정 정당에 당원으로 가입하여 당비 명목으로 정치자금을 기부하였다고 하여 정치자금법 위반으로 기소된 사안에서, 금원 이체의 일시, 액수는 물론 수단 및 방법도 모두 동일하고 단지 그 명목을 '당비'에서 '후원금'으로 달리 평가한 것에 불과하므로 공소장변경 없이 위 이체금원의 명목을 '당비'에서 '후원금'으로 변경하여 인정하였다고 하더라도 피고인들의 방어권 행사에 실질적인 불이익이 초래되었다고 할 수 없다(대판 2014.5.16, 2012도12867).
4. 정신장애로 인하여 항거불능 상태에 있는 피해자를 간음 또는 추행하는 행위와 심신미약자에 대하여 위력으로 간음 또는 추행하는 행위는 그 행위의 객체, 상대방의 상태, 행위의 내용과 방법 등에서 서로 달라서 그에 대응하는 피고인들의 소송상 방어의 내용이나 수단 등 역시 달라질 수밖에 없다. 따라서 공소장변경 없이 후자의 사실을 인정함은 피고인의 방어권 행사에 실질적인 불이익이 초래되었다고 보아야 할 것이다(대판 2014.3.27, 2013도13567).

   ▶ **비교판례** : 피고인이 성폭력범죄의 처벌 등에 관한 특례법 위반(장애인강간) 및 성폭력범죄의 처벌 등에 관한 특례법 위반(장애인강제추행)으로 기소된 사안의 경우, 공소장변경절차 없이 각각 성폭력범죄의 처벌 등에 관한 특례법 위반(장애인위계 등 간음)죄와 성폭력범죄의 처벌 등에 관한 특례법 위반(장애인위계 등 추행)죄로 인정한 조치는 피고인의 방어권 행사에 실질적인 불이익을 초래할 염려도 없으므로 정당하다(대판 2014.10.15, 2014도9315).
5. 정당의 공직후보자 추천과 관련하여 '금품을 수수하였다.'는 공소사실에 대하여, 법원이 공소장변경절차를 거치지 않고 직권으로 '금원을 대여함으로써 금융이익 상당의 재산상 이익을 수수하였다.'는 범죄사실을 유죄로 인정한 것은, 피고인의 방어권 행사에 실질적인 불이익을 초래한 것으로 위법하다(대판 2009.6.11, 2008도11042).

   ▶ **비교판례** : 피고인이 '1억 8,000만원의 뇌물을 수수하였다.'는 공소사실에 대하여 공소장변경 없이 피고인이 '차용금 1억 8,000만원에 대한 금융이익 상당의 뇌물을 수수하였다.'는 범죄사실을 유죄로 인정한 판단은 정당하다(대판 2014.5.16, 2014도1547). – 피고인이 1억 8,000만원을 무이자, 무담보로 차용하여 위 돈에 대한 금융이익 상당의 이익을 얻은 것은 맞다고 시인한 사건임.
6. 성폭력범죄의 처벌 및 피해자보호 등에 관한 법률 제5조 제1항의 주거침입에 의한 강간미수죄와 주거침입에 의한 강제추행죄의 법정형은 동일하지만, 전자의 경우 형법 제25조 제2항에 의한 미수감경을 할 수 있어, 법원의 감경 여부에 따라 처단형의 하한에 차이가 발생할 수 있다. 따라서 주거침입강간미수의 공소사실을 공소장변경 없이 주거침입강제추행죄로 인정하여 미수감경의 가능성을 배제하는 것은 피고인의 방어권행사에 실질적인 불이익을 초래할 염려가 있다(대판 2008.9.11, 2008도2409).

7. 법원이 인정하는 범죄사실이 공소사실과 차이가 없이 동일한 경우에는 비록 검사가 재판시법인 개정 후 신법의 적용을 구하였더라도 그 범행에 대한 형의 경중의 차이가 없으면 피고인의 방어권 행사에 실질적으로 불이익을 초래할 우려도 없어 공소장변경절차를 거치지 않고도 정당하게 적용되어야 할 행위시법인 구법을 적용할 수 있다(대판 2002.4.12, 2000도3350).
8. 피고인과 공범자의 공동 범행 중 일부 행위에 관하여 피고인이 한 것이라고 기소된 것을 둘 중 누군가가 한 것이라고 인정하는 경우, 이 때문에 피고인에게 불의의 타격을 주어 그 방어권의 행사에 실질적인 불이익을 줄 우려가 없다(대판 2000.5.12, 2000도745).
9. 오기된 범죄의 시일을 사실대로 바로 잡는 것은 공소사실의 동일성을 해하지 아니하고 또 피고인의 방어권행사에 실질적인 불이익을 줄 염려가 없는 경우에 해당한다(대판 1989.5.9, 87도1801).

ⓛ 대법원 판례에 의하면, 피고인의 방어권 행사에 실질적으로 불이익을 줄 염려가 없는 경우에는 피고인에게 불리하지 않으므로 공소장변경 없어도 공소장에 기재된 사실과 다른 사실을 인정할 수 있으나, 이 경우에 법원은 반드시 유죄를 인정하여야 하는 것이 아니라 법원의 재량으로 무죄를 선고할 수 있다. 다만, 사안이 중대하여 처벌하지 않으면 현저히 정의와 형평에 반한 경우에는 유죄판결을 하여야 할 의무가 있다고 한다.

관련판례

1. 법원은 공소사실의 동일성이 인정되는 범위 내에서 피고인의 방어권행사에 실질적 불이익을 초래할 염려가 없다고 인정되는 때에는 공소장이 변경되지 않았더라도 직권으로 공소장에 기재된 공소사실과 다른 범죄사실을 인정할 수 있지만, 법원이 그 범죄사실을 인정하지 아니하였다고 하여 위법한 것이라고 볼 수 없다(대판 1993.12.28, 93도3058).
2. 피고인의 방어권행사에 실질적인 불이익을 초래할 염려가 없다고 인정되는 때에는 공소장이 변경되지 않았더라도 공소사실의 동일성이 인정되는 범위 내에서 직권으로 공소사실과 다른 범죄사실을 인정하거나 그 범죄사실을 인정하지 아니할 수 있으나, 공소장이 변경되지 않았다는 이유로 이를 처벌하지 않는다면 적정절차에 의한 신속한 실체적 진실의 발견이라는 형사소송의 목적에 비추어 현저히 정의와 형평에 반하는 것으로 인정되는 경우라면 법원으로서는 직권으로 그 범죄사실을 인정하여야 한다(대판 2006.4.13, 2005도9268). 17. 7급 국가직

---

② **유형별 고찰**

㉠ **구성요건은 동일하지만 사실인정에 변동이 있는 경우**

ⓐ 범죄의 일시ㆍ장소의 변경 : 범죄의 일시와 장소를 공소장변경 없이 공소장에 기재된 것과 달리 인정할 수 있는가에 대하여 견해가 대립한다. 판례는 피고인의 방어권행사에 실질적인 불이익이 있느냐의 여부로 판단한다.

관련판례

〈문제해결방법〉 대법원은 범죄의 일시가 문제된 사안에서, 일반적으로 범죄의 일시는 공소사실의 특정을 위한 요인이지 범죄사실의 기본적 요소는 아니므로 그 일시가 다소 다르더라도 공소장변경

의 절차를 요하지 아니하나, 범죄의 일시의 간격이 길고 범죄의 성부에 중대한 관계가 있는 경우에는 피고인의 방어에 실질적인 불이익을 가져다 줄 염려가 있으므로 공소장변경을 필요로 한다는 기준을 제시하고 있다(대판 1982.12.28, 82도2156). 22. 경찰간부 따라서, 일시가 길면 공소장변경 필요(○), 비교적 짧으면(주로 1개월 미만) 공소장변경 필요(×)

• **공소장변경 필요 ○**

1. 범행일시는 1991. 5. 14.로 기재되어 있고 피고인이 1991. 6. 14. 위와 같은 범행을 저지른 것으로 인정한 조치는 공소제기가 없거나 적법하게 변경되지 아니한 공소사실에 대하여 심판함으로써 판결에 영향을 미친 위법을 저지른 것이라 아니할 수 없다(대판 1993.1.15, 92도2588).
2. 1985. 5. 중순 일자불상경 조직폭력단체인 시라소니파에 지휘부조직원으로 가입하였다는 공소사실에 대하여, 1986. 5.경에 피고인이 위 범죄단체에 간부로서 가입하였다는 사실로 인정하는 것은 피고인에게 예기치 않은 타격을 주어 그 방어권의 행사에 실질적인 불이익을 줄 우려가 있으므로 공소장변경절차를 거쳐야 한다고 할 것이다(대판 1992.12.22, 92도2596).
3. "피고인이 1987. 3.경 신양오비파에 행동대장으로 가입하여 신양오비파를 구성하였다."는 폭력행위 등 처벌에 관한 법률 제4조 제2호의 공소사실에 대하여 법원이 "피고인이 1988. 9.경 신양오비파에 가입하였다."고 같은 조 제3호의 범죄사실로 인정하기 위하여는 공소장변경절차를 거쳐야 한다(대판 1992.10.27, 92도1824).
4. 피고인이 1988. 12.경 인천 남동구 간석 3동 39의 8 소재 맘모스 실내 포장마차에서 피고인을 두목으로 하는 신천석파 범죄집단을 조직하였다는 공소사실에서, 공소사실에 기재된 일시인 1988. 12.경의 범죄집단조직사실은 증거가 없고 1990. 3.경의 범죄집단조직사실이 증거에 의하여 뒷받침되므로 이를 유죄로 인정하였으나, 이는 공소장변경절차를 거치지 않고 공소장 기재 사실과 다른 일시의 범죄집단조직사실을 유죄로 인정하는 것이 되므로 피고인의 방어권 행사에 불이익을 줄 우려가 있어 허용될 수 없다(대판 1991.6.11, 91도723).
5. 피고인이 1972. 1. 말경부터 1974. 12. 말경까지 사이에 그 직무에 관하여 공소외인으로부터 매월 1,500,000원씩 36회에 걸쳐 합계 금 54,000,000원을 교부받았다는 점에 관하여 공소장의 변경절차 없이 1972. 6. 29.부터 1974. 7. 26.까지 사이에 25회에 걸쳐 합계 금 27,050,000원을 교부받았다는 범죄사실을 인정할 수 없다(대판 1981.3.24, 80도2832).

• **공소장변경 필요 ×**

1. 협박죄의 범죄사실 중 그 범죄일시를 '2006. 9. 22.경'에서 '2006. 9. 23.경'으로 변경한 경우나, 공갈죄의 범죄사실 중 그 범죄시각을 '03 : 30경'에서 '02 : 30경'으로 변경한 것은 모두 공소사실과 기본적 사실이 동일한 범위 내에서의 변경으로서 피고인의 방어권 행사에 실질적인 불이익을 초래할 염려가 없다(대판 2008.3.27, 2007도11400).
2. 외국환관리법 위반의 공소사실 중 피고인이 공소외인으로부터 1997. 3. 14.경 8만 4천 달러를 빌렸다는 범죄사실과 1997. 3. 15.경과 1997. 3. 19.경 각 2만 달러씩을 빌렸다고 인정한 범죄사실은 일시만 약간 달리할 뿐 기본적 사실관계가 동일하고, 그 심리과정에 비추어 피고인의 방어권 행사에 실질적 불이익을 초래할 염려가 없어 공소장변경 없이도 이를 유죄로 인정할 수 있다(대판 2004.4.23, 2002도2518).
3. 공소장의 범행일시를 1978. 6. 16.로 기재한 것이 1978. 6. 17의 오기인 경우에 그것을 바로 잡는 데 공소장변경절차를 필요로 하는 것은 아니다(대판 1980.2.12, 79도1032).

4. (밀항단속법 위반과 관련하여) "피고인은 1966. 8. 22. 일본국 대마도 이즈하라항을 출항하여 ~"라는 공소사실에 대하여, "피고인은 1966. 8. 하순경 일본국 대마도 이즈하라항을 출항하여 ~"라는 범죄사실을 인정하는 경우는 공소장변경이 없어도 할 수 있는 것이다(대판 1967.9.29, 67도946).

ⓑ 범죄의 수단·방법의 변경 : 범죄의 수단이나 방법이 변경되면 피고인의 방어권행사에 영향을 미치게 되므로 원칙적으로 공소장변경이 필요하다. 판례에 의하면, 사기죄에 있어서 기망의 내용이 달라지는 경우에는 공소장변경이 필요하며, 과실범의 경우에 주의의무 위반의 내용이 다른 경우에는 공소장변경을 필요로 하지만 거의 동일하다면 공소장변경을 필요로 하지 않는다고 한다.

관련판례

〈사기죄〉

• 공소장변경 필요 ○

1. '토지매매계약체결에 관한 약정이 없음에도 피해자를 기망하였다.'는 공소사실과 '수분양자들의 분양계약체결 의사를 확인한 바 없음에도 피해자를 기망하였다.'는 원심 인정의 범죄사실은 그 기망의 내용이나 태양을 달리하는 것이어서, 공소장의 변경 없이 직권으로 공소사실과 다른 위 범죄사실을 유죄로 인정한 원심의 조치는 위법하다(대판 2010.4.29, 2010도2414).
2. '절취한 신용카드를 사용'한 사기의 공소사실과 신용카드 '절취 여부와 무관하게 신용카드 사용'으로 인한 사기의 범죄사실은 그 범죄행위의 내용 내지 태양에서 서로 달라 이에 대응할 피고인의 방어행위 역시 달라질 수밖에 없어, 공소장변경 없이 공소사실과 다른 범죄사실을 인정할 수 없다(대판 2003.7.25, 2003도2252).
3. 피고인들은 할부금이 남아 있는 차량을 매수한 다음 그 차량이 할부금이 없는 차량인 것처럼 매도하여 그 대금을 편취하기로 공모하고, '피고인 甲, 乙이 丙으로부터 매수한 크레도스 승용차의 할부금이 남아 있음에도 1997. 2. 21. 피고인 乙이 마치 丙인 것처럼 가장하면서 피해자 丁에게 위 승용차에 남아 있는 할부금이 없다고 거짓말을 하여 이에 속은 피해자와 대금 9,500,000원에 위 승용차를 매도하는 계약을 체결하고 그 자리에서 매매대금 명목으로 금 9,500,000원을 교부받아 이를 편취하였다.'는 공소사실에 대하여, 법원이 '피고인 甲, 乙은 丙으로부터 승용차를 매도할 대리권이 없으면서도 대리권이 있는 양 행세하여 피해자 丁을 기망하여 피해자로부터 크레도스 승용차를 금 950만원에 매수한 것이다.'라는 사실을 공소장변경절차를 거치지 아니하고 인정하는 것은 공소사실에 의하여 한정된 심판범위를 넘어서서 피고인들의 방어권을 실질적으로 침해하는 것으로서 허용될 수 없다(대판 1998.4.14, 98도231). – 사기죄에 있어서 공소사실의 기망 내용과 다른 기망 행위를 공소장변경절차 없이 직권으로 인정할 수 없다고 한 판례이다.
4. 공소사실은 '피고인이 피해자에게 고속버스터미널 화장실 관리권 등의 이권을 얻어 주겠다고 거짓말을 하여 돈을 편취하였다.'는 것인데, 법원이 인정한 범죄사실은 '시외버스 노선허가의 이권을 얻어 주겠다고 하여 돈을 편취하였다.'고 인정하였다면 이는 공소장변경절차 없이 공소사실과 다른 범죄사실을 인정한 잘못을 범한 것이 된다(대판 1979.6.26, 78도1166).

• **공소장변경 필요 ×**

1. 검사가 '재물 편취의 사기죄'로 공소를 제기하였으나 실제로는 '이익 편취의 사기죄'가 인정되는 경우, 재물 편취의 범죄사실과 이익 편취의 범죄사실을 비교하여 볼 때, 그 금액, 기망의 태양, 피해의 내용이 실질에 있어 동일하여 피해자를 기망하여 금원을 편취하였다는 기본적 사실에 아무런 차이가 없으므로 공소사실의 동일성을 벗어났다고 볼 수 없고, 피고인도 편취의 범의를 제외한 나머지 공소사실을 인정하고 있어 피고인의 방어에 불이익이 있다고 볼 수도 없으므로, 공소장변경절차가 없더라도 이익 편취의 사기죄로 인정할 수 있다(대판 2004.4.9, 2003도7828).
2. '변제할 의사와 능력없이 피해자로부터 금원을 편취하였다.'고 기소된 사실을 공소장변경절차 없이 '피해자에게 제3자를 소개케 하여 동액의 금원을 차용하고 피해자에게 그에 대한 보증채무를 부담케 하여 재산상의 이익을 취득하였다.'고 인정하였다 할지라도 위 양 범죄사실을 비교하여 보면 차용액, 기망의 태양, 피해의 내용이 실질에 있어 동일한 것이어서 피해자를 기망하여 금원을 편취하였다는 기본적 사실에 아무런 차이도 없고, 공소사실의 동일성을 벗어난 것도 아닐 뿐더러 피고인이 스스로 이를 시인하고 있는 이상 피고인의 방어에 하등의 불이익을 주었다고 볼 수도 없으므로 위법이 있다 할 수 없다(대판 1984.9.25, 84도312).

PART 04

〈과실범〉

〈문제해결방법〉 공소장에 기재된 주의의무 위반과 다른 주의의무 위반을 인정하려면 어떠한 경우에 공소장변경이 필요한가에 대한 기준으로 주의의무 위반의 내용이 다르면 공소장변경이 필요하고, 거의 동일하면 공소장변경을 요하지 아니한 것으로 판단하면 된다.

• **공소장변경 필요 ○**

1. 피고인 이 사건 분전반이나 전선의 관리를 게을리하였다는 이유가 아니라 그 주변에 화선지 등 불이 붙기 쉬운 물건을 놓지 않도록 주의하고, 어린 학생들에게 화재에 대한 주의를 주고, 화재 발생시 피해를 최소화할 수 있는 조치를 하여야 할 주의의무를 위반하였다는 이유로 이 사건 공소사실을 유죄로 인정한 취지라면, 이는 공소장의 변경 없이 직권으로 공소장에 기재된 공소사실과 다른 범죄사실을 인정하여 피고인의 방어권 행사에 실질적 불이익을 초래하였으므로, 공소장변경에 관한 법리를 오해한 위법을 저질렀다고 볼 것이다(대판 2009.5.28, 2009도1040).
2. 피고인이 횡단보도 앞에서 횡단보행자가 있는지 여부를 잘 살피지 아니하고 또 신호에 따라 정차하지 아니하고 시속 50킬로미터로 진행하였다는 과실과 보조 제동장치나 조향장치를 조작하지 아니하였다는 과실은 그 내용을 달리하며, 피고인의 방어권행사에 불이익을 초래할 염려가 있는 경우라 할 것이므로 공소장의 변경절차를 필요로 한다(대판 1989.10.10, 88도1691). 12. 9급 법원직
3. '교통사고처리특례법 제3조 제2항(단서) 제1호(신호위반)' 위반의 공소사실에 대하여 공소장변경이 없이는 '같은 조항(단서) 제6호(횡단보도 보행자 보호의무 위반)의 위반' 여부까지 판단할 수는 없다(대판 1992.10.13, 91도2674).

• **공소장변경 필요 ×**

1. 공소장에 기재된 피고인의 과실은 '피고인이 승용차를 운전하고 가다가 이 사건 사고 지점에 이르러 전방 및 좌우를 잘 살피지 않고 진행하였다.'는 것이고, 원심이 인정한 피고인의 과실은 '피고인이 이 사건 사고 지점에 이르러 도로 우측에 앞서가던 시외버스가 정차하는 것을 발견하였으면 일

단 속도를 줄이거나 정차하여 혹시 버스의 앞이나 뒤쪽으로 건너가는 사람이 없는지를 살펴본 다음 안전하다고 생각이 되면 비로소 진행하여야 할 업무상 주의의무가 있다.'고 할 것임에도 불구하고, 아무 일 없으리라고 생각하고 만연히 버스를 추월하여 나갔다는 것으로, 공소사실에서 지적한 피고인의 과실을 보다 구체적으로 지적한 것에 지나지 않아 피고인의 방어권 행사에 지장이 없어 공소장변경이 불필요하다(대판 1998.3.27, 97도3079).

2. 공소사실이나 법원이 인정한 범죄사실은 모두 '피고인이 이 사건 다리를 통과함에 있어 30km의 제한속도를 지키고 다리를 지난 후에는 즉시 자기차선으로 복귀하여 진행하여야 할 주의의무가 있다.'는 것이고, 다만 공소사실은 거기에 덧붙여 사전에 피고인이 이 사건 승용차가 그와 같이 비정상적으로 운행하여 오는 것을 발견하였으므로 더욱 더 이 사건 승용차의 동태를 잘살펴야 한다는 점을 부연한 것에 불과하므로 공소사실과 법원이 인정한 범죄사실은 서로 기본적인 사실에 있어서 동일하고 법원이 그 판시 범죄사실을 인정하였다고 하여 피고인의 방어권행사에 실질적인 불이익을 초래할 염려가 있다고도 보여지지 아니한다(대판 1994.12.9, 94도1888).
3. 공소사실은 '피고인이 피해자가 운전하는 오토바이를 추월하려고 추월방법을 위반하여 피해자 오토바이의 우측으로 근접하여 운행하다가 서로 충돌하여 이 사건 교통사고가 일어났다.'는 것임에 대하여 제1심 인정의 범죄사실은 '피해자가 피고인이 운전하는 오토바이를 추월하기 위하여 피고인 오토바이의 좌측으로 근접운행하다가 서로 충돌하여 이 사건 사고가 일어났다.'고 인정한 차이가 있을 뿐이라면 공소사실과 제1심이 인정하는 범죄사실은 서로 기본적 사실에 있어서 동일하고, 피고인의 방어권 행사에 실질적인 불이익을 초래할 염려가 있다고도 보여지지 않는다(대판 1990.5.25, 89도1694).
4. 공소사실과 법원 인정 사실이 이 사건 충돌사고의 원인을 피고인이 전방주시의무를 태만히 하고 앞차와의 안전거리를 충분히 확보하지 아니한 것으로 보고 있다면 공소사실이 앞차가 감속하는 것을 뒤늦게 발견한 탓으로 이건 사고가 야기되었다고 한 것을 원심이 앞차가 후진하기 위하여 정차하고 있는 것을 너무 가까운 지점에서 발견한 탓으로 위 사고가 야기되었다고 인정하였다 하더라도 그와 같은 차이는 지엽적인 것에 불과하여 근본적인 과실인정에 영향을 미친 것은 못된다 할 것이므로 이를 가리켜 불고불리의 원칙에 위배된다 할 수 없다(대판 1984.12.26, 84도2523).
5. 검사의 공소장에 의하면 '피고인은 긴급자동차 운전수로서 업무상 요구되는 주의의무를 태만히 하여 공소외인을 그 자동차 좌측 밤바로 충돌 전도케하여 치사케 한 것'이라 함에 있고 그 공소장에 전방좌우의 주시 정거, 속도 저감 등의 여러 점을 들고 있는 것은 자동차 운전수로서 요구되는 주의의무의 범위를 예시적으로 표시한 것에 지나지 아니하며 자동차 운전수로서의 업무상 주의의무는 위에서 들고 있는 사항 이외의 사항에 관하여서도 존재한다 할 것이니 원심과 1심이 피고인의 자동차 운전수로서의 업무상 주의의무의 해태를 인정함에 있어서 검사가 지적하지 아니한 사항에 속하는 '도로의 중앙선에 구애됨이 없이 아무런 장애물이 없는 11미터 넓이의 도로중앙을 통과하지 아니한 점'에도 두고 이를 피고인의 업무상 주의의무 해태의 근거의 하나로 판시하였다 하여서 위법이 있다고는 볼 수 없다(대판 1965.1.19, 64도719).

〈뇌물죄〉

- **공소장변경 필요 ○**

1. 피고인이 특정범죄 가중처벌 등에 관한 법률 제4조에 의하여 공무원으로 의제되는 정부관리기업체의 간부직원인 한국도로공사 건설사업소장의 지위에 있으면서 그 직무와 관련하여 금원을 교부받았

다는 공소사실에 대하여, 피고인이 같은 법 제4조에 의하여 공무원으로 의제되는 정부관리기업체의 간부직원이 아니라 한국도로공사법 제13조의 3, 제12조의 2에 의하여 공무원으로 의제되는 기업체의 임・직원(고속도로관리공단 토목상무)의 지위에 있으면서, 피고인이 종전에 특정범죄 가중처벌 등에 관한 법률 제4조에 의하여 공무원으로 의제되는 한국도로공사 건설사업소장의 지위에 있을 당시에 담당했던 직무와 관련하여 위 금원을 교부받았다는 취지의 공소사실이 포함된 것으로는 볼 수 없으므로, 법원으로서는 공소장변경이 되지 않는 한 후자의 점에 관하여까지 적극적으로 심판할 수 없다(대판 2001.2.9, 2000도5358).

2. 금품을 수수하였다는 알선수재죄의 공소사실을 공소장변경 없이 금융상의 편의제공을 받아 이익을 수수한 것으로 인정하는 것은 그 범죄행위 내용 내지 태양이 서로 달라 그에 대응할 피고인의 방어행위 역시 달라질 수밖에 없어 그에 대하여 공판절차에서 심리가 되어 있다 하더라도 피고인의 방어권 행사상 실질적인 불이익을 초래할 수 있으므로 위법하다(대판 1999.4.9, 98도667).
3. 공소장 기재사실에 비하여 수뢰기간 회수 및 전체의 수뢰금액에 있어서는 축소 절감되어 있지만 공소장에 명시되지도 아니한 포괄일죄를 구성하는 개개의 범죄사실을 적시하고 있고 일회의 수뢰금액이나 매월의 합계액에 있어서도 공소장 기재의 금액을 넘는 경우가 있다면 이는 심판을 구하지 아니한 사실을 심리한 위법이 있다(대판 1981.3.24, 80도2832).
4. "피고인 甲은 乙로부터 매매대금 명목으로 695,150,000원을 지급받고 乙에게 토지의 소유권을 이전하여 실거래금액으로 신고한 540,000,000원과의 차액인 155,150,000원을 뇌물로 수수하였다"라는 공소사실에 대하여 '피고인 甲은 乙로부터 매매대금 명목으로 695,150,000원을 지급받고 乙에게 토지 소유권을 이전하여 액수미상 시가와의 차액 상당의 재산상 이익 및 농지취득자격증명을 필요로 하여 본등기를 경료할 수 없는 토지를 처분하여 현금화 하는 재산상 이익을 취득하여 뇌물로 수수하였다"라는 사실을 인정하는 경우 공소장변경이 필요하다(대판 2021.6.24, 2021도3791).

• **공소장변경 필요** ×

1. 피고인이 2003. 5. 23.경 A에게 BMW 735 승용차 1대 시가 1억 2,600만원 상당을 뇌물로 공여하였다는 공소사실 부분에 대하여, 비록 피고인과 A가 위 승용차를 실질적으로 A의 소유로 하고자 하였다고 하여도, 자동차등록원부에 대우캐피탈 주식회사와 제이디에스 주식회사 명의로 등록되었을 뿐 A 명의로 등록된 사실이 없으므로, 위 승용차는 대우캐피탈 내지 제이디에스의 소유이지 A의 소유는 아니라는 이유로, 피고인이 A에게 공여한 뇌물은 시가 1억 2,600만원 상당의 위 승용차 자체가 아니라, 리스보증금 및 리스료 지급 등과 같은 형태의 금전적인 부담이 전혀 없는 상태에서 위 승용차를 A의 의사대로 사용・수익할 수 있는 무형의 이익이라고 보고 이를 유죄로 인정하는 것은 공소사실과 기본적 사실의 동일성이 인정되고 그 공소제기된 범죄사실에 포함되어 있으며, 기록에 나타난 이 부분에 대한 심리과정에 비추어 피고인을 그 죄로 처벌하더라도 피고인의 방어권 행사에 실질적 불이익이 초래되었다고도 할 수 없다(대판 2006.5.26, 2006도1716).
2. 수뢰 후 부정처사의 점에 관하여 공소장에는, "피고인은 甲으로부터 1회에 30만원씩 5회에 걸쳐 합계 150만원을 교부받고"로 되어 있는 것을, "피고인은 甲으로부터 직접 또는 도박장에서 잔심부름을 하던 乙를 통하여 1회에 금 30만원씩 5회에 걸쳐 합계 금 150만원을 교부받고"라고 인정하였으나, 이는 공소사실과 기본적 사실이 동일한 범위 내에서 뇌물 수수행위의 태양을 보다 구체적으로 상세히 특정한 것이거나 또는 불명확한 점을 바로잡은 것에 지나지 아니할 뿐만 아니라, 피고인은 원심 및 제1심에서 이 부분의 공소사실을 다투었고, 그에 관하여 심리가 충분히 되어 있음이 인

정되므로 피고인의 방어권 행사에 실질적인 불이익이 초래되었다고도 할 수 없다(대판 2003.6.13, 2003도1060).

3. 세무서직원인 피고인 甲, 乙이 A로부터 금 4천5백만원을 수뢰하여 그중 5백만원을 상사인 피고인 丙에게 전달한 경우, 피고인 丙에 대한 공소장에 증뢰물전달자가 공범자중의 1인인 乙로 되어 있었으나 원심판결에서 甲으로 바꾸어 인정하였다 하여도 불고불리의 원칙, 사건의 동일성과 필요적 공범의 법리오해가 있다고 할 수 없다(대판 1984.5.29, 84도682).

〈기 타〉

• 공소장변경 필요 ○

1. 공소장변경 없이 무등록 석유판매업을 하였다는 공소사실과 다른 건전한 석유유통질서를 저해하는 행위를 하였다는 범죄사실을 인정할 수 없다(대판 2004.5.28, 2004도1297).
2. 횡령죄에 대하여 법원이 공소장변경절차를 거치지 않고 횡령목적물의 소유자(위탁자), 보관자의 지위, 영득행위의 불법성을 공소사실과는 다르게 각 인정한 것이 공소사실에 의하여 한정된 심판범위를 넘어 피고인의 방어권을 침해하는 것으로서 위법하다(대판 1991.9.24, 91도1605). 08.경찰승진

• 공소장변경 필요 ×

1. 피고인이 범행도구를 미리 준비한 방법에 관하여 원심이 공소장변경 없이 공소사실과 다르게 인정하였으나, 이로 인해 피고인의 방어권 행사에 실질적인 불이익이 초래되었다고 할 수 없다(대판 2006.6.15, 2006도1667).
2. 피고인이 범행에 사용한 도구가 스카프가 아니라 피고인이 신고 있던 양말(늘였을 때의 길이 약 70cm)임에도 원심이 이를 스카프로 잘못 인정한 위법이 있다 하더라도, 이는 공소사실의 동일성의 범위 내에 속하는 것으로서 피고인의 방어권 행사에 아무런 지장이 없고 범죄의 성립이나 양형조건에도 영향이 없다(대판 1994.12.22, 94도2511).
3. 피고인의 사문서위조의 공소사실은 피고인이 공소외 甲 명의 부동산 월세계약서 1매를 위조하였다는 것인데 이에 관한 제1심판결의 판시사실이 피고인은 그 정을 모르는 피고인의 직원인 소송외 乙로 하여금 위 甲 명의의 계약서 1매를 위조하였다고 하는 것이라면 이는 위 공소사실과 기본적 사실의 동일성의 범위를 벗어난 것이 아니고 피고인의 방어권행사에 실질적인 불이익을 초래할 염려도 없다고 보여지므로, 공소장변경절차가 불필요하다(대판 1990.3.13, 90도94).

ⓒ 범죄객체 · 피해자

㉮ 범죄의 객체가 달라지는 경우에도 피고인의 방어권 행사에 영향을 미치기 때문에 원칙적으로 공소장변경이 필요하다.

㉯ 다만, 판례에 의하면 범죄의 객체가 달라지는 경우에도 범행객체의 일부만 인정하는 경우, 피고인이 시인하는 경우, 객체가 추가되는 경우, 범행의 객체는 동일하고 피해자만 다른 경우 등은 피고인의 방어권행사에 실질적으로 불이익이 없기 때문에 공소장변경이 필요없다고 한다.

관련판례

1. 배임죄에 있어서 객체가 추가되는 경우에도 공소장변경을 필요로 하지 않는다(대판 1990.11.13, 90도153).
2. 재산상의 피해자와 공소장 기재의 피해자가 다른 것이 판명된 경우에는 공소사실에 있어서 동일성을 해하지 아니하고 피고인의 방어권 행사에 실질적 불이익을 주지 아니하는 한 공소장변경절차 없이 직권으로 공소장 기재의 사기피해자와 다른 실제의 피해자를 적시하여 이를 유죄로 인정하여야 한다(대판 2002.8.23, 2001도6876). 13. 순경 1차, 16. 순경 2차, 14·18·22. 경찰간부
   ▶ **비교판례** : 원심이 공소장변경 없이도 직권으로 피고인에 대한 배임의 공소사실에 피해자로 기재된 丙이 아닌 乙의 상속인들을 피해자로 보아 배임죄 성립을 인정하였어야 한다는 취지의 검사의 상고이유 주장에 대하여, 공소사실과 달리 乙의 상속인들을 피해자로 인정할 경우 그에 대응할 피고인의 방어방법이 달라질 수밖에 없어 그의 방어권 행사에 실질적인 불이익을 초래할 염려가 있다고 보일 뿐만 아니라, 원심이 직권으로 乙의 상속인들을 피해자로 인정하지 아니한 것이 현저하게 정의와 형평에 반한다고 볼 수도 없다는 이유로, 공소제기된 대로 丙을 피해자로 한 배임죄에 관하여만 판단하여 무죄를 선고한 원심의 조치는 정당하다(대판 2011.1.27, 2009도10701).

ⓓ 기타 사항

㉮ 단독범으로 기소된 것을 법원이 공동정범으로 인정할 경우 또는 공동정범으로 기소된 것을 법원이 방조범으로 인정할 경우에 피고인의 방어권행사에 실질적으로 불이익을 줄 우려가 있는 경우에는 공소장변경이 필요하다.

관련판례

1. 단독범으로 기소된 것을 법원이 다른 사람과 공모하여 동일한 내용의 범행을 한 것으로 인정하는 경우, 이 때문에 피고인의 방어권의 행사에 실질적 불이익을 줄 우려가 있다면 반드시 공소장변경을 필요로 한다(대판 1997.5.23, 96도1185). 09. 9급 국가직, 18. 경찰승진
   ▶ **비교판례** : 피고인의 방어권 행사에 실질적인 불이익을 초래할 염려가 없는 경우에는 공소사실과 기본적 사실이 동일한 범위 내에서 법원이 공소장변경절차를 거치지 않고 공소사실과 다르게 사실을 인정하더라도 불고불리의 원칙에 위배되지 않는다(대판 2018.7.12, 2018도5909).
2. 보건범죄단속에 관한 특별조치법 위반(부정의료업자)의 공동정범으로 공소가 제기된 사건의 심리과정에서 단 한 번도 언급된 바 없는 보건범죄단속에 관한 특별조치법 위반(부정의료업자)의 방조사실을 법원이 공소장의 변경도 없이 그대로 유죄로 인정하는 것은 피고인의 방어권 행사에 실질적인 불이익을 초래할 염려가 있다(대판 2001.11.9, 2001도4792). ⇨ 공소장변경 필요 ○
3. 관세포탈죄의 공동정범으로 공소가 제기된 이 사건의 심리과정에서 단 한번도 언급된 바 없는 관세포탈의 방조사실을 법원이 공소장의 변경도 없이 그대로 유죄로 인정하는 것이 피고인의 방어권 행사에 실질적인 불이익을 초래할 염려가 없다고 보기 어려울 뿐만 아니라, 관세포탈의 방조사실을 유죄로 인정하지 아니하는 것이 현저히 정의와 형평에 반하는 것이라고 보여지지도 아니한다(대판 1996.2.23, 94도1684). ⇨ 공소장변경 필요 ○

㉯ 상해의 정도의 차이나 인과관계의 중간 경로에 차이가 있는 경우에는 공소장변경을 요하지 않는다.

관련판례

1. 상해 정도의 차이만 가지고는 기본적 사실의 동일성이 깨어진다고 볼 수 없으므로 공소장에 약 4개월간의 치유를 요하는 상해라고 적시된 것을 법원이 공소장변경절차 없이 약 8개월간의 치료를 요하는 것으로 인정하였다 하여도 이는 불고불리의 원칙에 반한다고 할 수 없다(대판 1984.10.23, 84도1803). 13. 순경 1차, 16. 순경 2차
2. 피고인 운전의 트럭이 피해자 운전의 오토바이를 추월하기 위하여 우측으로 너무 근접하여 운행한 과실로 위 트럭 왼쪽 뒷바퀴부분으로 위 오토바이의 오른쪽을 충격하여 피해자로 하여금 위 오토바이와 함께 넘어져 사망에 이르게 한 경우, 피고인이 위와 같은 내용의 과실로 피해자가 위험을 느끼고 당황하여 중심을 잃고 땅에 넘어지게 하여 사망케 하였다는 공소사실기재는 과실과 사망에 관한 인과관계의 중간경로를 설명한 데 불과하므로 그 중간사실에 차이가 있어도 과실과 치사 간에 인과관계가 있다면 법원은 공소장변경 없이도 그 죄책 여부를 심판할 수 있다(대판 1989.12.26, 89도1557).

ⓛ **구성요건이 다른 경우** : 공소사실과 법원이 인정하는 범죄사실에 실체법상 다른 구성요건이 적용된 때에는 피고인의 방어권행사에 중대한 영향을 미치므로 원칙적으로 공소장변경이 필요하다. 예 특수절도를 장물운반죄로 인정, 명예훼손죄를 모욕죄로 인정

ⓐ 축소사실의 인정 : 법원이 인정하려는 범죄사실이 공소장에 기재된 범죄사실에 포함되는 경우에는 이미 피고인이 큰 공소사실에 대하여 방어하고 있기 때문에 작은 공소사실을 인정하더라도 방어권행사에 실질적인 불이익을 초래하지 않으므로, "대는 소를 포함한다."는 이론에 의거 공소장변경을 요하지 않는다(예 강간치상의 공소사실을 강간죄로 인정). 다만, 판례는 공소장변경 없이 축소사실을 인정하는 것은 법원의 재량(따라서 축소사실을 인정하지 않고 무죄판결 가능)으로 보고 있으며, 다만 사안이 중대하여 공소장이 변경되지 않았다는 이유로 이를 처벌하지 않으면 현저히 정의와 형평에 반하는 것으로 인정되는 경우에는 법원은 축소사실에 대하여 유죄판결을 할 의무가 있다고 한다.

법원은 공소장변경 없이 공소사실과 다른 사실을 인정할 수 있는 경우 예외 없이 다른 사실을 인정하여야 한다. (×) 04. 행시, 07. 9급 법원직

관련판례

1. 피고인의 방어권행사에 실질적인 불이익을 초래할 염려가 없다고 인정되는 때에는 공소장이 변경되지 않았더라도 공소사실의 동일성이 인정되는 범위 내에서 직권으로 공소사실과 다른 범죄사실을 인정하거나 그 범죄사실을 인정하지 아니할 수 있으나, 공소장이 변경되지 않았다는 이유로 이를 처벌하지 않는다면 적정절차에 의한 신속한 실체적 진실의 발견이라는 형사소송의 목적에 비추어 현저히 정의와 형평에 반하는 것으로 인정되는 경우라면 법원으로서는 직권으로 그 범죄사실을 인정하여야 한다(대판 2006.4.13, 2005도9268). 17 · 24. 7급 국가직
2. 준강간죄의 장애미수로 기소되었으나, 준강간죄의 불능미수의 범죄사실이 인정된 경우, 이러한 상황에서 공소장이 변경되지 않았다는 이유로 이를 처벌하지 않는다면 신속한 실체적 진실의 발견이라는 형사소송의 목적에 비춰 현저히 정의와 형평에 반한다 할 것이므로, 법원으로서는 직권으로 그 범죄사실을 인정하여야 한다(대판 2024.4.12, 2021도9043). 25. 변호사시험

축소사실 인정의무 유무에 관한 판례

축소사실 인정의무 ○	축소사실 인정의무 ×
1. 향정신성의약품을 제조·판매하여 영리를 취할 목적으로 그 원료가 되는 물질을 소지한 것이라는 공소사실에 대하여 비록 영리의 목적이 인정되지 않더라도 무죄를 선고할 것이 아니라 위 공소사실에 포함된 향정신성의약품을 제조할 목적으로 그 원료가 되는 물질을 소지한 범죄사실을 공소장변경 없이 유죄로 인정하여야 한다(대판 2002.11.8, 2002도3881). 2. 히로뽕 투약죄의 기수범으로 기소된 공소사실에 대하여 실행행위에 착수한 사실은 인정되나 기수에 이른 사실은 인정되지 않는 경우, 공소장이 변경되지 않았다는 이유로 이를 처벌하지 않으면 현저히 정의와 형평에 반한다고 여겨지므로, 법원은 공소사실에 포함된 히로뽕 투약 미수의 범죄사실을 유죄로 인정하여야 한다(대판 1999.11.9, 99도3674). 3. 특정범죄 가중처벌 등에 관한 법률 제5조의 3 제1항의 죄는 형법 제268조의 죄를 범한 자가 피해자를 구호하지 아니하고 도주한 때에 성립하는 것으로서 형법 제268조의 업무상 과실치상죄는 위 특정범죄 가중처벌 등에 관한 법률 제5조의 3이 정한 죄에 포함되어 있다고 보아야 할 것이므로 특정범죄 가중처벌 등에 관한 법률위반죄로 공소가 제기된 경우 법원이 이 사건을 심리한 결과 위 범죄는 인정되지 아니하나 업무상 과실치상죄가 인정된다면 공소장변경절차 없이도 그 죄로 처단되어야 한다(대판 1990.12.7, 90도1283).	1. 피고인의 행위가 폭행죄를 구성하는 폭행이 된다고 하더라도 당초 폭행치사죄로 공소가 제기되고 그후 공소장변경 등의 절차가 없었다면 피고인에게 폭행죄를 인정하지 않았다 하여 위법이라 할 수 없다(대판 1984.11.27, 84도2089). 11. 9급 국가직, 12. 경찰승진 2. 피고인에 대한 상표법 위반의 공소사실(학원교재 표지에 EBS표장 사용)을 부정경쟁방지 및 영업비밀보호에 관한 법률 위반으로 공소장변경을 요구하지 아니하거나, 직권으로 위 부정경쟁방지 및 영업비밀보호에 관한 법률 위반죄의 성립 여부를 판단하지 않은 것은 위법하지 않다(대판 2011.1.13, 2010도5994). 15. 순경 3차 3. 피고인과 甲이 공동하여 피해자에게 폭행을 가하여 동인을 사망케 하였다고 상해치사죄로 공소가 제기된 사건에서 피해자의 사망은 甲의 폭행으로 인한 것이며 피고인이 폭행한 사실은 인정되나 사망과는 관련이 없고 甲의 범행에 공동가공한 바도 없는 경우 공소장변경절차가 없었다면 피고인에게 상해죄 또는 폭행죄를 인정하지 아니하였다 하여 위법하다 할 수 없다(대판 1990.11.27, 90도1090). 12. 경찰승진 4. 위험한 물건인 쇠젓가락으로 피해자의 눈을 찔러 상해를 가하였다는 공소사실에 대하여 무죄를 선고하면서 위 공소사실에 포함된 단순상해의 점을 유죄로 인정하지 아니한 것이 위법하지 않다(대판 2007.8.23, 2007도3710).

ⓑ 법률적 구성만을 달리하는 경우 : 사실관계의 변화없이 사실에 대한 법적평가만을 달리하는 경우, 죄수에 대한 법적평가만을 달리하는 경우 등은 원칙적으로 공소장변경을 요하지 않는다.

관련판례

1. 공소사실 중 장물취득의 점과 실제로 인정되는 장물보관의 범죄사실은 객관적 사실관계로서는 동일하고, 다만 이를 장물의 취득으로 볼 것인가 보관으로 볼 것인가 하는 법적 평가에 있어서만 차이가 있을 뿐이어서 피고인을 장물보관죄로 처단하더라도 피고인의 방어권 행사에 실질적인 불이익을 초래할 염려가 있다고는 보이지 아니한다(대판 2003.5.13, 2003도1366). 24. 9급 검찰·마약수사,

2. 횡령죄와 배임죄는 다같이 신임관계를 기본으로 하고 있는 같은 죄질의 재산범죄로서 그 형벌에 있어서도 경중의 차이가 없고 동일한 범죄사실에 대하여 단지 법률적용만을 달리하는 경우에 해당하므로 법원은 횡령죄로 기소된 공소사실에 대하여 공소장변경 없이도 배임죄를 적용하여 처벌할 수 있다(대판 2015.10.29, 2013도9481). 22. 소방간부
3. 법원은 공소사실의 동일성이 인정되는 범위 내에서 공소가 제기된 범죄사실보다 가벼운 범죄사실이 인정되는 경우에 공소장변경 없이 가벼운 범죄사실을 인정할 수 있다고 할 것이므로 공동정범으로 기소된 범죄사실을 방조사실로 인정할 수 있다(대판 2004.6.24, 2002도995). ⇨ 공소장변경 필요 × 21. 9급 검찰
4. 포괄일죄로 공소제기된 사건에서 실체적 경합관계에 있는 두죄로 인정하였다 하여도 이는 죄수에 관한 법률적 평가를 달리한 것에 지나지 않을 뿐이고 또 피고인의 방어권행사에 실질적으로 불이익을 초래할 우려도 없으므로 불고불리의 원칙에 위반된다고 할 수 없다(대판 1987.4.14, 86도2075). 18. 9급 검찰·마약수사
5. 실체적 경합범으로 공소제기된 범죄사실에 대하여 법원이 그 범죄사실을 그대로 인정하면서, 다만 죄수에 관한 법률적인 평가만을 달리하여 포괄일죄로 처단하더라도 이는 피고인의 방어에 불이익을 미치는 것이 아니므로 법원은 공소장변경 없이도 포괄일죄로 처벌할 수 있다(대판 1987.7.21, 87도546). 22. 경찰간부

공소장변경의 필요성 여부(정리)

구성요건이 동일한 경우	범행일시·장소(대판 2001도970·92도2596), 범행수단·방법(대판 2003도2252), 객체(대판 84도312), 피해자(대판 2001도6876)를 달리 인정하거나 단독범을 공동정범으로 인정(대판 96도1185)하는 여부에 대하여 피고인의 방어권행사에 실질적 불이익 여부에 의해 결정	
구성요건을 달리한 경우	원 칙 (공소장 변경 필요)	• 살인죄 ⇨ 폭행치사죄(대판 1981.7.28, 81도1489) 05. 순경, 09. 경찰승진, 10. 7급 국가직, 12. 변호사시험, 16. 순경 2차, 14·21. 순경 1차, 24. 9급 법원직 • 명예훼손죄 ⇨ 모욕죄(대판 1972.5.31, 70도1859) 03. 순경 1차, 08. 순경 1차·순경 3차 • 일반법 ⇨ 특별법 적용(대판 2007.12.27, 2007도4749) 11. 9급 국가직, 13. 경찰승진, 16. 9급 검찰·마약수사 • 폭행치상죄 ⇨ 폭행죄(대판 1971.1.12, 70도2216) 12. 순경·경찰승진 ▶ **주의** : 축소사실 인정이므로 공소장변경이 불필요할 것으로 보이나, 판례는 공소장변경을 필요로 한다는 입장이다. • 강간치상죄(예비적 죄명 : 상해) ⇨ 강제추행치상죄(대판 1968.9.29, 68도776) 09. 경찰승진, 10. 7급 국가직 • 비지정문화재수출미수죄 ⇨ 비지정문화재수출예비·음모죄(대판 1999.11.26, 99도2461) 15. 순경 3차, 18. 경찰간부·9급 검찰·마약수사 • 정신장애로 항거불능상태인 자를 간음·추행 ⇨ 심신미약자에 대한 위력에 의한 간음·추행(대판 2014.3.27, 2013도13567) 15. 경찰간부 • 업무상 과실치사죄 ⇨ 단순과실치사(대판 1968.11.19, 68도1998) 14. 순경 1차 ▶ 업무상 과실치상죄 ⇨ 과실치상죄(공소장변경 불필요)

<table>
<tr>
<td rowspan="2">구성요건을 달리한 경우</td>
<td>원 칙
(공소장 변경 필요)</td>
<td>• 사실적시 명예훼손죄 ⇨ 허위사실적시 명예훼손죄(대판 2001.11.27, 2001도5008) 14. 순경 1차
• 미성년자 약취 후 재물취득 미수 ⇨ 미성년자약취 후 재물요구 기수(대판 2008.7.10, 2008도3747) 12. 순경 1차
• 고의범 ⇨ 과실범(대판 1981.2.28, 80도2824) 10. 경찰승진
• 강도상해교사 ⇨ 공갈교사(대판 1993.4.27, 92도3156) 09. 9급 법원직
• 관세포탈미수 ⇨ 관세포탈예비 · 음모(대판 1983.4.12, 82도2939) 09. 경찰승진
• 특수강도죄 ⇨ 특수공갈죄(대판 1968.9.19, 68도995) 09. 경찰승진
• 특수절도죄 ⇨ 장물운반죄(대판 1965.1.26, 64도681) 08. 순경 1차
• 신용카드 절취 ⇨ 신용카드사용사기죄(대판 2003.7.25, 2003도2252)
• 공무집행방해죄 ⇨ 폭력행위의 범죄(대판 1991.12.10, 91도2395)
• 장물보관죄 ⇨ 업무상 장물보관죄(대판 1984.2.28, 83도3334)
• 사기죄 ⇨ 상습사기죄(대판 1977.9.13, 77도2233)
• 강제집행면탈죄 ⇨ 권리행사방해죄(대판 1972.5.31, 72도1090)
• 강간치상죄 ⇨ 강제추행치상죄(대판 1968.9.24, 68도776 ; 공소장변경이 불필요하다는 판례도 있음 : 대판 2001.10.30, 2001도3867)</td>
</tr>
<tr>
<td>예 외
(공소장 변경 불필요)</td>
<td>1. 축소사실 인정
• 강간치상죄 ⇨ 준강제추행죄(대판 2008.5.29, 2007도7260) 09 · 11. 9급 국가직, 12. 경찰승진 · 순경 1차, 13. 경찰승진
• 허위사실적시 명예훼손죄 ⇨ 사실적시 명예훼손죄(대판 2008.11.13, 2006도7915) 08. 경찰승진, 10 · 15. 7급 국가직
• 강도강간죄 ⇨ 강도죄(대판 1987.5.12, 87도792) 08. 경찰승진 · 순경
• 강간치사죄 ⇨ 강간죄 또는 강간미수죄(대판 1969.2.18, 68도1601) 01 · 05. 순경
• 강간치상죄 ⇨ 강간죄(대판 2002.7.12, 2001도6777) 11. 9급 국가직, 13. 경찰승진
• 강제추행치상죄 ⇨ 강제추행죄(대판 1999.4.15, 96도1922) 03 · 05. 순경, 12. 9급 법원직
• 특수절도죄 ⇨ 절도죄(대판 1973.7.24, 73도1256) 05. 순경 · 9급 국가직, 08. 순경
• 수뢰 후 부정처사죄 ⇨ 뇌물수수죄(대판 1999.11.9, 99도2530) 11. 9급 국가직, 13. 경찰승진
• 상습절도죄 ⇨ 절도죄(대판 1984.2.28, 84도34) 08. 순경, 10. 7급 국가직
• 특수강도강간미수 ⇨ 특수강도(대판 1996.6.28, 96도1232) 08. 순경
• 위력자살결의 ⇨ 자살교사(대판 2005.9.28.2005도5775)
• 강간치상죄 ⇨ 강제추행치상죄(대판 2001.10.30, 2001도3867)
• 특정범죄 가중처벌 등에 관한 법률위반 ⇨ 수뢰죄(대판 1994.11.4, 94도129)
• 특정범죄 가중처벌 등에 관한 법률위반(누범준강도) ⇨ 준강도(대판 1982.9.14, 82도1716)
• 특정범죄 가중처벌 등에 관한 법률위반(상습관세 포함) ⇨ 관세법 위반(대판 1980.3.11, 80도217)
• 강도상해죄 ⇨ 절도죄와 상해죄(대판 1965.10.26, 65도599)</td>
</tr>
</table>

		• 강도상해죄 ⇨ 야간주거침입절도죄와 상해죄(대판 1965.10.26, 65도599) • 업무상 과실치상죄 ⇨ 과실치상죄(대판 2017.12.5, 2016도16738) **2. 사실에는 차이가 없고 법적 평가만을 달리하는 경우** • 횡령죄 ⇨ 배임죄(대판 2015.10.29, 2013도9481) 08. 경찰승진 · 순경, 10. 7급 국가직, 12. 변호사시험 · 9급 법원직, 13. 순경 1차, 16. 순경 2차 · 9급 검찰 · 마약수사 • 포괄1죄 ⇨ 실체적 경합(대판 2005.10.28, 2005도5996) 22. 9급 검찰 · 마약 · 교정 · 보호 · 철도경찰, 13 · 24. 7급 국가직, 24. 9급 법원직 • 경합범 ⇨ 포괄1죄(대판 1987.7.21, 87도546) 또는 상상적 경합(대판 1980.12.9, 80도2236) • 공동정범 ⇨ 방조범 (대판 204.6.24, 2002도995) 11. 9급 교정 · 보호 · 철도경찰(▶ 피고인의 방어권행사에 실질적 불이익의 염려 有 ⇨ 공소장변경 필요 : 대판 2001.11.9, 2001도4792) • 장물취득죄 ⇨ 장물보관죄(대판 2003.5.13, 2003도1366) 23. 소방간부

③ **법원의 선택 여부** : 공소장변경절차 없이도 법원이 심리 · 판단할 수 있는 죄가 한 개가 아니라 여러 개인 경우, 법원으로서는 그중 어느 하나를 임의로 선택할 수 있는 것이 아니라 검사에게 공소사실 및 적용법조에 관한 석명을 구하여 공소장을 보완하게 한 다음 이에 따라 심리 · 판단하여야 한다는 것이 대법원의 입장이다.

관련판례

공소장변경절차 없이도 법원이 심리 · 판단할 수 있는 죄가 한 개가 아니라 여러 개인 경우에는, 법원으로서는 그중 어느 하나를 임의로 선택할 수 있는 것이 아니라 검사에게 공소사실 및 적용법조에 관한 석명을 구하여 공소장을 보완하게 한 다음 이에 따라 심리 · 판단하여야 할 것이다. 22. 9급 법원직
헌법재판소의 위헌결정으로 실효된 폭력행위 등 처벌에 관한 법률 제3조 제2항 중 '야간에 흉기 기타 위험한 물건을 휴대하여 형법 제283조 제1항(협박)의 죄를 범한 자' 부분을 적용하여 기소된 공소사실에 관하여 폭력행위 등 처벌에 관한 법률 제2조 제2항, 형법 제283조 제1항 위반죄(야간협박)만 성립할 수 있다고 판단한 것은 위법이다. 위 공소사실 중에는 폭력행위 등 처벌에 관한 법률 제3조 제1항, 형법 제283조 제1항 위반죄(흉기휴대협박) 등 다른 죄의 공소사실이 포함되어 있으므로, 검사에게 공소사실 및 적용법조에 관한 석명을 구한 후 보완된 공소사실에 대하여 심리 · 판단하였어야 한다(대판 2005.7.8, 2005도279). 21. 7급 국가직, 22. 해경간부

(5) 공소장변경의 절차

검사의 공소장변경은 검사의 신청으로 법원의 허가를 얻어 하는 경우와 법원의 요구에 의하여 행하여지는 경우가 있다.

① **검사의 신청에 의한 공소장변경**

㉠ **검사의 신청**

ⓐ 검사가 공소장변경을 하고자 하는 경우에는 공소장변경 허가신청서(피고인 수에 상응하는 부본 첨부)를 법원에 제출하여야 하고(규칙 제142조 제1항 · 제2항), 15. 순경 2차 법원은

이 부본을 피고인 또는 변호인에게 즉시 송달하여야 한다(동조 제3항). 20. 해경간부, 21. 9급 법원직 변호인에게 고지하였으면 별도로 피고인에게 고지·송달할 필요는 없다. 18. 변호사시험 이는 피고인으로 하여금 방어를 준비케 하려는 취지이다.

공소장변경신청은 서면에 의하는 것이 원칙이지만 피고인이 재정(在廷)하는 공판정에서는 피고인에게 이익이 되거나 피고인이 동의하는 경우에 법원은 구술에 의한 공소장변경을 허가할 수 있다(규칙 제142조 제5항). 14. 경찰간부, 15. 7급 국가직, 18. 순경 3차, 19. 변호사시험, 23. 9급 검찰·마약·교정·보호·철도경찰

검사가 구술로 공소장변경허가신청을 하면서 변경하려는 공소사실의 일부만 진술하고 나머지는 전자적 형태의 문서로 저장한 저장매체를 제출하였다면, 공소사실의 내용을 구체적으로 진술한 부분에 한하여 공소장변경허가신청이 된 것으로 볼 수 있을 뿐이다(대판 2016.12.29, 2016도11138). 18. 7급 국가직, 19. 경찰승진, 20. 경찰간부

PART 04

관련판례

1. 공소장변경신청의 고지나, 공소장변경허가신청서 부본송달은 어느 것이나 피고인 또는 변호인에게 할 수 있게 되어 있으므로 변호인이 검사의 공소장변경허가신청서 부본을 영수해간 것이라면 피고인들에게 별도로 위 신청서 부본을 송달하지 않았다 하여 위법이라 할 수 없다(대판 1985.8.13, 85도1193). 17. 경찰승진, 18·20. 7급 국가직
2. 검사가 공소사실의 일부가 되는 범죄일람표를 컴퓨터 프로그램을 통하여 열어보거나 출력할 수 있는 전자적 형태의 문서로 작성한 후 종이문서로 출력하여 제출하지 아니하고 저장매체자체를 서면인 공소장변경허가신청서에 첨부하여 제출한 경우, 그 신청의 효력은 전자적 형태의 문서 부분까지 미치지 아니한다(대판 2016.12.15, 2015도3682). 17. 7급 국가직, 18·19. 변호사시험
3. 제1심에서 합의부 관할사건에 관하여 단독판사 관할사건으로 죄명, 적용법조를 변경하는 공소장변경허가신청서가 제출되자, 합의부가 사건을 단독판사에게 재배당한 사안에서, 사건을 배당받은 합의부는 사건의 실체에 들어가 심판하였어야 하고 사건을 단독판사에게 재배당할 수 없다(대판 2013.4.25, 2013도1658). 20. 경찰간부·9급 검찰·마약·교정·보호·철도경찰
4. 검사가 공소장변경허가신청서를 제출하지 않고 공소사실에 대한 검사의 의견을 기재한 서면을 제출하였다고 하더라도 이를 곧바로 공소장변경허가신청서를 제출한 것이라고 볼 수는 없다(대판 2021.1.13, 2021도13108). 23. 소방간부
5. 공소제기된 범죄사실과 추가로 발견된 범죄사실 사이에 그 범죄사실들과 동일성이 인정되는 또 다른 범죄사실에 대한 유죄의 확정판결이 있는 때에는, 추가로 발견된 확정판결 후의 범죄사실은 공소제기된 범죄사실과 분단되어 동일성이 없는 별개의 범죄가 된다. 따라서 이때 검사는 공소장변경절차에 의하여 확정판결 후의 범죄사실을 공소사실로 추가할 수는 없고 별개의 독립된 범죄로 공소를 제기하여야 한다(대판 2017.4.28, 2016도21342).

ⓑ 검사는 변론종결 전에 공소장변경을 신청하여야 한다. 일단 적법하게 변론이 종결된 후에 공소장변경을 신청하였다면 법원은 재량으로 심리 여부를 판단할 뿐이지 반드시 공판심리를 재개하여 공소장변경을 허가할 필요는 없다(대판 2003.12.26, 2001도6484). 물론 변론이 재개된 경우에는 공소장변경이 가능하다.

관련판례

법원이 공판의 심리를 종결하기 전에 한 공소장의 변경에 대하여는 공소사실의 동일성을 해하지 않는 한도에서 허가하여야 할 것이나, 적법하게 공판의 심리를 종결하고 판결선고 기일까지 고지한 후에 이르러서 한 검사의 공소장변경에 대하여는 그것이 변론재개신청과 함께 된 것이라 하더라도 법원이 종결한 공판의 심리를 재개하여 공소장변경을 허가할 의무는 없다(대판 2003.12.26, 2001도6484). 08. 순경, 11 · 12. 9급 법원직, 22. 경찰간부, 09 · 23. 7급 국가직, 24. 9급 검찰 · 마약수사, 25. 변호사시험

ⓛ **법원의 허가**

ⓐ 법원은 공소사실의 동일성이 인정되는 한 공소장변경을 허가하여야 한다(판례는 의무적으로 봄). 14. 9급 교정 · 보호 · 철도경찰, 15. 순경 2차, 14 · 17. 경찰승진, 15 · 17. 9급 법원직, 21. 9급 검찰 · 마약 · 교정 · 보호 · 철도경찰

공판심리를 종결하기 전에 공소장변경신청을 하여야 하나, 만일 공판심리를 종결한 후에 공소장변경을 신청하였다면 법원은 반드시 공소장변경을 허가할 필요는 없다(따라서 이 경우에 공소장변경허가 여부는 법원의 재량이다).

ⓑ 허가결정은 법원의 판결 전 소송절차에 관한 결정(명령 ×)이므로 그 결정에 대하여 독립하여 항고할 수 없다(제403조 제1항 참조), 12. 9급 국가직, 13. 7급 국가직, 14 · 16. 9급 교정 · 보호 · 철도경찰, 16. 순경 1차 · 7급 국가직, 24. 변호사시험 다만, 허가결정의 위법이 판결에 영향을 미친 경우에 판결에 대해 상소할 수 있을 뿐이다(대결 1987.3.28, 87모17). 21. 7급 국가직

공소장변경허가결정, 국선변호인선임청구 기각결정에 대해서는 보통항고가 허용된다. (×) 16. 7급 국가직

공소장변경을 불허하는 결정의 경우에도 독립항고 ×(대판 1987.3.28, 87모17) 22. 9급 법원직

법원은 검사의 공소장변경허가신청에 대해 결정의 형식으로 이를 허가 또는 불허가 하고, 법원의 허가 여부 결정은 공판정 외에서 별도의 결정서를 작성하여 고지하거나 공판정에서 구술로 하고 공판조서에 기재할 수도 있다(대판 2023.6.15, 2023도3038).

ⓒ 뿐만 아니라 공소사실의 동일성이 없는 등 공소장변경 허가결정에 위법사유가 있는 경우 공소장변경허가결정을 한 법원은 스스로 결정을 취소할 수 있다(대판 1989.1.24, 87도1978). 09. 7급 국가직, 11 · 12. 9급 국가직

관련판례

1. 형사소송법 제298조 제1항 "검사는 법원의 허가를 얻어 공소장에 기재한 공소사실 또는 적용법조의 추가, 철회 또는 변경을 할 수 있고" "법원은 공소사실의 동일성을 해하지 아니하는 한도에서 이를 허가하여야 한다."는 규정의 취지는 검사의 공소장변경신청이 공소사실의 동일성을 해하지 아니하는 한 법원은 이를 허가하여야 한다는 뜻이다(대판 2013.9.12, 2012도14097). 18. 경찰승진
2. 일죄의 관계에 있는 여러 범죄사실 중 일부에 대한 기판력은 현실적으로 심판대상이 되지 아니한 다른 부분에도 미치므로, 그 일부의 범죄사실에 대하여 공소가 제기된 뒤에 항소심에서 나머지 부분을 추가(공소장변경)하였다고 하여 공소사실의 동일성을 해하는 것이라고 볼 수 없으므로 법원은 이를 허가하여야 한다(대판 2016.1.14, 2013도8118). 19. 변호사시험, 17 · 23. 7급 국가직

3. 약식명령에 대하여 피고인만이 정식재판을 청구하였는데, 검사가 당초 사문서위조 및 위조사문서행사의 공소사실로 공소제기하였다가 제1심에서 사서명위조 및 위조사서명행사의 공소사실을 예비적으로 추가하는 내용의 공소장변경을 신청한 사안에서, 사서명위조와 위조사서명행사의 범죄사실이 인정되는 경우에는 비록 사서명위조죄와 위조사서명행사죄의 법정형에 유기징역형만 있다 하더라도 불이익변경금지원칙이 적용되어 벌금형을 선고할 수 있으므로, 위와 같은 불이익변경금지 원칙 등을 이유로 공소장변경을 불허한 것은 위법이다(대판 2013.2.28, 2011도14986).

   약식명령에 대해 피고인만 정식재판을 청구한 경우, 법원은 약식명령의 형보다 중한 형을 선고하지 못하기 때문에 검사는 공소사실의 동일성이 인정된다고 하더라도 법정형에 유기징역형만 있는 죄의 공소사실을 예비적으로 추가하는 공소장변경을 할 수 없다. (×) 16. 7급 국가직, 21. 9급 검찰·마약·교정·보호·철도경찰

4. 금원 교부 일시를 종전의 '2002. 1. 하순경'에서 '2002. 2. 초순경'으로, 금원 교부 장소를 종전의 '서울 서대문구 미근동 소재 서대문경찰서 부근 상호불상 다방'에서 '서울 서대문구 미근동 소재 서대문경찰서 형사계 당직사무실'로 각 변경하는 경우, 그 금원 교부 일시 및 장소의 변경에도 불구하고 여전히 속칭 월정비 형식의 뇌물수수죄라는 성격을 그대로 유지하고 있어 다른 공소사실과 함께 포괄일죄를 구성함이 명백하므로, 위 각 공소사실에 대한 공소장변경을 허가하지 아니한 데에는 위법이 있다(대판 2006.4.27, 2006도514).

5. 피고인이 재정하는 공판정에서 검사가 구술로 공소장변경신청을 하자 피고인이 이에 동의하였고 법원도 위 변경신청을 기각하지 아니한 채 바로 다음 공판절차를 진행하였다면, 법원이 공소장변경신청에 대하여 명시적인 허가결정을 하지 아니하였다 하더라도 그 허가가 있었던 것으로 봄이 상당하다(대판 2002.3.29, 2002도587).

   ▶ **비교판례** : 공소장변경허가신청이 있음에도 공소장변경허가 여부 결정을 명시적으로 하지 않은 채 공판절차를 진행하면 현실적 심판대상이 된 공소사실이 무엇인지 불명확하여 피고인의 방어권 행사에 영향을 줄 수 있으므로 공소장변경허가 여부 결정은 위와 같은 형식으로 명시적인 결정을 하는 것이 바람직하다(대판 2023.6.15, 2023도3038).

6. 공소사실 중 특정범죄 가중처벌 등에 관한 법률위반(조세)의 점과 검사가 예비적으로 추가하려고 한 업무상 횡령의 공소사실은 범행 일시와 장소가 다르고, 그 수단과 방법 및 범행의 목적물 등 범죄사실의 내용도 다르며, 그 행위의 태양이나 피해법익도 달라 공소사실 사이에 동일성이 인정되지 아니하므로, 원심이 검사의 공소장변경 허가신청을 받아들이지 아니한 것은 옳다(대판 2002.1.22, 2001도5920).

7. 절도죄의 공소사실과 공소장변경허가신청으로 예비적으로 추가한 장물운반죄의 공소사실이 기본적 사실관계는 동일하지만 공소장변경을 허가하여도 주위적·예비적 공소사실 전부에 대하여 무죄를 선고할 것이 분명한 경우, 공소장변경을 허가하지 않았다고 하더라도 판결 결과에 영향을 미쳤다고 볼 수 없다(대판 1999.5.14, 98도1438).

8. 공소장변경 허가 여부 결정시에 변경 전 공소사실의 유·무죄 여부를 고려할 것은 아니라고 할 것이므로, 항소심에서도 실체 판단 결과 이 사건 공소사실이 무죄로 판단된 것까지 고려하여 공소장변경 허가 여부를 결정할 것은 아니다(대판 2018.10.25, 2018도9810).

9. 검사의 공소장변경허가신청에 대해 법원의 허가 여부 결정은 공판정 외에서 별도의 결정서를 작성하여 고지하거나 공판정에서 구술로 하고 공판조서에 기재할 수도 있다. 만일 공소장변경허가 여부 결정을 공판정에서 고지하였다면 그 사실은 공판조서의 필요적 기재사항이다(형사소송법 제51조 제2항 제14호)(대판 2023.6.15, 2023도3038). 24. 변호사시험

PART 04

② **법원의 요구에 의한 공소장변경**

㉠ **의의 및 필요성**

ⓐ 의의 : 법원은 심리의 경과에 비추어 상당하다고 인정한 때에는 공소사실이나 적용법조의 추가 또는 변경을 요구하여야 한다(제298조 제2항). 08. 순경, 16. 9급 교정·보호·철도경찰 공소장변경요구는 법원이 행하는 소송지휘에 관한 결정의 성질을 가진다. 10. 경찰승진 따라서 공소장변경요구는 공판정에서 구두에 의하여 고지하는 것이 통례이다.

철회요구 ⇨ ×

법원의 공소장변경요구는 공판기일에 한하여 허용되며 제1회 공판기일 전에는 불허

ⓑ 필요성 : 검사가 공소장을 변경하지 않기 때문에 명백히 죄를 범한 자를 무죄로 하는 일이 없도록 함으로써 적정한 형벌권을 실현하기 위함에 있다.

㉡ **공소장변경요구의 성질** : 법원의 공소장변경요구가 권한인가, 의무인가에 관하여 ⓐ 의무설, ⓑ 재량설(대판), ⓒ 예외적 의무설의 대립이 있다.

관련판례

1. 법원이 검사에게 공소장의 변경을 요구할 것인지 여부는 법원의 재량에 속하는 것이므로, 공소장변경을 요구하지 아니하였다 하여 위법하다고 할 수 없다(대판 1997.8.22, 97도1516). 12. 9급 국가직, 13. 7급 국가직, 09·17. 9급 법원직, 15·17. 순경 2차, 18. 순경 3차, 25. 변호사시험·소방간부
2. 법원이 검사에게 공소장변경을 요구할 것인지 여부는 재량에 속하는 것이므로, 법원이 검사에게 공소장의 변경을 요구하지 아니하였다고 하여 위법하다고 할 수 없다. 따라서 상표법 위반죄의 공소사실을 부정경쟁방지 및 영업비밀보호에 관한 법률 위반죄로 공소장변경을 요구하지 아니한 것은 위법하지 아니하다(대판 2011.1.13, 2010도5994). 18. 경찰간부

㉢ **공소장변경요구의 구속력** : 법원의 공소장변경요구에 검사가 불응한 경우 공소장변경요구에 어떠한 효력을 인정할 것인가에 대하여 견해의 대립이 있으나, 명령적 효력설(검사의 복종의무 인정)이 타당하며 다수설이다. 따라서 법원의 요구에 복종하지 않으면 검사로서는 무죄판결의 불이익을 감수해야 한다.

③ **공소장변경 허용 여부** : 공소장변경은 법률심인 상고심에서는 허용되지 않는다. 상고심은 독자적인 증거조사를 하지 않는 사후심이므로 변경된 범죄사실에 대해 직접 증거조사를 하여 심증을 형성할 수 없기 때문이다.

㉠ **항소심에서 공소장변경** : 항소심에서 공소장변경이 허용되느냐에 관하여 논란이 있으나, 판례는 허용된다는 입장이다. 10. 경찰승진, 18. 순경 3차 또한 항소심의 변론이 종결된 후 다시 변론을 재개하여 공판심리를 하게 한 경우에도 공소장변경은 가능하다. 09. 9급 법원직

관련판례

1. 제1심에서 공소사실의 일부를 철회하여 변경된 공소사실을 항소심에서 다시 공소제기 당시의 공소사실로 변경하는 것도 가능하며, 이 경우 공소가 취소된 사실에 대해 다시 공소가 제기된 것이 아니므로 공소기각의 판결을 선고해서는 안 된다(대판 2003.10.9, 2002도4372).

2. 항소심 법원이 변론기일에 변론을 종결하였다가 그 후 변론을 재개하여 심리를 속행한 다음 직권으로 증인을 심문한 뒤 검사의 공소장변경신청을 허가하였다고 하더라도 이와 같은 항소심의 조처는 형사소송법의 절차나 규정에 위반하였다고 볼 수 없다(대판 1996.1.15, 94도1520).
3. 검사가 포괄일죄의 일부 범죄사실에 대하여 공소제기한 후 항소심에서 나머지 부분을 추가하는 공소장변경허가를 신청한 경우 법원은 이를 허가하여야 한다(대판 2016.1.14, 2013도8118). 17. 7급 국가직, 19. 경찰승진

㉡ **파기환송 후의 항소심** : 상고심에서 파기환송된 후의 항소심도 속심의 성질을 유지하므로 공소장변경은 허용된다(대판 2004.7.22, 2003도8153). 15. 순경 3차, 18. 변호사시험, 18·19. 경찰간부, 13·20. 7급 국가직, 22. 소방간부, 18·23. 9급 검찰·마약수사, 24. 9급 법원직

㉢ **재심공판절차** : 재심의 공판절차에서 공소장변경이 허용되는가 하는 문제에 대해서는 전면적으로 허용하는 견해, 원판결의 범죄사실보다 더 중한 죄를 인정하기 위한 공소장변경은 이익재심의 본질에 비추어 허용되지 아니한다는 견해 등 의견이 나뉜다.

▶ 재심심판절차에서는 특별한 사정이 없는 한 검사가 재심대상사건과 별개의 공소사실을 추가하는 내용으로 공소장을 변경하는 것은 허용되지 않고, 재심대상사건에 일반 절차로 진행 중인 별개의 형사사건을 병합하여 심리하는 것도 허용되지 않는다(대판 2019.6.20, 2018도20698 전원합의체). 21. 순경 1차, 23. 소방간부

㉣ **약식절차** : 약식절차는 공판심리절차가 아니므로 공소장변경이 허용되지 아니한다.

㉤ **간이공판절차** : 간이공판절차에서도 공소장변경이 가능하다.

④ **공소장변경 후의 절차**

㉠ **공소장변경의 고지** : 공소장의 변경이 있는 때에는 법원은 신속히 피고인 또는 변호인에게 고지하여야 한다(제298조 제3항).

공소장변경시 고소인에게 통지하지 않아도 된다. (○) 99. 경찰승진

공소장변경이 허가된 때에는 검사는 공소장변경허가신청서에 의하여 변경된 공소사실·죄명 및 적용법조를 낭독하여야 한다. 재판장은 검사로 하여금 공판기일에 공소장변경 요지를 진술하게 할 수 있다(규칙 제142조 제4항).

㉡ **공판절차의 정지** : 공소장변경이 피고인의 방어에 불이익을 증가할 염려가 있다고 인정한 때에는 직권 또는 피고인이나 변호인의 청구에 의하여 법원은 결정으로 피고인의 방어준비에 필요한 기간 공판절차를 정지할 수 있다(제298조 제4항). 10. 9급 국가직, 20. 7급 국가직, 15·22. 9급 법원직

공판절차를 정지하여야 한다. (×) 17. 순경 2차, 23. 7급 국가직

공판절차 정지기간은 구속기간에 불산입한다. (○)

관련판례

공소장변경허가신청의 요지가 경합범으로 기소되었던 수개의 범죄사실을 상습범으로 변경한 정도라면 이는 공판절차를 정지할 정도로 피고인들의 방어권행사에 불이익을 초래하는 것이라 할 수 없어

공소장변경허가를 한 후 공판기일을 상당기간 연기하지 않은 것이라든지 사선변호인의 출정없이 공판한 것이 위법이라고 할 수 없다(대판 1985.8.13, 85도1193). 10. 7급 국가직

(6) **공소장변경의 효과**

① **심판대상의 변경** : 공소장변경에 의하여 심판의 현실적 대상이 변경된다.

관련판례

검사의 위치추적 전자장치 부착명령청구서 변경신청이 청구원인사실의 동일성을 해하지 아니한다면 특별한 사정이 없는 한 법원은 이를 허가하여야 한다. 성폭력범죄사건의 범죄사실과 부착명령청구사건의 청구원인사실은 일치하여야 하고 이를 달리 인정할 수 없다. 따라서 성폭력범죄 피고사건에 대하여는 공소장변경을 이유로 직권으로 제1심판결을 파기하고 변론을 거쳐 다시 판결하면서도, 부착명령청구사건에 대하여는 피부착명령청구자의 항소를 기각한 판결은 위법이 있다(대판 2010.4.29, 2010도1626).

② **공소제기 하자의 치유**

㉠ 공소장에 기재된 공소사실이 특정되지 아니한 경우에는 그 공소제기는 무효이며, 공소기각판결사유에 해당되나, 공소장변경에 의하여 공소사실이 특정된 경우에는 공소제기의 무효는 치유된다고 해석하여야 한다.

㉡ 공갈죄의 수단으로서 한 협박은 공갈죄에 흡수될 뿐 별도로 협박죄를 구성하지 않으므로, 그 범죄사실에 대한 피해자의 고소는 결국 공갈죄에 대한 것이라 할 것이어서 그 후 고소가 취소되었다 하여 공갈죄로 처벌하는 데에 아무런 장애가 되지 아니하며, 검사가 공소를 제기할 당시에는 협박죄로 기소하였다 하더라도, 그 후 공판 중에 기본적 사실관계가 동일하여 공갈미수로 공소장변경이 허용된 이상 그 공소제기의 하자는 치유된다(대판 1996.9.24, 96도2151). 18. 7급 국가직

③ **합의부 이송** : 단독판사관할 사건이 공소장변경에 의하여 합의부 관할 사건으로 변경된 경우, 단독판사는 결정으로 합의부로 이송하여야 한다(제8조 제2항). 10. 순경, 11. 경찰승진 · 9급 국가직, 13. 경찰간부, 14. 9급 법원직, 15. 순경 3차

☎ 합의부 관할사건에 대하여 단독판사 관할사건으로 공소장변경허가 신청 ⇨ 합의부가 실체심판(대판 2013.7.26, 2013도6182) 20. 경찰간부

④ **공소시효와의 관계**

㉠ 공소장변경이 있는 경우 공소시효의 완성 여부는 당초의 공소제기가 있었던 시점을 기준으로 판단할 것이고 공소장변경시를 기준으로 삼을 것이 아니다(대판 2004.7.22, 2003도8153). 18. 순경 3차

㉡ 공소제기 당시 공소사실에 대한 법정형으로 하면 아직 시효가 완성되지 않았으나, 변경된 공소사실에 대한 법정형에 의하면 공소제기 당시 이미 시효가 완성된 경우라면 면소판결을 하여야 한다(판례). 16. 7급 국가직

KEY point

1. **공소장변경제도**
   - **제도적 가치** ┌ 피고인의 방어권 보장
     └ 형벌권의 적정 실현
   - **주체** : 검사가 법원에 신청(법원 허가 ⇨ 의무 : 판례)
   - **내용** : 공소사실이나 적용법조의 추가 · 철회 · 변경
   - **허용범위** : 동일성이 인정되는 범위
   - 공소장변경이 필요한 경우 ⇨ 도표 참조
   - **공소장변경의 허용 여부** ┌ 허용 ○ ⇨ 간이공판절차, 항소심, 재심
     └ 허용 × ⇨ 상고심, 약식명령절차
2. **공소장변경 요구제도**
   - 국가형벌권 실현의 위축 방지
   - **성질** : 재량설(판례)
   - 법원의 요구 ⇨ 검사가 변경

CHAPTER

01 기출문제

01 **공소장변경에 대한 설명으로 가장 적절하지 않은 것은?**(다툼이 있는 경우 판례에 의함) 22. 경찰간부

① 일반적으로 범죄의 일시는 범죄사실의 기본적 요소이지 공소사실의 특정을 위한 것은 아니므로 그 일시가 다소 다르다 하여 공소장변경의 절차를 요하는 것은 아니나, 범죄의 시일이 그 간격이 길고 범죄의 인정 여부에 중대한 관계가 있는 경우에는 공소장변경절차를 밟아야 한다.

② 기소된 공소사실의 재산상 피해자와 공소장 기재의 피해자가 다른 것이 판명된 경우에는 공소사실에 있어서 동일성을 해하지 아니하고 피고인의 방어권 행사에 실질적 불이익을 주지 아니하는 한, 공소장변경절차 없이 직권으로 공소장 기재의 피해자와 다른 실제의 피해자를 적시하여 이를 유죄로 인정하여야 한다.

③ 적법하게 공판의 심리를 종결하고 판결선고기일까지 고지한 후에 이르러서 한 검사의 공소장변경에 대하여는 그것이 변론재개신청과 함께 된 것이더라도 법원이 종결한 심리를 재개하여 공소장변경을 허가할 의무는 없다.

④ 실체적 경합범으로 공소제기된 범죄사실에 대하여 법원이 그 범죄사실을 그대로 인정하면서, 다만 죄수에 관한 법률적인 평가만을 달리하여 포괄일죄로 처단하더라도, 이는 피고인의 방어권 행사에 불이익을 미치는 것이 아니므로 법원은 공소장변경 없이도 포괄일죄로 처벌할 수 있다.

해설 ① 일반적으로 범죄의 일시는 공소사실의 특정을 위한 것이지 범죄사실의 기본적 요소는 아니므로 그 일시가 다소 다르다 하여 공소장변경의 절차를 요하는 것은 아니나, 범죄의 시일이 그 간격이 길고 범죄의 인정 여부에 중대한 관계가 있는 경우에는 피고인의 방어에 실질적 불이익을 가져다 줄 염려가 있으므로 이러한 경우에는 공소장변경절차를 밟아야 한다(대판 2019.1.31, 2018도17656).
② 대판 2002.8.23, 2001도6876 ③ 대판 2003.12.26, 2001도6484 ④ 대판 1987.7.21, 87도546

02 **공소장변경에 관한 설명으로 옳지 않은 것은?**(다툼이 있는 경우 판례에 의함) 22. 소방간부

① 일방의 범죄가 성립되는 때에는 타방의 범죄성립은 인정할 수 없다고 볼 정도로 양자가 밀접한 관계에 있는 경우에는 양자의 기본적 사실관계는 동일하다고 봄이 상당하다.

② 포괄일죄의 경우 공소장변경 허가 여부를 결정할 때에는 포괄일죄를 구성하는 개개 공소사실 별로 종전 것과의 동일성 여부를 따지기보다는 변경된 공소사실이 전체적으로 포괄일죄의 범주 내에 있는지 여부에 초점을 맞추어야 한다.

③ 상고심에서는 공소장변경이 허용되지 않지만 상고심에서 파기환송된 항소심에서는 공소장변경이 허용된다.

④ 횡령죄와 배임죄는 다 같이 신임관계를 기본으로 하는 재산범죄로서 그에 대한 형벌도 경중의 차이가 없고 동일한 범죄사실에 대하여 단지 법률 적용만을 달리하는 경우에 해당하므로 특별한 사정이 없는 한 횡령죄로 기소된 공소사실에 대하여 공소장변경 없이도 배임죄를 적용하여 처벌할 수 있다.

Answer 01. ① 02. ⑤

⑤ 단독범으로 기소된 것을 다른 사람과 공모하여 동일한 내용의 범행을 한 것으로 인정하는 경우에는 이로 말미암아 피고인에게 예기치 않은 타격을 주어 방어권행사에 실질적 불이익을 줄 우려가 없더라도 공소장변경이 필요하다.

해설 ① 대판 2007.5.10, 2007도1048 ② 대판 2006.4.27, 2006도514
③ 대판 2004.7.22, 2003도8153 ④ 대판 2015.10.29, 2013도9481
⑤ 피고인의 방어권 행사에 실질적인 불이익을 초래할 염려가 없는 경우에는 공소사실과 기본적 사실이 동일한 범위 내에서 법원이 공소장변경절차를 거치지 않고 공소사실과 다르게 사실을 인정하더라도 불고불리의 원칙에 위배되지 않는다(대판 2018.7.12, 2018도5909).

03 공소장변경에 대한 설명으로 옳지 않은 것은?(다툼이 있는 경우 판례에 의함)

22. 9급 검찰·마약·교정·보호·철도경찰

① 공소사실의 동일성을 판단할 경우 순수한 사실관계의 동일성이라는 관점에서만 파악할 수 없고, 피고인의 행위와 자연적·사회적 사실관계 이외에 규범적 요소를 고려하여 기본적 사실관계가 실질적으로 동일한지에 따라 판단해야 한다.
② 甲이 한 개의 강도범행을 하는 기회에 수 명의 피해자에게 각각 폭행을 가하여 각 상해를 입힌 사실에 대하여 포괄일죄로 기소된 경우 법원은 공소장변경 없이 피해자별로 수 개의 강도상해죄의 실체적 경합범으로 처벌할 수 있다.
③ 甲이 과실로 교통사고를 발생시켰다는 각 '교통사고처리 특례법 위반죄'의 공소사실을 고의로 교통사고를 낸 뒤 보험금을 청구하여 수령하거나 미수에 그쳤다는 '사기 및 사기미수죄'로 변경하고자 하는 경우 기본적 사실관계가 동일하므로 공소장변경은 허용된다.
④ 甲이 A에게 필로폰 0.3g을 교부하였다는 '마약류관리법위반(향정)죄'의 공소사실을 필로폰을 구해주겠다고 속여 대금을 편취하였다는 '사기죄'로 변경하고자 하는 경우 기본적 사실관계가 동일하다고 볼 수 없으므로 공소장변경은 허용되지 않는다.

해설 ① 대판 2017.12.5, 2013도7649 ② 대판 1987.5.26, 87도527
③ 각 교통사고처리 특례법 위반죄의 행위 태양은 과실로 교통사고를 발생시켰다는 점인데 반하여, 이 사건 사기 및 사기미수죄는 고의로 교통사고를 낸 뒤 보험금을 청구하여 수령하거나 미수에 그쳤다는 것으로서 서로 행위 태양이 전혀 다르고, 피해자도 서로 다르다. 따라서 위 각 교통사고처리 특례법 위반죄와 사기 및 사기미수죄는 그 기본적 사실관계가 동일하다고 볼 수 없으므로, 위 전자에 관한 확정판결의 기판력이 후자에 미친다고 할 수 없다(대판 2010.2.25, 2009도14263). 동일성이 없어서 공소장변경을 허용할 수 없다
④ 대판 2012.4.13, 2010도16659

04 공소장변경에 대한 설명으로 옳지 않은 것은?

23. 9급 검찰·마약·교정·보호·철도경찰

① 검사가 제출한 공소장변경허가신청서 부본을 즉시 피고인에게 송달하지 않은 채 법원이 공판절차를 진행한 조치는 절차상의 법령위반에 해당하나, 그러한 경우에도 피고인의 방어권이나 변호인의 변호권 등이 본질적으로 침해되었다고 볼 정도에 이르지 않는 한 그것만으로 판결에 영향을 미친 위법이라고 할 수 없다.

Answer 03. ③ 04. ②

② 포괄일죄인 영업범에서 공소제기된 범죄사실과 공판심리 중에 추가로 발견된 범죄사실 사이에 그 범죄사실들과 동일성이 인정되는 또 다른 범죄사실에 대한 유죄의 확정판결이 있더라도 추가로 발견된 범죄사실을 공소장변경절차에 의하여 공소사실로 추가할 수 있다.

③ 상고심에서 원심판결을 파기하고 사건을 항소심에 환송한 경우, 환송받은 항소심에서도 공소장변경이 허용된다.

④ 검사가 공소장변경을 하고자 하는 경우, 피고인이 재정하는 공판정에서는 피고인에게 이익이 되거나 피고인이 동의하면 법원은 구술에 의한 공소장변경을 허가할 수 있다.

해설 ① 대판 2009.6.11, 2009도1830

② 포괄일죄인 영업범에서 공소제기된 범죄사실과 공판심리 중에 추가로 발견된 범죄사실 사이에 그 범죄사실들과 동일성이 인정되는 또 다른 범죄사실에 대한 유죄의 확정판결이 있는 경우, 공소제기된 범죄사실과 판결이 확정된 범죄사실만이 포괄하여 하나의 상습범을 구성하고, 추가로 발견된 확정판결 후의 범죄사실은 그것과 경합범 관계에 있는 별개의 상습범이 되므로, 검사는 공소장변경절차에 의하여 이를 공소사실로 추가할 수는 없고 어디까지나 별개의 독립된 범죄로 공소를 제기하여야 한다(대판 2000.3.10, 99도2744).

③ 대판 2004.7.22, 2003도8153

④ 규칙 제142조 제5항

05 공소장변경에 대한 설명으로 옳지 않은 것은? 23. 7급 국가직

① 검사가 제1심이나 항소심에서 상상적 경합의 관계에 있는 수죄 가운데 당초 공소를 제기하지 아니한 공소사실을 추가하는 내용의 공소장변경신청을 하는 경우, 법원은 공소사실의 동일성을 해하지 아니함이 명백하므로 그 공소장변경을 허가하여 추가된 공소사실에 대하여 심리·판단하여야 한다.

② 법원은 검사가 공소장변경을 신청한 경우 피고인이나 변호인의 청구가 있는 때에는 피고인으로 하여금 필요한 방어의 준비를 하게 하기 위해 필요한 기간 공판절차를 정지하여야 한다.

③ 포괄일죄의 경우 법원이 공소장변경 허가 여부를 결정할 때는 포괄일죄를 구성하는 개개 공소사실별로 종전 것과의 동일성 여부를 따지기보다는 변경된 공소사실이 전체적으로 포괄일죄의 범주 내에 있는지 여부에 초점을 맞추어야 한다.

④ 법원이 적법하게 공판의 심리를 종결하고 판결선고기일까지 고지하기에 이르렀다면, 비록 검사가 변론재개신청과 함께 공소장변경신청을 하더라도 법원이 종결한 심리를 재개하여 공소장변경을 허가할 의무는 없다.

해설 ① 대판 2016.1.14, 2013도8118

② 법원은 검사가 공소장변경을 신청한 경우 피고인이나 변호인의 청구가 있는 때에는 피고인으로 하여금 필요한 방어의 준비를 하게 하기 위해 필요한 기간 공판절차를 정지할 수 있다(제298조 제4항).

③ 대판 2006.4.27, 2006도514

④ 대판 2003.12.26, 2001도6484

Answer 05. ②

06 공소장변경 등에 관한 다음 설명 중 가장 옳지 않은 것은? 24. 9급 법원직

① 피고인의 상고에 의하여 상고심에서 원심판결을 파기하고 사건을 항소심에 환송한 경우에도 공소사실의 동일성이 인정되면 공소장변경을 허용하여 이를 심판대상으로 삼을 수 있다.

② 법원이 동일한 범죄사실을 가지고 포괄일죄로 보지 아니하고 실체적 경합관계에 있는 수죄로 인정하였다고 하여도 이는 다만 죄수에 관한 법률적 평가를 달리한 것에 불과할 뿐이지 소추대상인 공소사실과 다른 사실을 인정한 것도 아니고 또 피고인의 방어권행사에 실질적으로 불이익을 초래할 우려도 없어서 불고불리의 원칙에 위반되는 것이 아니다.

③ 공소가 제기된 살인죄의 범죄사실에 대하여는 증명이 없으나 폭행치사죄의 증명이 있는 경우, 공소장의 변경 없이 폭행치사죄를 인정함은 결국 폭행치사죄에 대한 피고인의 방어권 행사에 불이익을 주는 것이므로 법원은 검사의 공소장변경 없이는 이를 폭행치사죄로 처단할 수는 없다.

④ 공소장변경절차에 의하여 공소사실이 변경됨에 따라 그 법정형에 차이가 있는 경우에는 변경된 공소사실에 대한 법정형이 공소시효기간의 기준이 되고, 그 공소시효의 완성 여부도 공소장변경시를 기준으로 한다.

해설 ① 대판 2004.7.22, 2003도8153 ② 대판 2005.10.28, 2005도5996 ③ 대판 1981.7.28, 81도1489
④ 공소장변경이 있는 경우에 공소시효의 완성 여부는 당초의 공소제기가 있었던 시점을 기준으로 판단할 것이고 공소장변경시를 기준으로 삼을 것은 아니지만, 공소장변경절차에 의하여 공소사실이 변경됨에 따라 그 법정형에 차이가 있는 경우에는 변경된 공소사실에 대한 법정형이 공소시효기간의 기준이 된다(대판 2001.8.24, 2001도2902).

07 공소장변경에 대한 설명으로 옳지 않은 것은? 24. 7급 국가직

① 공소사실 중 일부가 변경되고 법원이 그 변경을 이유로 공판절차를 정지하지 않았다고 하더라도 공판절차의 진행상황에 비추어 그 변경이 피고인의 방어권 행사에 실질적 불이익을 주지 않는 것으로 인정되는 경우에는 이를 위법하다고 할 수 없다.

② 상고심에서 항소심판결을 파기하고 사건을 항소심법원에 환송한 경우, 환송받은 항소심법원은 공소사실의 동일성이 인정되면 공소장변경을 허용하여 이를 심판대상으로 삼을 수 있고, 공소장변경을 이유로 직권으로 제1심판결을 파기한 후 다시 판결할 수 있다.

③ 공소장이 변경되지 않았다는 이유로 처벌하지 않는 것이 형사소송의 목적에 비추어 현저히 정의와 형평에 반한다고 인정되는 경우, 법원이 검사에게 공소장변경을 요구하지 않았다면 위법하다.

④ 법원이 공소장변경절차 없이 동일한 범죄사실에 대하여 포괄일죄로 보지 않고 실체적 경합관계에 있는 수죄로 인정하는 것은 피고인의 방어권 행사에 실질적 불이익을 초래할 우려가 없으므로 불고불리 원칙에 위배되지 않는다.

해설 ① 대판 2015.11.12, 2015도6809 ② 대판 2004.7.22, 2003도8153
③ 공소장이 변경되지 않았다는 이유로 이를 처벌하지 않는다면 형사소송의 목적에 비추어 현저히 정의와 형평에 반하는 것으로 인정되는 경우라면 법원으로서는 직권으로 그 범죄사실을 인정하여야 한다(대판 2006.4.13, 2005도9268). ④ 대판 2005.10.28, 2005도5996

Answer 06. ④ 07. ③

제3절 공판준비절차

1 의 의

공판준비절차란 공판기일의 심리를 신속하고 능률적으로 하기 위하여 수소법원에 의해 행하여지는 준비절차를 말한다.

수소법원과 관계없이 지방법원판사가 행하는 증거보전절차(제184조), 증인신문절차(제221조의 2), 각종 영장 발부 등은 공판준비에 포함되지 아니한다.

공판준비절차 : 공판준비절차는 넓은 의미의 공판준비절차와 좁은 의미의 공판준비절차로 나누어 볼 수 있다.

1. **넓은 의미에 있어서의 공판준비절차** : 공판기일을 열기 위하여 사전에 거쳐야 하는 통상적인 준비절차, 즉 공소장 부본송달(제266조), 의견서제출(제266조의 2), 국선변호인선정에 대한 고지(규칙 제17조), 공판기일의 지정・변경(제267조 제1항, 제270조 제1항), 피고인의 소환(제73조 이하), 증거개시(제266조의 3 이하) 등의 절차와 공판기일의 효율적이고 집중적인 심리를 위하여 마련한 좁은 의미의 공판준비절차(제266조의 5 이하) 등이 여기에 해당한다.
2. **좁은 의미의 공판준비절차** : 공판기일의 효율적이고 집중적인 심리를 위하여 재판장이 특별히 시행하는 절차를 말한다. 좁은 의미의 공판준비절차는 제1회 공판기일을 열기 전에 행하는 것과 제1회 공판기일이 열린 이후 공판기일과 공판기일 사이에 행하는 두 가지 유형으로 나누어진다.

2 통상적인 공판준비절차

(1) 공소장부본송달

법원은 공소제기가 있으면 지체 없이 공소장부본을 피고인 또는 변호인에게 송달하여야 한다. 단, 제1회 공판기일 전 5일까지 송달되어야 한다(제266조). 07. 9급 법원직, 11. 순경 2차・9급 법원직, 12. 9급 검찰・마약수사, 14. 9급 검찰・마약・교정・보호・철도경찰, 15. 경찰간부, 22. 7급 국가직 이는 피고인이 공소장부본을 통해 법원의 심판대상을 확인하고 방어준비를 할 수 있도록 하기 위함이다.

제1회 공판기일 전 5일까지 송달 ⇨ 송달 후 제1회 공판기일까지의 기간이 최소한 5일을 넘어야 한다는 의미

송달의 형태 ⇨ 법원사무관 등의 직접 교부, 집행관, 법정경위, 우편집배원, 교도소장을 통하는 방법, 공시송달 등이 있다.

공소장부본송달(제266조) 위반 ⇨ 피고인 모두진술단계(제286조)까지 이의신청 가능 07. 7급 국가직

공소장의 송달이 부적법(교도소장이 아닌 교도관에게 송달)하다 하여도 피고인이 제1심에서 이의함이 없이 공소사실에 관하여 충분히 진술할 기회를 부여받은 이상 판결결과에는 영향이 없다(대판 1992.3.10, 91도3272).

국민참여재판 대상사건의 경우 공소장부본과 함께 국민참여재판 안내서를 송달하여야 한다(국민의 형사재판 참여에 관한 규칙 제3조 제1항).

송달불능시의 조치 ⇨ 재판장은 소재조사촉탁, 구인장발부 기타 필요한 조치를 취하여야 한다(소송촉진에 관한 특례규칙 제18조 제2항 참조). 피고인에 대한 송달불능보고서가 접수된 때로부터 6개월이 경과하도록 소재조사 등의 조치에도 불구하고 소재확인이 불가능할 때에는 공시송달의 방법에 의한다(동규칙 제19조 제1항).

피고인에 대하여 공소장부본과 공판기일 소환장 등이 송달되지 아니하자 공시송달의 방법으로 공판기일 소환장만을 2회 이상 공시송달하고 공소장부본은 피고인에게 공시송달의 방법으로도 송달하지 아니하였다면 피고인의 출석 없이 공판절차를 진행하고 선고한 조치는 소송절차상 법령위반의 위법이 있다(대판 2014.4.24, 2013도9498). 20. 9급 법원직

KEY point 5일 법정기간

- 공소장부본송달(제266조)
- 제1회 공판기일 유예기간(제269조 제1항)
- 제2회 이후의 공시송달 효력(제64조 제4항 단서)

(2) 의견서 제출

① 피고인 또는 변호인은 공소장부본을 송달받은 날부터 7일 이내에 공소사실에 대한 인정 여부, 공판준비절차에 관한 의견 등을 기재한 의견서를 법원에 제출하여야 한다. 11. 9급 법원직 다만, 피고인이 진술을 거부하는 경우에는 그 취지를 기재한 의견서를 제출할 수 있다(제266조의 2 제1항). 11. 9급 법원직

② 법원은 제1항의 의견서가 제출된 때에는 이를 검사에게 송부하여야 한다(동조 제2항).

- 의견서 제출은 공소사실에 대한 피고인의 입장을 조기에 확인함으로써 법원으로 하여금 심리계획의 수립을 용이하게 하여 공판정에서 충실한 심리가 이루어지도록 하는 한편, 피고인으로서도 의사표시를 할 기회로 활용함으로써 방어에 도움이 되도록 하기 위해 2007년 개정법에서 신설된 내용이다(미제출 : 제재 ×).
- 의견서가 제출된 경우에 재판장은 효율적이고 집중적인 심리를 위해 공판준비절차(제266조의 5)에 부칠 수 있다.

(3) 국선변호인 선정에 관한 고지

국선변호인의 선정이 필요한 사건의 경우에 공소제기가 있는 때에는 재판장은 변호인이 없는 피고인에게 국선변호인을 선정하게 된다는 취지 또는 선정을 청구할 수 있다는 취지를 서면으로 고지한다(규칙 제17조 제1항 · 제2항).

(4) 공판기일의 지정 · 변경 · 통지 · 피고인 등의 소환

공소장부본송달, 의견서 제출, 국선변호인 선정절차가 완료되면 재판장은 공판기일 등을 정해야 한다.

① 공판기일의 지정 · 변경 · 통지

㉠ 공소장부본이 송달되고 국선변호인 선정절차가 완료되면 재판장은 공판기일을 정하여야 한다(제267조 제1항).

- 검사, 피고인이나 변호인은 공판준비기일의 지정 또는 공판기일의 변경은 신청할 수 있으나(제266조의 7 제1항, 제270조 제1항), 공판기일의 지정을 신청할 수 없다.
- 법원이 부당하게 변론기일 또는 공판기일을 변경하거나 그 기일을 지정하지 아니한 경우에도 변호인과 피고인은 수소법원에 공판기일지정을 신청할 수 없다. (○) 12. 9급 검찰 · 마약 · 교정 · 보호 · 철도경찰

㉡ 지정 · 변경된 공판기일은 검사, 변호인과 보조인에게 통지하여야 한다(제267조 제3항). 이들은 피고인과는 달리 강제적인 출석의무가 없으므로 소환이 아닌 통지의 방식을 취한 것이다.

㉢ 재판장은 직권 또는 검사나 피고인 · 변호인의 신청에 의하여 공판기일을 변경할 수 있다(제270조 제1항). 공판기일변경신청을 기각한 명령은 송달하지 아니한다(제270조 제2항). 11. 9급

PART 04

법원직 공판기일 변경신청에는 공판기일의 변경을 필요로 하는 사유와 그 사유가 계속되리라고 예상되는 기간을 명시하여야 하며 진단서 기타의 자료로써 이를 소명하여야 한다(규칙 제125조). 11. 순경 2차

KEY point

- 공판기일의 지정 · 변경 ⇨ 재판장의 명령
- 공판기일의 지정신청 ⇨ 불가
- 공판기일의 변경신청 ⇨ 가능

② 피고인 등의 소환

㉠ **소환의 의의** : 공판기일에는 피고인, 대표자 또는 대리인을 소환하여야 한다(제267조 제2항). 11. 순경 2차 소환이란 피고인에 대하여 일정한 일시에 법원 기타의 지정한 장소에 출석할 것을 명하는 법원의 강제처분을 말한다(제68조).

긴급시에는 재판장이 소환할 수 있고 수명법관으로 하여금 소환하게 할 수 있다(제80조).

㉡ **소환의 절차**

ⓐ 소환함에는 소환장을 발부하여야 한다(제73조). 제1회 공판기일의 소환장 송달은 5일 이상의 유예기간을 두어야 하나(제269조 제1항), 그 외의 소환은 늦어도 출석일시 12시간 이전에 송달하여야 한다(규칙 제45조).

제2회 이후의 공시송달은 5일을 경과하여야 그 효력이 생기는 것인바, 제2회 이후의 공시송달로서 공판기일을 통지함에 있어 그 공판기일이 공시송달한 날부터 5일 이내임이 역수상 명백한 경우에는 그 공판은 피고인에 대한 공판기일통지가 이루어지지 아니한 가운데 열린 것이 되어 위법하며, 따라서 위 공판기일에서 지정한 그 다음 기일에서의 공판절차 또한 위법하다(대판 1990.9.25, 90도922).

다만, 피고인이 이의를 하지 아니한 때에는 5일 이상의 유예기간을 두지 않을 수 있으며, 09. 9급 법원직 12시간 이전에 송달할 필요는 없다(제269조 제2항, 규칙 제45조). 03. 순경

피고인이 공판기일에 불출석하자, 검사가 피고인과 통화하여 피고인이 변호인으로 선임한 甲변호사의 사무소로 송달을 원하고 있음을 확인하고 피고인의 주소를 甲변호사 사무소로 기재한 주소보정서를 법원에 제출하였는데, 그 후 甲변호사가 사임하고 새로이 乙변호사가 변호인으로 선임된 사안에서, 甲변호사 사무소는 피고인의 송달장소가 아니고, 송달영수인의 주소에도 해당하지 아니하므로, 적법한 피고인의 소환이 이루어졌다고 볼 수 없다(대판 2018.11.29, 2018도13377). 20. 9급 법원직, 22. 7급 국가직

ⓑ 피고인에 대한 제1회 공판기일 소환장은 공소장부본의 송달 전에는 이를 송달하여서는 안 된다(규칙 제123조).

ⓒ 피고인이 기일에 출석한다는 서면을 제출하거나 출석한 피고인에 대하여 다음 기일을 정하여 출석을 명한 때에는 소환장 송달과 동일한 효력이 있다(제76조 제2항). 07 · 08. 9급 법원직

출석을 명한 때에는 그 요지를 조서에 기재하여야 한다(제76조 제3항).

ⓓ 법원의 구내에 있는 피고인에 대하여 공판기일을 통지한 때에는 소환장 송달의 효력이 있다(제268조). 07 · 10. 9급 법원직

ⓔ 구금된 피고인에 대하여는 교도관에게 통지하여 소환하고 피고인이 교도관으로부터 소환통지를 받은 때에는 소환장 송달과 동일한 효력이 있다(제76조 제4항 · 제5항). 07 · 08. 9급 법원직

🔔 구금된 피고인에 대하여는 교도소장 또는 구치소장에게 소환장을 송달하여야 한다. (×)

ⓕ 소환장에는 피고인의 성명 · 주거 · 죄명 · 출석일시 · 장소와 정당한 이유 없이 출석하지 아니한 때에는 도망할 염려가 있다고 인정하여 구속영장을 발부할 수 있음을 기재하고 재판장 또는 수명법관이 기명날인 또는 서명하여야 한다(제74조). 08. 9급 법원직

㉢ **소환의 효과** : 유효한 소환을 받은 피고인은 원칙적으로 출석의무를 진다. 정당한 이유 없이 출석하지 아니한 때에는 구속영장을 발부하여 구인할 수 있다(제74조).

KEY point **피고인소환**

- **주체** : 법원(긴급시 ⇨ 재판장 또는 수명법관)
- **방법**
  - 소환장 송달(제76조 제1항)
  - 소환장 송달과 동일한 효력
    - 구금된 피고인의 경우 교도관으로부터 통지를 받은 때(제76조 제5항)
    - 법원 구내에 있는 피고인에게 공판기일을 통지한 때(268조)
    - 피고인이 기일 출석한다는 서면을 제출한 때(제76조 제2항)
    - 출석 피고인에게 다음 기일 출석을 명령한 때(제76조 제2항)
- 출석 × ⇨ 구인사유
- 늦어도 출석 일시 12시간 전 송달
- **검사 · 변호인** : 통지대상(소환대상 ×)

▶ 증인 · 감정인 ⇨ 소환대상 ○

(5) 증거개시

① 의의 · 도입배경

㉠ **의의** : 증거개시란 검사 또는 피고인 · 변호인이 자신이 보유하고 있는 증거를 상대방에게 열람 · 등사하게 하는 것을 말한다. 형사소송법은 검사가 보유하는 증거에 대한 증거개시뿐만 아니라, 피고인측이 보유하고 있는 증거에 대한 증거개시도 인정하고 있다. 17. 경찰간부

🔔 변호인이 검사가 공소제기 후 법원에 제출되지 않은 관계서류나 제출하지 않을 서류 등도 열람 또는 등사할 수 있는지 그 범위는 어디까지인지 형사소송법에 명문으로 규정되어 있다.

㉡ **도입배경** : 소송계속 중이란 공소제기 이후를 의미하는데, 공소제기 이후에 법원이 보관하고 있는 소송서류 또는 증거물 이외에 수사기관에서 보관하고 있는 관계서류가 포함되는지에 대하여 논란이 되어왔으나(헌법재판소는 긍정하는 입장), 2007년 개정법에서 열람 · 등사를 허용하는 증거개시제도(제266조의 3)를 도입함으로써 입법적으로 해결하였다.

🔔 증거개시제도는 실질적인 당사자 대등을 확보하고, 피고인의 신속 · 공정한 재판을 받을 권리를 확보하기 위한 제도이다.

② 검사가 보관하고 있는 서류 등의 열람 · 등사

㉠ **열람 · 등사 · 교부의 대상** : 피고인 또는 변호인은 검사에게 공소제기된 사건에 관한 서류 또는 물건의 목록과 공소사실의 인정 또는 양형에 영향을 미칠 수 있는 서류 등의 열람 · 등사 또는 서면의 교부를 신청할 수 있다. 10. 9급 법원직, 15. 순경 3차, 16. 경찰간부 다만, 변호인이 있는 경우에는 피고인은 열람만을 신청할 수 있다(제266조의 3 제1항). 13. 9급 국가직 · 변호사시험, 15. 순경 3차, 16. 순경 1차, 16 · 17. 경찰승진, 17. 순경 2차, 16 · 20. 9급 법원직, 21. 해경, 15 · 22. 7급 국가직, 24. 해경경위공채

공판준비 또는 공판기일에서는 법원의 허가를 얻어 구두로 상대방에게 서류 등의 열람 · 등사를 신청할 수 있다(규칙 제123조의 5 제1항).

증거개시 신청의 시기제한을 두고 있지 않으므로(제266조의 3 제1항, 제266조의 11 제1항) 공소제기 이후에는 언제든지 가능하다. 따라서 공판준비절차는 물론 공판기일에서도 가능하다. 12. 순경 3차, 15. 7급 국가직, 17. 경찰간부

변호인이 있는 피고인이라도 소송계속 중 법원이 보관하고 있는 서류 등에 대하여는 열람 · 복사 모두 가능(제35조 제1항)

변호인이 있는 경우에는 피고인은 서류 또는 물건의 목록에 대한 열람만을 신청할 수 있다. (×) 24. 해경경위공채 – 목록 뿐만 아니라 서류 · 물건 자체도 열람신청 가능

관련판례

1. 검찰청이 보관하고 있는 불기소처분기록에 포함된 불기소결정서는 형사피의자에 대한 수사의 종결을 위한 검사의 처분 결과와 이유를 기재한 서류로서, 작성 목적이나 성격 등에 비추어 이는 수사기관 내부의 의사결정과정 또는 검토과정에 있는 사항에 관한 문서도 아니고, 그 공개로써 수사에 관한 직무의 수행을 현저하게 곤란하게 하는 것도 아니므로, 달리 특별한 사정이 없는 한 변호인의 열람 · 지정에 의한 공개의 대상이 된다(대판 2012.5.24, 2012도1284). 17. 경찰간부
2. 변호인의 수사서류 열람 · 등사권이 헌법상 기본권의 중요한 내용이자 구성요소라고 하더라도 열람 · 등사의 절차 및 대상, 열람 · 등사의 거부 및 제한 사유, 검사의 열람 · 등사 거부처분에 대한 불복절차 및 제재 등 그 상세한 내용의 형성은 입법을 통하여 구체화될 수 있는 것으로서, 형사소송법 제266조의 3과 제266조의 4는 공소가 제기된 후 검사가 보관하고 있는 서류 등에 대한 피고인 또는 변호인의 열람 · 등사권을 구체화하고 있는 것이다(헌재결 2010.6.24, 2009헌마257).

   상세한 내용의 형성은 헌법을 통해서만 구체화할 수 있다. (×)
3. 공소가 제기된 후의 피고인 또는 변호인의 수사서류 열람 · 등사권에 대하여, 증거개시의 대상을 검사가 신청할 예정인 증거에 한정하지 아니하고 피고인에게 유리한 증거까지를 포함한 전면적인 증거개시를 원칙으로 한다(헌재결 2010.6.24, 2009헌마257).
4. 검사가 보관 중인 수사기록에 대한 열람 · 등사신청은 수사기록을 보관하고 있는 검사에게 직접 하여야 한다(헌재결 1997.11.27, 94헌마60). 09. 7급 국가직

보충 **열람 · 등사 · 교부의 신청대상 서류**(제266조의 3)

1. 검사가 증거로 신청할 서류 등
2. 검사가 증인으로 신청할 사람의 성명, 사건과의 관계 등을 기재한 서면 또는 그 사람이 공판기일 전에 행한 진술을 기재한 서류 등
3. 1. 또는 2.의 서면 또는 서류 등의 증명력과 관련된 서류 등

4. 피고인 또는 변호인이 행한 법률상·사실상 주장과 관련된 서류 등(관련 형사재판 확정기록, 불기소처분기록 등을 포함한다)
▶ 신청의 상대방은 검사이다.
▶ 피고인에게 유리한 증거까지를 포함한 전면적 개시를 원칙으로 한다. 12. 순경, 13. 9급 검찰·마약·교정·보호·철도경찰

㉡ **열람·등사권의 제한**

ⓐ 검사는 국가안보, 증인보호의 필요성, 증거인멸의 염려, 관련사건의 수사에 장애를 가져올 것으로 예상되는 구체적인 사유 등 열람·등사 또는 서면의 교부를 허용하지 아니할 상당한 이유가 있다고 인정하는 때에는 열람·등사 또는 서면의 교부를 거부하거나 그 범위를 제한할 수 있다(제266조의 3 제2항). 10. 경찰승진·9급 법원직, 16. 경찰간부, 13·17. 순경 2차

열람·등사의 범위를 제한할 수는 있으나 거부할 수는 없다. (×)

ⓑ 검사는 열람·등사 또는 서면의 교부를 거부하거나 그 범위를 제한하는 때에는 지체없이(7일 이내 ×) 그 이유를 서면(또는 구술 ×)으로 통지하여야 한다(동조 제3항). 16. 순경 1차, 17. 경찰승진, 14·17. 순경 2차, 14·18. 경찰간부, 20. 7급 국가직, 21. 해경순경, 24. 해경경위공채

ⓒ 검사가 열람·등사를 거부하거나 그 범위를 제한하는 때에는 검사가 열람·교부신청을 받은 때부터 48시간 이내에 신청인에게 위 통지를 하여야 하는데, 통지를 아니한 경우에는 피고인 또는 변호인은 열람·등사의 신청이 거부된 경우와 같이 법원에 열람·등사의 허용신청을 할 수 있다(동조 제4항).

ⓓ 검사가 서류 등의 열람·등사 등을 거부하거나 그 범위를 제한할 수 있는 경우에도, 서류 등의 목록에 대하여는 열람 또는 등사를 거부할 수 없다(동조 제5항). 13. 변호사시험, 17. 순경 2차, 18. 9급 검찰·마약·교정·보호·철도경찰, 16·20. 9급 법원직, 16·21. 순경 1차, 20·22. 7급 국가직, 22. 경찰간부, 17·23. 경찰승진, 24. 해경경위공채

ⓔ 열람·등사를 신청할 수 있는 서류 등은 도면·사진·녹음테이프·비디오테이프·컴퓨터용 디스크 그 밖에 정보를 담기 위하여 만들어진 물건으로서 문서가 아닌 특수매체를 포함한다. 13. 변호사시험, 16. 순경 1차, 18. 경찰간부 이 경우 특수매체에 대한 등사는 필요 최소한의 범위에 한한다(동조 제6항).

㉢ **법원의 열람·등사에 관한 결정**

ⓐ 피고인 또는 변호인은 검사가 서류 등의 열람·등사·교부를 거부하거나 그 범위를 제한하는 때에는 법원에 허용해 줄 것을 신청할 수 있다(제266조의 4 제1항). 10. 9급 법원직, 13. 경찰승진, 13·17. 순경 2차, 18. 9급 검찰·마약·교정·보호·철도경찰 신청은 서면으로 하여야 한다(규칙 제123조의 4 제1항). 법원은 신청이 있는 경우, 즉시 신청서부본을 검사에게 송부하여야 하고 검사는 이에 대한 의견을 제시할 수 있다(동조 제3항).

ⓑ 이 경우 법원은 열람·등사 등을 허용하는 경우에 생길 폐해의 유형·정도, 피고인의 방어, 재판의 신속한 진행을 위한 필요성 및 해당서류 등의 중요성 등을 고려하여 검사에게 열람·등사·교부를 허용할 것을 명할 수 있다(제266조의 4 제2항).

관련판례

1. 형사소송법 제266조의 4에 따라 법원이 검사에게 수사서류 등의 열람·등사 또는 서면의 교부를 허용할 것을 명한 결정은 피고사건 소송절차에서의 증거개시(개시)와 관련된 것으로서 제403조에서 말하는 '판결 전의 소송절차에 관한 결정'에 해당한다 할 것인데, 위 결정에 대하여는 형사소송법에서 별도로 즉시항고에 관한 규정을 두고 있지 않으므로 제402조에 의한 항고의 방법으로 불복할 수 없다고 보아야 한다(대결 2013.1.24, 2012모1393). 14. 순경 2차, 22. 경찰간부, 20·23. 7급 국가직
   불복절차를 별도로 규정하고 있다. (×)
2. 형사소송법은 검사의 열람·등사 거부처분에 대하여 법원이 그 허용 여부를 결정하도록 하면서도, 법원의 열람·등사 허용 결정에 대하여 집행정지의 효력이 있는 즉시항고 등의 불복절차를 별도로 규정하고 있지 않으므로, 이러한 법원의 열람·등사 허용 결정은 그 결정이 고지되는 즉시 집행력이 발생한다고 보아야 할 것이다(헌재결 2010.6.24, 2009헌마257).

ⓒ 검사에게 열람·등사·교부를 허용할 것을 명할 경우에는 검사에게 의견을 제시할 수 있는 기회를 부여하여야 한다(동조 제3항).

ⓓ 법원은 열람·등사·교부의 허용 여부를 결정함에 있어 검사에게 해당서류 등의 제시를 요구할 수 있고, 피고인이나 그 밖의 이해관계인을 심문할 수 있다(동조 제4항).

ⓔ 만약 검사가 열람·등사에 관한 법원의 결정을 지체 없이 이행하지 아니한 때에는 해당 증인 및 서류 등에 대한 증거신청을 할 수 없다(동조 제5항). 14. 순경 2차, 17. 경찰승진, 18. 경찰간부·9급 검찰·마약·교정·보호·철도경찰, 20. 9급 법원직, 22. 7급 국가직, 24. 해경경위공채

검사가 법원의 결정을 지체 없이 이행하지 아니한 때에는 공소기각판결을 하여야 한다. (×) 16. 경찰간부

법원의 열람·등사 또는 서면의 교부에 관한 결정에 대해 검사는 국가안보, 증인보호의 필요성, 증거인멸의 염려, 관련사건의 수사에 장애를 가져올 것으로 예상되는 구체적인 사유 등 열람·등사 또는 서면의 교부를 허용하지 아니할 상당한 이유가 있다고 인정한 때에는 열람·등사 또는 서면의 교부를 거부하거나 그 범위를 제한할 수 있고, 해당 증인 및 서류 등에 대한 증거신청을 할 수 있다. (×) 15. 경찰간부

관련판례

1. 법원의 열람·등사 허용 결정에도 불구하고 검사가 이를 신속하게 이행하지 아니하는 경우에는 해당 증인 및 서류 등을 증거로 신청할 수 없는 불이익을 받는 것에 그치는 것이 아니라, 그러한 검사의 거부행위는 피고인의 열람·등사권을 침해하고, 나아가 피고인의 신속·공정한 재판을 받을 권리 및 변호인의 조력을 받을 권리까지 침해하게 되는 것이다(헌재결 2010.6.24, 2009헌마257). 13. 순경 2차·변호사시험, 15. 7급 국가직, 18. 9급 검찰·마약·교정·보호·철도경찰
2. 수사서류에 대한 법원의 열람·등사 허용 결정이 있음에도 검사가 열람·등사를 거부하는 경우 수사서류 각각에 대하여 검사가 열람·등사를 거부할 정당한 사유가 있는지를 심사할 필요 없이 그 거부행위 자체로써 청구인들의 기본권을 침해한다(헌재결 2010.6.24, 2009헌마257).
3. 피청구인은 법원의 수사서류 열람·등사 허용 결정 이후 해당 수사서류에 대한 열람은 허용하고 등사만을 거부하였다 하더라도 청구인들의 신속·공정한 재판을 받을 권리 및 변호인의 조력을 받을 권리가 침해되었다고 보아야 한다(헌재결 2017.12.28, 2015헌마632).

㉣ **열람 · 등사된 서류 등의 남용방지** : 피고인 또는 변호인(피고인 또는 변호인이었던 자를 포함한다)은 검사가 열람 또는 등사하도록 한 서류 등의 사본을 당해 사건 또는 관련소송의 준비에 사용할 목적이 아닌 다른 목적으로 다른 사람에게 교부 또는 제시하여서는 아니 된다(제266조의 16 제1항).

③ **피고인 또는 변호인이 보관하고 있는 서류 등의 열람 · 등사**

㉠ **열람 · 등사 · 교부의 대상** : 검사는 피고인 또는 변호인이 공판기일 또는 공판준비절차에서 현장부재, 심신상실 또는 심신미약 등 법률상 · 사실상의 주장을 한 때에는 피고인 또는 변호인에게 다음 서류 등의 열람 · 등사 또는 서면의 교부를 요구할 수 있다(제266조의 11 제1항). 14. 순경 2차, 20 · 22. 7급 국가직

- 공판준비 또는 공판기일에서 법원의 허가를 얻어 구두로 상대방에게 서류 등의 열람 · 등사를 신청할 수 있다(규칙 제123조의 5 제1항).
- 검사보관서류는 원칙적으로 전면적 개시, 피고인보관 서류는 일정한 사유를 전제로 한 제한적 개시 11. 순경 2차, 13. 경찰승진
- 피고인측 보유증거 개시제도는 검사의 소추권강화 목적(×), 공판절차 지연방지목적(○)

보충 **열람 · 등사 · 교부의 요구대상 서류**

1. 피고인 또는 변호인이 증거로 신청할 서류 등
2. 피고인 또는 변호인이 증인으로 신청할 사람의 성명, 사건과의 관계 등을 기재한 서면
3. 1.의 서류 등 또는 2.의 서면의 증명력과 관련된 서류 등
4. 피고인 또는 변호인이 행한 법률상 · 사실상의 주장과 관련된 서류 등

㉡ **열람 · 등사권의 제한**

ⓐ 검사가 서류 등의 열람 · 등사 · 교부를 거부한 때에는 피고인 또는 변호인도 이를 거부할 수 있다(제266조의 11 제2항). 16. 9급 법원직 다만, 법원이 신청을 기각하는 결정을 한 때에는 그러하지 아니한다(동조 제2항 단서). 20. 9급 법원직, 24. 해경간부

ⓑ 피고인 또는 변호인이 서류 등의 열람 · 등사 · 교부를 거부한 때에는 검사는 법원에 허용할 것을 신청할 수 있다(동조 제3항). 신청은 서면으로 하여야 하며, 법원은 검사의 신청이 있는 경우 즉시 신청서부본을 피고인 또는 변호인에게 송부하여야 하고 피고인 또는 변호인은 이에 대한 의견을 제시할 수 있다(규칙 제123조의 4 제4항).

ⓒ 열람 · 등사를 신청할 수 있는 서류 등은 도면 · 사진 · 녹음테이프 · 비디오테이프 · 컴퓨터용 디스크 그 밖에 정보를 담기 위하여 만들어진 물건으로서 문서가 아닌 특수매체를 포함한다. 이 경우 특수매체에 대한 등사는 필요 최소한의 범위에 한한다(제266조의 11 제5항).

㉢ **법원의 열람 · 등사에 관한 결정** : 피고인 또는 변호인이 서류 등의 열람 · 등사 · 교부를 거부한 때 검사는 법원에 허용할 것을 신청할 수 있는데, 이 경우 법원의 결정에 관한 절차는 검사의 거부로 피고인측이 그 허용을 신청한 경우에 하는 법원의 결정절차(제266조의 4 제2항 내지 제5항)를 준용한다.

피고인이나 변호인이 증거개시에 관한 법원의 결정을 지체 없이 이행하지 아니하는 때에는 해당 증인 및 서류 등에 대한 증거신청 불가 10. 경찰승진, 16. 경찰간부

KEY point

1. **증거개시제도** : 공소제기 후 검사보관 서류 등 열람 · 등사(전면적 개시)와 피고인이 보관서류 등 열람 · 등사(제한적 개시)
2. **신청시기** : 공소제기 후 언제든지(공판준비 또는 공판기일)
3. **검사보관 서류 등의 열람 · 등사**
   - 신청 : 피고인 또는 변호인(변호인 있는 피고인 ⇨ 열람만 신청가능)
   - 제한 : 국가안보, 증인보호의 필요성, 증거인멸의 염려, 관련사건의 수사에 장애를 가져올 것으로 예상되는 구체적인 사유 등 열람 · 등사 또는 서면의 교부를 허용하지 아니할 상당한 이유가 있다고 인정하는 때 거부 또는 제한 가능(목록 ⇨ 열람 · 등사 거부 ×)
   - 검사의 제한 또는 거부 : 피고인 등은 법원에 열람 · 등사 · 교부 신청(검사가 법원의 결정에 불이행 ⇨ 해당 서류 등에 대한 증거신청 할 수 없음)
4. **피고인 또는 변호인이 보관중인 서류 등 열람 · 등사**
   - 요구의 대상 : 현장부재 · 심신상실 또는 심신미약 등 일정한 사유를 전제
   - 거부 : 검사가 열람 · 등사 또는 서면의 교부를 거부한 때에는 피고인 측에서도 거부가능
   - 피고인 등의 거부 : 검사는 법원에 열람 · 등사 · 교부 신청(피고인 등이 법원의 결정에 불이행 ⇨ 해당 서류 등에 대한 증거신청 할 수 없음)

3 집중심리를 위한 공판준비절차(협의의 공판준비절차)

(1) 의 의

① **도입배경** : 복잡한 사건의 경우 사건의 심리방향을 설정하기 위하여 쟁점을 정리하고 주장 및 입증계획 등을 준비하게 하거나 이를 위해 공판준비기일을 열 수 있는 근거규정이 없었다. 2007년 개정법은 이러한 현행법의 입법적 미비점을 보완하고 효율적이고 집중적인 심리를 도모하기 위하여 재판장은 사건을 공판준비절차에 부칠 수 있다는 규정을 신설하였다(제266조의 5). 한편 검사, 피고인 또는 변호인은 증거를 미리 수집 · 정리하는 등 공판준비절차가 원활하게 진행될 수 있도록 협력하여야 한다는 협력의무도 부과하였다(동조 제3항).

통상사건의 경우 공판준비절차는 재판장이 필요하다고 인정하는 경우에 거칠 수 있는 임의적 절차인 반면, 09. 9급 국가직, 10. 7급 국가직, 11. 경찰승진, 12. 순경 3차, 15. 순경 1차 · 9급 법원직 국민참여재판에서는 반드시 공판준비절차에 부쳐야 하는 필수적 절차로 규정하고 있다(국민의 형사재판 참여에 관한 법률 제36조 제1항). 09. 9급 국가직, 10. 7급 국가직, 11 · 13. 경찰승진, 12. 경찰간부, 23. 소방간부

② **공판준비방법** : 공판준비절차는 서면으로 준비하도록 하는 방법과 공판준비기일을 여는 방법 중에서 선택할 수 있도록 하였다(제266조의 6, 제266조의 7). 10. 9급 법원직, 15. 순경 1차

(2) 서면제출에 의한 공판준비

① 검사, 피고인 또는 변호인은 법률상 · 사실상 주장의 요지 및 입증취지 등이 기재된 서면을 법원에 제출할 수 있다(제266조의 6 제1항).

② 재판장은 검사, 피고인 또는 변호인에 대하여 제1항에 따른 서면의 제출을 명할 수 있다(동조 제2항).

③ 법원은 제1항 또는 제2항에 따라 서면이 제출된 때에는 그 부본을 상대방에게 송달하여야 한다(동조 제3항).

④ 재판장은 검사, 피고인 또는 변호인에게 공소장 등 법원에 제출된 서면에 대한 설명을 요구하거나 그 밖에 공판준비에 필요한 명령을 할 수 있다(동조 제4항).

(3) 공판준비기일에 의한 공판준비

① 지정 및 신청

㉠ 법원은 검사, 피고인 또는 변호인의 의견을 들어 공판준비기일을 지정할 수 있다(제266조의 7 제1항). 당사자의 협력 없이는 목적달성이 어렵기 때문에 의견을 듣도록 하였다.

㉡ 검사, 피고인 또는 변호인은 법원에 대하여 공판준비기일의 지정을 신청할 수 있다. 14. 순경 2차·7급 국가직 이 경우 당해 신청에 관한 법원의 결정에 대하여는 불복할 수 없다(동조 제2항). 12. 순경 3차·9급 법원직, 14. 순경 2차, 17. 경찰승진·순경 1차, 23. 해경승진·소방간부, 14·23. 7급 국가직

공판준비기일 지정 ⇨ 신청 또는 법원 직권

공판준비기일 지정신청에 대한 법원의 결정에 항고할 수 있다. (×)

㉢ 검사·피고인 또는 변호인은 부득이한 사유로 공판준비기일을 변경할 필요가 있는 때에는 그 사유와 기간 등을 구체적으로 명시하여 공판준비기일의 변경을 신청할 수 있다(규칙 제123조의 10).

② 심리계획 수립

㉠ 법원은 사건을 공판준비절차에 부친 때에는 집중심리를 하는 데 필요한 심리계획을 수립하여야 한다(규칙 제123조의 8 제1항).

㉡ 재판장은 검사·피고인 또는 변호인에게 기한을 정하여 공판준비 절차의 진행에 필요한 사항을 미리 준비하게 하거나 그 밖에 공판준비에 필요한 명령을 할 수 있다(규칙 제123조의 9 제1항).

③ 검사 및 변호인 등의 출석

㉠ 법원은 검사, 피고인 및 변호인에게 공판준비기일을 통지하여야 한다(제266조의 8 제3항).

법원은 검사, 피고인 또는 변호인에게 공판준비기일을 통지하여야 한다. (×) 08. 9급 법원직, 11. 순경

㉡ 법원은 공판준비기일이 지정된 사건에 관하여 변호인이 없는 때에는 직권으로 변호인을 선정하여야 하고(동조 제4항), 09. 9급 국가직, 10. 7급 국가직, 11. 경찰승진, 12. 순경 3차, 14. 9급 교정·보호·철도경찰, 10·15·20. 9급 법원직, 15. 경찰간부, 17. 순경 1차, 22·23. 소방간부 피고인 및 변호인에게 그 뜻을 고지하여야 한다(규칙 제123조의 11 제1항).

공판준비기일 ⇨ 필요적 국선(서면으로 진행되는 공판준비절차는 필요적 국선 ×)

㉢ 법원은 필요하다고 인정하는 때에는 피고인을 소환할 수 있으며, 피고인은 법원의 소환이 없는 때에도 공판준비기일에 출석할 수 있다(동조 제5항). 11. 경찰승진, 12. 9급 법원직, 14. 순경 2차, 16. 순경 1차, 14 · 23. 7급 국가직

법원은 필요하다고 인정하는 때에는 피고인을 소환할 수 있으며, 피고인은 법원의 소환이 없이는 공판준비기일에 출석할 수 없다. (×) 17. 순경 1차

㉣ 재판장은 출석한 피고인에게 진술을 거부할 수 있음을 알려주어야 한다(동조 제6항). 08. 9급 법원직, 14. 순경 2차, 23. 해경승진

㉤ 공판준비기일에는 검사 및 변호인이 출석하여야 하며, 12. 순경 3차, 22. 경찰간부, 08 · 23. 9급 법원직 · 7급 국가직 공판준비기일에는 법원사무관 등이 참여한다(동조 제1항 · 제2항).

피고인의 출석은 의무사항 ×

㉥ 법원은 피고인이 출석하지 아니하는 경우 상당하다고 인정하는 때에는 검사와 변호인의 의견을 들어 비디오 등 중계장치에 의한 중계시설을 통하거나 인터넷 화상장치를 이용하여 공판준비기일을 열 수 있다(제266조의 17 제1항). 제1항에 따른 기일은 검사와 변호인이 법정에 출석하여 이루어진 공판준비기일로 본다(동조 제2항). 비디오 등 중계장치에 의한 중계시설은 법원 청사 안에 설치하되, 필요한 경우 법원 청사 밖의 적당한 곳에 설치할 수 있다(규칙 제123조의 13 제2항).

④ **공판준비기일의 진행**

㉠ 법원은 합의부원으로 하여금 공판준비기일을 진행하게 할 수 있다. 09. 9급 국가직 이 경우 수명법관은 공판준비기일에 관하여 법원 또는 재판장과 동일한 권한이 있다(제266조의 7 제3항). 09. 9급 법원직, 11. 순경, 21. 7급 국가직

㉡ 공판준비기일은 공개한다. 21. 7급 국가직 다만, 공개하면 절차의 진행이 방해될 우려가 있는 때에는 공개하지 아니할 수 있다(동조 제4항). 09. 7급 국가직, 12. 순경 3차 · 9급 법원직, 11 · 16. 순경 1차, 22 · 23. 소방간부, 23. 해경승진

공판준비기일은 반드시 공개하여야 한다. (×)

㉢ 검사 · 피고인 또는 변호인은 특별한 사정이 없는 한 필요한 증거를 공판준비절차에서 일괄하여 신청하여야 한다(규칙 제123조의 8 제2항). 10. 순경 2차

⑤ **법원의 권한**

㉠ 공판준비절차에서 법원은 다음과 같은 행위를 할 수 있다(제266조의 9 제1항).

공소장의 보완 · 변경	1. 공소사실 또는 적용법조를 명확하게 하는 행위 2. 공소사실 또는 적용법조의 추가 · 철회 또는 변경을 허가하는 행위 10. 7급 국가직, 11. 경찰승진, 12. 9급 검찰 · 마약수사 · 9급 법원직
쟁점 정리	3. 공소사실과 관련하여 주장할 내용을 명확히 하여 사건의 쟁점을 정리하는 행위 4. 계산이 어렵거나 그 밖에 복잡한 내용에 관하여 설명하도록 하는 행위

증거신청 및 채부	5. 증거신청을 하도록 하는 행위 6. 신청된 증거와 관련하여 입증취지 및 내용 등을 명확하게 하는 행위 7. 증거신청에 관한 의견을 확인하는 행위 8. 증거 채부(採否)의 결정을 하는 행위 9. 증거조사의 순서 및 방법을 정하는 행위 09. 순경
증거개시에 관한 결정	10. 서류 등의 열람 또는 등사와 관련된 신청의 당부를 결정하는 행위
기타 준비행위	11. 공판기일을 지정 또는 변경하는 행위 12. 그 밖에 공판절차의 진행에 필요한 사항을 정하는 행위

신청된 증거를 조사하여 판결을 선고하는 행위 ⇨ 공판준비행위 ×(공판기일에서 절차에 해당함) 09. 순경

증거보전청구의 인용 여부 결정, 압수·수색영장의 발부에 관한 결정, 검사의 증인신문청구에 관한 인용 여부 결정 ⇨ 공판준비절차에서 행할 수 있는 행위가 아니다. 12. 9급 국가직

검사, 피고인 또는 변호인은 공판준비기일에서 법원의 허가를 얻어 구두로 상대방에게 서류 등의 열람 또는 등사를 신청할 수 있다(규칙 제123조의 5 제1항).

법원은 공판준비절차에서 증거신청, 증거채부결정 뿐만 아니라 필요하다고 인정하는 경우 증거조사를 할 수 있다. (×) 23. 9급 법원직

㉡ 공판 전 준비절차에서도 검사, 피고인 또는 변호인은 증거조사 또는 재판장의 처분에 대한 이의신청을 할 수 있다(제266조의 9 제2항, 제296조, 제304조).

⑥ **결과확인**

㉠ 법원은 공판준비기일을 종료하는 때에는 검사, 피고인 또는 변호인에게 쟁점 및 증거에 관한 정리결과를 고지하고, 이에 대한 이의의 유무를 확인하여야 한다(제266조의 10 제1항).

㉡ 법원은 쟁점 및 증거에 관한 정리결과를 공판준비기일조서에 기재하여야 한다(동조 제2항). 23. 7급 국가직

공판준비기일에도 조서를 작성하여야 하나 공판조서와 같이 자세히 작성하게 되면 공판준비기일이 본안재판처럼 되어 오히려 공판기일의 심리절차가 형식적인 절차로 유명무실하게 될 염려가 있고, 피고인의 방어권 행사에도 불리하다는 이유에서 공판준비기일에는 확인된 쟁점 및 증거의 정리결과만을 기재하도록 규정하였다.

⑦ **공판준비절차의 종결사유**

㉠ 법원은 다음의 어느 하나에 해당하는 사유가 있는 때에는 공판준비절차를 종결하여야 한다(제266조의 12).

1. 쟁점 및 증거의 정리가 완료된 때
2. 사건을 공판준비절차에 부친 뒤 3개월이 지난 때
3. 검사·변호인 또는 소환받은 피고인이 출석하지 아니한 때 12. 경찰간부, 13. 경찰승진

㉡ 다만, 사건을 공판준비절차에 부친 뒤 3개월이 지나거나, 검사·변호인 또는 소환받은 피고인이 출석하지 아니한 경우로서 공판의 준비를 계속하여야 할 상당한 이유가 있는 때에는 그러하지 아니하다(동조 단서).

⑧ **종결의 효과** : 공판준비절차의 실효성을 담보하기 위하여 실권효에 관한 규정을 두었다. 즉, 공판준비기일에서 신청하지 못한 증거는 공판기일에 증거신청을 할 수 없도록 하였고, 23. 해경승진 다만 신청으로 인하여 소송을 현저히 지연시키지 아니하거나 또는 중대한 과실 없이 공판준비기일에 제출하지 못하는 등 부득이한 사유를 소명한 때에는 예외적으로 공판준비기일에 신청하지 못한 증거를 공판기일에 신청할 수 있다(제266조의 13 제1항). 08. 9급 법원직, 12. 경찰간부, 13. 경찰승진, 14·23. 7급 국가직 실권효규정에도 불구하고 법원은 직권으로 증거조사를 할 수 있다(동조 제2항). 09·22. 7급 국가직, 23. 해경승진

⑨ **준용규정** : 공판기일의 변론재개에 관한 규정(제305조)은 공판준비기일에 준용하므로(제266조의 14), 법원은 필요하다고 인정할 때에는 직권 또는 검사, 피고인이나 변호인의 신청에 의하여 결정으로 종결한 변론을 재개할 수 있다(공판준비기일 재개도 가능 : 제266조의 14, 제305조). 12. 경찰간부, 13. 경찰승진, 23. 9급 법원직

⑩ **기일간 공판준비절차** : 법원은 쟁점 및 증거의 정리를 위하여 필요한 경우에는 제1회 공판기일 후에도 사건을 공판준비절차에 부칠 수 있다. 12. 경찰간부, 15. 9급 법원직, 13·19. 경찰승진, 23. 소방간부 이 경우 기일 전 공판준비절차에 관한 규정을 준용한다(제266조의 15). 17. 순경 1차

제273조 및 제274조의 적용범위 : 2007년 개정 형사소송법은 실체심리를 집중하기 위하여 마련하고 있는 공판준비절차로 기일 전 준비절차(제266조의 5 이하)와 제1회 공판기일 이후 공판기일과 공판기일 사이에 행하는 기일간 준비절차(제266조의 15)를 마련하고 있는데 이러한 공판준비절차에는 증거제출, 증거조사, 피고인신문 등은 금지되어 있는 반면, 종래부터 유지되어 온 규정인 제273조(법원은 검사, 피고인 또는 변호인의 신청에 의하여 공판준비에 필요하다고 인정되는 경우에는 공판기일 전에 피고인 또는 증인을 신문할 수 있고, 검증·감정·번역을 명할 수 있다) 및 제274조(검사·피고인 또는 변호인은 공판기일 전에 서류나 물건을 증거로 법원에 제출할 수 있다)는 공판준비단계에서 피고사건의 실체심리를 허용하고 있는데 이러한 조문들과의 관계를 어떻게 해석해야 할 것인가가 문제된다. 이러한 문제에 대한 다양한 논의가 있으나, 공소장일본주의 원칙상 제1회 공판기일 이후 공판기일 전의 준비절차에서 제273조 및 제274조가 적용될 수 있다고 보아야 한다. 따라서 제1회 공판기일 전에는 증거조사 및 증거제출이 허용되지 아니한다.

KEY point

- **공판준비절차**
  - 통상사건 : 임의적(재판장 재량)
  - 국민참여재판사건 : 필수적
- **공판준비방법**
  - 서면준비
  - 공판준비기일(필요적 국선)
- **준비기일지정** : 법원 직권 or 당사자신청
  ▶ 공판기일지정 ⇨ 집중심리를 위한 준비절차 : 법원의 권한(통상절차에서는 재판장 직권)
- **공판준비기일의 공개여부** : 공개
- **공판준비기일에 출석** : 검사와 변호인이 반드시 출석
  ▶ 피고인 출석의무 ×
- **준비내용** : 제266조의 9 제1항
- **공판준비절차의 종결사유** : 제266조의 12
- 공판준비절차 때 신청하지 못한 증거 ⇨ 공판기일에 증거신청을 할 수 없다(원칙).

4 공무소 등에의 조회

① 법원은 직권 또는 검사·피고인이나 변호인의 신청에 의하여 공무소 또는 공공단체에 조회하여 필요한 사항의 보고 또는 그 보관서류의 송부를 요구할 수 있다(제272조 제1항). 09. 9급 법원직 소송관계인의 조회신청이 부적법하거나 이유 없는 경우에는 결정으로 기각해야 한다(제272조 제2항).

② 송부 요구를 받은 법원 등은 당해 서류를 보관하고 있지 아니하거나 기타 송부요구에 응할 수 없는 사정이 있는 경우를 제외하고는 신청인 또는 변호인에게 당해 서류를 열람하게 하여 필요한 부분을 지정할 수 있도록 하여야 하며 정당한 이유없이 이에 대한 협력을 거절하지 못한다(규칙 제132조의 4 제3항).

③ 서류의 송부요구를 받은 법원 등이 당해 서류를 보관하고 있지 아니하거나 기타 송부요구에 응할 수 없는 사정이 있는 때에는 그 사유를 요구법원에 통지하여야 한다(규칙 제132조의 4 제4항).

PART 04

관련판례

1. 법원이 송부요구한 서류의 열람·지정을 거절할 수 있는 '정당한 이유'는 엄격하게 제한하여 해석하여야 한다. 특히 서류가 관련 형사재판확정기록이나 불기소처분기록 등으로서 피고인 또는 변호인이 행한 법률상·사실상 주장과 관련된 것인 때에는, "국가안보, 증인보호의 필요성, 증거인멸의 염려, 관련 사건의 수사에 장애를 가져올 것으로 예상되는 구체적인 사유"에 준하는 사유가 있어야만 그에 대한 열람·지정을 거절할 수 있는 정당한 이유가 인정될 수 있다(대판 2012.5.24, 2012도1284).
   불기소결정서 ⇨ 공개의 대상(○)
2. 송부요구한 서류가 피고인의 무죄를 뒷받침할 수 있거나 적어도 법관의 유·무죄에 대한 심증을 달리할 만한 상당한 가능성이 있는 중요증거에 해당하는데도 정당한 이유 없이 피고인 또는 변호인의 열람·지정 내지 법원의 송부요구를 거절하는 것은 피고인의 신속·공정한 재판을 받을 권리와 변호인의 조력을 받을 권리를 중대하게 침해하는 것이다. 따라서 이러한 경우 서류의 송부요구를 한 법원으로서도 해당 서류의 내용을 가능한 범위에서 밝혀보아 서류가 제출되면 유·무죄의 판단에 영향을 미칠 상당한 개연성이 있다고 인정될 경우에는 공소사실이 합리적 의심의 여지 없이 증명되었다고 보아서는 아니 된다(대판 2012.5.24, 2012도1284).

CHAPTER

01 기출문제

01 증거개시제도에 대한 설명으로 옳지 않은 것은?(다툼이 있는 경우 판례에 의함)

22. 9급 검찰·마약·교정·보호·철도경찰

① 증거개시제도는 실질적인 당사자 대등을 확보하고 피고인의 신속·공정한 재판을 받을 권리를 실현하기 위한 제도로서, 형사소송법은 검사가 보유하고 있는 증거뿐만 아니라 피고인이 보유하고 있는 증거의 개시도 인정하고 있다.

② 검사의 증거개시 대상이 되는 것은 공소제기된 사건에 관한 서류 또는 물건의 목록과 공소사실의 인정 또는 양형에 영향을 미칠 수 있는 서류 또는 물건이다.

③ 피고인 또는 변호인은 검사가 서류 또는 물건의 열람·등사 또는 서면의 교부를 거부하거나 그 범위를 제한한 때에는 법원에 그 서류 또는 물건의 열람·등사 또는 서면의 교부를 허용하도록 할 것을 신청할 수 있다.

④ 법원의 증거개시에 관한 결정에 대하여는 집행정지의 효력이 있는 즉시항고의 방법으로 불복할 수 있다.

해설 ①② 제266조의 3 제1항, 제266조의 11 제1항

③ 제266조의 4 제1항

④ 형사소송법 제402조는 "법원의 결정에 대하여 불복이 있으면 항고를 할 수 있다. 단, 이 법률에 특별한 규정이 있는 경우에는 예외로 한다."고 규정하고, 제403조 제1항은 "법원의 관할 또는 판결 전의 소송절차에 관한 결정에 대하여는 특히 즉시항고를 할 수 있는 경우 외에는 항고하지 못한다."고 규정하고 있다. 그런데 형사소송법 제266조의 4에 따라 법원이 검사에게 수사서류 등의 열람·등사 또는 서면의 교부를 허용할 것을 명한 결정은 피고사건 소송절차에서의 증거개시와 관련된 것으로서 제403조에서 말하는 '판결 전의 소송절차에 관한 결정'에 해당한다 할 것인데, 위 결정에 대하여는 형사소송법에서 별도로 즉시항고에 관한 규정을 두고 있지 않으므로 제402조에 의한 항고의 방법으로 불복할 수 없다고 보아야 한다(대결 2013.1.24, 2012모1393). 따라서 법원의 증거개시에 관한 결정에 대하여는 그 결정이 고지되는 즉시 집행력이 발생한다.

02 증거개시에 대한 다음 설명 중 가장 옳지 않은 것은?(다툼이 있는 경우 판례에 의함) 24. 해경간부

① 피고인 또는 변호인은 검사에게 공소제기된 사건에 관한 서류 또는 물건(이하 "서류 등"이라 한다)의 목록과 공소사실의 인정 또는 양형에 영향을 미칠 수 있는 서류 등의 열람·등사 또는 서면의 교부를 신청할 수 있는데, 피고인에게 변호인이 있는 경우에는 피고인은 열람만을 신청할 수 있다.

② 검사는 국가안보, 증인보호의 필요성 등 열람·등사 또는 서면의 교부를 허용하지 아니할 상당한 이유가 있다고 인정하는 때에는 열람·등사 또는 서면의 교부를 거부하거나 그 범위를 제한할 수 있는데, 이 경우 서류 등의 목록에 대하여는 열람 또는 등사를 거부할 수 없다.

Answer 01. ④ 02. ④

③ 피고인 또는 변호인은 검사가 서류 등의 열람·등사 또는 서면의 교부를 거부하거나 그 범위를 제한한 때에는 법원에 그 서류등의 열람·등사 또는 서면의 교부를 허용하도록 할 것을 신청할 수 있고, 검사는 열람·등사 또는 서면의 교부에 관한 법원의 결정을 지체 없이 이행하지 아니한 때에는 해당 증인 및 서류 등에 대한 증거신청을 할 수 없다.

④ 피고인 또는 변호인은 검사가 "공소제기 후 검사가 보관하고 있는 서류 등의 열람·등사"를 거부한 때에는 검사의 "피고인 또는 변호인이 보관하고 있는 서류 등의 열람·등사"를 거부할 수 있고, 이는 위 피고인 또는 변호인의 "공소제기 후 검사가 보관하고 있는 서류 등의 열람·등사" 신청을 기각하는 결정을 법원이 한 때에도 그러하다.

해설 ① 제266조의 3 제1항 ② 제266조의 3 제5항 ③ 제266조의 4 제5항
④ 피고인 또는 변호인은 검사가 "공소제기 후 검사가 보관하고 있는 서류 등의 열람·등사"를 거부한 때에는 검사의 "피고인 또는 변호인이 보관하고 있는 서류 등의 열람·등사"를 거부할 수 있다. 다만, 피고인 또는 변호인의 "공소제기 후 검사가 보관하고 있는 서류 등의 열람·등사" 신청을 기각하는 결정을 법원이 한 때에는 그러하지 아니하다(제266조의 11 제2항).

PART 04

03 공판준비절차에 대한 설명으로 옳지 않은 것만을 모두 고르면?(다툼이 있는 경우 판례에 의함)

22. 경찰간부

㉠ 제1심이 공소장부본을 피고인 또는 변호인에게 송달하지 아니한 채 공판절차를 진행하였다면, 설령 피고인이 제1심 법정에서 이의함이 없이 공소사실에 관하여 충분히 진술할 기회를 부여받았다 하더라도, 이는 형사소송법 제266조(공소장부본의 송달) 위반에 해당하여 위법한 공판절차에서 이루어진 소송행위이므로 판결에 영향을 미친 위법이 있다.

㉡ 공판준비는 제1회 공판기일 전은 물론 제1회 공판기일 이후에도 행할 수 있으며, 공판준비기일에 검사 및 변호인의 출석은 필수요건이다.

㉢ 법원의 열람·등사 허용결정은 '판결 전의 소송절차에 관한 결정'에 해당하며, 위 결정에 대해서는 형사소송법에서 별도로 즉시항고에 관한 규정을 두고 있지 아니하므로 형사소송법 제402조에 의한 항고의 방법으로 불복할 수 없고, 그 결과 법원의 열람·등사 허용결정은 그 결정이 고지되는 즉시 집행력이 발생한다.

㉣ 검사는 국가안보, 증인보호의 필요성, 증거인멸의 염려, 관련사건의 수사에 장애를 가져올 것으로 예상되는 구체적인 사유 등 열람·등사 또는 서면의 교부를 허용하지 아니할 상당한 이유가 있다고 인정하는 때에는 서류, 물건 및 그 목록에 대하여 열람·등사 또는 서면의 교부를 거부하거나 그 범위를 제한할 수 있다.

① ㉠, ㉢ ② ㉡, ㉢ ③ ㉢, ㉣ ④ ㉠, ㉣

해설 ㉠ × : 피고인이 공판정에서 공소범죄 사실에 관하여 이를 충분히 알고 진술, 변론하여 그 방어권 행사에 아무런 장애가 없었다면 판결결과에는 아무 영향이 없다(대결 1982.6.8, 81모43).
㉡ ○ : 제266조의 8 제1항, 제266조의 15
㉢ ○ : 대결 2013.1.24, 2012모1393, 헌재결 2010.6.24, 2009헌마257

Answer 03. ④

㉣ × : 검사는 국가안보, 증인보호의 필요성, 증거인멸의 염려, 관련사건의 수사에 장애를 가져올 것으로 예상되는 구체적인 사유 등 열람 · 등사 또는 서면의 교부를 허용하지 아니할 상당한 이유가 있다고 인정하는 때에는 열람 · 등사 또는 서면의 교부를 거부하거나 그 범위를 제한할 수 있다(제266조의 3 제2항). 검사는 제2항에도 불구하고 서류 등의 목록에 대하여는 열람 또는 등사를 거부할 수 없다(제266조의 3 제5항).

04 공판준비기일 및 공판기일 절차에 관한 다음 설명 중 가장 옳은 것은?(다툼이 있는 경우 판례에 의하고, 전원합의체 판결의 경우 다수의견에 의함) 23. 9급 법원직

① 공판준비기일에는 검사 및 피고인, 변호인이 출석하여야 한다.
② 제1회 공판기일은 소환장의 송달 후 5일 이상의 유예기간을 두어야 한다. 다만, 피고인이 이의 없는 때에는 전항의 유예기간을 두지 아니할 수 있다.
③ 공판준비절차가 종결되면 공판절차로 진행하기 때문에 공판준비기일을 재개할 수는 없다.
④ 법원은 공판준비절차에서 증거신청, 증거채부결정 뿐만 아니라 필요하다고 인정하는 경우 증거조사를 할 수 있다.

해설 ① 공판준비기일에는 검사 및 변호인이 출석하여야 한다(제266조의 8 제1항).
② 제269조 제1항 · 제2항
③ 공판준비기일도 재개할 수는 있다(제266조의 14).
④ 법원은 공판준비절차에서 증거신청, 증거채부결정은 할 수 있으나 증거조사는 할 수 없다.

05 공판준비절차에 대한 설명으로 옳은 것은? 23. 7급 국가직

① 검사, 피고인 또는 변호인은 법원에 대하여 공판준비기일의 지정을 신청할 수 있으며, 이 신청에 관한 법원의 결정에 대하여는 불복할 수 있다.
② 공판준비기일에는 검사 및 변호인이 출석하여야 하지만, 피고인은 법원의 소환이 없는 때에는 공판준비기일에 출석할 수 없다.
③ 공판준비기일에서 신청하지 못한 증거라도 공판기일에 증거신청으로 인하여 소송을 현저히 지연시키지 아니하는 때에는 증거신청을 할 수 있다.
④ 법원은 공판준비기일을 종료한 때에는 쟁점 및 증거에 관한 정리결과를 공판조서에 기재하여야 한다.

해설 ① 검사, 피고인 또는 변호인은 법원에 대하여 공판준비기일의 지정을 신청할 수 있으며, 이 신청에 관한 법원의 결정에 대하여는 불복할 수 없다(제266조의 7 제2항).
② 공판준비기일에는 검사 및 변호인이 출석하여야 하지만, 피고인은 법원의 소환이 없는 때에도 공판준비기일에 출석할 수 있다(제266조의 8 제5항).
③ 제266조의 13 제1항
④ 법원은 공판준비기일을 종료한 때에는 쟁점 및 증거에 관한 정리결과를 공판준비기일조서에 기재하여야 한다(제266조의 10 제2항).

Answer 04. ② 05. ③

06 **다음 중 증거개시제도에 대한 설명으로 가장 옳지 않은 것은?** 24. 해경경위공채

① 피고인 또는 변호인은 검사에게 공소제기된 사건에 관한 서류 또는 물건의 열람·등사 또는 서면의 교부를 신청할 수 있다. 다만, 피고인에게 변호인이 있는 경우 피고인은 서류 또는 물건의 목록에 대한 열람만을 신청할 수 있다.

② 검사는 열람·등사 또는 서면의 교부를 거부하거나 그 범위를 제한하는 때에는 지체 없이 그 이유를 서면으로 통지하여야 한다.

③ 검사가 열람·등사 또는 서면의 교부를 거부하거나 그 범위를 제한하는 경우에도 서류등의 목록에 대하여는 열람 또는 등사를 거부할 수 없다.

④ 검사는 열람·등사 또는 서면의 교부에 관한 법원의 결정을 지체 없이 이행하지 아니하는 때에는 해당 증인 및 서류 등에 대한 증거신청을 할 수 없다.

PART 04

해설 ① 피고인 또는 변호인은 검사에게 공소제기된 사건에 관한 서류 또는 물건의 목록과 공소사실의 인정 또는 양형에 영향을 미칠 수 있는 서류(제266조의 3 제1항 각호) 등의 열람·등사 또는 서면의 교부를 신청할 수 있다. 다만, 변호인이 있는 경우에는 피고인은 열람만을 신청할 수 있다(제266조의 3 제1항).

② 제266조의 3 제3항

③ 제266조의 3 제5항

④ 제266조의 4 제5항

Answer 06. ①

제4절 공판정

1 공판정의 구성과 당사자의 출석

공판기일에는 공판정(공개된 법정)에서 심리한다(제275조 제1항). 공판정은 판사와 검사, 법원사무관 등이 출석하여 개정한다(동조 제2항). 검사의 좌석과 피고인 및 변호인의 좌석은 대등하며, 법대의 좌우측에 마주보고 위치하고, 증인의 좌석은 법대의 정면에 위치한다. 다만, 피고인신문을 하는 때에는 피고인은 증인석에 좌석한다(동조 제3항). 08. 9급 법원직

공판정에서 피고인의 좌석 위치는 변호인과 분리되어 법관과 직접 대면토록 대응하게 위치시키고 있다. (×) 14. 순경 1차

(1) 피고인의 출석

피고인이 공판기일에 출석하지 아니한 때에는 특별규정이 없으면 개정하지 못한다(제276조). 공판정에서는 피고인의 신체를 구속하지 못하며, 다만 재판장은 피고인이 폭력을 행사하거나 도망할 염려가 있다고 인정한 때에는 피고인의 신체구속을 명하거나 기타 필요한 조치를 할 수 있다(제280조). 피고인은 재정의무가 있으므로 재판장의 허가 없이 퇴정하지 못한다(제281조 제1항).

KEY point 피고인의 출석 없이 심판할 수 있는 사유

1. 피고인이 의사무능력자이거나 법인인 경우
   ① 형법의 책임능력에 관한 규정이 적용되지 않는 범죄에서 피고인이 의사무능력자인 때에는 법정대리인 또는 특별대리인이 소송행위를 대리한다(제26조, 제28조).
   ② 피고인이 법인인 때에는 그 대표자가 출석한다(제27조 제1항). 대표자가 없을 때에는 법원이 선임한 특별대리인이 대표자의 임무를 수행한다(제28조). 피고인이 법인인 경우에는 대표자 또는 특별대리인 외에 대리인을 출석하게 할 수 있다(제276조). 08. 순경, 09 · 15. 9급 법원직
   ▶ 공판기일에 대리인을 출석하게 할 때에는 그 대리인에게 대리권을 수여한 사실을 증명하는 서면을 법원에 제출하여야 한다(규칙 제126조).
2. 경미한 사건의 경우
   ① 다액 500만원 이하의 벌금 또는 과료에 해당하는 사건은 피고인의 출석을 요하지 않는다(제277조 제1호). 00. 7급 · 9급 법원직, 08. 순경, 09. 9급 국가직, 13. 9급 교정 · 보호 · 철도경찰, 15. 경찰승진
   ▶ 구류(×)
   ② 피고인은 이 경우에도 출석권을 상실한 것은 아니므로 피고인을 일단 소환하여야 하고, 피고인은 대리인을 출석하게 할 수 있다. 16 · 18. 9급 검찰 · 마약수사
   ③ 장기 3년 이하의 징역 또는 금고, 다액 500만원을 초과하는 벌금 또는 구류에 해당하는 사건에서 피고인의 불출석허가신청이 있고, 법원이 피고인의 불출석이 그의 권리를 보호함에 지장이 없다고 인정하여 이를 허가한 사건은 피고인의 출석을 요하지 아니한다. 18. 9급 검찰 · 마약수사 다만, 제284조(인정신문)에 따른 절차를 진행하거나 판결을 선고하는 공판기일에는 출석하여야 한다(제277조 제3호). 08. 순경, 09. 교정특채 · 9급 국가직, 22. 9급 법원직, 24. 소방간부
   ▶ 대리인 출석 가능

④ 즉결심판에 의하여 벌금 또는 과료를 선고하는 경우에는 피고인이 출석하지 않더라도 심판할 수 있다(즉결심판에 관한 절차법 제8조의 2). 23. 경찰승진

▶ 구류(×)

3. 피고인에게 유리한 재판을 하는 경우

① 공소기각 또는 면소의 재판을 할 것이 명백한 사건의 경우에는 피고인의 출석을 요하지 않는다(제277조 제2호). 18. 9급 법원직, 18·23. 경찰승진

▶ 선고유예, 집행유예재판 명백 ⇨ 불출석사유(×) 10. 교정특채

▶ 피고인은 대리인을 출석하게 할 수 있다. (○) 09. 9급 국가직

② 피고인이 의사무능력 상태에 있거나, 질병 등으로 출정할 수 없을 때에는 공판절차를 정지(경미사건에서 대리인이 출정할 수 있는 경우 제외 : 제306조 제5항)해야 하나(제306조 제1항·제2항) 무죄, 면소, 형면제, 공소기각재판을 할 것이 명백한 때에는 피고인의 출석 없이 재판할 수 있다(제306조 제4항). 10. 7급 국가직, 15. 경찰승진·9급 법원직

▶ 집행유예, 선고유예 ⇨ ×

▶ 형면제판결의 경우 불출석개정은 허용되지 아니한다. (×) 15. 순경 2차

PART 04

4. 피고인이 퇴정하거나 퇴정명령을 받은 경우

① 피고인이 재판장의 허가 없이 퇴정하거나, 재판장의 질서유지를 위해 퇴정명령을 받은 경우에는 피고인의 진술 없이 판결할 수 있다(제330조). 그러나 이 경우 공판심리도 가능한가에 대해서는 대립이 있으나 판례는 긍정하고 있다.

〈판례〉

1. 필요적 변호사건이라 하여도 피고인이 재판거부의 의사를 표시하고 재판장의 허가 없이 퇴정하고 변호인마저 이에 동조하여 퇴정해 버린 것은 모두 피고인측의 방어권의 남용 내지 변호권의 포기로 볼 수밖에 없는 것이므로 수소법원으로서는 형사소송법 제330조에 의하여 피고인이나 변호인의 재정 없이도 심리판결 할 수 있다(대판 1991.6.28, 91도865). 18. 경찰승진·9급 법원직, 24. 7급 국가직·소방간부
2. 피고인과 변호인들이 출석하지 않은 상태에서 증거조사를 할 수밖에 없는 경우에는 형사소송법 제318조 제2항의 규정상 피고인의 진의와는 관계없이 형사소송법 제318조 제1항의 동의가 있는 것으로 간주하게 되어 있다(대판 1991.6.28, 91도865). 11. 7급 국가직

② 재판장은 증인 또는 감정인이 피고인 또는 어떤 재정인의 면전에서 충분한 진술을 할 수 없다고 인정한 때에는 그를 퇴정하게 하고 진술하게 할 수 있다. 피고인이 다른 피고인의 면전에서 충분한 진술을 할 수 없다고 인정한 때에도 같다(제297조 제1항). 16. 9급 법원직

③ 피고인을 퇴정하게 한 경우에 증인, 감정인 또는 공동피고인의 진술이 종료한 때에는 퇴정한 피고인을 입정하게 한 후 법원사무관 등으로 하여금 진술의 요지를 고지하게 하여야 한다(동조 제2항). 16. 9급 법원직

5. 소재불명·출석거부

① 제1심 공판절차에서 피고인에 대한 송달불능보고서가 접수된 때로부터 6개월이 경과하도록 피고인의 소재가 확인되지 아니한 때에는 대법원규칙으로 정하는 바에 따라 피고인의 진술 없이 재판할 수 있다. 다만, 사형·무기·장기 10년이 넘는 징역·금고에 해당하는 사건은 제외(소송촉진 등에 관한 특례법 제23조) 95. 9급 법원직, 24. 변호사시험

〈소송촉진 등에 관한 특례규칙〉

• 피고인에 대한 송달이 불능인 경우에 재판장은 그 소재를 확인하기 위하여 소재조사촉탁, 구인장의 발부 기타 필요한 조치를 취하여야 한다(소송촉진 등에 관한 특례규칙 제18조 제2항).

• 피고인에 대한 송달불능보고서가 접수된 때로부터 6월이 경과하도록 소재조사 촉탁 등 조치에도 불구하고 피고인의 소재가 확인되지 아니한 때에는 그 후 피고인에 대한 송달은 공시송달의 방법에 의한다(동규칙 제19조 제1항).
• 피고인이 공시송달방법에 의한 공판기일의 소환을 2회 이상 받고도 출석하지 아니한 때에는 피고인의 진술없이 재판할 수 있다(동규칙 제19조 제2항). 18. 9급 검찰 · 마약수사

〈판례〉

1. 제1심 공판절차에서 피고인에 대한 소환이 공시송달로 행하여지는 경우에도 법원이 피고인의 진술 없이 재판을 하기 위하여는 공시송달의 방법으로 소환받은 피고인이 2회 이상 불출석할 것이 요구된다. 그러므로 공시송달의 방법으로 소환한 피고인이 불출석하는 경우 다시 공판기일을 지정하고 공시송달의 방법으로 피고인을 재소환한 후 그 기일에도 피고인이 불출석하여야 비로소 피고인의 불출석 상태에서 재판절차를 진행할 수 있다(대판 2011.5.13, 2011도1094). 17. 7급 국가직, 23. 경찰승진
2. 소송촉진 등에 관한 특례법 제23조(피고인 소재불명시 불출석재판)에 따라 진행된 제1심의 불출석재판에 대하여 검사만 항소하고 항소심도 불출석재판으로 진행한 후에 제1심판결을 파기하고 유죄판결이 확정된 경우, 같은 법 제23조의 2 제1항(피고인의 귀책사유 없이 불출석재판으로 확정된 경우 재심사유)을 유추적용하여 항소심법원에 재심을 청구할 수 있다. 17. 경찰간부 · 7급 국가직

② 피고인이 출석하지 않으면 개정하지 못하는 경우에 구속된 피고인이 정당한 사유 없이 출석을 거부하고 교도관에 의한 인치가 불가능하거나 현저히 곤란하다고 인정되는 때에는 피고인의 출석 없이 공판절차를 진행할 수 있다(제277조의 2 제1항). 18. 9급 법원직 이 규정에 의하여 공판절차를 진행할 경우에는 출석한 검사 및 변호인의 의견을 들어야 한다(동조 제2항). 이에 따라 피고인 없이 공판절차를 진행한 경우에는 재판장은 공판정에서 소송관계인에게 그 취지를 고지하여야 한다(규칙 제126조의 6).

〈판례〉 구속된 피고인이 출석하지 아니하자 그 출석거부사유만을 조사한 후 교도관에 의한 인치가 불가능하거나 현저히 곤란하였는지 여부에 대한 조사를 아니한 채 바로 피고인의 출석 없이 공판절차를 진행한 경우, 형사소송법 제277조의 2의 규정을 위반하였다고 볼 수 있다(대판 2001.6.12, 2001도114). 24. 9급 법원직

6. 상소심절차

① **항소심의 경우** : 항소심에서 피고인이 공판기일에 출석하지 아니하면 다시 기일을 정해야 하며, 다시 정한 기일에 출석하지 아니한 때에는 피고인의 진술 없이 판결할 수 있다(제365조). 11. 9급 법원직, 17. 7급 국가직, 24. 소방간부

〈판 례〉

1. 피고인이 항소심 공판기일에 출석하지 아니한 때에는 다시 기일을 정하고, 피고인이 정당한 사유 없이 다시 정한 기일에도 출석하지 아니한 때에는 피고인의 진술 없이 판결할 수 있도록 정하고 있으므로 피고인의 출석 없이 개정하려면 불출석이 2회 이상 계속된 바가 있어야 한다(대판 2016.4.2, 2016도2210). 18. 9급 법원직
2. 피고인이 항소심 공판기일에 출정하지 아니한 때에는 다시 기일을 정하고 피고인이 정당한 이유 없이 다시 정한 기일에도 출정하지 아니한 때에는 피고인의 진술 없이 판결할 수 있도록 되어 있는 바, 이와 같이 피고인의 진술 없이 판결할 수 있기 위해서는 피고인이 적법한 공판기일 소환장을 받고도 정당한 이유 없이 출정하지 아니할 것을 필요로 한다(대판 1999.12.24, 99도3784).
3. 새로 정한 공판기일 소환장을 받고서도 변호인 선임을 위한 연기신청서만을 제출한 채 기일에 출정하지 아니하여 항소심은 그대로 판결을 선고하였음을 알 수 있으므로, 항소심의 조치는 형사소송법 제365조에 따른 것으로서 적법하다(대판 1995.12.22, 95도1289).

4. 피고인의 주거가 변경된 사실이 기록상 분명히 나타나 있음에도 불구하고 피고인을 소환함에 있어 위 피고인의 변경된 주거지에는 소환장을 송달함이 없이 변경전 주거지로만 소환장을 송달하여 그것이 송달불능이 되자 바로 공시송달의 방법에 의하여 피고인을 소환하였고 제3회 공판기일은 피고인소환장을 법원게시장에 공시하지도 아니한 경우라면 피고인이 위 각 공판기일에 출석하지 아니한 것은 피고인이 책임질 수 없는 사유로 인한 것이고 그것은 정당한 사유없이 공판기일에 출정하지 아니한 때에는 해당하지 아니한다(대판 1988.11.8, 88도1642).
5. 항소심에서의 심리에 있어서 피고인이 공판기일에 출정하지 아니할 때에는 다시 기일을 정하여야 하고, 피고인이 정당한 사유없이 다시 정한기일에 출정하지 아니한 때에는 피고인의 진술없이 판결을 할 수 있도록 되어 있으며, 위 규정은 피고인이 항소한 경우뿐 아니라 검사가 항소한 경우에도 다같이 적용된다(대판 1967.1.31, 66도1529).
6. 일단 적법하게 판결 선고를 위한 공판기일이 지정·고지된 이상 그 기일에 당사자가 출석하지 아니한 상태에서 다시 새로운 기일이 지정·고지되었다 하여도 그와 같은 기일 고지는 출석하지 아니한 당사자에게 효력이 미치는 만큼 그 기일을 해태한 당사자에게 별도로 새로운 기일의 통지를 하여야 하는 것은 아니므로, 원심이 2000. 4. 21. 제4회 공판기일에서 피고인이 출석한 가운데 심리를 종결하고 판결 선고를 위한 제5회 공판기일을 '2000. 5. 12. 09 : 30'으로 지정·고지하고, 그 기일에 피고인이 출석하지 아니하자 다시 제6회 공판기일을 '2000. 5. 26. 09 : 30'으로 지정하는 한편 기일 소환장을 피고인에게 송달하였는데, 그 기일에도 피고인이 출석하지 아니하자 다시 제7회 공판기일을 '2000. 6. 2. 09 : 30'으로 지정하고, 이어 그 기일에 피고인이 출석하지 아니한 상태에서 판결을 선고한 조치는 위법이 있다고 할 수 없다(대판 2000.9.26, 2000도2879).

② **상고심의 경우** : 상고심은 법률심이므로 변호사가 아니면 변론하지 못하며, 피고인의 출석은 요하지 아니한다(피고인도 공판기일 통지서는 송달받지만 소환을 받는 것은 아님).

7. 약식명령에 대한 정식재판절차

① 약식명령에 대한 정식재판에서 정식재판을 청구한 피고인이 2회 이상 불출석한 경우 피고인의 진술없이 판결할 수 있다(제458조 제2항). 17. 7급 국가직

② 약식명령에 대하여 피고인만이 정식재판청구를 하여 판결을 선고하는 사건은 피고인의 출석을 요하지 아니한다(제277조 제4호).

▶ 대리인 출석 가능

〈판례〉 약식명령에 대해 피고인만이 정식재판을 청구한 사건의 항소심에서, 피고인이 출석한 제1회 공판기일에 변론을 종결하고 제2회 공판기일인 선고기일을 지정하여 고지하였는데, 피고인이 출석하지 아니하자 선고기일을 연기하고 제3회 공판기일을 지정하였으나 피고인에게 따로 공판기일 통지를 하지 않은 사안에서, 제3회 공판기일에 대해서는 적법한 통지가 없었으므로 형사소송법 제365조(2회 이상 불출석시 피고인 진술 없이 판결)가 적용될 수 없고 약식명령에 피고인만이 정식재판을 청구하여 당초 지정한 선고기일에 피고인 출석 없이 판결을 선고할 수 있었으나, 굳이 그 기일을 연기하고 선고기일을 다시 지정한 이상 적법한 기일통지를 해야 하므로, 피고인의 출석 없이 공판기일을 열어 판결을 선고한 조치는 위법하다(대판 2012.6.28, 2011도16166).

8. 치료감호청구

치료감호가 청구된 자가 형법 제10조 제1항의 규정에 따른 심신장애로 치료감호청구사건의 공판기일에 출석이 불가능한 경우는 피치료감호청구인의 출석 없이 개정할 수 있다(치료감호 등에 관한 법률 제9조).

(2) 검사의 출석

검사의 출석은 공판개정 요건이다(제275조 제2항). 이의 위반은 상소이유로 된다. 다만, 공판기일 통지를 2회 이상 받고 출석하지 않거나, 판결만을 선고하는 경우에는 검사의 출석 없이 개정할 수 있다(제278조). 09. 9급 국가직, 15. 순경 2차 · 9급 법원직, 18. 경찰승진 이 경우에 재판장은 공판정에서 소송관계인에게 그 취지를 고지하여야 한다(규칙 제126조의 6).

제2회에 걸쳐 출석하지 않은 때(계속적 2회 여부 불문)에는 그 2회의 공판기일에 바로 개정할 수 있다. 13. 9급 교정 · 보호 · 철도경찰

관련판례

1. 판결 선고기일에는 검사의 출석 없이 개정할 수 있으므로(형사소송법 제278조), 검사에게 선고기일 통지를 하지 아니하였다고 판결에 영향을 미친 절차법규의 위반이 있다고 보기 어렵다(대판 2008.7.10, 2008도3435).
2. 검사에게 공판기일통지를 하지 않았으나 검사가 그 기일에 출석한 경우에는 비록 기일통지를 하지 아니한 흠이 있다 할지라도 검사에게 공판참여의 권리를 박탈한 것이라고 보기는 곤란하다(대판 1967.3.21, 66도1751).
3. 검사가 공판기일의 통지를 받고 2회나 출석하지 아니하여 검사의 출석 없이 개정하였다고 하여 위법하다 할 수 없고, 동 공판에서 다음 기일을 고지한 이상 그 명령을 받은 소송관계인 전원에 대하여 효력이 있다 할 것이다(대판 1967.2.21, 66도1710). 24. 9급 법원직

   출정하지 아니한 검사에게는 효력이 없다. (×)

(3) 변호인 등의 출석

변호인이나 보조인은 소송의 주체가 아니므로 원칙적으로 그 출석이 공판개정요건은 아니다. 따라서 변호인이 공판기일의 통지를 받고 공판기일에 출석하지 않더라도 공판절차를 진행할 수 있다. 필요적 변호사건이나 국선변호사건의 경우에는 변호인의 출석은 공판개정요건이므로 변호인 없이 개정하지 못한다(제282조, 제283조). 09. 9급 국가직 그러나 판결만을 선고하는 경우에는 예외로 한다(제282조 단서).

관련판례

필요적 변호사건에서 변호인이 없거나 출석하지 아니한 채 공판절차가 진행되었기 때문에 그 공판절차가 위법한 것이라 하더라도 그 절차에서의 소송행위 외에 다른 절차에서 적법하게 이루어진 소송행위까지 모두 무효로 된다고 볼 수는 없다(대판 1999.4.23, 99도915).

2 소송지휘권과 법정경찰권

(1) 소송지휘권

① **의의** : 소송지휘권이란 소송절차를 질서 있게 하고 그 원활한 진행을 도모하기 위하여 행하는 법원의 합목적적 활동을 말한다.

소송지휘권의 행사는 당사자주의와 모순된다. (×) 97. 7급 검찰

② **법정경찰권과의 구별** : 소송지휘는 피고사건의 실체심리와 직접 관계가 있는 재판작용의 하나이지만, 법정경찰권은 법정질서유지만을 목적으로 하는 일종의 사법행정작용이라는 점에서 구별된다.

③ **소송지휘권의 내용** : 소송지휘권은 본래는 사법권에 내재하는 법원 자체의 권한이지만, 공판기일에 시기를 잃지 않고 신속·정확하게 소송지휘권을 행사할 필요가 있다는 점을 고려하여 법률은 재판장에게 소송지휘권을 포괄적으로 위임하고(제279조), 특별한 경우에만 개별규정을 두어 법원 자체의 소송지휘권을 인정하고 있다. 재판장의 소송지휘권은 명령의 형식을 취하지만 법원의 소송지휘권은 결정의 형식으로 행사된다.

<table>
<tr><td>재판장의 소송지휘권</td><td>1. 공판기일의 지정·변경(제267조, 제270조)
2. 인정신문(제284조)
3. 증인신문 순서의 변경(제161조의 2)
4. 불필요한 변론의 제한(제299조)
〈판례〉 형사공판절차에서 변호인의 중복되고 상당하지 아니한 신문에 대하여 재판장이 제한을 명하는 것은 재판장의 소송지휘권에 속하는 것으로서 그 신문의 제한이 현저하게 부당하거나 부적절한 경우가 아닌 한 신문을 제한한 재판장의 조치가 위법하다고 할 수 없다(대판 2008.3.27, 2007도4116). 15. 9급 검찰·마약수사
5. 석명권 행사(규칙 제141조)
〈판례〉
① 석명을 구한다고 함은 사건의 소송관계를 명확하게 하기 위하여 당사자에 대하여 사실상 및 법률상의 사항에 관하여 질문을 하고 그 진술 내지 주장을 보충 또는 정정할 기회를 부여하는 것을 말하므로, 어떤 사항에 대한 당사자의 진술 내지 주장이 명확한 경우 그 사항은 석명의 대상이 되지 아니한다(대판 1999.6.11, 99도1238).
② 공소장에 피고인인 계주가 조직한 낙찰계의 조직일자, 구좌·계금과 계원들에게 분배하여야 할 계금이 특정되어 있고 피해자인 계원들의 성명과 피해자별 피해액만이 명확하지 아니한 경우에는, 법원은 검사에게 석명을 구하여 만약 이를 명확하게 하지 아니한 경우에 공소사실의 불특정을 이유로 공소기각을 할 것이고 이에 이르지 않고 바로 공소기각의 판결을 하였음은 심리미진의 위법이 있다(대판 1983.6.14, 82도293).
6. 피고인신문시 재정인의 퇴정명령(규칙 제140조의 3)
7. 진술거부권 고지(제283조의 2)</td></tr>
</table>

	8. 기일외 주장 등에 대한 주의 촉구 재판장은 법령이나 재판장의 지휘에 어긋나는 소송행위를 하는 소송관계인에게 주의를 촉구하고 기일에서 그 위반사실을 알릴 수 있다(규칙 제177조의 2 제2항).
법원의 소송지휘권	1. 국선변호인 선임(제283조) 2. 특별대리인 선임(제28조) 3. 증거신청에 대한 결정(제295조) 4. 공소장변경시 공판절차 정지신청에 대한 결정(제298조 제4항) 5. 공소장변경요구(제298조 제2항), 공소장변경허가(제298조 제1항) 6. 증거조사에 대한 이의신청의 결정(제296조 제2항) 7. 재판장의 처분에 대한 이의신청의 결정(제304조 제2항) 8. 의사무능력 또는 질병을 이유로 한 공판절차 정지(제306조) 9. 변론의 분리·병합·재개(제300조, 제305조) 10. 간이공판절차개시결정(제286조의 2) 11. 공판기일 전 증거조사(제273조 제1항)

④ **소송지휘권 행사에 대한 불복**

㉠ 재판장의 소송지휘권 행사에 대하여 법령위반이 있는 경우에는 이의신청으로 불복할 수 있다(제304조, 규칙 제136조).

㉡ 법원의 소송지휘에 대해서는 판결 전 소송절차에 관한 결정이므로 항고나 이의신청이 허용되지 아니한다(제403조). 따라서 원칙적으로는 불복할 수 없으나 증거결정에 대해서는 법령위반이 있는 경우에 이의신청이 가능하고(제295조, 규칙 제135조의 2 단서), 증거조사에 대해서 법령위반이나 상당하지 아니한 경우에는 이의신청을 허용하고 있다(제296조 제1항, 규칙 제135조 본문).

KEY point 소송지휘에 대한 불복

재판장의 소송지휘권		이의신청 가능(법령위반시) : 제304조, 규칙 제136조 23. 9급 검찰·마약수사
법원의 소송지휘권	원 칙	불복 ×
	예 외	• 증거조사에 대한 이의신청 : 법령위반시 또는 상당하지 아니할 때(제296조 제1항, 규칙 제135조) • 증거결정에 대한 이의신청 : 법령위반시(규칙 제135조) 13. 9급 국가직

(2) **법정경찰권**

① **의의** : 법정경찰권이란 법정질서를 유지하고 심판의 방해를 저지·배제하기 위하여 행하는 법원의 권력작용을 말한다. 원래 법정경찰권은 법원의 권한에 속하는 것이지만 질서유지의 신속성과 기동성을 위하여 법원조직법은 재판장의 권한으로 규정하고 있다(법원조직법 제58조 제1항).

② 내 용

㉠ **예방조치** : 재판장은 법정의 질서유지를 위하여 필요한 예방조치를 취할 수 있다.

예 • 입정금지, 퇴정명령(제281조 제2항)
• 방청권발행과 소지품검사
• 피고인에 대한 간수명령

㉡ **방해배제조치** : 재판장은 법정질서를 회복하기 위하여 방해행위를 배제할 수 있다. 질서유지를 위해 필요한 경우 경찰서장에게 경찰관의 파견을 요구할 수 있고, 재판장은 법정 내외의 질서유지에 관해 파견된 경찰관을 지휘할 수 있다.

③ **제재조치** : 법정 내외의 질서유지를 위해 재판장이 한 명령 또는 녹화 등의 금지규정에 위반되는 행위를 하거나 폭언, 소란 등으로 법원의 심리를 방해하거나 재판의 위신을 현저히 훼손한 사람에 대하여 20일 이내 감치 또는 100만원 이하의 과태료에 처하거나 이를 병과할 수 있다(법원조직법 제61조 제1항). 11. 교정특채 감치를 위해 즉시 행위자를 구속케 할 수 있으며 24시간 내에 감치재판을 하지 않으면 즉시 석방하여야 한다(동조 제2항).

형법상 법정모욕죄와의 구별
형법상 법정모욕죄(형법 제138조)는 전형적인 형사범죄이며 검사의 공소제기가 있어야 형벌권을 실현할 수 있다. 이에 반하여 법정경찰권 행사에 의한 감치·과태료의 제재는 검사의 공소제기가 불필요한 사법행정상의 질서벌에 해당한다. 94. 9급 법원직

④ **한계** : 법정경찰권은 현재 절차가 행하여지고 있는 시간 내에 한하여 발동(심리 전후 접착 시간 포함)할 수 있으며, 법정 내에 미치고(심리와 질서유지에 영향을 미치는 범위에서는 법정 외에서도 미침), 심리와 관계있는 모든 자에게 미친다. 따라서 방청인·변호인·검사·법원서기·배석판사도 법정경찰권에 복종하여야 한다. 11. 교정특채

PART 04

CHAPTER 01

기출문제

01 **피고인의 출석에 관한 설명 중 가장 옳지 않은 것은?**(다툼이 있는 경우 판례에 의함) **20. 9급 법원직**

① 장기 3년 이하의 징역 또는 금고, 다액 500만원을 초과하는 벌금 또는 구류에 해당하는 사건에서 피고인의 불출석 허가신청이 있어 법원이 허가한 사건은 판결을 선고하는 공판기일에 피고인의 출석을 요하지 아니한다.

② 약식명령에 대하여 피고인만 정식재판을 청구하여 판결을 선고하는 경우에는 피고인의 출석을 요하지 아니하고, 이 경우 피고인은 대리인을 출석하게 할 수 있다.

③ 피고인이 출석하지 아니하면 개정하지 못하는 경우에 피고인의 출석 없이 공판절차를 진행하기 위해서는 단지 구속된 피고인이 정당한 사유 없이 출석을 거부하였다는 것만으로는 부족하고 더 나아가 교도관에 의한 인치가 불가능하거나 현저히 곤란하다고 인정되어야 한다.

④ 약식명령에 대한 정식재판절차의 공판기일에 정식재판을 청구한 피고인이 출석하지 아니한 때에는 다시 기일을 정하고 피고인이 정당한 이유 없이 다시 정한 기일에도 출석하지 아니한 때에는 피고인의 진술 없이 판결할 수 있다.

해설 ① 장기 3년 이하의 징역 또는 금고, 다액 500만원을 초과하는 벌금 또는 구류에 해당하는 사건에서 피고인의 불출석 허가신청이 있고, 법원이 허가한 사건은 피고인의 출석을 요하지 아니한다. 다만, 인정신문이나 판결을 선고하는 공판기일에는 피고인의 출석이 필요하다(제277조 제3호).
② 제277조 제4호 ③ 대판 2001.6.12, 2001도114 ④ 제458조 제2항

02 **소송관계인의 공판기일 출석에 대한 설명으로 가장 적절하지 않은 것은?**(다툼이 있는 경우 판례에 의함) **23. 경찰승진**

① 즉결심판사건에서 피고인에게 구류를 선고하는 경우에는 피고인의 출석 없이 심판할 수 있다.

② 검사의 출석은 공판개정의 요건이나, 필요적 변호사건이 아닌 경우 변호인의 출석은 공판개정의 요건이 아니다.

③ 공소기각 또는 면소의 재판을 할 것이 명백한 사건에 관하여는 피고인의 출석을 요하지 아니한다.

④ 소송촉진 등에 관한 특례규칙 제19조 제2항의 규정에 의하면, 공시송달의 방법으로 소환한 피고인이 불출석하는 경우 다시 공판기일을 지정하고 공시송달의 방법으로 피고인을 재소환한 후 그 기일에도 피고인이 불출석하여야 비로소 피고인의 불출석 상태에서 재판절차를 진행할 수 있다.

해설 ① 즉결심판에서도 원칙적으로 피고인의 출석은 개정요건이다. 따라서 피고인에게 구류를 선고하는 경우에는 피고인의 출석 없이 심판할 수 없다. 그러나 벌금이나 과료에 해당하는 형을 선고하는 경우에는 피고인이 출석하지 아니하더라도 심판할 수 있다(즉결심판절차법 제8조의 2 제1항).
② 제278조, 제282조 참조 ③ 제277조 제2호 ④ 대판 2011.5.13, 2011도1094

Answer 01. ① 02. ①

제5절 공판기일의 절차

공판준비절차가 끝나면 수소법원은 지정된 공판기일을 열어 피고사건에 대한 실체심리를 하게 된다. 제1심 공판절차는 모두절차, 사실심리절차, 판결선고절차로 나눌 수 있다.

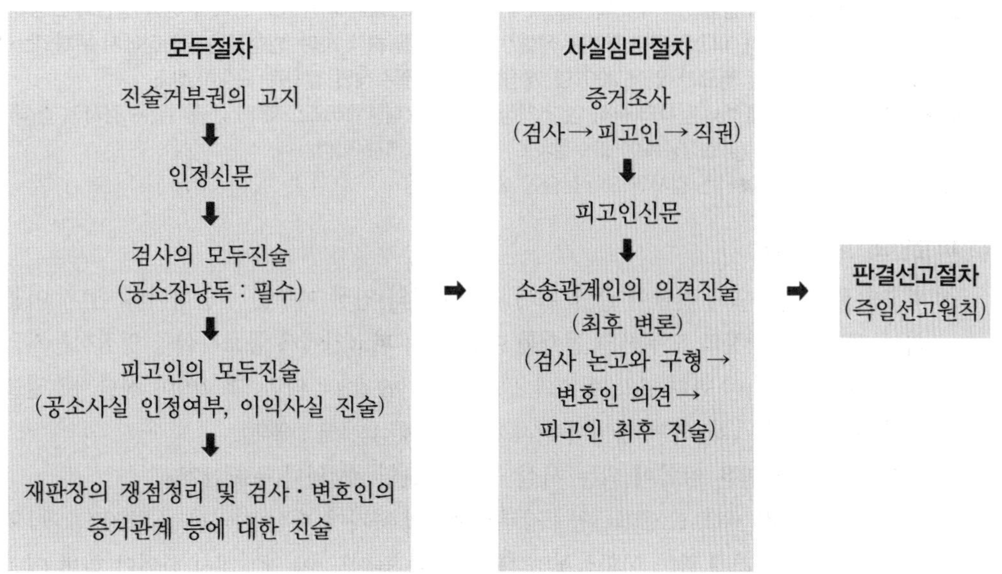

1 모두절차

(1) 진술거부권의 고지

① 피고인은 진술하지 아니하거나 개개의 질문에 대하여 진술을 거부할 수 있다(제283조의 2). 따라서 일체의 진술을 하지 아니하는 '침묵'과 개개의 질문에 답변을 거부하는 '진술거부'를 모두 포괄하는 개념으로 규정하였다.

② 재판장은 피고인에게 진술거부권이 있음을 고지하여야 한다(동조 제2항). 재판장은 인정신문을 하기 전에 피고인에게 진술을 하지 아니하거나 개개의 질문에 대하여 진술을 거부할 수 있고 이익되는 사실을 진술할 수 있음을 알려주어야 한다(규칙 제127조). 09. 9급 법원직, 11. 경찰승진

2007년 개정법은 재판장에게 진술거부권 고지의무가 있다는 것을 명문화하였고, 피고인의 방어권을 강화하기 위하여 진술거부권에 관한 규정을 인정신문 앞으로 옮겨 인정신문에도 진술거부권이 인정되는지 여부에 관한 학설상의 논란을 해소하였다.

(2) 인정신문

피고인으로 출석한 사람이 공소장에 기재된 피고인과 동일인인가를 재판장이 확인하는 절차를 인정신문이라 한다(제284조). 이에 대해서도 진술거부권행사가 가능하다. 12. 경찰승진

(3) 검사의 모두진술

검사는 공소장에 의하여 공소사실, 죄명 및 적용법조를 낭독하여야 한다(생략 ×). 14. 7급 국가직 다만, 재판장은 필요하다고 인정하는 때에는 검사에게 공소의 요지를 진술하게 할 수 있다(제285조).

- 공개된 법정에서 공소장을 낭독하도록 함으로써 사건개요와 입증의 방침을 명백히 하여 법원의 소송지휘를 가능하게 할 뿐만 아니라, 피고인에 대하여는 적절한 방어준비를 하게 하며, 방청객은 공판정에서 문제되는 점을 확실하게 알 수 있게 할 필요가 있어 2007년 개정법에서는 필수적인 절차로 규정하였다.
- 검사가 2회 이상 불출석시 검사의 출석 없이 개정할 수 있으나(제278조), 제1회 공판기일은 검사의 출석 없이 진행할 수 없게 되었다. 공소장낭독이 필수절차로 규정되었기 때문이다.
- 항소심 또는 상고심에서는 검사의 모두진술을 요하지 않음

(4) 피고인의 모두진술

① 피고인은 검사의 모두진술이 끝난 뒤에 공소사실의 인정 여부를 진술하여야 한다. 이를 위하여 재판장은 검사의 모두진술 절차를 마친 뒤에 피고인에게 공소사실을 인정하는지의 여부에 관하여 물어야 한다(규칙 제127의 2 제1항). 09. 9급 법원직 다만, 피고인이 진술거부권을 행사하는 경우에는 그러하지 아니하다(제286조 제1항). 09. 9급 법원직

② 피고인 및 변호인은 이익이 되는 사실 등을 진술할 수 있다(동조 제2항).

③ 관할위반의 신청(제320조 제2항), 공소장부본송달의 하자에 대한 이의신청(제266조), 제1회 공판기일의 유예기간에 관한 이의신청(제269조) 등은 늦어도 이 단계에서 하여야 하며 이 단계에서 이의신청을 하지 아니하면 그 절차상의 하자는 치유되어 피고인은 절차상의 하자를 다툴 수 없게 된다.

(5) 재판장의 쟁점정리 및 검사 · 변호인의 증거관계 등에 대한 진술

① 재판장은 피고인의 모두진술이 끝난 다음에 피고인 또는 변호인에게 쟁점의 정리를 위하여 필요한 질문을 할 수 있다(제287조 제1항).

② 재판장은 증거조사를 하기에 앞서 검사 및 변호인으로 하여금 공소사실 등의 증명과 관련된 주장 및 입증계획 등을 진술하게 할 수 있다. 다만, 증거로 할 수 없거나 증거로 신청할 의사가 없는 자료에 기초하여 법원에 사건에 대한 예단 또는 편견을 발생하게 할 염려가 있는 사항은 진술할 수 없다(동조 제2항).

KEY point

- **공판기일 절차순서**
  모두절차(진술거부권고지 ⇨ 인정신문 ⇨ 검사의 모두진술 ⇨ 피고인의 모두진술 ⇨ 재판장 쟁점정리 등) ⇨ 사실심리절차(증거조사 ⇨ 피고인신문 ⇨ 최후변론) ⇨ 선고절차
- **검사의 모두진술 : 필수(제1심)**

2 사실심리절차

(1) 증거조사

① 의 의

㉠ 사실심리절차는 증거조사에 의해 시작된다. 증거조사란 법원이 피고사건의 사실인정과 형의 양정에 관한 심증을 얻기 위하여 증거방법(증거조사의 대상물)을 조사하여 그 내용을 알아내는 소송행위를 말한다. 증거조사는 재판장의 쟁점정리 등의 절차(제287조)가 끝난 후에 실시한다(제290조). 10. 순경, 13. 경찰승진

제1심의 공판절차는 원칙적으로 모두절차, 피고인신문, 증거조사의 순서로 행해진다. (×) 16. 경찰간부

㉡ 증거조사는 넓은 의미에서 강제처분의 일종이라 할 수 있다. 증거조사는 법원이 공판기일에 공판정에서 하는 것이 원칙이나, 공판정 외에서의 증거조사도 허용된다. 증인의 법정외 신문(제165조)이 여기에 해당한다. 이러한 예외의 경우 증거조사 결과를 담은 조서가 작성되며, 그 조서는 다음 공판기일에 공판정에서 서류증거로서 조사된다.

증거조사란 주로 수소법원이 공판기일에서 행하는 증인신문·검증·감정·통역·번역 등을 말하나, 수소법원 이외의 수명법관이나 수탁판사가 행하는 증인신문·검증·감정, 공판절차 외에서 수임판사가 증거보전을 위해 행하는 증인신문·검증·감정, 수사절차에서 수임판사가 참고인에 대하여 행하는 증인신문도 증거조사에 포함된다.

② **증거조사개시절차** : 증거조사절차의 개시는 검사·피고인·변호인·범죄피해자 등의 신청에 의하는 경우(제294조, 제294조의 2)와 법원의 직권에 의하는 경우(제295조 후단)가 있다. 09. 7급 국가직, 14. 경찰승진

㉠ **당사자의 증거신청에 의한 경우**

신청권자	① 검사·피고인 또는 변호인은 서류나 물건을 증거로 제출할 수 있고, 증인·감정인·통역인·번역인의 신문을 신청할 수 있다(제294조). 09. 9급 법원직, 19. 경찰간부, 20. 7급 국가직, 21. 해경 ② 법원은 범죄로 인한 피해자 또는 그 법정대리인의 신청이 있는 때에는 그 피해자 등을 증인으로 신문하여야 한다. 다만, 이미 공판절차에서 충분히 진술을 한 경우, 피해자 진술로 인하여 공판절차가 현저하게 지연될 우려가 있는 경우에는 그러하지 아니하다(제294조의 2). 19. 9급 검찰·마약수사 ③ 재판장은 피고인에게 증거조사를 신청할 수 있음을 고지하여야 하나(제293조), 검사에 대해서는 그러한 고지의무가 없다.
신청시기	① 증거조사 신청시기에는 제한이 없다. 다만, 공판준비기일에 신청하는 것이 원칙이며, 부득이한 사유를 소명한 때에는 공판기일에 신청할 수도 있다(제266조의 13 제1항). 공판절차에서 증거신청은 원칙적으로 재판장의 쟁점정리 등의 절차가 끝난 후에 하는 것이지만 제1회 공판기일 후 공판기일 전의 증거신청도 허용된다(제273조). ② 공판심리가 종결된 후에도 증거신청은 가능하나, 법원의 변론재개는 재량이다(대판 2011.1.27, 2010도7947).

구분		내용
신청 순서		증거조사 신청순서는 검사가 먼저하고 피고인 또는 변호인이 한다(규칙 제133조). 이는 검사에게 거증책임이 있기 때문이다. 10. 순경, 11. 9급 법원직, 13·14·22. 경찰승진
신청 방식		1. 증거신청은 서면이나 구두에 의할 수 있다. 2. 검사·피고인 또는 변호인은 특별한 사정이 없는 한 필요한 증거를 일괄하여 신청하여야 한다(규칙 제132조). 10. 순경, 11. 9급 법원직, 13·14. 경찰승진 3. 검사, 피고인 또는 변호인이 증거신청을 함에 있어서는 그 증거와 증명하고자 하는 사실과의 관계를 구체적으로 명시하여야 한다(규칙 제132조의 2 제1항). 13. 경찰승진, 19. 9급 검찰·마약수사 4. 피고인의 자백을 보강하는 증거나 정상에 관한 증거는 보강증거 또는 정상에 관한 증거라는 취지를 특히 명시하여 그 조사를 신청하여야 한다(동조 제2항). 5. 서류나 물건의 일부에 대한 증거신청을 함에 있어서는 증거로 할 부분을 특정하여 명시하여야 한다(동조 제3항). 10. 순경, 11. 9급 법원직, 13. 경찰승진, 19. 경찰간부 6. 법원은 필요하다고 인정할 때에는 증거신청을 한 자에게, 신문할 증인, 감정인, 통역인 또는 번역인의 성명, 주소, 서류나 물건의 표목 및 위 3. 내지 5.에 규정된 사항을 기재한 서면의 제출을 명할 수 있다(동조 제4항). 7. 법 제311조부터 법 제315조까지 또는 법 제318조에 따라 증거로 할 수 있는 서류나 물건이 수사기록의 일부인 때에는 검사는 이를 특정하여 개별적으로 제출함으로써 그 조사를 신청하여야 한다. 수사기록의 일부인 서류나 물건을 자백에 대한 보강증거나 피고인의 정상에 관한 증거로 낼 경우 또는 법 제274조에 따라 공판기일 전에 서류나 물건을 낼 경우에도 이와 같다(규칙 제132조의 3 제1항). 8. 피고인이나 변호인이 무죄에 관한 자료로 제출한 서증 가운데 도리어 유죄임을 뒷받침하는 내용이 있다고 하여도, 법원은 상대방의 원용(동의)이 없는 한 그 서류의 진정성립 여부 등을 조사하고 아울러 그 서류에 대한 피고인이나 변호인의 의견과 변명의 기회를 주지 않았다면 그 서증을 유죄인정의 증거로 쓸 수 없다(대판 2017.9.21, 2015도12400). 19. 7급 국가직
의견 진술	임의적	법원은 증거결정을 내릴 때 필요시 그 증거에 대한 검사·피고인·변호인의 의견을 들을 수 있다(규칙 제134조 제1항). 10·22. 경찰승진
	필요적	서류 또는 물건이 증거로 제출된 경우에 제출자로 하여금 그 서류 또는 물건을 상대방에게 제시하게 하여 상대방이 그 서류 또는 물건의 증거능력 유무에 관한 의견을 진술하도록 해야 한다(규칙 제134조 제2항). 22. 경찰승진·9급 검찰·마약수사
증거 결정	성 질	법원은 증거신청에 대하여 결정을 하여야 한다(제295조 전단). 법원의 증거결정 성질에 대하여 견해의 대립이 있으나 판례는 법원의 자유재량으로 보고 있다. 따라서 증거신청의 채택 여부는 법원이 필요하지 아니하다고 인정할 때에는 이를 조사하지 아니할 수 있다(대판 1995.6.13, 95도826). 12. 경찰간부, 20. 9급 법원직, 11·12·22. 경찰승진, 22. 9급 검찰·마약수사
	방 식	증거조사신청의 기각결정 등 판결 전의 소송절차에 관한 재판에는 재판의 간결성의 원칙에 따라 그 사유의 존부에 관하여 자세하고 구체적인 설명을 생략하고 그 신청의 당부에 대한 이유를 '신청의 이유가 있다.' 또는 '그 이유가 없다.'고 간단히 밝히면 된다(대결 1996.11.14, 96모94).

	종 류	각하 결정	법원은 검사, 피고인 또는 변호인이 고의로 증거를 뒤늦게 신청함으로써 공판의 완결을 지연하는 것으로 인정할 때에는 직권 또는 상대방의 신청에 따라 결정으로 각하할 수 있다(제294조 제2항). 13. 9급 검찰·마약·교정·보호·철도경찰, 19·20. 경찰간부, 20. 7급 국가직
		기각 결정	법원이 증거결정을 할 때 고려해야 할 사항은 다음과 같다. ⓐ 증거능력이 부정되는 증거(예 임의성 없는 자백, 전문증거로서 전문법칙 예외에 해당하지 않는 경우, 위법수집증거)는 부적법한 증거신청으로서 기각결정을 내려야 한다. ⓑ 증거조사가 가능한 경우라야 한다. 예컨대 증인이 사망하거나 외국에 소재하고 있어 사실상 증거조사가 불가능한 경우에는 기각결정을 내려야 한다. ⓒ 사건과 관련성이 있어야 한다. 즉, 당해증거가 요증사실을 증명하는데 필요하거나 도움이 되는 경우라야 한다. ⓓ 증거조사가 필요한 경우라야 한다. 다른 증거를 통하여 충분한 심증형성을 할 수 있는 경우에는 동일한 요증사실에 대한 중복된 증거를 조사할 필요는 없기 때문이다. ⓔ 증거신청을 채택하여 증거조사를 실시할 경우 공판절차가 현저히 지연될 우려가 있는 때에는 법원은 예외적으로 증거신청을 기각할 수 있다.
		채택 결정	신청한 증거에 대해 법원이 증거조사를 하기로 하는 결정(법원의 재량 : 대판 2014.2.27, 2013도12155)
	증거 제출 제한	법원은 증거신청을 기각·각하하거나 증거신청에 대한 결정을 보류한 경우에 증거 신청인으로부터 당해 증거서류나 증거물을 제출받아서는 안된다(규칙 제134조 제4항). 11. 9급 법원직, 13. 9급 검찰·마약·교정·보호·철도경찰·경찰승진	
	불 복	검사 및 피고인·변호인의 증거신청에 대하여 내리는 법원의 증거채부결정은 판결 전 소송절차에 관한 결정이므로 이의신청을 하는 외에는 달리 불복할 수 있는 방법이 없다. 법원의 증거채택 여부 결정으로 인한 사실오인으로 판결에 영향을 미치게 된 경우에는 이를 상소의 이유로 삼아 원판결 자체를 다툴 수 있을 뿐이다(대판 1990.6.8, 90도646). 24. 변호사시험 증거신청의 결정에 대한 이의신청은 법령위반이 있음을 이유로 하여야만 이를 할 수 있다(규칙 제135조의 2 단서). 13·17. 9급 교정·보호·철도경찰, 20. 7급 국가직, 13·22. 9급 검찰·마약수사	

㉡ 법원의 직권에 의한 경우

의 의	법원은 직권에 의하여도 증거조사를 할 수 있다(제295조 후단). 증인은 법원이 직권에 의하여 신문할 수도 있고 증거의 채부는 법원의 직권에 속하는 것이므로 피고인이 철회한 증인을 법원이 직권신문하고 이를 채증하더라도 위법이 아니다(대판 1983.7.12, 82도3216). 10. 경찰승진, 13. 7급 국가직, 19. 경찰간부, 20. 9급 법원직, 21. 해경

법적 성질	ⓐ 실체적 진실주의와 공정한 재판이 형사소송법의 최고이념임에 비추어 직권에 의한 증거조사는 법원의 권한임과 동시에 의무이다(다수설). ⓑ 법원이 당사자의 증거신청이 있는데도 처음부터 직권에 의하여 증거조사를 하는 것은 허용되지 않는다 할 것이므로 당사자의 입증활동이 불충분하다고 인정할 때에는 석명권의 행사에 의하여 입증을 촉구하고, 부족한 경우에 한하여 보충적으로 직권에 의한 증거조사를 하는 것이 타당하다. ⓒ 법원이 직권에 의한 증거조사의 책무를 다하지 않은 경우에는 심리미진의 위법에 해당하며, 상대적 항소이유 및 상고이유에 해당하게 된다.

③ **증거조사의 실시** : 증거조사는 공판기일에 공판정에서 법원이 직접 행하는 것이 원칙이다. 다만, 공판정 외에서의 증거조사도 예외적으로 허용되며, 증거조사결과에 대한 조서는 다음 공판기일에 공판정에서 조사한다.

㉠ **증거조사 순서** : 법원은 검사가 신청한 증거를 먼저 조사하고, 피고인 또는 변호인이 신청한 증거를 그 다음에, 마지막으로 법원 직권으로 결정한 증거를 조사한다(제291조의 2 제1항 · 제2항). 12. 경찰승진, 16 · 19. 경찰간부, 21. 해경 법원은 직권 또는 검사, 피고인, 변호인의 신청에 따라 증거조사 순서를 바꿀 수 있다(동조 제3항). 09. 9급 법원직, 13. 9급 검찰 · 마약 · 교정 · 보호 · 철도경찰, 16. 경찰간부

법원은 검사가 신청한 증거나 피고인 또는 변호인이 신청한 증거에 앞서 직권으로 채택한 증거에 대하여 먼저 증거조사를 실시할 수 있다. (○)

서류가 피고인의 자백진술을 내용으로 하는 때에는 범죄사실에 관한 다른 증거를 조사한 후에 이를 조사하여야 한다(규칙 제135조). 10. 순경, 11. 9급 법원직, 13. 경찰승진, 21. 9급 검찰 · 마약수사

㉡ **증거조사방식**

ⓐ 증거서류

㉮ 검사, 피고인 또는 변호인의 신청에 따라 증거서류를 조사하는 때에는 신청인이 이를 낭독하여야 한다(제292조 제1항). 13. 7급 국가직

종전에는 재판장이 요지를 고지하는 방법으로 하였으나, 재판장이 미리 서류를 검토하지 않고서는 요지를 고지할 수 없고 미리 읽어 볼 때에는 공소장일본주의에 반할 수 밖에 없어 2007년 개정법에서는 증거서류에 대한 원칙적인 증거조사방법으로 신청인이 낭독하는 것으로 변경하였다.

㉯ 법원이 직권으로 증거조사하는 경우에는 소지인 또는 재판장이 이를 낭독하여야 한다(동조 제2항). 13. 7급 국가직

㉰ 재판장은 필요하다고 인정하는 때에는 내용을 고지하는 방법으로 조사할 수 있다(동조 제3항).

㉱ 재판장은 열람이 다른 방법보다 적절하다고 인정하는 때에는 증거서류를 제시하여 열람하게 하는 방법으로 조사할 수 있다(동조 제5항). 09. 7급 국가직

ⓑ 증거물

㉮ 검사, 피고인 또는 변호인의 신청에 의해 증거물을 조사한 때에는 신청인이 이를 제시하여야 한다(제292조의 2 제1항).

㉯ 법원이 직권으로 증거물을 조사하는 때에는 소지인 또는 재판장이 이를 제시하여야 한다(동조 제2항). 재판장은 법원사무관으로 하여금 동조 제1항, 제2항에 따른 제시를 하게 할 수 있다(동조 제3항). 09. 7급 국가직

ⓒ 증거물인 서면 : 본래 증거물이지만 증거서류의 성질도 가지고 있는 이른바 '증거물인 서면'을 조사하기 위해서는 증거서류의 조사방식인 낭독 · 내용고지 또는 열람의 절차와 증거물의 조사방식인 제시의 절차가 함께 이루어져야 하므로, 24. 변호사시험 원칙적으로 증거신청인으로 하여금 그 서면을 제시하면서 낭독하게 하거나 이에 갈음하여 그 내용을 고지 또는 열람하도록 하여야 한다(대판 2013.7.26, 2013도2511). 14. 9급 법원직, 15. 9급 검찰 · 마약 · 교정 · 보호 · 철도경찰, 16. 순경 1차

ⓓ 컴퓨터용디스크 등

㉮ 컴퓨터용디스크 그 밖에 이와 비슷한 정보저장매체에 기억된 문자정보를 증거자료로 하는 경우에는 읽을 수 있도록 출력하여 인증한 등본을 낼 수 있다(규칙 제134조의 7 제1항). 15. 순경 1차

㉯ 컴퓨터디스크 등에 기억된 문자정보를 증거로 하는 경우에 증거조사를 신청한 당사자는 법원이 명하거나 상대방이 요구한 때에는 컴퓨터디스크 등에 입력한 사람과 입력한 일시, 출력한 사람과 출력한 일시를 밝혀야 한다(동조 제2항). 15. 순경 1차

ⓔ 녹음 · 녹화매체

㉮ 음성이나 영상을 녹음 또는 녹화하여 재생할 수 있는 매체에 대한 증거조사를 신청하는 때에는 음성이나 영상이 녹음 · 녹화 등이 된 사람, 녹음 · 녹화 등을 한 사람 및 녹음 · 녹화 등을 한 일시 · 장소를 밝혀야 한다(규칙 제134조의 8 제1항).

㉯ 녹음 · 녹화매체 등에 대한 증거조사를 신청한 당사자는 법원이 명하거나 상대방이 요구한 때에는 녹음 · 녹음매체 등의 녹취서, 그 밖에 그 내용을 설명하는 서면을 제출하여야 한다(동조 제2항).

㉰ 녹음 · 녹화매체 등에 대한 증거조사는 녹음 · 녹화매체 등을 재생하여 청취 또는 시청하는 방법으로 한다(동조 제3항).

ⓕ 영상녹화물

㉮ 법원은 검사가 영상녹화물의 조사를 신청한 경우 이에 관한 결정을 함에 있어 원진술자와 함께 피고인 또는 변호인으로 하여금 그 영상녹화물이 적법한 절차와 방식에 따라 작성되어 봉인된 것인지 여부에 관한 의견을 진술하게 하여야 한다(규칙 제134조의 4 제1항).

㉯ 법원은 공판준비 또는 공판기일에서 봉인을 해체하고 영상녹화물의 전부 또는 일부를 재생하는 방법으로 조사하여야 한다. 이 때 영상녹화물은 그 재생과 조사에 필요한 전자적 설비를 갖춘 법정 외의 장소에서 이를 재생할 수 있다(동조 제3항).

㉰ 재판장은 조사를 마친 후 지체 없이 법원사무관 등으로 하여금 다시 원본을 봉인하도록 하고, 원진술자와 함께 피고인 또는 변호인에게 기명날인 또는 서명하도록 하여 검사에게 반환한다. 다만, 피고인의 출석 없이 개정하는 사건에서 변호인이 없는 때에는 피고인 또는 변호인의 기명날인 또는 서명을 요하지 아니한다(동조 제4항).

ⓖ 도면·사진 기타 물건 : 도면·사진 그 밖에 정보를 담기 위하여 만들어진 물건으로서 문서가 아닌 증거의 조사에 관하여는 특별한 규정이 없으면 법 제292조, 법 제292조의 2의 규정을 준용한다(규칙 제134조의 9).

④ **증거조사에 대한 이의신청** : 검사·피고인 또는 변호인은 증거조사에 관하여 이의신청을 할 수 있다(제296조 제1항). 다만, 신청권자는 명시적 또는 묵시적 의사표시를 통해 신청권을 포기할 수 있다. 이의신청은 증거조사가 법령을 위반한 경우뿐만 아니라 상당하지 아니한 경우에도 할 수 있다(규칙 제135조의 2 본문). 20. 9급 법원직 이의신청은 개개의 행위·처분 또는 결정시마다 그 이유를 간결하게 명시하여 즉시 하여야 한다(규칙 제137조).

재판장 처분에 대한 이의신청 ⇨ 법령위반의 경우에만 가능(규칙 제136조) 23. 9급 검찰·마약수사

⑤ **이의신청에 대한 법원의 결정**

㉠ 법원은 이의신청이 있을 때마다 즉시 결정하여야 한다(규칙 제138조). 법원이 내리는 결정에는 다음과 같은 것들이 있다.

ⓐ 기각결정 : 법원은 이의신청이 시기에 늦거나 소송지연을 목적으로 한 때에는 기각결정을 하여야 한다. 다만, 이의신청이 중요한 사항을 대상으로 하는 경우에는 시기가 늦었다는 이유만으로 기각해서는 안 된다(규칙 제139조 제1항). 14. 순경 1차 또한 이의신청이 이유 없다고 인정되는 경우에도 결정으로 기각하여야 한다(규칙 제139조 제2항).

ⓑ 인용결정 : 이의신청이 이유 있다고 인정되는 경우에는 결정으로 이의신청의 대상이 된 행위, 처분 또는 결정을 중지, 철회, 취소, 변경하는 등 그 이의신청에 상응하는 조치를 취하여야 한다(규칙 제139조 제3항).

ⓒ 증거배제결정 : 증거조사를 마친 증거가 증거능력이 없다는 이유로 한 이의신청에 대해 법원이 이유 있다고 인정한 경우에는 그 증거의 전부 또는 일부를 배제한다는 취지의 결정을 하여야 한다(규칙 제139조 제4항). 24. 순경 1차

증거조사를 마친 증거가 증거능력이 없음을 이유로 한 이의신청을 법원이 이유 있다고 인정한 경우에는 그 증거의 증거조사를 다시 하여야 한다는 취지의 결정을 하여야 한다. (×) 14. 순경 1차

㉡ 이의신청에 대한 결정으로 판단된 사항에 대해서는 다시 이의신청을 할 수 없다(규칙 제140조). 20. 9급 법원직 이의신청에 대한 법원의 결정은 판결 전 소송절차에 관한 결정이므로 그 결정에 대한 항고가 허용되지 않는다(제403조). 14. 7급 국가직

⑥ **증거조사결과와 피고인의 의견**

재판장은 피고인에게 각종 증거조사결과에 대한 의견을 묻고 권리를 보호하는 데 필요한 증거조사를 신청할 수 있음을 고지하여야 한다(제293조).

☎ 간이공판절차 ⇨ 제293조 적용 ×
☎ 피고인은 증거신청 및 증거조사에 대한 이의신청은 할 수 있지만, 증거조사결과에 대한 의견제시는 할 수 없다. (×) 09. 7급 국가직

KEY point

- **증거조사** ┌ 신 청
  └ 직 권
- **증거조사 순서** : 검사가 신청한 증거 ⇨ 피고인 또는 변호인이 신청한 증거 ⇨ 법원 직권으로 결정한 증거 (단, 법원은 순서변경 가능)
- **증거조사방식**
  - 증거서류 ┌ 신청에 의한 증거조사 ⇨ 신청인 낭독
    └ 법원 직권에 의한 증거조사 ⇨ 소지인 또는 재판장 낭독
  - 증거물 ┌ 신청에 의한 증거조사 ⇨ 신청인이 제시
    └ 법원 직권에 의한 증거조사 ⇨ 소지인 또는 재판장이 제시
  - 증거물인 서면 : 제시 + 낭독(내용고지 또는 열람)
- **증거조사에 대한 이의신청** : 법령위반/상당하지 아니한 경우(증거결정에 대한 이의신청 ⇨ 법령위반에 한함)

(2) 피고인신문

종전에는 증거조사에 들어가기 전에 피고인신문을 먼저 실시하였다. 그러나 먼저 피고인신문부터 하게 되면 피고인의 부정적인 인상이 노출되고 재판이 범죄사실에 대한 객관적인 증거를 발견하기보다는 피고인의 진술의 진위를 추궁하는 식으로 진행되기 쉬운 문제점이 있어 2007년 개정법에서 증거조사 이후의 단계로 위치시켰다. 10. 순경, 13. 경찰승진

① **피고인신문의 의의** : 피고인신문이란 피고인에 대하여 공소사실과 그 정상에 관하여 필요한 사항을 신문하는 절차를 말한다.

② **피고인신문 순서**

㉠ 검사 또는 변호인은 증거조사 종료 후에 순차로 피고인에게 공소사실 및 정상에 관하여 필요한 사항을 신문할 수 있다. 14. 경찰승진 다만, 재판장은 필요하다고 인정할 때에는 증거조사가 완료하기 전이라도 이를 허가할 수 있다(제296조의 2 제1항). 09. 9급 법원직 그러므로 재판장의 허가가 있는 때에는 증거조사를 진행하는 도중에 피고인을 신문할 수 있게 된다.

▶ 재판장은 변호인이 피고인을 신문하겠다는 의사를 표시한 때에는 피고인을 신문할 수 있도록 조치하여야 하고, 변호인이 피고인을 신문하겠다는 의사를 표시하였음에도 변호인에게 일체의 피고인신문을 허용하지 않은 것은 변호인의 피고인신문권에 관한 본질적 권리를 해하는 것으로서 소송절차의 법령위반에 해당한다(대판 2020.12.24, 2020도10778). 21. 순경 2차

㉡ 재판장은 필요하다고 인정한 때에는 피고인을 신문할 수 있다(동조 제2항).

㉢ 피고인신문은 증인신문의 방식이 준용되므로, 검사·변호인 순으로 신문하고, 재판장은 그 신문이 끝난 뒤에 신문 할 수 있다. 다만, 필요하다고 인정하면 어느 때나 신문순서를 변경할 수 있다(제296조의 2 제3항).

③ **피고인신문 방법**

㉠ 피고인신문시 피고인은 증인석에 좌석케 한다(제275조 제3항 단서). 09. 9급 법원직

㉡ 피고인신문의 범위는 공소사실과 정상에 관한 필요한 사항이다.

㉢ 재판장은 피고인이 어떤 재정인의 면전에서 충분한 진술을 할 수 없다고 인정한 때에는 그 재정인을 퇴정시키고 진술하게 할 수 있다(규칙 제140조의 3). 09. 9급 법원직, 13. 9급 검찰·마약수사

㉣ 재판장 또는 법관은 피고인을 신문하는 경우에 피고인이 ⓐ 신체적 또는 정신적 장애로 사물을 변별하거나 의사를 결정·전달할 능력이 미약한 경우 또는 ⓑ 피고인의 연령·성별·국적 등의 사정을 고려하여 그의 심리적 안정의 도모와 원활한 의사소통을 위하여 필요한 경우에는 직권 또는 피고인·법정대리인·검사의 신청에 따라 피고인과 신뢰관계에 있는 자를 동석하게 할 수 있다(제276조의 2).

KEY point

- **피고인신문** : 증거조사 종료 후
- **피고인신문 순서** : 검사 ⇨ 변호인 ⇨ 재판장(순서변경 가능)
  ▶ 종전의 법 ⇨ 재판장이 순서변경 불가
- **피고인이 장애인 등인 경우** : 신뢰관계 있는 자 동석 가능

(3) **최종변론**

증거조사와 피고인신문이 끝나면 당사자의 의견진술(최종변론)이 행하여진다. 다만, 재판장은 필요하다고 인정하는 경우에 검사, 피고인 또는 변호인의 본질적인 권리를 해치지 아니하는 범위 내에서 의견진술의 시간을 제한할 수 있다(규칙 제145조). 11. 9급 법원직 의견진술은 검사, 피고인과 변호인의 순으로 진행된다. 10. 교정특채

① **검사의 의견진술**

㉠ 검사는 사실과 법률적용에 관한 의견진술을 하여야 한다. 이러한 검사의 의견진술을 검사의 논고라 하며, 특히 양형에 관한 의견을 구형이라고 한다. 단, 검사의 출석 없이 개정(공판기일 통지를 2회 이상 받고 출석하지 아니하는 경우)한 경우에는 공소장의 기재사항에 의하여 의견진술이 있는 것으로 간주한다(제302조).

㉡ 법원은 검사에게 의견진술의 기회를 부여하면 족하며, 검사가 의견진술을 하지 않더라도 공판절차가 무효로 되는 것은 아니다(대판 2001.11.30, 2001도5225). 12. 경찰승진, 14. 7급 국가직, 22. 9급 법원직

관련판례

검사가 사실과 법률적용에 관하여 의견을 진술하지 않더라도 공판절차가 무효로 되는 것은 아니며, 위 공판조서에 검사의 의견진술이 누락되어 있다 하여도 이로써 판결에 영향을 미친 법률위반이 있는 경우에 해당한다고는 볼 수 없다(대판 1977.5.10, 74도3293). 11. 9급 법원직, 12. 경찰간부

ⓒ 법원은 검사의 구형에 구속되지 않으므로 검사의 구형을 초과하는 형을 선고할 수 있다 (판례).

관련판례

검사의 구형은 양형에 관한 의견진술에 불과하고 법원이 그 의견에 구속되는 것은 아니므로 피고인에 대한 형을 정함에 있어 검사의 구형에 포함되지 아니한 벌금형을 병과하였다 하여 위법이 될 수 없다 (대판 1984.4.24, 83도1789).

② **피고인과 변호인의 의견진술**

㉠ 재판장은 검사의 의견을 들은 후 피고인과 변호인에게 최종진술의 기회를 부여하여야 한다 (제303조). 기회를 주었는데 기회를 활용하지 않는 것은 무방하나 이들에게 최종진술의 기회를 주지 않는 상태에서 법원이 심리를 종결함은 위법이며 상소이유에 해당한다.

관련판례

피고인이나 변호인에게 최종의견 진술의 기회를 주지 아니한 채 변론을 종결하고 판결을 선고하는 것은 소송절차의 법령위반에 해당한다(대판 2018.3.29, 2018도327). 22. 7급 국가직, 24. 변호사시험

㉡ 필요적 변호사건이라 하여도 피고인이 재판거부의사를 표하고 변호인도 이에 동조하여 퇴정하면 변호인의 최후진술 없이 심리판결할 수 있다는 것이 판례의 입장이며, 필요적 변호사건이 아닌 일반사건의 경우에 변호인이 공판기일통지서를 받고도 공판기일에 출석하지 아니하여 변호인 없이 심리가 종결된 경우에는 변호인에게 변론의 기회를 주지 않았다고 볼 수 없다(대판 1977.2.22, 76도4376). 24. 9급 법원직

㉢ 피고인측의 의견진술이 끝나는 시점을 구두변론의 종결이라 하며 실무상 결심이라 부른다 (법원은 결정으로 종결한 변론을 재개할 수 있음).

3 판결의 선고

① 피고사건에 대한 심리가 종결되면 법원은 판결을 위한 심의에 들어가게 된다. 피고사건에 대한 심판의 합의는 공개하지 않는다(법원조직법 제65조).

② 판결의 선고는 법관이 작성한 재판서에 의하여 공판정에서 하여야 한다(제38조, 제42조). 그러나 변론을 종결하는 기일에 판결을 선고하는 경우에는 판결선고 후에 판결서를 작성할 수 있다(제318조의 4 제2항). 이 경우에는 선고 후 5일 이내에 판결서를 작성하여야 한다(규칙 제146조).

③ 판결의 선고는 재판장이 하는데 주문을 낭독하고 이유의 요지를 설명하여야 한다(제43조). 판결을 선고한 사실은 공판조서에 기재하여야 한다(제51조 제2항).

판결 이유 요지의 설명은 말이나 판결서등본 또는 판결서초본의 교부 등 적절한 방법으로 가능(규칙 제147조 제1항: 2016.6.27. 개정)

재판장은 판결을 선고함에 있어서 피고인에게 적절한 훈계를 할 수 있다(규칙 제147조 제2항).

④ 형을 선고하는 경우에는 재판장은 피고인에게 상소기간과 상소법원을 고지하여야 한다(제324조). 14. 7급 국가직 판결의 선고에 의하여 당해 심급의 공판절차가 종결되고 상소기간이 진행된다.

판결서에는 법률에 다른 규정이 없으면 재판을 받은 자의 성명, 연령, 직업과 주거를 기재하여야 하고, 기소한 검사와 공판에 관여한 검사의 관직, 성명과 변호인의 성명을 기재하여야 한다(제40조).

기소한 검사의 관직, 성명(2011. 7. 18. 개정시 추가)

⑤ 판결의 선고는 반드시 공개하여야 한다(심리를 비공개로 한 경우라도 판결선고는 공개).

⑥ 판결의 선고는 변론을 종결한 기일에 하여야 한다. 다만, 특별한 사정이 있는 때에는 따로 선고기일을 정할 수 있다(제318조의 4 제1항). 21. 7급 국가직 이 경우 선고기일은 변론종결 후 14일 이내로 지정되어야 한다(동조 제3항). 20. 9급 검찰 · 마약 · 교정 · 보호 · 철도경찰

판결선고기간

- 제1심은 공소제기일로부터 6개월 이내, 항소심 및 상고심은 기록송부를 받은 날로부터 각각 4개월 이내(소송촉진 등에 관한 특례법 제21조)
- 약식명령은 청구가 있는 날로부터 14일 이내(소송촉진 등에 관한 특례법 제22조)
- 선거범에 대한 재판은 다른 재판에 우선하여 신속히 하여야 하며, 제1심은 공소제기 있는 날로부터 6개월 이내, 2심 및 3심은 전심의 판결의 선고가 있은 날부터 각각 3월 이내(공직선거법 제270조).

변론종결시 고지되었던 선고기일을 피고인과 변호인에게 사전에 통지하는 절차를 거치지 않은 채 급박하게 변경하여 판결을 선고한 것은 피고인의 방어권과 이에 관한 변호인의 변호권을 침해하여 판결에 영향을 미친 잘못이 있다(대판 2023.7.13, 2023도4371).

⑦ 판결을 선고하는 공판기일에도 피고인이 출석하여야 한다. 다만, 피고인이 진술하지 아니하거나, 재판장의 허가 없이 퇴정하거나, 재판장의 질서유지를 위한 퇴정명령을 받은 때, 피고인의 출석 없이 개정할 수 있는 경우에는 피고인의 출석 없이 판결할 수 있다(제330조).

판결선고기일에 검사, 변호인(필요적 변호사건 포함) 출석 불필요 20. 9급 검찰 · 마약 · 교정 · 보호 · 철도경찰

⑧ 판결선고 후에도 법원은 소송기록이 상소법원에 도달하기 전까지는 피고인의 구속, 구속기간 갱신, 구속취소, 보석, 보석의 취소, 구속집행정지 등에 대한 결정을 하여야 한다(제105조, 규칙 제57조).

⑨ 법원은 피고인에 대하여 판결을 선고한 때에는 선고일로부터 7일 이내(판례는 훈시규정으로 봄)에 피고인에게 그 판결서 등본을 송부하여야 한다(피고인의 동의가 있는 경우 초본 송달 가능). 다만, 불구속피고인과 그 판결로 인하여 구속영장의 효력이 상실된 피고인에 대하여는 피고인이 송달을 신청하는 경우에 한하여 판결서등본 또는 판결서초본을 송달한다(규칙 제148조 : 2016.6.27. 개정).

⑩ 재판장은 판결을 선고함에 있어서 피고인에게 보호관찰, 사회봉사, 수강을 명하는 경우에는 그 취지 및 필요한 사항이 적힌 서면을 교부하여야 한다(규칙 제147조의 2 제1항 : 2016.2.19, 개정).

피고인의 이해를 돕고, 준수사항 미이행에 따른 피고인의 불이익을 방지하고자 재판장은 판결 선고시 보호관찰, 사회봉사, 수강을 명하는 경우에는 그 취지 및 필요한 사항을 설명하도록 한 규정을 그 취지 및 필요한 사항이 적힌 서면을 교부하도록 개정하였다.

⑪ 판결이 선고되면 선고를 한 법원도 이를 철회 · 변경할 수 없다.

관련판례

판결 선고는 재판장이 주문을 낭독한 이후라도 선고가 종료되기 전까지는 일단 낭독한 주문의 내용을 정정하여 다시 선고할 수 있다. 그러나 판결 선고절차가 종료되기 전이라도 변경 선고가 무제한 허용된다고 할 수는 없다. 재판장이 일단 주문을 낭독하여 선고 내용이 외부적으로 표시된 이상 재판서에 기재된 주문과 이유를 잘못 낭독하거나 설명하는 등 실수가 있거나 판결 내용에 잘못이 있음이 발견된 경우와 같이 특별한 사정이 있는 경우에 변경 선고가 허용된다(대판 2022.5.13, 2017도3884).

▶ 재판장이 선고기일에 법정에서 '피고인을 징역 1년에 처한다.'는 주문을 낭독한 뒤 상소기간 등에 관한 고지를 하던 중 피고인이 '재판이 개판이야, 재판이 뭐 이 따위야.' 등의 말과 욕설을 하면서 난동을 부려 재판장은 선고형을 정정한다.'는 취지로 말하며 징역 3년을 선고한 사안에서, 위 변경 선고가 정당하다고 볼 만한 특별한 사정이 발견되지 않으므로 위법하다(대판 2022.5.13, 2017도3884).

KEY point

- **최종변론 기회제공** : 필수
- **판결선고** : 변론종결기일에 하는 것이 원칙(특별한 사정 有 ⇨ 변론종결일 14일 이내), 반드시 공개

CHAPTER

01 기출문제

01 **증거조사절차에 대한 설명으로 옳은 것(○)과 옳지 않은 것(×)을 바르게 연결한 것은?**(다툼이 있는 경우 판례에 의함)

21. 9급 검찰·마약수사

㉠ 피고인이 철회한 증인을 법원이 직권신문하고 이를 채증하는 것은 위법하다.
㉡ 법원은 검사, 피고인 또는 변호인의 신청에 의해서 증거조사를 할 수 있지만, 직권으로는 할 수 없다.
㉢ 검사, 피고인 또는 변호인이 고의로 증거를 뒤늦게 신청함으로써 공판의 완결을 지연하는 것으로 인정되는 때에도 상대방의 신청이 없는 한 법원이 직권으로 증거신청을 각하할 수 없다.
㉣ 형사소송법 제312조 및 형사소송법 제313조에 따라 증거로 할 수 있는 피고인 또는 피고인 아닌 자의 진술을 기재한 조서 또는 서류가 피고인의 자백진술을 내용으로 하는 경우에는 범죄사실에 관한 다른 증거를 조사하기 전에 이를 조사하여야 한다.

① ㉠(○), ㉡(○), ㉢(○), ㉣(○)
② ㉠(○), ㉡(×), ㉢(×), ㉣(○)
③ ㉠(×), ㉡(×), ㉢(○), ㉣(×)
④ ㉠(×), ㉡(×), ㉢(×), ㉣(×)

해설 ㉠ × : 증인은 법원이 직권에 의하여 신문할 수도 있고 증거의 채부는 법원의 직권에 속하는 것이므로 피고인이 철회한 증인을 법원이 직권신문하고 이를 채증하더라도 위법이 아니다(대판 1983.7.12, 82도3216).
㉡ × : 법원은 검사, 피고인 또는 변호인의 신청에 의해서 증거조사를 할 수 있으며(제294조 및 제294조의 2), 직권으로도 증거조사를 할 수 있다(제295조).
㉢ × : 법원은 검사, 피고인 또는 변호인이 고의로 증거를 뒤늦게 신청함으로써 공판의 완결을 지연하는 것으로 인정할 때에는 직권 또는 상대방의 신청에 따라 결정으로 이를 각하할 수 있다(제294조 제2항).
㉣ × : 형사소송법 제312조 및 형사소송법 제313조에 따라 증거로 할 수 있는 피고인 또는 피고인 아닌 자의 진술을 기재한 조서 또는 서류가 피고인의 자백진술을 내용으로 하는 경우에는 범죄사실에 관한 다른 증거를 조사한 후에 이를 조사하여야 한다(규칙 제135조).

02 **증거조사의 이의신청에 관한 설명 중 가장 옳지 않은 것은?**(다툼이 있는 경우 판례에 의함)

20. 9급 법원직

① 증거조사에 대한 이의신청은 법령의 위반이 있는 경우에만 할 수 있다.
② 이의신청에 대한 결정에 의하여 판단이 된 사항에 대하여는 다시 이의신청을 할 수 없다.
③ 시기에 늦은 이의신청, 소송지연만을 목적으로 하는 것임이 명백한 이의신청은 결정으로 이를 기각하여야 한다.
④ 증거조사를 마친 증거가 증거능력이 없음을 이유로 한 이의신청을 이유있다고 인정할 경우에는 그 증거의 전부 또는 일부를 배제한다는 취지의 결정을 하여야 한다.

해설 ① 증거조사에 대한 이의신청은 법령의 위반이 있거나 상당하지 아니함을 이유로 하여 이를 할 수 있다(규칙 제135조의 2). ② 규칙 제140조 ③ 규칙 제139조 제1항 ④ 규칙 제139조 제4항

Answer 01. ④ 02. ①

03 증거조사에 대한 설명으로 가장 적절하지 않은 것은?(다툼이 있는 경우 판례에 의함) 22. 경찰승진

① 증거신청은 검사가 먼저 이를 한 후 다음에 피고인 또는 변호인이 이를 한다.

② 법원은 서류 또는 물건이 증거로 제출된 경우에 이에 관한 증거결정을 함에 있어서는 제출한 자로 하여금 그 서류 또는 물건을 상대방에게 제시하게 하여 상대방으로 하여금 그 서류 또는 물건의 증거능력 유무에 관한 의견을 진술하게 하여야 한다. 다만, 형사소송법 제318조의3의 규정에 의하여 동의가 있는 것으로 간주되는 경우에는 그러하지 아니하다.

③ 법원은 증거결정을 함에 있어서 필요하다고 인정할 때에는 그 증거에 대한 검사, 피고인 또는 변호인의 의견을 들어야 한다.

④ 법원이 필요하지 않다고 인정할 때에는 증거를 조사하지 않을 수 있는 것이므로, 법원이 검사의 증인신청을 받아들이지 않았다고 하더라도 이를 두고 위법하다고 할 수는 없다.

해설 ① 규칙 제133조
② 규칙 제134조 제2항
③ 법원은 증거결정을 함에 있어서 필요하다고 인정할 때에는 그 증거에 대한 검사, 피고인 또는 변호인의 의견을 들을 수 있다(규칙 제134조 제1항).
④ 대판 1995.6.13, 95도826

04 피고인신문에 관한 다음 설명 중 옳지 않은 것은? 21. 9급 법원직

① 재판장은 소송관계인의 진술 또는 신문이 중복된 사항이거나 그 소송에 관계없는 사항인 때에는 소송관계인의 본질적 권리를 해하지 아니하는 한도에서 이를 제한할 수 있다.

② 검사 또는 변호인은 항소심의 증거조사가 종료한 후 항소 이유의 당부를 판단함에 필요한 사항에 한하여 피고인을 신문할 수 있다.

③ 항소심 재판장은 검사 또는 변호인이 피고인 신문을 실시하는 경우에도 제1심의 피고인신문과 중복되거나 항소이유의 당부를 판단하는 데 필요 없다고 인정하는 때에는 그 신문의 전부 또는 일부를 제한할 수 있다.

④ 항소심 재판장이 피고인신문을 하겠다는 의사를 표시한 변호인에게 일체의 피고인신문을 허용하지 않는 것은 변호인의 피고인신문권에 관한 본질적 권리를 해하는 것에 해당하지 않는다.

해설 ① 제299조
②③ 규칙 제156조의 6 제1항·제2항
④ 항소심 재판장이 피고인신문을 하겠다는 의사를 표시한 변호인에게 일체의 피고인신문을 허용하지 않는 것은 변호인의 피고인신문권에 관한 본질적 권리를 해하는 것으로서 소송절차의 법령위반에 해당한다(대판 2020.12.24, 2020도10778).

Answer 03. ③ 04. ④

05 **공판기일의 절차에 대한 설명으로 옳지 않은 것은?**(다툼이 있는 경우 판례에 의함)

22. 9급 검찰 · 마약수사

① 법원은 서류 또는 물건이 증거로 제출된 경우에 이에 관한 증거결정을 함에 있어서는 제출한 자로 하여금 그 서류 또는 물건을 상대방에게 제시하게 하여 상대방으로 하여금 그 서류 또는 물건의 증거능력 유무에 관한 의견을 진술하게 하여야 한다.

② 증거신청의 채택 여부는 법원의 재량으로서 법원이 필요하지 아니하다고 인정할 때에는 이를 조사하지 아니할 수 있다.

③ 피고인은 검사의 모두 진술이 끝난 뒤에, 진술거부권을 행사하는 경우를 제외하고, 공소사실의 인정 여부를 진술해야 하며, 만일 이 단계에서 피고인이 자백하면 간이공판절차로 이행하는 계기가 된다.

④ 법원의 증거결정에 대해서는 법령 위반이 있음을 이유로 해서 준항고할 수 있다.

해설 ① 규칙 제134조 제2항 ② 대판 2018.3.15, 2017도18706 ③ 제286조 제1항, 제286조의 2
④ 법원의 증거결정에 대해서는 법령 위반이 있음을 이유로 해서만 이의신청을 할 수 있다(제295조, 규칙 제135조의 2 단서).

06 **공판기일의 절차에 대한 설명으로 가장 적절하지 않은 것은?**(다툼이 있는 경우 판례에 의함)

23. 경찰승진

① 법원은 피고인이 철회한 증인을 직권으로 신문하여 이를 채증할 수 있다.

② 원칙적으로 증거의 채부는 법원의 재량에 의하여 판단할 것이지만, 형사사건의 실체를 규명하는 데 가장 직접적이고 핵심적인 증거는 법정에서 증거조사를 하기 곤란하거나 부적절한 경우 또는 다른 증거에 비추어 굳이 추가 증거조사를 할 필요가 없다는 등 특별한 사정이 없는 한 공개된 법정에서 그 증거방법에 가장 적합한 방식으로 증거조사를 해야 한다.

③ 다른 증거나 증인의 진술에 비추어 굳이 추가 증거조사를 할 필요가 없다는 등 특별한 사정이 없고 소재탐지나 구인장 발부가 불가능한 사유가 존재하지 않더라도, 법원은 불출석한 핵심 증인에 대하여 소재탐지나 구인장 발부 없이 증인채택결정을 취소할 수 있다.

④ 사실심 변론종결 후 검사나 피해자 등에 의해 피고인에게 불리한새로운 양형조건에 관한 자료가 법원에 제출되었다면, 법원은 변론을 재개하여 그 양형자료에 대하여 피고인에게 의견진술 기회를 주는 등 필요한 양형심리절차를 거침으로써 피고인의 방어권을 실질적으로 보장해야 한다.

해설 ① 대판 1983.7.12, 82도3216 ② 대판 2011.11.10, 2011도11115
③ 다른 증거나 증인의 진술에 비추어 굳이 추가 증거조사를 할 필요가 없다는 등 특별한 사정이 없고, 소재탐지나 구인장 발부가 불가능한 것이 아님에도 불구하고, 불출석한 핵심 증인에 대하여 소재탐지나 구인장 발부 없이 증인채택 결정을 취소하는 것은 법원의 재량을 벗어나는 것으로서 위법하다(대판 2020.12.10, 2020도2623).
④ 대판 2021.9.30, 2021도5777

Answer 05. ④ 06. ③

제6절 증인신문 · 감정 · 검증

1 증인신문

(1) 증인신문의 의의

증인신문이라 함은 증인으로부터 그 체험사실의 진술을 듣는 증거조사 절차를 말한다. 형사소송법은 증인에 대하여 각종 의무를 부과하고, 불이행시 직·간접적인 강제를 가하고 있으므로 강제처분으로서의 성격도 가지고 있다.

(2) 증인의 의의와 증인적격

① **증인의 의의** : 증인이란 법원 또는 법관에 대하여 자신이 과거에 체험한 사실을 진술하는 제3자를 말한다.

증인과 감정인의 비교정리

구 분	증 인	감정인
유사점	• 양자 모두 제3자로서 인적 증거이다. • 양자 모두 법원 또는 법관의 명을 받는다. • 양자 모두 선서의무가 있고, 10. 경찰승진 여비·일당을 받는다. 10. 경찰승진 • 양자 모두 기피제도가 없다. • 양자 모두 선서 전에 위증의 벌을 경고해야 한다.	
차이점	• 판단자료를 제공한다. • 구인이 가능하다. • 대체성이 없다. • 보수를 받을 수 없다. • 예외적으로 선서가 불필요하다.	• 판단능력을 보충한다. • 구인이 불가능하다. 04. 경찰승진 • 대체성이 있다. 04. 경찰승진 • 보수를 받는다. • 반드시 선서를 요한다. 04·10. 경찰승진

구별개념

1. 참고인과의 구별 : 참고인은 수사기관에 대하여 진술하는 제3자이다.
2. 감정인과의 구별 : 감정인은 법원이 지시하는 사실에 관해 전문적 지식이나 경험에 의해 전문적 판단결과를 보고하는 자이다(증인은 대체될 수 없으나, 감정인은 대체될 수 있음).
3. 감정증인과의 구별 : 감정증인은 특별한 지식이나 경험에 의해 지득하게 된 과거사실을 진술하는 자이다. 대체성이 없으므로 증인에 속한다 볼 것이고, 현행법도 증인신문절차에 따라 신문하도록 되어 있다(제179조). 07. 9급 법원직, 13. 7급 국가직, 14. 순경 1차, 15. 경찰승진·경찰간부

   예 법원에 감정서를 제출한 감정인을 그 감정의 경과와 결과에 관하여 신문하는 경우

② **증인적격**

㉠ **증인적격의 의의** : 증인적격이란 증인으로 될 수 있는 자격을 말한다. 증인적격이 있어야 증인신문을 할 수 있고, 증인적격이 없는 자의 증언은 증거능력이 없다. 형사소송법상 원칙적으로 누구에게나 증인적격이 인정된다(제146조).

형사미성년자도 증인적격자임. 10. 경찰승진

ⓛ 증인적격의 제한 여부

ⓐ 공무원의 증인적격 : 공무원이나 공무원이었던 자가 그 직무에 관하여 알게 된 사실에 관해 본인 또는 당해 공무소가 직무상 비밀에 속한 사항임을 신고한 때에는 그 소속 공무소 또는 감독 관공서의 승낙이 없이는 증인으로 신문하지 못한다(제147조 제1항). 14. 9급 법원직, 23. 경찰승진·해경승진

증인거부권자이므로 출석 자체를 거부 가능(증언거부권과 구별을 요함)

ⓑ 법관의 증인적격 : 당해 사건을 심판하는 법관은 그 사건의 증인이 될 수 없으며, 당해 사건의 공판절차에 관여하고 있는 법원사무관 등도 그 지위에 있는 한 증인이 될 수 없다.

ⓒ 검사의 증인적격 : 당해 사건의 공판에 관여하고 있는 검사에게 증인적격이 인정되는가에 대해서는 학설의 대립이 있으나, 소송주체의 지위와 증인의 지위는 서로 모순되므로 검사에게 증인적격을 인정하지 않는 것이 타당하리라 본다(다수설). 그러나 공소유지에 관여하지 않는 수사검사는 증인적격을 가지며, 검찰주사나 사법경찰관도 소송당사자가 아니므로 증인적격이 인정된다. 13. 순경 2차

관련판례

경찰공무원에 대한 증인적격 인정이 바로 피고인에 대한 증인적격 인정으로 귀결된다고 볼 아무런 근거가 없고, 경찰공무원의 증인적격 인정과 피고인의 진술거부권 침해와의 연관성을 인정할 만한 사정도 없다(헌재결 2001.11.29, 2001헌바41). 10. 경찰승진

ⓓ 변호인의 증인적격 : 변호인에게 증인적격이 인정되는가에 대해서도 학설의 대립이 있으나, 부정하여야 할 것으로 본다(다수설). 변호인은 피고인의 보호자이므로 소송에서 제3자가 아니고 변호인과 증인의 지위를 겸하는 것은 역할의 혼동을 초래하기 때문이다.

ⓔ 피고인의 증인적격

㉮ 피고인 : 피고인은 증인으로 될 수 없다(통설). 왜냐하면 피고인도 검사와 같이 소송당사자이기 때문이다. 만일 피고인이 증인으로 되어 선서를 하고 증언을 하여야 한다면 피고인에게 인정되는 진술거부권 규정의 취지는 몰각되어 무의미하게 되고 말 것이다.

피고인이 피고인신문에서 허위의 진술을 할 경우에 위증죄가 성립한다. (×) 16. 경찰간부

㉯ 공동피고인 : 공범관계가 있는 공동피고인은 병합심리되고 있는 한 피고인으로서 진술거부권을 가지므로 증인으로 신문할 수 없으나, 변론을 분리하면 증인이 될 수 있다(판례).

대향범인 공동피고인은 소송절차가 분리되어 피고인의 지위에서 벗어나게 되더라도 다른 공동피고인에 대한 공소사실에 대하여 증인이 될 수 없다. (×)

공범관계가 없는 공동피고인은 다른 피고사건으로 공소가 제기되어 우연히 심리만 병합된 경우이므로 공동피고인은 증인적격이 인정되어 증인으로 신문할 수 있다(판례).

공동피고인인 절도범과 그 장물범은 서로 다른 공동피고인의 범죄사실에 관하여 증인의 지위에 있다. (○)

관련판례

1. 공범인 공동피고인은 당해 소송절차에서는 피고인의 지위에 있으므로, 다른 공동피고인에 대한 공소사실에 관하여 증인이 될 수 없으나, 소송절차가 분리되어 피고인의 지위에서 벗어나게 되면 다른 공동피고인에 대한 공소사실에 관하여 증인이 될 수 있고, 이는 대향범인 공동피고인의 경우에도 다르지 않다(대판 2012.3.29, 2009도11249). 13·14. 9급 교정·보호·철도경찰, 15. 9급 검찰·마약수사·경찰간부, 16. 변호사시험, 13·14·15·17·21. 9급 법원직, 15·21. 7급 국가직, 21. 순경 2차, 24. 소방간부
2. 피고인과 별개의 범죄사실로 기소되어 병합심리 중인 공동피고인은 피고인의 범죄사실에 관하여는 증인의 지위에 있다 할 것이므로 선서 없이 한 공동피고인의 진술을 기재한 공판조서의 기재내용은 피고인의 유죄인정의 증거로 할 수 없다(대판 1979.3.27, 78도1031). 10. 순경 1차, 12. 순경 2차, 15. 9급 검찰·마약수사·7급 국가직, 17. 9급 법원직, 18. 9급 교정·보호·철도경찰
3. 공동피고인과 피고인이 뇌물을 주고 받은 사이로 필요적 공범관계에 있다고 하더라도 검사는 수사단계에서 피고인에 대한 증거를 미리 보전하기 위하여 필요한 경우에는 판사에게 공동피고인을 증인으로 신문할 것을 청구할 수 있다(대판 1988.11.8, 86도1646). 13. 7급 국가직
4. 공동피고인인 절도범과 그 장물범은 서로 다른 공동피고인의 범죄사실에 관하여는 증인의 지위에 있다 할 것이다(대판 2006.1.12, 2005도7601). 18·21. 7급 국가직

(3) 증인의 의무·권리

① 증인의 소송법상 의무

㉠ 출석의무

ⓐ 증인의 소환 : 증인에게는 출석의무가 있다. 법원은 소환장의 송달, 전화, 전자우편 그 밖의 상당한 방법으로 증인을 소환한다(제150조의 2 제1항). 소환장은 급속한 경우를 제외하고는 늦어도 24시간 이전에 송달하도록 하여야 한다(규칙 제70조). 다만, 이미 공판정에 나와 있는 증인(재정증인)은 소환하지 않고 신문할 수 있다(제154조).

- 소환의 대상 : 피고인, 증인, 감정인, 통역인, 번역인
- 통지의 대상 : 검사, 변호인
- 소환장 ┌ 증인 : 24시간 이내 송달(규칙 제70조) 08. 9급 국가직
  └ 피고인 : 12시간 이내 송달(규칙 제45조)
- 출석요구를 받은 증인이 출석할 수 없는 경우 ⇨ 법원에 바로 사유를 밝혀 신고(규칙 제68조의 2)

ⓑ 증인의 동행명령 : 법원은 필요한 때에는 결정으로 지정한 장소에 증인의 동행을 명할 수 있다(제166조 제1항). 동행명령은 당초에 법원 내에서 신문할 예정으로 증인을 소환하였다가 재판부가 방침을 바꾸어 법원 외에서 신문하기로 한 경우에 활용되는 조치이다. 동행명령을 거부한 때에는 구인할 수 있다(제166조 제2항).

☎ 과태료나 비용배상 부과 ×

ⓒ 출석의무 위반에 대한 제재

㉮ 정당한 사유 없이 소환에 응하지 아니한 증인은 구인할 수 있다(제152조).

☎ 증인이 정당한 이유 없이 소환에 불응하거나, 동행명령을 거부한 경우 증인을 구인할 수 있다. (○)

㉯ 법원은 소환장을 송달받은 증인이 정당한 사유 없이 출석하지 아니한 때에는 결정으로 당해 불출석으로 인한 소송비용을 증인이 부담하도록 명하고, 500만원 이하의 과태료(과료 ×, 벌금 ×)를 부과할 수 있다(제151조 제1항). 08. 7급 국가직, 10. 경찰승진, 11. 9급 법원직

☎ 소송비용부담과 과태료 부과는 소환장을 송달받았거나 소환장송달과 동일한 효력이 있는 경우(교도관 통지, 출석하겠다는 서면 제출, 차회기일을 정하여 출석을 명한 경우)에 해당하고, 전화나 전자우편 등 간편한 방법으로 증인소환이 이루어진 때에는 해당하지 않는다(제151조 제1항 후단).

☎ 증인의 출석의무 위반에 대한 제재로는 소송비용의 부담과 벌금, 그리고 감치처분이 가능하다. (×) 10. 경찰승진

☎ 증인에 대한 강제처분으로서 소환, 동행명령, 과태료 부과, 구인 등이 가능하지만 소송비용 부담은 불가능하다. (×) 14. 경찰승진

㉰ 법원은 증인이 과태료 재판을 받고도 정당한 사유 없이 다시 출석하지 아니한 때에는 결정으로 증인을 7일 이내의 감치에 처한다(동조 제2항). 14. 경찰승진

㉱ 법원은 감치재판기일에 증인을 소환하여 정당한 사유가 있는지의 여부를 심리하여야 한다(동조 제3항). 감치재판절차는 법원의 감치재판개시결정에 따라 개시된다. 이 경우 감치사유가 발생한 날로부터 20일이 지난 때에는 감치재판개시결정을 할 수 없다(규칙 제68조의 4 제1항).

㉲ 감치재판절차를 개시 후 감치결정 전에 그 증인이 증언을 하거나 감치가 상당하지 아니한 경우에는 불처벌결정을 하여야 하며, 감치재판개시결정과 불처벌결정에 대해서는 불복할 수 없다(동조 제2항 · 제3항). 22. 경찰승진 · 해경간부

㉳ 감치는 그 재판을 한 법원의 재판장의 명령에 따라 사법경찰관리 · 교도관 · 법원경위 또는 법원사무관 등이 교도소 · 구치소 또는 경찰서유치장에 유치하여 집행한다(동조 제4항).

㉴ 감치에 처하는 재판을 받은 증인이 감치시설에 유치된 경우 당해 감치시설의 장은 즉시 그 사실을 법원에 통보하여야 한다(동조 제5항).

㉵ 법원은 제5항의 통보를 받은 때에는 지체 없이 증인신문기일을 열어야 한다(동조 제6항).

㉶ 법원은 감치의 재판을 받은 증인이 감치의 집행 중에 증언을 한 때에는 즉시 감치결정을 취소하고 그 증인을 석방하도록 명하여야 한다(동조 제7항). 22. 9급 법원직, 24. 소방간부

㉷ 과태료나 감치결정에 대해서 즉시항고할 수 있으나, 즉시항고가 있다 하여 과태료나 감치결정의 집행이 정지되지는 않는다(동조 제8항). 10. 9급 국가직, 14. 경찰승진

ⓛ 선서의무

ⓐ 선서절차

㉮ 출석한 증인은 신문 전에 증인선서를 하여야 한다(제156조). 13. 순경 1차 단, 법률에 다른 규정이 있는 때에는 예외로 한다.

㉯ 선서는 선서서에 의하여야 하며, 선서서에는 "양심에 따라 숨김과 보탬이 없이 사실 그대로 말하고 만일 거짓말이 있으면 위증의 벌을 받기로 맹세합니다."라고 기재하여야 한다. 재판장은 증인으로 하여금 선서를 낭독하게 하고 기명날인 또는 서명하게 하여야 한다(제157조 제3항). 16. 9급 법원직 단, 증인이 선서를 낭독하지 못하거나 서명을 하지 못하는 경우에는 참여한 법원사무관 등이 이를 대행한다(동조 제3항 단서). 11 · 16. 9급 법원직

㉰ 선서는 각 증인마다 하여야 하며, 대표선서는 허용되지 않는다. 동일 심급에서 한 증인에 대한 선서는 한 번으로 족하며, 증인이 선서를 한 후 신문이 중단되었다가 다시 속행되더라도 다시 선서를 시킬 필요는 없다. 재판장은 선서할 증인에 대하여 선서 전에 위증의 벌을 경고하여야 한다(제158조). 다만, 이 경고를 하지 않고 증언을 하게 한 경우에도 증언 자체는 무효로 되지 아니한다.

ⓑ 선서무능력자

㉮ 선서무능력자, 즉 16세 미만자(16세는 해당 ×) 또는 선서의 취지를 이해하지 못하는 자에 대하여는 선서를 하지 않고 신문하여야 한다(제159조). 10. 9급 국가직, 14. 경찰승진, 11 · 15 · 16. 9급 법원직

㉯ 선서무능력자에게 선서를 시키고 증언토록 하더라도 그 선서는 효력이 없으므로, 위증죄는 성립하지 않는다. 15. 경찰승진 그러나 그 증언 자체의 효력은 부인되지 않는다(대판 1957.3.8, 57도23). 07. 9급 법원직, 11. 7급 국가직, 14. 9급 교정 · 보호 · 철도경찰, 15. 경찰승진, 16. 변호사시험, 23. 소방간부

ⓒ 선서거부권의 문제 : 선서능력 있는 증인이 선서 없이 증언한 때에는 그 증언은 증거능력이 없다(대판). 형사소송법은 민사소송법과는 달리 선서거부권에 관하여 명문의 규정을 두고 있지 않다. 따라서 증인이 선서만을 거부하고 증언하겠다고 하는 것은 허용되지 않으며, 증언거부권이 인정되는 자라 할지라도 선서거부권만을 행사할 수 없다.

ⓓ 선서의무 위반에 대한 제재 : 증인이 정당한 이유 없이 선서를 거부할 때에는 결정으로 50만원 이하의 과태료에 처할 수 있으며, 10 · 15. 경찰승진, 15. 경찰간부 이에 대해 즉시항고를 할 수 있다(제161조). 11. 7급 국가직, 15. 경찰간부

ⓒ **증언의무** : 증인은 증언의무를 진다(제157조 제2항). 증인이 증언의무를 수행하려면 그 전제로 증인에게 증언능력이 있어야 한다(증인적격은 증인이 될 수 있는 일반적인 자격을 말하나, 증언능력이란 자기가 과거에 체험한 사실을 외부로 진술할 수 있는 정신능력을 말함). 따라서 증인적격자라도 증언능력은 없을 수 있다.

형사미성년자 ⇨ 증언능력이 있는 경우도 있고, 없는 경우도 있음

증인이 정당한 이유 없이 증언을 거부한 때에는 50만원 이하의 과태료에 처할 수 있으며(제161조), 이에 대한 즉시항고가 가능하다(제161조 제2항). 11. 7급 국가직

관련판례

1. 사고 당시 10세 남짓한 국민학교 5학년생으로서 비록 선서무능력자라 하여도 그 증언 내지 진술의 전후 사정으로 보아 의사판단능력이 있다고 인정된다면 증언능력이 있다고 할 것이다(대판 1984.9.25, 84도619). 10. 경찰승진, 13. 7급 국가직, 14. 순경 1차
2. 사고 당시는 만 3년 3월 남짓, 증언 당시는 만 3년 6월 남짓된 강간치상죄의 피해자인 여아가 피해상황에 관하여 비록 구체적이지는 못하지만 개괄적으로 물어 본 검사의 질문에 이를 이해하고 고개를 끄덕이는 형식으로 답변함에 대하여 증언능력이 있다(대판 1991.5.10, 91도579). 16. 변호사시험
3. 증인의 증언능력은 증인 자신이 과거에 경험한 사실을 그 기억에 따라 공술할 수 있는 정신적인 능력이라 할 것이므로, 유아의 증언능력에 관해서도 그 유무는 단지 공술자의 연령만에 의할 것이 아니라 그의 지적수준에 따라 개별적이고 구체적으로 결정되어야 함은 물론 공술의 태도 및 내용 등을 구체적으로 검토하고, 경험한 과거의 사실이 공술자의 이해력, 판단력 등에 의하여 변식될 수 있는 범위 내에 속하는가의 여부도 충분히 고려하여 판단하여야 한다(대판 2004.9.13, 2004도3161). 14. 9급 검찰·마약수사

정리

증인의 의무위반에 대한 제재

출석의무 위반	구인, 과태료, 비용부담, 감치
동행거부	구인
선서의무 위반	과태료
증언의무 위반	과태료

② **증인의 소송법상 권리** : 형사소송법은 증인의 권리로 증언거부권과 비용청구권을 인정하고 있다.

㉠ **증언거부권**

ⓐ 의의 : 증언거부권이란 증인이 증언을 거부할 수 있는 권리를 말한다(증언거부권이 있더라도 출석 자체를 거부할 수는 없음). 18. 7급 국가직

증언거부권은 증인거부권과 구별된다.

형사소송법은 제147조에서 공무원 또는 공무원이었던 자에 대하여 증인거부권을 인정하고 있는바, 이 증인거부권을 행사하면 증인적격이 부인되어 증인신문 자체가 허용되지 않는다(출석의무도 없음).

공무원이 직무상 알게 된 비밀과 변호사가 업무상 알게 된 비밀에 대해서는 당해 공무원과 변호사에게 증언거부권이 있으므로 증인으로서 출석을 거부할 수 있다. (×) 08. 9급 국가직

관련판례

1. 이미 유죄의 확정판결을 받은 경우에는 일사부재리의 원칙에 의해 다시 처벌받지 아니하므로, 자신에 대한 유죄판결이 확정된 증인은 공범에 대한 사건에서 증언을 거부할 수 없고, 설령 증인이 자신에 대한 형사사건에서 시종일관 범행을 부인하였더라도 그러한 사정만으로 증인이 진실대로 진술할 것을 기대할 수 있는 가능성이 없는 경우에 해당한다고 할 수 없으므로 허위의 진술에 대하여 위증죄 성립을 부정할 수 없다. 따라서 자신에 대한 유죄판결이 확정된 증인이 공범에 대한 피고사건에서 증언할 당시 앞으로 재심을 청구할 예정이라고 하여도, 이를 이유로 증인에게 증언거부권이 인정되지는 않는다(대판 2011.11.24, 2011도11994). 18. 순경 1차, 14·22. 경찰승진, 17·22. 경찰간부, 15·23. 9급 검찰·마약수사, 16·23. 변호사시험, 21·22·23. 9급 법원직, 23. 소방간부

   甲이 이미 유죄판결을 받아 확정된 후 별건으로 기소된 공범 乙에 대한 피고사건의 증인으로 출석하여 증언한 경우 甲에게는 증언거부권이 없으므로 사전에 증언거부권을 고지받지 못하였더라도 증인신문절차는 위법이 아니다. (○)

2. 증인신문절차에서 법률에 규정된 증인 보호를 위한 규정이 지켜진 것으로 인정되지 않은 경우에는 증인이 허위의 진술을 하였다고 하더라도 위증죄의 구성요건인 "법률에 의하여 선서한 증인"에 해당하지 아니한다고 보아 이를 위증죄로 처벌할 수 없는 것이 원칙이다. 16. 경찰간부 다만, 당해 사건에서 증인 보호에 사실상 장애가 초래되었다고 볼 수 없는 경우에까지 예외 없이 위증죄의 성립을 부정할 것은 아니라고 할 것이다. 따라서 증인이 증언거부권을 고지받지 못함으로 인하여 그 증언거부권을 행사하는 데 사실상 장애가 초래되었다고 볼 수 있는 경우에는 위증죄의 성립을 부정하여야 할 것이다(대판 2010.1.21, 2008도942 전원합의체). 16. 경찰간부, 13·16·23. 변호사시험, 23. 경찰승진 – 대법원은 "선서한 증인이 허위진술을 하였다면 증언거부권 고지 여부와 무관하게 위증죄로 처벌해야 한다."는 종전의 판례(대판 1987.7.7, 86도1724)를 변경하였다.

   증언거부사유가 있음에도 증인이 거부권을 고지받지 못하였다면 그 증언거부권을 행사하는데 사실상 장애의 초래 여부와 무관하게 위증죄가 성립하지 아니한다. (×)

   증인신문절차에서 법률에 규정된 증인보호를 위한 규정이 지켜진 것으로 인정되지 않는 경우에도 위증죄의 구성요건인 "법률에 의하여 선서한 증인"에 해당하지 아니한다고는 볼 수 없으므로 증인이 허위의 진술을 하였다면 이를 위증죄로 처벌하는 것이 원칙이다. (×)

   뇌물증·수뢰사건으로 공소제기되어 공동피고인으로 함께 재판을 받으면서 서로 뇌물을 주고받은 사실이 없다고 주장하며 다투던 중 변론분리되면서 뇌물공여 또는 뇌물수수의 증인으로 채택되어 검사로부터 신문받게 되었고, 유죄판결을 받을 수 있는 범죄사실이 발각될 염려가 있어 증언거부사유가 발생하게 되었음에도, 재판장으로부터 증언거부권을 고지받지 못한 상태에서 그들의 종전 주장을 그대로 되풀이함에 따라 결국 거짓 진술에 이르게 되었음을 알 수 있다. 그렇다면 증언거부권을 고지받지 못함으로 인하여 그 증언거부권을 행사하는 데 사실상 장애가 초래되었다고 보기에 충분하므로, 이를 위증죄로 처벌할 수는 없다(대판 2012.3.29, 2009도11249). 18. 순경 2차

3. 증인신문에 있어서 증언거부권 있음을 설명하지 아니한 경우라 할지라도 증인이 선서하고 증언한 이상 그 증언의 효력에 관하여는 역시 영향이 없고 유효하다고 해석함이 타당하다(대판 1957.3.8, 4290형상23). 08. 9급 국가직, 18. 순경 2차, 21. 9급 법원직, 23. 변호사시험

4. 형사소송법과는 달리 '국회에서의 증언·감정 등에 관한 법률'은 증언거부권의 고지에 관한 규정을 두고 있지 아니한데, 증언거부권을 고지받을 권리가 형사상 자기에게 불리한 진술을 강요당하지 아니함을 규정한 헌법 제12조 제2항에 의하여 바로 국민의 기본권으로 보장받아야 한다고 볼 수는 없고,

증언거부권의 고지를 규정한 형사소송법 제160조 규정이 '국회에서의 증언 · 감정 등에 관한 법률'에도 유추적용되는 것으로 인정할 근거가 없다(대판 2012.10.25, 2009도13197).

5. 민사소송절차에서 재판장이 증인에게 증언거부권을 고지하지 아니하였다 하여 절차위반의 위법이 있다고 할 수 없고, 따라서 적법한 선서절차를 마쳤는데도 허위진술을 한 증인에 대해서는 달리 특별한 사정이 없는 한 위증죄가 성립한다고 보아야 한다(대판 2011.7.28, 2009도14928). 16. 변호사시험
6. 증언거부권 제도는 증인에게 증언의무의 이행을 거절할 수 있는 권리를 부여한 것이고, 형사소송법상 증언거부권의 고지 제도는 증인에게 그러한 권리의 존재를 확인시켜 침묵할 것인지 아니면 진술할 것인지에 관하여 심사숙고할 기회를 충분히 부여함으로써 침묵할 수 있는 권리를 보장하기 위한 것이다(대판2010.1.21, 2008도942 전원합의체). 22. 경찰승진

ⓑ 증언거부권이 인정되는 경우

㉮ 자기나 친족 또는 친족관계가 있었던 자(예 이혼한 전처) 또는 법정대리인 · 후견감독인의 어느 하나에 해당하는 관계가 있는 자가 형사소추 또는 공소제기를 당하거나 유죄판결을 받을 사실이 드러날 염려가 있는 증언을 거부할 수 있다(제148조) 14. 9급 법원직, 24. 7급 국가직

형사소송법 제148조의 증언거부권은 헌법 제12조 제2항에 정한 불이익 진술의 강요금지 원칙을 구체화한 자기부죄거부특권에 관한 것이다(대판 2011.11.24, 2011도11994). 14. 경찰승진

관련판례

1. 증언거부권의 대상으로 규정한 '공소제기를 당하거나 유죄판결을 받을 사실이 발로될 염려 있는 증언'에는 자신이 범행을 한 사실뿐 아니라 범행을 한 것으로 오인되어 유죄판결을 받을 우려가 있는 사실 등도 포함된다고 할 것이다. 따라서 범행을 하지 아니한 자가 범인으로 공소제기가 되어 피고인의 지위에서 범행사실을 허위자백하고, 나아가 공범에 대한 증인의 자격에서 증언을 하면서 그 공범과 함께 범행하였다고 허위의 진술을 한 경우에도 그 증언은 자신에 대한 유죄판결의 우려를 증대시키는 것이므로 증언거부권의 대상은 된다(대판 2012.12.13, 2010도10028). 18. 7급 국가직, 20 · 22. 경찰간부, 21. 순경 2차, 22. 경찰승진, 23. 9급 검찰 · 마약수사 · 9급 법원직
2. 증인이 증언을 거부할 수 있는 사유인 형사소송법 제148조에서 '형사소추'는 증인이 이미 저지른 범죄사실에 대한 것을 의미한다고 할 것이므로, 증인의 증언에 의하여 비로소 범죄가 성립하는 경우에는 이에 포함되지 아니한다(대판 2011.12.8, 2010도2816). 17. 7급 국가직, 22. 경찰간부 · 경찰승진, 23. 9급 검찰 · 마약수사 · 9급 법원직

㉯ 변호사 · 변리사 · 공증인 · 공인회계사 · 세무사 · 대서업자 · 의사 · 한의사 · 치과의사 · 약사 · 약종상 · 조산사 · 간호사 · 종교직에 있는 자 또는 이러한 직에 있었던 자가 업무상 알게 된 사실로서 타인의 비밀에 관한 것은 증언을 거부할 수 있다. 단, 본인의 승낙이 있거나 중대한 공익상 필요가 있는 때에는 예외로 한다(제149조).

제한적 열거(다수설)이므로 다른 직업은 적용이 없다.

공무원이 직무상 알게 된 비밀과 변호사가 업무상 알게 된 비밀에 대해서는 당해 공무원과 변호사에게 증언거부권이 있으므로 증인으로서 출석을 거부할 수 있다. (×) 08. 9급 국가직

공무원이 직무상 알게 된 비밀의 경우 직무상 비밀에 속한 사항임을 신고한 때에는 증인적격이 부정되므로 출석할 필요가 없지만, 변호사의 경우는 증언거부권자에 해당하므로(제149조) 출석거부권은 인정되지 않는다.

ⓒ 증언거부권의 행사와 포기 : 증언거부권자는 거부권을 포기하고 증언할 수 있으며 증언거부권을 포기하고 허위의 진술을 하였다면 위증죄의 처벌을 면할 수 없다. 증언을 거부한 자는 거부사유를 소명하여야 한다(제150조). 08. 7급 국가직, 21. 9급 법원직, 23. 9급 검찰·마약수사 증언거부권이 없는 증인이 부당하게 증언을 거부하는 것을 방지하기 위함이다.

증인이 주신문에 대하여 증언 후 반대신문에 대하여 증언을 거부할 수는 없다.

관련판례

공범인 공동피고인이 소송절차가 분리된 상태에서 자신에 대한 범죄사실에 대하여 증언거부권을 행사하지 아니한 채 증언하였다면 위증죄가 성립할 수 있다(대판 2024.2.29, 2023도7528).

㉡ **비용청구권** : 소환받은 증인은 법률이 규정한 바에 의하여 여비·일당·숙박비를 청구할 수 있다(재정증인은 비용청구권 ×). 단, 정당한 사유 없이 선서 또는 증언을 거부한 자는 예외로 한다(제168조).

(4) 증인신문의 방법

① **당사자참여권** : 검사·피고인 또는 변호인은 증인신문에 참여할 권리를 가진다(제163조 제1항). 따라서 법원은 이들에게 증인신문의 일시와 장소를 미리 통지하여야 한다. 다만, 참여하지 아니한다는 의사를 명시한 때에는 예외로 한다(동조 제2항).

검사, 피고인 또는 변호인이 증인신문에 참여하지 아니한 경우에는 법원에 대하여 필요한 사항의 신문을 청구할 수 있다(제164조 제1항). 피고인 또는 변호인의 참여 없이 증인신문을 할 경우에 피고인에게 예기치 아니한 불이익한 증언이 진술된 때에는 반드시 그 진술내용을 피고인 또는 변호인에게 알려 주어야 한다(동조 제2항).

관련판례

1. 법원이 공판기일에 증인을 채택하여 다음 공판기일에 증인신문을 하기로 피고인에게 고지하였는데 그 다음 공판기일에 증인은 출석하였으나 피고인이 정당한 사유 없이 출석하지 아니한 경우, 그 사건이 형사소송법 제277조 본문에 규정된 다액 100만원 이하의 벌금(현행법은 500만원 이하 벌금) 또는 과료에 해당하거나 공소기각 또는 면소의 재판을 할 것이 명백한 사건이 아니어서 공판기일을 연기할 수밖에 없더라도, 이미 출석하여 있는 증인에 대하여 공판기일 외의 신문으로서 증인신문을 하고 다음 공판기일에 그 증인신문조서에 대한 서증조사를 하는 것은 **증거조사절차로서 적법하다**(대판 2000.10.13, 2000도3265). 07. 9급 법원직, 13. 순경 1차, 18. 7급 국가직, 22. 변호사시험, 23. 소방간부·9급 검찰·마약·교정·보호·철도경찰
2. 피고인이 참여하게 하여 달라고 신청한 때에는 변호인이 참여한 때에도 피고인의 참여 없이 실시한 증인신문은 위법하다(대판 1969.7.25, 68도1481). 14. 9급 교정·보호·철도경찰

3. 피고인의 참여 없이 증인신문이 행하여진 경우 뿐만 아니라 당사자에게 통지하지 아니한 때에도 공판정에서의 증거조사를 거쳐 당사자가 이의를 하지 아니한 때에는 책문권의 포기로서 하자가 치유된다고 해야 한다(대판 1974.1.15, 73도2967). 22. 경찰승진 · 변호사시험
4. 증인신문의 시일과 장소를 당사자에게 통지하지 아니한 때에는 위법하므로 그 증언은 증거능력이 없다(대판 1967.7.4, 67도613).

---

② 증인에 대한 신문방법

㉠ **개별신문과 대질** : 증인신문은 각 증인에게 개별적으로 하여야 하며, 신문하지 아니한 증인이 재정한 때에는 퇴정을 명하여야 한다. 그러나 필요한 때에는 다른 증인 또는 피고인과 대질하게 할 수 있다(제162조). ⇨ 다른 증인을 퇴정시키느냐 여부는 법원의 자유재량임(대판 1961.3.15, 4292형상725). 02. 경찰승진

㉡ **피고인 등의 퇴정** : 재판장은 증인이 피고인 또는 어떤 재정(在廷)인의 면전에서 충분한 진술을 할 수 없다고 인정한 때에는 그를 퇴정하게 하고 진술하게 할 수 있다(이러한 경우에도 피고인의 반대신문권을 배제하는 것은 허용될 수 없음). 14. 9급 검찰 · 마약 · 교정 · 보호 · 철도경찰 피고인을 퇴정하게 한 경우에 증인의 진술이 종료한 때에는 퇴정한 피고인을 입정하게 한 후 법원사무관 등으로 하여금 진술의 요지를 고지하게 하여야 한다(제297조 제1항 · 제2항). 16. 9급 법원직

관련판례

1. 형사소송법 제297조에 따라 변호인이 없는 피고인을 일시 퇴정하게 하고 증인신문을 한 다음 피고인에게 실질적인 반대신문의 기회를 부여하지 아니한 채 이루어진 증인의 법정진술은 위법한 증거로서 증거능력이 없다. 17. 경찰간부 다만, 그 다음 공판기일에서 재판장이 증인신문 결과 등을 공판조서(증인신문조서)에 의하여 고지하였는데 피고인이 '변경할 점과 이의할 점이 없다.'고 진술하여 책문권 포기 의사를 명시하였다면, 실질적인 반대신문의 기회를 부여받지 못한 하자가 치유되었다고 본다(대판 2010.1.14, 2009도9344). 12. 경찰간부, 13. 순경 1차, 23. 9급 법원직, 21 · 24. 7급 국가직, 23 · 24. 소방간부
2. 형사소송법 제297조의 규정에 따라 재판장은 증인이 피고인의 면전에서 충분한 진술을 할 수 없다고 인정한 때에는 피고인을 퇴정하게 하고 증인신문을 진행함으로써 피고인의 직접적인 증인 대면을 제한할 수 있지만, 이러한 경우에도 피고인의 반대신문권을 배제하는 것은 허용되지 않는다(대판 2012.2.23, 2011도15608). 11. 7급 국가직, 14. 순경 1차, 22. 경찰승진 · 9급 법원직, 22 · 23. 변호사시험
3. 재판장이 피고인의 퇴정을 명하고 증인신문을 진행하였는데, 증인신문을 실시하는 과정에 변호인을 참여시키는 한편 피고인을 입정하게 하고 법원사무관 등으로 하여금 진술의 요지를 고지하게 한 다음 변호인을 통하여 반대신문의 기회를 부여한 경우, 증인신문절차 등 공판절차에 위법이 없다(대판 2012.2.23, 2011도15608). 22. 7급 국가직
4. 특정범죄신고자 등 보호법 제11조 제2항, 제3항 및 피고인을 퇴정시키고 증인신문을 행할 수 있도록 규정한 같은 법 제11조 제6항 중 '피고인을 퇴정시키고 증인신문을 행할 수 있다.'는 부분이 피고인의 공정한 재판을 받을 권리를 침해하는지 여부 – 기본권제한의 정도가 특정범죄의 범죄신고자 등 증인 등을 보호하고 실체적 진실의 발견에 이바지하는 공익에 비하여 크다고 할 수 없어 법익의 균형성도

갖추고 있으며, 기본권제한에 관한 피해의 최소성 역시 인정되므로, 공정한 재판을 받을 권리를 침해한다고 할 수 없다(헌재결 2010.11.25, 2009헌바57).

5. 다른 증인을 퇴임시키지 않고서 증인신문을 하였다 하여 위법이라 할 수 없다(대판 1961.3.15, 4292형상725).

ⓒ **증인의 신문방법** : 증인에 대한 신문은 원칙적으로 구두로 해야 한다. 증인에 대한 반대신문을 가능하게 하기 위해서이다. 다만, 증인이 들을 수 없을 때에는 서면으로 묻고 말할 수 없을 때에는 서면으로 답하게 할 수 있다(규칙 제73조). 증인을 신문함에는 가능한 개별적이고 구체적인 신문에 의하여야 하고(규칙 제74조 제1항) 포괄적이고 막연한 질문은 허용되지 않는다.

PART 04

관련판례

1. 증인에 대한 증거조사를 '신문'의 방식으로 하면서 소환방법과 법정에 불출석할 경우의 제재와 조치, 출석한 증인에 대한 선서와 위증의 벌의 경고, 증언거부권 고지 및 신문의 구체적인 방식 등에 대하여 엄격한 절차 규정을 두는 한편, 법정 외 신문(제165조), 비디오 등 중계장치 등에 의한 증인신문(제165조의 2) 규정에서 정한 사유 등이 있는 때에만 예외적으로 증인이 직접 법정에 출석하지 않고 증언할 수 있도록 정하였다(대판 2024.9.12, 2020도14843).
2. 증인이 해외 체류 중이어서 법정 출석에 따른 증인신문이 어렵다는 이유로, 증거조사 방식인 '신문'에 의하지 아니하고 증인에게 선서 등 각종 의무를 부과하지 아니한 채 인터넷 화상장치를 통해서 검사의 주신문, 변호인의 반대신문 등의 방식을 통해 증인의 진술을 청취하는 방법으로 증거조사를 한 다음 진술의 녹취파일과 녹취서 등본에 해당하는 각 증거를 검사로부터 제출받는 우회적인 방식을 취한 조치는 증인에 대한 적법한 증거조사로 볼 수 없다. 따라서 피고인과 변호인이 그와 같은 절차 진행에 동의하였거나 사후에 그 증거조사 결과에 대하여 이의를 제기하지 아니하고 증거로 함에 동의하였더라도 마찬가지이다(대판 2024.9.12, 2020도14843).

ⓓ **신문사항의 제출** : 재판장은 피해자·증인의 인적사항의 공개 또는 누설을 방지하거나 그 밖에 피해자·증인의 안전을 위하여 필요하다고 인정할 때에는 증인의 신문을 청구한 자에 대하여 사전에 신문사항을 기재한 서면의 제출을 명할 수 있다(규칙 제66조). 재판장으로부터 증인신문사항 기재서면 제출의 명을 받은 자가 신속히 그 서면을 제출하지 아니한 경우에는 증거결정을 취소할 수 있다(규칙 제67조). 07. 9급 법원직

ⓔ **증인신문과 공개재판** : 증인신문도 공개됨이 원칙이다. 따라서 공개금지사유가 없음에도 공개금지결정에 따라 비공개로 진행된 증인신문절차에서의 증언은 피고인의 공개재판을 받을 권리를 침해한 것으로서 그 절차에 의하여 이루어진 증인의 증언은 증거능력이 없다. 이러한 사정은 변호인의 반대신문권이 보장되었다 하더라도 달리 볼 수 없다(대판 2013.7.26, 2013도2511). 15. 9급 검찰·마약수사, 18. 순경 1차

㉥ **증인채택결정 취소** : 굳이 추가 증거조사를 할 필요가 없다는 등 특별한 사정이 없고, 불출석한 핵심 증인에 대하여 소재탐지나 구인장 발부 없이 증인채택 결정을 취소하는 것은 법원의 재량을 벗어나는 것으로서 위법하다(대판 2020.12.10, 2020도2623). 21. 순경 1차, 23. 9급 검찰·마약·교정·보호·철도경찰

③ **교호신문제도**

㉠ **의의** : 증인을 신청하는 측과 그 상대방이 서로 교차하여 증인을 신문하는 방식을 교호신문 또는 상호신문이라 한다(1961년 개정시 도입).

㉡ **제도적 의의** : 영·미법의 당사자주의 소송구조의 주된 특징으로서 증인신문절차에서 당사자의 공격·방어를 통해 공정한 재판의 진행을 도모하고 반대 당사자의 반대신문권을 보장하는 데 있다.

㉢ **교호신문의 방식** : 증인의 인적사항에 대한 신문은 재판장이 행하고, 사실에 대한 신문은 증인을 신청한 자가 먼저 행하며, 그 다음에 반대 당사자가 신문하고, 재판장은 당사자의 신문이 끝난 뒤에 신문할 수 있다(제161조의 2 제1항·제2항). 97. 9급 법원직 재판장은 필요하다고 인정하면 교호신문의 순서에 불구하고 어느 때나 신문할 수 있으며 교호신문의 순서를 변경할 수 있다(동조 제3항). 12. 7급 국가직 교호신문제도에 있어서 증인신문은 주신문 ⇨ 반대신문 ⇨ 재주신문 ⇨ 재반대신문의 순서로 행하여진다.

ⓐ 주신문 : 주신문은 증명할 사항과 이와 관련된 사항에 관하여 한다(규칙 제75조 제1항). 주신문에서는 원칙적으로 유도신문(예 범죄사실에 다툼이 있는 경우에 "증인은 범행장면을 직접 보았지요?"라는 식으로 질문)이 금지된다(규칙 제75조 제2항). 신문자와 우호관계에 있는 경우가 대부분이므로 증인이 신문자의 암시에 영합하는 진술을 할 우려가 있기 때문이다. 주신문의 상대방인 검사, 피고인 또는 변호인은 주신문에서 유도신문이 행해질 경우에 이의신청을 할 수 있다(제296조 제1항).

주신문 또는 반대신문의 경우에 증언의 증명력을 다투기 위하여 필요한 사항에 관한 신문을 할 수 있다(규칙 제77조 제1항). 10. 순경 1차, 14. 9급 검찰·마약수사

주신문을 함에 있어서 언제든지 유도신문이 허용된다. (×) 17. 9급 법원직

주신문시 유도신문이 허용되는 경우

1. 증인과 피고인과의 관계, 증인의 경력, 교우관계 등 실질적인 신문에 앞서 미리 밝혀둘 필요가 있는 준비적인 사항에 관한 신문의 경우(규칙 제75조 제2항 제1호)
2. 검사, 피고인 및 변호인 사이에 다툼이 없는 명백한 사항에 관한 신문의 경우(동조 제2항 제2호)
3. 증인이 주신문을 하는 자에 대하여 적의 또는 반감을 보일 경우(동조 제2항 제3호) 14. 9급 검찰·마약수사, 24. 7급 국가직
4. 증인이 종전의 진술과 상반되는 진술을 하는 때에 그 종전 진술에 관한 신문의 경우(동조 제2항 제4호)
5. 기타 유도신문을 필요로 하는 특별한 사정이 있는 경우(동조 제2항 제5호)

ⓑ 반대신문 : 반대신문이란 주신문 후에 반대 당사자가 하는 신문을 말한다. 반대신문의 목적은 주신문의 모순된 점을 지적하고 반대편 당사자에게 불리하였던 진술을 유리하

게 바꾸는 데 있다. 반대신문은 원칙적으로 유도신문이 허용된다(규칙 제76조 제2항). 10. 9급 국가직, 12. 7급 국가직, 13. 순경, 14. 경찰승진, 23. 해경승진 반대신문은 주신문에 나타난 사항과 이에 관련된 사항 및 증언의 증명력을 다투기 위하여 필요한 사항에 관하여 한다(규칙 제76조, 제77조). 반대신문의 기회에 주신문에 나타나지 아니한 새로운 사항에 관하여 신문하고자 할 때에는 재판장의 허가를 받아야 한다(동조 제4항). 12. 7급 국가직, 13. 순경, 17. 순경 1차, 22. 변호사시험 이 경우 허가받은 신문은 그 사항에 관하여는 주신문으로 본다(동조 제5항).

반대신문자는 주신문자의 동의하에 주신문에 나타나지 아니한 새로운 사항에 관하여 신문할 수 있다. (×)

관련판례

1. 피고인에게 불리한 증거인 증인이 주신문의 경우와 달리 반대신문에 대하여는 답변을 하지 아니하는 등 진술 내용의 모순이나 불합리를 그 증인신문 과정에서 드러내어 이를 탄핵하는 것이 사실상 곤란하였고, 그것이 피고인 또는 변호인에게 책임 있는 사유에 기인한 것이 아닌 경우와 같이 실질적 반대신문권의 기회가 부여되지 아니한 채 이루어진 증인의 법정진술은 특별한 사정이 존재하지 아니하는 이상 위법한 증거로서 증거능력을 인정하기 어렵다(대판 2016.3.17, 2016도17054). 23. 9급 법원직
2. 실질적 반대신문권의 기회가 부여되지 아니한 채 이루어진 증인의 법정진술은 위법한 증거로서 증거능력을 인정하기 어렵다. 이 경우 피고인의 책문권 포기로 그 하자가 치유될 수 있으나, 책문권 포기의 의사는 명시적인 것이어야 한다(대판 2016.3.17, 2016도17054). 23. 9급 법원직

ⓒ 재주신문 : 재주신문이란 반대신문 후에 반대신문에 나타난 사항과 이와 관련된 사항에 관하여 주신문자가 다시 행하는 신문을 말한다(규칙 제78조 제1항). 재주신문은 주신문의 예에 의한다(규칙 제78조 제2항). 재주신문의 기회에 반대신문에 나타나지 아니한 새로운 사항에 관하여 신문하고자 할 때에는 재판장의 허가를 얻어야 한다(동조 제3항).

ⓓ 추가신문 : 형사소송규칙에 따르면 교호신문절차는 원칙적으로 재주신문으로 끝난다. 그러나 재주신문이 끝난 후에도 재판장의 허가를 얻어 다시 신문할 수 있는데(규칙 제79조), 13. 순경 1차 이를 재신문 또는 추가신문이라 한다. 따라서 재판장이 허가한 경우에는 재주신문 후에 재반대신문이 가능하고, 재재주신문·재재반대신문도 할 수 있다.

㉣ **교호신문방식의 제한**

ⓐ 재판장은 필요하다고 인정하면 어느 때나 증인을 신문할 수 있고, 신문순서를 변경할 수 있다(제161조의 2 제3항).

ⓑ 법원이 직권으로 신문할 증인 또는 피해자의 신청에 의하여 신문할 증인에 대한 신문방식은 재판장이 정하는 방식에 의한다(제161조의 2 제4항).

재판장이 신문한 후 검사·피고인 또는 변호인이 신문하는 때에는 반대신문의 예에 의한다(규칙 제81조).

ⓒ 간이공판절차에서 증인신문방식은 법원이 상당하다고 인정하는 방법에 의한다(제297조의 2). 13. 순경

④ **공판정 외의 증인신문** : 법원은 증인의 연령 · 직업 · 건강상태 기타 사정을 고려하여 검사, 피고인 또는 변호인의 의견을 묻고 증인을 법정 외에 소환하거나 현재지에서 신문할 수 있다(제165조). 이와 같이 공판기일 외에서 행한 증인신문을 법정 외 증인신문이라 한다. 공판기일 외에서 증인신문이 행하여지는 경우에는 증인신문조서가 작성되며 이는 공판기일에 낭독의 방식으로 다시 증거조사가 행하여진다.

관련판례

법원이 공판기일에 증인을 채택하여 다음 공판기일에 증인신문을 하기로 피고인에게 고지하였는데 그 다음 공판기일에 증인은 출석하였으나 피고인이 정당한 사유 없이 출석하지 아니한 경우, 법원이 이미 출석하여 있는 증인에 대하여 공판기일 외의 신문으로서 증인신문을 하고 다음 공판기일에 그 증인신문조서에 대한 서증조사를 하는 것은 증거조사절차로서 적법하다(대판 2000.10.13, 2000도3265). 23. 9급 검찰 · 마약 · 교정 · 보호 · 철도경찰, 25. 소방간부

⑤ **비디오 등 중계장치 등에 의한 증인신문**

㉠ 법원은 다음의 어느 하나에 해당하는 사람을 증인으로 신문하는 경우 상당하다고 인정할 때에는 검사와 피고인 또는 변호인의 의견을 들어 비디오 등 중계장치에 의한 중개시설을 통하여 신문하거나 차폐(遮蔽)시설(가림시설) 등을 설치하고 신문할 수 있다(제165조의 2 제1항).

1. '아동복지법' 제71조 제1항 제1호 · 제1호의 2 · 제2호 · 제3호에 해당하는 죄의 피해자
2. '아동 · 청소년의 성보호에 관한 법률' 제7조, 제8조, 제11조부터 제15조 및 제17조 제1항까지까지의 규정에 해당하는 죄의 대상이 되는 청소년 또는 피해자
3. 범죄의 성질, 증인의 나이, 심신의 상태, 피고인과의 관계, 그 밖의 사정으로 인하여 피고인 등과 대면하여 진술할 경우 심리적인 부담으로 정신의 평온을 현저하게 잃을 우려가 있다고 인정되는 사람 중 어느 하나에 해당하면 증인신문시 검사와 피고인 또는 변호인의 의견을 들어 비디오 등 중계장치에 의한 중계시설을 통하여 신문하거나 차폐시설 등을 설치하고 신문할 수 있다(제165조의 2). 15 · 18. 순경 1차

▶ 아동 등 일정한 범위의 범죄피해자가 피고인이나 방청인 앞에서 증언하는 경우에 입게 될 심리적인 압박과 정신적인 고통을 완화하기 위해서 도입된 제도이다.

관련판례

1. 법원은 형사소송법 제165조의 2 제3호의 요건이 충족될 경우 피고인뿐만 아니라 검사, 변호인, 방청인 등에 대하여도 차폐시설 등을 설치하는 방식으로 증인신문을 할 수 있으며, 이는 형사소송규칙 제84조의 9에서 피고인과 증인 사이의 차폐시설 설치만을 규정하고 있다고 하여 달리 볼 것이 아니다(대판 2015.5.28, 2014도18006). 15. 순경 3차, 22. 변호사시험

2. 피고인뿐만 아니라 변호인에 대해서까지 차폐시설을 설치하는 방식으로 증인신문이 이루어지는 경우 피고인과 변호인 모두 증인이 증언하는 모습이나 태도 등을 관찰할 수 없게 되어 그 한도에서 반대신문권이 제한될 수 있으므로, 변호인에 대한 차폐시설의 설치는 특정범죄신고자 등 보호법 제7조에 따라 범죄신고자 등이나 친족 등이 보복을 당할 우려가 있다고 인정되어 조서 등에 인적사항을 기재하지 아니한 범죄신고자 등을 증인으로 신문하는 경우와 같이, 이미 인적사항에 관하여 비밀조치가 취해진 증인이 변호인을 대면하여 진술함으로써 자신의 신분이 노출되는 것에 대하여 심한 심리적인 부담을 느끼는 등의 특별한 사정이 있는 경우에 예외적으로 허용될 수 있을 뿐이다(대판 2015.5.28, 2014도18006). 15. 순경 3차, 23. 9급 검찰·마약·교정·보호·철도경찰

ⓛ 법원은 신문할 증인이 법 제165조의 2 제1항에서 정한 자에 해당한다고 인정될 경우, 증인으로 신문하는 결정을 할 때 비디오 등 중계장치에 의한 중계시설 또는 차폐시설을 통한 신문 여부를 함께 결정하여야 한다. 이때 증인의 연령, 증언할 당시의 정신적·심리적 상태, 범행의 수단과 결과 및 범행 후의 피고인이나 사건관계인의 태도 등을 고려하여 판단하여야 한다(규칙 제84조의 4 제1항).

ⓒ 법원은 증인신문 전 또는 증인신문 중에도 비디오 등 중계장치에 의한 중계시설 또는 차폐시설을 통하여 신문할 것을 결정할 수 있다(규칙 제84조의 4 제2항).

ⓡ 중계장치를 통하여 증인이 피고인을 대면하거나 피고인이 증인을 대면하는 것이 증인의 보호를 위하여 상당하지 않다고 인정되는 경우 재판장은 검사, 변호인의 의견을 들어 증인 또는 피고인이 상대방을 영상으로 인식할 수 있는 장치의 작동을 중지시킬 수 있다(규칙 제84조의 9 제2항). 21. 순경 1차

ⓜ 증언실은 법원 내에 설치하고, 필요한 경우 법원 외의 적당한 장소에 설치할 수 있다(규칙 제84조의 5).

ⓑ 법원은 비디오 등 중계장치에 의한 중계시설 또는 차폐시설을 통하여 증인을 신문하는 경우, 증인의 보호를 위하여 필요하다고 인정하는 경우에는 결정으로 이를 공개하지 아니할 수 있다(규칙 제84조의 6 제1항).

ⓢ 증인으로 소환받은 증인과 그 가족은 증인보호 등의 사유로 증인신문의 비공개를 신청할 수 있다(규칙 제84조의 6 제2항).

ⓞ 재판장은 제2항의 신청이 있는 때에는 그 허가 여부 및 공개, 법정 외의 장소에서의 신문 등 증인의 신문방식 및 장소에 관하여 결정하여야 한다(규칙 제84조의 6 제3항).

ⓙ 법원은 비디오 등 중계장치에 의한 중계시설을 통하여 증인신문을 하는 경우, 신뢰관계에 있는 자를 동석하게 할 때에는 비디오 등 중계장치에 의한 중계시설에 동석하게 한다(규칙 제84조의 7 제1항).

ⓒ 법원은 법원 직원이나 비디오 중계장치에 의한 중계시설을 관리하는 사람으로 하여금 증언실에서 중계장치의 조작과 증인신문 절차를 보조하게 할 수 있다(규칙 제84조의 7 제2항).

㉪ 증인신문을 하는 경우, 증인은 증언을 보조할 수 있는 인형, 그림 그 밖에 적절한 도구를 사용할 수 있다(규칙 제84조의 8 제1항).

㉫ 제1항의 증인은 증언을 하는 동안 담요, 장난감, 인형 등 증인이 선택하는 물품을 소지할 수 있다(규칙 제84조의 8 제2항).

㉬ 차폐시설을 설치함에 있어 피고인과 증인이 서로의 모습을 볼 수 없도록 필요한 조치를 취하여야 한다(규칙 제84조의 9).

KEY point

- **개념상 구별** : 증인, 감정인, 감정증인
- **증인과 감정인의 비교정리** : 도표 참조
- **증인적격** ┌ 원칙 : 누구나 인정(형사미성년자도 증인적격자)
  └ 예외 : 증인적격 제한
- **증언능력** : 증인적격자라도 증언능력이 없을 수 있음
- 증인의 의무 ⇨ 출석 · 선서 · 증언의 의무
- **증인의 출석의무위반**
  ┌ 구인
  └ 소환장송달 / 소환장송달과 동일한 효력이 있는 경우 ⇨ 소송비용 부담, 과태료(일정한 경우 감치)
  ▶ 전화 · 전자우편 등 소환 ⇨ 적용 없음
  ▶ 소송비용부담, 과태료 · 감치 ⇨ 즉시항고(○), 그러나 집행정지효 ×(제151조 제8항)
- **선서의무 위반** : 과태료(즉시항고 ○)
- **증언거부** : 과태료(즉시항고 ○)
- **동행명령거부** : 구인(과태료나 소송비용부담 ×)
- **증인의 권리** : 증언거부권(제148조, 제149조), 비용청구권
- **선서무능력자** : 위증죄 ×(증언 자체의 효력은 인정 가능)
- **교호신문방식** : 주신문 ⇨ 반대신문 ⇨ 재주신문 ⇨ 재반대신문
- **교호신문방식의 예외** ┌ 법원의 직권 or 피해자의 신청 : 재판장이 정하는 방식(제161조의 2 제4항)
  └ 간이공판절차 : 법원이 상당하다고 인정하는 방법(제297조의 2)

(5) 범죄피해자의 진술권

☗ 최근 형사정책의 동향이 피의자 · 피고인의 인권보호라는 고전적인 형사법에서 한걸음 더 나아가 범죄피해자의 보호문제를 주요 이슈로 삼고 있음을 반영하여, 2007년 개정법은 피해자진술권의 신청주체를 확대하였으며, 피해자진술권의 배제사유를 축소하였고, 비공개에 의한 피해자의 진술이 가능하도록 하였을 뿐 아니라 피해자의 정보권을 보호하기 위하여 피해자에 대한 검사의 처분결과 등을 통지하도록 하였다. 또한 피해자에게 공판기록 열람 · 등사권을 인정하였으며, 피해자의 방어권보장을 위하여 수사절차나 공판절차에 신뢰관계 있는 자를 동석하게 할 수 있도록 하였다.

☗ 헌법은 피해자진술권을 기본권으로 보장하고 있으며(헌법 제27조 제5항), 형사소송법에서도 피해자 지위를 강화하는 규정을 두고 있다(제294조의 2 이하). 09. 9급 국가직, 19. 경찰승진

<table>
<tr><td>신청의 주체</td><td colspan="2">1. 법원은 범죄로 인한 피해자 또는 그 법정대리인(피해자가 사망한 경우에는 배우자 · 직계친족 · 형제자매를 포함한다. 이하 '피해자 등'이라 한다)의 신청이 있는 때에는 아래의 배제사유를 제외하고는 그 피해자 등을 증인으로 신문하여야 한다(제294조의 2 제1항). 04. 행시, 09. 9급 국가직, 12. 경찰승진, 15. 순경 2차, 15 · 16. 9급 법원직
▶ 종전에는 진술권의 주체를 피해자에 한하였으나, 2007년 개정법에서는 법정대리인 등까지 확대하였다. 09. 7급 국가직, 15. 순경 2차
▶ 신청이 있는 경우에 재량으로 신문 여부를 결정한다. (×)
▶ 교통사고로 사망한 사람의 부모도 형사피해자의 범주에 속한다(헌재결 1993.3.11, 92헌마48). 14. 순경 1차, 15. 9급 교정 · 보호 · 철도경찰
피해자를 증인으로 신문할 필요가 없는 경우
① 피해자 등 이미 당해사건에 관하여 공판절차에서 충분히 진술하여 다시 진술할 필요가 없다고 인정되는 경우(제294조의 2 제1항 제2호) 04. 9급 법원직, 23. 7급 국가직
▶ 수사절차에서 충분히 진술하여 다시 진술할 필요가 없는 경우 ⇨ ×
② 피해자 등의 진술로 인하여 공판절차가 현저하게 지연될 우려가 있는 경우(동조 제1항 제3호) 14. 9급 교정 · 보호 · 철도경찰, 15. 순경 1차
▶ 종전에는 '피해자 아닌 자가 신청한 경우'도 피해자진술권 배제사유였으나 2007년 개정법에서 삭제되었다.
2. 법원은 피해자 등을 신문하는 경우 피해의 정도 및 결과, 피고인의 처벌에 관한 의견, 그 밖에 당해사건에 관한 의견을 진술할 기회를 주어야 한다(동조 제2항). 04. 행시, 09. 7급 국가직 · 9급 국가직, 14. 순경 1차 · 7급 국가직, 15. 9급 교정 · 보호 · 철도경찰
3. 법원은 동일한 범죄사실에서 신청인이 여러 명인 경우에는 진술할 자의 수를 제한할 수 있다(동조 제3항). 14. 순경 1차, 16. 9급 법원직, 17. 경찰간부, 19. 경찰승진, 23. 7급 국가직
4. 신청인이 출석통지를 받고도 정당한 이유 없이 출석하지 아니한 때에는 그 신청을 철회한 것으로 본다(동조 제4항). 14. 순경 1차, 19. 경찰승진</td></tr>
<tr><td rowspan="3">피해자 진술방법</td><td>증인 신문 절차</td><td>피해자에 대한 증인신문방법은 재판장이 정하는 방법에 의한다(제161조의 2 제4항). 13. 7급 국가직
증인신문방식 ┌ 원칙 : 교호신문
└ 예외 : 법원직권, 피해자의 신청 ⇨ 재판장이 정하는 방식, 간이공판절차 ⇨ 상당하다고 인정한 방법</td></tr>
<tr><td>진술의 비공개</td><td>1. 법원은 피해자 · 법정대리인 또는 검사의 신청에 따라 피해자의 사생활의 비밀이나 신변보호를 위하여 필요하다고 인정하는 때에는 결정으로 심리를 공개하지 아니할 수 있다(제294조의 3 제1항). 14. 경찰승진 · 9급 검찰 · 마약 · 교정 · 보호 · 철도경찰, 15. 순경 2차, 16. 9급 법원직, 17. 경찰간부, 14 · 18. 순경 1차, 19. 경찰승진, 23. 7급 국가직
2. 위의 결정은 이유를 붙여 고지한다(동조 제2항). 16. 9급 법원직</td></tr>
<tr><td>신뢰 관계자 동석</td><td>1. 직권 또는 피해자 · 법정대리인 · 검사의 신청에 따라 피해자와 신뢰관계에 있는 자를 동석하게 할 수 있다(제163조의 2 제1항). 15. 9급 법원직
2. 피해자가 13세 미만이거나 사물을 변별하거나 의사를 결정할 능력이 미약한 경우에 부득이한 경우가 아닌 한 피해자와 신뢰관계에 있는 자를 동석하게 하여야 한다(제163조의 2 제2항). 09. 9급 국가직, 15. 9급 교정 · 보호 · 철도경찰</td></tr>
</table>

피해자의 정보권	피해자 등이 증인신문절차에서 진술하려면 미리 진술을 준비하여야 하고, 진술을 한 이후에는 자신의 진술이 정확하게 기재되어 있는가를 확인할 필요가 있다. 이 점과 관련하여 형사소송법은 피해자 등에 대한 통지제도, 기록의 열람·등사권 등을 규정하고 있다. 1. 통지제도 : 검사(법원 ×)는 범죄로 인한 피해자 또는 그 법정대리인(피해자가 사망한 경우에는 그 배우자·직계친족·형제자매를 포함한다)의 신청이 있는 때에는 당해사건의 공소제기 여부, 공판의 일시·장소, 재판결과, 피의자·피고인의 구속·석방 등 구금에 관한 사실 등을 신속하게 통지하여야 한다(제259조의 2). 09. 9급 국가직, 14. 9급 교정·보호·철도경찰 2. 기록의 열람·등사권 ① 소송계속 중인 사건의 피해자(피해자가 사망하거나 그 심신에 중대한 장애가 있는 경우에는 그 배우자·직계친족 및 형제자매를 포함한다), 피해자 본인의 법정대리인 또는 이들로부터 위임을 받은 피해자 본인의 배우자·직계친족·형제자매·변호사는 소송기록의 열람 또는 등사를 재판장에게 신청할 수 있다(제294조의 4 제1항). 15. 순경 1차·2차 ② 재판장은 제1항의 신청이 있는 때에는 지체 없이 검사, 피고인 또는 변호인에게 그 취지를 통지하여야 한다(제294조의 4 제2항). ③ 재판장은 피해자 등의 권리구제를 위하여 필요하다고 인정하거나 그 밖의 정당한 사유가 있는 경우 범죄의 성질, 심리의 상황, 그 밖의 사정을 고려하여 상당하다고 인정하는 때에는 열람 또는 등사를 허가할 수 있다(제294조의 4 제3항). ④ 재판장이 제3항에 따라 등사를 허가하는 경우에는 등사한 소송기록의 사용목적을 제한하거나 적당하다고 인정하는 조건을 붙일 수 있다(제294조의 4 제4항). ⑤ 제1항에 따라 소송기록을 열람 또는 등사한 자는 열람 또는 등사에 의하여 알게 된 사항을 사용함에 있어서 부당히 관계인의 명예나 생활의 평온을 해하거나 수사와 재판에 지장을 주지 아니하도록 하여야 한다(제294조의 4 제5항). ⑥ 열람·등사 허가(제294조의 4 제3항)나 등사에 조건을 붙이는(제294조의 4 제4항) 재판에 대하여는 불복할 수 없다(동조 제6항). 15. 9급 교정·보호·철도경찰, 21. 순경 1차
피해자의 증인신문 외 의견진술	형사피해자가 해당 사건 공판절차에서 증인신문에 의하지 않고서도 피해의 정도, 피고인의 처벌에 관한 의견, 그 밖에 해당 사건에 관한 의견을 구술·서면으로 자유롭게 진술할 수 있는 근거를 마련하는 규정이 형사소송규칙에 신설되었다(2015. 6. 29. 신설). 1. 법원은 필요하다고 인정하는 경우에는 직권으로 또는 피해자 등의 신청에 따라 피해자 등을 공판기일에 출석하게 하여 범죄사실의 인정에 해당하지 않는 사항에 관하여 증인신문에 의하지 아니하고 의견을 진술하게 할 수 있다(규칙 제134조의 10 제1항). 16. 9급 법원직, 23. 7급 국가직 ▶ 범죄사실 인정에 해당하는 사항 ⇨ × ▶ 탄원서 ⇨ 의견진술에 갈음한 서면이므로 범죄사실인정 증거 사용 ×(대판 2024.3.12, 2023도11371) 2. 검사, 피고인 또는 변호인은 피해자 등이 의견을 진술한 후 재판장의 허가를 받아 피해자 등에게 질문할 수 있다(동조 제5항).

3. 재판장은 다음 각 호의 어느 하나에 해당하는 경우에는 피해자 등의 의견진술이나 검사, 피고인 또는 변호인의 피해자 등에 대한 질문을 제한할 수 있다(동조 제6항).

1. 피해자 등이나 피해자 변호사가 이미 해당 사건에 관하여 충분히 진술하여 다시 진술할 필요가 없다고 인정되는 경우
2. 의견진술 또는 질문으로 인하여 공판절차가 현저하게 지연될 우려가 있다고 인정되는 경우
3. 의견진술과 질문이 해당 사건과 관계없는 사항에 해당된다고 인정되는 경우
4. 범죄사실의 인정에 관한 것이거나, 그 밖의 사유로 피해자 등의 의견진술로서 상당하지 아니하다고 인정되는 경우

4. 재판장은 재판의 진행상황, 그 밖의 사정을 고려하여 피해자 등에게 의견진술에 갈음하여 의견을 기재한 서면을 제출하게 할 수 있다(규칙 제134조의 11 제1항).
5. 피해자 등의 의견진술에 갈음하는 서면이 법원에 제출된 때에는 검사 및 피고인 또는 변호인에게 그 취지를 통지하여야 한다(동조 제2항).
6. 의견을 기재한 서면이 제출된 경우 재판장은 공판기일에서 의견진술에 갈음하는 서면의 취지를 명확하게 하여야 한다. 이 경우 재판장은 상당하다고 인정하는 때에는 그 서면을 낭독하거나 요지를 고지할 수 있다(동조 제3항).
7. 피해자 등의 의견진술에 갈음하는 서면이 법원에 제출된 때에 하는 그 취지의 통지는 서면, 전화, 전자우편, 모사전송, 휴대전화 문자전송 그 밖에 적당한 방법으로 할 수 있다(동조 제4항).
8. 의견진술·의견진술에 갈음한 서면은 범죄사실의 인정을 위한 증거로 할 수 없다(규칙 제134조의 12). 15. 7급 국가직
9. 법원은 피고인이 피해자의 권리 회복에 필요한 금전을 공탁한 경우에는 판결을 선고하기 전에 피해자 또는 그 법정대리인(피해자가 사망한 경우에는 배우자·직계친족·형제자매를 포함한다)의 의견을 들어야 한다. 다만, 그 의견을 청취하기 곤란한 경우로서 대법원규칙으로 정하는 특별한 사정이 있는 경우에는 그러하지 아니하다(제294조의 5 제1항). <2024. 10. 16. 신설>

보충 아동·청소년대상 성범죄의 피해자 조사

1. 아동·청소년대상(19세 미만) 성범죄 피해자의 진술내용과 조사과정은 비디오녹화기 등 영상물 녹화장치로 촬영·보존하여야 한다(아동·청소년의 성보호에 관한 법률 제26조 제1항). 피해자 또는 법정대리인이 이를 원하지 아니하는 의사를 표시한 경우에는 촬영을 하여서는 아니 된다. 다만, 가해자가 친권자 중 일방인 경우는 그러하지 아니한다(동조 제2항).
   ▶ 영상물 녹화장치로 촬영·보존할 수 있다. (×)
   ✪ 검사 또는 사법경찰관은 19세 미만 피해자 등의 진술 내용과 조사 과정을 영상녹화장치로 녹화하고, 그 영상녹화물을 보존하여야 한다(성폭력범죄의 처벌 등에 관한 특례법 제30조 제1항). 19세 미만 피해자 등 또는 그 법정대리인(법정대리인이 가해자이거나 가해자의 배우자인 경우는 제외한다)이 이를 원하지 아니하는 의사를 표시하는 경우에는 영상녹화를 하여서는 아니 된다(동조 제3항).

2. 영상물녹화는 조사의 개시부터 종료까지의 전 과정 및 객관적 상황을 녹화하여야 하고, 녹화가 완료된 때에는 지체 없이 그 원본을 피해자 또는 변호인 앞에서 봉인하고 피해자로 하여금 기명날인 또는 서명하게 하여야 한다(동조 제3항).
3. 검사 또는 사법경찰관은 피해자가 녹화장소에 도착한 시각, 녹화를 시작하고 마친 시각, 그 밖에 녹화과정의 진행경과를 확인하기 위하여 필요한 사항을 조서 또는 별도의 서면에 기록한 후 수사기록에 편철하여야 한다(동조 제4항).
4. 검사 또는 사법경찰관은 피해자 또는 법정대리인이 신청하는 경우에 영상물 촬영과정에서 작성한 조서의 사본을 신청인에게 교부하거나 영상물을 재생하여 시청하게 하여야 한다(동조 제5항).
5. 촬영한 영상물에 수록된 피해자의 진술은 공판준비 또는 공판기일에 피해자 또는 조사과정에 동석하였던 신뢰관계에 있는 자의 진술에 의하여 그 성립의 진정함이 인정된 때에는 증거로 할 수 있다(동조 제6항).
   ▶ 위 아동 · 청소년성보호법 제26조 제6항 중 성폭력처벌법의 위헌 법률 조항과 동일한 내용을 규정한 부분은 위헌결정의 심판대상이 되지 않았지만 위헌 법률 조항에 대한 위헌결정 이유와 마찬가지로 과잉금지 원칙에 위반될 수 있다(대판 2022.4.14, 2021도14530).
   ✪ 헌법재판소는 피고인의 피해자에 대한 반대신문권 보장 없이 조사과정에 동석하였던 신뢰관계인의 진술에 의한 진정성립의 인정만으로 증거능력을 인정하는 것은 피고인의 방어권을 과도하게 제한하는 것이어서 과잉금지원칙을 위반하고 피고인의 공정한 재판을 받을 권리를 침해한다는 이유에서 "구 성폭력범죄의 처벌 등에 관한 특례법 제30조 제6항의 '성폭력범죄의 피해자가 19세 미만이거나 신체적인 또는 정신적인 장애로 사물을 변별하거나 의사를 결정할 능력이 미약한 경우, 촬영한 영상물에 수록된 피해자의 진술은 공판준비기일 또는 공판기일에 피해자나 조사 과정에 동석하였던 신뢰관계에 있는 사람 또는 진술조력인의 진술에 의하여 그 성립의 진정함이 인정된 경우에 증거로 할 수 있다.' 부분 가운데 19세 미만 성폭력범죄 피해자에 관한 부분은 헌법에 위반된다."라고 결정하였다(헌재결 2021. 12.23, 2018헌바524). 이러한 취지를 반영하여 성폭력범죄의 처벌 등에 관한 특례법에 영상물의 증거능력 특례규정(제30조의 2)을 신설하였다.

   [성폭력범죄의 처벌 등에 관한 특례법 제30조의 2]

   성폭력범죄의 처벌 등에 관한 특례법 제30조 제1항에 따라 19세 미만 피해자 등의 진술이 영상녹화된 영상녹화물은 같은 조 제4항부터 제6항까지에서 정한 절차와 방식에 따라 영상녹화된 것으로서, 다음 각 호의 어느 하나의 경우에 증거로 할 수 있다.

   제1호 : 증거보전기일, 공판준비기일 또는 공판기일에 그 내용에 대하여 피의자, 피고인 또는 변호인이 피해자를 신문할 수 있었던 경우. 다만, 증거보전기일에서의 신문의 경우 법원이 피의자나 피고인의 방어권이 보장된 상태에서 피해자에 대한 반대신문이 충분히 이루어졌다고 인정하는 경우로 한정한다(동조 제1항 제1호).

   제2호 : 19세 미만 피해자 등이 사망, 외국 거주, 신체적, 정신적 질병 · 장애, 소재불명, 그 밖에 이에 준하는 경우의 어느 하나에 해당하는 사유로 공판준비기일 또는 공판기일에 출석하여 진술할 수 없는 경우. 다만, 영상녹화된 진술 및 영상녹화가 특별히 신빙(信憑)할 수 있는 상태에서 이루어졌음이 증명된 경우로 한정한다(동조 제1항 제2호).
6. 누구든지 제1항에 따라 촬영한 영상물을 수사 및 재판의 용도 외에 다른 목적으로 사용하여서는 아니된다(동조 제7항).
7. 법원은 아동 · 청소년대상 성범죄의 피해사람을 증인으로 신문하는 경우에 검사, 피해자 또는 법정대리인이 신청하는 경우에는 재판에 지장을 줄 우려가 있는 등 부득이한 경우가 아니면 피해자와 신뢰관계에 있는 사람을 동석하게 하여야 한다(동법 제28조 제1항).

8. 법원과 수사기관은 피해자와 신뢰관계에 있는 사람이 피해자에게 불리하거나, 피해자가 원하지 아니하는 경우에는 동석하게 하여서는 아니 된다(동법 제28조 제3항).
9. 아동 · 청소년대상 성폭력범죄의 피해자 및 그 법정대리인은 변호사를 선임할 수 있으며, 19세 미만 피해자 등에게 변호사가 없는 경우에는 국선변호사를 선정하여야 한다(아동 · 청소년의 성보호에 관한 법률 제30조, 성폭력범죄의 처벌 등에 관한 특례법 제27조).
10. 성폭력범죄 피해자의 변호사는 피해자를 대리하여 피고인에 대한 처벌을 희망하는 의사표시를 철회하거나 처벌을 희망하지 않는 의사표시를 할 수 있다(대판 2019.12.13, 2019도10678). 25. 변호사시험

관련판례

1. 성폭력범죄의 처벌 및 피해자보호 등에 관한 법률 제21조의 3에 의해 촬영한 영상에 피해자가 피해상황을 진술하면서 보충적으로 작성한 메모도 함께 촬영되어 있는 경우, 이는 영상물에 수록된 피해자 진술의 일부와 다름없다(대판 2009.12.24, 2009도11575).
2. 피고인이 위력으로써 13세 미만 미성년자인 피해자 甲에게 성폭력범죄의 처벌 등에 관한 특례법 위반의 공소사실에 대하여, 甲의 진술과 조사 과정을 촬영한 영상물과 속기록의 증거능력과 관련하여, 甲을 증인으로 소환하여 진술을 듣고 피고인에게 반대신문권을 행사할 기회를 부여할 필요가 있는지 여부 등에 관하여 심리 · 판단하였어야 하는데, 이와 같은 심리에 이르지 않은 채 위 영상물과 속기록을 유죄의 증거로 삼은 원심판결에 법리오해 또는 심리미진의 잘못이 있다(대판 2022.4.14, 2021도14616).

KEY point

- **피해자진술권의 주체** : 피해자, 법정대리인, 피해자 사망시 피해자의 배우자, 직계친족, 형제자매
- **피해자진술 제한** : 공판절차에서 충분히 진술(수사절차 ×), 공판절차의 현저한 지연 우려
- **피해자 정보권** ┌ 통지제도
  └ 기록 열람 · 등사권
- **신뢰관계자의 동석** ┌ 임의적 동석
  └ 필요적 동석 : 13세 미만, 신체적 정신적 장애로 사물변별 · 의사결정능력 미약자
- **피해자의 증인신문외 의견진술** : 범죄사실의 인정에 해당하지 않는 사항에 한함, 의견진술이나 이에 갈음한 서면은 범죄인정을 위한 증거 ×

2 감 정

(1) 의 의

감정이라 함은 전문지식과 그에 따른 경험을 가진 제3자가 그 지식과 경험을 활용하여 얻은 판단을 법원에 보고하는 것을 말하며, 법원으로부터 감정의 명을 받은 자를 감정인이라 한다. 감정은 구인에 관한 규정을 제외하고는 증인신문에 대한 규정을 준용한다(제177조). 13. 7급 국가직, 15. 경찰승진

☗ 감정인은 수사기관으로부터 감정을 위촉받은 감정수탁자(제221조)와 구별된다. 감정수탁자는 선서의무가 없고, 허위감정에 대한 제재를 받지 않으며, 감정절차에 소송관계인의 참여권이 인정되지 않는다(감정수탁자는 고유한 의미에서 감정인이 아님).

(2) 감정절차

① **감정인의 선정** : 법원은 학식 · 경험 있는 자에게 감정을 명할 수 있다(제169조).

② **감정인적격 · 감정거부권** : 감정인에 대해서는 증인에 관한 규정이 준용되므로 감정인 적격에 대한 내용은 증인적격의 경우와 같으며, 감정거부권도 증언거부권(제148조)의 규정이 준용된다.

③ **감정인의 소환과 선서** : 법원은 감정인이 선정되면 감정을 실시하기 전에 감정인을 미리 출석시켜 선서를 하게 한 후 감정사항을 고지하고 감정서를 제출하도록 하여야 한다(선서하지 않은 감정인의 감정은 증거능력 없음). 감정인의 소환은 증인소환방법에 의한다(제177조). 다만, 감정인은 증인과는 달리 대체성이 있으므로 감정인의 구인은 허용되지 않는다(과태료, 비용배상은 가능).

관련판례

경험한 과거의 사실을 진술할 지위에 있지 않음이 명백한 감정인을 법원이 증인 또는 감정증인으로 소환한 경우, 감정인이 소환장을 송달받고 출석하지 않았더라도 그 불출석에 대한 제재로서 형사소송법 제151조 제1항에 따른 과태료를 부과할 수는 없다(대결 2024.10.31, 2024모358).

☗ **감정촉탁제도** : 법원은 필요하다고 인정한 때에는 공무소, 학교, 병원 기타 상당한 설비가 있는 단체 또는 기관에 대하여 감정을 촉탁할 수 있다. 이 경우 선서에 관한 규정은 적용하지 않는다(제179조의 2 제1항). ⇨ 따라서 선서 없이 감정 가능. 07. 9급 법원직 제1항의 경우 법원은 공무소, 학교, 병원, 단체 또는 기관이 지정한 자로 하여금 감정서의 설명을 하게 할 수 있다(제179조의 2 제2항).
감정촉탁제도는 선서가 불가능한 단체나 기관의 감정결과를 증거로 활용하기 위해 신설된 것이다.

④ **감정에 필요한 처분** : 감정인은 감정에 필요한 때에는 법원의 허가를 얻어 타인의 주거, 간수자 있는 가옥, 건조물, 항공기, 선차 내에 들어갈 수 있고 신체검사, 사체해부, 분묘발굴, 물건의 파괴를 할 수 있다. 이러한 처분의 허가에는 법원은 허가장을 발부하여야 한다(제173조 제1항 내지 제3항).

⑤ **열람등사권 · 참여권 · 신문권** : 감정인은 감정에 관하여 필요한 경우에는 재판장의 허가를 얻어 서류와 증거물을 열람 또는 등사하고 피고인 또는 증인의 신문에 참여할 수 있다(제174조 제1항). 감정인은 재판장에게 피고인 또는 증인의 신문을 구하거나, 재판장의 허가를 얻어 직접 발문할 수 있다(동조 제2항).

⑥ **비용청구권** : 감정인은 법률이 정하는 바에 의하여 여비, 일당, 숙박비 외에 감정료와 체당금(대신 지급한 금액)의 변상을 청구할 수 있다(제178조).

⑦ **감정유치**

㉠ 감정유치에는 수사상 감정유치와 수소법원이 행하는 감정유치가 있으며, 전자에 대해서는 이미 살핀 바 있다.

수소법원이 행하는 감정유치란 피고인의 신체나 정신의 감정이 필요한 때에 법원이 감정유치장을 발부하여 병원 기타 적당한 장소에 피고인을 유치하는 것을 말하며(제172조 제3항 · 제4항), 대인적 강제처분에 해당한다. 감정유치는 보석에 관한 규정을 제외하고는 구속에 관한 규정이 원칙적으로 준용된다.

감정유치는 보석규정은 적용이 안되므로 감정유치 중 보석은 불가능

감정유치는 구속에 관한 규정이 준용되므로 불구속 피고인에 대하여 감정유치장이 발부되어 집행할 때에는 범죄사실의 요지와 변호인을 선임할 수 있음을 말하고 변명할 기회를 주어야 한다. 다만, 피고인이 도망한 경우에는 그러하지 아니한다(제172조 제7항, 제72조). 11. 9급 법원직, 16. 경찰승진

㉡ 유치는 미결구금일수의 산입에서는 구속으로 간주되지만(제172조 제8항), 07. 9급 법원직 구속 중인 피고인에 대하여 감정유치장이 집행되었을 때에는 유치되어 있는 동안은 구속은 그 집행이 정지된 것으로 간주한다(제172조의 2 제1항). 따라서 구속기간에는 산입되지 않으므로 결국 구속기간 연장과 같은 결과를 발생시킨다. 감정유치기간의 제한은 없다.

감정유치기간은 법률상 30일 이내로 제한되어 있다. (×) 03. 순경

⑧ **감정의 보고** : 감정의 결과는 감정인으로 하여금 서면(감정서)으로 제출하도록 하여야 한다(제171조 제1항). 07. 9급 법원직 감정인이 감정서를 제출한 경우에도 법원이 필요하다고 인정한 때에는 감정인에게 설명하게 할 수 있는데(동조 제4항), 이 경우에는 감정인신문이 행하여지게 된다. 공판기일에 감정인신문이 행하여지면 그 진술은 공판기일의 진술로서 바로 증거가 되지만 공판기일 외에서 이루어지면 그 진술은 감정인신문조서에 기재되며 이는 증거서류로서 공판정에서 다시 증거조사를 행하게 된다.

감정인의 신문에는 감정인을 최초로 소환하여 선서를 시킨 후 감정사항을 고지하고 서면에 의하여 감정결과를 보고하도록 명하는 절차와 법원의 감정명령에 따라 감정인이 감정서를 제출한 후 그 설명을 듣기 위해 감정인을 신문하는 절차(제171조 제4항)의 두 가지가 있다. 전자의 감정인신문은 필요적이나 후자의 감정인신문은 임의적이다. 감정인신문도 증인신문에 관한 규정이 준용(규칙 제90조)되므로, 당사자는 감정인신문을 신청할 권리가 있다(제161조의 2, 제177조). 04. 행시

⑨ **소송관계인의 참여** : 검사, 피고인 또는 변호인은 감정에 참여할 수 있다(제176조 제1항).

3 검 증

검증은 수사기관에 의한 경우와 법원 또는 법관이 행하는 경우가 있는바, 전자에 대하여는 강제수사편에서 살폈으므로 아래에서는 법원 또는 법관이 행하는 검증, 즉 증거조사의 방법으로서의 검증에 대하여 살피기로 한다.

PART 04

(1) 의 의

검증이란 법원 또는 법관이 오관의 작용에 의하여 사람의 신체나 물건 또는 장소의 존재 및 상태를 관찰하여 인식하는 증거조사방법을 말한다. 특히, 범죄현장 또는 법원 이외의 일정한 장소에서 행하는 검증을 임검 또는 현장검증이라고 한다(법원 또는 법관의 검증은 증거조사의 일종에 지나지 않고 협의의 강제처분에는 해당하지 않음).

(2) 검증의 주체와 대상

검증은 원칙적으로 법원이 행한다. 다만, 수명법관이나 수탁판사도 법원의 명이나 촉탁을 받아 검증을 할 수 있다. 한편 증거보전청구를 받은 판사도 증거보전의 일환으로 검증을 할 수 있는데 이 경우 판사는 법원과 동일한 권한을 갖는다. 법원·법관의 검증은 법원 또는 법관 스스로 직접 오관의 작용에 의하여 행하기 때문에 영장이 없더라도 동일한 보장이 인정되므로 법률상 영장을 필요로 하지 아니한다(수사기관의 검증 ⇨ 영장 요함). 09. 순경

(3) 검증의 절차

① **준비절차** : 공판기일의 검증에는 별도의 절차가 필요하지 않으나, 공판기일 이외의 일정한 장소에서 검증을 행하려면 검증기일을 지정해야 한다. 검사, 피고인 또는 변호인은 검증에 참여할 권리를 가지므로(제145조, 제121조) 재판장은 검증일시·장소를 통지하여야 한다. 다만, 검증참여권자가 참여하지 아니한다는 의사를 명시한 때 또는 긴급을 요하는 때에는 예외로 한다(제145조, 제122조). 04. 법원주사보 공무소, 군사용 항공기 또는 선차 내에서 검증을 실시함에는 그 책임자에게 참여할 것을 통지하여야 한다(제145조, 제123조 제1항).

관련판례

검증을 함에 있어서 피고인에게 증거조사기일을 통지하여 참여의 기회를 준 이상 피고인이 실제로 참여하지 않았다고 하여도 그 증거조사결과를 증거로 채택한 것이 위법이라고 할 수 없다(대판 1968.1.31, 67도1493).

② **검증절차**

㉠ **검증에 필요한 처분** : 검증을 함에는 신체검사, 사체해부, 분묘발굴, 물건의 파괴 기타 필요한 처분을 할 수 있다(제140조).

㉡ **검증의 제한**

ⓐ 군사상 비밀을 요하는 장소에 대한 검증은 책임자의 승낙이 있어야 한다. 그러나 책임자는 국가의 중대한 이익을 해하는 경우를 제외하고는 승낙을 거부하지 못한다(제145조, 제110조).

ⓑ 일출 전, 일몰 후에는 가주, 간수자 또는 이에 준하는 자의 승낙이 없으면 검증을 하기 위하여 타인의 주거, 간수자 있는 가옥, 건조물, 항공기, 선차 내에 들어가지 못한다. 단, 일출 후에는 검증의 목적을 달성할 수 없는 경우에는 예외로 한다(제143조 제1항).

ⓒ 다만, 도박장, 여관 등 야간의 압수・수색이 허용되는 장소(제126조)에서는 이러한 시간적 제한을 받지 아니한다(제143조 제3항).

ⓓ 일몰 전에 검증에 착수한 때에는 일몰 후라도 검증을 계속할 수 있다(동조 제2항).

ⓔ 공무소나 군사용 항공기 또는 선박・차량 이외의 타인의 주거, 간수자 있는 가옥, 건조물, 항공기 또는 선박・차량 내에서 검증을 실시함에는 주거주, 간수자 또는 이에 준하는 사람을 참여케 하여야 한다. 이러한 자를 참여케 하지 못한 때에는 이웃사람 또는 지방공공단체의 직원을 참여케 하여야 한다(제145조, 제123조 제2항・제3항).

㉢ **신체검사에 대한 특칙** : 사람의 신체도 검증의 대상이 되며, 이러한 경우에 행하는 검증을 신체검사라 한다.

ⓐ 신체검사는 피고인뿐만 아니라 피고인 아닌 자에 대해서도 가능한데 이 경우에는 증거가 될만한 흔적을 확인할 수 있는 현저한 사유가 있는 경우에만 할 수 있다(제141조 제2항). 09. 순경

ⓑ 법원은 신체검사를 위하여 피고인 또는 피고인 아닌 자를 소환할 수 있다(제68조, 제142조). 소환을 위해서는 상대방에게 소환장을 발부하여야 한다.

ⓒ 소환에 불응한 피고인은 구인할 수 있으나, 피고인 아닌 자에 대해서는 아무런 강제방법이 없다.

ⓓ 여자의 신체를 검사하는 경우에는 의사나 성년여자를 참여하게 하여야 한다(제141조 제3항). 09. 순경

③ **검증조서의 작성** : 검증에 관하여 검증조서를 작성하여야 한다(제49조 제1항). 다만, 공판정에서의 검증은 별도의 조서에 의하지 않고 공판조서에 기재된다(제51조 제2항). 수소법원이 공판기일에 검증을 행한 때에는 직접심리주의와 공판중심주의 요청을 모두 갖춘 것이므로 법관의 오관에 의하여 취득한 결과가 바로 증거로 된다. 이에 반하여 공판기일 외에서 검증이 행해지고 그 결과 검증조서가 작성된 경우에는 검증조서에 대한 증거조사가 다시 필요하게 된다. 검증조서는 법원 또는 법관의 조서로서 절대적 증거능력이 있다(수사기관에서 작성한 검증조서는 일정한 요건하에서만 증거능력이 인정됨).

KEY point

구 분	수사기관의 검증	법원의 검증
주 체	수사기관(검사, 사법경찰관)	법 원
영장요부	○	×
검증에 필요한 처분	제219조(제140조 규정을 준용)	제140조
검증조서 작성주체	검사 또는 사법경찰관	법원사무관 등
검증조서의 증거능력	제한적으로 인정	무조건 인정

4 통역 · 번역

법정에서는 국어를 사용한다(법원조직법 제62조). 13. 9급 법원직 이 규정은 외국어에 의한 진술이나 외국어로 작성된 서류의 사용을 금지하는 취지가 아니라 통역이나 번역이라는 증거조사를 통해 종국적으로 국어로 표현되어야 한다는 의미이다.

국어에 능통하지 아니한 자의 진술에는 통역인으로 하여금 통역하게 하여야 하며(제180조), 국어 아닌 문자 또는 부호는 번역하게 하여야 한다(제182조). 13. 9급 법원직

국어에 능통하지 않는 자란 외국인을 의미하는 것은 아니다. 따라서 외국인이라도 국어에 능통할 때에는 통역을 요하지 아니한다. 통역과 번역은 특별한 언어지식에 의하여 법원을 보조하는 행위이므로 감정에 유사한 성질을 갖는다. 따라서 감정에 관한 규정은 통역과 번역에 준용된다(제183조). 따라서 통역인, 번역인도 사전에 선서가 필요하다.

관련판례

1. 중국인이라 할지라도 한국어를 해득한 경우에는 통역을 붙이지 않았다 하더라도 잘못이라 할 수 없다(대판 1966.12.27, 66도1535).
2. 외국어로 작성된 문서를 다른 언어 또는 국어로 번역하는 경우 그 번역본은 원본과 일체로 되어서만 증거로서의 성질을 갖게 되고 원본이 제출될 수 없는 부득이한 사유가 있는 경우라도 원본의 존재와 그 번역의 정확성이 인정되어야 증거로 쓸 수 있다(대판 1985.9.10, 85도1364).
3. 통역인 甲이 피고인들에 대한 사건의 제1심 공판기일에 증인으로 출석하여 진술한 다음, 같은 기일에 위 사건의 피해자로서 자신의 사실혼 배우자인 증인 乙의 진술을 통역한 사안에서, 제척사유 있는 甲이 통역한 乙의 증인신문조서는 유죄인정의 증거로 사용할 수 없다(대판 2011.4.14, 2010도13583). 13. 7급 국가직, 17. 경찰간부, 24. 9급 검찰 · 마약수사

KEY point

- **개념상 구별** : 감정인과 감정수탁자
- **감정촉탁제도** : 선서 없이 감정
- **감정인** : 구인 ×(비용배상, 과태료 가능)
- **감정인의 필요한 처분** : 법원의 허가(제173조) ▶ 수사상 감정위촉을 받은 자 ⇨ 판사허가(제221조의 4)
- **감정인의 서류 · 증거물의 열람 · 등사와 증인신문 참여** : 재판장의 허가를 얻어 가능(제174조)
- **감정유치기간** ┌ 미결구금일수 산입에는 구속으로 간주
  └ 유치되어 있는 동안 구속은 그 집행이 정지된 것으로 간주

5 전문심리위원제도

(1) 의의 및 취지

첨단산업분야, 지적재산권, 국제금융 기타 전문적인 지식이 필요한 사건에서 법관이 전문가의 조력을 받아 재판절차를 보다 충실하게 진행할 수 있도록 전문심리위원회 제도가 도입되었다.

(2) 법원의 참여결정

법원은 소송관계를 분명하게 하거나 소송절차를 원활하게 진행하기 위하여 필요한 경우에는 직권으로 또는 검사, 피고인 또는 변호인의 신청에 의하여 결정으로 전문심리위원을 지정하여 공판준비 및 공판기일 등 소송절차에 참여하게 할 수 있다(제279조의 2 제1항). 11·14. 9급 교정·보호·철도경찰, 20. 7급 국가직

(3) 전문심리위원의 지정

① 전문심리위원을 소송절차에 참여시키는 경우 법원은 검사, 피고인 또는 변호인의 의견을 들어 각 사건마다 1인 이상의 전문심리위원을 지정한다(제279조의 4 제1항). 13. 경찰승진

② 전문심리위원에게는 대법원규칙으로 정하는 바에 따라 수당을 지급하고, 필요한 경우에는 그 밖의 여비, 일당 및 숙박료를 지급할 수 있다(제279조의 4 제2항).

③ 법원은 전문심리위원규칙에 따라 정해진 전문심리위원 후보자 중에서 전문심리위원을 지정하여야 한다(규칙 제126조의 7).

(4) 전문심리위원의 제척·기피

① 법관에 대한 제척(제17조)·기피(제18조부터 제20조 및 제23조)의 규정은 전문심리위원에게 준용한다(제279조의 5 제1항). 13. 경찰승진, 24. 9급 검찰·마약·교정·보호·철도경찰

② 제척 또는 기피 신청이 있는 전문심리위원은 그 신청에 관한 결정이 확정될 때까지 그 신청이 있는 사건의 소송절차에 참여할 수 없다. 09. 9급 법원직 이 경우 전문심리위원은 해당 제척 또는 기피 신청에 대하여 의견을 진술할 수 있다(제279조의 5 제2항). 23. 9급 검찰·마약·교정·보호·철도경찰

(5) 전문심리위원의 참여활동

① 전문심리위원은 전문적인 지식에 의한 설명 또는 의견을 기재한 서면을 제출하거나 기일에 전문적인 지식에 의하여 설명이나 의견을 진술할 수 있다. 다만, 재판의 합의에는 참여할 수 없다(제279조의 2 제2항). 15. 9급 교정·보호·철도경찰, 20. 7급 국가직

② 전문심리위원은 기일에 재판장의 허가를 받아 피고인 또는 변호인, 증인 또는 감정인 등 소송관계인에게 소송관계를 분명하게 하기 위하여 필요한 사항에 관하여 직접 질문할 수 있다(제279조의 2 제3항). 09·13. 9급 법원직, 13. 경찰승진

③ 법원은 제2항에 따라 전문심리위원이 제출한 서면이나 전문심리위원의 설명 또는 의견의 진술에 관하여 검사, 피고인 또는 변호인에게 구술 또는 서면에 의한 의견진술의 기회를 주어야 한다(제279조의 2 제4항). 23. 9급 검찰 · 마약 · 교정 · 보호 · 철도경찰

④ 재판장이 기일 외에서 전문심리위원에 대하여 설명 또는 의견을 요구한 사항이 소송관계를 분명하게 하는 데 중요한 사항일 때에는 법원사무관 등은 검사, 피고인 또는 변호인에게 그 사항을 통지하여야 한다(규칙 제126조의 8).

⑤ 전문심리위원이 설명이나 의견을 기재한 서면을 제출한 경우에는 법원사무관 등은 검사, 피고인 또는 변호인에게 그 사본을 보내야 한다(규칙 제126조의 9).

⑥ 재판장은 전문심리위원을 소송절차에 참여시키기 위하여 필요하다고 인정한 때에는 쟁점의 확인 등 적절한 준비를 지시할 수 있다(규칙 제126조의 10 제1항).

⑦ 재판장이 제1항의 준비를 지시한 때에는 법원사무관 등은 검사, 피고인 또는 변호인에게 그 취지를 통지하여야 한다(규칙 제126조의 10 제2항).

⑧ 재판장은 전문심리위원의 말이 증인의 증언에 영향을 미치지 않게 하기 위하여 필요하다고 인정할 때에는 직권 또는 검사, 피고인 또는 변호인의 신청에 따라 증인의 퇴정 등 적절한 조치를 취할 수 있다(규칙 제126조의 11).

⑨ 전문심리위원이 공판준비기일 또는 공판기일에 참여한 때에는 조서에 그 성명을 기재하여야 한다(규칙 제126조의 12 제1항). 09. 9급 법원직

⑩ 전문심리위원이 재판장, 수명법관 또는 수탁판사의 허가를 받아 소송관계인에게 질문을 한 때에는 조서에 그 취지를 기재하여야 한다(규칙 제126조의 12 제2항).

(6) 전문심리위원의 취소결정

① 법원은 상당하다고 인정하는 때에는 검사, 피고인 또는 변호인의 신청이나 직권으로 전문심리위원지정 결정을 취소할 수 있다(제279조의 3 제1항).

② 법원은 검사와 피고인 또는 변호인이 합의하여 전문심리위원지정 결정을 취소할 것을 신청한 때에는 그 결정을 취소하여야 한다(제279조의 3 제2항). 13. 경찰승진 · 9급 법원직, 20. 7급 국가직

③ 전문심리위원지정 결정의 취소 신청은 기일에서 하는 경우를 제외하고는 서면으로 하여야 한다(규칙 제126조의 13 제1항).

④ 제1항의 신청을 할 때에는 신청 이유를 밝혀야 한다. 다만, 검사와 피고인 또는 변호인이 동시에 신청할 때에는 그러하지 아니하다(규칙 제126조의 13 제2항). 09. 9급 법원직

전문수사자문위원과 전문심리위원의 비교

(최첨단분야 등 전문적인 지식이 필요한 사건에 재판 및 수사절차를 충실하게 진행하기 위하여 도입)

전문수사자문위원		전문심리위원
검사는 직권이나 피의자 또는 변호인의 신청에 의하여 전문수사자문위원을 지정하여 수사절차에 참여하게 하고 자문을 들을 수 있다(제245조의 2 제1항).	참여결정	법원은 직권으로 또는 검사, 피고인 또는 변호인의 신청에 의하여 결정으로 전문심리위원을 지정하여 공판준비 및 공판기일 등 소송절차에 참여하게 할 수 있다(제279조의 2 제1항).
1. 전문수사자문위원을 수사절차에 참여시키는 경우 검사는 각 사건마다 1인 이상의 전문수사자문위원을 지정한다(제245조의 3 제1항). 2. 피의자 또는 변호인은 검사의 전문수사자문위원 지정에 대하여 관할 고등검찰청검사장에게 이의를 제기할 수 있다(동조 제3항).	지 정	제279조의 2 제1항에 따라 전문심리위원을 소송절차에 참여시키는 경우 법원은 검사, 피고인 또는 변호인의 의견을 들어 각 사건마다 1인 이상의 전문심리위원을 지정한다(제279조의 4 제1항).
×	제척 · 기피	○(제279조의 5 제1항)
1. 전문수사자문위원은 전문적인 지식에 의한 설명 또는 의견을 기재한 서면을 제출하거나 전문적인 지식에 의하여 설명이나 의견을 진술할 수 있다(제245조의 2 제2항). 2. 검사는 전문수사자문위원이 제출한 서면이나 전문수사자문위원의 설명 또는 의견의 진술에 관하여 피의자 또는 변호인에게 구술 또는 서면에 의한 의견진술의 기회를 주어야 한다(제245조의 2 제3항).	참여활동	1. 전문심리위원은 전문적인 지식에 의한 설명 또는 의견을 기재한 서면을 제출하거나 기일에 전문적인 지식에 의하여 설명이나 의견을 진술할 수 있다. 다만, 재판의 합의에는 참여할 수 없다(제279조의 2 제2항). 2. 전문심리위원은 기일에 재판장의 허가를 받아 피고인 또는 변호인, 증인 또는 감정인 등 소송관계인에게 필요한 사항에 관하여 직접 질문할 수 있다(제279조의 2 제3항). 3. 법원은 전문심리위원이 제출한 서면이나 전문심리위원의 설명 또는 의견의 진술에 관하여 검사, 피고인 또는 변호인에게 구술 또는 서면에 의한 의견진술의 기회를 주어야 한다(제279조의 2 제4항).
검사는 전문수사자문위원의 지정을 취소할 수 있다(제245조의 3 제2항).	지정 취소	1. 법원은 상당하다고 인정하는 때에는 검사, 피고인 또는 변호인의 신청이나 직권으로 제279조의 2 제1항에 따른 결정을 취소할 수 있다(제279조의 3 제1항). 2. 법원은 검사와 피고인 또는 변호인이 합의하여 제279조의 2 제1항의 결정을 취소할 것을 신청한 때에는 그 결정을 취소하여야 한다(제279조의 3 제2항).
○(제245조의 4)	뇌물죄, 비밀누설죄 적용	○(제279조의 7, 제279조의 8)
○(제245조의 3 제4항)	수당, 여비, 일당, 숙박료 지급	○(제279조의 4 제2항)

CHAPTER 01

기출문제

01 **증인 및 증인신문에 대한 설명으로 가장 적절한 것은?**(다툼이 있는 경우 판례에 의함) 23. 경찰승진

① 공무원이나 공무원이었던 자가 직무에 관하여 알게 된 사실에 관하여, 본인 또는 당해 공무소가 직무상 비밀에 속한 사항임을 신고한 때에는 그 소속공무소 또는 감독관공서의 승낙 없이는 증인으로 신문하지 못한다.

② 공범인 공동피고인의 법정에서의 자백은 이에 대한 다른 피고인의 반대신문권이 보장되어 있어 증인으로 신문한 경우와 다를 바 없으므로 독립한 증거능력이 있지만, 피고인들 간에 이해관계가 상반되는 경우에는 독립한 증거능력을 인정할 수 없다.

③ 재판장이 신문 전에 증인에게 증언거부권을 고지하지 않은 채 신문하여 증인이 증언거부권을 행사하지 않고 허위의 진술을 한 경우, 그 증인이 증언거부권을 고지받지 못함으로 인하여 그 증언거부권을 행사하는 데 사실상 장애가 초래되었는지 여부를 불문하고 위증죄의 성립을 부정해야 한다.

④ 법원이 변호인이 없는 피고인을 일시 퇴정하게 하고 증인신문을 한 다음 피고인에게 실질적인 반대신문의 기회를 부여하지 아니한 채 증인신문이 이루어졌다면, 다음 공판기일에서 재판장이 증인신문 결과 등을 공판조서에 의하여 고지할 때 피고인이 '변경할 점과 이의할 점이 없다'고 진술하였다고 하더라도 그 증인신문조서는 증거능력이 없다.

해설 ① 제147조 제1항 ② 공범인 공동피고인의 법정에서의 자백은 이에 대한 다른 피고인의 반대신문권이 보장되어 있어 증인으로 신문한 경우와 다를 바 없으므로 독립한 증거능력이 있고, 피고인들 간에 이해관계가 상반된다고 하여도 마찬가지이다(대판 2006.5.11, 2006도1944).
③ 증언거부사유가 있음에도 증인이 증언거부권을 고지받지 못함으로 인하여 그 증언거부권을 행사하는 데 사실상 장애가 초래되었다고 볼 수 있는 경우에는 위증죄의 성립을 부정하여야 할 것이다(대판 2010.1.21, 2008도942 전원합의체).
④ 법원이 변호인이 없는 피고인을 일시 퇴정하게 하고 증인신문을 한 다음 피고인에게 실질적인 반대신문의 기회를 부여하지 아니한 채 증인신문이 이루어졌고, 다음 공판기일에서 재판장이 증인신문 결과 등을 공판조서에 의하여 고지할 때 피고인이 '변경할 점과 이의할 점이 없다'고 진술하였다면 실질적인 반대신문의 기회를 부여받지 못한 하자가 치유되었다고 할 수 있다(대판 2010.1.14, 2009도9344). 따라서 그 증인신문조서는 증거능력이 있다.

02 **증인신문에 대한 설명으로 옳지 않은 것은?** 23. 9급 검찰·마약·교정·보호·철도경찰

① 다른 증거나 증인의 진술에 비추어 굳이 추가 증거조사를 할 필요가 없다는 등 특별한 사정이 없고, 소재탐지나 구인장 발부가 불가능한 것이 아님에도 불구하고 법원이 불출석한 핵심 증인에 대하여 소재탐지나 구인장 발부 없이 증인채택 결정을 취소하는 것은 재량을 벗어나는 것으로서 위법하다.

Answer 01. ① 02. ④

② 피고인의 출석을 요하는 재판에서, 법원이 공판기일에 증인을 채택하여 다음 공판기일에 증인신문을 하기로 피고인에게 고지하였는데 그 다음 공판기일에 증인은 출석하였으나 피고인이 정당한 사유 없이 출석하지 아니한 경우, 법원이 이미 출석하여 있는 증인에 대하여 공판기일 외의 신문으로서 증인신문을 하고 다음 공판기일에 그 증인신문조서에 대한 서증조사를 하는 것은 증거조사절차로서 적법하다.

③ 증인신문에 있어서 변호인에 대한 차폐시설의 설치는 이미 인적 사항에 관하여 비밀조치가 취해진 증인이 변호인을 대면하여 진술함으로써 자신의 신분이 노출되는 것에 대하여 심한 심리적인 부담을 느끼는 등의 특별한 사정이 있는 경우에 예외적으로 허용될 수 있을 뿐이다.

④ 형사소송법 제221조의 2(증인신문의 청구)에 의한 증인신문절차에서는 피고인・피의자 또는 변호인의 참여가 필요적 요건이므로 피고인・피의자나 변호인이 증인신문절차에 참여하지 아니하였다면 위법이다.

해설 ① 대판 2020.12.10, 2020도2623
② 대판 2000.10.13, 2000도3265
③ 대판 2015.5.28, 2014도18006
④ 제221조의 2 제5항에서 당사자참여권을 보장하고 있으나, 통지받은 피의자 등이 출석을 하여야만 증인신문절차를 개시하여야 한다는 의미는 아니다.

03 **반대신문권의 보장에 관한 다음 설명 중 가장 옳지 않은 것은?**(다툼이 있는 경우 판례에 의하고, 전원합의체 판결의 경우 다수의견에 의함) 23. 9급 법원직

① 피고인에게 불리한 증거인 증인이 주신문의 경우와 달리 반대신문에 대하여는 답변을 하지 아니하는 등 진술 내용의 모순이나 불합리를 그 증인신문 과정에서 드러내어 이를 탄핵하는 것이 사실상 곤란하였고, 그것이 피고인 또는 변호인에게 책임 있는 사유에 기인한 것이 아닌 경우와 같이 실질적 반대신문권의 기회가 부여되지 아니한 채 이루어진 증인의 법정진술은 특별한 사정이 존재하지 아니하는 이상 위법한 증거로서 증거능력을 인정하기 어렵다.

② 피고인이 일시 퇴정한 상태에서 증인신문을 한 뒤 피고인에게 실질적인 반대신문의 기회를 부여하지 않았더라도, 그 다음 공판기일에서 재판장이 증인신문 결과 등을 공판조서(증인신문조서)에 의하여 고지하면서 이의 여부를 물었고 피고인이 '변경할 점과 이의할 점이 없다'고 진술하였다면 실질적인 반대신문의 기회를 부여받지 못한 하자가 치유된 것으로 볼 수 있다.

③ 실질적인 반대신문의 기회를 부여받지 못한 하자는 책문권 포기로 치유될 수 있으며, 이 때 책문권 포기의 의사는 반드시 명시적인 것일 필요는 없다.

④ 수사기관에서 진술한 참고인이 법정에서 증언을 거부하여 피고인이 반대신문을 하지 못한 경우에는 정당하게 증언거부권을 행사한 것이 아니라도, 피고인이 증인의 증언거부 상황을 초래하였다는 등의 특별한 사정이 없는 한 형사소송법 제314조의 '그 밖에 이에 준하는 사유로 인하여 진술할 수 없는 때'에 해당하지 않는다고 보아야 한다.

Answer 03. ③

해설 ① 대판 2016.3.17, 2016도17054
② 대판 2010.1.14, 2009도9344
③ 실질적 반대신문권의 기회가 부여되지 아니한 채 이루어진 증인의 법정진술은 위법한 증거로서 증거능력을 인정하기 어렵다. 이 경우 피고인의 책문권 포기로 그 하자가 치유될 수 있으나, 책문권 포기의 의사는 명시적인 것이어야 한다(대판 2016.3.17, 2016도17054).
④ 대판 2019.11.21, 2018도13945 전원합의체

04 **증인신문에 관한 설명으로 옳지 않은 것만을 모두 고른 것은?**(다툼이 있는 경우 판례에 의함)

24. 소방간부

㉠ 甲은 10년 전 이혼한 아내인 乙이 형사소추를 당할 염려가 있음을 이유로 증언을 거부할 수는 없다.
㉡ 법원은 내란수괴 등 피고사건의 재판절차에서 甲과 乙이 내란 및 내란목적살인의 범죄사실의 피해자로서 피해자 진술신청을 한 경우 그 중에서 가장 적합하다고 여겨지는 甲의 신청만을 받아들이고 乙의 신청은 기각할 수 있다.
㉢ 공범인 공동피고인 甲은 당해 소송절차에서는 피고인의 지위에 있으므로 다른 공동피고인 乙에 대한 공소사실에 관하여 증인이 될 수 없으나, 소송절차가 분리되어 피고인의 지위에서 벗어나게 되면 다른 공동피고인 乙에 대한 공소사실에 관하여 증인이 될 수 있다.
㉣ 법원은 증인 甲이 불출석하자 과태료를 부과하였고, 그 후 정당한 사유 없이 재차 재판에 불출석하자 증인을 5일의 감치에 처하여 감치시설에 유치하였다. 감치 3일차 되던 날에 甲이 증언을 하였더라도 남은 감치기간이 경과해야만 석방된다.
㉤ 재판장은 변호인이 없는 피고인 甲을 일시 퇴정하게 하고 甲에게 실질적인 반대신문권의 기회를 부여하지 아니한 채 증인 乙에 대한 증인신문을 진행하였고, 그 다음 공판기일에서 재판장이 甲에게 증인신문 결과 등을 공판조서(증인신문조서)에 의하여 고지하였는데 甲이 '변경할 점과 이의할 점이 없다'고 진술하였다면 실질적인 반대신문의 기회를 부여받지 못한 하자가 치유되었다고 할 것이다.

① ㉠, ㉢　　② ㉠, ㉣　　③ ㉡, ㉢
④ ㉢, ㉤　　⑤ ㉣, ㉤

해설 ㉠ × : 이혼한 전처도 증언거부권이 인정된다(제148조).
㉡ ○ : 대결 1996.11.14, 96모94
㉢ ○ : 대판 2012.3.29, 2009도11249
㉣ × : 법원은 감치의 재판을 받은 증인이 감치의 집행 중에 증언을 한 때에는 즉시 감치결정을 취소하고 그 증인을 석방하도록 명하여야 한다(제151조 제7항).
㉤ ○ : 대판 2010.1.14, 2009도9344

Answer 04. ②

05 **증언거부권에 관한 다음 설명 중 가장 옳지 않은 것은?**(다툼이 있는 경우 판례에 의하고, 전원합의체 판결의 경우 다수의견에 의함) 23. 9급 법원직

① 증언거부사유인 '형사소추 · 공소제기 당할 염려'에는 증인이 이미 저지른 범죄사실에 대한 경우뿐만 아니라 증인의 증언에 의하여 비로소 범죄가 성립하는 경우도 포함된다.

② 자신에 대한 유죄판결이 확정된 증인이 공범에 대한 피고사건에서 증언할 당시 앞으로 재심을 청구할 예정이라고 하여도, 이를 이유로 증인에게 증언거부권이 인정되지는 않는다.

③ 범행을 하지 아니한 자가 범인으로 공소제기가 되어 피고인의 지위에서 범행사실을 허위자백하고, 나아가 공범에 대한 증인의 자격에서 증언을 하면서 그 공범과 함께 범행하였다고 허위의 진술을 한 경우 그 증언은 자신에 대한 유죄판결의 우려를 증대시키는 것이므로 증언거부권의 대상은 된다고 볼 것이다.

④ 변호사, 변리사, 공증인, 공인회계사, 세무사, 대서업자, 의사, 한의사, 치과의사, 약사, 약종상, 조산사, 간호사, 종교의 직에 있는 자 또는 이러한 직에 있던 자가 그 업무상 위탁을 받은 관계로 알게 된 사실로서 타인의 비밀에 관한 것은 증언을 거부할 수 있다. 단, 본인의 승낙이 있거나 중대한 공익상 필요 있는 때에는 예외로 한다.

해설 ① 형사소송법 제148조에서 '형사소추'는 증인이 이미 저지른 범죄사실에 대한 것을 의미한다고 할 것이므로, 증인의 증언에 의하여 비로소 범죄가 성립하는 경우에는 증언거부권 고지대상이 된다고 할 수 없다(대판 2011.12.8, 2010도2816).
② 대판 2011.11.24, 2011도11994 ③ 대판 2012.12.13, 2010도10028 ④ 제149조

06 **범죄피해자의 진술권에 대한 설명으로 옳은 것은?** 23. 7급 국가직

① 법원은 피해자의 신청이 있는 때에는 피해자가 이미 당해 사건에 관하여 공판절차에서 충분히 진술하여 다시 진술할 필요가 없다고 인정되는 경우에도 증인으로 신문하여야 한다.

② 법원은 피해자를 증인으로 신문하는 경우, 당해 피해자 · 법정대리인 또는 검사의 신청에 따라 피해자의 사생활의 비밀이나 신변보호를 위하여 필요하다고 인정되는 때에도 피고인의 동의가 없으면 심리를 비공개로 할 수 없다.

③ 법원이 피해자로 하여금 증인신문에 의하지 아니하고 의견을 진술하게 한 경우, 그러한 진술은 범죄사실의 인정을 위한 증거로 사용할 수 없다.

④ 법원은 동일한 범죄사실에서 의견진술에 관한 증인신문을 신청한 피해자가 여러 명인 경우에는 모두에게 진술할 기회를 제공하여야 한다.

해설 ① 법원은 피해자의 신청이 있는 때에는 피해자가 이미 당해 사건에 관하여 공판절차에서 충분히 진술하여 다시 진술할 필요가 없다고 인정되는 경우에는 증인으로 신문하지 아니할 수 있다(제294조의 2 제1항 제2호). ② 법원은 피해자를 증인으로 신문하는 경우, 당해 피해자 · 법정대리인 또는 검사의 신청에 따라 피해자의 사생활의 비밀이나 신변보호를 위하여 필요하다고 인정되는 때에는 피고인의 동의와 무관하게 심리를 비공개로 할 수 있다(제294조의 3 제1항). ③ 규칙 제134조의 10 제1항
④ 법원은 동일한 범죄사실에서 의견진술에 관한 증인신문을 신청한 피해자가 여러 명인 경우에는 진술할 자의 수를 제한할 수 있다(제294조의 2 제3항).

Answer 05. ① 06. ③

07 **전문심리위원의 공판준비 및 공판기일 등 소송절차 참여에 대한 설명으로 옳지 않은 것은?**(다툼이 있는 경우 판례에 의함) 20. 7급 국가직

① 법원은 검사, 피고인 또는 변호인의 신청이 있는 경우에는 전문심리위원을 지정하여 소송절차에 참여하게 하여야 한다.

② 전문심리위원은 소송절차에 참여하여 전문적인 지식에 의한 설명 또는 의견을 기재한 서면을 제출하거나 공판기일에 전문적인 지식에 의하여 설명이나 의견을 진술할 수 있지만 재판의 합의에는 참여할 수 없다.

③ 법원은 전문심리위원과 관련된 절차 진행 등에 관한 사항을 당사자에게 적절한 방법으로 적시에 통지하여 당사자의 참여 기회가 실질적으로 보장될 수 있도록 세심한 배려를 하여야 한다.

④ 검사와 피고인 또는 변호인이 합의하여 전문심리위원의 소송절차 참여 결정을 취소할 것을 신청한 때에는 법원은 그 결정을 취소하여야 한다.

해설 ① 법원은 직권 또는 검사, 피고인 또는 변호인의 신청에 의하여 결정으로 전문심리위원을 지정하여 소송절차에 참여하게 할 수 있다(제279조의 2 제1항).
② 제279조의 2 제2항
③ 대판 2019.5.30, 2018도19051
④ 제279조의 3 제2항

08 **전문심리위원에 대한 설명으로 옳지 않은 것은?** 23. 9급 검찰·마약·교정·보호·철도경찰

① 전문심리위원은 공판기일에 한하여 재판장의 허가를 받아 피고인 또는 변호인, 증인 또는 감정인 등 소송관계인에게 소송관계를 분명하게 하기 위하여 필요한 사항에 관하여 의견을 진술하거나 직접 질문할 수 있지만 재판의 합의에 참여하는 것은 허용되지 않는다.

② 법원은 전문심리위원이 제출한 서면이나 전문심리위원의 설명 또는 의견의 진술에 관하여 검사, 피고인 또는 변호인에게 구술 또는 서면에 의한 의견진술의 기회를 주어야 한다.

③ 제척 또는 기피 신청이 있는 전문심리위원은 그 신청에 관한 결정이 확정될 때까지 그 신청이 있는 사건의 소송절차에 참여할 수 없다. 이 경우 전문심리위원은 해당 제척 또는 기피 신청에 대하여 의견을 진술할 수 있다.

④ 법원은 전문심리위원에 관한 규정들을 지켜야 하고, 이를 준수함에 있어서도 전문심리위원과 관련된 절차 진행 등에 관한 사항을 당사자에게 적절한 방법으로 적시에 통지하여 당사자의 참여 기회가 실질적으로 보장될 수 있도록 세심한 배려를 하여야 한다.

해설 ① 전문심리위원은 기일에 재판장의 허가를 받아 피고인 또는 변호인, 증인 또는 감정인 등 소송관계인에게 소송관계를 분명하게 하기 위하여 필요한 사항에 관하여 의견을 진술하거나 직접 질문할 수 있지만 재판의 합의에 참여하는 것은 허용되지 않는다(제279조의 2 제2항·제3항). 전문심리위원이 참여하는 절차는 공판기일에 한정되는 것이 아니라, 공판준비 및 공판기일 등 소송절차를 의미한다(제279조의 2 제1항).
② 제279조의 2 제4항 ③ 제279조의 5 제2항
④ 대판 2019.5.30, 2018도1905

Answer 07. ① 08. ①

09 증인신문에 대한 설명으로 옳은 것만을 모두 고르면? 24. 7급 국가직

㉠ 공동피고인인 절도범과 그 장물범은 변론을 분리하지 않으면 서로 다른 공동피고인의 범죄사실에 대하여 증인적격이 인정되지 않는다.
㉡ 증인이 주신문을 하는 자에 대하여 적의 또는 반감을 보일 경우에는 주신문에 있어서도 유도신문을 할 수 있다.
㉢ 재판장은 증인이 피고인의 면전에서 충분한 진술을 할 수 없다고 인정한 때에는 피고인을 퇴정하게 하고 증인신문을 진행함으로써 피고인의 직접적인 증인 대면을 제한할 수 있지만, 그로 인해 피고인의 반대신문권이 침해되었다면 그 다음 공판기일에 피고인이 이에 대하여 이의가 없다고 진술하더라도 그러한 하자는 치유되지 않는다.
㉣ 증인은 친족이었던 사람이 형사소추 또는 공소제기를 당하거나 유죄판결을 받을 사실이 드러날 염려가 있는 경우 증언을 거부할 수 있다.

① ㉠, ㉡ ② ㉠, ㉣ ③ ㉡, ㉢ ④ ㉡, ㉣

PART 04

해설 ㉠ × : 공동피고인인 절도범과 그 장물범은 서로 다른 공동피고인의 범죄사실에 관하여는 증인의 지위에 있다 할 것이다(대판 2006.1.12, 2005도7601).
㉡ ○ : 규칙 제75조 제2항 제3호
㉢ × : 그 다음 공판기일에서 재판장이 증인신문 결과 등을 공판조서(증인신문조서)에 의하여 고지하였는데 피고인이 '변경할 점과 이의할 점이 없다'고 진술하였다면 책문권 포기 의사를 명시함으로써 실질적인 반대신문의 기회를 부여받지 못한 하자가 치유되었다고 보아야 한다(대판 2010.1.14, 2009도9344).
㉣ ○ : 제148조 제1호

Answer 09. ④

제7절 공판절차의 특수문제

1 간이공판절차

(1) 의 의

간이공판절차란 피고인이 공판정에서 자백한 경우에 형사소송법이 규정한 증거조사를 간이화하고 증거능력에 대한 제한을 완화함으로써 심리를 신속하게 진행할 수 있도록 하는 공판절차를 말한다(제286조의 2).

(2) 간이공판절차의 개시

① **절차개시의 요건**

㉠ **제1심의 사건** : 간이공판절차는 지방법원 또는 지원의 제1심 관할사건에 한한다(다수설). 따라서 항소나 상고심에서는 허용되지 않는다. 14. 9급 검찰·마약·교정·보호·철도경찰, 19. 7급 국가직

☗ 현행 형사소송법은 간이공판절차를 제1심 관할사건에 한정하는 규정을 두고 있지 않으므로 항소심에서도 가능한지의 여부에 대하여 논란이 있을 수 있다. 항소심에서도 간이공판절차에 의한 재판을 인정한 판례가 있기는 하나, 제1심 절차에서만 인정된다는 견해가 다수설의 입장이다. 각종 교과서나 기출문제 지문에서는 주로 다수설의 입장에서 언급되고 있으나, 심급에 있어서 간이공판절차 인정문제는 상황에 따라 상대적으로 처리해야 할 것으로 보인다.

☗ 국민참여재판 ⇨ 간이공판절차 적용 ×

관련판례

피고인은 제1심에서 이 사건 공소사실을 모두 자백하였으므로, 제1심법원은 위 공소사실을 간이공판절차에 의하여 공소사실을 모두 유죄로 인정하였고, 항소심에서도 피고인은 자백을 그대로 유지하였다. 따라서 항소심이 간이공판절차에 의하여 피고인의 항소를 기각한 것에 간이공판절차에 관한 법리오해 등의 위법이 없다(대판 2007.7.12, 2007도2191).

㉡ 제1심 관할사건이라면 단독사건은 물론이고 합의부사건에 대해서도 간이공판절차를 할 수 있다. 12·13. 경찰승진, 14. 경찰간부, 12·13·15·21. 9급 법원직, 13·14·16. 순경 2차, 24. 7급 국가직

☗ 법원조직법 제32조 제1항에 따라 합의사건으로 되어 있는 경우(사형·무기 또는 단기 1년 이상의 징역 또는 금고에 해당하는 사건), 이와 동시에 심판할 공범사건 또는 재정합의사건도 간이공판절차에 의할 수 있다.

㉢ **피고인의 공판정에서의 자백**

ⓐ 자백의 의의 : 피고인이 공판정에서 공소사실을 자백한 경우에만 간이공판절차에 의한 심판이 가능하다(제286조의 2). 자백이란 공소장에 기재된 공소사실을 전부 인정하고 위법조각이나 책임조각을 다투지 않는 경우를 말한다. 다만, 위법성조각사유나 책임조각사유의 부존재는 사실상 추정되는 것이므로 명시적으로 자인하는 진술이 있을 필요는 없다. 18. 순경 1차 피고인이 공소사실은 인정하였으나, 죄명이나 적용법조만을 다

투거나 형면제원인이 되는 사실을 주장하는 경우에도 간이공판절차의 개시를 위한 자백에 해당한다고 할 수 있다. 07. 9급 법원직

피고인이 공소사실은 인정하였으나 범의를 부인하는 경우에는 간이공판절차에 따라 심판할 수 없다.

관련판례

1. 형사소송법 제286조의 2(간이공판절차의 결정) 소정의 '자백'은 공소장 기재사실을 인정하고 나아가 위법성이나 책임의 조각사유가 되는 사실을 진술하지 아니하는 것으로 충분하고, 명시적으로 유죄임을 자인하는 진술을 말하는 것이 아니다(대판 1981.11.24, 81도2422). 12. 9급 법원직, 14. 경찰간부, 13·16. 순경 2차, 12·13·19·22. 경찰승진, 15·19·24. 7급 국가직, 13·25. 변호사시험
2. 피고인이 법정에서 "공소사실은 모두 사실과 다름없다."고 하면서 술에 만취되어 기억이 없다는 취지로 진술한 경우 피고인은 적어도 공소사실을 부인하거나 심신상실의 책임조각사유를 주장하고 있는 것으로 볼 여지가 충분하므로 간이공판절차에 의하여 심판할 대상에 해당하지 아니한다(대판 2004.7.9, 2004도2116). 16. 순경 2차, 17·18·19. 경찰승진

   피고인이 공소사실은 모두 사실과 다름없다고 하면서 당시 심신상실의 상태에 있었다고 진술한 경우에 법원은 간이공판절차에 의하여 심판할 수 있다. (×) 17. 9급 법원직
3. 피고인이 공소사실에 대하여 검사가 신문할 때에는 공소사실을 모두 사실과 다름 없다고 진술하였으나, 변호인이 신문할 때에는 범의나 공소사실을 부인하였다면 간이공판절차에 의하여 심판할 대상이 아니다(대판 1998.2.27, 97도3421). 02. 9급 검찰, 04. 법원사무관, 14. 9급 법원직, 18. 순경 1차, 22. 경찰승진, 23. 소방간부, 24. 7급 국가직, 25. 변호사시험
4. 제1심 제1회 공판기일에서 공소사실을 인정하였고, 정식재판을 청구한 이유에 대하여 "카파라치에게 당한 것이 억울하고, 벌금이 과다하기 때문입니다."라고 하였을 뿐이고, 위법성·책임성조각사유에 관한 사실을 진술하지 않았음을 알 수 있다. 따라서 이 사건 공소사실에 대하여 간이공판절차에 의하여 심판하기로 결정한 것은 정당하다(대판 2010.10.28, 2009도5569).
5. 제1심 공판기일에서의 피고인의 진술이 공소사실 중 일부를 부인하거나 또는 최소한 피고인에게 폭력의 습벽이 있음을 부인하는 취지라고 보임에도, 간이공판절차에 의하여 상습상해 내지 폭행의 공소사실을 유죄로 인정한 제1심판결을 유지한 원심판결에 간이공판절차에 관한 법리를 오해하거나 증거 없이 유죄로 인정한 위법이 있다(대판 2006.5.11, 2004도6176).
6. 절도의 공소사실에 대하여는, 검사가 신문할 때에는 공소사실은 사실과 다름없다고 진술한 것으로 되어 있지만, "건축자재를 가져갔느냐."는 판사의 신문에 대하여는 "알아서 하라고 해서 쓴 것이다."고 진술하여, 결국 이 사건 절도의 공소사실을 부인하고 있음이 명백하다. 그렇다면, 이 사건 공소사실 중 절도의 공소사실은 간이공판절차에 의하여 심판할 대상이 아니라 할 것이다(대판 1995.11.10, 95도1859).

ⓑ **자백의 주체** : 자백은 피고인 본인이 공판정에서 행하여야 한다(제286조의 2). 02. 9급 검찰 따라서 변호인에 의한 자백이나 피고인 출석 없이 개정할 수 있는 사건에서 대리인이 출석하여 자백한 경우는 여기에 해당하지 않는다. 07. 9급 법원직 다만, 피고인이 법인인 경우에 그 대표자가 자백한 경우나 피고인이 의사무능력자인 경우에 법정대리인이나 특별대리인이 자백한 경우에는 간이공판절차가 개시될 수 있다.

ⓒ 일부사실의 자백 : 경합범의 경우에는 피고인이 여러 공소사실 가운데 일부를 자백하더라도 그 자백 부분에 대하여 간이공판절차에 의한 심리가 가능하다. 01. 법원사무관, 10. 9급 국가직, 11. 경찰승진, 21. 9급 법원직 이에 반하여 과형상 1죄, 포괄1죄, 공소사실의 예비적 · 택일적기재의 일부에 대하여 자백하고 나머지를 부인하는 경우에는 자백부분만 특정하여 간이공판절차로 심리하는 것은 부적법하다. 07 · 14. 9급 법원직

ⓓ 자백의 장소 · 시기 : 자백은 공판정에서 해야 한다. 따라서 수사절차나 공판준비절차에서의 자백으로는 간이공판절차를 개시할 수 없다. 12. 9급 국가직 검사의 모두진술이 끝난 뒤 피고인은 자신의 모두진술에서 공소사실의 인정 여부에 대하여 진술하여야 한다(제286조). 따라서 자백의 시점은 검사의 모두진술이 끝난 뒤라고 보아야 한다.

자백은 공판절차에서 하여야 하므로 공판준비절차에서 자백한 때에는 간이공판절차를 개시할 수 없다. 12. 9급 국가직, 14. 순경 2차, 18. 순경 1차

피고인의 출석 없이 개정할 수 있는 사건에 대하여 법원이 피고인의 출석 없이 개정하는 경우 피고인이 수사기관에서 자백하였다면 간이공판절차에 의하여 심판할 수 있다. (×) 17. 9급 법원직

② **간이공판절차의 개시결정**

㉠ 간이공판절차의 요건이 구비된 경우에는 법원은 간이공판절차에 의하여 심판할 것을 결정할 수 있다(제286조의 2).

임의적(필요적 ×) 12. 순경 3차 · 9급 국가직, 12 · 13. 9급 법원직, 14. 순경 2차, 13 · 17 · 19. 경찰승진

㉡ 법원이 간이공판절차의 결정을 하고자 할 때에는 재판장은 미리 피고인에게 간이공판절차의 취지를 설명하여야 한다(규칙 제131조). 개시결정은 공판정에서 구술로 고지하면 족하며, 이 경우 결정의 취지를 공판조서에 기재하여야 한다. 간이공판절차의 개시결정은 판결 전의 소송절차에 관한 결정이므로 이에 불복하여 항고할 수 없다(제403조 제1항). 10. 9급 국가직, 12. 순경 3차, 15 · 24. 7급 국가직 그러나 요건을 갖추지 못하였음에도 불구하고 간이공판절차에 의하여 심판한 경우라면 판결에 영향을 미친 법령위반에 해당하므로 상소이유가 된다(제361조의 5 제1호).

(3) 간이공판절차의 내용

간이공판절차에 있어서는 증거능력과 증거조사에 대한 특칙만이 인정되고, 03. 101단, 10. 9급 국가직 이외에는 공판절차에 대한 일반규정이 그대로 준용된다. 따라서 간이공판절차에서도 공소장변경이 가능하며, 재판서의 작성에 있어서도 간이한 방식은 인정되지 않는다. 간이공판절차에 의하여 유죄판결 이외에 공소기각이나 관할위반의 재판은 물론 무죄판결도 선고할 수 있다. 10. 경찰승진

① **증거능력에 대한 특칙** : 간이공판절차의 개시결정이 있는 사건에 대한 증거에 관하여는 전문법칙에 따라 증거능력이 부정되는 증거라도 소송관계인의 동의가 있는 것으로 간주되어 증거능력이 인정된다. 14 · 16. 순경 2차, 18. 경찰간부, 23. 경찰승진 · 소방간부, 24. 해경경위공채 그러나 검사, 피고인 또는 변호인의 이의가 있는 때에는 그러하지 아니하다(제318조의 3). 16. 변호사시험 · 9급 법원직, 21. 9급 검찰 · 마약 · 교정 · 보호 · 철도경찰, 24. 경찰승진 · 경위공채, 25. 소방간부

간이공판절차에서의 특례는 전문증거의 증거능력제한이 통상의 절차에서보다 완화될 뿐이다. 12. 9급 국가직 따라서 전문법칙 이외의 증거법칙은 간이공판절차에서도 그대로 적용된다(예 임의성 없는 자백, 위법수집증거 등은 증거로 할 수 없다). 12. 9급 법원직, 14. 경찰간부, 16. 순경 2차, 24. 경찰승진 뿐만 아니라 전문법칙의 완화를 처음부터 고려할 수 없는 의사표시적 문서(예 공소장)나 부적법하여 무효인 진술조서도 간이공판절차에서 증거능력이 인정되지 않는다. 간이공판절차에서 완화된 것은 전문증거의 증거능력에 한하며, 증명력 인정에 대한 제한까지 완화된 것은 아니므로 간이공판절차에서도 자백보강법칙은 그대로 적용된다. 10. 순경, 12. 9급 법원직, 13. 경찰승진, 14. 순경 2차·9급 검찰·교정·보호·철도경찰, 15. 7급 국가직, 23. 소방간부

간이공판절차에서는 증거능력과 증명력제한이 통상의 절차에서보다 완화된다. (×)

② **증거조사 방식에 대한 특칙** : 간이공판절차에서도 증거조사를 생략할 수는 없지만, 정식의 증거조사 방식에 의할 필요는 없고, 법원이 상당하다고 인정하는 방법으로 증거조사를 하면 족하다(제297조의 2). 13. 순경 1차·2차, 23. 소방간부

간소화 되는 증거조사방식

1. 교호신문의 방식이 아닌 상당한 방식으로 증인신문 가능(제161조의 2 부적용) 23. 소방간부
2. 증거조사를 재판장의 쟁점정리 등이 끝난 뒤에 하여야 할 필요는 없음(제290조 부적용).
3. 서류나 물건의 증거조사시에 개별적으로 지시·설명할 필요가 없다(제291조 부적용).
4. 서류나 물건의 증거조사방법도 반드시 제시나 낭독 등의 형식을 취할 필요가 없다(제292조 부적용).
5. 증거조사 종료시에 재판장은 피고인에게 증거조사 결과에 대한 의견을 묻거나, 증거신청권이 있음을 알려줄 필요가 없다(제293조 부적용). 12. 경찰승진, 13. 변호사시험·9급 법원직, 23. 소방간부
6. 증인·감정인·공동피고인을 신문할 때 피고인을 퇴정시킬 필요가 없다(제297조 부적용).

증인선서(제156조), 당사자의 증거조사참여권(제163조), 당사자의 증거신청권(제294조), 증거조사에 대한 이의신청권(제296조), 피고인신문(제296조의 2) 등은 간이공판절차에서도 그대로 인정됨.

관련판례

1. 공판조서의 일부인 증거목록에 증거방법을 표시하고 '증거조사함'이라는 파란색 스탬프를 찍었을 뿐 입증취지와 의견을 기재하지 않는 경우도 상당한 방법의 증거조사에 해당한다(대판 1980.4.22, 80도333). 14. 9급 법원직, 22. 경찰승진
2. 피고인이 제1심법원에서 공소사실에 대하여 자백하여 제1심법원이 이에 대하여 간이공판절차에 의하여 심판할 것을 결정하고, 이에 따라 제1심법원이 상당하다고 인정하는 방법으로 증거조사를 한 이상, 항소심에 이르러 범행을 부인하였다고 하더라도 제1심법원에서 증거로 할 수 있었던 증거는 항소법원에서도 증거로 할 수 있는 것이므로 제1심법원에서 이미 증거능력이 있었던 증거는 항소심에서도 증거능력이 그대로 유지되어 심판의 기초가 될 수 있고 다시 증거조사를 할 필요가 없다(대판 2005.3.11, 2004도8313). 04. 법원사무관, 08. 9급 법원직, 13. 순경 2차·변호사시험, 17·22·24. 경찰승진, 25. 소방간부

(4) 간이공판절차의 취소

법원은 간이공판절차 개시의 결정을 한 사건에 대하여 피고인의 자백이 신빙할 수 없다고 인정되거나, 간이공판절차로 심판함이 현저히 부당하다고 인정하는 때에는 검사의 의견(동의 ×)을 들어 그 결정을 취소하여야 한다(제286조의 3). 03. 101단, 09. 전의경, 13·21. 9급 법원직, 17·24. 경찰승진

간이공판절차 취소의 경우 ⇨ 검사의 의견을 들어야 함(검사의 의견은 구속력 없음).
간이공판절차 개시결정의 경우 ⇨ 검사의견은 불필요함. 15. 7급 국가직

취소사유가 있는 때에는 반드시 취소하여야 한다(간이공판절차 개시결정 ⇨ 임의적).

간이공판절차의 결정이 취소된 때에는 원칙적으로 공판절차를 갱신하여야 한다(제301조의 2). 09. 전의경, 10. 9급 국가직, 19. 경찰승진 단, 검사, 피고인 또는 변호인의 이의가 없는 때에는 갱신을 필요로 하지 않는다(동조 단서). 17. 9급 법원직, 18. 경찰승진, 21. 9급 검찰·마약·교정·보호·철도경찰 이 경우에는 간이공판절차에 의하여 행한 증거조사가 그대로 효력을 유지하고 이미 조사된 전문증거도 증거능력이 인정된다.

KEY point

- **간이공판절차 개시사건** : 제1심 관할사건(단독, 합의부) ▶ 항소, 상고심 ⇨ ×(다수설)
- **간이공판절차** : 공판정 자백
  - 위법성조각 또는 책임조각을 다투지 않는 자백
  - 죄명이나 적용법조만을 다투거나 형면제 원인이 되는 사실을 주장 ⇨ 자백(○)
  - 피고인 출석 없이 개정가능한 사건의 경우 대리인이 출석하여 자백 ⇨ 자백(×)
  - 피고인이 법인 or 의사무능력자인 경우 대표자나 법정대리인의 자백 ⇨ 자백(○)
- **간이공판절차 개시결정** : 임의적
- **간이공판절차 취소** : 필요적, 검사의견을 요함
- **간이공판절차 특칙**
  - 증거능력 : 증거능력이 인정되지 않는 전문증거라도 동의간주(∴ 증거능력 인정)
    ▶ 증거능력제한이 완화되는 것 ⇨ 전문법칙에 한함(위법수집증거배제법칙, 자백배제법칙은 그대로 적용)
    ▶ 간이공판절차에서도 증명력제한은 완화되지 않는다(자백보강법칙 그대로 적용).
  - 증거조사방식 : 상당한 방법(제297조의 2)

2 공판절차의 정지와 갱신

(1) 공판절차의 정지

① **의의** : 공판절차의 정지란 심리를 진행할 수 없을 만큼 중대한 사유가 발생한 경우에 법원이 결정으로 그 사유가 없어질 때까지 공판절차를 진행할 수 없도록 하는 것을 말한다(피고인의 방어권을 보장하려는 데 기본취지가 있음). 10. 9급 국가직

② **공판절차 정지사유**

㉠ **피고인의 심신상실과 질병** : 피고인이 사물의 변별이나 의사결정능력이 없는 상태에 있을 때에는 검사와 변호인의 의견을 들어서 결정으로 그 상태가 계속되는 기간 공판절차를 정지하여야 한다(제306조 제1항). 10. 7급 국가직 피고인이 질병으로 출정할 수 없는 때에도 법원은 검사와 변호인의 의견을 들어서 공판절차를 정지하여야 한다. 이들의 경우에 의사의 의견도 들어야 한다(동조 제3항). 15. 9급 법원직 그러나 피고사건에 대하여 무죄·면소·형면제·공소기각의 재판을 할 것이 명백한 때에는 피고인이 심신상실이나 질병상태에 있어도 공판절차를 정지하지 않고 피고인의 출정 없이 재판할 수 있다(동조 제4항). 10. 7급 국가직, 15. 9급 법원직, 21. 경력채용 경미사건(제277조)에 대하여 대리인이 출정할 수 있는 경우에는 공판절차를 정지하지 아니한다(제306조 제5항).

피고인이 질병으로 인하여 출정할 수 없는 때에는, 형사소송법 제277조의 규정에 의하여 대리인이 출정할 수 있는 경우가 아닌 한, 법원은 검사와 변호인의 의견을 들어서 결정으로 출정할 수 있을 때까지 공판절차를 정지하여야 한다. (○) 18. 경찰승진

검사의견을 들어야 할 경우

1. 공판절차의 정지(제306조 제1항 · 제2항)
2. 구속취소(제97조 제2항)
3. 보석허가(제97조 제1항)
4. 구속집행정지(제101조 제2항)
5. 간이공판절차 결정취소(제286조의 3)

㉡ **공소장변경** : 공소장변경이 있는 경우에 피고인의 불이익을 증가할 염려가 있다고 인정한 때에는 법원은 직권 또는 피고인이나 변호인의 청구에 의하여 피고인으로 하여금 필요한 방어준비를 하게 하기 위해 결정으로 공판절차를 정지할 수 있다(제298조 제4항). 10. 순경 1차 · 9급 국가직

직권 또는 청구에 의한 정지

검사와 변호인의 의견을 들을 필요 ×

정지하여야 한다. (×) 15. 9급 법원직, 18. 경찰승진

㉢ **소송절차의 정지에 따른 공판절차 정지** : 다음의 경우는 소송절차가 정지되므로 공판절차를 정지할 수밖에 없다.

ⓐ 기피신청 : 기피신청이 있으면 원칙적으로 소송진행을 정지하여야 한다(제22조). 09. 순경

ⓑ 병합심리신청 등 : 법원은 계속 중인 사건에 관하여 토지관할의 병합심리신청, 09. 순경 1차 관할지정신청, 관할이전신청이 제기된 경우에는 그 신청에 대한 결정이 있을 때까지 소송절차를 정지하여야 한다(규칙 제7조).

ⓒ 재심청구의 경합 : 상고기각의 확정판결과 그 판결에 의하여 확정된 제1심 또는 제2심의 판결에 대하여 각각 재심청구가 있는 경우에 상고법원은 결정으로 제1심법원 또는 항소법원의 소송절차가 종료할 때까지 소송절차를 정지하여야 한다(규칙 제169조 제2항).

ⓓ 위헌법률심판의 제청 : 법원이 법률의 위헌 여부에 관한 심판을 헌법재판소에 제청한 때에는 당해사건의 재판은 헌법재판소의 위헌 여부 결정이 있을 때까지 정지된다(헌법재판소법 제42조 제1항).

지방법원판사가 구속영장 발부단계에서 한 위헌 여부 심판제청도 적법하다(헌재결 1993.3.11, 90헌가70).

③ 공판절차 정지의 절차와 효과

㉠ 공판절차의 정지는 법원의 결정으로 행한다. 공소장변경의 경우에는 법원의 직권 또는 피고인이나 변호인의 청구에 의하여 공판절차를 정지할 수 있으나, 그 이외의 경우는 법원의 직권에 의하여 정지한다.

㉡ 공판절차의 정지결정을 취소하거나 정지기간이 경과한 때에는 법원은 공판절차를 다시 진행하여야 한다. 이 경우에 공판절차의 갱신을 요하는 것은 아니다.

㉢ 기피신청, 공소장변경, 심신상실 및 질병으로 인하여 공판절차가 정지된 기간은 피고인에 대한 구속기간에 산입되지 않는다(제92조 제3항).

관할이전신청에 의한 공판절차 정지기간은 구속기간에 산입된다. (○) 10. 경찰승진

KEY point 공판절차 정지사유

피고인의 심신상실 또는 질병, 공소장변경(임의적), 기피신청, 토지관할의 병합심리신청, 관할의 지정신청, 관할의 이전신청, 재심청구의 경합, 위헌법률심판의 제청 등

(2) 공판절차의 갱신

① **의의** : 공판절차의 갱신이란 공판절차를 진행한 법원이 피고사건에 대해 이미 진행한 공판절차를 무시하고 판결선고 이전에 다시 진행하는 것을 말한다. 상급 법원의 파기환송에 의하여 하급 법원이 다시 공판절차를 진행하는 경우 ⇨ 공판절차 갱신(×) 10. 경찰승진

이송받은 법원(제8조, 제16조의 2)이 공판절차를 다시 진행 ⇨ 공판절차 갱신(×)

구속취소사건에 있어서는 공판절차를 필요로 하는 것이 아니므로 공판절차의 갱신에 관한 형사소송법 제301조는 그 적용이 없고, 따라서 제1심결정에 관여하지 아니한 법관이 항고에 대한 의견서를 첨부하여 항고법원에 송부하였다 하여 직접심리주의에 위배되는 위법이 있다고 할 수 없다(대결 1986.4.30, 86모10).

② **갱신사유**

㉠ **판사의 경질** : 공판개정 후 판사의 경질이 있는 때에는 공판절차를 갱신하여야 한다(제301조 본문). 그러나 내부적으로 이미 재판이 성립하여 판결의 선고만을 기다리고 있는 경우에는 갱신을 요하지 않는다(동조 단서). 12 · 16. 9급 법원직, 14. 순경 2차

판사가 경질되었는데도 공판절차를 갱신하지 아니한 경우 절대적 항소이유가 된다. (○) 12. 9급 법원직

㉡ **간이공판절차의 취소** : 간이공판절차의 결정이 취소된 때에는 공판절차를 갱신하여야 한다(제301조의 2). 다만, 검사와 피고인 또는 변호인의 이의가 없는 때(양측 모두)에는 갱신을 요하지 않는다(동조 단서). 12 · 14. 9급 법원직, 14. 순경 2차

㉢ **심신상실로 인한 공판절차의 정지** : 피고인이 사물변별능력 또는 의사결정능력이 없는 상태에서 공판절차가 정지된 때에는 그 정지사유가 소멸한 후의 공판기일에 공판절차를 갱신하여야 한다(규칙 제143조). 12. 9급 법원직

질병에 의한 정지 ⇨ 갱신 × 14. 순경 2차

㉣ **배심원의 변경** : 새로 참여하는 배심원 또는 예비배심원이 있는 때에는 공판절차를 갱신하여야 한다(국민의 형사재판 참여에 관한 법률 제45조). 11. 9급 법원직, 14. 순경 2차

③ **공판절차 갱신의 절차**

㉠ 재판장은 피고인에게 진술거부권 등을 고지한 후 13. 9급 법원직 인정신문을 하여 피고인임에 틀림없음을 확인하여야 한다(규칙 제144조 제1항 제1호). 05. 법원주사보, 13 · 20. 9급 법원직, 16. 순경 2차, 18. 경찰승진

㉡ 재판장은 검사로 하여금 공소장 또는 공소장변경허가 신청서에 의하여 공소사실 · 죄명 및 적용법조를 낭독하게 하거나 그 요지를 진술하게 하여야 한다(동조 제2호).

㉢ 재판장은 피고인에게 공소사실의 인정 여부 및 정상에 관하여 진술할 기회를 주어야 한다(동조 제3호).

㉣ 재판장은 갱신 전의 공판기일에서의 피고인이나 피고인이 아닌 자의 진술 또는 법원의 검증결과를 기재한 조서에 관하여 증거조사를 하여야 한다(동조 제4호).

㉤ 재판장은 갱신 전의 공판기일에서 증거조사된 서류 또는 물건에 관하여 다시 증거조사를 하여야 한다. 다만, 증거능력이 없다고 인정되는 서류 또는 물건과 증거로 함에 상당하지 아니하다고 인정되고, 검사 피고인 및 변호인이 이의를 하지 아니하는 서류 또는 물건에 대하여는 그러하지 아니하다(동조 제5호).

㉥ 재판장은 이상의 서류 또는 물건에 관하여 증거조사를 함에 있어서 검사, 피고인 및 변호인의 동의가 있는 때에는 그 전부 또는 일부에 관하여 정식의 증거조사방법(제292조, 제292조의 2, 제292조의 3)에 갈음하여 상당하다고 인정하는 방법으로 이를 할 수 있다(규칙 제144조 제2항).

④ **갱신 전 소송행위의 효력**

㉠ **판사갱신의 경우** : 실체형성행위는 다시할 것을 요하지만 절차형성행위는 갱신에 의하여 영향을 받지 않는다고 해야 한다.

㉡ **간이공판절차의 취소** : 간이공판절차에 의한 심리가 부적법하거나 부당한 경우이므로 실체형성행위뿐만 아니라 절차형성행위도 모두 무효로 된다고 본다.

㉢ **심신상실에 의한 공판절차의 정지** : 피고인의 심신상실 때문에 공판절차가 정지된 때에는 이전의 절차에서 행한 행위가 모두 무효였을 가능성이 있고 피고인이 기억하기도 어려워 공판절차를 갱신하는 것이므로 실체형성행위뿐 아니라 절차형성행위 모두 무효가 된다고 봄이 타당하다.

KEY point 공판절차의 갱신사유와 갱신절차

- 공판절차 갱신사유 ⇨ 판사경질, 간이공판절차의 취소, 심신상실 회복, 배심원이나 예비배심원이 새로 참여한 경우('국민참여재판'편에서 서술함).
- 공판절차의 갱신절차(규칙 제144조)

3 변론의 병합 · 분리 · 재개

① 법원은 필요하다고 인정하는 때에는 직권 또는 검사, 피고인이나 변호인의 신청에 의하여 결정으로 변론을 분리하거나 병합할 수 있다(제300조). 변론의 병합이란 수개의 사건이 동일한 법원 내의 동일한 또는 별개의 재판부에 계속되어 있는 경우에 하나의 재판부가 하나의 공판절차에 수개 사건을 병합하여 동시에 심리하는 것을 말하며, 변론의 분리는 병합된 수개의 사건을 분리하여 별개의 절차에서 심리하는 것을 말한다.

사물관할이나 토지관할이 서로 다른 관련사건의 병합심리 · 분리(제6조 이하)와는 구별을 요함.

관련판례

1. 변론병합의 신청이 있는 경우에 변론을 병합하느냐의 여부는 법원의 재량에 속한다(대판 1987.6.23, 87도706). 11. 순경
2. 검사가 다수인의 집합에 의하여 구성되는 집합범이나 2인 이상이 공동하여 죄를 범한 공범의 관계에 있는 피고인들에 대하여 여러 개의 사건으로 나누어 공소를 제기한 경우에, 법원이 변론을 병합하지 아니하였다고 하여 형사소송절차에서의 구두변론주의와 직접심리주의에 위반한 것이라고 볼 수 없다(대판 1990.6.22, 90도764). 24. 9급 법원직

② 법원은 필요하다고 인정하는 때에는 직권 또는 검사, 피고인이나 변호인의 신청에 의하여 결정으로 이미 종결한 변론을 다시 재개할 수 있다(제305조).
변론의 재개란 일단 종결한 변론을 다시 여는 것을 말하며, 변론이 재개되면 검사의 의견진술(제302조) 이전상태로 돌아가게 되므로 필요한 심리를 마치고 다시 변론을 종결한 때에는 검사의 의견진술, 변호인・피고인의 최후진술이 다시 행해지게 된다.

관련판례

1. 종결한 변론을 재개하느냐의 여부는 법원의 재량에 속하는 사항이다(대판 1986.6.10, 86도769). 11. 순경, 24. 변호사시험
2. 적법한 변론종결 후 검사가 변론재개신청과 함께 공소장변경신청을 한 경우, 법원이 반드시 변론을 재개하여 공소장변경을 허가하여야 하는 것은 아니다(대판 2000.4.11, 2000도565). 11. 순경 1차・9급 법원직, 19. 순경 2차
3. 판결선고기일에 변론을 재개하고 바로 검사의 공소장변경허가신청을 허가하여 변경된 공소사실에 대하여 심리를 하고 이에 출석한 피고인과 피고인의 변호인이 별다른 이의를 제기하지 아니한 채 달리 신청할 증거가 없다고 진술함에 따라 피고인 및 피고인의 변호인에게 최종 의견진술의 기회를 부여한 다음 다시 변론을 종결하고, 같은 날 판결을 선고하였다고 하여, 피고인의 방어권을 제약하여 법률에 의한 재판을 받을 권리를 침해하였다고 할 수는 없다(대판 1996.4.9, 96도173).
4. 증거신청의 채택 여부는 법원의 재량으로서 법원이 필요하지 아니하다고 인정할 때에는 이를 조사하지 아니할 수 있는 것이고, 법원이 적법하게 공판의 심리를 종결한 뒤에 피고인이 증인신청을 하였다 하여 반드시 공판의 심리를 재개하여 증인신문을 하여야 하는 것은 아니다(대판 2014.2.27, 2013도12155).
5. 사실심 변론종결 후 검사나 피해자 등에 의해 피고인에게 불리한 새로운 양형조건에 관한 자료가 법원에 제출되었다면, 사실심 법원으로서는 변론을 재개하여 그 양형자료에 대하여 피고인에게 의견진술 기회를 주는 등 필요한 양형심리절차를 거침으로써 피고인의 방어권을 실질적으로 보장해야 한다(대판 2021.9.30, 2021도5777). 23. 경찰승진, 25. 변호사시험

CHAPTER 01

기출문제

01 **간이공판절차에 관한 다음 설명 중 옳지 않은 것은?** 21. 9급 법원직

① 피고인이 공판정에서 공소사실에 대하여 자백한 경우 법원은 간이공판절차에 의하여 심판할 것을 결정할 수 있다. 피고인이 여러 개의 공소사실 중 일부는 자백하고 나머지를 부인하는 경우에는 그 자백부분에 한하여 간이공판절차로 심리할 수 있다.

② 간이공판절차는 공판절차를 간이화함으로써 소송경제와 재판의 신속을 기하고자 하는 제도로서, 중죄에 해당하는 합의부 심판사건에는 적용되지 않는다.

③ 간이공판절차에 있어서는 전문법칙이 적용되는 증거에 대하여 형사소송법 제318조의 동의가 있는 것으로 간주한다.

④ 법원은 피고인의 자백이 신빙할 수 없다고 인정되거나 간이공판절차로 심판하는 것이 현저히 부당하다고 인정할 때에는 검사의 의견을 들어 그 결정을 취소하여야 한다.

해설 ① 제286조의 2
② 합의부사건도 간이공판절차에 의해 심판할 수 있다(제286조의 2).
③ 제318조의 3
④ 제286조의 3

02 **간이공판절차에 대한 설명으로 옳지 않은 것은?** 21. 9급 검찰 · 마약 · 교정 · 보호 · 철도경찰

① 피고인이 공판정에서 공소사실에 대하여 자백한 때에는 법원은 그 공소사실에 한하여 간이공판절차에 의하여 심판할 것을 결정할 수 있다.

② 법원은 간이공판절차에 의하여 심판할 것을 결정한 사건에 대하여 피고인의 자백이 신빙할 수 없다고 인정되거나 간이공판절차로 심판하는 것이 현저히 부당하다고 인정할 때에는 검사의 의견을 들어 그 결정을 취소하여야 한다.

③ 간이공판절차 개시결정이 있는 경우 전문법칙이 적용되는 증거에 대하여 동의가 있는 것으로 간주되므로 피고인 또는 변호인은 이를 증거로 함에 이의를 제기할 수 없다.

④ 간이공판절차 개시결정이 취소된 때에는 공판절차를 갱신하여야 하지만 검사, 피고인 또는 변호인이 이의가 없는 때에는 그러하지 아니하다.

해설 ① 제286조의 2
② 제286조의 3
③ 간이공판절차 개시결정이 있는 경우 전문법칙이 적용되는 증거에 대하여 동의가 있는 것으로 간주한다. 다만, 검사, 피고인 또는 변호인의 이의가 있는 때에는 그러하지 아니하다(제318조의 3). 따라서 동의간주에 대하여 이의를 제기할 수 있다.
④ 제301조의 2

Answer 01. ② 02. ③

03 간이공판절차에 대한 설명으로 가장 적절하지 않은 것은?(다툼이 있는 경우 판례에 의함) **22. 경찰승진**

① 간이공판절차의 결정이 요건인 '공소사실의 자백'이란 공소장 기재사실을 인정하고 나아가 위법성이나 책임조각사유가 되는 사실을 진술하지 아니하는 것으로 충분하고, 명시적으로 유죄를 자인하는 진술이 있어야 하는 것은 아니다.

② 피고인이 공소사실에 대하여 검사가 신문을 할 때에는 공소사실을 모두 사실과 다름 없다고 진술하였으나 변호인이 신문을 할 때에는 범의나 공소사실을 부인하였다면 그 공소사실은 간이공판절차에 의하여 심판할 대상이 아니다.

③ 간이공판절차에 따라 제1심법원이 제1심판결 명시의 증거들을 증거로 함에 피고인 또는 변호인의 이의가 없어 형사소송법 제318조의 3의 규정에 따라 증거능력이 있다고 보고 상당하다고 인정하는 방법으로 증거조사를 하였더라도, 피고인이 항소심에 이르러 범행을 부인하였다면 제1심법원에서 증거로 할 수 있었던 증거는 항소법원에서 증거로 할 수 없다.

④ 간이공판절차의 증거조사에서 증거방법을 표시하고 증거조사 내용을 '증거조사함'이라고 표시하는 방법으로 하였다면, 이는 법원이 채택한 상당한 증거조사방법이라고 인정할 수 있다.

해설 ① 대판 1987.8.18, 87도1269 ② 대판 1998.2.27, 97도3421
③ 항소심에 이르러 범행을 부인하였다고 하더라도 제1심법원에서 증거로 할 수 있었던 증거는 항소법원에서도 증거로 할 수 있는 것이므로 제1심법원에서 이미 증거능력이 있었던 증거는 항소심에서도 증거능력이 그대로 유지되어 심판의 기초가 될 수 있고 다시 증거조사를 할 필요가 없다(대판 2005.3.11, 2004도8313).
④ 대판 1980.4.22, 80도333

04 간이공판절차에 관한 설명으로 가장 적절하지 않은 것은?(다툼이 있는 경우 판례에 의함) **24. 경찰승진**

① 법원은 간이공판절차로 심판하는 것이 현저히 부당하다고 인정할 때에는 검사의 의견을 들어 간이공판절차의 개시결정을 취소해야 한다.

② 간이공판절차로 진행된 제1심법원에서 증거로 할 수 있었던 증거는 항소법원에서 증거로 할 수 있으므로 제1심법원에서 이미 증거능력이 있었던 증거는 항소심에서도 증거능력이 그대로 유지되어, 항소심에서 피고인의 범행을 부인하더라도 다시 증거조사를 할 필요가 없다.

③ 간이공판절차는 피고인이 공판정에서 자백하는 경우에 증거조사를 간편하게 하고 증거능력의 제한을 완화하여 심리를 신속하게 진행하는데 그 의의가 있으며, 이에 따라 위법수집증거배제법칙을 제외한 전문법칙이나 자백배제법칙에 의한 증거능력의 제한은 완화되어 적용된다.

④ 간이공판절차 개시결정이 있는 경우 전문법칙이 적용되는 증거에 대하여 동의가 있는 것으로 간주되지만, 피고인 또는 변호인은 이를 증거로 함에 이의를 제기할 수 있다.

해설 ① 제286조의 3 ② 대판 2005.3.11, 2004도8313
③ 간이공판절차는 증거조사 간이화와 전문법칙 적용 완화의 특칙 이외는 일반 공판절차와 동일하다. 따라서 위법수집증거배제법칙, 자백배제법칙, 자백보강법칙 등은 그대로 적용된다.
④ 제318조의 3

Answer 03. ③ 04. ③

05 공판절차의 정지에 대한 설명 중 가장 적절하지 않은 것은?(다툼이 있는 경우 판례에 의함)

18. 경찰승진

① 법원은 공소사실의 변경이 피고인의 불이익을 증가할 염려가 있다고 인정한 때에는 직권 또는 피고인이나 변호인의 청구에 의하여 피고인으로 하여금 필요한 방어의 준비를 하게 하기 위하여 결정으로 필요한 기간 공판절차를 정지하여야 한다.

② 피고인이 질병으로 인하여 출정할 수 없는 때에는, 형사소송법 제277조의 규정에 의하여 대리인이 출정할 수 있는 경우가 아닌 한, 법원은 검사와 변호인의 의견을 들어서 결정으로 출정할 수 있을 때까지 공판절차를 정지하여야 한다.

③ 피고인이 사물의 변별 또는 의사의 결정을 할 능력이 없는 상태에 있는 때에는, 형사소송법 제277조의 규정에 의하여 대리인이 출정할 수 있는 경우가 아닌 한, 법원은 검사와 변호인의 의견을 들어서 결정으로 그 상태가 계속하는 기간 공판절차를 정지하여야 한다.

④ 피고인이 질병으로 출정할 수 없더라도 피고사건에 대하여 형의 면제 또는 공소기각의 재판을 할 것으로 명백한 때에는 피고인의 출정 없이 재판할 수 있다.

해설 ① 법원은 공소사실의 변경이 피고인의 불이익을 증가할 염려가 있다고 인정한 때에는 직권 또는 피고인이나 변호인의 청구에 의하여 공판절차를 정지할 수 있다(제298조 제4항).
②③④ 제306조

06 간이공판절차에 대한 설명으로 옳지 않은 것은?

24. 7급 국가직

① 피고인이 공소사실에 대하여 검사가 신문을 할 때에는 공소사실 모두 사실과 다름없다고 진술하였으나 변호인이 신문을 할 때에는 범의나 공소사실을 부인한 경우에 그 공소사실은 간이공판절차에 의하여 심판할 대상이 아니다.

② 간이공판절차 결정의 요건인 공소사실의 자백이라 함은 공소장 기재사실을 인정하고 나아가 위법성이나 책임조각사유가 되는 사실을 진술하지 아니하는 것으로 충분하고 명시적으로 유죄를 자인하는 진술을 하여야 하는 것은 아니다.

③ 법원이 간이공판절차에 의하여 심판할 것으로 결정한 것에 대해 검사 또는 피고인, 변호인은 항고할 수 있다.

④ 단독판사 관할사건 뿐만 아니라 합의부 관할사건도 간이공판절차에 의한 심판이 가능하다.

해설 ① 대판 1998.2.27, 97도3421
② 대판 1981.11.24, 81도2422
③ 법원이 간이공판절차에 의하여 심판할 것으로 결정한 것에 대해 검사 또는 피고인, 변호인은 항고할 수 없다(제403조 제1항 참조).
④ 제286조의 2 참조

PART 04

Answer 05. ① 06. ③

제8절 국민참여재판절차

1 도입배경과 특징

(1) 도입배경

사법의 민주적 정당성을 강화하고 투명성을 높임으로써 국민으로부터 신뢰받는 사법제도를 확립하기 위하여 국민이 배심원으로서 형사재판에 참여하는 국민참여재판제도가 도입되었다(국민의 형사재판 참여에 관한 법률 2008. 1. 1. 시행).

- 우리 헌법상 헌법과 법률이 정한 법관에 의한 재판을 받을 권리는 직업법관에 의한 재판을 주된 내용으로 하는 것이므로 국민참여재판을 받을 권리가 헌법 제27조 제1항에서 규정한 재판을 받을 권리의 보호범위에 속한다고 볼 수 없다(헌재결 2009.11.26, 2008헌바12). 16. 9급 검찰·마약·교정·보호·철도경찰, 13·19·24. 경찰승진
- 국민참여재판을 받을 권리는 우리 헌법상 기본권으로서 보호될 수는 없지만, 사법의 민주적 정당성과 신뢰를 높이기 위해 국민참여재판 제도를 도입한 취지와 국민참여재판을 받을 권리를 명시하고 있는 재판참여법의 내용에 비추어 볼 때, 재판참여법에서 정하는 대상 사건에 해당하는 한 피고인은 원칙적으로 국민참여재판으로 재판을 받을 법률상 권리를 가진다고 할 것이고, 이러한 형사소송절차상의 권리를 배제함에 있어서는 헌법에서 정한 적법절차원칙을 따라야 할 것이다(헌재결 2014.1.28, 2012헌바298). 18. 7급 국가직

(2) 특 징

새로이 도입된 우리나라의 국민참여재판은 배심제와 참심제 중 어느 한 제도를 그대로 도입하지 아니하고 양 제도를 적절히 혼합하였을 뿐 아니라, 우리의 현실을 고려하여 양 제도에 일정한 수정을 가하였다는 점에 특색이 있다.

용어 해설 **배심제와 참심제**

1. **배심제** : 일반국민으로 구성된 배심원이 재판에 참여하여 직업법관으로부터 독립하여 유·무죄의 판단에 해당하는 평결을 내리고, 법관은 그 평결에 기속되는 제도를 말한다.
2. **참심제** : 일반국민인 참심원이 직업법관과 함께 재판부의 일원으로 참여하여 직업법관과 동등한 권한을 가지고 사실문제 및 법률문제를 판단하는 제도를 말한다. 따라서 참심원은 사실의 인정, 법령의 적용 및 형의 양정에 있어서 법관과 동일한 표결권한을 행사하게 된다.

현행법상 배심제적 요소와 참심제적 요소

배심제적 요소	참심제적 요소
• 평결의 만장일치(동법 제46조 제2항) • 양형에 관한 의견만을 개진(동조 제3항)	• 만장일치 평결에 이르지 못한 경우에 법관의 의견을 들어 다수결 평결(동법 제46조 제3항) • 배심원의 양형에 관하여 토의(동조 제4항)

2 절차진행 개요

모든 사건이 배심원이 참여하는 재판절차로 진행되는 것은 아니고, 국민의 형사재판 참여에 관한 법률에서 규정하고 있는 범죄사건에 대하여 피고인이 원하는 경우에 한하며, 14. 9급 법원직 피고인이 공소사실을 인정하고 있는가의 여부는 문제되지 아니한다. 원하지 않거나 또는 법원의 배제결정, 통상절차 회부결정이 있는 경우에는 통상의 재판절차에 의해 진행하게 된다(국민의 형사재판 참여에 관한 법률 제5조 제2항, 제11조 제1항). 23. 경찰승진

절차개요도

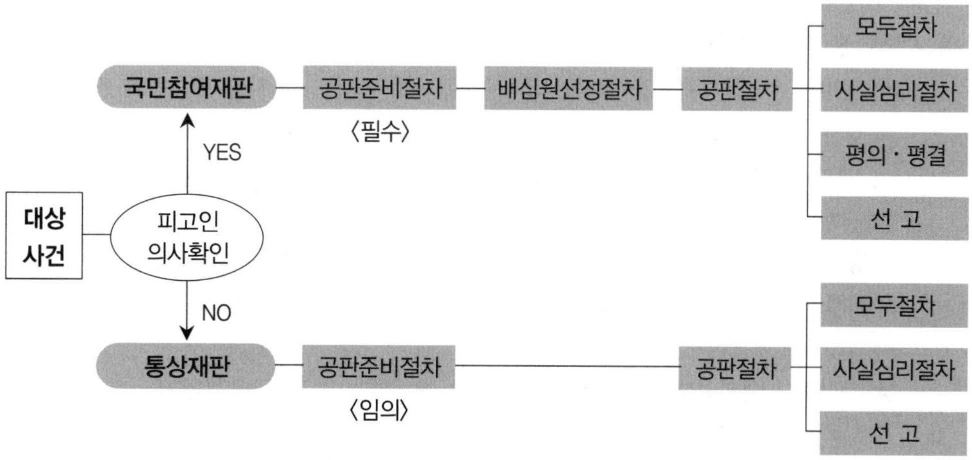

대상사건 — 피고인 의사확인

- YES → 국민참여재판 — 공판준비절차 〈필수〉 — 배심원선정절차 — 공판절차 — 모두절차 / 사실심리절차 / 평의·평결 / 선 고
- NO → 통상재판 — 공판준비절차 〈임의〉 — 공판절차 — 모두절차 / 사실심리절차 / 선 고

3 대상사건 및 관할

(1) 대상사건

다음 각 호에 정하는 사건을 국민참여재판의 대상사건으로 한다(국민의 형사재판 참여에 관한 법률 제5조).

제1호 : 법원조직법 제32조 제1항에 따른 합의부 관할 사건
▶ 동법 제1항 제2호(민사사건에 관하여는 대법원규칙으로 정하는 사건) 및 제5호(지방법원판사에 대한 제척·기피사건)는 제외한다.
제2호 : 제1호에 해당하는 사건의 미수죄·교사죄·방조죄·예비죄·음모죄에 해당하는 사건
제3호 : 제1호 또는 제2호에 해당하는 사건과 관련사건(제11조)으로서 병합하여 심리하는 사건

☗ 종래까지는 국민참여재판 대상 사건의 죄명을 법률에 직접 규정하고 일정한 범위를 정하여 대법원규칙에 위임하는 이원적 방식을 취하고 있었으나, 개정법은 법원의 재판에 건전한 국민의 상식을 반영하고 사법신뢰의 향상을 위하여 국민참여재판 대상 사건을 법원조직법 제32조 제1항에 따른 합의부 관할사건으로 확대하였다(2012. 7. 1. 시행).
☗ 합의부사건으로의 제한은 무죄추정원칙과 무관하며, 평등권을 침해하지 아니한다(헌재결 2015.7.30, 2014헌바447). 13. 경찰승진

국민의 형사재판 참여에 관한 법률이 개정(2012. 1. 17)되면서 제5조 제1항에서 합의부에서 심판하기로 하는 결정을 거친 사건도 국민참여재판의 대상 사건에 포함되는 것으로 바뀌었으나, 위 법률 부칙에서 위 법률의 시행일인 2012. 7. 1. 후에 최초로 공소를 제기하는 사건부터 이를 적용하도록 명시하고 있으므로 합의부에서 심판하기로 하는 결정을 거친 사건이라도 2012. 7. 1. 이전에 공소 제기된 사건은 국민참여재판의 대상 사건에 포함되지 않는다(대판 2014.6.12, 2014도1894).

(2) 관 할

① **참여심급** : 국민의 참여재판은 제1심절차(지방법원 본원 합의부, 지방법원 지원 합의부사건)에 한한다. 14. 경찰간부

제2심, 제3심에서는 국민참여재판 ×

② **지방법원 지원 관할사건의 특례**

㉠ 피고인이 국민참여재판을 원하는 표시를 한 경우 지방법원 지원 합의부가 배제결정(국민의 형사재판 참여에 관한 법률 제9조)을 하지 아니한 경우에는 국민참여재판 회부결정을 하여 사건을 지방법원 본원 합의부로 이송하여야 한다(동법 제10조 제1항). 14. 변호사시험 · 9급 법원직

㉡ 지방법원 지원 합의부가 심판권을 가지는 사건 중 지방법원 지원 합의부가 국민참여재판회부결정을 한 사건에 대해서는 지방법원 본원 합의부가 관할권을 가진다(동법 제10조 제2항).

지방법원 지원은 규모가 작아 상당수의 지원에는 합의부가 1개 정도밖에 없을 뿐 아니라 민사 · 형사 · 가사 등 모든 사건을 함께 처리하고 있어 지방법원 지원에서 국민참여재판을 시행하기 어려운 측면이 있고, 그렇다고 지방법원 지원 관할사건을 국민참여재판에서 배제시키게 되면 형평성이라는 측면에서 문제가 있을 수 있기 때문에 그 절충으로 지방법원 본원으로 이송시켜 처리하도록 하는 것으로 보인다.

③ **공소장변경에 의한 경우** : 공소사실의 일부 철회 또는 변경으로 인하여 대상사건에 해당하지 아니하게 된 경우에도 이 법에 따른 재판을 계속 진행한다. 12. 변호사시험 · 순경, 12 · 13. 경찰승진, 13. 순경 2차, 16. 9급 법원직, 17. 9급 검찰 · 마약 · 교정 · 보호 · 철도경찰, 14 · 16 · 22. 경찰간부, 24. 소방간부 다만, 법원은 심리의 상황이나 그 밖의 사정을 고려하여 국민참여재판으로는 진행하는 것이 적당하지 아니하다고 인정하는 때에는 당해 사건을 지방법원 본원 합의부가 국민참여재판에 의하지 아니하고 심판하게 할 수 있다. 15. 순경 3차 이 결정에 대해서는 불복할 수 없으며, 12 · 15. 순경 3차, 17. 순경 2차 결정 전에 행한 소송행위는 그 결정 후에도 효력에 영향이 없다(동법 제6조). 15. 순경 3차

4 필요적 국선변호

국민참여재판에 관하여 변호인이 없는 때에는 법원은 직권으로 변호인을 선임하여야 한다(국민의 형사재판 참여에 관한 법률 제7조). 09. 순경, 17. 9급 법원직, 16 · 18. 경찰간부, 22. 9급 교정 · 보호 · 철도경찰

5 배심절차 또는 통상절차의 회부

(1) 피고인의 선택권

① 법원은 대상사건의 피고인에 대하여 국민참여재판을 원하는지 여부에 관한 의사를 서면 등의 방법으로 반드시 확인하여야 한다(국민의 형사재판 참여에 관한 법률 제8조 제1항). 12. 변호사시험, 13. 경찰승진·7급 국가직·순경, 15. 9급 법원직, 17. 순경 2차

국민참여재판을 원하는지에 대한 의사확인은 반드시 서면에 의하여야 한다. (×)
의사를 확인할 수 없는 경우에 법원은 심문기일을 정하여 피고인을 심문하거나 서면 기타 상당한 방법으로 확인가능(규칙 제4조 제1항)

국민참여재판을 원하는지 여부에 대한 피고인의 의사 ⇨ 서면

관련판례

법원에서 피고인이 국민참여재판을 원하는지에 관한 의사 확인절차를 거치지 아니한 채 통상의 공판절차로 재판을 진행하였다면, 이는 피고인의 국민참여재판을 받을 권리에 대한 중대한 침해로서 그 절차는 위법하고 이러한 위법한 공판절차에서 이루어진 소송행위도 무효라고 보아야 한다(대판 2012.4.26, 2012도1225). 13. 순경, 20. 9급 법원직, 22. 7급 국가직, 24. 경찰승진·9급 검찰·마약·교정·보호·철도경찰

▶ **비교판례**: 제1심법원이 국민참여재판의 대상이 되는 사건임을 간과하여 이에 관한 피고인의 의사를 확인하지 아니한 채 통상의 공판절차로 재판을 진행하였더라도, 피고인이 항소심에서 국민참여재판을 원하지 아니한다고 하면서 위와 같은 제1심의 절차적 위법을 문제삼지 아니할 의사를 명백히 표시하는 경우에는 하자가 치유되어 제1심 공판절차는 전체로서 적법하게 된다고 보아야 한다. 다만, 제1심 공판절차의 하자가 치유된다고 보기 위해서는 피고인에게 국민참여재판절차 등에 관한 충분한 안내가 이루어지고 그 희망 여부에 관하여 숙고할 수 있는 상당한 시간이 사전에 부여되어야 한다(대판 2012.6.14, 2011도15484). 16. 7급 국가직, 13·17. 순경 2차, 14·20. 9급 법원직, 18·22. 경찰간부, 21. 9급 검찰·마약수사, 24. 소방간부

② 피고인은 공소장부본을 송달받은 날부터 7일 이내에 국민참여재판을 원하는지 여부에 관한 의사가 기재된 서면을 제출하여야 한다. 11. 경찰승진·7급 국가직, 11·13. 순경 이 경우 피고인이 서면을 우편으로 발송한 때, 교도소 또는 구치소에 있는 피고인이 서면을 교도소장·구치소장 또는 그 직무를 대리하는 자에게 제출한 때에 법원에 제출한 것으로 본다(동조 제2항). 20. 9급 법원직 서면에는 피고인의 성명 기타 피고인을 특정지을 수 있는 사항, 사건번호, 피고인이 국민참여재판을 원하는지의 여부 등을 기재하고 기명날인 또는 서명하여야 한다(국민의 형사재판 참여에 관한 규칙 제3조 제2항).

관련판례

1. 국민참여재판 대상사건을 피고인의 의사에 따라 국민참여재판으로 진행함에 있어 별도의 국민참여재판 개시결정을 할 필요는 없고, 22. 해경간부 그에 관한 이의가 있어 제1심법원이 국민참여재판으로 진행하기로 하는 결정에 이른 경우 이 결정에 대하여는 항고할 수 없다. 14·21. 9급 검찰·마약수사, 18. 변호사시험, 20. 9급 법원직 따라서 국민참여재판으로 진행하기로 하는 제1심법원의 결정에 대한 항고는 항고의 제기가 법률상의 방식을 위반한 때에 해당하여 위 결정을 한 법원이 항고를 기각하여야 한다(대결 2009.10.23, 2009모1032). 16. 변호사시험, 19. 경찰승진

2. 공소장부본을 송달받은 날부터 7일 이내에 의사확인서를 제출하지 아니한 피고인도 제1회 공판기일이 열리기 전까지는 국민참여재판 신청을 할 수 있고, 법원은 그 의사를 확인하여 국민참여재판으로 진행할 수 있다고 봄이 상당하다(대결 2009.10.23, 2009모1032). 13 · 17. 순경 2차, 15 · 18. 경찰간부, 16 · 23. 9급 법원직 · 9급 검찰 · 마약 · 교정 · 보호 · 철도경찰, 13 · 24. 7급 국가직, 13 · 19 · 24. 경찰승진

---

③ 피고인이 서면을 제출하지 아니한 때에는 국민참여재판을 원하지 아니하는 것으로 본다(동법 제8조 제3항). 09. 순경

④ 피고인으로부터 법원에 서면이 제출된 때에는 법원은 검사에게 그 취지와 서면의 내용을 통지하여야 하고, 통지는 서면의 사본의 송달 이외에 전화, 모사전송, 전자우편 그 밖에 상당한 방법에 의하여 할 수 있다(동규칙 제3조 제3항 · 제4항).

⑤ 피고인이 제출한 서면만으로는 피고인의 의사를 확인할 수 없는 경우에는 법원은 심문기일을 정하여 피고인을 심문하거나 서면 기타 상당한 방법으로 피고인의 의사를 확인하여야 한다. 피고인이 위 서면을 제출하지 아니한 경우에도 법원은 위와 같은 방법으로 피고인의 의사를 확인할 수 있다(동규칙 제4조 제1항).

⑥ 피고인은 배제결정(동법 제9조 제1항) 또는 회부결정(제10조 제1항)이 있거나 공판준비기일이 종결되거나 제1회 공판기일이 열린 이후에는 종전의 의사를 바꿀 수 없다(동법 제8조 제4항). 23. 9급 법원직

(2) 배제결정 및 통상절차회부

① 배제결정

㉠ 법원은 공소제기 후부터 공판준비기일이 종결된 다음 날까지(종결한 날 ×) 11. 순경, 11 · 17. 경찰승진, 22. 해경승진 다음 사유 중 하나에 해당한 때에는 국민참여재판을 하지 아니하기로 하는 결정을 할 수 있다(국민의 형사재판 참여에 관한 법률 제9조 제1항).

배제결정사유

1. 배심원 · 예비배심원 · 배심원후보자 또는 그 친족의 생명 · 신체 · 재산에 대한 침해 또는 침해의 우려가 있어서 출석의 어려움이 있거나 이 법에 따른 직무를 공정하게 수행하지 못할 염려가 있다고 인정되는 경우
2. 공범관계에 있는 피고인들 중 일부가 국민참여재판을 원하지 아니하여 국민참여재판의 진행에 어려움이 있다고 인정되는 경우 12. 변호사시험, 13. 경찰승진, 15. 순경 3차, 22. 경찰간부, 24. 7급 국가직
3. 성폭력범죄의 처벌 등에 관한 특례법 제2조의 범죄로 인한 피해자 또는 법정대리인이 국민참여재판을 원하지 아니하는 경우 24. 9급 검찰 · 마약 · 교정 · 보호 · 철도경찰
4. 그 밖에 국민참여재판으로 진행하는 것이 적절하지 아니하다고 인정되는 경우

관련판례

1. 피고인이 법원에 국민참여재판을 신청하였는데도 법원이 이에 대한 배제결정도 하지 않은 채 통상의 공판절차로 재판을 진행하는 것은 피고인의 국민참여재판을 받을 권리 및 법원의 배제결정에

대한 항고권 등 중대한 절차적 권리를 침해한 것으로서 위법하고, 국민참여재판제도의 도입취지나 위 법에서 배제결정에 대한 즉시항고권을 보장한 취지 등에 비추어 이와 같이 위법한 공판절차에서 이루어진 소송행위는 무효라고 보아야 한다. 이러한 제1심법원의 위법에 대해 제2심법원도 아무런 판단을 하지 아니한 경우에 대법원은 제1심·제2심판결을 모두 파기하고 제1심법원에 환송하여야 한다(대판 2011.9.8, 2011도7106). 16. 변호사시험, 18. 경찰간부, 22. 9급 교정·보호·철도경찰, 23. 9급 법원직, 13·24. 7급 국가직

2. 성폭력범죄 피해자에게 인격이나 명예 손상, 사생활에 관한 비밀의 침해, 성적 수치심, 공포감 유발 등과 같은 추가적인 피해가 발생할 수 있음을 고려하여 성폭력범죄 피해자나 법정대리인이 국민참여재판을 원하지 아니하는 경우 이를 반영하여 법원이 재량으로 국민참여재판을 하지 아니하기로 하는 결정을 할 수 있도록 한 것이다. 국민참여재판 배제결정을 하기 위해서는 성폭력범죄 피해자나 법정대리인이 국민참여재판을 원하지 아니하는 구체적인 이유가 무엇인지, 피고인과 피해자의 관계, 피해자의 나이나 정신상태, 국민참여재판을 할 경우 형사소송법과 성폭력범죄의 처벌 등에 관한 특례법 및 아동·청소년의 성보호에 관한 법률 등에서 피해자 보호를 위해 마련한 제도를 활용하더라도 피해자에 대한 추가적인 피해를 방지하기에 부족한지 등 여러 사정을 고려하여 신중하게 판단하여야 한다. 따라서 이러한 사정을 고려함이 없이 성폭력범죄 피해자나 법정대리인이 국민참여재판을 원하지 아니한다는 이유만으로 국민참여재판 배제결정을 하는 것은 바람직하다고 할 수 없다(대결 2016.3.16, 2015모2898). 17. 경찰간부

ⓛ 법원은 배제결정을 하기 전에 검사·피고인 또는 변호인의 의견을 들어야 한다(동조 제2항). 09. 순경

ⓒ 배제결정을 하기 전에 기간을 정하여 검사, 피고인 또는 변호인에게 배제결정에 관한 의견을 제출하도록 통지하여야 한다(국민의 형사재판 참여에 관한 규칙 제6조 제1항).

ⓓ 배제결정에 관한 의견은 서면으로 제출되어야 한다. 단, 심문기일이나 공판준비기일을 연 경우에는 구술로 할 수 있다(동규칙 제6조 제2항).

ⓔ 배제결정에 대하여는 즉시항고를 할 수 있다(국민의 형사재판 참여에 관한 법률 제9조 제3항). 11. 순경·7급 국가직, 15. 순경 3차, 20. 9급 법원직·9급 검찰·마약·교정·보호·철도경찰

② 통상절차회부

ⓖ 법원은 피고인의 질병 등으로 공판절차가 장기간 정지되거나 피고인에 대한 구속기간의 만료, 성폭력범죄 피해자의 보호, 그 밖에 심리의 제반사정에 비추어 국민참여재판을 계속 진행하는 것이 부적절하다고 인정하는 경우에는 직권 또는 검사·피고인·변호인이나 성폭력범죄 피해자 또는 법정대리인의 신청에 따라 결정으로 사건을 지방법원 본원 합의부가 국민참여재판에 의하지 아니하고 심판하게 할 수 있다(국민의 형사재판 참여에 관한 법률 제11조 제1항). 12. 변호사시험, 13. 경찰승진, 17. 경찰간부

ⓐ 검사·피고인·변호인이나 성폭력범죄의 피해자 또는 법정대리인이 통상절차회부 신청을 하는 때에는 그 사유를 적은 신청서를 제출하여야 한다(국민의 형사재판 참여에 관한 규칙 제8조 제1항).

ⓑ 법원은 통상절차회부 신청이 있는 때에는 그 취지를 신청을 하지 아니한 검사·피고인 또는 변호인에게 통지하여야 한다(동규칙 제8조 제2항).

ⓒ 통상절차회부 신청의 취지통지는 서면사본의 송달 외에 전화, 모사전송, 전자우편 그 밖에 상당한 방법으로 이를 할 수 있다(동규칙 제8조 제3항).

ⓓ 통상절차회부 신청을 하지 아니한 검사·피고인 또는 변호인은 통상절차회부 신청의 취지통지를 받은 날부터 3일 이내에 의견서를 법원에 제출하여야 한다(동규칙 제8조 제4항).

ⓔ 검사·피고인·변호인이나 성폭력범죄 피해자 또는 법정대리인은 공판준비기일 또는 공판기일에 구술로 통상회부신청을 할 수 있다. 이 경우 법원사무관 등은 통상회부 신청의 취지와 그 사유의 요지를 공판준비기일 또는 공판기일 조서에 기재하여야 하고, 출석하지 아니한 검사·피고인 또는 변호인에게 조서의 등본을 송달하여야 한다(동규칙 제8조 제5항).

㉡ 법원은 통상절차회부결정을 하기 전에 검사·피고인 또는 변호인의 의견을 들어야 한다(국민의 형사재판 참여에 관한 법률 제11조 제2항).

㉢ 법원의 통상절차회부결정에 대하여는 불복할 수 없다(동조 제3항).

㉣ 통상절차회부결정이 있는 경우에는 당해 재판에 참여한 배심원과 예비배심원은 해임된 것으로 보며 통상절차 회부결정 전에 행한 소송행위는 그 결정 이후에도 효력에 영향이 없다(동조 제4항). 15. 순경 3차

6 배심원

(1) 배심원의 권한과 의무

① 배심원은 국민참여재판을 하는 사건에 관하여 사실의 인정, 법령의 적용 및 형의 양정에 관하여 의견을 제시할 권한이 있다(국민의 형사재판 참여에 관한 법률 제12조 제1항). 23. 경찰승진

② 배심원은 법령을 준수하고 독립하여 성실히 직무를 수행하여야 한다(동조 제2항).

③ 배심원은 직무상 알게 된 비밀을 누설하거나 재판의 공정을 해하는 행위를 하여서는 안 된다(동조 제3항).

(2) 배심원의 수

① 법정형이 사형·무기징역 또는 무기금고에 해당하는 대상사건에 대한 국민참여재판에는 9인의 배심원이 참여하고, 그 외의 대상사건에 대한 국민참여재판에는 7인의 배심원이 참여한다. 다만, 법원은 피고인 또는 변호인이 공판준비절차에서 공소사실의 주요내용을 인정한 때에는 5인의 배심원이 참여하게 할 수 있다(국민의 형사재판 참여에 관한 법률 제13조 제1항). 10. 순경, 16. 순경 2차

② 법원은 사건의 내용에 비추어 특별한 사정이 있다고 인정되고 검사·피고인 또는 변호인의 동의가 있는 경우에 한하여 결정으로 배심원의 수를 7인과 9인 중에서 제1항과 달리 정할 수 있다(동조 제2항).

③ 법원은 배심원의 결원 등에 대비하여 5인 이내의 예비배심원을 둘 수 있다(동법 제14조 제1항).
④ 이 법에서 정하는 배심원에 대한 사항은 그 성질에 반하지 아니하는 한 예비배심원에 대하여 준용한다(동조 제2항).

(3) 배심원의 자격요건

① **배심원의 연령** : 대한민국 국적을 가진 만 20세 이상인 자 중에서 동법이 정하는 바에 따라 선정한다(동법 제16조). 10. 순경, 12. 변호사시험, 22. 9급 교정·보호·철도경찰
② **배심원이 될 수 없는 사유** : 배심원의 업무수행의 난이도 및 공공성을 고려하고 공정한 재판을 담보할 수 있도록 하기 위하여 배심원으로 선정될 수 없는 사유를 결격사유, 직업에 의한 제외사유, 제척사유, 면제사유 등으로 구분하여 규정하고 있다.

PART 04

구분	내용
결격사유 (제17조)	다음의 어느 하나에 해당하는 사람은 배심원으로 선정될 수 없다. 11. 경찰승진 • 피성년후견인 또는 피한정후견인 11. 경찰승진 • 파산자로서 복권되지 아니한 사람 11. 경찰승진, 15. 9급 법원직 • 금고 이상의 실형을 선고받고 그 집행이 종료(종료된 것으로 보는 경우를 포함)되거나 집행이 면제된 후 5년을 경과하지 아니한 사람 17. 경찰승진, 22. 해경승진 • 금고 이상의 형의 집행유예를 선고받고 그 기간이 완료된 날부터 2년을 경과하지 아니한 사람 14. 경찰승진, 15. 순경 3차, 16. 순경 2차, 24. 소방간부 • 금고 이상의 형의 선고유예를 받고 그 선고유예기간 중에 있는 사람 • 법원의 판결에 의하여 자격이 상실 또는 정지된 사람 11. 경찰승진
직업에 따른 제외사유 (제18조)	다음의 어느 하나에 해당하는 사람을 배심원으로 선정하여서는 아니 된다. 10. 순경 • 대통령 • 국회의원·지방자치단체의 장 및 지방의회의원 16. 순경 2차 • 입법부·사법부·행정부·헌법재판소·중앙선거관리위원회·감사원의 정무직 공무원 • 법관·검사 • 변호사·법무사 • 법원·검찰 공무원 • 경찰·교정·보호관찰 공무원 • 군인·군무원·소방공무원 또는 '예비군법'에 따라 동원되거나 교육훈련의무를 이행 중인 예비군
제척사유 (제19조)	다음의 어느 하나에 해당하는 사람은 당해사건의 배심원으로 선정될 수 없다. • 피해자 • 피고인 또는 피해자의 친족이나 이러한 관계에 있었던 사람 • 피고인 또는 피해자의 법정대리인 • 사건에 관한 증인·감정인·피해자의 대리인 • 사건에 관한 피고인의 대리인·변호인·보조인 • 사건에 관한 검사 또는 사법경찰관의 직무를 행한 사람 • 사건에 관하여 전심재판 또는 그 기초가 되는 조사·심리에 관여한 사람

면제사유 (제20조)	법원은 직권 또는 신청에 따라 다음의 어느 하나에 해당하는 사람에 대하여 배심원 직무의 수행을 면제할 수 있다(면제하여야 한다. ×). 11. 경찰승진 • 만 70세 이상인 사람 10. 순경, 11 · 14. 경찰승진 • 과거 5년 이내에 배심원후보자로서 선정기일에 출석한 사람 12. 순경, 11 · 14. 경찰승진 • 금고 이상의 형에 해당하는 죄로 기소되어 사건이 종결되지 아니한 사람 10. 순경, 11 · 14. 경찰승진 • 법령에 따라 체포 또는 구금되어 있는 사람 11 · 14. 경찰승진 • 배심원 직무의 수행이 자신이나 제3자에게 위해를 초래하거나 직업상 회복할 수 없는 손해를 입게 될 우려가 있는 사람 11. 경찰승진 • 중병 · 상해 또는 장애로 인하여 법원에 출석하기 곤란한 사람 11 · 14. 경찰승진 • 그 밖의 부득이한 사유로 배심원 직무를 수행하기 어려운 사람

(4) 배심원 선정절차

후보예정자 명부작성		1. 지방법원장은 배심원후보예정자명부를 작성하기 위하여 행정안전부장관(법무부장관 ×)에게 매년 그 관할구역 내에 거주하는 만 20세 이상 국민의 주민등록정보에서 일정한 수의 배심원후보예정자의 성명 · 생년월일 · 주소 및 성별에 관한 주민등록정보를 추출하여 전자파일의 형태로 송부하여 줄 것을 요청할 수 있다(동법 제22조 제1항). 11. 경찰승진 2. 지방법원장의 요청을 받은 행정안전부장관은 30일 이내에 주민등록자료를 지방법원장에게 송부하여야 한다(동조 제2항). 3. 지방법원장은 매년 주민등록자료를 활용하여 배심원후보예정자명부를 작성한다(동조 제3항). 08. 순경, 11. 경찰승진
배심원후보자 결정 · 출석통지		1. 법원은 배심원후보예정자명부 중에서 필요한 수의 배심원후보자를 무작위추출 방식으로 정하여 배심원과 예비배심원의 선정기일을 통지하여야 한다(동법 제23조 제1항). 2. 선정기일통지를 받은 배심원후보자는 선정기일에 출석하여야 한다(동조 제2항).
질문표		법원은 배심원후보자에 대한 질문과 기피신청(동법 제28조 제1항)에서 정하는 사유에 해당하는지의 여부를 판단하기 위하여 질문표를 사용할 수 있다(동법 제25조 제1항).
후보자 명부송부		1. 법원은 선정기일의 2일 전까지 검사와 변호인에게 배심원후보자의 성명 · 성별 · 출생연도가 기재된 명부를 송부하여야 한다(동법 제26조 제1항). 2. 법원은 선정절차에 질문표를 사용하는 때에는 선정기일을 진행하기 전에 배심원후보자가 제출한 질문표 사본을 검사와 변호인에게 교부하여야 한다(동조 제2항).
선정기일의 진행	통지 · 출석	1. 법원은 검사 · 피고인 또는 변호인에게 선정기일을 통지하여야 한다(동법 제27조 제1항). 2. 검사와 변호인은 선정기일에 출석하여야 하며, 피고인은 법원의 허가를 받아 출석할 수 있다(동조 제2항). 3. 법원은 변호인이 선정기일에 출석하지 아니한 경우 국선변호인을 선정하여야 한다(동조 제3항). 12. 순경

	진행 방법	1. 법원은 합의부원으로 하여금 선정기일의 절차를 진행하게 할 수 있다. 이 경우 수명법관은 선정기일에 관하여 법원 또는 재판장과 동일한 권한이 있다(동법 제24조 제1항). 2. 선정기일은 공개하지 아니한다(동조 제2항).
	질문·기피 신청	1. 법원은 배심원후보자가 결격사유(제17조), 직업에 의한 제외사유(제18조), 제척사유(제19조), 면제사유(제20조)에 해당하는지 여부 또는 불공평한 판단을 할 우려가 있는지 여부 등을 판단하기 위하여 배심원후보자에게 질문을 할 수 있다. 검사·피고인 또는 변호인은 법원으로 하여금 필요한 질문을 하도록 요청할 수 있고, 법원은 검사 또는 변호인으로 하여금 직접 질문하게 할 수 있다(동조 제28조 제1항). 2. 이유부 기피신청 : 법원은 배심원후보자가 결격사유 등(제17조부터 제20조까지의 사유)에 해당하거나 불공평한 판단을 할 우려가 있다고 인정되는 때 ⇨ 직권 또는 검사·피고인·변호인의 기피신청에 따라 당해 배심원후보자에 대하여 불선정결정을 하여야 한다. 검사·피고인 또는 변호인의 기피신청을 기각하는 경우에는 이유를 고지하여야 한다(동조 제28조 제3항). ▶ 기피신청을 기각하는 결정 ⇨ 즉시 이의신청을 할 수 있다(동법 제29조 제1항). 이의신청에 대한 결정에 대하여는 불복할 수 없다(동조 제3항). 3. 무이유부 기피신청 : 검사와 변호인은 ① 배심원이 9인인 경우는 5인 17. 9급 검찰·마약·교정·보호·철도경찰 ② 배심원이 7인인 경우는 4인 ③ 배심원이 5인인 경우는 3인의 범위 내에서 배심원후보자에 대하여 이유를 제시하지 아니하는 기피신청을 할 수 있으며, 13. 순경, 17. 경찰승진, 22. 해경승진 무이유부 기피신청이 있는 경우에는 법원은 당해 배심원후보자를 배심원으로 선정할 수 없다(동법 제30조 제1항·제2항). 08. 순경, 09. 전의경, 11. 경찰승진, 16. 순경 2차 국민의 형사재판 참여에 관한 법률에 따르면 변호인은 배심원후보자에 대하여 이유를 제시하지 아니하는 기피신청을 할 수 있으나, 검사는 이를 할 수 없다. (×) 18. 순경 3차
	선정 방식	1. 법원은 출석한 배심원후보자 중에서 당해재판에서 필요한 배심원과 예비배심원의 수에 해당하는 배심원후보자를 무작위로 뽑고, 불선정결정이 있는 경우에는 그 수만큼 위 절차를 반복한다(동법 제31조 제1항·제2항). 2. 필요한 수의 배심원과 예비배심원 후보자가 확정되면 법원은 무작위의 방법으로 배심원과 예비배심원을 선정한다. 예비배심원이 2인 이상인 경우에는 그 순번을 정하여야 한다(동조 제3항). 3. 법원은 배심원과 예비배심원에게 누가 배심원으로 선정되었는지 여부를 알리지 아니할 수 있다(동조 제4항).

PART 04

(5) 배심원의 해임과 사임

① 배심원의 해임

㉠ 법원은 배심원 또는 예비배심원이 다음의 어느 하나에 해당하는 때에는 직권 또는 검사・피고인・변호인의 신청에 따라 배심원 또는 예비배심원을 해임하는 결정을 할 수 있다(국민의 형사재판 참여에 관한 법률 제32조 제1항).

> 1. 배심원 또는 예비배심원이 제42조 제1항의 선서를 하지 아니한 때
> 2. 배심원 또는 예비배심원이 제41조 제2항 각 호의 의무를 위반하여 그 직무를 담당하게 하는 것이 적당하지 아니하다고 인정되는 때
> 3. 배심원 또는 예비배심원이 출석의무에 위반하고 계속하여 그 직무를 행하는 것이 적당하지 아니한 때
> 4. 배심원 또는 예비배심원에게 제17조부터 제20조까지의 사유에 해당하는 사실이 있거나 불공평한 판단을 할 우려가 있는 때
> 5. 배심원 또는 예비배심원이 질문표에 거짓 기재를 하거나 선정절차에서의 질문에 대하여 정당한 사유 없이 진술을 거부하거나 거짓의 진술을 한 것이 밝혀지고 계속하여 그 직무를 행하는 것이 적당하지 아니한 때
> 6. 배심원 또는 예비배심원이 법정에서 재판장이 명한 사항을 따르지 아니하거나 폭언 또는 그 밖의 부당한 언행을 하는 등 공판절차의 진행을 방해한 때

㉡ 해임의 결정을 함에 있어서는 검사・피고인 또는 변호인의 의견을 묻고 출석한 당해 배심원 또는 예비배심원에게 진술기회를 부여하여야 한다(동법 제2항).

㉢ 해임의 결정에 대하여는 불복할 수 없다(동조 제3항). 12. 순경

② 배심원의 사임

㉠ 배심원과 예비배심원은 직무를 계속 수행하기 어려운 사정이 있는 때에는 법원에 사임을 신청할 수 있다(동법 제33조 제1항). 17. 순경 1차

㉡ 법원은 제1항의 신청에 이유가 있다고 인정하는 때에는 당해 배심원 또는 예비배심원을 해임하는 결정을 할 수 있다(동조 제2항).

㉢ 제2항의 결정을 함에 있어서는 검사・피고인 또는 변호인의 의견을 들어야 한다(동조 제3항).

㉣ 제2항의 결정에 대하여는 불복할 수 없다(동조 제4항).

③ 배심원의 추가선정 등

㉠ 해임과 사임에 따라 배심원이 부족하게 된 경우 예비배심원은 미리 정한 순서에 따라 배심원이 된다. 이때 배심원이 될 예비배심원이 없는 경우 배심원을 추가로 선정한다(동법 제34조 제1항).

㉡ 국민참여재판 도중 심리의 진행 정도에 비추어 배심원을 추가선정하여 재판에 관여하게 하는 것이 부적절하다고 판단되는 경우 법원은 ⓐ 1인의 배심원이 부족한 때에는 검사・

피고인 또는 변호인의 의견을 들어야 하고, ⓑ 2인 이상의 배심원이 부족한 때에는 검사·피고인 또는 변호인의 동의를 받아 남은 배심원만으로 계속하여 국민참여재판을 진행하는 결정을 할 수 있다. 다만, 배심원이 5인 미만이 되는 경우에는 그러하지 아니하다(동조 제2항).

④ **배심원의 임무종료** : 배심원과 예비배심원의 임무는 종국재판을 고지한 때, 심리상황이나 그 밖의 사정을 고려하여 국민참여재판을 진행하는 것이 적당하지 아니하다고 인정한 때(제6조 제1항 단서) 또는 통상절차 회부결정(제11조)을 고지한 때에 **종료한다**(동법 제35조). 16. 경찰간부

7 국민참여재판의 절차

(1) 공판 전 준비절차

① 국민참여재판에서는 제1회 공판기일 이전에 반드시 공판 전 준비절차를 거쳐야 한다. 즉, 재판장은 피고인이 국민참여재판을 원하는 의사표시를 한 경우에 사건을 공판준비절차에 부쳐야 한다(국민의 형사재판 참여에 관한 법률 제36조 제1항). 11. 9급 법원직·7급 국가직 이는 배심원이 재판에 참여하는 기간을 단축하고 쟁점에 집중한 심리를 통하여 배심원의 부담을 줄이고 배심원이 사건의 실체를 이해하고 평의를 통하여 형사절차에 실질적으로 관여할 수 있게 하기 위한 것이다.

통상의 절차에서는 임의적 사항

② 다만, 공판준비절차에 부치기 전에 제9조 제1항의 배제결정이 있는 때에는 그러하지 아니하다(동조 제1항 단서).

③ 공판준비절차에 부친 이후 피고인이 국민참여재판을 원하지 아니하는 의사를 표시하거나 국민참여재판 배제결정(제9조 제1항)이 있는 때에는 **공판준비절차를 종결할 수 있다**(동조 제2항).

④ 지방법원 본원 합의부가 지방법원 지원 합의부로부터 이송받은 사건에 대하여는 이미 공판준비절차를 거친 경우에도 필요한 때에는 공판준비절차에 부칠 수 있다(동조 제3항).

⑤ 검사·피고인 또는 변호인은 증거를 미리 수집·정리하는 등 공판준비절차가 원활하게 진행되도록 협력하여야 한다(동조 제4항).

⑥ 법원은 주장과 증거를 정리하고 심리계획을 수립하기 위하여 공판준비기일을 지정하여야 한다(동법 제37조 제1항).

⑦ 법원은 합의부원으로 하여금 공판준비기일을 진행하게 할 수 있다. 이 경우 수명법관은 공판준비기일에 관하여 법원 또는 재판장과 동일한 권한이 있다(동조 제2항).

⑧ 공판준비기일은 공개한다. 18. 변호사시험 다만, 법원은 공개함으로써 절차의 진행이 방해될 우려가 있는 때에는 공판준비기일을 공개하지 아니할 수 있다(동조 제3항).

⑨ 공판준비기일에는 배심원이 참여하지 아니한다(동조 제4항). 12. 경찰승진, 18. 변호사시험, 21. 7급 국가직

(2) 공판절차

① **공판기일의 통지** : 공판기일은 배심원과 예비배심원에게 통지하여야 한다(국민의 형사재판 참여에 관한 법률 제38조).

② **공판정의 구성**

㉠ **소송관계인의 출석** : 공판정은 판사 · 배심원 · 예비배심원 · 검사 · 변호인이 출석하여 개정한다(동법 제39조 제1항).

㉡ **소송관계인의 좌석**

ⓐ 검사와 피고인 및 변호인은 대등하게 마주 보고 위치한다. 다만, 피고인신문을 하는 때에는 피고인은 증인석에 위치한다(동조 제2항).

ⓑ 배심원과 예비배심원은 재판장과 검사 · 피고인 및 변호인의 사이 왼쪽에 위치한다(동조 제3항).

ⓒ 증인석은 재판장과 검사 · 피고인 및 변호인의 사이 오른쪽에 배심원과 예비배심원을 마주 보고 위치한다(동조 제4항).

참여재판 형사법정 구조

③ **공판정에서의 속기 · 녹취**

㉠ 법원은 특별한 사정이 없는 한 공판정에서의 심리를 속기사로 하여금 속기하게 하거나 녹음장치 또는 영상녹화장치를 사용하여 녹음 또는 영상녹화하여야 한다(동법 제40조 제1항).

㉡ 제1항에 따른 속기록 · 녹음테이프 또는 비디오테이프는 공판조서와는 별도로 보관되어야 하며, 검사 · 피고인 또는 변호인은 비용을 부담하고 속기록 · 녹음테이프 또는 비디오테이프의 사본을 청구할 수 있다(동조 제2항).

④ 선서 등

㉠ 배심원과 예비배심원은 법률에 따라 공정하게 그 직무를 수행할 것을 다짐하는 취지의 선서를 하여야 한다(동법 제42조 제1항).

㉡ 재판장은 배심원과 예비배심원에 대하여 배심원과 예비배심원의 권한·의무·재판절차 그 밖에 직무수행을 원활히 하는 데 필요한 사항을 설명하여야 한다(동조 제2항).

관련판례

국민의 형사재판 참여에 관한 법률은 제42조 제2항에서 "재판장은 배심원과 예비배심원에 대하여 배심원과 예비배심원의 권한·의무·재판절차, 그 밖에 직무수행을 원활히 하는 데 필요한 사항을 설명하여야 한다."라고 하여 재판장의 공판기일에서의 최초 설명의무를 규정하고 있는데, 이러한 재판장의 최초 설명은 재판절차에 익숙하지 아니한 배심원과 예비배심원을 배려하는 차원에서 국민의 형사재판 참여에 관한 규칙 제35조 제1항에 따라 피고인에게 진술거부권을 고지하기 전에 이루어지는 것으로, 원칙적으로 설명의 대상에 검사가 아직 공소장에 의하여 낭독하지 아니한 공소사실 등이 포함된다고 볼 수 없다(대판 2014.11.13, 2014도8377). 15. 순경 3차, 19. 경찰승진

PART 04

⑤ 배심원의 절차상 권리와 의무

㉠ 절차상 권리

ⓐ 배심원과 예비배심원은 피고인·증인에 대하여 필요한 사항을 신문하여 줄 것을 재판장에게 요청하는 행위를 할 수 있다(동법 제41조 제1항 제1호). 08. 7급 국가직

ⓑ 필요하다고 인정되는 경우 재판장의 허가를 받아 각자 필기를 하여 이를 평의에 사용하는 행위를 할 수 있다(동법 제41조 제1항 제2호). 재판장은 필기를 하여 이를 평의에 사용하도록 허용하는 경우에는 배심원과 예비배심원에게 평의 도중을 제외한 어떤 경우에도 자신의 필기 내용을 다른 사람이 알 수 없도록 할 것을 주지시켜야 한다(규칙 제34조 제2항). 09. 순경

㉡ **절차상 의무** : 배심원과 예비배심원은 ⓐ 심리도중에 법정을 떠나거나 평의·평결 또는 토의가 완결되기 전에 재판장의 허락 없이 평의·평결 또는 토의 장소를 떠나는 행위, ⓑ 평의가 시작되기 전에 당해사건에 관한 자신의 견해를 밝히거나 의논하는 행위, ⓒ 재판절차 외에서 당해사건에 관한 정보를 수집하거나 조사하는 행위, ⓓ 이 법에서 정한 평의·평결 또는 토의에 관한 비밀을 누설하는 행위를 하여서는 아니 된다(동법 제2항).

⑥ 기 타

㉠ **간이공판절차규정의 배제** : 국민참여재판에는 간이공판절차규정(제286조의 2)을 적용하지 아니한다(동법 제43조). 11. 순경·7급 국가직·경찰승진, 13. 순경 2차, 14. 9급 교정·보호·철도경찰, 18. 변호사시험, 17·24. 9급 검찰·마약·교정·보호·철도경찰

㉡ **배심원의 증거능력판단 배제** : 배심원 또는 예비배심원은 법원의 증거능력에 관한 심리에 관여할 수 없다(동법 제44조). 08. 7급 국가직, 14. 9급 교정·보호·철도경찰, 17. 9급 법원직, 21. 9급 검찰·마약수사

㉢ **공판절차의 갱신**

ⓐ 공판절차가 개시된 후 새로 재판에 참여하는 배심원 또는 예비배심원이 있는 때에는 공판절차를 갱신하여야 한다(동법 제45조 제1항). 11. 9급 법원직, 16. 9급 검찰·마약·교정·보호·철도경찰, 17. 경찰승진

ⓑ 제1항의 갱신절차는 새로 참여한 배심원 또는 예비배심원이 쟁점 및 조사한 증거를 이해할 수 있도록 하되, 그 부담이 과중하지 아니하도록 하여야 한다(동조 제2항).

㉣ 국민참여재판에 관하여 변호인이 없는 때에는 법원은 직권으로 변호인을 선정하여야 한다(동법 제7조). 09·11. 순경, 18. 변호사시험

8 평의·평결·토의 및 판결선고

(1) 재판장의 설명·평의·평결·토의 등

① **재판장의 설명** : 재판장은 변론이 종결된 후 법정에서 배심원에게 공소사실의 요지와 적용법조, 피고인과 변호인 주장의 요지, 증거능력 그 밖에 유의할 사항에 관하여 설명하여야 한다. 이 경우 필요한 때에는 증거의 요지에 관하여 설명할 수 있다(국민의 형사재판 참여에 관한 법률 제46조 제1항).

관련판례

재판장의 최종 설명의무가 있는 사항을 배심원에게 설명하지 않는 것은 원칙적으로 위법한 조치이다. 그러나 재판장이 최종 설명 때 공소사실에 관한 설명을 일부 빠뜨렸거나 미흡하게 한 잘못이 있다고 하더라도, 이를 두고 그 전까지 절차상 아무런 하자가 없던 소송행위 전부를 무효로 할 정도로 판결에 영향을 미친 위법이라고 쉽게 단정할 것은 아니고, 종합적으로 고려하여, 위와 같은 잘못이 배심원의 평결에 직접적인 영향을 미쳐 피고인의 국민참여재판을 받을 권리 등을 본질적으로 침해하고 판결의 정당성마저 인정받기 어려운 정도에 이른 것인지를 신중하게 판단하여야 한다(대판 2014.11.13, 2014도8377).

② **배심원의 평의 및 평결**

㉠ 심리에 관여한 배심원은 재판장의 설명을 들은 후 유·무죄에 관하여 평의하고, 전원의 의견이 일치하면 그에 따라 평결한다. 다만, 배심원 과반수의 요청이 있으면 심리에 관여한 판사의 의견을 들을 수 있다(동법 제46조 제2항).

㉡ 배심원은 유·무죄에 관하여 전원의 의견이 일치하지 아니하는 때에는 평결을 하기 전에 심리에 관여한 판사의 의견을 들어야 한다. 이 경우 유·무죄의 평결은 다수결의 방법으로 한다. 11. 순경, 15. 9급 법원직, 17. 순경 1차, 09·24. 7급 국가직, 18·23·24. 경찰승진 심리에 관여한 판사는 평의에 참석하여 의견을 진술한 경우에도 평결에는 참여할 수 없다(동조 제3항). 24. 해경간부

㉢ 만장일치 또는 다수결의 평결이 유죄인 경우 배심원은 심리에 관여한 판사와 함께 양형에 관하여 토의하고 그에 관한 의견을 개진한다. 재판장은 양형에 관한 토의 전에 처벌의 범위와 양형의 조건 등을 설명하여야 한다(동조 제4항).

🚨 심리에 관여한 배심원은 유·무죄에 관하여 평의하고 평결이 유죄인 경우 양형에 관하여 토의하고 그에 관한 의견을 개진하며, 평의 및 양형에 관한 토의에는 심리에 관여한 판사가 참여할 수 없다. (×) 17. 9급 검찰·마약·교정·보호·철도경찰

㉣ 평결과 양형의견은 법원을 기속하지 아니한다(동조 제5항). 10. 경찰승진, 17. 9급 법원직, 22. 9급 교정·보호·철도경찰

㉤ 평결결과와 양형의견을 집계한 서면은 소송기록에 편철한다(동법 제6항).

㉥ 배심원은 평의·평결 및 토의 과정에서 알게 된 판사 및 배심원 각자의 의견과 그 분포 등을 누설하여서는 아니 된다(동법 제47조).

③ **판결의 선고**

㉠ 판결의 선고는 변론을 종결한 기일에 하여야 한다. 다만, 특별한 사정이 있는 때에는 따로 선고기일을 지정할 수 있다(동법 제48조 제1항).

㉡ 변론을 종결한 기일에 판결을 선고하는 경우에는 판결서를 선고 후에 작성할 수 있다(동조 제2항).

㉢ 지정에 의한 선고기일은 변론종결 후 14일 이내로 정하여야 한다(동조 제3항).

㉣ 재판장은 판결선고시 피고인에게 배심원의 평결결과를 고지하여야 하며, 배심원의 평결결과와 다른 판결을 선고하는 때에는 피고인에게 그 이유를 설명하여야 한다(동조 제4항). 24. 해경간부

🚨 재판장은 판결선고시 배심원의 평결결과와 다른 판결을 선고하는 때에는 배심원에게 그 이유를 설명해야 한다. (×) 24. 해경간부

㉤ 판결서에는 배심원이 재판에 참여하였다는 취지를 기재하여야 하고, 배심원의 의견을 기재할 수 있다(동법 제49조 제1항). 17. 순경 1차

㉥ 배심원의 평결결과와 다른 판결을 선고하는 때에는 판결서에 그 이유를 기재하여야 한다(동조 제2항). 08·11. 7급 국가직, 11. 순경, 12. 경찰승진, 17. 9급 법원직

관련판례

1. 만장일치의 의견으로 내린 무죄의 평결이 재판부의 심증에 부합하여 그대로 채택된 경우라면, 이러한 절차를 거쳐 이루어진 증거의 취사 및 사실의 인정에 관한 제1심의 판단은 실질적 직접심리주의 및 공판중심주의의 취지와 정신에 비추어 항소심에서의 새로운 증거조사를 통해 그에 명백히 반대되는 충분하고도 납득할 만한 현저한 사정이 나타나지 않는 한 한층 더 존중될 필요가 있다. 국민참여재판으로 진행된 제1심에서 배심원이 만장일치로 한 평결 결과를 받아들여 강도상해의 공소사실을 무죄로 판단하였으나, 항소심에서는 피해자에 대하여만 증인신문을 추가로 실시한 다음 제1심의 판단을 뒤집어 이를 유죄로 인정한 사안에서, 항소심 판단에 공판중심주의와 실질적 직접심리주의 원칙의 위반 및 증거재판주의에 관한 법리오해의 위법이 있다(대판 2010.3.25, 2009도14065). 24. 소방간부
2. 국민참여재판으로 진행한 제1심법원에서 배심원이 만장일치의 의견으로 내린 무죄의 평결이 재판부의 심증에 부합하여 그대로 채택된 경우라면, 그 무죄판결에 대한 항소심에서의 추가적이거나 새로운 증거조사는 형사소송법과 형사소송규칙 등에서 정한 바에 따라 증거조사의 필요성이 분명하게 인정되는 예외적인 경우에 한정하여 실시하는 것이 바람직하다(**대판** 2024.7.25, 2020도7802).

국민참여재판의 배심원 합의방식

재판장 설명

⬇

배심원 1차 평의(만장일치방식)
(법관의견 청취가능)

⬇ 평의 불성립

2차 평의(다수결방식)
(판사의견 필수)

⬇

유죄 평결

⬇

양형 토의 · 양형 의견(법관과 함께)

배심원의 평결 · 의견은 법원을 기속 ×

KEY point

- **국민참여재판의 관할** : 지방법원본원 합의부
  ※ 제1심사건(본원합의부, 지원합의부)에 한함(제2심 · 제3심 ⇨ ×)
- **국민참여재판 대상사건** : 합의부사건(제척 · 기피사건은 제외), 대상 사건의 미수죄, 교사죄, 방조죄, 예비 · 음모죄에 해당하는 사건, 대상사건과 관련사건으로 병합하여 심리하는 사건
- **피고인 의사 필요** ┌ 의사표시는 서면
  └ 의사확인은 서면 기타
- **대상사건의 변경** : 참여재판 계속진행(원칙)
- **배제결정** : 공판준비기일 종결 다음 날까지 가능(즉시항고 가능)
- 통상절차회부결정 ⇨ 불복(×)
- **배심원 자격** : 만 20세 이상 대한민국 국민(지방법원장이 매년 행정안전부장관에게 파일송부요청)
- **배심원후보예정자명부작성** : 지방법원장
- **배심원자격** : 도표정리
- **배심원의 수** : 법정형이 사형, 무기 ⇨ 9명, 그 외 ⇨ 7명, 공소사실 인정 ⇨ 5명 가능, 특별한 사정 & 당사자 동의 ⇨ 7～9명 사이에서 조정 가능(예비배심원 : 5인 이내)
- **국민참여재판절차** ┌ 필요적 공판준비절차(반드시 공판준비기일 지정)
  ├ 공판준비기일에 배심원 참여 ×
  └ 간이공판절차 ×
- **평의 · 평결 · 토의 및 판결선고** : 유 · 무죄 평결 ⇨ 만장일치(원칙), 배심원 전원의 의견이 일치되지 아니한 때에는 다수결(판사의견 필수)
  ┌ 평결이 유죄인 경우 ⇨ 배심원은 판사와 함께 양형에 관하여 토의 · 의견개진(법원 기속 ×)
  └ 판결선고 ⇨ 변론종결기일에 하는 것이 원칙

CHAPTER

01 기출문제

01 **국민참여재판에 대한 설명으로 옳지 않은 것은?**(다툼이 있는 경우 판례에 의함)

22. 9급 교정 · 보호 · 철도경찰

① 배심원의 평결과 의견은 법원을 기속하지 아니한다.
② 국민참여재판에 관하여 변호인이 없는 때에는 법원은 직권으로 변호인을 선정하여야 한다.
③ 피고인이 법원에 국민참여재판을 신청하였음에도 불구하고 법원이 이에 대한 배제결정도 하지 않은 채 통상의 공판절차로 재판을 진행하는 것은 피고인의 국민참여재판을 받을 권리 및 법원의 배제결정에 대한 항고권 등의 중대한 절차적 권리를 침해한 것으로 위법하다.
④ 배심원은 만 19세 이상의 대한민국 국민 중에서 선정된다.

해설 ① 국민의 형사재판 참여에 관한 법률 제46조 제5항
② 국민의 형사재판 참여에 관한 법률 제7조
③ 대판 2011.9.8, 2011도7106
④ 배심원은 만 20세 이상의 대한민국 국민 중에서 선정된다(국민의 형사재판 참여에 관한 법률 제16조).

02 **국민참여재판에 관한 다음 설명 중 가장 옳지 않은 것은?**(다툼이 있는 경우 판례에 의하고, 전원합의체 판결의 경우 다수의견에 의함)

23. 9급 법원직

① 피고인은 공소장 부본을 송달받은 날부터 7일 이내에 국민참여재판을 원하는지 여부에 관한 의사가 기재된 서면을 제출하여야 하나, 공소장 부본을 송달받은 날부터 7일 이내에 의사확인서를 제출하지 아니한 피고인도 제1회 공판기일이 열리기 전까지는 국민참여재판 신청을 할 수 있고, 법원은 그 의사를 확인하여 국민참여재판으로 진행할 수 있다.
② 국민참여재판 대상 사건의 피고인이 국민참여재판을 신청하였는데도 법원이 이에 대한 배제결정을 하지 않은 채 통상의 공판절차로 재판을 진행하는 것은 위법하고, 이와 같이 위법한 공판절차에서 이루어진 소송행위는 무효라고 보아야 한다.
③ 피고인은 국민참여재판을 받을 것인지에 대한 의사를 번복할 수 있으나, 공판준비기일이 종결되거나 제1회 공판기일이 열린 이후에는 종전의 의사를 바꿀 수 없다.
④ 배심원의 평결과 양형에 관한 의견은 법원을 기속하지 않으므로, 재판장은 판결선고시 피고인에게 배심원의 평결결과를 고지하거나 평결결과와 다른 판결을 선고하는 이유를 설명할 필요가 없다.

해설 ① 대결 2009.10.23, 2009모1032 ② 대판 2011.9.8, 2011도7106
③ 국민의 형사재판 참여에 관한 법률 제8조 제4항 ④ 재판장은 판결선고시 피고인에게 배심원의 평결결과를 고지하여야 하며, 배심원의 평결결과와 다른 판결을 선고하는 때에는 피고인에게 그 이유를 설명하여야 한다(국민의 형사재판 참여에 관한 법률 제48조 제4항).

Answer 01. ④ 02. ④

03 **국민의 형사재판 참여에 관한 법률**(이하 '국민참여재판법'이라 함)**에 대한 다음 설명 중 가장 옳지 않은 것은?**(다툼이 있는 경우 판례에 의함) 24. 해경간부

① 배심원 또는 예비배심원은 법원의 증거능력에 관한 심리에 관여할 수 없다.

② 배심원의 평의와 평결은 전원의 의견이 일치하면 그에 따라 평결하며, 배심원의 과반수의 요청이 있으면 심리에 관여한 판사의 의견을 들을 수 있다.

③ 배심원이 유·무죄에 관해 전원의 의견이 일치하지 않는 때에는 평결을 하기 전에 심리에 관여한 판사의 의견을 들어야 하고, 이 경우 유·무죄의 평결은 다수결의 방법으로 한다. 심리에 관여한 판사는 평의에 참석하여 의견을 진술한 경우에도 평결에는 참여할 수 없다.

④ 재판장은 판결선고시 배심원의 평결결과와 다른 판결을 선고하는 때에는 배심원에게 그 이유를 설명해야 하고, 판결서에도 배심원의 평결결과와 다른 이유를 기재하여야 한다.

해설 ① 참여법률 제44조

② 동법률 제46조 제2항

③ 동법률 제46조 제3항

④ 재판장은 판결선고시 배심원의 평결결과와 다른 판결을 선고하는 때에는 피고인(배심원 ×)에게 그 이유를 설명해야 하고(제48조 제4항), 판결서에도 배심원의 평결결과와 다른 이유를 기재하여야 한다(제49조 제2항).

04 **국민참여재판에 관한 설명으로 가장 적절하지 않은 것은?**(다툼이 있는 경우 판례에 의함) 24. 경찰승진

① 국민참여재판 대상이 되는 사건임에도 법원에서 피고인이 국민참여재판을 원하는지에 관한 의사 확인절차를 거치지 아니한 채 통상의 공판절차로 재판을 진행하였다면, 그 절차는 위법하고 이러한 위법한 공판절차에서 이루어진 소송행위도 무효이다.

② 헌법과 법률이 정한 법관에 의한 재판을 받을 권리는 직업법관에 의한 재판을 주된 내용으로 하는 것이므로, 국민참여재판을 받을 권리가 헌법 제27조 제1항에서 규정한 재판을 받을 권리의 보호범위에 속한다고 볼 수 없다.

③ 피고인이 공소장 부본을 송달받은 날부터 7일이 경과한 후에는 국민참여재판 신청을 할 수 없다.

④ 배심원은 유·무죄에 관하여 전원의 의견이 일치하지 아니하는 때에는 평결을 하기 전에 심리에 관여한 판사의 의견을 들은 다음 다수결 방법으로 유·무죄의 평결을 한다.

해설 ① 대판 2012.4.26, 2012도1225

② 헌재결 2009.11.26, 2008헌바12

③ 공소장 부본을 송달받은 날부터 7일 이내에 의사확인서를 제출하지 아니한 피고인도 제1회 공판기일이 열리기 전까지는 국민참여재판 신청을 할 수 있고, 법원은 그 의사를 확인하여 국민참여재판으로 진행할 수 있다고 봄이 상당하다(대결 2009.10.23, 2009모1032).

④ 참여법률 제46조 제3항

Answer 03. ④ 04. ③

05 국민참여재판에 대한 설명으로 옳지 않은 것은? 24. 7급 국가직

① 공소장부본을 송달받은 날부터 7일 이내에 국민참여재판을 원하는지 여부에 관한 의사확인서를 제출하지 아니한 피고인도 제1회 공판기일이 열리기 전까지는 국민참여재판 신청을 할 수 있다.

② 법원은 공범관계에 있는 피고인들 중 일부가 국민참여재판을 원하지 아니하여 국민참여재판의 진행에 어려움이 있다고 인정되는 경우에 공소제기 후부터 공판준비기일이 종결된 다음 날까지 국민참여재판을 하지 않기로 하는 결정을 할 수 있다.

③ 국민참여재판 대상 사건의 피고인이 국민참여재판을 신청하였으나 제1심법원이 그에 대한 배제결정을 하지 않은 채 통상의 공판절차로 재판을 진행하였고 제2심법원도 그러한 점에 대하여 심리·판단을 하지 않은 경우, 대법원은 제1심판결과 제2심판결을 모두 파기하고 사건을 제1심법원에 환송하여야 한다.

④ 배심원은 유·무죄에 관하여 전원의 의견이 일치하지 않는 경우 배심원 과반수의 요청이 있을 때에 한하여 평결을 하기 전에 심리에 관여한 판사의 의견을 들을 수 있다.

해설 ① 대결 2009.10.23, 2009모1032

② 제9조 제1항 제2호

③ 대판 2011.9.8, 2011도7106

④ 배심원은 유·무죄에 관하여 전원의 의견이 일치하지 않는 경우 평결을 하기 전에 심리에 관여한 판사의 의견을 들어야 한다. 이 경우 유·무죄의 평결은 다수결의 방법으로 한다(국민의 형사재판 참여에 관한 법률 제46조 제3항).

Answer 05. ④

CHAPTER
02 증 거

단원 advice 증거편은 형사소송법 중에서 가장 이해하기 어려운 대목이며, 출제빈도가 대단히 높은 분야이기도 하다. 하나하나 모두 중요하다.

증거법은 증거를 수집하고 조사하는 증거조사절차에 관한 규범과 개별적 증거의 증거능력·증명력에 관한 규범으로 나누어 볼 수 있다. 여기서 증거능력과 증명력에 관한 규범의 총체를 협의의 증거법이라 할 수 있으며 본장에서 논하고자 하는 증거법은 바로 협의의 증거법이다.

현행 증거법은 엄격한 증명의 법리(제307조 제1항)와 자유심증주의(제308조)를 양대 지주로 하고 있다. 증거는 일정한 경우 증거로서의 자격(증거능력)을 배제할 필요가 있는바, 현행 형사소송법은 엄격한 증명의 원칙을 천명한 증거재판주의(제307조 제1항)에 기초하여 위법수집증거의 증거능력(제308조의 2), 임의성이 의심되는 자백의 증거능력(제309조), 전문증거의 증거능력(제310조의 2)을 제한하고 있다.

뿐만 아니라, 형사소송법은 증명력에 대하여 법관의 증명력 판단에 제한을 두지 않는 자유심증주의(제308조)를 원칙으로 하면서도, 예외적으로 자백보강법칙(제310조)을 통해 증명력 인정의 제한을 가하여 오판의 위험을 방지하고 있다.

제1절 증거법 일반

1 증거의 의의·종류

(1) 증거의 의의

형사소송에 의하여 확정되는 구체적 법률관계는 사실관계의 정확한 파악을 전제로 한다. 이러한 사실관계를 인정하는 데 사용되는 객관적인 자료를 증거라 하며, 형사소송법상 증거는 증거방법과 증거자료의 두 가지 의미로 사용되고 있다.

증거방법	사실인정에 사용될 수 있는 유체물 자체, 즉 증거조사의 대상물을 말한다. 예 증인, 감정인, 증거물, 증거서류, 피고인, 증거물인 서면
증거자료	증거방법을 조사하여 얻어진 내용을 말한다. 예 증인의 증언, 감정인의 감정의견, 증거물의 성질·상태, 서증의 의미내용, 피고인의 진술

증거방법으로부터 증거자료를 획득·감지하는 절차가 증거조사임.
증인(증거방법) ⇨ 증인신문(증거조사) ⇨ 증언(증거자료)

(2) 증거의 종류

① 직접증거와 간접증거

㉠ 직접증거란 요증사실(증명을 요하는 사실)을 증명하기 위한 증거를 말하고(예 범행목격자, 피고인자백), 간접증거란 요증사실을 간접적으로 증명하기 위한 증거를 말한다. 간접증거를 정황증거라고도 한다. 07. 7급 국가직

㉡ 직접증거와 간접증거는 증명력 그 자체에 우열이 있는 것은 아니다. 따라서 간접증거에 의해서 범죄사실을 증명할 수 있다면 유죄인정이 가능하다. 12. 경찰간부 그러나 뚜렷한 확증이 없는데도 유죄를 인정함은 채증법칙 위반이다.

- 직접증거와 간접증거의 구별은 직접증거에 대하여 보다 높은 증명력을 인정하였던 증거법정주의 아래에서 커다란 의미를 가지고 있었으나, 증명력판단에 제한을 두지 않는 자유심증주의하에서는 직접증거와 간접증거의 구별은 큰 의미가 없다. 22. 해경간부
- 요증사실과의 관계에 따라 분류한 증거의 종류임
- 동일한 증거라도 요증사실에 따라 직접증거가 되기도 하고 간접증거가 되기도 한다.
- 범죄사실에 대한 뚜렷한 확증 없이 정황증거 내지 간접증거들만으로 공소사실을 유죄로 인정하더라도 채증법칙의 위반이라고 할 수 없다. (×) 07. 7급 국가직

예 피고인이 무기를 소지하고 있는 것을 보았다는 증언은 무기불법소지죄가 요증사실인 경우에는 직접증거가 되나, 피고인이 총으로 살인했다는 것이 요증사실인 경우에는 간접증거가 된다.

간접증거의 예

1. 어떤 자가 사건 당일 범죄현장에서 배회하고 있었던 사실
2. 어떤 자가 피해자에 대하여 며칠 전부터 원한을 품고 있었던 사실
3. 범죄현장에 남겨진 지문 01. 행시, 08. 9급 국가직
4. 상해사건에 있어 피해자의 진단서 12. 경찰간부

관련판례

1. 간접증거가 개별적으로는 범죄사실에 대한 완전한 증명력을 가지지 못하더라도, 전체 증거를 상호 관련하여 종합적으로 고찰할 경우 증명력이 있는 경우에는 그에 의하여도 범죄사실을 인정할 수 있다(대판 2000.11.10, 2000도2524). 08. 9급 국가직, 11. 7급 국가직, 12. 경찰간부, 19 · 21. 수사경과, 21. 경찰승진
2. 상해진단서는 일반적으로 의사가 당해 피해자의 진술을 토대로 상해의 원인을 파악한 후 의학적 전문지식을 동원하여 관찰 · 판단한 상해의 부위와 정도 등을 기재한 것으로서 거기에 기재된 상해가 곧 피고인의 범죄행위로 인하여 발생한 것이라는 사실을 직접 증명하는 증거가 되기에 부족한 것이지만, 피해자의 진술과 더불어 피고인의 상해 사실에 대한 유력한 증거가 되고, 합리적인 근거 없이 그 증명력을 함부로 배척할 수 없다(대판 2011.1.27, 2010도12728). 14 · 21. 경찰승진, 24. 순경 2차 · 해경경위공채
3. 범행에 관한 간접증거만이 존재하고 더구나 그 간접증거의 증명력에 한계가 있는 경우, 범인으로 지목되고 있는 자에게 범행을 저지를 만한 동기가 발견되지 않는다면, 만연히 무엇인가 동기가 분명히 있는데도 이를 범인이 숨기고 있다고 단정할 것이 아니라 반대로 간접증거의 증명력이 그만큼 떨어진다고 평가하는 것이 형사 증거법의 이념에 부합하는 것이라 할 것이다(대판 2006.3.9, 2005도8675). 12. 경찰간부, 21. 수사경과, 24. 경찰승진 · 순경 1차

4. 살인죄 등과 같이 법정형이 무거운 범죄의 경우에도 직접증거 없이 간접증거만으로 유죄를 인정할 수 있으나, 20 · 21. 경찰승진 간접증거에 의하여 주요사실의 전제가 되는 간접사실을 인정할 때에는 증명이 합리적인 의심을 허용하지 않을 정도에 이르러야 하고, 하나하나의 간접사실 사이에 모순, 저촉이 없어야 하는 것은 물론 간접사실이 논리와 경험칙, 과학법칙에 의하여 뒷받침되어야 한다(대판 2011.5.26, 2011도1902). 19. 수사경과, 22. 경찰간부, 24. 경위공채 · 해경경위공채, 25. 소방간부
5. 공모에 대하여는 직접증거가 없더라도 정황사실과 경험법칙에 의하여 이를 인정할 수 있다(대판 2005.11.10, 2004도1164). 25. 소방간부
6. 장물취득죄에 있어서 장물인 정을 알고 있었느냐의 여부는 장물 소지자의 신분, 재물의 성질, 거래의 대가 기타 상황을 참작하여 이를 인정할 수밖에 없다(대판 2004.12.9, 2004도5904).
7. 범의(고의)는 범죄사실을 구성하는 것으로서 이를 인정하기 위해서는 사물의 성질상 범의와 상당한 관련성이 있는 간접 사실을 증명하는 방법에 의하여 이를 입증할 수밖에 없다(대판 2002.3.12, 2001도2064).
8. 피해자의 시체가 발견되지 아니하였더라도 간접증거를 상호 관련하에 종합적으로 고찰하면 살인죄의 공소사실을 인정할 수 있다(대판 1999.10.22, 99도3273).
9. 뚜렷한 확증도 없이 단지 정황증거 내지 간접증거들만으로서 공소사실을 유죄로 인정한 것은 채증법칙을 위배하여 판결결과에 영향을 미친 사실오인의 위법을 범하였다 할 것이다(대판 1987.6.23, 87도795). 21. 수사경과
10. 공소사실을 인정할 수 있는 직접증거가 없고, 공소사실을 뒷받침할 수 있는 가장 중요한 간접증거의 증명력이 환송 뒤 원심에서 새로 현출된 증거에 의하여 크게 줄어들었으며, 그 밖에 나머지 간접증거를 모두 종합하여 보더라도 공소사실을 뒷받침할 수 있는 증명력이 부족한 경우, 피고인의 진술에 신빙성이 부족하다는 점을 더하여 보아도 제출된 증거만으로는 합리적인 의심의 여지 없이 공소사실을 유죄로 판단할 수 없다(대판 2003.2.26, 2001도1314). 21. 수사경과

---

② **인증**(인적 증거) · **물증**(물적 증거) · **서증**

㉠ 인증이라 함은 사람의 진술내용이 증거로 되는 것을 말한다.

예 증인의 증언, 감정인의 진술, 피고인의 진술 등

㉡ 물증은 물건의 존재나 상태가 증거로 되는 것을 말한다.

예 범행에 사용된 흉기, 절도죄의 장물 등

사람의 신체도 그 상태(예 상해부위)가 증거로 되는 경우는 물증에 해당한다.

㉢ 증거서류와 증거물인 서면을 합하여 서증이라고 한다.

서류는 증거물(그 존재나 상태가 증거로 되는 경우), 증거서류(서류의 의미내용이 증거로 되는 경우), 증거물인 서면(서류의 성질 · 상태 및 의미의 내용이 모두 증거로 되는 경우, 즉 증거물과 증거서류의 성질을 함께 가지고 있는 서류)으로 나눌 수 있다. 이와 같이 나누는 실익은 증거조사방식에 차이가 있기 때문이다. 단순히 증거물인 경우는 제시(제292조의 2 제2항), 증거서류는 원칙적으로 낭독에 의하고, 내용의 고지나 열람도 가능하며(제292조), 증거물인 서면은 제시 및 낭독이 요구된다.

증거서류와 증거물인 서면의 구별에 관한 학설

절차 기준설	공소제기의 전후를 불문하고 당해 형사절차에서 법령에 기하여 작성된 서류는 증거서류이고, 그 밖의 서류는 증거물인 서면이라고 보는 견해이다. 예 ┌ **증거서류** : 증인신문조서, 검증조서, 수사기관이 작성한 각종조서 등 └ **증거물인 서면** : 일기장, 각종 증명서, 다른 사건에서 작성된 조서 등
작성자 기준설	당해 형사절차에서 법령에 의하여 법원 또는 법관면전에서 작성된 서류는 증거서류이고, 그 밖의 서류는 증거물인 서면이라고 보는 견해이다. 예 ┌ **증거서류** : 당해 사건에 대하여 법원 또는 법관면전에서 작성된 조서 등 └ **증거물인 서면** : 수사기관 작성의 각종 조서, 다른 사건에서 작성된 법원 또는 법관 면전에서 작성된 조서 등
내용 기준설 (법원실무의 입장)	당해 형사절차에서 이루어졌는가와 상관 없이 서류의 내용이 증거가 되는 것을 증거서류라 하고, 서류의 내용은 물론 서류의 존재, 상태까지도 증거가 되는 것은 증거물인 서면이라고 보는 견해이다. 예 ┌ **증거서류** : 법원 또는 법관면전 작성 조서, 수사기관 작성 조서, 감정서, 진술서 등 └ **증거물인 서면** : 문서위조죄의 위조문서, 무고죄의 허위고소장, 협박죄의 협박편지, 명예훼손죄의 명예훼손의 수단인 신문이나 인쇄물 등

현행법이 증거조사의 전단계인 증거결정 단계에서 소송관계인에게 증거능력의 판단을 위하여 서류의 제시와 상대방의 의견진술을 구하도록 하고 있는 점(제291조, 규칙 제134조)에 비추어 볼 때 현행법 체계상 내용기준설이 타당하다고 볼 수 있다.

③ **진술증거와 비진술증거** : 진술증거란 사람의 진술이 증거로 되는 경우를 말한다. 여기에는 진술(예 피고인진술·증인의 증언)과 진술이 기재된 서면(예 피의자신문조서·진술조서)이 포함된다. 이에 대하여 단순한 증거물이나 사람의 신체상태 등이 증거로 되는 경우가 비진술증거이다. 진술증거는 다시 원본증거(범죄사실에 관한 사실을 체험한 사람이 직접 법원에 진술하는 것 : 본래증거)와 전문증거(직접 체험한 자의 진술이 서면이나 타인의 진술을 통하여 간접적인 방법으로 법원에 전달되는 증거)로 나눌 수 있다.

④ **본증과 반증** : 거증책임을 부담하는 자가 제출하는 증거가 본증이며, 본증에 의하여 증명하려는 사실의 존재를 부인하기 위하여 제출한 증거를 반증이라 한다. 현행법상 거증책임은 원칙적으로 검사가 지고 있으므로 검사가 제출하는 증거를 본증, 피고인이 제출하는 증거를 반증이라 할 수 있다.

⑤ **실질증거와 보조증거** : 실질증거란 주요사실의 존부(피고사건의 유죄입증에 있어서 핵심적인 내용을 이루는 사실)를 직접적·간접적으로 증명하는 데 사용되는 증거를 말한다. 보조증거는 실질증거의 증명력을 감쇄시키거나(예 증인의 약한 기억력에 관한 증언) 증강(보강)시키는 증거를 말하며, 보조증거만으로는 주요사실을 증명할 수 없다는 점에서 보조증거는 실질증거와 구별된다.

보조증거를 탄핵증거(실질증거의 증명력을 감쇄시키는 증거)와 보강증거(실질증거의 증명력을 보강시키는 증거)로 나누는 것이 일반적이나, 보강증거를 실질증거의 일종으로 보는 견해도 있다.

KEY point

- 증거의 종류
  - ▶ 간접증거의 사례
- 증거서류와 증거물인 서면
- **증거조사방식**
  - 물증 ⇨ 제시
  - 증거서류 ⇨ 낭독(내용고지 or 열람)
  - 증거물인 서면 ⇨ 제시 + 낭독(내용고지 or 열람)

2 증거재판주의

제307조【증거재판주의】 ① 사실의 인정은 증거에 의하여야 한다.
② 범죄사실의 인정은 합리적인 의심이 없는 정도의 증명에 이르러야 한다.

(1) 의 의

① 형사소송법 제307조 제1항은 "사실의 인정은 증거에 의하여야 한다."라고 규정하여 증거재판주의를 선언하고 있으며, 01. 7급 검찰, 20. 수사경과 "범죄사실의 인정은 합리적인 의심이 없는 정도의 증명에 이르러야 한다."는 제307조 제2항의 규정을 통하여 증거재판주의의 엄격성을 재확인하고 있다. 20. 수사경과

② 실체적 진실발견을 이념으로 하고 있는 형사소송에서 법관의 자의에 의한 사실인정이 허용될 수 없고 반드시 증거에 의하여야 한다는 것이 증거재판주의이다. 이러한 의미에서 증거재판주의는 실체적 진실발견을 위한 증거법의 기본원칙이라 할 수 있다. 11. 경찰승진

증거재판주의 규정은 후술하는 엄격한 증명에 관한 규정으로서, 공소사실 및 이와 관련한 중요한 사실에 관해서는 엄격한 증명을 요한다는 법리를 명시한 것이라고 해석되고 있다. 즉, 제307조 제1항에서 '사실'이라 함은 엄격한 증명을 요하는 사실을 말하고, 그러한 '사실의 인정'은 증거능력이 있고 적법한 증거조사를 거친 증거에 의하여야 한다는 의미를 가진 것이라고 할 수 있다.

(2) 증 명

① **의의** : 증명이란 사실의 존부에 관하여 법관으로 하여금 합리적인 의심의 여지가 없을 정도로 고도의 개연성, 즉 확신을 갖게 하는 것을 말한다. 08. 9급 국가직

관련판례

1. 유죄로 인정하기 위한 심증형성의 정도는 합리적인 의심을 할 여지가 없을 정도여야 하나, 이는 모든 가능한 의심을 배제할 정도에 이를 것까지 요구하는 것은 아니며, 증명력이 있는 것으로 인정되는 증거를 합리적인 근거가 없는 의심을 일으켜 이를 배척하는 것은 자유심증주의의 한계를 벗어나는 것으로 허용될 수 없다 할 것인바, 여기에서 말하는 합리적 의심이라 함은 모든 의문, 불신을 포함하는 것이 아니라 논리와 경험칙에 기하여 요증사실과 양립할 수 없는 사실의 개연성에 대한 합리성 있는 의문을 의미하는 것으로서, 피고인에게 유리한 정황(불리한 정황 ×)을 사실인정과 관련하여 파악한

이성적 추론에 그 근거를 두어야 하는 것이므로 단순히 관념적인 의심이나 추상적인 가능성에 기초한 의심은 합리적 의심에 포함된다고 할 수 없다(대판 2004.6.25, 2004도2221). 09·12. 9급 국가직

합리적 의심이라 함은 피고인에게 불리한 정황을 사실인정과 관련하여 파악한 이성적 추론에 그 근거를 두어야 한다. (×)

2. 뇌물죄에 있어서 수뢰자로 지목된 피고인이 수뢰사실을 시종일관 부인하고 있고 이를 뒷받침할 만한 객관적인 자료 등 물증이 없는 경우에, 금품공여자의 진술은 증거능력이 있어야 함은 물론 합리적 의심을 배제할 만한 신빙성이 있어야 하고, 신빙성이 있는지 여부를 판단함에 있어서는 그 진술내용 자체의 합리성, 객관적 상당성, 전후의 일관성 등 뿐만 아니라 그의 인간됨, 그 진술로 얻게 되는 이해관계 유무 등도 아울러 살펴보아야 한다(대판 2008.12.11, 2008도7112).
3. 형사재판에 있어 심증형성은 반드시 직접증거에 의하여 형성되어야만 하는 것은 아니고 간접증거에 의할 수도 있는 것이며, 간접증거는 이를 개별적·고립적으로 평가하여서는 아니 되고 모든 관점에서 빠짐없이 상호 관련시켜 종합적으로 평가하고, 치밀하고 모순 없는 논증을 거쳐야 한다(대판 2009.3.12, 2008도8486).
4. 형사재판에 있어서 유죄의 증거는 단지 우월한 증명력을 가진 정도로서는 부족하고 법관으로 하여금 합리적인 의심을 할 여지가 없을 정도의 확신을 생기게 할 수 있는 증명력을 가진 것이어야 한다(대판 1987.7.7, 86도586).

소명과의 구별 : 소명은 어떤 사실의 존부에 관하여 법관에게 확신을 갖게 할 필요는 없고 법관으로 하여금 단지 추측, 즉 일응 '진실할 것이다.'라는 인식을 갖게 함으로써 족한 것을 말한다.

▶ **현행법상 소명을 요하는 경우**
1. 기피사유 소명(제19조 제2항)
2. 증거보전청구사유 소명(제184조 제3항)
3. 증인신문청구사유 소명(제221조의 2 제2항·제3항)
4. 증언거부사유 소명(제150조)
5. 상소권회복청구사유 소명(제346조 제2항)
6. 정식재판청구권회복사유 소명(제458조)
7. 공판준비기일에 증거를 신청하지 못한 부득이한 사유의 소명(제266조의 13)
8. 국선변호인 선정 청구사유의 소명(규칙 제17조의 2)

② **증명의 유형** : 증명의 유형으로는 엄격한 증명과 자유로운 증명이 있다. 양자는 증거능력의 유무와 증거조사방법에서 차이가 있을 뿐 심증의 정도에 차이가 있는 것은 아니다. 02. 경찰승진 엄격한 증명과 자유로운 증명은 모두 합리적 의심이 없는 증명 또는 확신을 요한다. 03. 순경, 11. 경찰승진

(3) 엄격한 증명

① **의의** : 엄격한 증명이란 어떤 사실을 증명하는 데 있어서 법률상 증거능력이 있고 적법한 증거조사를 거친 증거에 의하여야 하는 증명을 말한다.

② **대상** : 형사소송법 제307조의 '사실'은 엄격한 증명의 대상이 되는 사실이다. 어떠한 사실이 엄격한 증명을 요하느냐에 관하여 항목별로 살펴보기로 한다.

㉠ **공소범죄사실** : 공소범죄사실이란 특정한 구성요건에 해당하는 구체적 사실로서 위법성과 책임을 구비한 것을 말한다.

ⓐ 구성요건 해당사실 : 구성요건 해당사실은 객관적 구성요건요소인가 또는 주관적 구성요건요소인가를 불문하고 엄격한 증명의 대상이 된다. 09. 순경

☎ 행위의 주체 · 객체 · 결과 · 인과관계 등은 물론이고 고의, 과실, 목적, 공모공동정범에 있어 공모, 불법영득의사와 같은 주관적 사실도 엄격한 증명을 요한다.

☎ 범죄구성요건사실의 존부를 알아내기 위해 과학공식 등의 경험칙을 이용하는 경우에 그 법칙 적용의 전제가 되는 사실에 대하여도 엄격한 증명을 요한다.

관련판례

1. 범죄구성요건사실의 존부를 알아내기 위해 과학공식 등의 경험칙을 이용하는 경우에 그 법칙 적용의 전제가 되는 개별적이고 구체적인 사실에 대하여는 엄격한 증명을 요하는바, 위드마크 공식의 경우 그 적용을 위한 자료로 섭취한 음주량, 음주시각, 체중, 평소 음주의 정도 등이 필요하므로 그런 전제사실에 대한 엄격한 증명이 요구된다(대판 2008.8.21, 2008도5531). 14. 7급 국가직, 10 · 11 · 17. 경찰승진, 18. 수사경과, 15 · 19. 경찰간부, 16 · 20. 9급 교정 · 보호 · 철도경찰, 20. 9급 검찰 · 마약수사, 20. 해경
2. 민간인이 군에 입대하여 군인의 신분을 취득하였는가의 여부를 판단함에는 엄격한 증명을 요한다(대판 1970.10.30, 70도1936). 04 · 08. 순경, 07. 경찰승진
3. 교사범에 있어서의 교사사실은 범죄사실을 구성하는 것으로서 이를 인정하기 위하여는 엄격한 증명이 요구되지만, 피고인이 교사사실을 부인하고 있는 경우에는 사물의 성질상 그와 상당한 관련성이 있는 간접사실을 증명하는 방법에 의하여 이를 입증할 수도 있다(대판 2000.2.25, 99도1252). 09. 순경, 11 · 16. 경찰승진, 17. 순경 1차, 24. 순경 2차
4. 공모나 모의는 공모공동정범에 있어서의 '범죄될 사실'이라 할 것이므로 이를 인정하기 위하여는 엄격한 증명에 의하지 않으면 아니 되고, 18. 수사경과, 20. 경찰승진 · 9급 검찰 · 마약 · 교정 · 보호 · 철도경찰 그 증거는 판결에 표시되어야 하며, 공모의 판시는 그 구체적 내용을 상세하게 판시할 필요는 없다(대판 1988. 9.13, 88도1114). 17. 순경 1차, 18. 순경 3차, 16 · 17 · 24. 경찰승진
5. 단속공무원이 도로법 제54조 제2항에 의거 적재량 측정요구가 있었다는 점은 범죄사실을 구성하는 중요 부분으로서 이를 인정하기 위하여는 엄격한 증명이 요구된다(대판 2005.6.24, 2004도7212). 12. 경찰간부, 16. 경찰승진, 24. 해경경위공채
6. 뇌물죄에서 수뢰액은 다과에 따라 범죄구성요건이 되므로 엄격한 증명의 대상이 되고, 19. 경찰간부 특정범죄 가중처벌 등에 관한 법률에서 정한 범죄구성요건이 되지 않는 단순 뇌물죄의 경우에도 몰수 · 추징의 대상이 되는 까닭에 역시 증거에 의하여 인정되어야 하며, 수뢰액을 특정할 수 없는 경우에는 가액을 추징할 수 없다(대판 2011.5.26, 2009도2453). 14. 순경 1차, 16. 9급 교정 · 보호 · 철도경찰, 17. 경찰승진, 24. 해경경위공채
7. 범의(고의)는 범죄사실을 구성하는 것으로서 이를 인정하기 위해서는 엄격한 증명이 요구된다. 다만, 이러한 주관적 요소로 되는 사실은 사물의 성질상 범의와 상당한 관련성이 있는 간접 사실을 증명하는 방법에 의하여 이를 입증할 수밖에 없고, 무엇이 상당한 관련성이 있는 간접 사실에 해당할 것인가는 정상적인 경험칙에 바탕을 두고 치밀한 관찰력이나 분석력에 의하여 사실의 연결상태를 합리적으로 판단하는 방법에 의하여야 한다(대판 2002.3.12, 2001도2064). 09. 전의경, 12. 경찰간부

8. 목적과 용도를 정하여 위탁한 금전을 수탁자가 임의로 소비하면 횡령죄를 구성할 수 있다. 이 경우 피해자 등이 목적과 용도를 정하여 금전을 위탁한 사실 및 그 목적과 용도가 무엇인지는 엄격한 증명의 대상이라고 보아야 한다(대판 2013.11.14, 2013도8121). 16. 9급 검찰·마약수사, 15·20. 9급 법원직, 23. 해경승진, 19·24. 순경 2차
9. 횡령죄에 있어 불법영득의사를 실현하는 행위로서의 횡령행위가 있다는 점은 검사가 입증하여야 하는 것으로서 그 입증은 법관으로 하여금 합리적인 의심을 할 여지가 없을 정도의 확신을 생기게 하는 증명력을 가진 엄격한 증거에 의하여야 한다(대판 2002.9.4, 2000도637). 16. 9급 검찰·마약수사, 24. 소방간부·해경경위공채
10. 횡령한 재물의 가액이 특정경제범죄법의 적용 기준이 되는 하한 금액을 초과한다는 점도 다른 구성요건 요소와 마찬가지로 엄격한 증거에 의하여 증명되어야 한다(대판 2017.5.30, 2016도9027). 20. 경찰승진
11. 폭력행위 등 처벌에 관한 법률 제4조 범죄단체의 구성·가입행위 자체는 엄격한 증명을 요하는 범죄이다. 11. 경찰승진 그러나 그 행위의 성질상 외부에서 알아보기 어려운 상태에서 극비리에 행하여지는 것이 통례이고, 일단 구성원이 된 경우에는 그 탈퇴가 자유롭지 못할 뿐 아니라, 이탈자에 대한 잔학한 보복이 자행되는 경우가 많아서 이에 대한 직접적인 물적 증거나 증인의 존재를 기대하기가 극히 어려우므로, 그 단체의 구성·가입 시기는 특별한 사정이 없는 한 구성원들의 인적관계, 평소의 행동 태양, 구성원들에 의하여 행해진 범법행위의 발전과정 등 여러 가지 간접증거들을 종합하여 정상적인 경험칙에 따라 그 행위가 있었다고 볼 수 있는 시기를 합리적으로 판단하여 이를 인정할 수 있는 것이고, 또 그 범죄단체는 다양한 형태로 성립·존속할 수 있는 것으로서 정형을 요하는 것이 아닌 이상 그 구성·가입이 반드시 단체의 명칭이나 강령이 명확하게 존재하고 단체 결성식이나 가입식과 같은 특별한 절차가 있어야만 성립되는 것은 아니다(대판 2005.9.9, 2005도3857).
12. 특정범죄 가중처벌 등에 관한 법률 제5조의 9 제1항 위반의 죄의 행위자에게 보복의 목적이 있었다는 점은 엄격한 증명에 의하여야 하며, 이와 같은 증명이 없다면 피고인의 이익으로 판단할 수밖에 없다(대판 2014.9.26, 2014도9030). 19. 순경 2차
13. 엄격한 증명의 대상에는 검사가 공소장에 기재한 구체적 범죄사실이 모두 포함되고 특히 공소사실에 특정된 범죄의 일시는 피고인의 방어권 행사의 주된 대상이 되므로 범죄의 성격상 특수한 사정이 있는 경우가 아닌 한 엄격한 증명을 통하여 공소사실에 특정한 대로 범죄사실이 인정되어야 한다(대판 2013.9.26, 2012도3722). 20. 9급 법원직
14. 양심적 병역 거부를 주장하는 피고인이 자신의 병역 거부가 그에 따라 행동하지 않고서는 인격적 존재가치가 파멸되고 말 것이라는 절박하고 구체적인 양심에 따른 것으로 그 양심이 깊고 확고하며 진실한 것이라는 사실의 존재를 수긍할 만한 소명자료를 법원에 제출한 경우, 검사는 제출된 자료의 신빙성을 탄핵하는 방법으로 진정한 양심의 부존재를 증명할 수 있다(대판 2020.11.26, 2018도14411). 23. 변호사시험
    ▶ **유사판례** : 예비군법 제15조 제9항 제1호에서 정한 정당한 사유가 없다는 사실은 범죄구성요건이므로 검사가 증명하여야 하지만, 양심적 예비군훈련거부를 주장하는 피고인은 자신의 예비군훈련거부가 그에 따라 행동하지 않고서는 인격적 존재가치가 파멸되고 말 것이라는 절박하고 구체적인 양심에 따른 것이며 그 양심이 깊고 확고하며 진실한 것이라는 사실의 존재를 수긍할 만한 소명자료를 제시하고, 검사는 제시된 자료의 신빙성을 탄핵하는 방법으로 진정한 양심의 부존재를 증명할 수 있다(대판 2021.2.25, 2019도18442). 22. 순경 1차

15. 범죄구성요건에 해당하는 사실을 증명하기 위한 근거가 되는 과학적인 연구 결과는 적법한 증거조사를 거친 증거능력 있는 증거에 의하여 엄격한 증명으로 증명되어야 한다(대판 2010.2.11, 2009도2338). 23. 경찰승진
16. 공연성은 명예훼손죄의 구성요건으로서, 특정 소수에 대한 사실적시의 경우 공연성이 부정되는 유력한 사정이 될 수 있으므로, 전파될 가능성에 관하여는 검사의 엄격한 증명이 필요하다(대판 2021.10.14, 2020도11004). 23. 순경 2차
17. 의사에게 의료행위로 인한 업무상 과실치사상죄를 인정하기 위해서는, 의료행위 과정에서 공소사실에 기재된 업무상 과실의 존재는 물론 그러한 업무상 과실로 인하여 환자에게 상해·사망 등 결과가 발생한 점에 대하여도 엄격한 증거에 따라 합리적 의심의 여지가 없을 정도로 증명이 이루어져야 한다(대판 2023.1.12, 2022도11163). 24. 경찰승진

ⓑ 위법성과 책임에 관한 사실 : 구성요건에 해당하는 사실이 증명되면 위법성과 책임은 사실상 추정된다. 그러나 이러한 추정을 깨는 피고인의 위법성조각사유 또는 책임조각사유의 주장이 있을 경우, 이에 대한 부존재는 엄격한 증명의 대상이다(통설). 02·04·09. 순경 한편 명예훼손죄에 있어서 위법성조각사유인 사실증명(진실한 사실+공공의 이익)에 대하여 엄격한 증명의 대상으로 보는 견해도 있으나 판례는 자유로운 증명의 대상으로 보고 있다. 20. 9급 검찰·마약·교정·보호·철도경찰

관련판례

• 명예훼손죄에서의 사실증명

1. 공연히 사실을 적시하여 사람의 명예를 훼손한 행위가 형법 제310조의 규정에 따라 위법성이 조각되어 처벌대상이 되지 않기 위해서는 그것이 진실한 사실로서 오로지 공공의 이익에 관한 때에 해당된다는 점을 행위자가 증명하여야 하는 것이나, 그 증명은 엄격한 증거에 의하여야 하는 것은 아니므로 전문증거에 대한 증거능력 제한을 규정한 제310조의 2는 적용될 여지가 없다. 따라서 전문증거에 의한 증명도 무방하다(대판 1996.10.25, 95도1473). 14. 7급 국가직, 15. 경찰간부, 22. 경찰승진, 24. 소방간부
2. 형법 제310조에서 말하는 공공의 이익에는 널리 국가, 사회 기타 일반 다수인의 이익에 관한 것뿐만 아니라 특정 사회집단이나 그 구성원 전체의 관심과 이익에 관한 것도 포함되고, 행위자의 주요한 동기 내지 목적이 공공의 이익을 위한 것이라면 부수적으로 다른 개인적인 목적 또는 동기가 내포되어 있거나 그 표현에 있어서 다소 모욕적인 표현이 들어 있다 하더라도 형법 제310조의 적용을 배제할 수 없다. 공적 관심사안에 관하여 진실하거나 진실이라고 봄에 상당한 사실을 공표한 경우에는 그것이 악의적이거나 현저히 상당성을 잃은 공격에 해당하지 않는 한 원칙적으로 공공의 이익에 관한 것이라는 증명이 있는 것으로 보아야 한다(대판 2007.1.26, 2004도1632).

ⓒ 처벌조건 : 처벌조건은 공소범죄 사실 자체는 아니지만 형벌권 발생에 직접 관련되는 사실이므로 엄격한 증명을 요한다.

예 파산범죄에서 파산선고확정, 10. 경찰승진 친족상도례에 있어 일정한 친족관계의 부존재, 01. 순경, 09. 전의경 사전수뢰죄에서 공무원이나 중재인이 된 사실

ⓛ **형벌권의 범위에 관한 사실**

ⓐ 법률상 형의 가중·감면의 이유되는 사실 : 범죄사실은 아니나 형벌권의 범위에 관한 사실이므로 엄격한 증명을 요한다(통설)[예 누범전과(누범 이외의 전과는 자유로운 증명대상임), 상습범에서 상습성,08. 9급 국가직, 13. 경찰간부 심신미약, 중지미수,08. 순경 3차 불능미수, 자수, 자복]. 이에 대하여 판례는 심신상실이냐 심신미약이냐의 문제는 법률적 판단이지 범죄될 사실은 아니기 때문에 자유로운 증명의 대상으로 본다.

관련판례

범행 당시 정신상태가 심신상실이냐 심신미약이냐 문제는 엄격한 증명을 요하지 않고 자유로운 증명으로 족하다(대판 1971.3.31, 71도212). 03·04. 순경, 07. 9급 국가직, 09. 경찰승진

ⓑ 몰수 및 추징에 관한 사유 : 몰수나 추징은 부가형으로서 형벌의 일종이므로 다수설은 엄격한 증명의 대상이 된다는 입장이나, 판례는 엄격한 증명의 대상이 아니라고 한다.

관련판례

1. 몰수·추징의 대상이 되는지의 여부나 추징액의 인정은 엄격한 증명의 대상이 아니다(대판 2015.4.23, 2015도1233). 10. 경찰승진, 14. 7급 국가직, 16. 9급 검찰·마약수사, 17. 순경 1차, 16·19. 경찰간부, 16·19·20. 순경 2차, 20. 해경, 23. 소방간부, 24. 해경승진
2. 범죄사실에서 수수한 뇌물의 액수를 특정할 수 없다면, 추징을 함에 있어서도 그 추징의 대상이 되는 뇌물의 액수를 특정할 수 없는 경우에 해당한다고 보아 추징을 선고하여서는 안 될 것이다(대판 2009.8.20, 2009도4391). 24. 소방간부

ⓒ **간접사실, 보조사실, 경험법칙, 법규**

ⓐ 간접사실 : 간접사실은 주요사실의 존부를 간접적으로 추인케 하는 사실을 말하며, 주요사실이 엄격한 증명을 요할 경우 간접사실도 엄격한 증명의 대상이 된다. 03. 순경, 05. 9급 국가직

구성요건에 해당하는 사실은 엄격한 증명에 의하여 이를 인정하여야 하고, 증거능력이 없는 증거는 구성요건 사실을 추인하게 하는 간접사실이나 구성요건 사실을 입증하는 직접증거의 증명력을 보강하는 보조사실의 인정자료로도 사용할 수 없다(대판 2010.5.27, 2008도2344). 18. 7급 국가직, 22·24. 경찰승진·경찰간부, 24. 소방간부

보충 알리바이 증명

피고인이 현장 이외의 장소에 있었다는 사실을 주장하고 자신의 무죄를 입증하는 방법인 현장 부재증명, 즉 알리바이에 대하여 피고인이 엄격한 증명에 의하여 입증해야 하는가에 대하여 대립이 있다. 알리바이 증명은 주요사실에 대한 간접적 반대증거가 될 수 있는 간접사실로서 피고인이 현장 부재사실을 엄격한 증명에 의하여 입증해야 한다는 견해와 피고인의 알리바이 주장은 구성요건 해당사실의 존재에 대한 다툼으로 새기고 이에 기초하여 검사가 구성요건 해당사실 자체를 엄격한 증명의 방법으로 입증해야 할 것이라는 견해가 있다. 생각건대, 엄격한 증명의 법리가 피고인 보호를 위하여 요구되고 있다는 점에 비추어 볼 때 검사가 알리바이의 불성립에 대하여 엄격한 증명으로 입증함이 타당하다고 본다. 11. 교정특채

ⓑ 보조사실 : 보조사실이란 증거의 증명력에 영향을 미치는 사실로서 증거의 증명력을 탄핵하는 사실과 보강하는 사실로 구별할 수 있다. 증거의 증명력을 탄핵하는 사실은 자유로운 증명으로 족하다고 하여야 하지만(판례), 주요사실을 인정하는 증거의 증명력을 보강하는 자료가 되는 사실은 그 주요사실이 엄격한 증명이 되는 이상 엄격한 증명을 요한다고 하여야 한다.

관련판례

탄핵증거는 범죄사실을 인정하는 증거가 아니므로 엄격한 증거조사를 거쳐야 할 필요는 없으나, 20. 9급 검찰·마약·교정·보호·철도경찰 법정에서 이에 대한 증거조사는 필요하다(대판 1998.2.27, 97도1770). 04·08·09. 순경, 11. 경찰승진, 12. 경찰간부

ⓒ 경험법칙 : 경험법칙이란 사실 자체가 아니고 사실판단의 전제가 되는 지식을 말한다. 경험법칙에는 일반인 누구나 알고 있는 일반적 경험법칙과 특정한 사람에게만 알려져 있는 특별한 경험법칙이 있다. 일반적 경험법칙은 일종의 공지의 사실이라 할 수 있기 때문에 증명을 요하지 않는다. 그러나 특별한 경험법칙은 엄격한 증명을 요구하는 사실인정에 기초가 될 경우에는 엄격한 증명이 필요하다.

ⓓ 법규 : 피고사건에 대한 법규의 존재와 내용은 법원의 직권조사 사항이므로 증명의 대상이 되지 않는다. 그러나 외국법, 관습법, 자치법규와 같이 법규의 내용이 명백하지 아니한 때에는 엄격한 증명을 요한다. 14. 순경 1차

관련판례

형법 제6조 본문에 의하여 외국인이 대한민국 영역 외에서 대한민국 국민에 대하여 범죄를 저지른 경우에도 우리 형법이 적용되지만, 같은 조 단서에 의하여 행위지의 법률에 의하여 범죄를 구성하지 아니하거나 소추 또는 형의 집행을 면제할 경우에는 우리 형법을 적용하여 처벌할 수 없다고 할 것이고, 이 경우 행위지의 법률에 의하여 범죄를 구성하는지 여부에 대해서는 엄격한 증명에 의하여 검사가 이를 입증하여야 할 것이다(대판 2008.7.24, 2008도4085). 11. 경찰승진, 16. 9급 검찰·마약수사, 18. 수사경과, 19. 순경 2차, 22. 7급 국가직, 23. 순경 1차, 25. 소방간부

(4) 자유로운 증명

① **의의** : 자유로운 증명은 증거능력의 제한이나 적법한 증거조사로부터 해방되어 증거조사가 법원의 재량에 의하여 행하여지는 점에 특색이 있다. 즉, 증거능력이 있고 적법한 증거조사를 거친 증거에 의한 증명(엄격한 증명)을 요하지 않고 자유로운 증명으로 족한 경우를 말한다.

② **대 상**

㉠ **정상에 관한 사실** : 양형의 기초가 되는 정상관계 사실은 복잡하고 비유형적이므로 엄격한 증명의 대상으로 하기에 적합하지 않을 뿐 아니라, 양형은 성질상 법원의 재량에 맡길 것이므로 자유로운 증명으로 족하다(통설). 03. 순경

예 피고인의 경력(전과), 성격, 환경, 범죄 후의 정황 등 형의 선고유예, 집행유예 또는 작량감경 및 양형의 조건이 되는 사실 04. 순경

관련판례

양형의 조건에 관하여 규정한 형법 제51조의 사항은 널리 형의 양정에 관한 법원의 재량사항에 속한다고 해석되므로 법률이 규정한 증거로서의 자격이나 증거조사방식에 구애됨이 없이 상당한 방법으로 조사하여 양형의 조건이 되는 사항을 인정할 수 있다. 22. 경찰승진 나아가 형의 양정에 관한 절차는 범죄사실을 인정하는 단계와 달리 취급하여야 하므로, 당사자가 직접 수집하여 제출하기 곤란하거나 필요하다고 인정되는 경우 등에는 직권으로 양형조건에 관한 형법 제51조의 사항을 수집·조사할 수 있다. 이와 같은 취지에서, 자료의 수집·조사 등의 업무를 담당하는 법원 소속 조사관에게 양형의 조건이 되는 사항을 수집·조사하여 제출하게 하고, 이를 피고인에 대한 정상 관계 사실과 함께 참작하여 선고한 것은 정당하다(대판 2010.4.29, 2010도750). 13. 9급 법원직

PART 04

② **소송법적 사실** : 재판을 하는데 절차상으로만 중요한 사실들, 즉 순수한 소송법적 사실은 형벌권행사와 직접 관련이 없으므로 자유로운 증명으로 족하다.

예 친고죄에 있어서 고소유무, 17. 순경 1차, 19. 경찰간부, 20. 9급 법원직 관할권의 존재, 01. 9급 검찰 공소제기, 피고인의 구속기간, 공판개시, 적법한 피고인신문이 행하여졌느냐의 여부, 자백의 임의성, 특신상태 등

관련판례

1. 친고죄에서 적법한 고소가 있었는지는 자유로운 증명의 대상이 된다(대판 1999.2.9, 98도2074). 15. 9급 법원직·7급 국가직, 14·16. 순경 1차, 16. 9급 교정·보호·철도경찰·경찰간부, 16·17. 경찰승진, 20. 수사경과, 15·22. 순경 2차, 24. 해경경위공채
2. 피의자의 진술에 관하여 공판정에서 그 임의성 유무가 다투어지는 경우에는 법원은 구체적인 사건에 따라 증거조사의 방법이나 증거능력의 제한을 받지 아니하고 제반사정을 종합 참작하여 적당하다고 인정되는 방법에 의하여 자유로운 증명으로 그 임의성 유무를 판단하면 된다(대판 1986.11.25, 83도1718). 08. 9급 국가직, 11. 경찰승진, 12. 경찰간부, 14·16·17. 순경 1차, 18. 순경 3차, 21. 수사경과
3. 피고인의 자필로 작성된 진술서의 경우에는 서류의 작성자가 동시에 진술자이므로 진정하게 성립된 것으로 인정되어 형사소송법 제313조 단서에 의하여 그 진술이 특히 신빙할 수 있는 상태하에서 행하여진 때에는 증거능력이 있고, 이러한 특신상태는 증거능력의 요건에 해당하므로 검사가 그 존재에 대하여 구체적으로 주장·입증하여야 하는 것이지만, 이는 소송상의 사실에 관한 것이므로, 엄격한 증명을 요하지 아니하고 자유로운 증명으로 족하다(대판 2001.9.4, 2000도1743). 11. 경찰승진, 16. 9급 검찰·마약수사, 18. 수사경과, 20. 9급 법원직·순경 2차·해경, 14·16·23. 순경 1차, 23. 해경승진

   진술서의 진정성립에 대한 입증도 동일 14. 7급 국가직, 20. 해경
4. 출입국사범 사건에서 지방출입국·외국인관서의 장의 적법한 고발이 있었는지 여부가 문제되는 경우에 법원은 증거조사의 방법이나 증거능력의 제한을 받지 아니하고 제반사정을 종합하여 적당하다고 인정되는 방법에 의하여 자유로운 증명으로 그 고발 유무를 판단하면 된다(대판 2021.10.28, 2021도404). 23. 순경 1차, 24. 소방간부
5. 반의사불벌죄에서 피고인 또는 피의자의 처벌을 희망하지 않는다는 의사표시는 자유로운 증명의 대상이다. 증거능력이 없는 이 사건 각 수사보고서를 피해자들의 처벌희망 의사표시 철회의 효력

여부를 판단하는 증거로 사용한 것 자체는 위와 같은 법리에 따른 것으로서 정당하고, 거기에 상고이유의 주장과 같은 수사보고서의 증거능력 등에 관한 법리오해의 위법은 없다(대판 2010.10.14, 2010도5610). 20. 해경, 23. 경찰간부, 24. 경찰승진

6. 어떤 소송절차가 진행된 내용이 공판조서에 기재되지 않았다고 하여 당연히 그 소송절차가 당해 공판기일에 행하여지지 않은 것으로 추정되는 것은 아니고 공판조서에 기재되지 않은 소송절차의 존재가 공판조서에 기재된 다른 내용이나 공판조서 이외의 자료로 증명될 수 있고, 이는 소송법적 사실이므로 자유로운 증명의 대상이 된다(대판 2023.6.15, 2023도3038). 24. 순경 1차

(5) 증명을 요하지 않는 사실(불요증사실)

엄격한 증명은 물론 자유로운 증명조차 필요 없는 사실을 말한다.

① **공지의 사실** : 공지의 사실이란 일반적으로 알려져 있는 사실을 말하며 증명을 요하지 않는다. 그러나 반증이 금지되는 것도 아니고 구두변론의 대상에서 제외되는 것도 아니므로 법원은 공지의 사실의 경우에도 피고인에게 그에 대한 의견진술의 기회를 주어야 한다.

법원에 현저한 사실

법원이 직무상 명백히 알고 있는 사실(예 법원의 판결)을 말하며 이에 대하여는 증명이 필요하다고 보는 견해가 우세하다.

② **추정된 사실**

㉠ **법률상 추정된 사실** : 전제사실이 증명되면 다른 사실을 인정하도록 법률에 규정되어 있는 것을 말하며 이러한 사실은 증명을 요하지 않는다.

법률상 추정이 되어 있는 때에는 법원은 전제사실의 증명이 있으면 추정사실의 존재를 인정하지 않으면 안 되고 반증으로 추정이 번복되지 않는 한 증명을 요하지 않는다. 법률상 추정을 깨뜨리는 반증은 증거능력이 있는 증거에 의하여 증거조사의 방식을 거쳐서 행해져야 한다. 법률에 그러한 추정규정을 두는 경우에는 실체해명과 법관의 자유로운 심증형성을 제약하고 무죄추정의 원칙에도 반하게 되므로 형사소송법에는 이를 인정해서는 안 되며 현행 형사소송법에도 법률상 추정규정을 허용하는 규정이 없다.

법률상 추정규정의 예

- 마약류 불법거래방지에 관한 특례법에 따른 불법수익 추정(동법 제17조)
- 환경범죄 등의 단속 및 가중처벌에 관한 법률에 따른 불법배출과 위험발생간의 인과관계의 추정(동법 제11조)

㉡ **사실상 추정된 사실** : 어떤 전제사실이 증명되면 다른 사실에 대하여 특별한 의심이 없는 한 그 존재를 추정하는 것을 말하며 이러한 사실은 증명을 요하지 않는다. 사실상 추정이 법률상 추정과 다른 점은 사실상 추정된 사실을 소송관계인이 다투기만 하면 그 추정은 즉시 깨진다는 점에 있다. 따라서 사실상 추정은 당사자가 다투지 않는다는 전제에서 불요증사실인 셈이다.

예 • 검사가 구성요건 해당사실을 증명하면 그 행위의 위법성과 책임은 사실상 추정
• 도품 소지에 의한 절도 추정
• 장물매수시의 일정한 정황으로부터 장물성 인식의 추정(판례)
• 면식 없는 자로부터 재물취거를 한 경우 불법영득의사 추정
• 치명적 흉기를 사용한 자에 대한 살인의사의 추정(판례)

③ **거증금지사실** : 거증금지사실이란 증명으로 인한 소송법적 이익보다 큰 초소송법적 이익 때문에 증명이 금지된 사실을 말한다(예 공무상 비밀에 속하는 사실 : 제147조). 거증금지사실도 증명을 요하지 않는다는 입장과 이러한 사실은 애초부터 사실판단의 대상이 아니므로 불요증사실이라 할 수 없다는 견해도 있다.

(6) 증거재판주의의 위반

아무런 증거에 의하지 아니하고 공소범죄사실 등을 인정한 경우, 증거능력이 없는 증거 또는 적법한 증거조사를 거치지 아니한 증거에 의해서 공소사실 등을 인정한 경우 등이 증거재판주의에 위반한 경우이다. 어느 경우나 판결에 영향을 미친 법률위반이므로 항소이유(제361조의 5 제1호) 또는 상고이유(제383조 제1호)로 된다. 이에 대하여 공소범죄사실을 인정할 충분한 증거가 있음에도 불구하고 이러한 증거의 증명력을 배척하고 무죄를 선고한 경우에는 증거재판주의를 위반한 경우가 아니라 사실오인 내지 심리미진(제361조의 5 제14호)에 해당한다.
판례는 증거능력 없는 증거에 의하여 사실인정의 위법은 비상상고의 대상이 된다고 판시하고 있다(대판 1964.6.16, 64도28).

KEY point

엄격한 증명의 대상	자유로운 증명의 대상	불요증사실
• 구성요건 해당사실(객관적 구성요건요소, 주관적 구성요건요소) ▶ 고의, 목적 : 엄격한 증명의 대상(대판) • 위법성조각사유의 부존재, 책임조각사유의 부존재 • 처벌조건(예 친족상도례에서 친족관계의 부존재) • 법률상 형의 가중·감면의 이유가 되는 사실(예 누범전과, 상습범에서 상습성, 심신미약, 중지미수, 불능미수, 자수, 자복) ▶ 누범전과 이외의 전과 ⇨ 자유로운 증명 ▶ 심신상실, 심신미약 문제 ⇨ 자유로운 증명(대판) • 몰수·추징(판례 ⇨ 자유로운 증명) • 일정한 경우의 간접사실, 보조사실, 경험법칙, 외국법규 • 음주운전에 있어서 위드마크 공식의 적용을 위한 전제사실인 알코올의 양, 음주시각, 체중 등의 사실(대판)	• 정상에 관한 사실 • 소송법적 사실(예 친고죄에 있어 고소 유무, 피고인의 구속기간, 공소제기, 공판개시, 피고인신문이 적법하게 행하여졌는가 여부) • 자백의 임의성 • 특신상태	• 공지의 사실 • 추정된 사실

3 거증책임

(1) 서 설

거증책임은 실질적 거증책임(객관적 거증책임)과 형식적 거증책임(입증의 부담)으로 구분되며, 전자가 원래 의미의 거증책임에 해당한다.

(2) 실질적 거증책임

① **의의** : 실질적 거증책임이라 함은 어느 사실의 존부가 증명되지 아니한 경우에 당사자의 일방이 최종적으로 받게 될 불이익을 말한다(거증책임은 소송의 개시부터 종결시까지 고정되어 있음).

☎ 거증책임은 법원이 확실한 심증을 얻지 못한 경우에 증명곤란으로 인한 불이익을 소송관계인의 어느 일방에게 부담시킴으로써 재판불능상태를 방지하기 위한 제도임.

② **소송구조와 실질적 거증책임** : 직권주의나 당사자주의적 소송구조 모두 거증책임이 문제로 될 수 있다(다수설).

③ **거증책임의 분배**

㉠ **원칙** : 거증책임의 분배란 증명불능으로 인한 불이익을 누구에게 부담시킬 것인가를 정하는 문제이다. 무죄추정은 형사소송법의 기본원칙이며, 의심스러울 때에는 피고인의 이익으로(indubio pro reo) 판단하여야 하므로 거증책임은 원칙적으로 검사가 부담한다.

ⓐ 공소범죄사실 : 공소범죄사실, 즉 구성요건해당성, 위법성 그리고 책임의 존재에 대한 거증책임은 검사에게 있다. 02. 101단, 03. 순경 따라서 피고인이 위법성조각사유 또는 책임조각사유의 존재를 주장하면 검사는 부존재에 대한 거증책임을 진다.

☎ 피고인이 범행현장부재(alibi)를 주장한 경우 이에 대한 거증책임은 검사에게 있다. (○) 14. 7급 국가직

☎ 피고인이 범행현장부재를 주장한 경우 독일은 피고인에게, 미국은 검사에게 거증책임을 인정 03. 순경

관련판례

1. 형사재판에서 공소된 범죄사실에 대한 입증책임은 검사에게 있는 것이고, 유죄의 인정은 법관으로 하여금 합리적인 의심을 할 여지가 없을 정도로 공소사실이 진실한 것이라는 확신을 가지게 하는 증명력을 가진 증거에 의하여야 하므로, 그와 같은 증거가 없다면 설령 피고인에게 유죄의 의심이 간다 하더라도 피고인의 이익으로 판단할 수밖에 없다(대판 2001.2.9, 2000도4946). 09. 9급 법원직, 13. 9급 검찰·마약수사, 14. 경찰승진, 16. 7급 국가직
2. 불법영득의 의사에 관한 입증책임은 검사에게 있는 것이므로, 함부로 불법영득의 의사를 추단하여서는 아니 된다(대판 2010.6.24, 2007도5899). 13. 9급 검찰
3. 공직선거법 제250조 제2항의 허위사실공표죄가 성립하기 위하여는 검사가 공표된 사실이 허위라는 점을 적극적으로 증명할 것이 필요하고, 공표한 사실이 진실이라는 증명이 없다는 것만으로는 죄가 성립할 수 없다. 이와 관련하여 증명책임의 부담을 결정할 때 어느 사실이 적극적으로 존재한다는 증명은 물론이고 어느 사실이 부존재 한다는 증명이라도 특정 기간과 장소에서 특정 행위가 부존재한

다는 사실에 관한 것이라면 여전히 적극적 당사자인 검사가 이 사실을 합리적 의심의 여지 없이 증명할 의무를 부담한다(대판 2011.12.22, 2008도11847).

4. 허위사실 적시에 의한 명예훼손죄가 성립하려면 그 적시하는 사실이 허위이어야 할 뿐 아니라, 피고인이 그와 같은 사실을 적시할 때에 적시사실이 허위임을 인식하여야 하고, 이러한 허위의 점에 대한 인식, 즉 범의에 대한 입증책임은 검사에게 있다. 위와 같은 법리는 허위사실을 적시한 행위가 형법 제314조 제1항의 허위사실 유포 기타 위계에 의한 업무방해죄에 해당하는지 여부를 판단할 때에도 마찬가지이다(대판 2010.10.28, 2009도4949).
5. 행위자에게 이적행위를 할 목적이 있었다는 점은 검사가 증명하여야 하며, 행위자가 이적표현물임을 인식하고 국가보안법 제7조 제5항의 이적행위를 하였다는 사실만으로 그에게 이적행위를 할 목적이 있었다고 추정해서는 아니 된다(대판 2010.7.23, 2010도1189 전원합의체).
6. 종교적 신념에 따른 양심적 병역거부가 구 병역법 제88조 제1항의 정당한 사유에 속하지 않는다는 사실은 범죄구성요건이므로 검사가 증명하여야 한다. 다만, 진정한 양심의 부존재를 증명한다는 것은 사회통념상 불가능한 반면 그 존재를 주장·증명하는 것이 좀 더 쉬우므로, 이러한 사정은 검사가 증명책임을 다하였는지를 판단할 때 고려하여야 한다(대판 2020.11.26, 2018도14411). 23. 순경 2차·7급 국가직
7. 공직선거법상 허위사실공표죄에서 공표된 사실이 실제로 존재한다고 주장하는 피고인은 그러한 사실의 존재를 수긍할 만한 소명자료를 제시할 부담을 지고, 검사는 제시된 그 자료의 신빙성을 탄핵하는 방법으로 허위성을 증명할 수 있다. 이때 제시하여야 할 소명자료는 적어도 허위성에 관한 검사의 증명활동이 현실적으로 가능할 정도의 구체성은 갖추어야 한다(대판 2018.9.28, 2018도10447). 23. 순경 2차·7급 국가직
8. 수사기관이 그 별개의 증거를 피압수자 등에게 환부하고 후에 이를 임의제출받아 다시 압수하였다면 그 제출에 임의성이 있다는 점에 관하여는 검사가 합리적 의심을 배제할 수 있을 정도로 증명하여야 한다(대판 2016.3.10, 2013도11233). 24. 해경승진
9. 학문적 연구에 따른 의견 표현을 명예훼손죄에서 사실의 적시로 평가하는 데에는 신중할 필요가 있다. 형사재판에서 공소가 제기된 범죄의 구성요건을 이루는 사실은 그것이 주관적 요건이든 객관적 요건이든 그 증명책임이 검사에게 있으므로, 해당 표현이 학문의 자유로서 보호되는 영역에 속하지 않는다는 점은 검사가 증명하여야 한다(대판 2023.10.26, 2022도90).

ⓑ 처벌조건인 사실 : 인적 처벌조각사유이건 객관적 처벌조건이건 불문하고 형벌권 발생요건이 되는 사실이므로 검사가 거증책임을 진다.

ⓒ 형의 가중·감면사유가 되는 사실 : 형의 가중사유(예 누범전과 사실)가 되는 사실뿐만 아니라 형의 감면사유도 형벌권의 범위에 영향을 미치는 사유이므로 부존재에 관하여 검사가 거증책임을 진다(통설).

ⓓ 소송법적 사실

㉮ 소송조건인 사실의 존재에 관하여 검사가 거증책임을 부담한다.

예 공소시효 완성 여부를 확인하기 위하여 범행의 종료시점이 문제된 경우에 범행의 종료 시점이 명확하게 밝혀지지 않았다면 공소시효가 완성된 것으로 보아야 한다.

㈏ 증거능력 인정을 위한 기초사실의 존재에 관해서는 그 증거를 제출한 당사자가 거증책임을 부담한다.

예 의사의 진단서를 검사가 증거로 제출한 경우는 검사가 거증책임을 지며, 자백의 임의성 존재에 관하여 역시 검사가 거증책임을 진다(대판 2000.1.21, 99도4940). 피고인 또는 변호인이 검사가 작성한 피의자 신문조서에 대하여 임의성을 인정하였다가 증거조사 완료 후 이를 다투는 경우, 임의성의 증명책임도 검사가 진다(대판 2008.7.10, 2007도7760). 11. 9급 국가직, 13·14·15. 9급 검찰·마약수사, 15. 9급 법원직, 21. 수사경과, 22. 7급 국가직

㈐ 헌법과 형사소송법이 정한 절차를 위반하여 수집한 증거를 예외적으로 유죄의 증거로 사용할 수 있는 경우 및 그와 같은 특별한 사정에 대한 증명책임은 검사에게 있다(대판 2009.3.12, 2008도763).

㈑ 증인에 대한 회유나 압박 등이 없었다는 사정은 검사가 증인의 법정진술이나 면담 과정을 기록한 자료 등으로 사전면담 시점, 이유와 방법, 구체적 내용 등을 밝힘으로써 증명하여야 한다(대판 2021.6.10, 2020도15891).

㉡ **예외**(거증책임의 전환) : 원칙적으로 거증책임은 검사가 지나, 예외적으로 피고인이 부담하는 경우가 있는데 이를 거증책임의 전환이라 한다. 이와 관련된 문제로는 다음과 같다.

ⓐ 상해죄의 동시범(형법 제263조) : 형법 제263조는 "독립행위가 경합하여 상해의 결과를 발생하게 된 경우에 원인된 행위가 판명되지 아니한 때에는 공동정범의 예에 의한다."라고 규정하고 있다. 이 규정의 법적 성질에 대하여 통설은 거증책임의 전환으로 보고 있다. 즉, 피고인은 상해의 결과에 대하여 인과관계 없음을 증명할 거증책임을 지며, 이를 증명하지 못한 때에는 공동정범의 예에 의하여 처벌된다는 것이다.

ⓑ 명예훼손죄의 공익성·진실성(형법 제310조) : 형법 제310조는 "명예훼손행위가 진실한 사실로서 오로지 공공의 이익에 관한 때에는 처벌하지 아니한다."라고 위법성조각사유를 규정하고 있다. 판례는 위법성조각사유인 적시한 사실의 진실성과 공익성에 대하여 행위자가 증명하여야 한다고 함으로써 이 규정을 거증책임의 전환규정으로 본다.

관련판례

공연히 사실을 적시하여 사람의 명예를 훼손한 행위가 형법 제310조의 규정에 따라서 위법성이 조각되어 처벌대상이 되지 않기 위해서는 그것이 진실한 사실로서 오로지 공공의 이익에 관한 때에 해당된다는 점을 행위자가 증명하여야 하며, 그 증명은 엄격한 증거에 의하여야 하는 것은 아니라 할 것이므로 전문증거에 대한 증거능력 제한을 규정한 형사소송법 제310조의 2는 적용될 여지가 없다(대판 1996.10.25, 95도1473). 21. 순경 2차, 22. 순경 1차·해경간부, 23. 경찰승진, 23·24. 해경승진, 24. 소방간부

(3) 형식적 거증책임(입증의 부담)

형식적 거증책임이란 어느 사실이 증명되지 아니함으로써 불이익한 판단을 받을 염려가 있는 당사자가 그 불이익을 면하기 위하여 당해 사실을 증명할 증거를 제출할 부담을 말하며, 입증의

부담이라고도 한다. 피고인의 경우에는 입증의 정도가 법관에게 확신을 갖게 할 것을 요하지 않고 법관의 심증을 방해할 정도이면 족하다. 따라서 법관에게 유죄의 확신을 갖게 할 정도의 입증부담을 지는 검사의 경우와 차이가 있다.

예 검사가 구성요건해당성을 입증하면 위법성조각사유의 존재나 책임조각사유의 존재에 관해서는 피고인이 입증의 부담을 진다.

실질적 거증책임은 고정되어 있음에 반하여, 형식적 거증책임은 유동적이다.

직권주의적 형사소송절차에 있어서는 법원의 직권에 의한 입증활동에 의해서 주로 입증이 행하여지므로 입증의 부담은 별로 중요한 의미를 갖지 않으나 당사자주의적 공판절차에서는 당사자의 입증활동이 중요하므로 입증의 부담은 중요한 의미를 지닌다.

KEY point

- **거증책임 :** 검사(예외 ⇨ 상해죄의 동시범, 명예훼손죄의 사실증명)
- 거증책임은 직권주의나 당사자주의 구조 모두에 관련
- **자백의 임의성 :** 검사가 거증책임
- ┌ 실질적 거증책임 ⇨ 고정적
  └ 형식적 거증책임 ⇨ 유동적
- **입증부담 :** 당사자주의적 공판절차에서 중요 의미

CHAPTER

02 기출문제

01 **엄격한 증명과 자유로운 증명에 대한 설명으로 가장 적절하지 않은 것은?**(다툼이 있는 경우 판례에 의함)

23. 경찰승진

① 범죄구성요건에 해당하는 사실을 증명하기 위한 근거가 되는 과학적인 연구결과는 엄격한 증명을 요한다.

② 증거조사를 거치지 아니하였고 피고인이 이를 증거로 사용함에 동의를 한 바도 없기 때문에 증거능력이 인정되지 않는 증거라도 구성요건 사실을 추인하게 하는 간접사실의 인정자료로는 허용된다.

③ 대한민국 영역 외에서 대한민국 국민에 대하여 범죄를 저지른 외국인에 대하여 우리나라 형법을 적용하여 처벌함에 있어 행위지의 법률에 의하여 범죄를 구성하는지는 엄격한 증명을 요한다.

④ 공모관계를 인정하기 위해서는 엄격한 증명이 요구되지만, 피고인이 범죄의 주관적 요소인 공모관계를 부인하는 경우에는 사물의 성질상 이와 상당한 관련성이 있는 간접사실 또는 정황사실을 증명하는 방법으로 이를 증명할 수밖에 없다.

해설 ① 대판 2010.2.11, 2009도2338

② 구성요건에 해당하는 사실은 엄격한 증명에 의하여 이를 인정하여야 하고, 증거능력이 없는 증거는 구성요건 사실을 추인하게 하는 간접사실이나 구성요건 사실을 입증하는 직접증거의 증명력을 보강하는 보조사실의 인정자료로도 사용할 수 없다(대판 2010.5.27, 2008도2344).

③ 대판 2008.7.24, 2008도4085 ④ 대판 2018.4.19, 2017도14322 전원합의체

02 **증명의 대상과 방법에 관한 설명 중 가장 적절하지 않은 것은?**(다툼이 있는 경우 판례에 의함)

23. 순경 1차 · 전의경경채

① 형법 제6조 단서에 따라 "행위지의 법률에 의하여 범죄를 구성"하는가 여부는 법원의 직권조사사항이므로 증명의 대상이 될 수 없다.

② 출입국사범 사건에서 지방출입국 · 외국인관서의 장의 적법한 고발이 있었는지 여부가 문제되는 경우에 법원은 증거조사의 방법이나 증거능력의 제한을 받지 아니하고 제반 사정을 종합하여 적당하다고 인정되는 방법에 의하여 자유로운 증명으로 그 고발 유무를 판단하면 된다.

③ 공동정범에 있어 공모관계를 인정하기 위해서는 엄격한 증명이 요구되지만, 피고인이 범죄의 주관적 요소인 공모관계를 부인하는 경우에는 사물의 성질상 이와 상당한 관련성이 있는 간접사실 또는 정황사실을 증명하는 방법으로 이를 증명할 수밖에 없다.

④ 형사소송법 제313조 제1항 단서의 특신상태는 증거능력의 요건에 해당하므로 검사가 그 존재에 대하여 구체적으로 주장 · 입증하여야 하는 것이지만, 이는 소송상의 사실에 관한 것이므로, 엄격한 증명을 요하지 아니하고 자유로운 증명으로 족하다.

Answer 01. ② 02. ①

해설 ① 행위지의 법률에 의하여 범죄를 구성하는가의 여부는 엄격한 증명에 의하여 검사가 이를 입증하여야 한다(대판 2008.7.24, 2008도4085). ② 대판 2021.10.28, 2021도404
③ 대판 2018.4.19, 2017도14322 전원합의체 ④ 대판 2001.9.4, 2000도1743

03 **거증책임에 관한 설명으로 가장 적절하지 않은 것은?**(다툼이 있는 경우 판례에 의함) 23. 순경 2차

① 법위반에 대한 정당한 사유가 없다는 사실은 범죄구성요건 이므로 검사가 증명해야 하는데, 다만 진정한 양심의 부존재와 같은 사실을 증명하는 것은 사회통념상 불가능한 반면 그 존재를 주장·증명하는 것이 좀 더 쉬우므로 이러한 사정은 검사가 증명책임을 다하였는지 판단할 때 고려해야 한다.

② 진술증거의 증거능력 인정 여부와 관련하여 진술의 임의성에 다툼이 있을 때에는 그 임의성을 의심할 만한 합리적이고 구체적인 사실을 피고인이 증명할 것이 아니고 검사가 그 임의성의 의문점을 없애는 증명을 하여야 한다.

③ 공직선거법상 허위사실공표죄에서 공표된 사실이 실제로 존재한다고 주장하는 자는 그러한 사실의 존재를 수긍할 만한 소명자료를 제시할 부담을 지고, 이때 제시하여야 할 소명자료는 적어도 허위성에 관한 검사의 증명활동이 현실적으로 가능할 정도의 구체성은 갖추어야 한다.

④ 공연성은 명예훼손죄의 구성요건으로서, 특정 소수에 대한 사실적시의 경우 공연성이 부정되는 유력한 사정이 될 수 있으므로 전파될 가능성에 관하여는 검사에게 증명의 책임이 있음이 원칙이나, 전파될 가능성은 특정되지 않은 기간과 공간에서 아직 구체화되지 않은 사실이므로 그 증명의 정도는 자유로운 증명으로 족하다.

해설 ① 대판 2020.11.26, 2018도14411 ② 대판 1986.11.25, 83도1718 ③ 대판 2018.9.28, 2018도10447
④ 공연성은 명예훼손죄의 구성요건으로서, 특정 소수에 대한 사실적시의 경우 공연성이 부정되는 유력한 사정이 될 수 있으므로, 전파될 가능성에 관하여는 검사의 엄격한 증명이 필요하다(대판 2020.11.19, 2020도5813 전원합의체).

04 **다음 중 증명에 대한 설명으로 가장 옳지 않은 것은?**(다툼이 있는 경우 판례에 의함) 24. 해경승진

① 공직선거법상 허위사실공표죄에서 의혹을 받을 사실이 존재한다고 적극적으로 주장하는 피고인은 그러한 사실의 존재를 수긍할 만한 소명자료를 제시할 부담을 지고, 검사는 제시된 그 자료의 신빙성을 탄핵하는 방법으로 허위성을 증명할 수 있다.

② 몰수나 추징의 대상이 되는지 여부는 자유로운 증명으로 가능하나 추징액의 인정은 엄격한 증명이 필요하다.

③ 형법 제310조의 '진실한 사실로서 오로지 공공의 이익에 관한 때'에 해당한다는 점은 피고인이 증명하여야 하나, 엄격한 증명을 요하는 것은 아니다.

④ 수사기관이 영장발부의 사유로 된 범죄혐의사실과 무관한 별개의 증거를 압수한 후에 피압수자에게 환부하고 이를 임의제출 받아 다시 압수한 경우, 그 제출에 임의성이 있다는 점에 관하여는 검사가 합리적 의심을 배제할 수 있을 정도로 증명하여야 한다.

Answer 03. ④ 04. ②

PART 04

해설 ① 대판 2018.9.28, 2018도10447
② 몰수·추징의 대상이 되는지 여부나 추징액의 인정은 엄격한 증명을 필요로 하지 아니한다(대판 1993.6.22, 91도3346).
③ 대판 1996.10.25, 95도1473
④ 대판 2016.3.10, 2013도11233

05 **증명에 관한 설명으로 가장 적절한 것은?**(다툼이 있는 경우 판례에 의함) 24. 경찰승진

① 구성요건에 해당하는 사실은 엄격한 증명에 의하여 이를 인정하여야 하나, 증거능력이 인증되지 않는 증거라도 구성요건 사실을 입증하는 직접증거의 증명력을 보강하는 보조사실의 인정자료로서는 허용된다.
② 공모공동정범에 있어서 공모나 모의를 인정하기 위하여는 엄격한 증명에 의하여야 하고, 그 증거는 판결에 표시되어야 한다.
③ 의사에게 의료행위로 인한 업무상 과실치상죄가 문제되는 사안에서 공소사실에 기재된 업무상 과실의 존재와 그러한 업무상 과실로 인하여 환자에게 상해의 결과가 발생한 점은 자유로운 증명의 대상이다.
④ 친고죄에서 고소 유무에 대한 사실은 자유로운 증명의 대상이나, 반의사불벌죄에서 피고인 또는 피의자의 처벌불원 의사표시 또는 처벌희망 의사표시 철회의 유무나 그 효력 여부에 관한 사실은 엄격한 증명의 대상이다.

해설 ① 구성요건에 해당하는 사실은 엄격한 증명에 의하여 이를 인정하여야 하고, 증거능력이 없는 증거는 구성요건 사실을 추인하게 하는 간접사실이나 구성요건 사실을 입증하는 직접증거의 증명력을 보강하는 보조사실의 인정자료로도 사용할 수 없다(대판 2006.12.8, 2006도6356).
② 대판 1989.9.13, 88도1114
③ 의사에게 의료행위로 인한 업무상 과실치사상죄를 인정하기 위해서는, 의료행위 과정에서 공소사실에 기재된 업무상 과실의 존재는 물론 그러한 업무상 과실로 인하여 환자에게 상해·사망 등 결과가 발생한 점에 대하여도 엄격한 증거에 따라 합리적 의심의 여지가 없을 정도로 증명이 이루어져야 한다(대판 2023.1.12, 2022도11163).
④ 반의사불벌죄의 경우에 피고인 또는 피의자의 처벌을 희망하지 않는다는 의사표시 또는 처벌희망 의사표시 철회의 유무나 그 효력 여부에 관한 사실은 자유로운 증명의 대상이다(대판 2010.10.14, 2010도5610).

06 **증명에 관한 설명으로 옳지 않은 것은?**(다툼이 있는 경우 판례에 의함) 24. 소방간부

① 증거능력이 없는 증거는 구성요건사실을 추인하게 하는 간접사실이나 구성요건사실을 입증하는 직접증거의 증명력을 보강하는 보조사실의 인정자료로서도 허용되지 아니한다.
② 공연히 사실을 적시하여 사람의 명예를 훼손한 행위가 형법 제310조의 규정에 따라서 위법성이 조각되어 처벌대상이 되지 않기 위하여는 그것이 진실한 사실로서 오로지 공공의 이익에 관한 때에 해당된다는 점을 증명하여야 하며 그 증명은 엄격한 증거에 의하여야 한다.

Answer 05. ② 06. ②

③ 뇌물죄에서 수뢰액은 다과에 따라 범죄구성요건이 되므로 엄격한 증명의 대상이 되고, 특정범죄 가중처벌 등에 관한 법률에서 정한 범죄구성요건이 되지 않는 단순 뇌물죄의 경우에도 몰수·추징의 대상이 되는 까닭에 역시 증거에 의하여 인정되어야 하며, 수뢰액을 특정할 수 없는 경우에는 가액을 추징할 수 없다.

④ 출입국사범사건에서 지방출입국·외국인관서의 장의 적법한 고발이 있었는지 여부가 문제되는 경우에 법원은 증거조사의 방법이나 증거능력의 제한을 받지 아니하고 제반 사정을 종합하여 적당하다고 인정되는 방법에 의하여 자유로운 증명으로 그 고발 유무를 판단하면 된다.

⑤ 횡령죄에 있어 불법영득의사를 실현하는 행위로서의 횡령행위가 있다는 점에 대한 입증은 법관으로 하여금 합리적인 의심을 할 여지가 없을 정도의 확신을 생기게 하는 증명력을 가진 엄격한 증거에 의하여야 한다.

해설 ① 대판 2010.5.27, 2008도2344

② 공연히 사실을 적시하여 사람의 명예를 훼손한 행위가 형법 제310조의 규정에 따라서 위법성이 조각되어 처벌대상이 되지 않기 위하여는 그것이 진실한 사실로서 오로지 공공의 이익에 관한 때에 해당된다는 점을 행위자가 증명하여야 하며 그 증명은 엄격한 증거에 의하여야 하는 것은 아니라 할 것이다(대판 1996.10.25, 95도1473).

③ 대판 2009.8.20, 2009도4391

④ 대판 2021.10.28, 2021도404

⑤ 대판 2002.9.4, 2000도637

07 **증거에 관한 설명으로 가장 적절하지 않은 것은?**(다툼이 있는 경우 판례에 의함) 24. 순경 1차

① 형사소송법이 수사기관에서 작성된 조서 등 서면증거에 대하여 일정한 요건을 충족하는 경우에 증거능력을 인정하는 것은 실체적 진실발견의 이념과 소송경제의 요청을 고려하여 예외적으로 허용하는 것일 뿐이므로 증거능력 인정 요건에 관한 규정은 엄격하게 해석·적용하여야 한다.

② 수사기관은 영장 발부의 사유로 된 범죄 혐의사실과 관계가 없는 증거를 압수할 수 없고, 별도의 영장을 발부받지 아니하고서는 압수물 또는 압수한 정보를 그 압수의 근거가 된 압수·수색영장 혐의사실과 관계가 없는 범죄의 유죄 증거로 사용할 수 없다.

③ 법원은 범죄의 구성요건이나 법률상 규정된 형의 가중·감면의 사유가 되는 경우를 제외하고는, 법률이 규정한 증거로서의 자격이나 증거 조사방식에 구애됨이 없이 상당한 방법으로 조사하여 양형의 조건이 되는 사항을 인정할 수 있다. 다만, 당사자가 직접 수집하여 제출하기 곤란하다고 하여 직권으로 양형조건에 관한 형법 제51조의 사항을 수집·조사할 수 있는 것은 아니다.

④ 자백에 대한 보강증거는 범죄사실의 전부 또는 중요 부분을 인정할 수 있는 정도가 되지 않더라도, 피고인의 자백이 가공적인 것이 아닌 진실한 것임을 인정할 수 있는 정도만 되면 충분하다. 또한 직접증거가 아닌 간접증거나 정황증거도 보강증거가 될 수 있고, 자백과 보강증거가 서로 어울려서 전체로서 범죄사실을 인정할 수 있으면 유죄의 증거로 충분하다.

Answer 07. ③

해설 ① 대판 2022.6.16, 2022도364
② 대판 2023.6.1, 2018도18866
③ 양형의 조건에 관하여 규정한 형법 제51조의 사항은 널리 형의 양정에 관한 법원의 재량사항에 속한다고 해석되므로 법원은 범죄의 구성요건이나 법률상 규정된 형의 가중·감면의 사유가 되는 경우를 제외하고는, 법률이 규정한 증거로서의 자격이나 증거조사방식에 구애됨이 없이 상당한 방법으로 조사하여 양형의 조건이 되는 사항을 인정할 수 있다. 나아가 형의 양정에 관한 절차는 범죄사실을 인정하는 단계와 달리 취급하여야 하므로, 당사자가 직접 수집하여 제출하기 곤란하거나 필요하다고 인정되는 경우 등에는 직권으로 양형조건에 관한 형법 제51조의 사항을 수집·조사할 수 있다(대판 2010.4.29, 2010도750).
④ 대판 2002.1.8, 2001도1897

08 **증명에 관한 설명으로 가장 적절하지 않은 것은?**(다툼이 있는 경우 판례에 의함) 24. 순경 2차

① 상해죄의 피해자가 제출하는 상해진단서는 일반적으로 의사가 당해 피해자의 진술을 토대로 상해의 원인을 파악한 후 의학적 전문지식을 동원하여 관찰·판단한 상해의 부위와 정도 등을 기재한 것으로서, 거기에 기재된 상해가 곧 피고인의 범죄행위로 인하여 발생한 것이라는 사실을 직접 증명하는 증거가 되기에 충분하다.
② 공연히 사실을 적시하여 사람의 명예를 훼손한 행위가 형법 제310조의 규정에 따라서 위법성이 조각되어 처벌대상이 되지 않기 위하여는 그것이 진실한 사실로서 오로지 공공의 이익에 관한 때에 해당된다는 점을 행위자가 증명하여야 한다.
③ 목적과 용도를 정하여 위탁한 금전을 수탁자가 임의로 소비하면 횡령죄를 구성할 수 있으나, 이 경우 피해자 등이 목적과 용도를 정하여 금전을 위탁한 사실 및 그 목적과 용도가 무엇인지는 엄격한 증명의 대상이다.
④ 교사범에 있어서의 교사사실은 범죄사실을 구성하는 것으로서 이를 인정하기 위하여는 엄격한 증명이 요구되지만, 피고인이 교사사실을 부인하고 있는 경우에는 사물의 성질상 그와 상당한 관련성이 있는 간접사실을 증명하는 방법에 의하여 이를 입증할 수 있다.

해설 ① 상해죄의 피해자가 제출하는 상해진단서는 일반적으로 의사가 당해 피해자의 진술을 토대로 상해의 원인을 파악한 후 의학적 전문지식을 동원하여 관찰·판단한 상해의 부위와 정도 등을 기재한 것으로서 거기에 기재된 상해가 곧 피고인의 범죄행위로 인하여 발생한 것이라는 사실을 직접 증명하는 증거가 되기에 부족한 것이지만, 피해자의 진술과 더불어 피고인의 상해 사실에 대한 유력한 증거가 되고, 합리적인 근거 없이 그 증명력을 함부로 배척할 수 없다고 할 것이다(대판 2011.1.27, 2010도12728).
② 대판 2004.5.28, 2004도497
③ 대판 2013.11.14, 2013도8121
④ 대판 2000.2.25, 99도1252

Answer 08. ①

09 **간접증거에 대한 설명으로 옳은 것(○)과 옳지 않은 것(×)을 올바르게 조합한 것은?**(다툼이 있는 경우 판례에 의함) 24. 경위공채

> ㉠ 제삼자의 진술은 그것이 요증사실에 대한 경험자로서의 진술이라면 직접증거이고, 요증사실을 경험한 자로부터 전해 들은 말을 옮기는 취지의 전문진술이라면 간접증거이다.
> ㉡ 살인죄와 같이 법정형이 무거운 범죄의 경우에는 직접증거 없이 간접증거만으로 유죄를 인정할 수 없다.
> ㉢ 자백에 대한 보강증거는 범죄사실의 전부 또는 중요 부분을 인정할 수 있는 정도가 되어야 하고, 또한 직접증거가 아닌 간접증거나 정황증거는 보강증거가 될 수 없다.
> ㉣ 휴대전화를 이용한 불법 촬영 범죄의 경우, 휴대전화 안에 저장된 같은 유형의 전자정보에서 발견되는 간접증거나 정황증거는 범죄혐의사실과 구체적·개별적 연관관계가 인정될 수 있다.

① ㉠(×), ㉡(×), ㉢(×), ㉣(○)
② ㉠(○), ㉡(×), ㉢(×), ㉣(○)
③ ㉠(○), ㉡(×), ㉢(○), ㉣(×)
④ ㉠(×), ㉡(○), ㉢(○), ㉣(○)

해설 ㉠ × : 직접증거란 요증사실을 직접적으로 증명하는 증거를 말하며, 간접증거란 간접사실(요증사실을 추론할 수 있게 하는 사실)을 증명하는 증거를 말한다. 제삼자의 진술이 요증사실에 대한 경험자로서의 진술이라면 직접증거이며, 요증사실을 경험한 자로부터 전해 들은 말을 옮기는 취지의 전문진술의 경우에도 직접증거에 해당한다.
㉡ × : 살인죄와 같이 법정형이 무거운 범죄의 경우에는 직접증거 없이 간접증거만으로 유죄를 인정할 수 있다(대판 2011.5.26, 2011도1902).
㉢ × : 자백에 대한 보강증거는 범죄사실의 전부 또는 중요 부분을 인정할 수 있는 정도가 되지 아니하더라도 피고인의 자백이 가공적인 것이 아닌 진실한 것임을 인정할 수 있는 정도만 되면 족할 뿐만 아니라 직접증거가 아닌 간접증거나 정황증거도 보강증거가 될 수 있다(대판 2002.1.8, 2001도1897).
㉣ ○ : 대판 2021.11.18, 2016도348 전원합의체

Answer 09. ①

제2절 증거능력

1 서 설

(1) 증거능력의 의의

증거능력이란 증거가 엄격한 증명의 자료로 사용될 수 있는 법률상의 자격을 말한다. 따라서 자유로운 증명의 자료로 사용하기 위하여는 증거능력을 필요로 하지 않는다. 증거능력이 없는 증거는 공판정에 증거로 제출하여 증거조사를 하는 것도 허용되지 아니한다.

증거능력이 없는 증거는 구성요건 사실을 추인하게 하는 간접사실이나 구성요건 사실을 입증하는 직접증거의 증명력을 보강하는 보조사실의 인정자료로도 사용할 수 없다(대판 2006.12.8, 2006도6356). 22. 순경 1차

☎ 증거의 증거능력은 증명력과 구별해야 한다. 증거의 증명력은 어떤 사실을 입증할 수 있는 증거의 실질적 가치를 말하고 그 가치판단은 법관의 자유로운 판단에 맡기고 있다. 증거능력의 유무는 엄격한 법률적·형식적 기준에 따라 획일적으로 정해지고 법관의 자유로운 판단은 허용되지 아니한다. 아무리 증거의 실질적 가치(증명력)가 있는 증거라도 증거능력이 없는 증거는 사실인정의 자료로 삼을 수 없다.

(2) 증거능력의 제한

인권보장, 절차의 적정, 실체적 진실발견에 장애가 되는 증거는 증거로서의 자격을 배제할 필요가 있는바, 현행법상 증거능력의 제한에는 위법수집증거배제법칙에 대한 제한(제308조의 2), 자백의 증거능력제한(제309조), 전문증거의 증거능력제한(제310조의 2) 등이 있다.

2 위법수집증거의 증거능력(위법수집증거배제법칙)

(1) 의 의

① **의의** : 형사소송법은 "적법한 절차에 따르지 아니하고 수집한 증거는 증거로 할 수 없다."는 위법수집증거배제법칙을 명문으로 규정하고 있다(제308조의 2). 18. 9급 검찰·마약수사, 21. 경찰승진, 14·20·22. 수사경과, 24. 해경순경·경력채용

☎ 위법수집증거배제법칙은 영·미 증거법의 기본원칙으로서 적법절차의 법리를 이론적 근거로 하고 있다.

☎ 위법수집증거배제법칙은 영미법상 판례에 의해 확립된 증거법칙으로, 우리나라 형사소송법에는 명문의 규정이 없지만 일반적인 형사법의 대원칙으로 자리잡고 있다. (×) 24. 해경승진

② **도입배경**

㉠ 위법수집증거의 증거능력을 인정할 것인가에 대하여 판례는 진술거부권을 고지하지 아니하고 작성한 피의자신문조서의 증거능력을 부인하는 등 진술증거의 경우 위법하게 수집된 증거의 증거능력을 배제하여 온 반면, 비진술증거인 증거물에 대해서는 "압수절차가 위법하다 할지라도 그 물건 자체의 성질·형태에 변경을 가져오는 것이 아니어서 그 형태에 관한 증거가치에는 변함이 없으므로 증거능력이 있다."라고 함으로써 그 증거능력을 인정

하여 왔다. 위법수집증거의 배제법칙을 선언하고 있는 개정 형사소송법 제308조의 2 규정은 적법절차의 범위와 한계에 관해 해석의 여지를 남겨놓고 있었으나, 최근에 대법원은 "헌법과 형사소송법이 정한 절차에 따르지 아니하고 수집된 증거는 원칙적으로 유죄인정의 증거로 삼을 수 없다."라고 판시하여, 압수절차가 위법한 압수물(비진술증거)에 대해서 증거능력을 인정하던 종전의 판례(대판 1968.9.17, 68도932)를 변경하였다(대판 2007.11.15, 2007도3061 전원합의체). 14·17·20·21. 수사경과, 24. 소방간부

㉡ 다만, "절차 조항의 취지와 그 위반의 내용 및 정도, 구체적인 위반 경위와 회피가능성, 절차 조항이 보호하고자 하는 권리 또는 법익의 성질과 침해 정도 및 피고인과의 관련성, 절차 위반행위와 증거수집 사이의 인과관계 등 관련성의 정도, 수사기관(법원 ×)의 인식과 의도 등을 전체적·종합적으로 살펴볼 때, 수사기관의 절차 위반행위가 적법절차의 실질적인 내용을 침해하는 경우에 해당하지 아니하고, 오히려 그 증거의 증거능력을 배제하는 것이 적법절차의 원칙과 실체적 진실 규명의 조화를 도모하고 이를 통하여 형사 사법 정의를 실현하려 한 취지에 반하는 결과를 초래하는 것으로 평가되는 예외적인 경우라면, 법원은 그 증거를 유죄인정의 증거로 사용할 수 있다고 보아야 한다."라고 판시하였다(대판 2007.11.15, 2007도3061 전원합의체). 09. 7급 국가직, 10. 교정특채·9급 국가직, 09·11. 순경, 13. 순경 2차·경찰간부, 15. 9급 법원직, 17. 수사경과, 18. 9급 검찰·마약수사, 10·23. 경찰승진

위법수집증거배제법칙은 진술증거뿐만 아니라 비진술증거에 대해서도 적용된다. (○) 10·11. 경찰승진, 16. 9급 법원직, 18. 9급 검찰·마약수사

압수절차가 위법하더라도 물건 자체의 성질·형상에 변경을 가져오는 것은 아니므로 압수절차가 위법하더라도 압수물에 대한 증거능력은 인정된다. (×) 09. 순경, 10. 교정특채, 12. 경찰간부, 09·15. 7급 국가직, 18. 순경 3차, 24. 해경승진

헌법과 형사소송법이 정한 절차에 위반하여 수집한 증거는 원칙적으로 유죄의 증거로 삼을 수 없다. 다만, 예외적인 경우라면 법원은 그 증거를 유죄인정의 증거로 사용할 수 있으나, 그러한 예외적인 경우에 해당한다고 볼 만한 구체적이고 특별한 사정이 존재한다는 것은 검사가 입증하여야 한다(대판 2009.3.12, 2008도763). 11. 경찰승진, 23. 해경 3차

위 판례에 의할 때, 증거수집과정에서 경미한 절차규정의 위반이 있는 경우에도 증거능력이 배제된다. (×) 10. 9급 국가직

(2) 위법수집증거배제법칙의 적용범위

① 위법수집증거배제법칙은 증거수집절차에 중대한 위법이 있는 경우에 한하여 적용된다. 따라서 위법의 정도가 경미한 경우에는 증거능력이 부정되지 않는다(예 위증의 벌 불경고, 증인소환절차의 하자 등이 있어도 증인의 증언은 증거능력 인정). 10. 9급 국가직

② 위법수집증거배제법칙은 국가기관의 위법한 공권력 행사를 근거로 수집된 증거의 증거능력을 배제하려는 취지에서 출발하였다(제308조의 2). 사인이 위법하게 수집한 증거에 대해서는 법원은 효과적인 형사소추 및 형사소송에서의 진실발견이라는 공익과 개인의 사생활의 보호이익을 비교형량하여 그 허용 여부를 결정하여야 한다는 이익형량설을 취하고 있다(대판 1997.9.30, 97도1230). 24. 소방간부, 25. 경찰대편입

☎ 위법수집증거배제법칙은 국가기관의 기본권 침해와 위법한 수사활동을 규제하기 위한 원칙이므로, 사인이 타인의 기본권을 침해하는 방법으로 수집한 증거에 대해서는 항상 적용되지 않는다. (×) 21. 9급 검찰 · 마약 · 교정 · 보호 · 철도경찰

관련판례

위법수집증거에 관한 판례는 특정절차에 국한된 것이 아니라, 형사소송 전 절차에서 논의될 수 있는 문제이다. 이미 해당 편에서 언급되었거나 이후 진행되는 절차에서 다루어질 내용들이 대부분이므로 본 단원에서는 기출문제 중심으로 점검해 보기로 한다.

• **위법수집증거** ○

1. 선거관리위원회 위원 · 직원이 관계인에게 진술이 녹음된다는 사실을 미리 알려 주지 아니한 채 진술을 녹음하였다면, 그와 같은 조사절차에 의하여 수집한 녹음파일 내지 그에 터 잡아 작성된 녹취록은 형사소송법 제308조의 2에서 정하는 '적법한 절차에 따르지 아니하고 수집한 증거'에 해당하여 원칙적으로 유죄의 증거로 쓸 수 없다(대판 2014.10.15, 2011도3509). 15. 순경 3차, 17. 9급 법원직 · 순경 1차, 18. 경찰간부, 16 · 17 · 18. 경찰승진, 15 · 19. 순경 2차, 18 · 20 · 21. 수사경과, 23. 소방간부
   ▶ **비교판례** : 공직선거법 제272조의 2 제7항(진술거부권고지 규정) 시행 전에 이루어진 선거관리위원회의 조사절차에 대하여는 구 공직선거법이 적용되므로, 관계자에게 질문을 하면서 미리 진술거부권을 고지하지 않았다고 하여 증거능력이 당연히 부정된다고 할 수는 없다(대판 2014.1.16, 2013도5441). 그러나 현행 공직선거법에 의하면, 선거관리위원회의 조사절차에서 피조사자에게 진술거부권을 고지하도록 하고 있다(공직선거법 제272조의 2 제7항).
2. 경찰이 피고인의 집에서 20m 떨어진 곳에서 피고인을 체포하여 수갑을 채운 후 피고인의 집으로 가서 집안을 수색하여 칼과 합의서를 압수하였을 뿐만 아니라 적법한 시간 내에 압수 · 수색영장을 청구하여 발부받지도 않았음을 알 수 있는바, 위 칼과 합의서는 영장 없이 위법하게 압수된 것으로서 증거능력이 없고, 따라서 이를 기초로 한 2차 증거인 임의제출동의서, 압수조서 및 목록, 압수품 사진 역시 증거능력이 없다고 할 것이다(대판 2010.7.22, 2009도14376). 13 · 16. 7급 국가직, 15 · 16. 경찰간부, 18. 9급 법원직, 23. 소방간부
3. 수사기관이 압수영장 또는 감정처분허가장을 발부받지 아니한 채 피의자의 동의 없이 피의자의 신체로부터 혈액을 채취하고 사후에 지체 없이 영장을 발부받지 않았다면, 그 혈액의 알코올농도에 관한 감정회보는 유죄의 증거로 사용할 수 없다(대판 2012.11.15, 2011도15258). 13. 순경 1차, 20. 9급 법원직, 16 · 21 · 23. 경찰승진
4. 술에 취하여 운전하다가 교통사고를 당하고 의식불명에 빠져 병원에 호송된 사람에 대하여 사법경찰관은 피고인의 처로부터 채혈동의를 얻어 영장 없이 간호사로 하여금 채혈을 하게 하였는바, 그 혈액에 대한 감정의뢰회보와 수사보고 및 주취운전자적발보고서 등의 증거는 적법절차의 실질적인 내용을 침해하는 정도에 해당하고, 이러한 증거는 피고인이나 변호인의 증거동의가 있다고 하더라도 유죄의 증거로 사용할 수 없다(대판 2011.5.13, 2009도10871). 11. 순경, 12. 7급 국가직
   ▶ **유사판례** : 수사기관이 영장을 발부받지 아니한 채 교통사고로 의식불명인 피의자의 동의 없이 그의 아버지의 동의를 받아 피의자의 혈액을 채취하고 사후에도 지체 없이 영장을 발부받지 않았다면 그 혈액에 대한 혈중알코올농도에 관한 감정의뢰회보는 위법수집증거이다(대판 2014.11.13, 2013도1228). 18. 9급 법원직, 21. 수사경과 · 해경

▶ **비교판례** : 경찰관이 간호사로부터 진료 목적으로 이미 채혈되어 있던 피고인의 혈액 중 일부를 주취운전 여부에 대한 감정을 목적으로 임의로 제출받아 이를 압수한 경우, 당시 간호사가 위 혈액의 소지자 겸 보관자인 병원 또는 담당의사를 대리하여 혈액을 경찰관에게 임의로 제출할 수 있는 권한이 없었다고 볼 특별한 사정이 없는 이상, 그 압수절차가 피고인 또는 피고인의 가족의 동의 및 영장 없이 행하여졌다고 하더라도 이에 적법절차를 위반한 위법이 있다고 할 수 없다(대판 1999.9.3, 98도968).

5. 수사기관이 압수·수색영장을 제시하고 압수·수색을 실시하여 일단 그 집행을 종료한 경우 그 영장의 유효기간이 남아있는 한, 유효기간 내 이를 제시하고 다시 압수·수색을 하는 것은 위법하다(대결 1999.12.1, 99모161). 16. 경찰승진, 17. 7급 국가직·9급 검찰·마약수사, 19. 수사경과, 21. 해경

6. 형사소송법 제218조는 "사법경찰관은 소유자, 소지자 또는 보관자가 임의로 제출한 물건을 영장 없이 압수할 수 있다."고 규정하고 있는바, 위 규정을 위반하여 소유자, 소지자 또는 보관자가 아닌 자로부터 제출받은 물건을 영장 없이 압수한 경우 그 '압수물' 및 '압수물을 찍은 사진'은 이를 유죄 인정의 증거로 사용할 수 없는 것이고, 헌법과 형사소송법이 선언한 영장주의의 중요성에 비추어 볼 때 피고인이나 변호인이 이를 증거로 함에 동의하였다고 하더라도 달리 볼 것은 아니다(대판 2010.1.28, 2009도10092). 17. 경찰간부, 20. 순경 2차·해경, 22. 수사경과, 17·23. 경찰승진

   사법경찰관이 피의자 소유의 쇠파이프를 피의자의 주거지 앞마당에서 발견하였으면서도 그 소유자, 소지자 또는 보관자가 아닌 피해자로부터 임의로 제출받는 형식으로 압수한 쇠파이프는 위법수집증거로서 증거능력이 배제된다. (○) 17. 9급 검찰·마약수사

7. 검사가 공소제기 후 형사소송법 제215조에 따라 수소법원 이외의 지방법원 판사에게 청구하여 발부받은 영장에 의하여 압수·수색을 하였다면, 그와 같이 수집된 증거는 기본적 인권 보장을 위해 마련된 적법한 절차에 따르지 않은 것으로서 원칙적으로 유죄의 증거로 삼을 수 없다(대판 2011.4.28, 2009도10412). 17. 경찰승진, 18. 경찰간부·9급 법원직·순경 2차, 23. 순경 1차

8. 검사가 법원으로부터 압수·수색영장을 발부받았는데, 이 사건 영장에 피의자는 '甲', 압수할 물건은 '乙 등이 소지하고 있는 휴대전화', 압수·수색할 장소는 '乙의 주거지', 영장 범죄사실은 '甲은 공천과 관련하여, 공천심사위원에게 거액이 든 돈 봉투를 각 제공하였다 등'으로 각 기재된 경우, 발부받은 영장에 의거 수사관이 '乙의 주거지'에서 그의 휴대전화를 압수하고 이를 검찰청으로 가져온 후 그 휴대전화에서 추출한 전자정보를 분석하던 중 '乙'과 '丙' 사이의 대화가 녹음된 이 사건 녹음파일을 통하여 위 '乙'과 '丙'에 대한 공직선거법 위반의 혐의점을 발견하고 수사를 개시하였으나, 위 '乙' '丙'으로부터 이 사건 녹음파일을 임의로 제출받거나 새로운 압수·수색영장을 발부받지 아니한 경우, '乙'과 '丙'에 대한 공직선거법 위반의 혐의점은 압수·수색영장에 기재된 혐의사실과 무관하므로, 수사기관이 별도의 압수·수색영장을 발부받지 아니한 채 압수한 녹음파일은 '乙' '丙'의 공소사실에 대해서는 형사소송법 제308조의 2에서 정한 '적법한 절차에 따르지 아니하고 수집한 증거'로서 증거로 쓸 수 없고, 그 절차적 위법은 헌법상 영장주의 내지 적법절차의 실질적 내용을 침해하는 중대한 위법에 해당하여 증거능력을 인정할 수도 없다(대판 2014.1.16, 2013도7101). 14. 9급 검찰·마약·교정·보호·철도경찰, 17. 9급 법원직

9. 검사가 국가보안법 위반죄로 구속영장을 발부받아 피의자신문을 한 다음, 구속 기소한 후 다시 피의자를 소환하여 공범들과의 조직구성 및 활동 등에 관한 신문을 하면서 피의자신문조서가 아닌 일반적인 진술조서의 형식으로 조서를 작성한 사안에서, 진술조서의 내용이 피의자신문조서와 실질적으로 같고, 진술의 임의성이 인정되는 경우라도 미리 피의자에게 진술거부권을 고지하지 않았다면 위법수집

증거에 해당하므로, 유죄인정의 증거로 사용할 수 없다(대판 2009.8.20, 2008도8213). 09. 7급 국가직, 16·21. 수사경과, 17·22. 순경 1차, 23. 변호사시험, 24. 9급 법원직

10. 甲이 휴대전화기로 乙과 통화한 후 예우차원에서 바로 전화를 끊지 않고 기다리던 중 그 휴대전화기로부터 乙과 丙이 대화하는 내용이 들리자 이를 그 휴대전화기로 녹음한 경우, 이 녹음은 위법하다고 할 수 있다(대판 2016.5.12, 2013도15616). 17. 7급 국가직, 19. 수사경과, 21. 해경, 24. 경찰승진
11. 마약류관리에 관한 법률 위반죄의 현행범으로 체포하면서 대마를 압수하였으나 그 다음 날 피고인을 석방하고도 사후 압수·수색영장을 발부받지 않은 경우 위 압수물과 압수조서는 형사소송법상 영장주의를 위반하여 수집한 증거로서 증거능력이 부정된다(대판 2009.5.14, 2008도10914). 17. 9급 검찰·마약수사
12. 수사기관으로부터 통신제한조치의 집행을 위탁받은 통신기관 등이 집행에 필요한 설비가 없을 때에는 수사기관에 설비의 제공을 요청하여야 하는데, 그러한 요청 없이 통신제한조치허가서에 기재된 사항을 준수하지 아니한 채 통신제한조치를 집행하였다면, 그러한 집행으로 취득한 전기통신의 내용 등은 유죄인정의 증거로 할 수 없다(대판 2016.10.13, 2016도8137). 17. 순경 1차, 23. 경찰승진
13. 긴급체포된 자의 소유·소지 또는 보관물에 대한 압수(제217조 제2항·제3항)에 대하여 압수·수색영장을 청구하여 이를 발부받지 아니하고도 즉시 반환하지 아니한 압수물은 이를 유죄인정의 증거로 사용할 수 없는 것이고, 헌법과 형사소송법이 선언한 영장주의의 중요성에 비추어 볼 때 피고인이나 변호인이 이를 증거로 함에 동의하였다고 하더라도 달리 볼 것은 아니다(대판 2009.12.24, 2009도11401). 19. 경찰간부, 20. 9급 검찰·마약수사·해경, 17·21. 경찰승진, 21. 순경 1차, 22. 7급 국가직
14. 검사가 압수·수색영장(제1영장)을 발부받아 甲주식회사 빌딩 내 乙의 사무실을 압수·수색하였는데, 저장매체에 범죄혐의와 관련된 정보와 범죄혐의와 무관한 정보가 혼재된 것으로 판단하여 甲회사의 동의를 받아 저장매체를 수사기관 사무실로 반출한 다음 乙측의 참여하에 저장매체에 저장된 전자정보파일 전부를 '이미징'의 방법으로 다른 저장매체로 복제하고, 乙측의 참여 없이 이미징한 복제본을 외장 하드디스크에 재복제하였으며, 乙측의 참여 없이 하드디스크에서 유관정보를 탐색하던 중 우연히 乙 등의 별건 범죄혐의와 관련된 전자정보를 발견하고 문서로 출력하였고, 그 후 乙측에 참여권 등을 보장하지 않은 채 다른 검사가 압수·수색영장(제2영장)을 발부받아 외장 하드디스크에서 혐의와 무관한 정보를 탐색·출력한 사안에서, 제2영장 청구 당시 압수할 물건으로 삼은 정보는 그 자체가 위법한 압수물이어서 별건 정보에 대한 영장청구 요건을 충족하지 못하였고, 제2영장에 기한 압수·수색 당시 乙측에 압수·수색 과정에 참여할 기회를 보장하지 않았으므로, 제2영장에 기한 압수·수색은 전체적으로 위법하다(대결 2015.7.16, 2011모1839 전원합의체). 16. 변호사시험
15. 강제연행 상태로부터 완전히 벗어났다고 볼 수 없는 상황에서 피의자가 호흡측정 결과에 대한 탄핵을 하기 위하여 스스로 혈액채취 방법에 의한 측정을 할 것을 요구하여 혈액채취가 이루어졌다고 하더라도 그러한 혈액채취에 의한 측정 결과 역시 유죄인정의 증거로 쓸 수 없다고 보아야 한다. 그리고 이는 피고인이나 변호인이 이를 증거로 함에 동의하였다고 하여도 달리 볼 것은 아니다(대판 2013.3.14, 2010도2094). 15. 변호사시험, 20. 경찰간부
16. 음란물 유포의 범죄혐의를 이유로 압수·수색영장을 발부받은 사법경찰관이 피고인의 주거지를 수색하는 과정에서 대마를 발견하자, 피고인을 마약류관리에 관한 법률 위반죄의 현행범으로 체포하면서 대마를 압수하였으나 그 다음 날 피고인을 석방하고도 사후 압수·수색영장을 발부받지 않은 사안에서, 위 압수물과 압수조서는 형사소송법상 영장주의를 위반하여 수집한 증거로서 증거능력이 부정된다(대판 2009.5.14, 2008도10914). 11. 경찰승진

17. 검찰청 수사관은 압수·수색영장으로 회사 사무실에서 甲로부터 'PC 1대', '서류 23박스', '매입·매출 등 전산자료 저장 USB 1개' 등을 압수하였는데, 위와 같이 압수된 증거들은 그 영장(2009. 2. 6. 자)에 기재된 혐의사실과 무관한 증거인데도, 피압수자에게 반환하는 등의 조치를 취하지 않고 보유하고 있다가, 2009. 5. 1.에 이르러 피고인의 동생인 乙을 검사실로 불러 '일시 보관 서류 등의 목록(USB는 기재되어 있지 않음), 압수물건 수령서 및 승낙서'를 작성하게 한 다음, 당시 검사실로 오게 한 세무공무원 A에게 이를 제출하도록 한 경우, 乙이 수사기관으로부터 위 USB를 돌려받았다가 다시 세무공무원에게 제출한 것인지 의심스러울 뿐만 아니라, 설령 乙이 위 USB를 세무공무원에게 제출하였다고 하더라도 그 제출에 임의성이 있는지가 합리적인 의심을 배제할 정도로 증명되었다고 할 수 없으므로, 乙이 위와 같이 압수물건 수령서 및 승낙서를 제출하였다는 사정만으로 이 사건 영장에 기재된 범죄 혐의사실과 무관한 증거인 위 USB가 압수되었다는 절차 위반행위와 최종적인 증거수집 사이의 인과관계가 단절되었다고 보기 어렵다. 따라서 위 USB 및 그에 저장되어 있던 영업실적표는 증거능력이 없다고 할 것이다(대판 2016.3.10, 2013도11233).
18. 경찰이 피고인 아닌 甲, 乙을 사실상 강제연행하여 불법체포한 상태에서 甲, 乙 간의 성매매행위나 피고인들의 유흥업소 영업행위를 처벌하기 위하여 甲, 乙에게서 자술서를 받고 甲, 乙에 대한 진술조서를 작성한 경우, 위 각 자술서와 진술조서는 헌법과 형사소송법이 규정한 체포·구속에 관한 영장주의 원칙에 위배하여 수집된 것으로서 수사기관이 피고인 아닌 자를 상대로 적법한 절차에 따르지 아니하고 수집한 증거에 해당하여 형사소송법 제308조의 2에 따라 증거능력이 부정된다는 이유로, 이를 피고인들에 대한 유죄인정의 증거로 삼을 수 없다(대판 2011.6.30, 2009도6717). 20·22. 순경 1차
19. 공개금지사유가 없음에도 불구하고 재판의 심리에 관한 공개를 금지하기로 결정하였다면 그러한 공개금지결정은 피고인의 공개재판을 받을 권리를 침해한 것으로서 그 절차에 의하여 이루어진 증인의 증언은 증거능력이 없다고 할 것이고, 변호인의 반대신문권이 보장되었더라도 달리 볼 수 없으며, 이러한 법리는 공개금지결정의 선고가 없는 등으로 공개금지결정의 사유를 알 수 없는 경우에도 마찬가지라 할 것이다(대판 2015.10.29, 2014도5939). 22. 7급 국가직, 21·22·23. 9급 법원직, 23. 변호사시험
20. 긴급체포 당시의 상황으로 보아서도 그 요건의 충족 여부에 관한 검사나 사법경찰관의 판단이 경험칙에 비추어 현저히 합리성을 잃은 경우에는 그 체포는 위법한 체포라 할 것이고, 이러한 위법은 영장주의에 위배되는 중대한 것이니 그 체포에 의한 유치 중에 작성된 피의자신문조서는 위법하게 수집된 증거로서 특별한 사정이 없는 한 이를 유죄의 증거로 할 수 없다(대판 2002.6.11, 2000도5701). 20. 해경
21. 수사과정에서 담당 검사가 피의자인 甲과 그 사건에 관하여 대화하는 내용과 장면을 녹화한 비디오테이프에 대한 법원의 검증조서는 이러한 비디오테이프의 녹화내용이 피의자의 진술을 기재한 피의자신문조서와 실질적으로 같다고 볼 것이므로 피의자신문조서에 준하여 그 증거능력을 가려야 한다. 검사가 녹화 당시 위 甲의 진술을 들음에 있어 동인에게 미리 진술거부권이 있음을 고지한 사실을 인정할 자료가 없으므로 위 녹화내용은 위법하게 수집된 증거로서 증거능력이 없는 것으로 볼 수밖에 없고, 따라서 이러한 녹화내용에 대한 법원의 검증조서 기재는 유죄증거로 삼을 수 없다(대판 1992.6.23, 92도682).
22. 수사기관이 구속수감되어 있던 자에게 그의 압수된 휴대전화를 제공하여 피고인과 통화하고 위 범행에 관한 통화 내용을 녹음하게 한 행위는 불법감청에 해당하므로, 그 녹음 자체는 물론 이를 근거로 작성된 녹취록 첨부 수사보고는 피고인의 증거동의에 상관없이 그 증거능력이 없다(대판 2010.10.14, 2010도9016). 18. 순경 2차, 19. 수사경과, 20. 9급 법원직·7급 국가직, 23. 경찰승진·9급 교정·보호·철도경찰, 24. 해경승진

PART 04

23. 피고인을 강제로 연행한 조치는 위법한 체포에 해당하고, 위법한 체포상태에서 이루어진 채뇨 요구 또한 위법하므로 그에 의하여 수집된 '소변검사시인서'는 유죄인정의 증거로 삼을 수 없다(대판 2013.3.14, 2012도13611). 24. 경찰승진

24. 수사기관이 항소심 공판기일에 증인으로 신청하여 신문할 수 있는 사람을 특별한 사정 없이 미리 수사기관에 소환하여 작성한 진술조서는 피고인이 증거로 할 수 있음에 동의하지 않는 한 증거능력이 없다. 위 참고인이 나중에 법정에 증인으로 출석하여 위 진술조서의 성립의 진정을 인정하고 피고인 측에 반대신문의 기회가 부여된다 하더라도 위 진술조서의 증거능력을 인정할 수 없음은 마찬가지이다. 위 참고인이 법정에서 위와 같이 증거능력이 없는 진술조서와 같은 취지로 피고인에게 불리한 내용의 진술을 한 경우, 그 진술에 신빙성을 인정하여 유죄의 증거로 삼을 것인지는 증인신문 전 수사기관에서 진술조서가 작성된 경위와 그것이 법정진술에 영향을 미쳤을 가능성 등을 종합적으로 고려하여 신중하게 판단하여야 한다(대판 2019.11.28, 2013도6825). 21. 9급 법원직, 21 · 22. 7급 국가직, 22 · 24. 해경간부

25. 피고인에게 불리한 증거인 증인이 주신문의 경우와 달리 반대신문에 대하여는 답변을 하지 아니하는 등 진술내용의 모순이나 불합리를 그 증인신문 과정에서 드러내어 이를 탄핵하는 것이 사실상 곤란하였고, 그것이 피고인 또는 변호인에게 책임 있는 사유에 기인한 것이 아닌 경우라면, 관계 법령의 규정 혹은 증인의 특성 기타 공판절차의 특수성에 비추어 이를 정당화할 수 있는 특별한 사정이 존재하지 아니하는 이상, 이와 같이 실질적 반대신문권의 기회가 부여되지 아니한 채 이루어진 증인의 법정진술은 위법한 증거로서 증거능력을 인정하기 어렵다. 이 경우 피고인의 책문권 포기로 그 하자가 치유될 수 있으나, 책문권 포기의 의사는 명시적인 것이어야 한다(대판 2022.3.17, 2016도17054). 23. 순경 1차

26. 피고인이 재판권이 미치지 아니하는 외국에 거주하고 있는 경우에는 형사소송법 제65조에 의하여 준용되는 민사소송법 제196조 제2항에 따라 첫 공시송달은 실시한 날부터 2월이 지나야 효력이 생긴다고 볼 것이다. 따라서 2개월이 경과하기 전에 피고인의 출석 없이 공판기일을 개정한 것은 형사소송법 제365조에 어긋나고 형사소송법 제370조, 제276조가 규정한 피고인의 출석권을 침해하였다고 보아야 한다(대판 2023.10.26, 2023도3720).

27. 사법경찰관이 규정을 위반하여 영장없이 물건을 압수한 경우 위법한 압수가 있은 직후에 피고인으로부터 그 압수물에 대한 임의제출동의서를 작성받았더라도 그 압수물은 유죄의 증거로 할 수 없다(대판 2010.7.22, 2009도14376).

- **위법수집증거** ×

1. 피고인이 범행 후 피해자에게 전화를 걸어오자 피해자가 증거를 수집하려고 그 전화내용을 녹음한 경우, 그 녹음테이프가 피고인 모르게 녹음된 것이라 하여 이를 위법하게 수집된 증거라고 할 수 없다(대판 1997.3.28, 97도240). 09. 9급 국가직, 16. 순경 1차 · 9급 교정 · 보호 · 철도경찰, 14 · 15 · 19. 경찰간부, 18 · 21. 수사경과, 10 · 11 · 15 · 16 · 21. 경찰승진

2. 범행 현장에서 지문채취 대상물에 대한 지문채취가 먼저 이루어진 이상, 수사기관이 그 이후에 지문채취 대상물을 적법한 절차에 의하지 아니한 채 압수하였다고 하더라도 위와 같이 채취된 지문은 위법하게 압수한 지문채취 대상물로부터 획득한 2차적 증거에 해당하지 아니함이 분명하므로, 위법수집증거라고 할 수 없다(대판 2008.10.23, 2008도7471). 12. 순경, 13. 9급 법원직 · 순경 2차, 17. 7급 국가직, 18. 순경 3차, 20. 경찰간부, 15 · 16 · 18 · 21. 수사경과, 22. 해경 2차, 23. 변호사시험, 18 · 21 · 24. 경찰승진

3. 군검찰관이 피고인을 뇌물수수 혐의로 기소한 후, 형사사법공조절차를 거치지 아니한 채 과테말라공화국에 현지출장하여 그곳 호텔에서 뇌물공여자 甲을 상대로 참고인 진술조서를 작성한 경우, 검찰관의 甲에 대한 참고인조사가 증거수집을 위한 수사행위에 해당하고 그 조사 장소가 우리나라가 아닌 과테말라공화국의 영역에 속하기는 하나, 조사의 상대방이 우리나라 국민이고 그가 조사에 스스로 응함으로써 조사의 방식이나 절차에 강제력이나 위력은 물론 어떠한 비자발적 요소도 개입될 여지가 없었음이 기록상 분명한 이상, 위와 같은 사유로 인하여 위법수집증거배제법칙이 적용된다고 볼 수 없다(대판 2011.7.14, 2011도3809). 12. 순경, 13. 9급 법원직, 14·15. 경찰간부, 17. 9급 검찰·마약수사, 19·22. 경찰승진, 23. 변호사시험

다만, 특신상태가 인정되지 않아 진술조서의 증거능력을 인정하지 않았다(대판 2011.7.14, 2011도3809).

4. 범죄의 피해자인 검사가 그 사건의 수사에 관여하거나, 압수·수색영장의 집행에 참여한 검사가 다시 수사에 관여하였다는 이유만으로 바로 그 수사가 위법하다거나 그에 따른 참고인이나 피의자의 진술에 임의성이 없다고 볼 수는 없다(대판 2013.9.12, 2011도12918). 14. 7급 국가직·경찰간부, 16. 9급 법원직, 14·17. 순경 1차, 17. 검찰·교정승진, 18. 수사경과, 23. 해경승진·9급 교정·보호·철도경찰, 19·24. 경찰승진

5. 사문서위조·위조사문서행사 및 소송사기로 이어지는 일련의 범행에 대하여 피고인을 형사소추하기 위해서는 이 사건 업무일지가 반드시 필요한 증거로 보이므로, 설령 그것이 제3자에 의하여 절취된 것으로서 위 소송사기 등의 피해자 측이 이를 수사기관에 증거자료로 제출하기 위하여 대가를 지급하였다 하더라도, 공익의 실현을 위하여는 이 사건 업무일지를 범죄의 증거로 제출하는 것이 허용되어야 하고, 24. 변호사시험 이로 말미암아 피고인의 사생활 영역을 침해하는 결과가 초래된다 하더라도 이는 피고인이 수인하여야 할 기본권의 제한에 해당된다. 따라서 이 사건 업무일지는 증거능력이 인정된다(대판 2008.6.26, 2008도1584). 13. 9급 법원직, 16. 9급 교정·보호·철도경찰, 18. 9급 검찰·마약수사, 15·19. 경찰간부, 21. 경찰승진, 23. 순경 1차

6. "압수·수색영장은 처분을 받는 자에게 반드시 제시하여야 한다."고 규정하고 있으나, 이는 영장제시가 현실적으로 가능한 상황을 전제로 한 규정으로 보아야 하고, 피처분자가 현장에 없거나 현장에서 그를 발견할 수 없는 경우 등 영장제시가 현실적으로 불가능한 경우에는 영장을 제시하지 아니한 채 압수·수색을 하더라도 위법하다고 볼 수 없다(대판 2015.1.22, 2014도10978 전원합의체). 16. 경찰간부, 15·18. 순경 2차, 19. 경찰승진·수사경과

7. 경찰관이 전화사기죄 범행의 혐의자를 긴급체포하면서 그가 보관하고 있던 다른 사람의 주민등록증, 운전면허증 등을 압수한 경우, 적법하므로, 이를 위 혐의자의 점유이탈물횡령죄 범행에 대한 증거로 사용할 수 있다(대판 2008.7.10, 2008도2245). 17. 경찰승진, 18. 경찰간부, 22. 해경 2차

8. 피고인들의 필로폰 수입에 관한 범의를 명백하게 하기 위하여 검사가 필로폰이 은닉된 곡물포대를 받아 피고인들에게 전달한 甲을 참고인으로 조사한 것이라면, 甲이 수사기관에 의해 범죄혐의를 인정받아 수사가 개시된 피의자의 지위에 있었다고 할 수 없고, 피의자로서의 지위가 아닌 참고인으로서 조사를 받으면서 수사기관으로부터 진술거부권을 고지 받지 않았다 하더라도 그 진술조서는 위법수집증거는 아니므로 증거능력이 인정된다(대판 2011.11.10, 2011도8125). 17. 경찰간부

9. 우편물 통관검사절차에서 이루어지는 우편물의 개봉, 시료채취, 성분분석 등의 검사는 수출입물품에 대한 적정한 통관 등을 목적으로 한 행정조사의 성격을 가지는 것으로서 수사기관의 강제처분이라고 할 수 없으므로, 압수·수색영장 없이 우편물의 개봉, 시료채취, 성분분석 등 검사가 진행되었다 하더라도 특별한 사정이 없는 한 위법하다고 볼 수 없다(대판 2013.9.26, 2013도7718). 15. 변호사시험, 18. 경찰승진, 21. 수사경과

10. 동장 직무대리의 지위에 있던 피고인이 인사권자인 시장의 재선을 위하여 관할 구역의 통장이나 지역유지 등에게 시장을 도와 달라고 부탁하였다는 내용의 전자우편을 시장에게 보냈는데, 시청 소속의 다른 공무원(=제3자)이 권한 없이 전자우편에 대한 비밀 보호조치를 해제하는 방법을 통하여 그 전자우편을 수집한 경우, 제3자가 위와 같은 방법으로 이 사건 전자우편을 수집한 행위는 공공적 성격을 완전히 배제할 수는 없고, 중대한 범죄에 해당하며, 피고인이 사건 전자우편을 이 사건 공소사실에 대한 증거로 함에 동의한 점 등을 종합하면, 이 사건 전자우편을 이 사건 공소사실에 대한 증거로 제출하는 것은 허용되어야 한다(대판 2013.11.28, 2010도12244). 23. 순경 2차

11. 고소인 측(저작권 피해자)의 의뢰를 받은 甲이 피고인 운영의 웹스토리지 서비스 제공 사이트에 적용된 검색제한 조치를 무력화하는 기술인 '패치프그로램'을 이용하여 '침해자료 목록 및 화면출력 자료'를 수집하였는데, 위 '패치프로그램'은 네이버 등 포털사이트에서 일반인이 손쉽게 입수할 수 있는 프로그램으로 위 피고인들도 그 존재를 인식하고 있었고, 위 자료는 위 피고인들에 대한 형사소추를 위하여 반드시 필요한 증거이므로 공익의 실현을 위해서 위 자료를 증거로 제출하는 것이 허용되어야 한다(대판 2013.9.26, 2011도1435).

12. 피고인이 일본 또는 중국에서 북한 공작원들과 회합하는 모습을 동영상으로 촬영한 것은 위 피고인들이 회합한 증거를 보전할 필요가 있어서 이루어진 것이고, 피고인들이 반국가단체의 구성원과 회합 중이거나 회합하기 직전 또는 직후의 모습을 촬영한 것으로 그 촬영 장소도 차량이 통행하는 도로 또는 식당 앞길, 호텔 프런트 등 공개적인 장소인 점 등을 알 수 있으므로, 일반적으로 허용되는 상당성을 벗어난 방법으로 이루어졌다거나, 영장 없는 강제처분에 해당하여 위법하다고 볼 수 없다(대판 2013.7.26, 2013도2511).

13. 피고인은 2008. 11. 11. 20 : 00경부터 같은 날 21 : 40경까지 사이에 처인 피해자를 조수석에 태우고 이 사건 차량을 운전하던 중 교통사고를 가장하여 처를 살해하기로 마음먹고 도로 옆에 설치된 대전차 방호벽의 안쪽 벽면을 위 차량의 우측 부분으로 들이받아 그 자리에서 사망하게 하였다. 이 사건 사고일로부터 3개월이 지난 후 사고가 발생한 대전차 방호벽의 안쪽 벽면에 부착된 철제구조물에서 발견된 강판조각은 형사소송법 제218조에 규정된 유류물에 해당하고, 형사소송법 제218조에 의하여 영장 없이 압수할 수 있으므로 위 증거의 수집 과정에 영장주의를 위반한 잘못이 없고, 나아가 이 사건 공소사실과 위 각 증거와의 관련성 및 그 내용 기타 이 사건 수사의 개시 및 진행 과정 등에 비추어 위 증거의 압수 후 압수조서의 작성 및 압수목록의 작성 · 교부 절차가 제대로 이행되지 아니한 잘못이 있다 하더라도, 그것이 적법절차의 실질적인 내용을 침해하는 경우에 해당한다거나 위법수집증거의 배제법칙에 비추어 그 증거능력의 배제가 요구되는 경우에 해당한다고 볼 수는 없다(대판 2011.5.26, 2011도1902). 23. 순경 2차

14. 주거에 침입하여 절취한 물건도 공익의 실현을 위해서 증거로 제출하는 것이 허용될 수 있다(대판 2010.9.9, 2008도3990). 19. 경찰간부, 20. 9급 법원직

15. 교도관이 그 직무상 위탁을 받아 소지 또는 보관하는 물건으로서 재소자가 작성한 비망록을 수사기관에 임의로 제출하였다면 그 압수절차가 적법절차를 위반한 위법이 있다고 할 수 없다(대판 2008.5.15, 2008도1097). 18. 순경 2차, 21. 수사경과

16. 적법하게 긴급체포되어 조사받고 구속영장이 청구되지 아니하여 석방된 후 검사가 석방통지를 법원에 하지 아니하였더라도, 긴급체포 당시 상황과 경위, 긴급체포 후 조사과정 등에 특별한 위법이

없는 이상 단지 사후에 석방통지가 법에 따라 이루어지지 않았다는 사정만으로 그 긴급체포에 의한 유치 중에 작성된 피의자신문조서의 작성이 소급하여 위법하게 된다고 볼 수는 없다(대판 2014.8.26, 2011도6035). 24. 경찰승진

17. 피고인이 경찰관으로부터 음주측정을 위해 경찰서에 동행할 것을 요구받고 자발적인 의사에 의해 순찰차에 탑승하였고, 경찰서로 이동하던 중 하차를 요구한 바 있으나 그 직후 경찰관으로부터 수사과정에 관한 설명을 듣고 경찰서에 빨리 가자고 요구하였으므로, 피고인에 대한 임의동행은 피고인의 자발적인 의사에 의하여 이루어졌고, 그 후에 이루어진 음주측정결과는 증거능력이 있다(대판 2016.9.28, 2015도2798). 20. 7급 국가직, 24. 해경승진
18. 수사기관이 외국인을 체포하거나 구속하면서 지체 없이 자국 영사관에 영사통보권 등이 있음을 고지하지 않았다면 체포나 구속 절차는 위법하므로, 적법한 절차에 따르지 아니하고 수집한 증거는 증거로 할 수 없다. 그러나 구속된 피고인이 수사단계에서 자신의 구금 사실을 자국 영사관에 통보할 수 있음을 알게 되었음에도 수사기관에 영사기관 통보를 요구하지 않은 사안에서, 절차 위반의 내용과 정도가 중대하거나 절차 조항이 보호하고자 하는 외국인 피고인의 권리나 법익을 본질적으로 침해하였다고 볼 수 없어 체포나 구속 이후 수집된 증거와 이에 기초한 증거들은 유죄 인정의 증거로 사용할 수 있다(대판 2022.4.28, 2021도17103). 23. 순경 1차
19. 판사의 서명만 있고 날인이 없는 압수·수색영장을 수사기관이 신뢰하여 그 영장에 따라 수집한 압수물은 다른 위법한 사정이 없는 한 증거로 할 수 있다(대판 2019.7.11, 2018도20504). 24. 경위공채

PART 04

(3) 위법수집증거에 대한 증거동의 및 탄핵증거

위법수집증거배제법칙이 적용되는 경우에는 당해 증거의 증거능력이 부정된다.
문제는 위법하게 수집된 증거라 할지라도 당사자가 증거사용에 동의할 경우 증거능력을 인정할 수 있는가, 탄핵증거로 사용이 가능한가이다.

① **증거동의** : 대법원은 "위법하게 수집된 증거는 증거동의의 대상이 될 수 없다(원칙)."라고 판시 12. 순경 2차, 16. 경찰승진·9급 법원직 하면서 다른 한편으로는 예외를 인정하고 있다.

관련판례

1. 판사가 형사소송법 제184조에 의한 증거보전절차로 증인신문을 하는 경우에는 동법 제163조에 따라 검사, 피의자 또는 변호인에게 증인신문의 시일과 장소를 미리 통지하여 증인신문에 참여할 수 있는 기회를 주어야 하나 참여의 기회를 주지 아니한 경우라도 피고인과 변호인이 증인신문조서를 증거로 할 수 있음에 동의하여 별다른 이의 없이 적법하게 증거조사를 거친 경우에는 위 증인신문조서는 증인신문절차가 위법하였는지의 여부에 관계없이 증거능력이 부여된다(대판 1988.11.8, 86도1646). 12. 순경 3차
2. 공판준비 또는 공판기일에서 이미 증언을 마친 증인을 검사가 소환한 후 피고인에게 유리한 그 증언 내용을 추궁하여 이를 일방적으로 번복시키는 방식으로 작성한 진술조서를 유죄의 증거로 삼는 것은 당사자주의·공판중심주의·직접주의를 지향하는 현행 형사소송법의 소송구조에 어긋나는 것일 뿐만 아니라, 헌법 제27조가 보장하는 기본권, 즉 법관의 면전에서 모든 증거자료가 조사·진술되고

이에 대하여 피고인이 공격·방어할 수 있는 기회가 실질적으로 부여되는 재판을 받을 권리를 침해하는 것이므로, 이러한 진술조서는 피고인이 증거로 할 수 있음에 동의하지 아니하는 한 그 증거능력이 없다(대판 2000.6.15, 99도1108 전원합의체). 14. 순경 2차, 14·15. 9급 법원직, 16. 7급 국가직

▶ 이는 검사가 공판준비 또는 공판기일에서 이미 증언을 마친 증인에게 수사기관에 출석할 것을 요구하여 그 증인을 상대로 위증의 혐의를 조사한 내용을 담은 피의자신문조서의 경우도 마찬가지이다(대판 2013.8.14, 2012도13665).

---

② **탄핵증거** : 원래 증거능력 없는 증거라도 탄핵증거(증거의 증명력을 다투기 위한 증거)로는 사용할 수 있으나, 10. 9급 국가직 위법수집증거의 경우에 이를 허용하게 되면 결국 증거능력을 제한하는 취지가 무의미하게 될 수 있으므로 위법수집증거를 탄핵증거로 사용하는 것은 허용되지 않는다고 해야 한다(다수설). 10. 9급 국가직, 15. 수사경과

(4) 독수과실이론

독수과실이론(독나무 열매 이론)이란 위법하게 수집된 1차적 증거(독수)에 의해 발견된 2차적 증거(과실)에까지도 증거능력을 배제하는 이론을 말한다.

1920년 미국의 실버톤(Silverthorne) 사건의 판결에서 확립된 이론이다(예 강요에 의해 살인범행을 자백받고 그 자백에 따라 그가 살해한 시체를 발견하였다 하더라도 시체의 발견사실은 증거능력이 없다).

대법원은 "위법하게 수집된 1차 증거에 의해 발견된 2차 증거도 원칙적으로 유죄의 증거로 삼을 수 없으나, 절차에 따르지 아니한 증거수집과 2차적 증거수집 사이 인과관계의 희석 또는 단절 여부를 중심으로 2차적 증거수집과 관련된 모든 사정을 전체적·종합적으로 고려하여 예외적인 경우에는 유죄인정의 증거로 사용할 수 있는 것이다."라고 판시하여 독수과실이론의 예외를 인정하고 있다(대판 2007.11.15, 2007도3061 전원합의체). 10. 경찰승진, 13. 경찰간부, 15. 9급 검찰·마약·교정·보호·철도경찰·수사경과, 15·20. 순경 1차, 24. 해경승진

관련판례

- **독수과실이론의 예외**

1. 강도 현행범으로 체포된 피고인에게 진술거부권을 고지하지 아니한 채 강도범행에 대한 자백을 받고, 이를 기초로 여죄에 대한 진술과 증거물을 확보한 후 진술거부권을 고지하여 피고인의 임의자백 및 피해자의 피해사실에 대한 진술을 수집한 사안에서, 제1심 법정에서의 피고인의 자백은 진술거부권을 고지받지 않은 상태에서 이루어진 최초 자백 이후 40여 일이 지난 후에 변호인의 충분한 조력을 받으면서 공개된 법정에서 임의로 이루어진 것이고, 피해자의 진술은 법원의 적법한 소환에 따라 자발적으로 출석하여 위증의 벌을 경고받고 선서한 후 공개된 법정에서 임의로 이루어진 것이어서, 예외적으로 유죄인정의 증거로 사용할 수 있는 2차적 증거에 해당한다(대판 2009.3.12, 2008도11437). 15. 순경 1차·7급 국가직, 14·20. 9급 법원직, 19·22. 경찰간부, 12·16·20. 경찰승진, 22. 수사경과
2. 마약 투약 혐의를 받고 있던 피고인이 임의동행을 거부하겠다는 의사를 표시하였는데도 경찰관들이 피고인을 영장 없이 강제로 연행한 상태에서 마약 투약 여부의 확인을 위한 1차 채뇨절차가 이루어졌는데, 그 후 압수영장에 기하여 2차 채뇨절차가 이루어지고 그 결과를 분석한 소변 감정서 등이 증거로 제출된 사안에서, 체포과정에서의 절차적 위법과 2차적 증거 수집 사이의 인과관계를 희석하게 할 만한 정황이 있고, 메스암페타민 투약 범행의 중대성도 아울러 참작될 필요가 있는 점 등 제반

사정을 고려할 때 2차적 증거인 소변 감정서 등은 증거능력이 인정된다(대판 2013.3.14, 2012도13611). 14. 7급 국가직, 15. 경찰간부, 20. 해경, 23. 경찰승진·해경승진

3. 사전에 구속영장을 제시하지 아니한 채 구속영장을 집행하고, 그 구속 중 수집한 피고인의 진술증거 중 피고인의 제1심 법정진술은, 피고인이 구속집행절차의 위법성을 주장하면서 청구한 구속적부심사의 심문 당시 구속영장을 제시받은 바 있어 그 이후에는 구속영장에 기재된 범죄사실에 대하여 숙지하고 있었던 것으로 보이고, 구속 이후 원심에 이르기까지 구속적부심사와 보석의 청구를 통하여 구속집행절차의 위법성만을 다투었을 뿐, 그 구속 중 이루어진 진술증거의 임의성이나 신빙성에 대하여는 전혀 다투지 않았을 뿐만 아니라, 변호인과의 충분한 상의를 거친 후 공소사실 전부에 대하여 자백한 것이라면, 유죄인정의 증거로 삼을 수 있는 예외적인 경우에 해당한다(대판 2009.4.23, 2009도526). 14. 경찰간부, 16. 9급 법원직
4. 영장 발부의 사유로 된 범죄 혐의사실과 무관한 별개의 증거를 압수하였을 경우 이는 원칙적으로 유죄인정의 증거로 사용할 수 없다. 다만, 수사기관이 별개의 증거를 피압수자 등에게 환부하고 후에 임의제출받아 다시 압수하였다면 증거를 압수한 최초의 절차 위반행위와 최종적인 증거수집 사이의 인과관계가 단절되었다고 평가할 수 있다(대판 2016.3.10, 2013도11233). 17. 9급 법원직, 21. 순경 2차, 22. 경찰승진

   ▶ 다만, 제출에 임의성이 있다는 점에 관하여는 검사가 합리적 의심을 배제할 수 있을 정도로 증명하여야 하고, 임의로 제출된 것이라고 볼 수 없는 경우 ⇨ 증거능력 없음에 주의!
5. 수사기관이 법관의 영장에 의하지 아니하고 매출전표의 거래명의자에 관한 정보를 획득한 경우, 이에 터 잡아 수집한 2차적 증거들, 예컨대 피의자의 자백이나 범죄 피해에 대한 제3자의 진술 등이 유죄인정의 증거로 사용될 수 있는지를 판단할 때, 수사기관이 의도적으로 영장주의의 정신을 회피하는 방법으로 증거를 확보한 것이 아니라고 볼 만한 사정, 위와 같은 정보에 기초하여 범인으로 특정되어 체포되었던 피의자가 석방된 후 상당한 시간이 경과하였음에도 다시 동일한 내용의 자백을 하였다거나 그 범행의 피해품을 수사기관에 임의로 제출하였다는 사정, 2차적 증거 수집이 체포 상태에서 이루어진 자백 등으로부터 독립된 제3자의 진술에 의하여 이루어진 사정 등은 통상 2차적 증거의 증거능력을 인정할 만한 정황에 속한다고 볼 수 있다(대판 2013.3.28, 2012도13607).
6. 피해자가 임의제출한 휴대전화 내 전자정보의 탐색 등 과정에서 실질적 피압수자인 피고인의 참여권이 보장되지 않았고, 전자정보 압수목록이 교부되지 않은 위법이 있으며, 이후 휴대전화를 피해자 측에 환부한 후 다시 압수·수색 영장을 발부받아 압수하였더라도, 2차적 증거의 증거능력이 부정된다(대판 2023.12.14, 2020도1669).
7. 현역 군인인 피고인이 방산업체 관계자의 부탁을 받고 군사기밀 사항을 메모지에 옮겨 적은 후 이를 전달하여 누설한 행위와 관련하여 이 사건에 증거로 제출된 위 메모지가 누설 상대방의 다른 군사기밀 탐지·수집 혐의에 관하여 발부된 압수수색영장으로 압수한 것인데, 영장 혐의사실과 사이에 관련성이 인정되지 아니하여 위법수집증거에 해당하고, 군검사가 제출한 그 밖의 증거는 위법수집증거에 기초하여 획득한 2차 증거로서 최초 증거수집단계에서의 위법과 인과관계가 희석되거나 단절된다고 보기 어렵다(대판 2023.6.1, 2018도18866).
8. 수사기관이 별건 압수·수색 과정에서 압수한 휴대전화에 저장된 전자정보를 탐색하던 중 우연히 이 사건 범죄사실 혐의와 관련된 전자정보를 발견하였는데도, 이후 약 3개월 동안 대검찰청 통합디지털증거관리시스템에 그대로 저장된 채로 계속 보관하면서 영장 없이 이를 탐색·복제·출력하여

증거를 수집한 경우, 휴대전화에 저장된 이 사건 녹음파일 등은 영장주의 및 적법절차원칙을 위반하여 위법하게 수집된 증거에 해당하고, 나아가 위법수집증거인 이 사건 녹음파일 등을 기초로 수집된 증거들 역시 위법수집증거에 터 잡아 획득한 2차적 증거로서 위 압수절차와 2차적 증거수집 사이에 인과관계가 희석 또는 단절되었다고 볼 수 없으므로 증거능력을 인정할 수 없다(대판 2024.4.16, 2020도3050).

9. 수사기관이 위법하게 수집한 1차적 증거가 수사개시의 단서가 됐거나 사실상 유일한 증거 내지 핵심증거이고 위법의 정도 역시 상당할뿐 아니라 피고인이 수사기관에서 1차적 증거를 제시받거나 1차적 증거의 내용을 전제로 신문받은 바가 있다면, 특별한 사정이 없는 한 법정진술도 1차적 증거를 직접 제시받고 한 것과 다름없거나 적어도 1차적 증거의 존재를 전제로 한 것으로 볼 수 있으므로, 이는 절차 위반행위와의 인과관계의 희석 또는 단절을 인정하기 어렵다. 이러한 경우이더라도 피고인의 법정진술이 다른 독립된 증거에서 비롯돼 1차적 증거와 무관하게 이루어졌다고 평가된다면 인과관계의 희석 또는 단절을 인정할 수 있지만 이런 특별한 사정이 있다는 점은 검사가 증명해야 한다(대판 2024.1.9, 2024도12689).

KEY point

- 위법수집증거배제법칙 적용 ┌ 진술증거(○)
└ 비진술증거(○)
  ▶ 예외적인 경우 위법수집증거 증거능력 인정
- 위법수집증거에 대한 증거동의 대상 여부(판례) ┌ 원칙 : 대상 ×
└ 예외 : 대상 ○
- 독수과실이론의 예외(판례)

CHAPTER
02 기출문제

01 **위법수집증거에 대한 설명으로 가장 적절하지 않은 것은?**(다툼이 있는 경우 판례에 의함)

23. 경찰승진

① 수사기관이 甲으로부터 피고인의 범행에 대한 진술을 듣고, 추가적인 증거를 확보할 목적으로 구속수감되어 있던 甲에게 그의 압수된 휴대전화를 제공하여 피고인과 통화하고 위 범행에 관한 통화 내용을 녹음하게 한 행위는 불법감청에 해당하므로, 그 녹음 자체는 물론 이를 근거로 작성된 녹취록 첨부 수사보고는 피고인의 증거동의에 상관없이 그 증거능력이 없다.

② 검사 작성의 피의자신문조서가 검사에 의하여 피의자에 대한 변호인의 접견이 부당하게 제한되고 있는 동안에 작성된 경우그 피의자신문조서는 증거능력이 없다.

③ 수사기관으로부터 통신제한조치의 집행을 위탁받은 통신기관 등이 집행에 필요한 설비가 없는 때에는, 일단 수사기관의 위탁을 받은 이상, 그 통신기관이 수사기관에 설비제공을 요청하지 않고 통신제한조치허가서에 기재된 사항을 준수하지 아니한 채 통신제한조치를 집행하였다고 하더라도 이를 통하여 취득한 전기통신의 내용 등을 유죄의 증거로 사용할 수 있다.

④ 피고인이 범행 후 피해자에게 전화를 걸어오자 피해자가 증거를 수집하려고 그 전화내용을 녹음한 경우, 그 녹음테이프가 피고인 모르게 녹음된 것이라 하여 이를 위법하게 수집된 증거라고 할 수 없다.

해설 ① 대판 2010.10.14, 2010도9016 ② 대판 2013.3.28, 2010도3359
③ 수사기관으로부터 통신제한조치의 집행을 위탁받은 통신기관 등이 집행에 필요한 설비가 없을 때에는 수사기관에 설비의 제공을 요청하여야 하는데, 그러한 요청 없이 통신제한조치허가서에 기재된 사항을 준수하지 아니한 채 통신제한조치를 집행하였다면, 그러한 집행으로 취득한 전기통신의 내용 등은 유죄인정의 증거로 할 수 없다(대판 2016.10.13, 2016도8137). ④ 대판 1997.3.28, 97도240

02 **위법수집증거배제법칙에 관한 설명 중 옳은 것은 모두 몇 개인가?**(다툼이 있는 경우 판례에 의함)

23. 순경 1차 · 전의경경채

㉠ 사기죄의 증거인 업무일지가 피고인의 사생활 영역과 관계된 자유로운 인격권의 발현물이라고 볼 수 없고 피고인을 형사소추하기 위해서는 이 사건 업무일지가 반드시 필요한 증거라 하더라도, 그것이 제3자에 의하여 절취된 것으로서 피해자측이 이를 수사기관에 증거자료로 제출하기 위하여 대가를 지급하였다면, 위 업무일지는 위법수집증거로서 증거로 사용할 수 없다.

㉡ 사법경찰관이 체포 당시 외국인인 피고인에게 영사통보권을 지체 없이 고지하지 않았다면 피고인에게 영사조력이 가능한지 여부나 실질적인 불이익이 있었는지 여부와 상관없이 국제협약에 따른 피고인의 권리나 법익을 본질적으로 침해하였다고 볼 수 있으므로, 체포나 구속 이후 수집된 증거와 이에 기초한 증거들은 유죄인정의 증거로 사용할 수 없다.

Answer 01. ③ 02. ①

㉢ 특별한 사정이 존재하지 아니하는 이상 피고인에게 실질적 반대신문권의 기회가 부여되지 아니한 채 이루어진 증인의 법정진술은 위법한 증거로서 증거능력을 인정하기 어렵지만, 피고인의 책문권 포기로 그 하자가 치유될 수 있고, 이 경우 피고인의 책문권 포기의 의사는 명시적인 것이어야 한다.

㉣ 검사가 공소제기 후 형사소송법 제215조에 따라 수소법원 이외의 지방법원 판사에게 청구하여 발부받은 영장에 의하여 압수·수색을 하였다면, 그와 같이 수집된 증거는 적법한 절차에 따른 것으로서 원칙적으로 유죄의 증거로 삼을 수 있다.

① 1개　② 2개　③ 3개　④ 4개

해설 ㉠ ×: 설령 그것이 제3자에 의하여 절취된 것으로서 위 소송사기 등의 피해자측이 이를 수사기관에 증거자료로 제출하기 위하여 대가를 지급하였다 하더라도, 공익의 실현을 위하여는 이 사건 업무일지를 범죄의 증거로 제출하는 것이 허용되어야 하고, 이로 말미암아 피고인의 사생활 영역을 침해하는 결과가 초래된다 하더라도 이는 피고인이 수인하여야 할 기본권의 제한에 해당된다. 따라서 업무일지를 사실인정의 자료로 삼은 조치는 옳고, 형사소송법상 증거능력에 관한 법리오해 등의 위법이 있다고 할 수 없다(대판 2008.6.26, 2008도1584).

㉡ ×: 수사기관이 외국인을 체포하거나 구속하면서 지체 없이 자국 영사관에 영사통보권 등이 있음을 고지하지 않았다면 체포나 구속 절차는 위법하므로, 적법한 절차에 따르지 아니하고 수집한 증거는 증거로 할 수 없다. 그러나 구속된 피고인이 수사단계에서 자신의 구금 사실을 자국 영사관에 통보할 수 있음을 알게 되었음에도 수사기관에 영사기관 통보를 요구하지 않은 사안에서, 절차 위반의 내용과 정도가 중대하거나 절차 조항이 보호하고자 하는 외국인 피고인의 권리나 법익을 본질적으로 침해하였다고 볼 수 없어 체포나 구속 이후 수집된 증거와 이에 기초한 증거들은 유죄 인정의 증거로 사용할 수 있다(대판 2022.4.28, 2021도17103).

㉢ ○: 대판 2022.3.17, 2016도17054

㉣ ×: 그와 같이 수집된 증거는 기본적 인권 보장을 위해 마련된 적법한 절차에 따르지 않은 것으로서 원칙적으로 유죄의 증거로 삼을 수 없다(대판 2011.4.28, 2009도10412).

03 **위법수집증거배제법칙에 대한 설명으로 옳지 않은 것은?** 23. 9급 교정·보호·철도경찰

① 사법경찰관이 형사소송법 제215조 제2항을 위반하여 영장 없이 물건을 압수한 직후에 피압수자로부터 그 압수물에 대한 임의제출동의서를 받은 경우, 그 압수물은 물론 임의제출동의서도 특별한 사정이 없는 한 증거능력이 인정되지 않는다.

② 전자정보가 담긴 저장매체에 대한 압수·수색 과정에서 범위를 정하여 출력·복제하는 방법이 불가능하거나 압수의 목적을 달성하기에 현저히 곤란한 예외적인 사정이 인정되어 그 전자정보의 복제본을 수사기관 사무실 등으로 옮겨 복제·탐색·출력하는 경우, 그 과정에 피압수자나 변호인이 참여할 기회가 보장되어야 한다.

③ 범죄의 피해자인 검사가 그 사건의 수사에 관여하거나, 압수·수색영장의 집행에 참여한 검사가 다시 수사에 관여하였다면 그 자체로서 수사는 위법하고, 그에 따른 참고인이나 피의자의 진술은 임의성이 인정되지 않는다.

Answer 03. ③

④ 수사기관이 구속수감된 자에게 압수된 그의 휴대전화를 제공하여 피고인과 통화하게 하고, 피고인의 범행에 관한 통화 내용을 녹음하게 한 행위는 불법감청에 해당하므로 이를 근거로 작성된 녹취록 첨부 수사보고서는 피고인의 범행에 대해 증거능력이 없다.

해설 ① 대판 2010.7.22, 2009도14376 ② 대결 2015.7.16, 2011모1839
③ 범죄의 피해자인 검사가 그 사건의 수사에 관여하거나, 압수·수색영장의 집행에 참여한 검사가 다시 수사에 관여하였다는 이유만으로 바로 그 수사가 위법하다거나 그에 따른 참고인이나 피의자의 진술에 임의성이 없다고 볼 수는 없다(대판 2013.9.12, 2011도12918).
④ 대판 2010.10.14, 2010도9016

04 위법수집증거배제법칙에 관한 설명으로 가장 적절한 것은?(다툼이 있는 경우 판례에 의함)

23. 순경 2차

① 사법경찰관이 형사소송법 제215조 제2항을 위반하여 영장 없이 물건을 압수한 경우라도, 그러한 압수 직후 피고인으로부터 그 압수물에 대한 임의제출동의서를 작성받았고 그 동의서를 작성받음에 사법경찰관에 의한 강요나 기망의 정황이 없었다면, 그 압수물은 임의제출의 법리에 따라 유죄의 증거로 할 수 있다.
② 기본권의 본질적 영역에 대한 보호는 국가의 기본적 책무이고 사인 간의 공개되지 않은 대화에 대한 도청 및 감청을 불법으로 간주하는 통신비밀보호법의 취지 등을 종합적으로 고려하면 제3자가 권한 없이 개인의 전자우편을 무단으로 수집한 것은 비록 그 전자우편 서비스가 공공적 성격을 가지는 것이라고 하더라도 증거로 제출하는 것이 허용될 수 없다.
③ 형사소송법 제218조에 의하여 영장 없이 압수할 수 있는 유류물의 압수 후 압수조서의 작성 및 압수목록의 작성 교부절차가 제대로 이행되지 아니한 잘못이 있더라도 이는 위법수집증거의 배제법칙에 비추어 증거능력의 배제가 요구되는 경우에 해당한다고 볼 수는 없다.
④ 경찰이 영장에 의해 압수된 피고인의 휴대전화를 탐색하던 중 영장에 기재된 범죄사실이 기록된 파일을 발견하여 이를 별도의 저장매체에 복제·출력한 경우, 이러한 탐색·복제·출력의 과정에서 피고인에게 참여의 기회를 부여하지 않았어도 사후에 그 파일에 대한 압수·수색영장을 발부받아 절차가 진행되었다면 적법하게 수집된 증거이다.

해설 ① 위법한 압수가 있은 직후에 피고인으로부터 작성받은 그 압수물에 대한 임의제출동의서가 있더라도 특별한 사정이 없는 한 그 압수물은 유죄의 증거로 할 수 없다(대판 2010.7.22, 2009도14376).
② 피고인의 사생활의 비밀이나 통신의 자유가 일정 정도 침해되는 결과를 초래한다 하더라도 이는 피고인이 수인하여야 할 기본권의 제한에 해당한다고 보아야 할 것이다. 따라서 증거로 제출하는 것은 허용되어야 할 것이다(대판 2013.11.28, 2010도12244).
③ 대판 2011.5.26, 2011도1902
④ 피압수자나 변호인에게 참여의 기회를 보장하고 혐의사실과 무관한 전자정보의 임의적인 복제 등을 막기 위한 적절한 조치를 취하는 등 영장주의 원칙과 적법절차를 준수하여야 한다. 특별한 사정이 없는 이상 압수·수색이 적법하다고 평가할 수 없다. 비록 수사기관이 저장매체 또는 복제본에서 혐의사실과 관련된 전자정보만을 복제·출력하였다고 하더라도 달리 볼 것은 아니다(대결 2015.7.16, 2011모1839 전원합의체).

Answer 04. ③

05 위법수집증거의 배제에 관한 설명으로 옳은 것은 모두 몇 개인가?(다툼이 있는 경우 판례에 의함)

24. 경찰승진

㉠ 수사기관이 범행현장에서 지문채취 대상물인 유리컵에서 지문을 채취하고, 그 후 그 유리컵을 적법한 절차에 의하지 않고 압수했다고 하더라도, 채취된 지문은 위법하게 압수한 지문채취 대상물로부터 획득한 2차적 증거에 해당하지 않으므로 위법수집증거에 해당하지 않는다.
㉡ 경찰관들이 피고인 甲, 乙, 丙의 나이트클럽 내에서의 음란행위 영업에 관한 범죄 혐의가 포착된 상태에서 그 증거를 보전하기 위하여 불특정 다수에게 공개된 장소인 클럽에 통상적인 방법으로 출입하여 손님들에게 공개된 丙의 성행위를 묘사하는 장면이 포함된 공연에 대한 촬영이 영장 없이 이루어졌다면, 이 촬영물과 이를 캡처한 영상사진은 증거능력이 없다.
㉢ 호텔 투숙객 甲이 마약을 투약하였다는 신고를 받고 출동한 경찰관이 임의동행을 거부하는 甲을 강제로 경찰서로 데리고 가서 채뇨 요구를 하자 이에 甲이 응하여 소변검사가 이루어진 경우, 그 결과물인 '소변검사시인서'는 증거능력이 없다.
㉣ 甲이 휴대전화기로 乙과 약 8분간의 통화를 마친 후 乙에 대한 예우 차원에서 바로 전화를 끊지 않고 乙이 먼저 전화를 끊기를 기다리던 중, 그 휴대전화기로부터 乙과 丙이 대화하는 내용이 들리자 이를 그 휴대전화기의 수신 및 녹음기능을 이용하여 대화를 몰래 청취하면서 녹음한 경우에 이 녹음은 위법하다고 할 수 있다.

① 1개 ② 2개 ③ 3개 ④ 4개

해설 ㉠ ○ : 대판 2008.10.23, 2008도7471
㉡ × : 위 촬영물은 경찰관들이 피고인들에 대한 범죄 혐의가 포착된 상태에서 클럽 내에서의 음란행위 영업에 관한 증거를 보전하기 위하여, 불특정 다수에게 공개된 장소인 클럽에 통상적인 방법으로 출입하여 손님들에게 공개된 모습을 촬영한 것이므로, 영장 없이 촬영이 이루어졌더라도 위 촬영물과 이를 캡처한 영상사진은 증거능력이 인정된다(대판 2023.4.27, 2018도8161).
㉢ ○ : 대판 2013.3.14, 2012도1361
㉣ ○ : 대판 2016.5.12, 2013도15616

06 사인(私人)에 의한 위법수집증거에 대한 설명으로 옳지 않은 것은?

24. 9급 검찰 · 마약 · 교정 · 보호 · 철도경찰

① 국민의 사생활 영역에 관계된 모든 증거의 제출이 곧바로 금지되는 것으로 볼 수는 없으므로 법원으로서는 효과적인 형사소추 및 형사소송에서 진실발견이라는 공익과 개인의 인격적 이익 등 보호이익을 비교형량하여 그 허용 여부를 결정하여야 한다.
② 택시 운전기사인 피고인이 자신의 택시에 승차한 피해자들에게 질문하여 지속적인 답변을 유도하는 등의 방법으로 피해자들과의 대화를 이어나가면서 그 대화 내용을 공개한 경우, 피해자들의 발언은 피고인에 대한 관계에서 통신비밀보호법 제3조 제1항에서 정한 '타인 간의 대화'에 해당한다고 할 수 없다.

Answer 05. ③ 06. ④

③ 사문서위조·위조사문서행사 및 소송사기의 형사소추를 위해 반드시 필요한 증거인 업무일지를 제3자가 절취하였고, 이를 피해자측이 수사기관에 증거자료로 제출하기 위해 대가를 지급하고 취득한 경우라고 할지라도 그 업무일지를 증거로 제출하는 것은 허용될 수 있다.
④ 제3자가 권한 없이 비밀보호조치를 해제하는 방법으로 피고인이 공공업무용 전자문서관리시스템을 이용하여 발송한 전자우편을 수집한 후, 이를 공무원의 지위를 이용한 공직선거법 위반행위인 공소사실의 증거로 제출하는 것은 관련 법률에 따라 형사처벌되는 범죄행위일 뿐만 아니라 피고인의 기본권을 침해하는 행위이므로 허용될 수 없다.

해설 ① 대판 1997.9.30, 97도1230
② 대판 2014.5.16, 2013도16404
③ 대판 2008.6.26, 2008도1584
④ 동장 직무대리의 지위에 있던 피고인이 인사권자인 시장의 재선을 위하여 관할 구역의 통장이나 지역유지 등에게 시장을 도와 달라고 부탁하였다는 내용의 전자우편을 시장에게 보냈는데, 시청 소속의 다른 공무원(=제3자)이 권한 없이 전자우편에 대한 비밀 보호조치를 해제하는 방법을 통하여 그 전자우편을 수집한 경우, 제3자가 위와 같은 방법으로 이 사건 전자우편을 수집한 행위는 공공적 성격을 완전히 배제할 수는 없고, 중대한 범죄에 해당하며, 피고인이 사건 전자우편을 이 사건 공소사실에 대한 증거로 함에 동의한 점 등을 종합하면, 이 사건 전자우편을 이 사건 공소사실에 대한 증거로 제출하는 것은 허용되어야 할 것이고, 이로 말미암아 피고인의 사생활의 비밀이나 통신의 자유가 일정 정도 침해되는 결과를 초래한다 하더라도 이는 피고인이 수인하여야 할 기본권의 제한에 해당한다고 보아야 할 것이다(대판 2013.11.28, 2010도12244).

07 **위법수집증거배제원칙에 관한 설명으로 가장 적절하지 않은 것은?**(다툼이 있는 경우 판례에 의함)

24. 순경 1차

① 피의자에 대한 진술거부권 고지는 피의자의 진술거부권을 실효적으로 보장하여 진술이 강요되는 것을 막기 위한 것인데, 이러한 진술거부권 고지에 관한 형사소송법 규정내용 및 진술거부권 고지가 갖는 실질적인 의미를 고려하면, 수사기관이 수사를 개시하는 행위를 하기 전이어서 피의자 지위에 있지 아니한 자에 대하여 진술거부권이 고지되지 아니한 때에도 그 진술의 증거능력은 인정할 수 없다.
② 수사기관이 피압수자 측에 참여의 기회를 보장하거나 압수한 전자정보 목록을 교부하지 않는 등 영장주의 원칙과 적법절차를 준수하지 않은 위법한 압수·수색 과정을 통하여 취득한 증거는 위법수집증거에 해당하고, 사후에 법원으로부터 영장이 발부되었다거나 피고인이나 변호인이 이를 증거로 함에 동의하였다고 하여 위법성이 치유되는 것도 아니다.
③ 수사기관이 네트워크 카메라 등을 설치·이용하여 피고인의 행동과 피고인이 본 태블릿 개인용 컴퓨터 화면내용을 일반적으로 허용되는 상당한 방법에 의하지 않고 영장 없이 촬영한 것은 수사의 비례성·상당성 원칙과 영장주의 등을 위반한 것이므로 그로 인해 취득한 영상물 등의 증거는 증거능력이 없다.

Answer 07. ①

④ 수사기관의 절차 위반 행위가 적법절차의 실질적인 내용을 침해하지 아니하고, 오히려 그 증거의 증거능력을 배제하는 것이 헌법과 형사소송법이 형사소송에 관한 절차 조항을 마련하여 적법절차의 원칙과 실체적 진실 규명의 조화를 도모하고, 이를 통하여 형사 사법 정의를 실현하려고 한 취지에 반하는 결과를 초래하는 것으로 평가되는 예외적인 경우라면, 법원은 그 증거를 유죄 인정의 증거로 사용할 수 있다.

해설 ① 피의자의 지위에 있지 아니한 자에 대하여는 진술거부권이 고지되지 아니하였다 하더라도 그 진술의 증거능력을 부정할 것은 아니다(대판 2014.4.30, 2012도725).
② 대판 2022.11.17, 2019도11967
③ 대판 2017.11.29, 2017도9747
④ 대판 2007.11.15, 2007도3061 전원합의체

08 위법수집증거배제법칙에 관한 다음 설명 중 가장 옳지 않은 것은? 24. 9급 법원직

① 수사기관이 피의자신문시 피의자에게 진술거부권을 고지하지 않은 때에는 그 피의자의 진술은 위법하게 수집된 증거로서 진술의 임의성이 인정되는 경우라도 증거능력이 없다.
② 적법한 공개금지사유가 없음에도 불구하고 공개금지결정에 따라 비공개로 진행된 증인신문절차에 의하여 이루어진 증인의 증언은 변호인의 반대신문권이 보장되지 않는 한 증거능력이 없다.
③ 위법한 체포 상태에서 음주측정요구가 이루어진 경우, 음주측정요구를 위한 위법한 체포와 그에 이은 음주측정요구는 주취운전이라는 범죄행위에 대한 증거 수집을 위하여 연속하여 이루어진 것으로서 개별적으로 그 적법 여부를 평가하는 것은 적절하지 않으므로 그 일련의 과정을 전체적으로 보아 위법한 음주측정요구가 있었던 것으로 볼 수밖에 없다.
④ 검사가 피의자에 대한 변호인의 접견을 부당하게 제한하고 있는 동안에 검사가 작성한 피의자신문조서는 증거능력이 없다.

해설 ① 대판 2011.11.10, 2010도8294
② 공개금지사유가 없음에도 불구하고 재판의 심리에 관한 공개를 금지하기로 결정하였다면 그러한 공개금지결정은 피고인의 공개재판을 받을 권리를 침해한 것으로서 그 절차에 의하여 이루어진 증인의 증언은 증거능력이 없다고 할 것이고, 변호인의 반대신문권이 보장되었더라도 달리 볼 수 없으며, 이러한 법리는 공개금지결정의 선고가 없는 등으로 공개금지결정의 사유를 알 수 없는 경우에도 마찬가지라 할 것이다(대판 2015.10.29, 2014도5939).
③ 대판 2006.11.9, 2004도8404
④ 대판 1990.8.24, 90도1285

Answer 08. ②

09 **위법수집증거배제법칙에 대한 설명으로 옳지 않은 것은?** 24. 7급 국가직

① 범행현장에서 지문채취 대상물에 대한 지문채취가 먼저 이루어진 후 수사기관이 지문채취 대상물을 적법하지 않은 절차로 압수한 경우, 위와 같이 채취한 지문은 위법하게 압수한 지문채취 대상물로부터 획득한 2차적 증거에 해당하지 않는다.

② 적법한 공개금지 사유가 없음에도 불구하고 공개금지 결정에 따라 비공개로 진행된 증인신문절차에 의하여 이루어진 증인의 증언은 변호인의 반대신문권이 보장되었다고 하더라도 증거능력이 없다.

③ 우편물 통관검사 절차에서 이루어지는 우편물의 개봉, 시료채취, 성분분석 등의 검사는 행정조사의 성격을 가지는 것으로서 수사기관의 강제처분이라고 할 수 없으므로, 압수・수색영장 없이 우편물의 개봉, 시료채취, 성분분석 등 검사가 진행되었다 하더라도 특별한 사정이 없는 한 위법하다고 볼 수 없다.

④ 검찰관이 피고인을 뇌물수수 혐의로 기소한 후, 형사사법공조절차를 거치지 아니한 채 과테말라공화국에 현장 출장하여 그곳에서 뇌물공여자를 상대로 참고인진술조서를 작성한 경우 그 진술조서는 위법수집증거에 해당하여 증거능력이 인정될 수 없다.

PART 04

해설 ① 대판 2008.10.23, 2008도7471

② 대판 2015.10.29, 2014도59329

③ 대판 2013.9.26, 2013도7718

④ 위법수집증거배제법칙이 적용된다고 볼 수 없다(대판 2011.7.14, 2011도3809).

Answer 09. ④

3 자백의 증거능력

(1) 자백의 의의

자백이란 자기의 범죄사실의 전부 또는 일부를 인정하는 진술을 말하며, 구체적으로 살펴보면 다음과 같다.

① 진술하는 자의 법률상 지위는 문제되지 않는다.

자백은 피고인의 진술뿐 아니라 피의자의 지위에서 또는 피의자의 지위가 발생되기 이전의 증인이나 참고인으로써 행한 진술도 자백에 해당한다. 14. 경찰간부, 24. 경찰승진

② 진술의 형식이나 상대방도 묻지 않는다.

구두 또는 서면에 의한 진술도 자백에 해당하며, 진술이 누구에 대하여 행하여졌건 불문한다. 공판정에서 법원에 대하여 행한 자백(재판상 자백)이든 그 이외의 자(수사기관, 사인)에 대하여 행한 자백(재판 외 자백)이든 묻지 않으며, 상대방이 없는 경우 예컨대 일기 등에 자기의 범죄사실을 인정하는 기재를 하였을 경우에도 자백에 해당한다.

☎ 간이공판절차의 개시요건으로 공판정에서의 자백을 요구하지만, 제309조의 자백은 재판상의 자백과 그 밖의 자백을 모두 포함하는 개념이다.

③ 자기의 형사책임을 긍정하는 진술임을 요하지 않는다. 구성요건에 해당하는 사실을 행하였음을 인정하는 진술이면 되고, 자기의 형사책임을 긍정하는 진술임을 요하지 않는다(따라서 구성요건에 해당하는 사실을 인정하면서 위법성조각사유나 책임성조각사유의 존재를 주장하는 경우에도 자백에 해당한다 할 수 있다).

☎ 구성요건해당사실을 인정하고, 위법조각사유나 책임조각사유의 존재를 주장하지 않아야 하는 간이공판절차의 자백과 구별을 요한다.

관련판례

1. 업무상 필요에 의하여 작성된 통상문서(예 상업장부, 항해일지, 진료일지 또는 이와 유사한 금전출납부 등)의 경우에는 사무처리 내역을 증명하기 위하여 존재하는 문서로서 그 존재 자체 및 기재가 그러한 내용의 사무가 처리되었음의 여부를 판단할 수 있는 별개의 독립된 증거자료이므로, 설사 그 문서가 우연히 피고인이 작성하였고 그 문서의 내용 중 피고인의 범죄사실의 존재를 추론해 낼 수 있는, 즉 공소사실에 일부 부합되는 사실의 기재가 있다고 하더라도, 이를 피고인이 범죄사실을 자백하는 문서라고 볼 수 없다(대판 1996.10.17, 94도2865). 18. 경찰간부, 19. 변호사시험, 21. 수사경과, 24. 해경승진 – 이러한 입장을 취할 경우 공판정에서의 자백이 있으면 이러한 통상문서를 보강증거로 하여 유죄를 인정할 수 있게 된다(제310조 참조).
2. 모두절차에서 피고인이 공소사실은 사실대로라고 진술한 경우에도 수사기관에서의 진술이나 검사나 변호인의 신문에 대한 전후의 진술을 종합하여 자백 여부를 판단해야 한다(대판 1990.4.27, 89도1569).
3. 항소이유서에 '피고인은 돈이 급해 지어서는 안될 죄를 지었습니다.', '진심으로 뉘우치고 있습니다.'라고 범죄사실을 인정하는 취지의 사실이 기재되어 있더라도, 이어진 검사와 재판장 및 변호인의 각 심문에 대하여 피고인은 범죄사실을 부인하였고, 수사단계에서도 일관되게 부인한다면 범죄사실을 자백한 것으로 볼 수 없다(대판 1999.11.12, 99도3341). 19. 변호사시험, 20. 경찰간부, 23. 순경 2차, 24. 경찰승진

4. 검사가 피고인에게 공소사실 그대로의 사실유무를 묻자 "예, 있습니다." "예, 그렇습니다."라고 대답하였으나, 검사와 변호인의 물음에서나 그 이후의 공판정에서는 피고인이 상피고인의 부동산전매업을 도와 주는 모집책이 아니고 단순한 고객일 뿐이라고 진술하고 있다면 피고인들과 공모하여 기망 내지 편취한 점까지 자백한 것이라고는 볼 수 없다(대판 1984.4.10, 84도141). 18. 경찰간부, 22. 해경승진

KEY point 자백에 해당하는 예

- 형사미성년자의 범죄시인
- 일기장에 범죄를 인정하는 내용기재
- 범죄수사 개시 전에 처에게 범죄시인
- 범죄사실을 인정하면서 정당방위 주장

(2) 자백배제법칙

① **의의** : 자백배제법칙이라 함은 임의성이 없거나, 임의성이 의심스러운 자백은 증거능력이 부정된다는 원칙을 말한다. 형사소송법 제309조는 헌법 제12조 제7항에 근거하여 자백배제법칙을 선언하고 있다.

자백배제의 법칙은 영미법에서 유래한다.

② **이론적 근거** : 임의성이 없거나 의심되는 경우에 증거능력을 부정하는 실질적 이유가 무엇인가, 즉 제309조의 입법이유가 무엇인가의 문제이다. 어떠한 입장에 서느냐에 따라 제309조의 적용범위가 달라진다.

㉠ **학 설**

허위배제설	임의성 없는 자백은 허위일 가능성이 크므로 증거능력을 부정한다. 이 설은 강압수사에 의해 행해진 자백이라도 진실성이 입증되면 증거능력을 인정할 수밖에 없는 단점이 있다. ▶ 이 견해에 의하면 고문에 의한 자백은 언제나 임의성이 부정된다. (×) 05. 순경 3차
인권옹호설	임의성 없는 자백이란 진술의 자유를 침해한 위법 부당한 상태하에서의 자백을 말하며, 인권보장을 위해 증거능력을 부정해야 한다는 견해이다. 자백배제법칙과 진술거부권의 보장을 동일시하는 것은 부당하고, 약속이나 기망에 의한 자백에 대해 증거능력을 부정해야 하는 경우를 설명하기 어렵다. ▶ 이 견해에 의하면 약속이나 기망에 의한 자백은 임의성이 부정된다. (×)
절충설 (허위배제설 + 인권옹호설)	임의성 없는 자백은 허위의 위험성이 많을 뿐 아니라 자백강요방지라는 인권보장을 위해서도 증거능력이 배제된다는 것이다. 이 설은 제309조 전단의 고문, 폭행, 협박, 신체구속의 부당한 장기화에 의한 자백은 인권침해에 의한 자백이고, 후단의 기망 기타 방법에 의한 자백은 허위배제설에 입각한 것이라고 보고 있다. 허위배제설과 인권옹호설의 결함만을 결합하고 있다는 비판이 있다. ▶ 이 견해는 자백배제법칙과 위법수집증거배제법칙을 이원적으로 파악한다(임의성 없는 자백 ⇨ 자백배제법칙에 의하여, 임의성은 있으나 수집절차에 위법이 있는 경우 ⇨ 위법수집증거배제법칙에 의하여 증거능력 인정).

위법배제설	① 적법절차에 위반하여 취득된 자백의 사용을 금지하는 증거법상의 원칙이라는 견해이다. 이 설에 따르면 제309조는 임의성 없는 자백에만 국한되는 것이 아니라 널리 위법절차에 의해 수집된 자백의 증거능력 제한규정으로 이해하게 되며, 자백배제법칙은 위법수집증거배제법칙의 특칙에 해당하는 것으로 보게 된다(수사기관의 위법활동에 대한 견제장치로 활용). ▶ 이 견해에 의하면, 진술거부권의 고지 없이 얻은 자백도 제309조에 의하여 증거능력이 부정된다. ② 자백의 임의성이라는 면을 도외시하고 절차상의 위법만을 중요시함은 제309조의 입법취지를 외면하는 것이며, 자백의 임의성이 없는 경우와 임의성은 있으나 획득절차가 위법인 경우의 질적 차이를 설명하기 곤란하다는 비판이 있다. ▶ 위법배제설에 대해서는 아직 비판이 나타나 있지 않다. (×) 05. 순경 3차 ③ 헌법은 적법절차조항(헌법 제12조 제1항 · 제2항)과 자백배제법칙조항(헌법 제12조 제7항)을 대등관계로 파악하고 있는데 위법배제설은 자백배제법칙의 독자적인 의미를 밝히지 못하고 있다.

㉡ **판례** : 초기에는 허위배제설에 기운 듯한 태도를 취하였으나 그후 위법배제설적인 경향을 보이는 판례들이 나타났다가 최근 들어는 절충설의 입장을 명백히 하고 있는 판례들이 나오고 있다.

관련판례

임의성 없는 진술의 증거능력을 부정하는 취지는 허위진술을 유발 또는 강요할 위험성이 있는 상태하에서 행하여진 진술은 그 자체가 실체적 진실에 부합하지 아니하여 오판을 일으킬 소지가 있을 뿐만 아니라 그 진위 여부를 떠나서 진술자의 기본적 인권을 침해하는 위법 부당한 압박이 가하여지는 것을 사전에 막기 위한 것이므로, 그 임의성에 다툼이 있을 때에는 그 임의성을 의심할 만한 합리적이고 구체적인 사실을 피고인이 입증할 것이 아니고 검사가 그 임의성의 의문점을 해소하는 입증을 하여야 한다(대판 2002.10.8, 2001도3931). ⇨ 절충설 입장 22. 7급 국가직, 24. 해경승진

③ **자백배제법칙의 적용범위** : 형사소송법 제309조는 "피고인의 자백이 고문 · 폭행 · 협박 · 신체구속의 부당한 장기화 또는 기망 기타의 방법으로 임의로 진술한 것이 아니라고 의심할 만한 이유가 있는 때에는 이를 유죄의 증거로 하지 못한다."라고 규정하고 있다(판례 ⇨ 예시사유로 본다 : 대판 1985.2.26, 82도2413). 18. 순경 1차 특히 '기타의 방법으로 임의로 진술한 것이 아니라고 의심할 만한 이유가 있는 때'의 범위를 어디까지 인정할 것인가가 문제된다.

㉠ **고문 · 폭행 · 협박 · 신체구속의 부당한 장기화로 인한 자백** : 고문 · 폭행 · 협박 · 신체구속의 부당한 장기화에 의한 자백이 배제된다는 점에는 의문이 없으며, 임의성 없는 자백의 전형적인 경우를 예시한 것이다(다수설).

ⓐ 고문 · 폭행 · 협박에 의한 자백

예 광선을 투시하여 잠을 못자게 하는 경우도 고문 또는 폭행에 해당

관련판례

1. 다른 피고인이 고문당하는 것을 보고 한 자백도 고문에 의한 자백에 해당(대판 1978.1.31, 77도463) 06. 순경 2차, 07. 7급 국가직, 14. 수사경과, 15. 경찰승진
2. 검사 앞에서 조사받을 당시는 자백을 강요당한 바 없다고 하여도 경찰에서의 자백이 폭행이나 신체구속의 부당한 장기화에 의하여 임의로 진술한 것이 아니라고 의심할 만한 상당한 이유가 있어서 경찰에서 피고인을 조사한 경찰관이 검사 앞에까지 피고인을 데려간 경우 검사 앞에서의 자백도 그 임의성이 없는 심리상태가 계속된 경우라고 할 수밖에 없어 검사 작성의 피고인에 대한 제1회 피의자신문조서는 증거능력이 없다(대판 1992.3.10, 91도1). 07 · 10. 경찰승진, 15. 9급 검찰 · 마약수사
3. 피고인이 검사 이전의 수사기관에서 고문 등 가혹행위로 인하여 임의성 없는 자백을 하고 그 후 검사의 조사단계에서도 임의성 없는 심리상태가 계속되어 동일한 내용의 자백을 하였다면 검사의 조사단계에서 고문 등 자백의 강요행위가 없었다고 하여도 검사 앞에서의 자백도 임의성 없는 자백이라고 볼 수밖에 없다(대판 1992.11.24, 92도2409). 15. 9급 검찰 · 마약수사, 19. 9급 교정 · 보호 · 철도경찰, 20. 경찰간부, 10 · 21. 경찰승진, 21. 수사경과
4. 검사의 피의자신문조서가 송치받은 당일에 작성되었다는 것만으로 임의성 없는 자백으로 볼 수 없다(대판 1984.5.29, 84도378). 07 · 10 · 22. 경찰승진
5. 제1심 법정에서 경찰, 검찰에서의 자백의 임의성을 인정하였다가, 항소이유와 항소심 법정에서 비로소 경찰에서의 자백이 고문에 못이겨 한 것이고, 검찰에서의 자백은 감호청구를 하겠다는 말에 겁이 나서 한 것이라고 주장하는 경우에 경찰에서의 자백이 강요에 의한 것으로 임의성이 인정되지 아니한다 하더라도 경찰조사시의 임의성 없는 상태가 검사의 조사 당시까지 계속되었다고 할 수 없으므로 검찰 진술내용이 임의성 없는 자백이라고 할 수 없다(대판 1983.4.26, 82도2943).
6. 피고인이 수사기관에서 가혹행위 등으로 인하여 임의성 없는 자백을 하고 그 후 검찰이나 법정에서도 임의성 없는 심리상태가 계속되어 동일한 내용의 자백을 하였다면 법정에서의 자백도 임의성 없는 자백이라고 보아야 한다(대판 2015.9.10, 2012도9879). 18. 순경 1차, 20 · 22. 경찰간부, 21 · 22. 경찰승진, 24. 해경승진

ⓑ 신체구속의 부당한 장기화로 인한 자백 : 부당한 장기구속이란 체포 · 구속영장 없이 구속된 경우뿐만 아니라 적법하게 구속된 경우라도 구속할 필요가 없게 된 상태에서 계속 구금되어 있는 경우는 여기에 해당한다고 할 수 있으나 구속기간이 장기라는 이유만으로는 여기에 해당하지 않는다.

관련판례

1. 구속영장 없이 13여일간 불법구속되어 있으면서 고문이나 잠을 재우지 않는 등 진술의 자유를 침해하는 위법사유가 있는 증거의 증거능력 부정(대판 1985.2.26, 82도2413) 07. 15.경찰승진,
2. 설사 경찰에서 부당한 신체구속을 당하였다고 하더라도 검사 앞에서 피고인의 진술에 임의성이 인정된다면 검사가 작성한 피의자신문조서의 증거능력이 상실된다고 볼 수는 없다(대판 1986.11.25, 83도1718). 22. 경찰승진
3. 피고인의 자술서가 2개월이 넘은 장기간의 구속수사 끝에 작성되었다면 임의로 진술된 것이 아니라고 의심할 사유가 있다(대판 1968.5.7, 68도379).

㉡ 기망 기타 방법에 의한 임의성에 의심이 있는 자백

ⓐ 기망에 의한 자백 : 기망에는 적극적인 사술(詐術)이 사용되어야 하며, 단순히 상대방의 착오를 이용하는 것으로는 족하지 않다.

예 • 다른 공범자는 이미 자백을 하였다고 속여 자백을 받아 낸 경우 07. 경찰승진
• 거짓말탐지기의 검사결과 피의자의 진술이 거짓임이 판명되었다고 기망하여 자백을 받아낸 경우
• 자백하면 피의사실 부분은 가볍게 처리하고 보호감호청구를 않겠다는 각서를 작성하여 주면서 자백을 유도(기망)한 후 실제로는 보호감호청구(대판 1985.12.10, 85도2182) 10. 경찰승진, 17. 수사경과, 23. 소방간부, 23. 순경 2차

ⓑ 기타 방법에 의한 자백

㉮ 약속에 의한 자백

예 • 자백을 하면 기소유예를 해주겠다고 하여 자백을 받아 낸 경우 07. 경찰승진
• 특정범죄 가중처벌에 관한 법률을 적용하지 않고 가벼운 수뢰죄로 처벌받게 해주겠다고 약속하여 자백을 받아 낸 경우 임의성에 의심이 가고 진실성이 없어 증거능력이 없다(대판 1984.5.9, 83도2782). 09. 7급 국가직, 11. 교정특채

☞ 담배나 커피를 주겠다는 약속과 같이 일상생활에서 통상적으로 행해지는 편의제공은 자백의 임의성을 해하지 않는다. 14. 수사경과

☞ 일정한 증거가 발견되면 자백하겠다고 한 약속이 검사의 강요나 위계에 의하여 이루어졌다던가 또는 불기소나 경한 죄의 소추 등 이익과 교환조건으로 된 것이라고 인정되지 않는다면 위와 같은 약속하에 된 자백이라 하여 곧 임의성 없는 자백이라고 단정할 수는 없다(대판 1983.9.13, 83도712). 16. 7급 국가직, 18. 순경 1차, 19. 9급 교정 · 보호 · 철도경찰, 20. 순경 2차, 17 · 18 · 21. 수사경과, 10 · 21 · 22. 경찰승진

㉯ 위법한 신문방법에 의한 자백 : 야간신문 자체를 위법하다고 볼 수는 없으나, 피의자가 피로로 인하여 정상적인 판단능력을 상실한 정도의 수면부족 상태에서의 자백은 증거능력이 없다.

관련판례

1. 30시간 동안 잠 안 재우기 수사는 임의로 진술한 것이 아니라고 의심할 만한 이유가 있어 증거능력이 없다(대판 1997.6.27, 95도1964). 10. 교정승진, 10 · 16. 경찰승진, 14 · 21. 수사경과
2. 4일을 계속하여 매일 한 장씩 진술서를 작성하는 것은 신빙성이 희박하다(대판 1980.12.9, 80도2656). 12. 경찰승진
3. 약 1년 3개월 동안 270회나 검찰청으로 소환되어 조사받은 경우 임의성에 의심이 있어 진술조서는 증거능력이 없다(대판 2006.1.26, 2004도517). 14. 수사경과
4. 알선수재 사건의 공여자 등이 별건으로 구속된 상태에서 10여 일 내지 수십여 일 동안 거의 매일 검사실로 소환되어 밤늦게까지 조사를 받았다면 이들은 과도한 육체적 피로, 수면부족, 심리적 압박감 속에서 진술을 한 것으로 보여지므로 이들에 대한 진술조서는 그 임의성을 의심할 만한 사정이 있고, 검사가 그 임의성의 의문점을 해소하는 입증을 하지 못하면 위 진술조서는 증거능력이 없다(대판 2002.10.8, 2001도3931).

㉰ 변호인선임권·접견교통권 침해에 의한 자백 : 변호인의 조력을 받을 권리를 침해하여 얻은 자백에 대해서도 증거능력을 인정할 수 없으나, 변호인 아닌 자와의 접견이 금지된 상태하에서 피의자신문조서가 작성된 것만으로는 임의성이 부정되는 것은 아니다.

관련판례

1. 피고인이 구속되어 국가안전기획부에서 조사를 받다가 변호인의 접견신청이 불허되어 이에 대한 준항고를 제기 중에 검찰로 송치되어 검사가 피고인을 신문하여 제1회 피의자신문조서를 작성한 후 준항고절차에서 위 접견불허처분이 취소되어 접견이 허용된 경우에는 검사의 피고인에 대한 위 제1회 피의자신문은 변호인의 접견교통을 금지한 위법상태가 계속된 상황에서 시행된 것으로 보아야 할 것이므로 그 피의자신문조서는 증거능력이 없다(대판 1990.9.25, 90도1586). 09. 경찰승진
2. 변호인 아닌 자와의 접견이 제한된 상태에서 피의자신문조서가 작성되었다는 것만으로는 자백에 임의성이 없는 것으로 볼 수 없다(대판 1984.7.10, 84도846). 10. 교정특채, 10·15·16. 경찰승진, 12·18. 경찰간부, 14·18. 수사경과, 22. 해경승진

㉱ 진술거부권의 불고지 : 대법원판례에 의하면 "피의자에게 미리 진술거부권을 고지하지 않은 때에는 그 피의자의 진술은 비록 임의성은 인정되더라도 위법하게 수집된 증거로서 증거능력이 부정되어야 한다."라고 판시하여 자백배제법칙이 아닌 위법수집증거배제법칙에 근거함을 명백히 한 판례이다(대판 1992.6.23, 92도682). 09. 9급 국가직, 20·23. 순경 2차, 22. 경찰간부, 23. 소방간부, 24. 순경 1차

㉲ 거짓말탐지기에 의한 자백 : 피검자의 동의가 있는 경우에는 거짓말탐지기 검사를 위법한 침해로 볼 수 없으므로 그 결과 취득한 자백은 증거능력이 인정된다. 물론 이 경우에도 검사결과가 적정할 것을 요한다.

㉳ 마취분석에 의한 자백 : 약물을 투여하여 무의식적인 상태에서 진술을 얻는 수사방법인바, 이는 당연히 증거능력이 부정되어야 한다.

④ 임의성의 문제

㉠ **인과관계의 요부** : 자백의 증거능력을 부인하기 위하여는 고문, 폭행 등 자백의 임의성을 의심케 할 만한 사유와 자백 사이에 인과관계가 인정되어야 하는지 문제된다. 판례는 피고인의 자백이 임의성이 없다고 의심할 만한 사유가 있는 때에 해당한다 할 지라도 그 임의성이 없다고 의심하게 된 사유들과 피고인의 자백과의 사이에 인과관계가 존재하지 않는 것이 명백한 때에는 그 자백은 임의성이 있는 것으로 인정된다고 판시하여 적극설을 따르고 있다.

관련판례

1. 피고인의 자백이 임의성이 없다고 의심할 만한 사유가 있는 때에 해당한다 할지라도 그 임의성이 없다고 의심하게 된 사유들과 피고인의 자백과의 사이에 인과관계가 존재하지 않은 것이 명백한

때에는 그 자백은 임의성이 있는 것으로 인정된다(**대판 1984.11.27, 84도2252**). 14. 9급 검찰・마약수사, 21. 수사경과, 20・22. 경찰간부, 23. 순경 2차, 14・19・24. 순경 1차

2. **임의성이 없다고 의심할 만한 이유가 있는 자백은** 그 인과관계의 존재가 추정되는 것이므로 **이를 유죄의 증거로 하려면** 적극적으로 그 인과관계가 존재하지 아니하는 것이 **인정되어야 할 것이다**(대판 1984.11.27, 84도2252). 23. 순경 2차

㉡ **임의성의 입증**

ⓐ 거증책임 : 진술의 임의성을 잃게 하는 사정은 이례적인 것에 해당한다고 할 것이므로 진술의 임의성은 추정된다(대판 1983.3.8, 82도3248). 21. 경력채용 **그러나 임의성에 다툼이 있을 때에는 피고인이 그 임의성을 의심할 만한 합리적인 이유가 되는 구체적인 사실을 입증할 것이 아니고, 검사가 그 임의성에 대한 의문점을 해소하는 입증을 하여야 한다**(대판 2000.1.21, 99도4940). 16・18. 7급 국가직, 14・20. 경찰간부, 20. 순경 1차・2차, 18・20. 수사경과, 22. 해경승진, 16・21・23. 경찰승진, 25. 소방간부

ⓑ 증명방법 : 자백의 임의성은 소송법적인 사실에 해당하므로 자유로운 증명으로 족하다(대판 1986.11.25, 83도1718). 18. 수사경과, 23. 경찰승진 **임의성 여부는 조서의 형식・내용, 진술자의 신분・사회적 지위・학력・지능의 정도 기타 여러 사정을 종합하여 판단하여야 하며,** 22. 9급 법원직 **임의성이 있어 증거능력이 인정된다 하여도** 자백의 진실성과 신빙성까지도 당연히 인정된 것은 아니다(대판 2007.9.6, 2007도4959). 16. 수사경과, 16・24. 경찰승진

⑤ **자백배제법칙의 효과**

㉠ 임의성이 없거나 의심되는 자백은 증거동의가 있는 경우라도 **증거능력이 없으며**(대판 2006.11.23, 2004도7900), 13・14. 경찰간부, 16・22. 9급 법원직, 22. 수사경과, 15・23・24. 경찰승진 **탄핵증거로도 사용할 수 없다**(대판 2005.8.19, 2005도2617). 07. 9급 국가직, 13・14. 경찰간부, 17. 수사경과, 20. 순경 2차, 18・22. 순경 1차, 11・12・15・16・24. 경찰승진

㉡ 임의성이 없거나 의심되는 자백에 의해 유죄판결을 한다면 상대적 항소이유(제361조의 5 제1호) 및 상대적 상고이유(제383조 제1호)에 해당한다.

㉢ 임의성 없는 자백에 의하여 수집된 제2차적 증거의 증거능력을 인정할 것인가에 대하여 독수과실이론에 입각하여 증거능력을 부정함이 학자들의 거의 일치된 견해이다.

KEY point

- 임의성 없거나, 임의성에 의심이 있는 자백 ⇨ 절대적으로 증거능력 부정(당사자 동의 ⇨ 증거능력 ×, 탄핵증거로도 사용 불가)
- **30시간 잠 안 재우기 수사** : 임의성에 의심이 있는 자백으로 증거능력 부정(판례)
- **진술거부권 불고지에 의한 자백** : 위법수집증거배제법칙에 의거 증거능력 부정(판례)
- **자백의 임의성에 대한 거증책임** : 검사

CHAPTER 02

기출문제

01 **자백배제법칙에 대한 설명으로 옳은 것만을 모두 고르면?**(다툼이 있는 경우 판례에 의함)

22. 경찰간부

㉠ 피의자에게 진술거부권을 고지하지 않은 때에는 그 피의자의 진술은 위법하게 수집된 증거로서 진술의 임의성이 인정되는 경우라도 증거능력이 부인되어야 한다. ㉡ 피고인이 수사기관에서 임의성 없는 자백을 하고 그 후 법정에서도 임의성 없는 심리상태가 계속되어 동일한 내용의 자백을 하였다면, 법정에서의 자백도 임의성 없는 자백이 되어 증거능력이 부정된다. ㉢ 자백의 임의성에 다툼이 있을 때에는 그 임의성을 의심할 만한 합리적이고 구체적인 사실을 피고인이 증명할 것이 아니고, 검사가 그 임의성에 대한 의문점을 해소하는 입증을 하여야 하며, 이러한 자백의 임의성은 소송법적 사실이므로 법원은 자유로운 증명으로 그 임의성 유무를 판단해도 충분하다. ㉣ 피고인의 자백이 임의성이 없다고 의심할 만한 사유가 있는 때에 해당한다 할지라도 그 임의성이 없다고 의심하게 된 사유들과 피고인의 자백과의 사이에 인과관계가 존재하지 않은 것이 명백한 때에는 그 자백은 임의성이 있는 것으로 인정된다.

① ㉠, ㉡　　② ㉢, ㉣　　③ ㉡, ㉢, ㉣　　④ ㉠, ㉡, ㉢, ㉣

해설 ㉠ 대판 2014.4.10, 2014도1779
㉡ 대판 2012.11.29, 2010도3029
㉢ 대판 2013.7.11, 2011도14044
㉣ 대판 1984.11.27, 84도2252

02 **자백배제법칙에 대한 설명으로 가장 적절하지 않은 것은?**(다툼이 있는 경우 판례에 의함)

22. 경찰승진

① 피고인이 경찰에서 가혹행위 등으로 인하여 임의성 없는 자백을 하고 그 후 검찰이나 법정에서도 임의성 없는 심리상태가 계속되어 동일한 내용의 자백을 하였다면, 검찰에서의 자백은 임의성 없는 자백이라고 보아야 하지만 공개된 법정에서의 자백은 그러하지 아니하다.
② 경찰에서 부당한 신체구속을 당하였다 하더라도 검사 앞에서의 진술에 임의성이 인정되는 경우, 그와 같은 부당한 신체구속이 있었다는 사유만으로 검사가 작성한 피의자신문조서의 증거능력이 상실된다고 할 수 없다.
③ 검사 작성의 피의자신문조서가 사건의 송치를 받은 당일에 작성된 경우, 그와 같은 조서의 작성시기만으로는 그 조서에 기재된 피의자의 자백진술이 임의성 없다고 의심하여 증거능력을 부정할 수 없다.

Answer 01. ④　02. ①

④ 일정한 증거가 발견되면 피의자가 자백하겠다고 한 약속이 검사의 강요나 위계에 의하여 이루어졌다던가 또는 불기소나 경한 죄의 소추 등 이익과 교환조건으로 된 것이라고 인정되지 아니한 경우, 이와 같은 자백의 약속하에 된 자백을 곧 임의성이 없는 자백이라고 단정할 수는 없다.

해설 ① 피고인이 경찰에서 가혹행위 등으로 인하여 임의성 없는 자백을 하고 그 후 검찰이나 법정에서도 임의성 없는 심리상태가 계속되어 동일한 내용의 자백을 하였다면 각 자백도 임의성 없는 자백이라고 보아야 한다(대판 2015.9.10, 2012도9879).
② 대판 1986.11.25, 83도1718
③ 대판 1984.5.29, 84도378
④ 대판 1983.9.13, 83도712

03 **자백배제법칙에 관한 설명으로 가장 적절하지 않은 것은?**(다툼이 있는 경우 판례에 의함)

22. 순경 1차

① 피고인의 자백이 고문, 폭행, 협박, 신체구속의 부당한 장기화 또는 기망 기타의 방법으로 임의로 진술한 것이 아니라고 의심할 만한 이유가 있는 때에는 이를 유죄의 증거로 하지 못한다.

② 임의성이 인정되지 아니하여 증거능력이 없는 진술증거는 피고인이 증거로 함에 동의하더라도 증거로 삼을 수 없으나, 임의성이 의심되는 자백은 피고인의 법정에서의 진술을 탄핵하기 위한 반대증거로는 사용할 수 있다.

③ 피고인이 피의자신문조서에 기재된 피고인의 진술 및 공판기일에서의 피고인의 진술의 임의성을 다투면서 그것이 허위자백이라고 다투는 경우, 법원은 제반 사정을 참작하여 자유로운 심증으로 임의성 여부를 판단하면 된다.

④ 피고인이나 그 변호인이 검사 작성의 당해 피고인에 대한 피의자 신문조서의 임의성을 인정하는 진술을 하였다가 이를 번복하는 경우에, 증거조사를 마친 조서의 임의성을 다투는 주장이 받아들여지게 되면, 그 조서는 증거배제결정을 통하여 유죄 인정의 자료에서 제외되어야 한다.

해설 ① 제309조
② 임의성이 인정되지 아니하여 증거능력이 없는 진술증거는 피고인이 증거로 함에 동의하더라도 증거로 삼을 수 없으며(대판 2013.7.11, 2011도14044), 임의성이 의심되는 자백은 피고인의 법정에서의 진술을 탄핵하기 위한 반대증거로도 사용할 수 없다(통설). 임의성 없는 자백의 증거능력부정은 절대적이기 때문이다.
③ 대판 1986.11.25, 83도1718
④ 대판 2008.7.10, 2007도7760

Answer 03. ②

04 **자백의 임의성에 대한 설명으로 가장 적절하지 않은 것은?**(다툼이 있는 경우 판례에 의함)

23. 경찰승진

① 피고인이 수사기관에서 가혹행위 등으로 인하여 임의성 없는 자백을 하고 그 후 법정에서도 임의성 없는 심리상태가 계속되어 동일한 내용의 자백을 하였다면 그 법정에서의 자백도 임의성 없는 자백이라고 보아야 한다.

② 피고인이 자백의 임의성을 다투면서 그것이 허위자백이라고 다투는 경우, 검사가 그 임의성의 의문점을 없애는 증명을 해야 하는 것이 아니고, 피고인이 그 임의성을 의심할 만한 합리적이고 구체적인 사실을 증명해야 한다.

③ 피고인이 피의자신문조서에 기재된 피고인의 진술이 임의성 없는 허위자백이라고 다투는 경우, 법원은 구체적인 사건에 따라 피고인의 학력, 경력, 직업, 사회적 지위, 지능 정도, 진술의 내용, 피의자신문조서의 경우 그 조서의 형식 등 제반 사정을 참작하여 자유로운 심증으로 위 진술이 임의로 된 것인지 여부를 판단하면 된다.

④ 임의성 없는 자백은 피고인의 증거동의가 있는 경우에도 증거능력이 없다.

해설 ① 대판 2015.9.10, 2012도9879

② 임의성에 다툼이 있을 때에는 검사가 그 임의성에 대한 의문점을 해소하는 입증을 하여야 한다(대판 2000.1.21, 99도4940).

③ 대판 1986.11.25, 83도1718

④ 대판 2006.11.23, 2004도7900

05 **자백배제법칙에 관한 설명으로 가장 적절하지 않은 것은?**(다툼이 있는 경우 판례에 의함)

23. 순경 2차

① 피고인의 자백이 임의로 진술한 것이 아니라고 의심할 만한 이유가 있는 때에는 유죄의 증거가 될 수 없으며 자백의 임의성이 인정되는 경우라도 수사기관에서의 신문절차에서 미리 진술거부권을 고지받지 아니하고 행한 것이라면 이는 위법하게 수집된 증거로서 증거능력이 부인되어야 한다.

② 자백은 일단 자백하였다가 이를 번복 내지 취소하더라도 그 효력이 없어지는 것은 아니기에, 피고인이 항소이유서에 '돈이 급해 지어서는 안될 죄를 지었습니다', '진심으로 뉘우치고 있습니다'라고 기재하였고 항소심 공판기일에 그 항소이유서를 진술하였다면, 이어진 검사의 신문에 범죄사실을 부인하였고 수사단계에서도 일관되게 범죄사실을 부인하여 온 사정이 있다고 하더라도 피고인이 자백한 것으로 볼 수 있다.

③ 피고인의 자백이 신문에 참여한 검찰주사가 피의사실을 자백하면 피의사실 부분은 가볍게 처리하고 부가적인 보안처분의 청구를 하지 않겠다는 각서를 작성하여 주면서 자백을 유도한 것에 기인한 것이라면 그 자백은 증거로 할 수 없다.

Answer 04. ② 05. ②

④ 형사소송법 제309조 소정의 사유로 임의성이 없다고 의심할 만한 이유가 있는 자백은 그 인과관계의 존재가 추정되는 것이므로 이를 유죄의 증거로 하려면 적극적으로 그 인과관계가 존재하지 아니하는 것이 인정되어야 할 것이다.

해설 ① 대판 1992.6.23, 92도682
② 피고인이 제출한 항소이유서에 '피고인은 돈이 급해 지어서는 안될 죄를 지었습니다', '진심으로 뉘우치고 있습니다'라고 기재되어 있고 피고인은 항소심 제2회 공판기일에 위 항소이유서를 진술하였으나, 곧 이어서 있은 검사와 재판장 및 변호인의 각 심문에 대하여 피고인은 범죄사실을 부인하였고, 수사단계에서도 일관되게 그와 같이 범죄사실을 부인하여 온 점에 비추어 볼 때, 위와 같이 추상적인 항소이유서의 기재만을 가지고 범죄사실을 자백한 것으로 볼 수 없다(대판 1999.11.12, 99도3341).
③ 대판 1985.12.10, 85도2182
④ 대판 1984.11.27, 84도2252

06 **자백 또는 그 증거능력에 관한 설명으로 가장 적절한 것은?**(다툼이 있는 경우 판례에 의함)

24. 경찰승진

① 피고인이 제출한 항소이유서에 '돈이 급해 지어서는 안될 죄를 지었습니다', '진심으로 뉘우치고 있습니다'라고 기재되어 있고 피고인이 항소심 공판기일에 항소이유서를 진술하였다면, 곧 이어서 있은 검사와 재판장 및 변호인의 각 심문에 대하여 피고인이 범죄사실을 부인하였고, 수사단계에서도 범죄사실을 일관되게 부인하여 왔더라도 항소이유서의 기재만으로 범죄사실을 자백한 것으로 볼 수 있다.
② 자백은 피고인의 진술이나 피의자의 지위에서 행한 진술을 말하며, 피의자의 지위가 발생하기 이전의 참고인으로서 행한 진술은 자백에 해당하지 않는다.
③ 검찰에서의 피고인의 자백이 임의성이 있어 그 증거능력이 인정된다면 자백의 진실성과 신빙성은 당연히 인정된다.
④ 임의성 없는 자백은 증거동의의 대상이 아니고 탄핵증거로도 사용될 수 없다.

해설 ① 위와 같이 추상적인 항소이유서의 기재만을 가지고 범죄사실을 자백한 것으로 볼 수 없다(대판 1999.11.12, 99도3341).
② 자백배제법칙에서 말하는 자백은 피고인의 진술이나 피의자의 지위에서 행한 진술뿐만 아니라, 피의자의 지위가 발생하기 이전의 참고인으로서 행한 진술도 자백에 해당한다.
③ 피고인의 자백이 임의성이 있어 그 증거능력이 부여된다 하여 자백의 진실성과 신빙성까지도 당연히 인정되어야 하는 것은 아니다(대판 2007.9.6, 2007도4959).
④ 대판 2006.11.23, 2004도7900

Answer 06. ④

4 전문증거의 증거능력

(1) 전문증거

① **의의** : 전문증거란 요증사실(증거에 의해 증명하려는 사실)을 체험한 자가 법원에 그 경험내용을 직접 보고하지 않고 중간매체(서면이나 타인의 진술)를 통하여 간접적으로 보고하는 경우를 말한다. 12. 9급 검찰 따라서 사실을 체험한 자가 중간매체를 통하지 않고 직접 법원에 진술하는 원본증거와 구별된다.

예 피고인 A가 B를 살해한 혐의로 기소된 사건에서 甲이 A가 B를 살해하고 있는 현장을 목격하였을 경우에 甲이 증인으로서 법정에 출석하여 "나는 A가 B를 살해하는 것을 보았다."라고 증언하였다면 이는 본래의 증거이다(원본증거). 그러나 甲이 목격한 바를 乙에게 말하고 乙이 증인으로 법정에 출석하여 "나는 甲으로부터 A가 B를 살해하는 것을 보았다는 말을 전해들었다."라고 증언하였다면 乙의 증언은 전문증거에 해당됨.

- 현행범인을 체포한 경찰관의 법정증언(원본증거) 01. 순경, 10 · 15 · 21 · 24. 경찰승진, 24. 소방간부
- 피고인의 공판정 자백(원본증거) 06. 순경
- 범행목격자의 증언(원본증거) 06. 순경, 14. 수사경과, 22. 해경간부
- "피고인이 피해자에게 토지를 싸게 구입해 주겠다고 거짓말했다."는 취지로 증언(원본증거) 13. 7급 국가직
- 범죄 피해자의 법정증언(원본증거) 02. 행시
- 공판기일에서 감정인의 진술(원본증거) 09. 9급 국가직
- 협박죄사건에서 "내말을 안 듣고 이혼을 요구하면 죽여버린다."고 甲(남편)이 말하였다고 A(아내)가 증언(원본증거) 16. 9급 검찰 · 마약수사
- 경찰관이 범인의 자백을 듣고 법정에서 한 증언(전문증거) 04. 순경
- 범죄피해자로부터 피해내용을 전해들었다는 증인의 법정증언(전문증거)

② **유형** : 전문증거에는 전문진술과 전문서류가 있다.

㉠ **전문진술** : 사실을 직접 경험한 자의 진술을 청취한 제3자가 그 원진술의 내용을 법원에 대하여 구두로 진술하는 경우이다(전문증언).

㉡ **전문서류**

ⓐ 진술서 : 사실을 직접 경험한 자 자신이 경험한 내용을 서면에 기재한 후 그 서면을 법원에 제출하는 경우이다. 예 자술서, 감정서, 진단서 등

ⓑ 진술녹취서 : 사실을 직접 경험한 자의 원진술을 청취한 제3자가 그 원진술의 내용을 서면에 기재한 후 그 서면을 법원에 제출하는 경우이다. 예 피의자신문조서, 참고인진술조서

KEY point 전문증거

1. **전문진술** : 경험사실을 들은 자가 전문한 사실을 법원에 진술하는 경우
2. **전문서류**
   - 진술서 : 원진술자(경험자) 자신이 체험사실을 서면에 기재하는 경우 예 피의자진술서, 피고인진술서, 참고인진술서
   - 진술녹취서 : 원진술자가 체험사실을 진술하고 이를 전해들은 타인이 내용을 서면에 기재하는 경우 예 피의자신문조서

③ 전문증거의 범위

㉠ **진술증거** : 전문증거는 요증사실을 직접 지각한 사람의 진술을 내용으로 하는 진술증거이다. 따라서 흉기와 같은 증거물은 비진술증거로서 전문증거가 될 수 없다.

'피해자의 상해부위를 촬영한 사진'은 비진술증거로서 전문법칙이 적용되지 않는다(대판 2007.7.26, 2007도3906). 23. 경찰간부

㉡ **요증사실** : 어떤 증거가 전문증거인가의 여부는 그 증거에 의하여 증명하려는 사실(요증사실)과의 관계에 따라 정하여진다. 즉, 원진술의 내용이 된 사실의 존부(원진술자의 진술내용의 사실여부)가 요증사실인 경우에는 전문증거이나, 원진술 존재 자체가 요증사실로 되는 경우에는 본래의 증거이지 전문증거가 아니다(대판 2012.7.26, 2012도2937). 17. 수사경과

예 증인 甲이 공판정에서 "乙이 저에게 丙의 절도현장을 목격하였다고 말하였습니다."라고 증언하였을 경우에 甲의 증언은 丙에 대한 절도사건에 있어서는 전문증거라고 하겠으나, 乙에 대한 명예훼손 사건에 있어서는 본래의 증거이지 전문증거가 아니다. 왜냐하면 전자의 경우에 있어서는 증명하려고 하는 사실(요증사실)은 丙이 절도를 하였다는 사실이므로 그 사실을 체험한 자는 乙(원진술자)이고 증인 甲은 乙로부터 전문하여 증언하였으므로 이 증언은 바로 전문증거로 될 것이나, 이에 반하여 후자의 경우에 있어서는 증명하려고 하는 사실(요증사실)은 乙이 명예훼손적 언사(丙이 절도하였다는 말)를 말하였다라는 사실이므로 그 사실을 체험한 자는 증인 甲 자신이다. 이 경우에 甲은 스스로 체험한 사실을 증언하였으므로 그 증언은 본래의 증거이지 전문증거는 아니다. 따라서 애당초 전문법칙의 적용이 없고 당연히 증거능력을 가진다.

원진술의 존재 자체 또는 그 내용인 사실이 요증사실인 경우에는 전문증거이다. (×) 14. 경찰간부

관련판례

1. 제1심 법정에서 피해자 甲이 '피고인 1이 88체육관 부지를 공시지가로 매입하게 해 주고 KBS와의 시설이주 협의도 2개월 내로 완료하겠다고 말하였다.'고 진술한 경우, 위와 같은 원진술의 존재 자체가 이 부분 각 사기죄 또는 변호사법 위반죄에 있어서의 요증사실이므로, 이를 직접 경험한 피해자 甲 등이 피고인으로부터 위와 같은 말을 들었다고 하는 진술은 전문증거가 아니라 본래증거에 해당한다고 할 것이다(대판 2012.7.26, 2012도2937). 13. 7급 국가직, 19. 9급 교정 · 보호 · 철도경찰
2. 어떤 진술이 기재된 서류가 그 내용의 진실성이 범죄사실에 대한 직접증거로 사용될 때는 전문증거가 되지만, 그와 같은 진술을 하였다는 것 자체 또는 진술의 진실성과 관계없는 간접사실에 대한 정황증거로 사용될 때는 반드시 전문증거가 되는 것이 아니다. 24. 순경 1차 그러나 그 서류가 다시 진술내용이나 그 진실성을 증명하는 간접사실로 사용하는 경우에 그 서류는 전문증거에 해당한다(대판 2019.8.29, 2018도14303 전원합의체). 22. 9급 검찰 · 마약수사, 23 · 24. 경찰승진, 24. 경찰간부 · 해경승진 · 9급 법원직, 25. 소방간부

   문건을 간접사실에 대한 정황증거로 사용하는 경우 언제나 전문증거에 해당하므로 공판준비기일 또는 공판기일에 그 작성자의 진술에 의해 성립의 진정이 증명되어야 한다. (×) 15. 7급 국가직, 17. 경찰간부
3. 피고인 甲(전, 청와대 경제수석비서관)의 업무수첩 등에는 'A(전직 대통령)가 피고인에게 지시한 내용'과 'A와 개별 면담자가 나눈 대화 내용을 A가 피고인 甲에게 불러주었다는 내용'이 함께 있다. 피고인의 진술 중 '지시 사항 부분'은 A가 피고인에게 지시한 사실을 증명하기 위한 것이라면 원진술의 존재 자체가 요증사실인 경우에 해당하여 본래증거이고 전문증거가 아니다. 그리고 피고인의 업무

수첩 중 지시 사항 부분은 형사소송법 제313조 제1항에 따라 공판준비나 공판기일에서 그 작성자인 피고인의 진술로 성립의 진정함이 증명된 경우에는 진술증거로 사용할 수 있다. 피고인의 업무수첩 등의 대화 내용 부분이 A와 개별 면담자 사이에서 대화한 내용을 증명하기 위한 진술증거인 경우에는 전문진술로서 형사소송법 제316조 제2항에 따라 원진술자가 사망, 질병, 외국거주, 소재불명 그 밖에 이에 준하는 사유로 진술할 수 없고 그 진술이 특히 신빙할 수 있는 상태에서 한 것임이 증명된 때에 한하여 증거로 사용할 수 있다. 이 사건에서 피고인의 업무수첩 등이 이 요건을 충족하지 못한다(대판 2019.8.29, 2018도13792 전원합의체).

A가 B와의 개별면담에서 대화한 내용을 피고인 甲에게 불러주었고, 그 내용이 기재된 甲의 업무수첩이 그 대화내용을 증명하기 위한 진술증거인 경우에는 피고인이 작성한 진술서에 대한 형사소송법 제313조 제1항에 따라 증거능력을 판단해야 한다. (×) 23. 순경 2차

4. 수사기관이 아닌 사인이 피고인 아닌 자와의 전화대화를 녹음한 녹음테이프에 대하여 법원이 검증을 실시한 피고인 아닌 자와의 대화의 내용은 실질적으로 형사소송법 제311조, 제312조 규정 이외의 피고인 아닌 자의 진술을 기재한 서류와 다를 바 없어서, 피고인이 그 녹음테이프를 증거로 할 수 있음에 동의하지 않은 이상 그 녹음테이프 검증조서의 기재 중 피고인 아닌 자의 진술내용을 증거로 사용하기 위해서는 형사소송법 제313조 제1항에 따라 공판준비나 공판기일에서 원진술자의 진술에 의하여 그 녹음테이프에 녹음된 진술내용이 자신이 진술한 대로 녹음된 것이라는 점이 인정되어야 하는 것이지만, 이와는 달리 녹음테이프에 대한 검증의 내용이 그 진술 당시 진술자의 상태 등을 확인하기 위한 것인 경우에는, 녹음테이프에 대한 검증조서의 기재 중 진술내용을 증거로 사용하는 경우에 적용되는 전문법칙에 관한 위 법리는 적용되지 아니한다(대판 2008.7.10, 2007도10755). 따라서 甲이 진술 당시 술에 취하여 횡설수설하였다는 것을 확인하기 위하여 제출된 甲의 진술이 녹음된 녹음테이프는 전문법칙이 적용되는 전문증거가 아니다. 22. 경찰승진
5. "피고인으로부터 2005. 8.경 건축허가 담당 공무원이 외국연수를 가므로 사례비를 주어야 한다."는 말, "2006. 2.경 건축허가 담당 공무원이 4,000만원을 요구하는데 사례비로 2,000만원을 주어야 한다."는 말을 들었다는 취지의 증언을 한 경우, 피고인의 원진술의 존재 자체가 알선수재죄에 있어서의 요증사실이므로, 이를 직접 경험한 자가 한 피고인으로부터 위와 같은 말들을 들었다고 하는 진술들은 전문증거가 아니라 본래증거에 해당된다(대판 2008.11.13, 2008도8007). 23. 해경승진 · 순경 2차, 24. 7급 국가직

---

(2) 전문법칙

① **의의** : 전문증거는 증거능력이 없다는 것을 전문법칙이라 한다(제310조의 2). 다시 말하면 원진술자가 직접 체험한 사실이 요증사실인 경우에 그 증거로써 전문증거를 사용함은 금지된다(전문법칙은 영미증거법에서 유래하는 원칙임).

예 증인 甲이 공판정에서 "나는 乙로부터 A가 B를 살해하는 것을 보았다는 말을 들었습니다."라고 진술하였을 경우 甲의 진술을 A가 B를 살해하였다는 사실의 증거로 하는 것은 전문법칙에 의해 배척된다. 즉, 전문증거이므로 증거능력이 없다.

증거능력이 인정되지 않는 전문증거는 사실인정의 자료로 사용할 수 없을 뿐 아니라 증거조사 자체도 허용되지 않는다.

관련판례

1. **정보통신망을 통하여 공포심이나 불안감을 유발하는 글을 반복적으로 상대방에게 도달하게 하는 행위를 하였다는 공소사실에 대하여 휴대전화기에 저장된 문자정보가 그 증거가 되는 경우, 그 문자정보는** 범행의 직접적인 수단이고 경험자의 진술에 갈음하는 대체물에 해당하지 않으므로, **형사소송법 제310조의 2에서 정한** 전문법칙이 적용되지 않는다. 15·16·17. 수사경과, 19. 변호사시험·9급 교정·보호·철도경찰, 21. 순경 2차, 20·22. 경찰승진·순경 1차, 22. 9급 법원직, 23. 해경승진, 24. 소방간부 **또한,** 범행의 직접적 수단이 된 문자정보가 저장된 휴대전화기의 화면을 촬영한 사진이 증거로 제출된 경우, 이를 증거로 사용하려면 문자정보가 저장된 휴대전화기를 법정에 제출할 수 없거나 그 제출이 곤란한 사정이 있고, 그 사진의 영상이 휴대전화기의 화면에 표시된 문자정보와 정확하게 같다는 사실이 증명되어야 한다(대판 2008.11.13, 2006도2556). 12. 9급 법원직, 13·14. 경찰승진, 14. 순경 1차, 16. 순경 2차·7급 국가직, 18. 9급 교정·보호·철도경찰

   휴대전화로 협박내용을 반복적으로 보냈다는 공소사실에 대한 증거로 제출된 '전송된 문자정보를 휴대전화 화면에 띄워 촬영한 사진'에 대해 피고인이 성립 및 내용의 진정을 부인하는 경우 이는 유죄인정의 증거가 될 수 없다. (×) 18·23. 경찰간부

   피고인이 피해자에게 보낸 협박문자를 피해자가 화면캡쳐의 방식으로 촬영한 사진은 피고인의 협박죄 피고사건에 대해서는 전문증거에 해당하지 않는다. (○) 23. 순경 2차

2. 피해자가 피고인으로부터 당한 공갈 등 피해 내용을 담아 남동생에게 보낸 문자메시지를 촬영한 사진은 형사소송법 제313조에 규정된 '피해자의 진술서'에 준하는 것으로 보아야 한다(대판 2010.11.25, 2010도8735). 18. 순경 3차, 24. 해경승진

3. 피고인 또는 피고인 아닌 사람이 컴퓨터용디스크 그 밖에 이와 비슷한 정보저장매체에 입력하여 기억된 문자정보 또는 그 출력물을 증거로 사용하는 경우, 이는 실질에 있어서 피고인 또는 피고인 아닌 사람이 작성한 진술서나 그 진술을 기재한 서류와 크게 다를 바 없고, 압수 후의 보관 및 출력과정에 조작의 가능성이 있으며, 기본적으로 반대신문의 기회가 보장되지 않는 점 등에 비추어 그 내용의 진실성에 관하여는 전문법칙이 적용되고, 따라서 원칙적으로 형사소송법 제313조 제1항에 의하여 작성자 또는 진술자의 진술에 의하여 성립의 진정함이 증명된 때에 한하여 이를 증거로 사용할 수 있다. 21. 경찰승진 **다만,** 정보저장매체에 기억된 문자정보의 내용의 진실성이 아닌 그와 같은 내용의 문자정보의 존재 자체가 직접 증거로 되는 경우에는 전문법칙이 적용되지 아니한다(대판 2013.2.15, 2010도3504). 18. 경찰승진·5급 검찰·교정승진, 22. 순경 2차

   ▶ 유사판례

   ① "A선생 앞 : '2011년 면담은 1월 30일~2월 1일까지 북경에서 하였으면 하는 의견입니다.'라는 등의 내용이 담겨져 있는 파일들이 피고인의 컴퓨터에 '저장'되어 있는 경우 이 파일이 피고인 甲과 A의 회합을 입증하기 위한 경우에는 문건 내용이 진실한지가 문제되므로 전문법칙이 적용된다고 할 것이다."(대판 2013.7.26, 2013도2511) 19. 9급 교정·보호·철도경찰

   ② 반국가단체로부터 지령을 받고 국가기밀을 탐지·수집하였다는 공소사실과 관련하여 수령한 지령 및 탐지·수집하여 취득한 국가기밀이 문건의 형태로 존재하는 경우나 편의제공의 목적물이 문건인 경우 등에는, 문건 내용의 진실성이 문제 되는 것이 아니라 그러한 내용의 문건이 존재하는 것 자체가 증거가 되는 것으로서, 위와 같은 공소사실에 대하여는 전문법칙이 적용되지 않는다(대판 2013.7.26, 2013도2511). 19. 9급 교정·보호·철도경찰

4. 피고인이 수표를 발행하였으나 예금부족 또는 거래정지처분으로 지급되지 아니하게 하였다는 부정수표단속법위반의 공소사실을 증명하기 위하여 제출되는 수표는 그 서류의 존재 또는 상태 자체가 증거가 되는 것이어서 증거물인 서면에 해당하고 어떠한 사실을 직접 경험한 사람의 진술에 갈음하는 대체물이 아니므로, 증거능력은 증거물의 예에 의하여 판단하여야 하고, 이에 대하여는 형사소송법 제310조의 2에서 정한 전문법칙이 적용될 여지가 없다(대판 2015.4.23, 2015도2275). 16. 변호사시험, 19. 순경 2차, 20·22. 9급 법원직, 22. 7급 국가직, 23. 경찰간부·해경 3차, 24. 해경승진

   피고인이 수표를 발행한 후 예금부족으로 지급되지 않도록 한 혐의로 공소제기된 부정수표단속법 위반사실을 증명하기 위하여 제출된 원본수표를 복사한 사본에는 전문법칙이 적용되지 않는다. (○) 17·19. 7급 국가직

5. 甲(민원인)이 공판정에서 "乙(공무원)로부터 '해외여행을 가려고 하는데 여행사에 대금을 대신 내주면 잘 봐 주겠다.'라는 말을 들었다."는 취지의 진술을 한 경우, 甲의 진술로 증명하고자 하는 사실이 '乙이 위와 같은 내용의 말을 하였다.'는 것(뇌물죄)이라면, 甲이 乙로부터 위와 같은 말을 들었다고 하는 진술은 전문증거가 아니라 본래증거에 해당한다(대판 2008.11.13, 2008도8007). 18. 7급 국가직

---

② **전문법칙의 이론적 근거** : 전문법칙의 이론적 근거를 어디에서 찾을 것인가에 대하여 견해가 갈리고 있다.

㉠ **반대신문권의 보장** : 다수의 학자는 전문증거의 증거능력이 배제되는 이유를 전문증거에 있어서는 원진술자를 법정에서 직접 진술하게 하는 것을 생략한 것이므로 원진술의 진실성을 당사자의 반대신문으로 음미(test)할 수 있는 기회가 주어지지 않는 데 있다고 본다.

㉡ **신용성의 결여** : 전문증거는 신용성이 희박하기 때문에 증거능력이 부정된다고 보는 견해이다.

㉢ **직접주의의 요청** : 법원이 원진술자의 진술을 공판정에서 직접 증거조사해야만 그의 진술내용뿐만 아니라 그의 진술태도를 관찰할 수 있고 그러한 태도증거로부터 심증을 형성할 가능성이 있는 것인데, 전문증거는 이를 가로막기 때문에 증거로 사용할 수 없다는 견해이다.

㉣ **결** : 위 어느 견해도 전문법칙의 입법취지를 설명할 수 있는 유일한 학설은 될 수 없고, 제310조의 2가 추구하는 목표의 여러 측면을 설명하는 것으로 이해해야 할 것이므로 모두 다 타당하다고 볼 것이다.

③ **전문법칙이 적용되지 않는 경우**

비진술 증거	전문법칙은 진술증거에 적용되므로 물건이나 장소와 같은 비진술증거는 전문법칙 적용이 없다. 예 상해의 증거로 제시된 상해 부위를 촬영한 사진
언어적 행동	원진술자의 행동의 의미를 설명하기 위한 방편으로 사용되는 경우 전문법칙 적용이 없다. 예 • 甲이 공무원 乙에게 선물하면서, '이것은 뇌물이 아닙니다.'라고 말하는 것을 丙이 증언 • B가 C를 껴안은 행동이 폭행인지 우정의 표현인지를 설명하기 위하여 그 장면을 목격한 A가 법정에서 "B는 C에게 나쁜 놈이라고 격노에 찬 말을 하였다."라고 증언한 경우 13. 경찰간부

요증사실의 구성요소	乙로부터 A가 B를 살해하는 것을 보았다는 말을 듣고 甲이 전해 들은 사실을 증언한 경우, 증명하려고 하는 사실이 A에 대한 乙의 명예훼손사건이라면 甲의 증언은 원본증거(본래증거)가 된다.
정황증거	전문진술이 정신적 상황 등을 증명하기 위한 정황증거로 사용되는 경우에 전문법칙 적용이 없다. 예 甲이 살인혐의로 재판을 받고 있는 경우, 甲으로부터 범행 후 "나는 신이다."라는 말을 들은 乙이 그 사실을 증언 23. 순경 2차, 24. 해경승진
탄핵증거	요증사실을 증명하기 위한 증거가 아니라 진술의 증명력을 다투기 위한 증거이므로 전문법칙 적용이 없다.
동 의	전문법칙의 예외설(판례)과 전문법칙적용배제설(다수설)이 대립한다.
간이공판 절차	전문법칙에 의해 증거능력이 부정되는 증거일지라도 증거동의가 의제되어 증거능력이 인정된다(제318조의 3). 23. 경찰승진
약식절차	공판절차에 의하지 않으므로 전문증거라도 증거능력이 인정된다.
즉결심판 절차	전문법칙규정 중 제312조 제3항, 제313조는 적용되지 않는다(즉결심판에 관한 절차법 제10조).

(3) 전문법칙의 예외

전문법칙만을 지나치게 고집한다면 재판의 지연을 초래할 뿐 아니라, 재판에 필요한 증거를 잃어 버리게 됨으로써 도리어 정당한 사실인정을 방해할 염려가 있다. 따라서 실체적 진실발견과 소송경제를 위해 전문법칙의 예외를 인정할 필요가 있다.

① 예외인정의 일반적 기준

㉠ **일반적 기준** : 영미의 통설은 전문법칙의 예외를 인정하기 위하여 신용성의 정황적 보장과 필요성을 요구하고 있으며, 우리 형사소송법의 경우에도 이러한 기준을 그대로 사용할 수 있다고 하는 점에는 견해가 일치되어 있다.

ⓐ 신용성의 정황적 보장 : 신용성의 정황적 보장이란 공판정 외의 진술이 특히 신용할 수 있는 정황하에서 행하여져서 공판정에서 반대신문의 기회를 상대방에게 주지 아니하더라도 허위의 위험이 없는 경우를 말한다. 물론 여기의 신용성은 증거능력과 관련된 것이므로 진술내용의 진실성을 의미하는 것이 아니라 진실성을 보장할 만한 외부적 정황을 의미하는 것이다.

예 甲이 "나는 乙이 丁을 살해하고 있는 것을 보았다."라고 丙에게 말하고 丙이 공판정에서 甲으로부터 들은 사실을 증언하였을 경우에 丙의 증언이 전문증거로서 배척되는 것은 원진술자인 甲에 대하여 피고인이 반대신문을 하여 그 진술의 진실성을 테스트할 수 없기 때문이나 이것은 통상의 경우이고, 만약 甲의 진술이 임종시 진술처럼 특히 신용할 수 있는 상황하에서 행하여졌을 경우에는 반대신문에 의한 테스트가 불필요할 정도로 신용성이 있는 것으로 볼 수 있어 전문증거라도 증거능력을 인정하여도 좋을 것으로 본다.

관련판례

진술이 특히 신빙할 수 있는 상태하에서 행하여진 때라 함은 그 진술을 하였다는 것에 허위개입의 여지가 거의 없고, 그 진술내용의 신빙성이나 임의성을 담보할 구체적이고 외부적인 정황이 있는 경우를 가리킨다(대판 2000.3.10, 2000도159).

KEY point 신용성의 정황적 보장이 인정된 경우의 예

- 죽음에 직면한 자의 임종의 진술(진술의 양심성)
- 사건 직후의 충동적 발언과 같은 자연적 · 반사적 진술(진술의 자연성)
- 재산상 이익에 반하는 진술(진술의 불이익성)
- 원진술이 법관면전에서 행하여진 경우
- 공문서나 업무상 문서와 같이 업무상 통상의 과정에서 작성된 문서(진술의 공시성)

ⓑ 필요성 : 원진술자를 공판정에 출석케 하여 진술시키는 것이 불가능하거나 곤란하기 때문에 부득이 전문증거를 증거로 사용할 필요가 있는 경우를 말한다. 예 사망, 질병 등

㉡ **양자의 관계** : 신용성의 정황적 보장과 필요성이 구비되면 전문증거라 할지라도 예외적으로 증거능력이 인정된다. 다만, 이 두 요건은 모든 경우에 있어서 동등한 정도로 엄격하게 적용되는 것은 아니고 상호보완관계 또는 반비례관계에 있는 경우가 많다. 따라서 신용성의 정황적 보장이 강력하면 필요성의 요건은 어느 정도 완화될 수 있으며, 그 역의 경우도 가능하다. 현행 형사소송법은 대체로 이상과 같은 점을 고려하여 아래와 같은 전문법칙의 예외(제311조~제316조)를 인정하고 있다.

② **현행법상 전문법칙의 예외** : 현행 형사소송법은 제311조 내지 제316조에서 전문법칙의 예외규정을 두어 증거능력을 인정하고 있다(제311조에서 제315조까지는 전문서류를, 제316조에서는 전문진술을 규정). 이러한 예외규정에 해당하지 않으면 전문증거는 증거능력이 없다(제310조의 2).

㉠ **법원 또는 법관의 면전조서**

ⓐ 의의 : 법원 또는 법관면전에서 행한 진술을 기재한 조서는 그 성립이 진정하고 신용성의 정황적 보장도 높으므로 무조건 증거능력을 인정하고 있다(제311조). 이 경우에도 법관의 자유심증에 따라 그 신용성이 없다고 판단하는 경우에는 심증형성의 자료로 사용하지 않을 수 있음은 물론이다. 증거능력과 증명력은 다르기 때문이다.

예 공판조서, 법원 또는 법관의 검증조서, 증거보전절차에서 작성한 조서, 증인신문청구절차에서 작성한 조서 등

관련판례

1. 증인신문조서가 증거보전절차에서 피고인이 증인으로서 증언한 내용을 기재한 것이 아니라 증인(甲)의 증언내용을 기재한 것이고, 다만 피의자였던 피고인이 당사자로 참여하여 자신의 범행사실을 시인하는 전제하에 위 증인에게 반대신문한 내용이 기재되어 있을 뿐이라면, 위 조서는 공판준비 또는 공판기일에 피고인 등의 진술을 기재한 조서도 아니고, 반대신문과정에서 피의자가 한 진술에 관한

한 형사소송법 제184조에 의한 증인신문조서도 아니므로 위 조서 중 피의자의 진술기재부분에 대하여는 형사소송법 제311조에 의한 증거능력을 인정할 수 없다(대판 1984.5.15, 84도508). 12. 9급 법원직, 13. 경찰승진, 14. 변호사시험, 16. 순경 2차, 18. 수사경과

2. 사인(私人)이 피고인이 아닌 사람과의 대화내용을 녹음한 녹음테이프에 대해 법원이 그 진술당시 진술자의 상태 등을 확인하기 위하여 작성한 검증조서는 법원의 검증 결과를 기재한 조서로서 형사소송법 제311조에 의하여 당연히 증거로 할 수 있다(대판 2008.7.10, 2007도10755). 16. 9급 검찰 · 마약수사

ⓑ 다른 사건의 공판준비조서와 공판조서 : 제311조 규정의 '공판준비조서 또는 공판조서'가 당해 사건의 조서를 의미한다는 데는 견해가 일치한다. 다만, 다른 사건의 조서를 어떻게 처리할 것인가에 대하여 견해의 대립이 있는데, 제315조 제3호의 '특히 신용할 만한 정황에서 작성된 문서'로서 증거로 사용할 수 있다고 보는 것이 다수설 · 판례의 입장이다.

관련판례

다른 피고사건의 공판조서는 형사소송법 제315조 제3호의 문서로서 당연히 증거능력이 있다(대판 2005.1.14, 2004도6646). 14. 변호사시험, 24. 경찰승진

ⓒ 공동피고인의 진술을 기재한 조서 : 공동피고인이 공범자인 경우에는 피고인의 동의가 없더라도 증거능력이 인정된다. 그러나 피고인과는 별개의 범죄사실로 기소되고, 다만 병합심리된 것일 뿐인 공동피고인은 피고인에 대하여 선서 없는 증인에 불과하므로 그가 선서 없이 공판정에서 한 진술은 피고인에 대한 공소사실을 인정하는 증거로 쓸 수 없다(다수설 · 판례).

ⓛ 피의자신문조서

ⓐ 의의 : 피의자신문조서란 검사 또는 사법경찰관이 피의자를 신문하여 그 진술을 기재한 조서를 말한다.

관련판례

1. 피의자의 진술을 녹취 내지 기재한 서류 또는 문서가 수사기관에서의 조사 과정에서 작성된 것이라면, 그것이 '진술조서, 진술서, 자술서'라는 형식을 취하였다고 하더라도 피의자신문조서와 달리 볼 수 없다. 18. 순경 1차, 20. 수사경과, 23. 경찰간부 따라서 수사기관이 피의자를 신문함에 있어서 피의자에게 미리 진술거부권을 고지하지 않은 때에는 그 피의자의 진술은 위법하게 수집된 증거로서 진술의 임의성이 인정되는 경우라도 증거능력이 부인되어야 한다(대판 2009.8.20, 2008도8213). 11. 9급 법원직, 14. 순경 2차, 15. 수사경과, 17. 경찰간부, 15 · 20. 경찰승진, 16 · 22. 순경 1차

2. 수사과정에서 검사가 피의자와 대담하는 장면을 녹화한 비디오테잎에 대한 법원의 검증조서도 피의자신문조서에 준하여 증거능력을 가려야 한다(대판 1992.6.23, 92도682). 09. 9급 국가직, 12. 9급 법원직, 13 · 14. 경찰승진

▶ 수사기관 영상녹화물을 본증으로 사용할 수 없는 현행법하에서는 실익이 없는 판례라고 볼 수 있다.

ⓑ 증거능력 인정의 전제조건 : 피의자신문조서의 증거능력을 인정하기 위한 전제조건으로 조서에 기재된 진술의 임의성이 인정되어야 한다. 즉, 진술내용이 자백인 때에는 제309조에 의하여, 자백 이외의 진술인 때에는 제317조에 의하여 임의성이 인정될 것을 요한다.

ⓒ 검사 작성의 피고인이 된 피의자신문조서 : 검사가 작성한 피의자신문조서는 적법한 절차와 방식에 따라 작성된 것으로서 공판준비, 공판기일에 그 피의자였던 피고인 또는 변호인이 그 내용을 인정할 때에 한정하여 증거로 할 수 있다(제312조 제1항). 22. 9급 교정·보호·철도경찰

개정 전 형사소송법에서는 검사 작성 피의자신문조서의 증거능력 요건과 사법경찰관 작성 피의자신문조서의 증거능력 요건 사이에 차등을 두었으나, 개정 형사소송법에서는 양자 모두 동일하게 조정되었다.

검사 작성 피의자신문조서에 대하여 피고인이 그 조서의 성립의 진정을 부인하는 경우에 영상녹화물 등에 의한 대체적 증명방법을 규정하였던 개정 전 형사소송법 제312조 제2항은 2021. 1. 1. 삭제되었다. 따라서 검사 작성 피의자신문조서에 대해 진정성립의 영상녹화물 등에 의한 대체적인 증명방법은 허용되지 아니한다.

제312조 제1항의 개정규정은 같은 개정규정 시행 후 공소제기된 사건부터 적용한다(부칙 제1조의 2 제1항). 제312조 제1항의 개정규정 시행 전에 공소제기된 사건에 관하여는 종전의 규정에 따른다(부칙 제1조의 2 제2항).

PART 04

관련판례

1. 형사소송법 제312조 제1항에서 정한 '검사가 작성한 피의자신문조서'란 당해 피고인에 대한 피의자신문조서만이 아니라 당해 피고인과 공범관계에 있는 다른 피고인이나 피의자에 대하여 검사가 작성한 피의자신문조서도 포함되고, 여기서 말하는 '공범'에는 형법 총칙의 공범 이외에도 서로 대향된 행위의 존재를 필요로 할 뿐 각자의 구성요건을 실현하고 별도의 형벌 규정에 따라 처벌되는 강학상 필요적 공범 또는 대향범까지 포함한다(대판 2023.6.1, 2023도3741). 24. 변호사시험
2. 검찰에 송치되기 전에 구속피의자로부터 받은 검사 작성의 피의자신문조서는 송치 후에 작성된 검사 작성 피의자신문조서와 마찬가지로 취급하기는 어렵다(대판 1994.8.9, 94도1228). 16. 경찰간부, 18. 변호사시험, 23. 해경승진

   ▶ 사법경찰관이 작성한 피의자신문조서와 동일하게 취급해야 한다는 취지인 것 같다.
3. 사법연수생인 검사 직무대리가 검찰총장으로부터 명 받은 범위 내에서 법원조직법에 의한 합의부의 심판사건에 해당하지 아니하는 사건에 관하여 검사의 직무를 대리하여 피고인에 대한 피의자신문조서를 작성할 경우, 그 피의자신문조서는 형사소송법 제312조 제1항의 요건을 갖추고 있는 한 당해 지방검찰청 또는 지청 검사가 작성한 피의자신문조서와 마찬가지로 그 증거능력이 인정된다(대판 2010.4.15, 2010도1107). 13. 9급 국가직
4. 피고인에 대한 검사 작성의 피의자신문조서가 그 내용 중 일부를 가린 채 복사를 한 다음 원본과 상위 없다는 인증을 하여 초본의 형식으로 제출된 경우에, 위와 같은 피의자신문조서 초본은 피의자신문조서 원본 중 가려진 부분의 내용이 가려지지 않은 부분과 분리 가능하고 당해 공소사실과 관련성이 없는 경우에만, 그 피의자신문조서의 원본이 존재하거나 존재하였을 것, 피의자신문조서의 원본 제출

이 불능 또는 곤란한 사정이 있을 것, 원본을 정확하게 전사하였을 것 등 3가지 요건을 전제로 피고인에 대한 검사 작성의 피의자신문조서 원본과 동일하게 취급할 수 있다(대판 2002.10.22, 2000도5461). 05. 순경

㉮ 적법한 절차와 방식 : 검사가 작성한 피의자신문조서가 증거능력을 인정받으려면, 먼저 '적법한 절차와 방식'에 따라 작성된 것이어야 한다. 여기서 '적법한 절차와 방식'이라 함은 2007년 개정 전의 형식적 진정성립(조서에 기재된 서명 · 날인 등이 진술자의 것임이 틀림없는 경우)보다는 넓은 개념이다. 즉, 형식적 진정성립 이외에도 검사에 의한 작성과 참여자(제243조), 변호인참여(제243조의 2), 피의자신문조서의 작성방법(제244조), 수사기관의 피의자에 대한 진술거부권의 고지(제244조의 3), 수사과정의 기록(제244조의 4) 등 개정법이 정한 절차와 방식에 따라 조서가 작성되어야 한다는 것을 의미한다.

관련판례

1. 조서말미에 피고인의 서명만이 있고, 그 날인(무인 포함)이나 간인이 없는 검사 작성의 피고인에 대한 피의자신문조서는 증거능력이 없다. 그 날인이나 간인이 없는 것이 피고인이 그 날인이나 간인을 거부하였기 때문이어서 그러한 취지가 조서말미에 기재되었다거나, 피고인이 법정에서 그 피의자신문조서의 임의성을 인정하였다고 하더라도 증거능력이 인정될 수 없다(대판 1999.4.13, 99도237). 06. 순경, 18. 9급 교정 · 보호 · 철도경찰, 20. 경찰승진 · 경찰간부, 24. 9급 검찰 · 마약 · 교정 · 보호 · 철도경찰
2. 검사 작성의 피의자신문조서에 작성자인 검사의 서명날인이 되어 있지 아니한 경우 그 피의자신문조서는 공무원이 작성하는 서류로서의 요건을 갖추지 못한 것으로서 무효이고 따라서 이에 대하여 증거능력을 인정할 수 없다고 보아야 할 것이며, 그 피의자신문조서에 진술자인 피고인의 서명날인이 되어 있다거나, 피고인이 법정에서 그 피의자신문조서에 대하여 진정성립과 임의성을 인정하였다고 하더라도 증거능력을 인정할 수 없다(대판 2001.9.28, 2001도4091). 05. 순경, 10 · 16. 7급 국가직, 18. 순경 2차
3. 수사기관이 피의자신문조서를 작성함에 있어서는 그것을 열람하게 하거나 읽어 들려야 하는 것이나 그 절차가 비록 행해지지 안했다 하더라도 그것만으로 그 피의자신문조서가 증거능력이 없게 된다고는 할 수 없고 제312조에서 규정하고 있는 피의자신문조서의 증거능력 인정 요건을 갖추게 되면 그것을 증거로 할 수 있다(대판 1988.5.10, 87도2716). 05 · 06. 순경
4. 피고인의 기명만이 있고 그 날인이나 무인이 없는, 검사 작성의 피고인에 대한 피의자신문조서는 증거능력이 없다(대판 1981.10.27, 81도1370).

㉯ 내용인정 : 검사가 작성한 피의자신문조서가 증거능력을 인정 받으려면, 적법한 절차와 방식에 따라 작성되어야 하고 공판준비, 공판기일에 그 피의자였던 피고인 또는 변호인이 그 내용을 인정해야 한다(제312조 제1항). 23. 경찰승진 · 해경승진, 24. 소방간부 · 해경경위공채 내용인정은 조서의 기재내용이 객관적 진실에 부합함을 인정하는 진술을 의미한다(피의자신문조서의 기재내용이 진술한 대로 기재되어 있다는 의미인 '실질적 진정성립'과는 구별을 요함).

관련판례

1. 검사가 작성한 피의자신문조서는 공판준비, 공판기일에 그 피의자였던 피고인 또는 변호인이 그 내용을 인정할 때에 한정하여 증거로 할 수 있다고 규정하고 있다. 여기서 '그 내용을 인정할 때'라 함은 피의자신문조서의 기재내용이 진술내용대로 기재되어 있다는 의미가 아니고 그와 같이 진술한 내용이 실제 사실과 부합한다는 것을 의미한다. 24. 순경 1차 따라서 피고인이 공소사실을 부인하는 경우 검사가 작성한 피의자신문조서 중 공소사실을 인정하는 취지의 진술 부분은 그 내용을 인정하지 않았다고 보아야 한다(대판 2023.4.27, 2023도2102). 24. 7급 국가직·9급 검찰·마약·교정·보호·철도경찰
2. 피고인이 자신과 공범관계에 있는 다른 피고인이나 피의자에 대하여 검사가 작성한 피의자신문조서의 내용을 부인하는 경우에는 형사소송법 제312조 제1항에 따라 유죄의 증거로 쓸 수 없다(대판 2023.6.1, 2023도3741). 24. 순경 1차·해경경위공채
3. 피고인은 제1심에서 공소사실을 부인하였으므로 증거목록에 피고인이 제1심에서 검찰 피의자신문조서에 동의한 것으로 기재되어 있어도 내용을 인정하지 않았다고 보아야 하고 증거목록에 위와 같이 기재되어 있는 것은 착오 기재이거나 조서를 잘못 정리한 것으로 이해될 뿐 이로써 위 검찰 피의자신문조서가 증거능력을 가지게 되는 것은 아니다(대판 2023.4.27, 2023도2102).

㉰ 제314조의 적용 여부 : 피고인은 공판정에서 심판받고 있는 사람을 전제로 하는데, 제314조는 피고인이 사망·질병·외국거주·소재불명 그 밖에 이에 준하는 사유로 진술할 수 없는 상황을 전제로 한 규정이므로, 검사작성 피의자신문조서에 제314조의 적용을 부정하는 것이 타당하다고 보여진다.

KEY point 검사 작성 피의자신문조서의 증거능력 인정요건

적법한 절차와 방식에 따른 작성(형식적 진정성립) + 피의자였던 피고인 또는 변호인의 내용인정

ⓒ 사법경찰관 작성의 피의자신문조서 : 검사 이외의 수사기관이 작성한 피의자신문조서는 적법한 절차와 방식에 따라 작성된 것으로서 공판준비 또는 공판기일에 그 피의자였던 피고인 또는 변호인이 그 내용을 인정할 때에 한하여 증거로 할 수 있다(제312조 제3항). 09. 순경, 10. 경찰승진, 13. 경찰간부, 17. 순경 2차, 20. 순경 1차·수사경과 외국수사기관의 피의자신문조서도 같다. 10·12. 순경 피의자신문의 주체는 사법경찰관이나, 사법경찰관 사무취급의 자격으로 사법경찰리가 작성한 피의자신문조서도 여기에 해당되며, 뿐만 아니라 이 규정은 피의자였던 피고인뿐만 아니라 공동피의자였던 다른 피고인에 대한 관계에서도 적용된다. 11. 순경

관련판례

1. 형사소송법 제312조 제3항(사법경찰관 작성 피의자신문조서)은 검사 이외의 수사기관이 작성한 당해 피고인에 대한 피의자신문조서를 유죄의 증거로 하는 경우뿐만 아니라 검사 이외의 수사기관이 작성한 당해 피고인과 공범관계에 있는 다른 피고인이나 피의자에 대한 피의자신문조서를 당해 피고인에 대한 유죄의 증거로 채택할 경우에도 적용된다. 따라서 당해 피고인과 공범관계가 있는 다른 피의자에 대하여 검사 이외의 수사기관이 작성한 피의자신문조서는, 그 피의자의 법정진술에 의하

여 그 성립의 진정이 인정되는 등 형사소송법 제312조 제4항의 요건을 갖춘 경우라고 하더라도 당해 피고인이 공판기일에서 그 조서의 내용을 부인한 이상 이를 유죄인정의 증거로 사용할 수 없다(대판 2009.7.9, 2009도2865). 13. 7급 국가직 · 9급 검찰 · 마약수사, 14 · 15. 수사경과, 15 · 16. 9급 교정 · 보호 · 철도경찰, 18. 순경 3차, 19. 변호사시험, 14 · 15 · 20. 경찰승진, 20. 순경 1차 · 해경, 14 · 21. 9급 법원직, 13 · 18 · 21. 순경 2차

2. 검찰주사가 검사의 지시에 따라 검사가 참석하지 않은 상태에서 피의자였던 피고인을 신문하여 작성하고 검사는 검찰주사의 조사직후 피고인에게 개괄적으로 질문한 사실이 있을 뿐인데도 검사가 작성한 것으로 되어 있는 검사 작성의 피의자신문조서는 검사의 서명 · 날인이 되어 있다고 하더라도 검사 작성의 피의자신문조서로 볼 수 없고, 17. 순경 2차 검사 이외의 수사기관이 작성한 피의자신문조서와 마찬가지로 보아야 할 것이므로 위 피의자신문조서는 피고인이 그 내용을 부인하는 이상 유죄의 증거로 삼을 수 없다(대판 2003.10.9, 2002도4372). 11. 7급 국가직 · 순경, 12. 경찰승진, 19. 경찰간부 · 수사경과

피고인 甲이 공판정에서 공범 乙에 대한 사법경찰관 작성의 피의자신문조서의 내용을 부인하면 乙이 법정에서 그 조서의 내용을 인정하더라도 그 조서를 피고인 甲의 공소사실에 대한 증거로 사용할 수 없다. (○)

3. 검사 이외의 수사기관이 작성한 피의자신문조서는 그 피의자였던 피고인이나 변호인이 그 내용을 인정할 때에 한하여 증거로 할 수 있다고 규정하고 있는바, 여기서 말하는 검사 이외의 수사기관에는 달리 특별한 사정이 없는 한 외국의 권한 있는 수사기관도 포함된다(대판 2006.1.13, 2003도6548). 13. 7급 국가직, 11 · 15. 경찰승진

4. 형사소송법 제312조 제2항(현 312조 제3항)은 당해 사건에서 피의자였던 피고인에 대한 검사 이외의 수사기관 작성의 피의자신문조서에만 적용되는 것은 아니고 전혀 별개의 사건에서 피의자였던 피고인에 대한 검사 이외의 수사기관 작성의 피의자신문조서도 그 적용대상으로 하고 있는 것이라고 보아야 한다(대판 1995.3.24, 94도2287). 21. 순경 2차

5. 행위자가 아닌 법인 또는 개인이 양벌규정에 따라 기소된 경우, 검사 이외의 수사기관이 행위자에 대하여 작성한 피의자신문조서는 행위자가 그 내용을 인정한 경우에라도 당해 피고인인 법인 또는 개인이 그 내용을 부인하는 경우에는 형사소송법 제312조 제3항이 적용되어 증거능력이 없고, 형사소송법 제314조를 적용하여 증거능력을 인정할 수도 없다(대판 2020.6.11, 2016도9367). 21. 7급 국가직, 22. 경찰간부 · 9급 법원직, 23. 변호사시험, 24. 9급 검찰 · 마약 · 교정 · 보호 · 철도경찰

㉮ 적법한 절차와 방식 : 사법경찰관 작성의 피의자신문조서의 경우에도 적법한 절차와 방식에 따라 작성된 것이어야 한다. 적법한 절차와 방식의 의미에 대해서는 검사 작성의 피의자신문조서에서와 같다.

관련판례

1. "피의자는 진술거부권을 행사할 것인가요?"라는 질문에 "아니요, 진술할 것입니다."라는 답변이 기재되어 있기는 하나 그 답변이 위 피고인들의 자필로 기재된 것이 아니거나, 사법경찰관이 답변을 작성한 부분에 피고인들의 기명날인 또는 서명이 되어 있지 아니한 사법경찰관작성의 피의자신문조서는 형사소송법 제312조 제3항에서 정하는 '적법한 절차와 방식'에 따라 작성된 조서로 볼 수 없으므로 이를 증거로 쓸 수 없다(대판 2013.3.28, 2010도3359). 18. 순경 2차, 20. 경찰승진 · 순경 1차

2. 피의자가 변호인의 참여를 원한다는 의사를 명백하게 표시하였음에도 수사기관이 정당한 사유 없이 변호인을 참여하게 하지 아니한 채 피의자를 신문하여 작성한 피의자신문조서는 형사소송법 제312조

에 정한 '적법한 절차와 방식'에 위반된 증거일 뿐만 아니라, 형사소송법 제308조의 2에서 정한 '적법한 절차에 따르지 아니하고 수집한 증거'에 해당하므로 이를 증거로 할 수 없다(대판 2013.3.28, 2010도3359). 20. 해경, 21. 수사경과, 23. 경찰승진

㉯ 내용의 인정 : 사법경찰관 작성의 피의자신문조서는 공판준비 또는 공판기일에 그 피의자였던 피고인 또는 변호인이 내용을 인정한 때에 한하여 증거능력이 인정된다. 따라서 사법경찰관이 작성한 피의자신문조서는 피고인이 법정에서 내용을 부인하면 증거로 쓸 수 없다. 03. 법원주사보, 09. 9급 국가직, 18. 순경 1차, 10·19. 경찰승진 내용의 인정이라 함은 조서의 기재내용이 객관적 진실에 부합함을 인정하는 진술을 말한다. 11. 경찰승진 그리고 당해 피고인과 공범관계가 있는 다른 공동피고인 또는 피의자에 대한 사법경찰관 작성의 피의자신문조서는, 당해 피고인 또는 변호인이 그 내용을 인정하여야만 증거능력이 부여된다. 16. 변호사시험, 18. 9급 검찰·마약·교정·보호·철도경찰

관련판례

1. '내용을 인정할 때'라 함은 검사 이외의 수사기관 작성의 피의자신문조서의 기재내용이 진술내용대로 기재되어있다는 의미가 아니고(그것은 문서의 진정성립에 속하는 사항임), 그와 같이 진술한 내용이 실제사실과 부합한다는 것을 의미한다(대판 2010.6.24, 2010도5040). 12. 경찰간부, 13. 9급 검찰·마약·교정·보호·철도경찰, 16. 순경 1차, 18. 순경 2차, 19. 수사경과, 10·11·20. 경찰승진, 22. 소방간부

   내용의 인정이란 조서의 기재내용이 진술내용대로 기재되어 있다는 것을 의미한다. (×)

2. 사법경찰관이 작성한 실황조사서에 피의자이던 피고인이 사법경찰관의 면전에서 자백한 범행내용을 현장에 따라 진술, 재연하고 사법경찰관이 그 진술, 재연의 상황을 기재하거나 이를 사진으로 촬영한 것 외에 별다른 기재가 없는 경우에 있어서 피고인이 공판정에서 실황조사서에 기재된 진술내용 및 범행재연의 상황을 모두 부인하고 있다면 그 실황조사서는 증거능력이 없다(대판 1984.5.29, 84도378). 10. 순경, 11. 경찰승진, 24. 소방간부

3. 피고인이 제1심 법정 이래 공소사실을 계속 부인하는 경우, 증거목록에 피고인이 경찰 작성의 피의자신문조서의 내용을 인정한 것으로 기재되었더라도 이는 착오 기재거나 조서를 잘못 정리한 것이어서 위 피의자신문조서가 증거능력을 가지게 되는 것은 아니다(대판 2006.5.26, 2005도6271). 12. 경찰승진·경찰간부, 14. 수사경과

   ▶ **유사판례** : 피고인이 제1심 제4회 공판기일부터 공소사실을 일관되게 부인하여 경찰 작성 피의자신문조서의 진술내용을 인정하지 않는 경우, 제1심 제4회 공판기일에 피고인이 위 서증의 내용을 인정한 것으로 공판조서에 기재된 것은 착오 기재 등으로 보아 위 피의자신문조서의 증거능력을 부정하여야 한다(대판 2010.6.24, 2010도5040). 19. 경찰승진·수사경과, 20. 순경 1차

4. 피고인이 당해 공소사실에 대하여 법정에서 부인한 경우에는 사법경찰리 작성의 피의자신문조서의 내용을 인정하지 아니한 것이므로 그 피의자신문조서의 기재는 증거능력이 없고, 이러한 경우 피고인을 조사하였던 경찰관이 법정에 나와 "피고인의 진술대로 조서가 작성되었고, 작성 후 피고인이 조서를 읽어보고 내용을 확인한 후 서명·무인하였으며, 피고인이 내용의 정정을 요구한 일은 없었다."고 증언하더라도 그 피의자신문조서가 증거능력을 가지게 되는 것은 아니다(대판 1997.10.28, 97도2211). 10. 9급 법원직

5. 미국 범죄수사대(CID), 연방수사국(FBI)의 수사관들이 작성한 수사보고서 및 피고인이 위 수사관들에 의한 조사를 받는 과정에서 작성하여 제출한 진술서는 피고인이 그 내용을 부인하는 이상 증거로 쓸 수 없다(대판 2006.1.13, 2003도6548). 19. 경찰승진, 15 · 22. 수사경과
6. 압수조서의 압수경위란 및 수사기관에 제출된 변호인 의견서에도 피고인이 피의사실을 전부 자백하였다는 취지로 기재되어 있는데, 피고인이 공판과정에서 일관되게 쟁점 공소사실을 부인하면서 경찰에서 작성된 피의자신문조서의 내용을 부인하였다면 유죄의 증거로 사용할 수 없다(대판 2024.5.30, 2020도16796).

㉰ 제314조의 적용 여부 : 형사소송법 제314조는 원진술자가 공판정에 출석할 수 없는 경우를 전제로 하여 마련된 것이므로, 사법경찰관 작성의 피의자신문조서에 대하여도 검사 작성의 경우와 마찬가지로 제314조가 적용될 여지는 없다.

문제는 당해 피고인과 공범관계에 있는 다른 피의자에 대하여 사법경찰관이 작성한 피의자신문조서에 제314조가 적용될 것인가에 있다. 원진술자인 공동피의자의 법정진술에 의하여 성립의 진정이 인정된다고 하더라도 당해사건의 피의자였던 피고인이나 변호인이 내용을 부인하면 증거능력이 부정되므로, 공동피의자에 대한 피의자신문조서를 그 피의자의 사망 등으로 진술할 수 없다는 이유를 들어 제314조를 적용하여 증거능력을 인정할 수는 없다고 해야 한다.

관련판례

형사소송법 제312조 제3항은 검사 이외의 수사기관이 작성한 당해 피고인과 공범관계에 있는 다른 피고인이나 피의자에 대한 피의자신문조서에도 적용된다. 따라서 당해 피고인과 공범관계가 있는 다른 피의자에 대한 검사 이외의 수사기관 작성의 피의자신문조서는 그 피의자의 법정진술에 의하여 그 성립의 진정이 인정되더라도 당해 피고인이 공판기일에서 그 조서의 내용을 부인하면 증거능력이 부정되므로 20. 해경 그 당연한 결과로 그 피의자신문조서에 대하여는 사망 등 사유로 인하여 법정에서 진술할 수 없는 때에 예외적으로 증거능력을 인정하는 규정인 형사소송법 제314조가 적용되지 아니한다(대판 2004.7.15, 2003도7185 전원합의체). 11. 교정특채, 13. 9급 법원직, 17. 순경 2차 · 7급 국가직, 18. 순경 1차, 19. 변호사시험, 14 · 20. 경찰승진, 20. 해경, 22. 9급 검찰 · 마약 · 교정 · 보호 · 철도경찰, 21 · 23. 경찰간부, 24. 해경승진

KEY point 사법경찰관 작성 피의자신문조서의 증거능력 인정요건

적법한 절차와 방식(형식적 진정성립 포함) + 피의자였던 피고인 또는 변호인의 내용인정

㉢ **진술조서**

ⓐ 진술조서의 의의 : 검사 또는 사법경찰관이 피고인이 아닌 자(참고인)의 진술을 기재한 조서는 적법한 절차와 방식에 따라 작성된 것으로서 그 조서가 검사 또는 사법경찰관 앞에서 진술한 내용과 동일하게 기재되어 있음이 원진술자의 공판준비 또는 공판기일에서의 진술이나 영상녹화물 또는 그 밖의 객관적인 방법에 의하여 증명되고, 09. 7급 국가직 피고인 또는 변호인이 공판준비 또는 공판기일에 그 기재내용에 관하여 원진술자를

신문할 수 있었던 때에는 증거로 할 수 있다. 다만, 그 조서에 기재된 진술이 특히 신빙할 수 있는 상태하에서 행하여졌음이 증명된 때에 한한다(제312조 제4항). 23. 경찰승진

동석한 사람이 피의자를 대신하여 진술한 부분이 조서에 기재되어 있다면 그 부분은 피의자의 진술을 기재한 것이 아니라 동석한 사람의 진술을 기재한 조서에 해당하므로, 그 사람에 대한 진술조서로서의 증거능력을 취득하기 위한 요건을 충족하지 못하는 한 이를 유죄 인정의 증거로 사용할 수 없다(대판 2009.6.23, 2009도1322).

ⓑ 적법한 절차와 방식 : 검사・사법경찰관 작성의 피의자신문조서의 경우와 같다.

관련판례

피고인이 아닌 자가 수사과정에서 진술서를 작성하였지만 수사기관이 그에 대한 조사과정을 기록하지 아니하여 형사소송법 제244조의 4 제3항, 제1항에서 정한 절차를 위반한 경우에는, 특별한 사정이 없는 한 '적법한 절차와 방식'에 따라 수사과정에서 진술서가 작성되었다 할 수 없으므로 증거능력을 인정할 수 없다(대판 2015.4.23, 2013도3790). 21. 순경 2차, 23. 순경 1차・9급 법원직

ⓒ 실질적 진정성립 : 조서가 검사 또는 사법경찰관 앞에서 진술한 내용과 동일하게 기재되어 있음이 인정되어야 한다(간인・서명날인의 진정이 인정된 것만으로는 부족15. 경찰승진). 실질적 진정성립은 원진술자의 공판준비 또는 공판기일에서의 진술에 의해 증명되거나, 영상녹화물 기타 객관적인 방법으로 증명되어야 한다. 따라서 실질적 성립이 인정된 이상 원진술자가 내용을 부인하여도 증거능력이 인정된다. 검사가 작성한 공범에 대한 피의자신문조서도 진술조서로 취급된다.

▶ **참고판례** : 실질적 진정성립을 증명할 수 있는 수단으로서 형사소송법 제312조 제2항에 규정된 '영상녹화물이나 그 밖의 객관적인 방법'이라 함은 형사소송법 및 형사소송규칙에 규정된 방식과 절차에 따라 제작된 영상녹화물 또는 그러한 영상녹화물에 준할 정도로 피고인의 진술을 과학적・기계적・객관적으로 재현해 낼 수 있는 방법만을 의미한다고 봄이 타당하고, 그 외에 조사관 또는 조사 과정에 참여한 통역인 등의 증언은 이에 해당한다고 볼 수 없다(대판 2016.2.18, 2015도16586). – 검사 작성 피의자신문조서 제312조 제2항(현재는 삭제된 조문임)과 관련한 판례이나, 그 취지는 제312조 제4항에도 그대로 적용될 수 있을 것으로 보여진다.

관련판례

1. 공판준비 또는 공판기일에서 이미 증언을 마친 증인을 검사가 소환한 후 피고인에게 유리한 그 증언 내용을 추궁하여 이를 일방적으로 번복시키는 방식으로 작성한 진술조서를 유죄의 증거로 삼는 것은 당사자주의・공판중심주의・직접주의를 지향하는 현행 형사소송법의 소송구조에 어긋나는 것일 뿐만 아니라, 헌법 제27조가 보장하는 기본권, 즉 법관의 면전에서 모든 증거자료가 조사・진술되고 이에 대하여 피고인이 공격・방어할 수 있는 기회가 실질적으로 부여되는 재판을 받을 권리를 침해하는 것이므로, 이러한 진술조서는 피고인이 증거로 할 수 있음에 동의하지 아니하는 한 그 증거능력이 없다고 하여야 할 것이고, 그 후 원진술자인 종전 증인이 다시 법정에 출석하여 증언을 하면서 그 진술조서의 성립의 진정함을 인정하고 피고인 측에 반대신문의 기회가 부여되었다고 하더라도 그 증언 자체를 유죄의 증거로 할 수 있음은 별론으로 하고 위와 같은 진술조서의 증거능력이 없다는 결론은

달리할 것이 아니다. 이는 검사가 공판준비 또는 공판기일에서 이미 증언을 마친 증인에게 수사기관에 출석할 것을 요구하여 그 증인을 상대로 위증의 혐의를 조사한 내용을 담은 피의자신문조서의 경우도 마찬가지이다(대판 2000.6.15, 99도1108 전원합의체 ; 대판 2013.8.14, 2012도13665). 14. 9급 법원직, 21. 7급 국가직, 22. 경찰간부 · 9급 검찰 · 마약 · 교정 · 보호 · 철도경찰, 23. 경찰승진

▶ **유사판례** : 제1심에서 피고인에 대하여 무죄판결이 선고되어 검사가 항소한 후, 수사기관이 항소심 공판기일에 증인으로 신청하여 신문할 수 있는 사람을 특별한 사정 없이 미리 수사기관에 소환하여 작성한 진술조서는 피고인이 증거로 할 수 있음에 동의하지 않는 한 증거능력이 없다고 할 것이다. 위 참고인이 나중에 법정에 증인으로 출석하여 위 진술조서의 성립의 진정을 인정하고 피고인 측에 반대신문의 기회가 부여된다 하더라도 위 진술조서의 증거능력을 인정할 수 없음은 마찬가지이다(대판 2019.11.28, 2013도6825).

2. 사법경찰리 작성의 피해자에 대한 진술조서가 피해자의 화상으로 인한 서명불능을 이유로 입회하고 있던 피해자의 동생에게 대신 읽어 주고 그 동생으로 하여금 서명날인하게 하는 방법으로 작성된 경우, 이는 형식적 요건을 결여한 서류로서 증거로 사용할 수 없다(대판 1997.4.11, 96도2865). 10. 순경, 15. 경찰간부, 16. 9급 교정 · 보호 · 철도경찰, 15 · 20 · 22. 경찰승진
3. 공범이나 제3자에 대한 검사 작성의 피의자신문조서등본이 피고인 甲사건에 증거로 제출된 경우 피고인이 위 공범 등에 대한 피의자신문조서를 증거로 함에 동의하지 않는 이상, 원진술자인 공범이나 제3자가 각기 자신에 대한 공판절차나 다른 공범에 대한 형사공판의 증인신문절차에서 위 수사서류의 진정성립을 인정해 놓은 것만으로는 피고인 甲사건에 증거능력을 부여할 수 없고, 반드시 공범이나 제3자가 현재의 피고인 甲사건에 증인으로 출석하여 그 서류의 성립의 진정을 인정하여야 甲사건에 증거능력이 인정된다(대판 1999.10.8, 99도3063). – 공범 · 제3자에 대한 검사 작성 피의자신문조서를 제312조 제4항의 참고인조서로 보았던 2022. 1. 1. 이전의 형사소송법에 입각한 판례이다.
4. 법정에서 사법경찰관 작성의 2회, 4회 진술조서는 그 내용이 자신이 말한대로 적혀 있다고 진술하였으나, 2회 진술조서에 4시간 10여 분에 달하는 녹음파일을 재생하여 들려준 것으로 기재되어 있음에도 조사는 3시간 25분 만에 종료된 것으로 기재되어 있는 점, 4회 진술조서에도 10시간에 달하는 녹음파일을 재생하여 들려준 것으로 기재되어 있음에도 조사는 4시간 만에 종료된 것으로 기재되어 있는 점, 조서가 작성된 곳이 수사기관이 아니라 호텔방이고, 조서의 양이 수십 페이지에 달하는 방대한 양이며, 조사 과정에 대한 영상녹화물이 존재하지 않는 점 등 여러 사정을 고려해 보면, 실질적 진정성립이 합리적인 의심을 배제할 정도로 증명되었다고 할 수 없다(대판 2015.1.22, 2014도10978 전원합의체).
5. '수사기관에서 사실대로 진술하고 진술한 대로 기재되어 있는지 확인하고 서명무인하였다.'는 취지로 증언하였을 뿐이어서 그 진술이 진술조서의 진정성립을 인정하는 취지인지 분명하지 아니하고, 오히려 공소사실에 부합하는 진술 부분은 자신이 진술한 사실이 없음에도 잘못 기재되었다는 취지로 증언한 사안에서, 위 진술조서 중 그 진술 기재부분은 증거능력이 없다(대판 2013.8.14, 2012도13665).
6. 제1심 및 항소심에서 증인으로 나와 그 진술기재의 내용을 열람하거나 고지받지 못한 채 단지 검사나 재판장의 신문에 대하여 수사기관에서 사실대로 진술하였다는 취지의 증언만을 하고 있을 뿐이라면, 그 진술조서는 증거능력이 없어 이를 유죄의 증거로 삼을 수 없다(대판 1994.11.11, 94도343). 22. 경찰승진
7. 진술자가 법정에서 진술조서들의 진술기재내용이 자기가 진술한 것과 다른데도 검사 또는 사법경찰관리가 마음대로 공소사실에 부합되도록 기재한 다음 괜찮으니 서명날인하라고 요구하여서 할 수 없이 각 진술조서의 끝부분에 서명날인한 것이라고 진술하였다면 위 진술조서들은 그 증거능력이 없다(대판 1990.10.16, 90도1474). 15. 경찰승진

8. 검사 또는 사법경찰관이 작성한 피의자 아닌 자의 진술을 기재한 조서에 대하여 성립의 진정은 인정되나, 원진술자가 공판기일에서 그 조서의 내용과 다른 진술을 하거나 변호인의 반대신문에 아무런 답변을 하지 아니하였다 하여 증거능력을 부정할 사유는 되지 못한다(대판 1985.10.8, 85도1843 ; 대판 2001.9.14, 2001도1550). 22. 경찰승진
9. 진술조서말미의 진술자란의 서명 옆에 날인이 없고 진술자란의 서명이 그의 필적이라고 단정하기는 분명하지 않다 하더라도 위조서에는 진술자의 간인이 되어 있고 그 인영이 압수물가환부청구서와 압수물영수증 중의 인영과 동일한 것으로 인정되는 등의 정황에 비추어 위 날인이 없는 것은 단순한 착오에 의한 누락이라고 보여질 뿐 위 조사는 진정한 것으로 인정된다(대판 1982.3.9, 82도63).
10. 피의자 아닌 자의 진술을 기재한 조서는 공판정에서 원진술자의 진술에 의하여 그 성립의 진정함이 인정된 것이 아니면 설사 공판정에서 피고인이 그 성립을 인정하여도 이를 증거로 할 수 있음에 동의한 것이 아닌 이상 증거로 할 수 없다(대판 1983.8.23, 83도196).
11. 증인이 법정에서 이 건으로 검찰·경찰에서 진술한 내용이 틀림없다는 증언을 하고 있을 뿐인 경우에는 위 진술만으로는 동인에 대한 검찰 또는 경찰에서 작성한 진술조서의 진정성립을 인정하기 부족하다(대판 1979.11.27, 76도3962).
12. 형사소송법은 조서에 진술자의 실명 등 인적 사항을 확인하여 이를 그대로 밝혀 기재할 것을 요구하는 규정을 따로 두고 있지는 아니하다. 따라서 특정범죄신고자 등 보호법 등에서처럼 명시적으로 진술자의 인적 사항의 전부 또는 일부의 기재를 생략할 수 있도록 한 경우가 아니라 하더라도, 진술자와 피고인의 관계, 범죄의 종류, 진술자 보호의 필요성 등 여러 사정으로 볼 때 상당한 이유가 있는 경우에는 수사기관이 진술자의 성명을 가명으로 기재하여 조서를 작성하였다고 해서 그 이유만으로 그 조서가 '적법한 절차와 방식'에 따라 작성되지 않았다고 할 것은 아니다. 그러한 조서라도 공판기일 등에 원진술자가 출석하여 자신의 진술을 기재한 조서임을 확인함과 아울러 그 조서의 실질적 진정성립을 인정하고 나아가 그에 대한 반대신문이 이루어지는 등 형사소송법 제312조 제4항에서 규정한 조서의 증거능력 인정에 관한 다른 요건이 모두 갖추어진 이상 그 증거능력을 부정할 것은 아니라고 할 것이다(대판 2012.5.24, 2011도7757). 21. 순경 2차, 23. 경찰승진
13. 성립의 진정함을 인정하는 진술을 하였다 하더라도, 증거조사가 완료되기 전에는 최초의 진술을 번복함으로써 유죄 인정의 자료로 사용할 수 없도록 할 수 있으나, 증거조사가 완료된 뒤에는 그와 같은 번복의 의사표시에 의하여 이미 인정된 조서의 증거능력이 당연히 상실되는 것은 아니다. 다만, 적법절차 보장의 정신에 비추어 성립의 진정함을 인정한 최초의 진술에 그 효력을 그대로 유지하기 어려운 중대한 하자가 있고 그에 관하여 진술인에게 귀책사유가 없는 경우에 한하여 예외적으로 증거조사 절차가 완료된 뒤에도 그 진술을 취소할 수 있다(대판 2008.7.10, 2007도7760). 22. 경찰간부
14. 검사가 피의자 아닌 자의 진술을 기재한 조서 중 일부에 관하여만 원진술자가 공판준비 또는 공판기일에서 실질적 진정성립을 인정하는 경우에는 진술한 대로 기재되어 있다고 하는 부분에 한하여 증거능력을 인정하여야 하고, 그 밖에 실질적 진정성립이 부정되는 부분에 대해서는 증거능력을 부정하여야 할 것이다(대판 2005.6.10, 2005도1849).
15. 실질적 진정성립의 인정은 공판준비 또는 공판기일에서 한 명시적인 진술에 의하여야 하고, 단지 피고인이 실질적 진정성립에 대하여 이의하지 않았다거나 조서작성 절차와 방식의 적법성을 인정하였다는 것만으로 실질적 진정성립까지 인정한 것으로 보아서는 아니 될 것이다. 또한 특별한 사정이 없는 한 이른바 '입증취지 부인'이라고 진술한 것만으로 이를 조서의 진정성립을 인정하는 전제에서 그 증명력만을 다투는 것이라고 가볍게 단정해서도 안 된다 할 것이다(대판 2013.3.14, 2011도8325).

16. 수사기관이 작성한 피고인이 아닌 자의 진술을 기재한 조서에 대하여 실질적 진정성립을 증명하기 위해 영상녹화물의 조사를 신청하려면 영상녹화를 시작하기 전에 피고인 아닌 자의 동의를 받고 그에 관해서 피고인 아닌 자가 기명날인 또는 서명한 영상녹화 동의서를 첨부하여야 하고, 조사가 개시된 시점부터 조사가 종료되어 참고인이 조서에 기명날인 또는 서명을 마치는 시점까지 조사 전 과정이 영상녹화되어야 하므로 이를 위반한 영상녹화물에 의하여는 특별한 사정이 없는 한 피고인 아닌 자의 진술을 기재한 조서의 실질적 진정성립을 증명할 수 없다(대판 2022.6.16, 2022도364).
17. 형사소송법 제312조 제4항에 규정된 '영상녹화물'이라 함은 형사소송법 및 형사소송규칙에 규정된 방식과 절차에 따라 제작되어 조사 신청된 영상녹화물을 의미한다고 봄이 타당하다(대판 2022.6.16, 2022도364).

ⓓ 반대신문의 기회보장 : 형사소송법 제312조 제4항에서 수사기관의 진술조서에 대해 증거능력 인정요건의 하나로 반대신문의 기회보장을 명시하고 있다. 따라서 피고인 또는 변호인이 공판준비 또는 공판기일에서 그 기재내용에 대하여 원진술자를 신문할 수 있어야 한다. 이는 증인이나 참고인의 진술의 허위를 방지하고 이를 밝히는 유일한 수단이 반대신문이기 때문이다.

반대신문의 기회를 주어야 한다는 것이지 공판정에서 원진술자를 실제로 신문한 경우에만 증거능력이 인정되는 것은 아니다.

ⓔ 특히 신빙할 수 있는 상태 : 조서에 기재된 진술이 특히 신빙할 수 있는 상태에서 행하여졌음이 증명되어야 한다.

관련판례

1. 형사소송법 제312조 제4항에서 '특히 신빙할 수 있는 상태'란 진술내용이나 조서작성에 허위개입의 여지가 거의 없고, 진술내용의 신빙성이나 임의성을 담보할 구체적이고 외부적인 정황이 있는 것을 말한다. 그리고 이러한 '특히 신빙할 수 있는 상태'는 자유로운 증명으로 족하다(대판 2012.7.26, 2012도2937). 13. 9급 검찰·마약·교정·보호·철도경찰, 15. 변호사시험, 20. 해경
2. 검찰관이 피고인을 뇌물수수 혐의로 기소한 후, 형사사법공조절차를 거치지 아니한 채 과테말라공화국에 현지출장하여 그곳 호텔에서 뇌물공여자 甲을 상대로 참고인 진술조서를 작성한 사안에서, 甲이 자유스러운 분위기에서 임의수사 형태로 조사에 응하였고 조서에 직접 서명·무인하였다는 사정만으로 특신상태를 인정하기에 부족할 뿐만 아니라, 검찰관이 군사법원의 증거조사절차 외에서, 그것도 형사사법공조절차나 과테말라공화국 주재 우리나라 영사를 통한 조사 등의 방법을 택하지 않고 직접 현지에 가서 조사를 실시한 것은 수사의 정형적 형태를 벗어난 것이라고 볼 수 있는 점 등 제반 사정에 비추어 볼 때, 진술이 특별히 신빙할 수 있는 상태에서 이루어졌다는 점에 관한 증명이 있다고 보기 어려워 甲의 진술조서는 증거능력이 인정되지 아니하므로, 이를 유죄의 증거로 삼을 수 없다(대판 2011.7.14, 2011도3809).
3. 참고인의 진술 또는 작성이 '특히 신빙할 수 있는 상태하에서 행하여졌음에 대한 증명'은 단지 그러할 개연성이 있다는 정도로는 부족하고 합리적인 의심의 여지를 배제할 정도에 이르러야 한다(대판 2014.2.21, 2013도12652). 20. 경찰간부, 22. 소방간부

ⓕ 제314조의 적용 여부 : 검사 또는 사법경찰관이 작성한 진술조서는 제314조가 적용된다. 따라서 공판준비 또는 공판기일에서 진술을 요할 자가 사망 · 질병 · 외국거주 · 소재불명 그 밖에 이에 준하는 사유로 인하여 진술할 수 없고 신용성의 정황적 보장이 인정되는 때에는 원진술자에 의하여 성립의 진정이 인정되지 않아도 증거로 할 수 있다.

KEY point 진술조서의 증거능력 인정요건

적법한 절차와 방식(형식적 진정성립 포함) + 실질적 진정성립 증명(원진술자가 부인하는 경우 영상녹화물 등에 의한 증명) + 반대신문기회 부여 + 특신상태 증명 09 · 11 · 12. 순경

㉣ 진술서

ⓐ 의의 : 진술서란 자신의 의사 · 사상 · 관념 및 사실관계 등을 기재한 서면을 말한다. 진술서 · 시말서 · 자술서 · 보고서 등 명칭은 문제되지 않으며, 컴퓨터 디스켓에 들어있는 것도 여기에 해당한다. 진술서는 당해 사건의 수사절차나 공판절차에서 작성된 것임을 요하지 않으며, 반드시 자필일 필요는 없고 타이프나 부동문자에 의한 것이라도 무방하다.

- 작성주체가 법원이나 수사기관 이외의 자라는 점에서 진술조서와 구별된다.
- 메모나 일기 등도 포함된다(반대견해도 있음).

관련판례

1. 압수물인 디지털 저장매체로부터 출력한 문건을 증거로 사용하기 위해서는 디지털 저장매체 원본에 저장된 내용과 출력한 문건의 동일성이 인정되어야 하고, 이를 위해서는 디지털 저장매체 원본이 압수시부터 문건 출력시까지 변경되지 않았음(무결성)이 담보되어야 한다. 특히 디지털 저장매체 원본을 대신하여 저장매체에 저장된 자료를 '하드카피' 또는 '이미징'한 매체로부터 출력한 문건의 경우에는 디지털 저장매체 원본과 '하드카피' 또는 '이미징'한 매체 사이에 자료의 동일성도 인정되어야 할 뿐만 아니라, 이를 확인하는 과정에서 이용한 컴퓨터의 기계적 정확성, 프로그램의 신뢰성, 입력 · 처리 · 출력의 각 단계에서 조작자의 전문적인 기술능력과 정확성이 담보되어야 한다. 그리고 압수된 디지털 저장매체로부터 출력한 문건을 진술증거로 사용하는 경우, 그 기재내용의 진실성에 관하여는 전문법칙이 적용되므로 형사소송법 제313조 제1항에 따라 그 작성자 또는 진술자의 진술에 의하여 그 성립의 진정함이 증명된 때에 한하여 이를 증거로 사용할 수 있다(대판 2007.12.13, 2007도7257). 12. 변호사시험, 14. 순경 2차, 15. 순경 1차 · 7급 국가직, 16. 9급 법원직, 16 · 21. 경찰승진
2. 압수된 디지털 저장매체로부터 출력한 문건을 증거로 사용하기 위해서는 정보저장매체 원본에 저장된 내용과 출력 문건의 동일성이 인정되어야 하고, 이를 위해서는 정보저장매체 원본이 압수시부터 문건 출력시까지 변경되지 않았다는 사정, 즉 무결성이 담보되어야 한다. 이 점은, 피압수 · 수색 당사자가 정보저장매체 원본과 '하드카피' 또는 '이미징'한 매체의 해쉬(Hash) 값이 동일하다는 취지로 서명한 확인서면을 교부받아 법원에 제출하는 방법에 의하여 증명하는 것이 원칙이나, 그와 같은 방법에 의한 증명이 불가능하거나 현저히 곤란한 경우에는, 정보저장매체 원본에 대한 압수, 봉인, 봉인해제, '하드카피' 또는 '이미징' 등 일련의 절차에 참여한 수사관이나 전문가 등의 증언에 의해 정보저장매체 원본과 '하드카피' 또는 '이미징'한 매체 사이의 해쉬 값이 동일하다거나 정보저장매체 원본이 최초 압수시부터 밀봉되어 증거 제출시까지 전혀 변경되지 않았다는 등의 사정을 증명하는 방법 또는 법원이 그 원본에 저장된 자료와 증거로 제출된 출력 문건을 대조하는 방법 등으로도

그와 같은 무결성 · 동일성을 인정할 수 있으며, 반드시 압수 · 수색 과정을 촬영한 영상녹화물 재생 등의 방법으로만 증명하여야 한다고 볼 것은 아니다(대판 2013.7.26, 2013도2511).

3. 진술서에 작성자의 서명이나 날인이 없고 단지 기명 다음에 싸인이 되어 있을 뿐이어도 진술서로서 유효하다(대판 1979.8.31, 79도1431).

ⓑ 종류 : 진술서는 작성의 주체에 따라 피고인진술서, 피의자진술서, 참고인진술서(공동피고인 진술서 포함)로 나눌 수 있으며, 진술서가 작성되는 과정에 따라 공판심리 중에 작성된 진술서, 검사의 수사과정에서 작성된 진술서 및 사법경찰관의 수사과정에서 작성된 진술서로 구분할 수 있다.

의사의 진단서도 참고인진술서의 일종(대판 1969.8.19, 69도1002) 02. 행시

ⓒ 수사과정에서 작성된 진술서 : 수사과정에서 작성된 진술서의 증거능력 인정요건에 대해서는 제312조 제1항부터 제4항까지가 준용된다(제312조 제5항). 24. 해경경위공채 따라서 검사의 수사과정에서 작성된 피고인(피의자)진술서는 검사 작성 피의자신문조서 규정(제312조 제1항)이 준용되고, 사법경찰관의 수사과정에서 작성된 피고인(피의자)진술서는 사법경찰관 작성의 피의자신문조서 규정(제312조 제3항)이 준용되며, 24. 경력채용 검사 · 사법경찰관의 수사과정에서 작성된 참고인진술서는 검사 · 사법경찰관 작성의 참고인진술조서에 관한 규정(제312조 제4항)이 준용된다.

관련판례

1. 피고인이 아닌 자가 수사과정에서 진술서를 작성하였지만 수사기관이 그에 대한 조사과정을 기록하지 아니하여 형사소송법 제244조의 4 제3항, 제1항에서 정한 절차를 위반한 경우에는, 특별한 사정이 없는 한 '적법한 절차와 방식'에 따라 수사과정에서 진술서가 작성되었다 할 수 없으므로 증거능력을 인정할 수 없다(대판 2015.4.23, 2013도3790). 16. 7급 국가직, 17. 검찰 · 교정승진, 18. 9급 법원직 · 9급 교정 · 보호 · 철도경찰, 23. 경찰승진
2. 수사기관인 검찰주사보가 외국에 거주하고 있는 참고인에 대한 고소보충 기타 참고사항에 관하여 조사함에 있어서 그들에게 국제전화를 걸어 그 대화내용을 문답형식으로 기재한 후 그들의 서명 또는 기명날인이 없이 검찰주사보만 기명날인을 한 검찰주사보 작성의 각 수사보고서는 전문증거로서 제311조 내지 제316조에 규정된 것 이외에는 이를 증거로 삼을 수 없는 것인데, 위 수사보고서는 제311조, 제312조, 제315조, 제316조의 적용대상이 되지 아니함이 분명하므로, 결국 제313조의 진술을 기재한 서류에 해당할 수 있느냐의 여부가 문제될 것인바, 제313조가 적용되기 위하여는 그 진술을 기재한 서류에 그 진술자의 서명 또는 날인이 있어야 할 것이다(대판 1999.2.26, 98도2742). 11. 경찰승진, 15. 7급 국가직, 12 · 23. 경찰간부

   판례에 의할 경우, 위 수사보고서에 진술자의 서명 또는 날인이 있게 되면 제313조의 '진술을 기재한 서류'에 해당하게 되므로 개정법 제312조 제4항(제312조 제5항 참조)의 요건을 구비하거나 제314조의 요건을 구비하게 되면 증거능력이 인정될 것이다.
3. 피고인이 경찰에서 작성한 자술서가 진정성립을 인정할 자료가 없을 뿐만 아니라 피고인이 경찰에서 엄문을 당하면서 작성한 것이라고 보여진다면 그 자술서에 임의성을 인정하기 어렵다 할 것이고 유죄의 증거로 삼을 수 없다(대판 1980.8.12, 80도1289).

4. 피고인이 지하철역 에스컬레이터에서 휴대전화기의 카메라를 이용하여 성명불상 여성 피해자의 치마 속을 몰래 촬영하다가 현행범으로 체포되어 성폭력범죄의 처벌 등에 관한 특례법 위반(카메라 등 이용촬영)으로 기소된 사안에서, 체포 당시 임의제출 방식으로 압수된 피고인 소유 휴대전화기에 대한 압수조서 중 '압수경위'란에 기재된 내용은 피고인이 범행을 저지르는 현장을 직접 목격한 사람의 진술이 담긴 것으로서 형사소송법 제312조 제5항에서 정한 '피고인이 아닌 자가 수사과정에서 작성한 진술서'에 준하는 것으로 볼 수 있고, 이에 따라 휴대전화기에 대한 임의제출절차가 적법하였는지에 영향을 받지 않는 별개의 독립적인 증거에 해당한다(대판 2019.11.14, 2019도13290). 21. 7급 국가직
5. 형사소송법 제312조 제5항의 적용대상인 '수사과정에서 작성한 진술서'란 수사가 시작된 이후에 수사기관의 관여 아래 작성된 것이거나, 개시된 수사와 관련하여 수사과정에 제출할 목적으로 작성한 것으로, 작성 시기와 경위 등 여러 사정에 비추어 그 실질이 이에 해당하는 이상 명칭이나 작성된 장소 여부를 불문한다. 이와 같은 이유로 경찰관이 입당원서 작성자의 주거지·근무지를 방문하여 입당원서 작성 경위 등을 질문한 후 진술서 작성을 요구하여 이를 제출받은 이상 형사소송법 제312조 제5항이 적용되어야 한다. 따라서 형사소송법 제244조의 4(수사과정기록)에서 정한 절차를 준수하지 않은 증거는 증거능력이 인정되지 않는다(대판 2022.10.27, 2022도9510). 23. 9급 법원직, 24. 변호사시험

ⓓ 그 밖의 과정에서 작성된 진술서

제313조 제1항 전 2조의 규정 이외에 피고인 또는 피고인이 아닌 자가 작성한 진술서나 그 진술을 기재한 서류로서 그 작성자 또는 진술자의 자필이거나 그 서명 또는 날인이 있는 것(피고인 또는 피고인 아닌 자가 작성하였거나 진술한 내용이 포함된 문자·사진·영상 등의 정보로서 컴퓨터용디스크, 그 밖에 이와 비슷한 정보저장매체에 저장된 것을 포함한다)은 공판준비나 공판기일에서의 그 작성자 또는 진술자의 진술에 의하여 그 성립의 진정함이 증명된 때에는 증거로 할 수 있다. 15. 수사경과 단, 피고인의 진술을 기재한 서류는 공판준비 또는 공판기일에서의 그 작성자의 진술에 의하여 그 성립의 진정함이 증명되고 그 진술이 특히 신빙할 수 있는 상태하에서 행하여진 때에 한하여 피고인의 공판준비 또는 공판기일에서의 진술에 불구하고 증거로 할 수 있다. 〈개정 2016. 5. 29〉

제313조 제2항 제1항 본문에도 불구하고 진술서의 작성자가 공판준비나 공판기일에서 그 성립의 진정을 부인하는 경우에는 과학적 분석결과에 기초한 디지털포렌식 자료, 감정 등 객관적 방법으로 성립의 진정함이 증명되는 때에는 증거로 할 수 있다. 다만, 피고인 아닌 자가 작성한 진술서는 피고인 또는 변호인이 공판준비 또는 공판기일에 그 기재내용에 관하여 작성자를 신문할 수 있었을 것을 요한다. 〈개정 2016.5.29〉

제313조 개정이유

최근 디지털증거의 비중이 증가함에 따라 디지털 증거를 전문증거 대상에 포함시킬 필요가 있었으며, 기존 제313조에 의하면 진술서 등 작성자가 자신이 쓴 것이 아니라고 주장할 경우 그 진술서 등을 증거로 사용할 수 없는 문제점을 보완하기 위하여 개정이 이루어졌다. 즉, 문자·사진·영상 등의 정보가 저장된 컴퓨터용 디스크 등 디지털 증거까지 진술서 등의 대상에 포함시켰으며(제313조 제1항 본문), 진술서 작성자가 공판준비기일이나 공판기일에서 그 성립의 진정을 부인하는 경우에도 과학적 분석결과에 기초한 디지털포렌식 자료나 감정 등 객관적 방법으로 진정 성립이 증명되는 때에는 증거로 할 수 있으며(동조 제2항), 21. 9급 검찰·마약·교정·보호·철도경찰 피고인 아닌 사람이 작성한 진술서(참고인진술서)는 위 객관적 방법에 의한 진정 성립의 증명 이외에 피고인이나 변호인이 공판에서

그 기재내용에 관해 원진술자를 신문할 수 있었을 때(반대신문권 보장) 증거로 할 수 있다는 규정을 두었다(동조 제2항 단서).

▶ 진술서와는 달리 진술 기재 서류(진술자와 작성자가 다름)는 개정 대상에서 제외되었다. 따라서 피고인 또는 피고인 아닌 자의 진술을 기재한 서류에 대해서는 객관적 방법에 의한 증명과 반대신문권 보장에 관한 규정이 적용되지 아니한다.

㉮ 적용대상 : 검사나 사법경찰관의 수사과정에서 작성된 것이 아니라 그 밖의 과정에서 작성된 진술서가 제313조 제1항의 적용대상이다.

㉯ 증거능력 인정의 요건

피고인 아닌 자(참고인)가 직접 작성한 진술서	피고인 아닌 자가 작성한 진술서는 그 작성자(진술자)의 자필이거나 그 서명 또는 날인이 있는 것은 공판준비나 공판기일에서의 그 작성자의 진술에 의하여 성립의 진정함이 증명된 때에는 증거로 할 수 있다(제313조 제1항). ▶ 진술서의 작성자가 성립의 진정을 부인 ⇨ 객관적 방법으로 성립의 진정 증명+피고인 또는 변호인 측의 반대신문 기회가 제공되었다면 증거 가능(제313조 제2항) 17. 7급 국가직, 19. 수사경과 🚨 피고인 아닌 자가 작성한 진술서에 대하여 작성자가 그 진정성립을 부인하는 경우에는 과학적 분석결과에 기초한 디지털포렌식 자료, 감정 등 객관적인 방법으로 성립의 진정이 증명되고, 반대신문의 기회가 제공되었다면 증거로 할 수 있다. (○) 17. 7급 국가직
피고인 아닌 자(참고인)의 진술을 타인이 기재한 진술서	피고인 아닌 자의 진술을 제3자가 기재한 서류로서 그 진술자의 서명 또는 날인이 있는 것은 공판준비나 공판기일에서의 그 진술자의 진술에 의하여 성립의 진정함이 증명된 때에는 증거로 할 수 있다(제313조 제1항).
피고인(피의자)이 직접 작성한 진술서	피고인이 작성한 진술서는 그 작성자(진술자)인 피고인의 자필이거나 그의 서명 또는 날인이 있는 것은 공판준비나 공판기일에서의 그 작성자인 피고인의 진술에 의하여 그 성립의 진정함이 증명되고(제313조 제1항 본문), 그 진술이 특히 신빙할 수 있는 상태하에서 행하여진 때에 한하여 피고인의 공판준비 또는 공판기일에서의 진술에 불구하고 증거로 할 수 있다(제313조 제1항 단서). ▶ 제313조 제1항 단서 적용(대판 2001.9.4, 2000도1743) ▶ 진술서의 작성자가 성립의 진정을 부인 ⇨ 객관적 방법으로 성립의 진정 증명되었다면 증거 가능(제313조 제2항)
피고인(피의자)의 진술을 타인이 기재한 진술서	공판준비 또는 공판기일에서의 그 작성자의 진술에 의하여 그 성립의 진정함이 증명되고 그 진술이 특히 신빙할 수 있는 상태하에서 행하여진 때에 한하여 피고인의 공판준비 또는 공판기일에서의 진술에 불구하고 증거로 할 수 있다(제313조 제1항 단서). ▶ 진술에 불구하고 의미 : 형사소송법 제313조 제1항 단서의 의미에 관하여 원진술자인 피고인의 '진정성립을 부정하는 진술'에도 불구하고 특신상태 등이 인정되면 진술기재서의 증거능력을 인정(특신상태가 증거능력 취득요건을 완화하는 기능을 한다고 하여 완화요건설로 불림 : 대판 2022.4.28, 2018도3914)

피고인의 진술이 쉽게 유죄인정의 자료로 사용됨으로써 오판을 초래할 위험이 있기 때문에 제313조 제1항 단서에서 피고인(피의자)의 진술서면에 대해서는 증거능력 인정요건을 강화하고 있다.

관련판례

1. 사인(私人)이 피고인 아닌 자와의 전화대화를 녹음한 녹음테이프에 대하여 법원이 검증을 실시한 경우에 검증의 내용이 녹음테이프에 녹음된 전화대화의 내용이 검증조서에 첨부된 녹취서에 기재된 내용과 같다는 것에 불과한 때에는 증거자료가 되는 것은 녹음테이프에 녹음된 대화 내용이므로, 그중 피고인 아닌 자와의 대화의 내용은 실질적으로 피고인 아닌 자의 진술을 기재한 서류(참고인 진술기재서)와 다를 바 없어서, 검증조서의 기재 중 피고인 아닌 자의 진술내용을 증거로 사용하기 위해서는 형사소송법 제313조 제1항에 따라 공판준비나 공판기일에서 원진술자의 진술에 의하여 그 녹음테이프에 녹음된 진술내용이 자신이 진술한 대로 녹음된 것이라는 점이 인정되어야 한다(대판 2008.7.10, 2007도10755). 14. 변호사시험, 22. 해경간부
   ▶ 이와는 달리 녹음테이프에 대한 법원의 검증내용이 그 진술 당시 진술자의 상태 등을 확인하기 위한 것인 경우에는, 녹음테이프에 대한 검증조서의 기재 중 진술내용을 증거로 사용하는 경우에 관한 위 법리는 적용되지 아니하고, 따라서 위 검증조서는 법원의 검증 결과를 기재한 조서로서 형사소송법 제311조에 의하여 당연히 증거로 할 수 있다(대판 2008.7.10, 2007도10755). 18. 경찰간부, 23. 경찰승진
2. 피고인과 피해자 사이의 대화내용에 관한 녹취서가 공소사실의 증거로 제출되어 그 녹취서의 기재내용과 녹음테이프의 녹음내용이 동일한지 여부에 관하여 법원이 검증을 실시한 경우에 증거자료가 되는 것은 녹음테이프에 녹음된 대화내용 그 자체이고, 그중 피고인의 진술내용은 실질적으로 피고인의 진술을 기재한 서류와 다름없어 피고인이 그 녹음테이프를 증거로 할 수 있음에 동의하지 않은 이상 그 녹음테이프 검증조서의 기재 중 피고인의 진술내용을 증거로 사용하기 위해서는 형사소송법 제313조 제1항 단서에 따라 공판준비 또는 공판기일에서 그 작성자인 피해자의 진술에 의하여 녹음테이프에 녹음된 피고인의 진술내용이 피고인이 진술한 대로 녹음된 것임이 증명되고 나아가 그 진술이 특히 신빙할 수 있는 상태하에서 행하여진 것임이 인정되어야 한다(대판 2008.3.13, 2007도10804).
3. 피고인의 동료 교사가 학생들과의 사적인 대화 중에 피고인이 수업시간에 학생들에게 북한을 찬양·고무하는 발언을 하였다는 사실에 대한 학생들의 대화내용을 학생들 모르게 녹음한 녹음테이프에 대하여 실시한 검증의 내용은 녹음테이프에 녹음된 대화의 내용이 검증조서에 첨부된 녹취서에 기재된 내용과 같다는 것에 불과하여 증거자료가 되는 것은 여전히 녹음테이프에 녹음된 대화의 내용이라고 할 것인바, 그중 위와 같은 내용의 학생들의 대화의 내용은 실질적으로 형사소송법 제311조, 제312조 규정 이외의 피고인 아닌 자의 진술을 기재한 서류와 다를 바 없으므로, 피고인이 그 녹음테이프를 증거로 할 수 있음에 동의하지 않은 이상 녹음테이프의 녹음내용 중 위와 같은 내용의 학생들의 진술 및 이에 관한 검증조서의 기재 중 학생들의 진술내용을 공소사실을 인정하기 위한 증거자료로 사용하기 위하여서는 형사소송법 제313조 제1항에 따라 공판준비나 공판기일에서 원진술자인 학생들의 진술에 의하여 이 사건 녹음테이프에 녹음된 각자의 진술내용이 자신이 진술한 대로 녹음된 것이라는 점이 인정되어야 한다(대판 1997.3.28, 96도2417).
4. 피해자가 피고인으로부터 풀려난 당일에 남동생에게 도움을 요청하면서 피고인이 협박한 말을 포함하여 공갈 등 피고인으로부터 피해를 입은 내용을 문자메시지로 보낸 것이므로, 문자메시지의 내용을 촬영한 사진은 증거서류 중 피해자의 진술서에 준하는 것으로 취급함이 상당할 것인바, 진술서에 관한 형사소송법 제313조에 따라 이 사건 문자메시지의 작성자인 피해자가 제1심 법정에 출석하여

자신이 이 사건 문자메시지를 작성하여 동생에게 보낸 것과 같음을 확인하고, 동생도 제1심 법정에 출석하여 피해자가 보낸 문자메시지를 촬영한 사진이 맞다고 확인한 이상, 이 사건 문자메시지를 촬영한 사진은 그 성립의 진정함이 증명되었다고 볼 수 있으므로 이를 증거로 할 수 있다(대판 2010.11.25, 2010도8735). 15. 7급 국가직, 17. 변호사시험

5. 피고인과 甲·乙의 대화에 관한 녹취록은 피고인의 진술에 관한 전문증거인데 피고인이 위 녹취록에 대하여 부동의한 경우, 乙이 위 대화를 자신이 녹음하였고 녹취록의 내용이 다 맞다고 법정에서 진술하였다 하더라도, 녹취록에 그 작성자가 기재되어 있지 않을 뿐만 아니라 검사 역시 녹취록 작성의 토대가 된 위 대화내용을 녹음한 원본 녹음테이프 등을 증거로 제출하지도 아니하는 등 형사소송법 제313조 제1항에 따라 위 녹취록의 진정성립을 인정할 수 있는 요건이 전혀 갖추어지지 아니한 이상, 그 녹취록의 기재는 증거능력이 없어 이를 증거로 사용할 수 없다(대판 2010.3.11, 2009도14525).
6. 피고인이 자신이 운영하는 피씨방에서 타인의 서버를 임대받아 성인도박 사이트인 '메트로 게임' 사이트를 운영하면서 게임이용료 명목의 금품을 지급받는 방법으로 도박을 개장하고, 영상물등급분류위원회의 등급분류를 받지 아니한 게임물을 일반인의 이용에 제공하였다는 공소사실에 대하여, 증거물로 제출된 타인의 성명, 계좌번호 등이 기재된 메모지는 그 작성자 및 작성·보관의 경위, 그리고 그 기재내용과 공소사실과의 관련성 등이 불분명하여 형사소송법 제313조 제1항에 정한 전문증거로서 증거능력 인정을 위한 요건(그 작성자나 진술자의 자필이거나 그 서명 또는 날인이 있는 것은 공판준비나 공판기일에서의 그 작성자 또는 진술자의 진술에 의하여 그 성립의 진정함이 증명된 때에는 증거로 할 수 있다)을 구비하지 못하였으므로 증거능력이 부정된다(대판 2009.5.28, 2008도7769).
7. 컴퓨터 디스켓에 들어 있는 문건이 증거로 사용되는 경우 그 컴퓨터 디스켓은 그 기재의 매체가 다를 뿐 실질에 있어서는 피고인 또는 피고인 아닌 자의 진술을 기재한 서류와 크게 다를 바 없으므로, 진술서 적용규정인 제313조 제1항에 의하여 이를 증거로 사용할 수 있다(대판 1999.9.3, 99도2317).
8. 사건의뢰를 받은 변호사가 작성하여 이메일로 전송한 법률의견서는 압수된 디지털 저장매체로부터 출력한 문건으로서 그 실질에 있어서 형사소송법 제313조 제1항에 규정된 '피고인 아닌 자가 작성한 진술서나 그 진술을 기재한 서류'에 해당한다고 할 것인데, 공판준비 또는 공판기일에서 그 작성자 또는 진술자인 위 변호사의 진술에 의하여 그 성립의 진정함이 증명되지 아니하였으므로 위 규정에 의하여 이 사건 법률의견서의 증거능력을 인정할 수는 없다(대판 2012.5.17, 2009도6788 전원합의체). 19. 변호사시험, 20. 7급 국가직
9. 조세범칙조사를 담당하는 세무공무원이 피고인이 된 혐의자 또는 참고인에 대하여 심문한 내용을 기재한 조서는 검사·사법경찰관 등 수사기관이 작성한 조서와 동일하게 볼 수 없으므로 형사소송법 제312조에 따라 증거능력의 존부를 판단할 수는 없고, 피고인 또는 피고인이 아닌 자가 작성한 진술서나 그 진술을 기재한 서류에 해당하므로 형사소송법 제313조에 따라 공판준비 또는 공판기일에서 작성자·진술자의 진술에 따라 성립의 진정함이 증명되고 나아가 그 진술이 특히 신빙할 수 있는 상태 아래에서 행하여진 때에 한하여 증거능력이 인정된다(대판 2022.12.15, 2022도8824). 24. 변호사시험
10. 조세범칙조사를 담당하는 세무공무원작성 조서에 대한 증거능력 인정과 관련하여, 조세범칙조사 관련 법령에서 구체적으로 명시한 진술거부권 등 고지, 변호사 등의 조력을 받을 권리 보장, 열람·이의제기 및 의견진술권 등 심문조서의 작성에 관한 절차규정의 본질적인 내용의 침해·위반 등도 형사소송법 제313조의 '특히 신빙할 수 있는 상태' 여부의 판단에 있어 고려되어야 한다(대판 2022.12.15, 2022도8824).

11. 대검찰청 소속 진술분석관이 피해자와 면담하면서 그 과정을 영상녹화하여 제작한 영상녹화물은 수사과정 외에서 작성된 것이라고 볼 수 없으므로, 형사소송법 제313조 제1항에 따라 증거능력을 인정할 수 없고, 이 사건 영상녹화물은 수사기관이 작성한 피의자신문조서나 피고인이 아닌 자의 진술을 기재한 조서가 아니고, 피고인 또는 피고인이 아닌 자가 작성한 진술서도 아니므로 형사소송법 제312조에 의하여 증거능력을 인정할 수도 없다(대판 2024.3.28, 2023도15133).
12. 형사조정조서 중 '피의자의 주장'란에 피고인의 진술을 기재한 부분은 비록 수사기관이 아닌 자에 의하여 작성되었다고 하더라도 수사가 시작된 이후 수사기관의 관여나 영향 아래 작성된 경우로서 실질적으로 고찰할 때 수사과정 외에서 작성된 것이라고 볼 수 없으므로 형사소송법 제313조 제1항에 따라 증거능력을 인정할 수 없다. 이는 수사기관이 작성한 '피의자신문조서'나 '피고인이 아닌 자의 진술을 기재한 조서'가 아니고, '피고인 또는 피고인이 아닌 자가 작성한 진술서'라 보기도 어려우므로 형사소송법 제312조에 의하여 증거능력을 인정할 수도 없다(대판 2024.11.14, 2024도11314).

ⓔ 제314조의 적용 여부 : 진술서의 작성자가 사망·질병·외국거주·소재불명 그 밖에 이에 준하는 사유로 인하여 진술할 수 없는 때에는 그 작성이 특히 신빙할 수 있는 상태하에서 행해졌음이 증명된 때에 한하여 증거로 할 수 있다.

참고인 진술서	참고인이 직접작성	작성자의 자필이거나, 서명 또는 날인+작성자에 의한 성립의 진정함을 증명 ▶ 성립의 진정을 부인 ⇨ 객관적 방법으로 증명+피고인 또는 변호인 측의 반대신문권 보장
	제3자가 작성(참고인진술기재서)	진술자의 서명 또는 날인+진술자에 의해 성립의 진정함을 증명
피고인(피의자) 진술서	피고인(피의자)가 직접작성	작성자의 자필이거나, 서명 또는 날인+작성자에 의한 성립의 진정함을 증명+특신정황 ▶ 성립의 진정을 부인 ⇨ 객관적 방법으로 증명
	제3자가 작성〔피고인(피의자)진술기재서〕	작성자에 의한 성립의 진정함을 증명+특신정황

㉤ **검증조서**

ⓐ 의의 : 검증조서란 법원 또는 수사기관이 검증(사람·물건·장소의 성질과 상태를 시각·미각·청각·후각·촉각 등의 오관작용에 의하여 인식하는 강제처분)의 결과를 기재한 조서를 말한다. 검증조서에는 법원·법관의 검증조서와 수사기관 작성의 검증조서가 있다.

ⓑ 법원·법관의 검증조서 : 공판준비기일이나 공판기일에서 법원·법관의 검증의 결과를 기재한 조서는 당연히 증거능력이 인정된다(제311조). 24. 경찰승진

ⓒ 검사 또는 사법경찰관의 검증조서 : 검사 또는 사법경찰관이 작성한 검증조서란 수사기관이 영장에 의하거나(제215조) 영장에 의하지 아니하는 강제처분(제216조) 또는 피검자의 승낙에 의하여 검증한 결과를 기재한 조서를 말한다.

관련판례

1. 수사보고서(사법경찰관이 수사의 경위와 결과를 내부적으로 보고하기 위하여 작성한 서류)에 검증의 결과에 해당하는 기재가 있다고 하여 이를 '검사 또는 사법경찰관이 검증의 결과를 기재한 조서'라고 할 수 없으므로 그 기재부분은 증거로 할 수 없다(대판 2001.5.29, 2000도2933). 20. 해경, 23. 경찰간부
2. 수사기관이 범행장소에서 긴급을 요하여 영장 없이 행한 검증은 사후영장이 발부되지 아니한 경우에는 그 검증조서를 유죄의 증거로 할 수 없다(대판 1984.3.13, 83도3006).

㉮ 검증조서의 증거능력 : 검사 또는 사법경찰관이 작성한 검증조서는 적법한 절차와 방식에 따라 작성된 것으로서 공판준비 또는 공판기일에서 작성자의 진술에 따라 그 성립의 진정함이 증명된 때에 한하여 증거능력이 있다(제312조 제6항). 09 · 12. 순경, 18. 순경 2차 · 3차, 19. 수사경과, 21 · 24. 경찰승진

- 작성자라 함은 검사 또는 사법경찰관을 말하며, 검증에 참여한 자에 불과한 자는 포함되지 아니한다.
- 검증조서는 당해사건에서 작성된 것만 아니라 다른 사건에 관한 것도 포함된다.
- 공판준비 또는 공판기일에서 법원 또는 법관의 검증의 결과를 기재한 조서는 당연히 증거능력이 인정된다(제311조).

㉯ 검증조서에 기재된 진술의 증거능력 : 검증조서에 기재된 피의자 또는 피의자 아닌 자의 진술의 증거능력에 대하여 견해의 대립이 있으나, 조서작성의 주체와 진술자에 따라 피의자신문조서, 참고인진술조서 규정(제312조 제1항 내지 제4항 등)이 적용된다고 해석함이 타당하다(통설 · 판례).

관련판례

사법경찰관 작성의 검증조서에 대하여 피고인이 증거로 함에 동의만 하였을 뿐 공판정에서 검증조서에 기재된 진술내용 및 범행을 재연한 부분에 대하여 그 성립의 진정 및 내용을 인정한 흔적을 찾아볼 수 없고 오히려 이를 부인하고 있는 경우에는 그 증거능력을 인정할 수 없으므로, 위 검증조서 중 범행에 부합되는 피고인의 진술을 기재한 부분과 범행을 재연한 부분을 제외한 나머지 부분만을 증거로 채용하여야 함에도 이를 구분하지 아니한 채 그 전부를 유죄의 증거로 인용한 항소심의 조치는 위법하다(대판 1998.3.13, 98도159). 12. 경찰간부, 23. 경찰승진

㉰ 제314조 적용 여부 : 검증조서 작성자가 사망 · 질병 · 외국거주 · 소재불명 그 밖에 이에 준하는 사유로 진술할 수 없게 된 때에는 그 작성이 특히 신빙할 수 있는 상태하에서 행하여진 때에 한하여 증거로 할 수 있다.

㉱ 실황조사서의 증거능력

- 의의 : 실황조사서란 교통사고, 화재사고 등 각종 재난사고 후에 수사기관이 사고현장의 상황을 임의로 조사하여 그 결과를 기재한 서류를 말한다.

- 실황조사서의 증거능력 : 사법경찰관이 작성한 실황조사서는 판사의 영장 없이 시행된 것이므로 이는 긴급검증에 해당한다. 그런데 사후에 영장을 받지 않았으므로 이 실황조사서는 유죄의 증거로 삼을 수 없다(대판 1989.3.14, 88도1399). 06. 순경, 09. 9급 법원직, 22. 검찰·마약수사

  사고발생 직후 사고장소에서 사법경찰관 사무취급이 작성한 실황조서가 긴급을 요하여 판사의 영장 없이 작성된 것이어서 형사소송법 제216조 제3항에 의한 검증에 해당한다면, 이 조서는 적법한 절차에 따라 작성된 것이므로 특별한 사유가 없는 한 증거능력이 있다. (×) 18. 순경 2차

- 실황조사서에 기재된 진술 : 실황조사서에는 참여인의 진술을 기재한 부분이 있을 수 있고, 사진을 첨부할 수도 있는데 어떠한 조건하에서 증거능력을 인정할 것인가가 문제되는데, 누구의 진술이냐에 따라 피의자이면 피의자신문조서와 같이, 참고인이면 참고인진술조서와 같이 다루면 된다는 견해가 타당하다(판례).

PART 04

관련판례

사고 당시의 상황을 재현한 사진과 그 진술내용으로 된 사법경찰리 작성의 실황조사서는 피고인이 공판정에서 그 범행 재현의 상황을 모두 부인하고 있는 이상 이를 범죄사실의 인정자료로 할 수 없다(대판 1989.12.26, 89도1557).

▶ 사법경찰관 작성 피의자신문조서의 증거능력 인정요건을 요구하는 판례이다.

KEY point 검사·사법경찰관 작성의 검증조서 증거능력 인정요건

적법한 절차와 방식 + 작성자에 의한 실질적 진정성립 증명

ⓗ **감정서** : 감정서란 감정의 경과와 결과를 기재한 서류를 말한다. 감정은 법원의 명령에 의한 경우와 수사기관의 촉탁에 의한 경우가 있다. 감정서도 진술서에 준하여 증거능력이 인정된다(제313조 제2항). 02. 행시, 10. 순경 사인인 의사가 작성한 진단서는 감정서가 아니라 진술서에 해당한다. 02. 행시 감정인이 사망·질병 등으로 진술할 수 없는 때에는 감정서는 그 작성이 특히 신빙할 수 있는 상태하에서 행하여진 때에 한하여 증거능력이 인정된다(제314조).

ⓢ **제314조의 해석**

ⓐ 의의 : 제312조 또는 제313조의 경우에 공판준비 또는 공판기일에 진술을 요할 자가 사망, 질병, 외국거주, 소재불명 그 밖의 이에 준하는 사유로 인하여 진술할 수 없는 때에는 그 조서 및 그 밖의 서류를 증거로 할 수 있다(필요성). 다만, 그 진술 또는 작성이 특히 신빙할 수 있는 상태(특신상태)하에서 행하여졌음이 증명된 때에 한한다(제314조). 적용대상은 외국의 수사기관 작성의 서류도 포함한다.

제314조는 제312조와 제313조의 요건을 충족하지 못한 전문서류라도 필요성과 신용성의 정황적 보장이라는 요건을 구비하면 증거능력을 인정하는 규정이다.

ⓑ 구체적 고찰

㉮ 사망, 질병, 외국거주, 소재불명 : 질병의 경우 출장신문도 불가능한 경우를 가리킨다. 외국거주는 영구적임을 요하지 아니하고 일시적인 경우도 포함된다.

관련판례

1. '외국거주'라 함은 진술을 요할 자가 외국에 있다는 것만으로는 부족하고, 가능하고 상당한 수단을 다하더라도 그 진술을 요할 자를 법정에 출석하게 할 수 없는 사정이 있어야 예외적으로 그 요건이 충족된다(대판 2008.2.28, 2007도10004). 10. 7급 국가직, 21. 9급 검찰·마약·교정·보호·철도경찰, 22. 경찰승진
2. 소재불명이 되려면 단순히 소환장의 송달불능만으로 충분하지 않고, 소재수사에 의하여도 그 소재지를 확인할 방도가 없어야 한다(대판 1983.5.24, 83도768).
   단순히 소환에 출석하지 않는 것만으로는 제314조 적용 ×
3. 통상적으로 제314조의 외국거주의 충족 여부는 소재의 확인, 소환장의 발송과 같은 절차를 거쳐 확정되는 것이기는 하지만 항상 그와 같은 절차를 거쳐야만 위 요건이 충족될 수 있는 것은 아니고, 경우에 따라서는 비록 그와 같은 절차를 거치지 않더라도 법원이 그 진술을 요할 자를 법정에서 신문할 것을 기대하기 어려운 사정이 있다고 인정할 수 있다면, 이로써 그 요건은 충족된다고 보아야 할 것이다(진술을 요할 자가 미국으로 불법도피하여 그 곳에 거주하고 있고, 그 소재를 확인하여 소환장을 발송한다고 하더라도 법정에 증인으로 출석할 것을 기대하기는 어렵다고 할 것이므로, 미국에 거주하고 있는 사실이 확인된 후 검찰이 미국 내 소재를 확인하여 증인소환장을 발송하는 등의 조치를 다하지 않았다고 하더라도 요건은 충족이 되었다고 할 것이다)(대판 2002.3.26, 2001도5666).

㉯ 그 밖에 이에 준하는 사유 : 형사소송법은 포괄적인 규정을 두어 해석의 여지를 남겨놓고 있으나, 판례는 엄격하게 해석·적용하여야 한다는 입장이다(대판 2022.3.17, 2016도17054).

제314조의 '그 밖에 이에 준하는 사유'로 인하여 진술을 요할 자가 진술할 수 없게 되는 경우에는 전문증거라도 증거로 할 필요성이 인정된다.

㉰ 필요성이 인정되는 경우라도 그 진술 또는 작성이 특히 신빙할 수 있는 상태(특신상태)하에서 행해진 경우에 증거능력이 인정된다.

특히 신빙할 수 있는 상태하에서 행하여진 때라 함은 그 진술내용이나 조서 또는 서류의 작성에 허위개입의 여지가 거의 없고 그 진술내용의 신빙성이나 임의성을 담보할 구체적이고 외부적인 정황이 있는 경우를 가리킨다. 그리고 특히 신빙할 수 있는 상태는 검사의 자유로운 증명으로 족하다(대판 2012.7.26, 2012도2937). 18. 순경 2차

'특히 신빙할 수 있는 상태하에서 행하여졌음에 대한 증명'은 단지 그러할 개연성이 있다는 정도로는 부족하고 합리적인 의심의 여지를 배제할 정도에 이르러야 한다(대판 2014.2.21, 2013도12652). 19. 7급 국가직, 20. 경찰간부, 23. 변호사시험·순경 1차

제314조에 따라 증거능력을 인정하기 위하여는 단순히 그 진술이나 조서의 작성과정에 뚜렷한 절차적 위법이 보이지 않는다거나 진술의 임의성을 의심할 만한 구체적 사정이 없다는 것만으로는 부족하고, 이를 넘어 법정에서의 반대신문 등을 통한 검증을 굳이 거치지 않더라도 진술의 신빙성과 임의성을 충분히 담보할 수 있는 구체적이고 외부적인 정황이 있어 그에 기초하여 법원이 유죄

의 심증을 형성하더라도 증거재판주의의 원칙에 어긋나지 않는다고 평가할 수 있는 정도에 이르러야 한다(대판 2014.8.26, 2011도6035).

관련판례

[제314조 관련판례]

• 제314조의 사유에 해당하는 경우

1. 피해자가 공판정에서 진술을 한 경우라도 증인신문 당시 일정한 사항에 관하여 기억이 나지 않는다는 취지로 진술하여 그 진술의 일부가 재현 불가능하게 된 경우에도 제314조에서 규정하는 '원진술자가 진술을 할 수 없는 때'에 해당한다(대판 1999.11.26, 99도3786). 10. 7급 국가직, 13·17. 경찰승진, 18. 수사경과, 22. 경찰간부·7급 국가직, 23. 순경 1차
2. 공판기일에 진술을 요하는 자가 노인성 치매로 인한 기억력 장애 등으로 진술할 수 없는 상태에 있는 경우는 제314조에 규정된 사유로 인하여 진술할 수 없는 때에 해당한다(대판 1992.3.13, 91도2281). 15. 9급 교정·보호·철도경찰, 16. 경찰승진, 16. 9급 법원직, 20. 수사경과
3. 진술을 요할 자가 일정한 주거를 가지고 있더라도 법원의 소환에 계속 불응하고 구인하여도 구인장이 집행되지 아니하는 등 법정에서의 신문이 불가능한 상태의 경우 제314조의 "공판정에 출정하여 진술을 할 수 없는 경우"라는 요건이 충족되었다고 보아야 한다(대판 1995.6.13, 95도523). 12·16. 9급 법원직, 18. 수사경과, 13·22. 경찰승진
4. 수회에 걸쳐 소환장과 구인영장을 발부하여 그가 소환장을 직접 받은 적도 있었으나, 중풍, 언어장애 등 장애등급 3급 5호의 장애로 인하여 법정에 출석할 수 없었던 것이고, 그 후 그에 대한 소재탐지가 불가능하게 된 경우는 제314조에 규정된 사유로 인하여 진술할 수 없는 때에 해당한다(대판 1999.5.14, 99도202). 12. 9급 법원직, 13·16·17. 경찰승진, 18. 수사경과
5. 증인으로 채택하여 국내의 주소지 등으로 소환하였으나 소환장이 송달불능되었고, 미국으로 출국하여 그곳에 거주하고 있음이 밝혀지자 다시 미국 내 주소지로 증인소환장을 발송하였으나, 제1심법원에 경위서를 제출하면서 장기간 귀국할 수 없음을 통보한 경우 외국거주 등 사유로 인하여 법정에서의 신문이 불가능한 상태의 경우에 해당된다고 할 것이다(대판 2007.6.14, 2004도5561). 14. 순경 2차, 17. 경찰승진
6. 이메일작성자인 乙은 프랑스에 거주하고 있고, 피고인과 이적단체 구성(코리아연대) 등 공동정범에 해당하기 때문에, 법원으로부터 소환장을 송달받는다고 하더라도 법정에 증인으로 출석할 것을 기대하기 어렵다고 봄이 상당하므로, **법원이 그의 소재 확인, 소환장 발송 등의 조치를 다하지 않았다고 하더라도 제314조의 '외국거주' 요건이 충족되었다고 할 수 있다**(대판 2016.10.13, 2016도8137).
7. 일본으로 이주한 이래 전자우편에 의한 연락 이외에 그 주거지나 거소 등이 파악되지 않는 상태이고, 국가정보원에서의 진술 당시 이사할 계획을 밝히기는 하였지만 이사 후 자신의 진술과 관련된 자료를 찾아 제출하겠다고 진술하기도 하였으며, 수사기관은 유일한 연락처인 그의 전자우편 주소로 증인 출석을 수차례 권유하였으나 자필진술서를 통하여 그 증언을 거부할 뜻을 명확히 표시하였음을 알 수 있다. 소재를 확인하여 소환장을 발송하더라도 그가 법정에 증인으로 출석할 것을 기대하기는 어렵다고 할 것이므로, **설령 그의 일본 주소 등을 확인하여 증인소환장을 발송하는 등의 조치를 다하지 않았다 하더라도 형사소송법 제314조에 정한 '외국거주' 요건은 충족되었다고 보아야 할 것이다**(대판 2013.7.26, 2013도2511).

8. 법원이 증인으로 채택, 소환하였으나 계속 불출석하여 3회에 걸쳐 구인영장을 발부하였으나 가출하여 소재불명이라는 이유로 집행되지 아니한 경우는 형사소송법 제314조의 공판기일에 진술을 요할 자가 기타 사유로 인하여 진술할 수 없는 때에 해당한다(대판 1986.2.5, 85도2788).
9. 형사소송법 제314조의 이른바 공판기일에 진술을 요할 자가 사망, 질병 기타 사유로 인하여 진술할 수 없는 때라고 함은 그 진술을 요할 자가 주소지를 떠나 그 주소를 알 수 없어 이를 공판기일에 출석하게 할 수 없으므로 인하여 진술할 수 없는 경우도 이에 포함된다 할 것이다(대판 1984.10.10, 84도1734).
10. 소환장의 송달이 불능되고 소재 탐지에 의하여서도 무단전출 또는 주민등록 미등재 등의 사유로 그 소재를 확인할 방도가 없는 경우 제314조의 진술을 요할 자가 진술할 수 없는 때에 해당한다(대판 1983.6.28, 83도931).
11. 범행 직후 미합중국 주검찰 수사관이 작성한 피해자 및 공범에 대한 질문서와 우리나라 법원의 형사사법공조요청에 따라 미합중국 법원의 지명을 받은 수명자(미합중국 검사)가 작성한 피해자 및 공범에 대한 증언녹취서(deposition)는 이를 형사소송법 제315조 소정의 당연히 증거능력이 인정되는 서류로는 볼 수 없다고 하더라도, 같은 법 제312조 또는 제313조에 해당하는 조서 또는 서류로서 그 원진술자가 공판기일에서 진술을 할 수 없는 때에 해당하고, 그 각 진술내용이나 조서 또는 서류의 작성에 허위 개입의 여지가 거의 없으며 그 진술내용의 신빙성이나 임의성을 담보할 구체적이고 외부적인 정황이 있다고 할 것이어서 그 진술 또는 서류의 작성이 특히 신빙할 수 있는 상태하에서 행하여진 것이라고 보기에 충분하므로, 형사소송법 제314조의 규정에 의하여 그 증거능력을 인정할 수 있다(대판 1997.7.25, 97도1351). 17. 7급 국가직, 19. 순경 1차 · 경찰간부, 20. 해경승진

   ▶ **비교판례** : 미국 범죄수사대(CID), 연방수사국(FBI)의 수사관들이 작성한 수사보고서 및 피고인이 위 수사관들에 의한 조사를 받는 과정에서 작성하여 제출한 진술서는 피고인이 그 내용을 부인하는 이상 증거로 쓸 수 없다(대판 2006.1.13, 2003도6548).

• 제314조 사유에 해당하지 않는 경우

1. 법정에 출석한 증인이 정당하게 증언거부권을 행사(제148조, 제149조 참조)하여 증언을 거부한 경우는 형사소송법 제314조의 '그 밖에 이에 준하는 사유로 인하여 진술할 수 없는 때'에 해당하지 아니한다(대판 2012.5.17, 2009도6788 전원합의체). 14 · 15 · 16. 9급 법원직, 18. 수사경과 · 순경 2차, 15 · 22. 9급 교정 · 보호 · 철도경찰, 13 · 17 · 22. 경찰승진, 23. 변호사시험 · 순경 1차 · 9급 검찰 · 마약 · 교정 · 보호 · 철도경찰, 25. 소방간부

   ▶ **유사판례** : 수사기관에서 진술한 참고인이 법정에서 증언을 거부하여 피고인이 반대신문을 하지 못한 경우에는 정당하게 증언거부권을 행사한 것이 아니라도(피고인이 증인의 증언거부 상황을 초래하였다는 등의 특별한 사정이 없는 한), 형사소송법 제314조의 '그 밖에 이에 준하는 사유로 인하여 진술할 수 없는 때'에 해당하지 않는다(대판 2019.11.21, 2018도13945). 20 · 22 · 23. 7급 국가직, 23. 경찰승진 · 9급 법원직

   증인이 자신에 대한 관련 형사판결이 확정되었음에도 정당한 이유 없이 법정증언을 거부하여 피고인이 반대신문을 하지 못하였다면, 설령 피고인이 증인의 증언거부 상황을 초래하였다고 하더라도 형사소송법 제314조의 그 밖에 이에 준하는 사유로 인하여 진술할 수 없는 때에 해당하지 않아 수사기관에서 그 증인의 진술을 기재한 서류는 증거능력이 없다. (×) 24. 변호사시험

2. 만 5세 무렵에 당한 성추행으로 인하여 외상 후 스트레스 증후군을 앓고 있다는 등의 이유로 공판정에 출석하지 아니한 약 10세 남짓의 성추행 피해자에 대한 진술조서가 형사소송법 제314조에 정한 필요성의 요건과 신용성 정황적 보장의 요건을 모두 갖추지 못하여 증거능력이 없다(대판 2006.5.25, 2004도3619). 10. 경찰승진 · 7급 국가직, 12. 9급 법원직, 13. 경찰승진, 20. 수사경과

3. 피고인이 증거서류의 진정성립을 묻는 검사의 질문에 대하여 진술거부권을 행사하여 진술을 거부한 경우는 형사소송법 제314조의 '그 밖에 이에 준하는 사유로 인하여 진술할 수 없는 때'에 해당하지 아니한다(대판 2013.6.13, 2012도16001). 15. 7급 국가직, 16. 9급 법원직, 18. 5급 검찰 · 교정승진, 22. 경찰간부, 23. 경찰승진
4. 증인의 주소지가 아닌 곳으로 소환장을 보내 송달불능이 되자 그 곳을 중심한 소재탐지 끝에 소재불능회보를 받은 경우에는 제314조에서 말하는 원진술자가 공판정에서 진술할 수 없는 때라고 할 수 없다(대판 1979.12.11, 79도1002). 09 · 10 · 18 · 22. 경찰승진
5. 공판기일에 증인으로 소환받고도 출산을 앞두고 있다는 이유로 출석하지 아니한 것은 사망, 질병, 외국거주 기타 사유로 인하여 진술할 수 없는 때에 해당한다고 할 수 없어 제314조에 의한 증거능력이 있다고 할 수 없다(대판 1999.4.23, 99도915). 09. 경찰승진, 20. 수사경과
6. "비자(Visa) 조건이 외국 또는 대한민국으로 방문을 하였을시 3년간 호주 입국을 할 수 없는 임시 체류 비자 'E'라는 조건으로 되어 있어 피고인에 대한 재판에 증인으로 참석이 불가능하다."는 이유로 공판정 출석을 거부하더라도 증언 자체를 거부하는 의사가 분명한 경우가 아닌 한 거주하는 외국의 주소나 연락처 등이 파악되고, 해당 국가와 대한민국 간에 국제형사사법공조조약이 체결된 상태라면 우선 사법공조의 절차에 의하여 증인을 소환할 수 있는지를 검토해 보아야 하고, 소환을 할 수 없는 경우라도 외국의 법원에 사법공조로 증인신문을 실시하도록 요청하는 등의 절차를 거쳐야 하고, 이러한 절차를 전혀 시도해 보지도 아니한 것은 가능하고 상당한 수단을 다하더라도 진술을 요하는 자를 법정에 출석하게 할 수 없는 사정이 있는 때에 해당한다고 보기 어렵다(대판 2016.2.18, 2015도17115).
   – 따라서 제314조 적용 부정 22. 7급 국가직
7. 제1심법원이 증인 甲의 주소지에 송달한 증인소환장이 송달되지 아니하자 甲에 대한 소재탐지를 촉탁하여 소재탐지 불능 보고서를 제출받은 다음 甲이 '소재불명'인 경우에 해당한다고 보아 甲에 대한 경찰 및 검찰 진술조서를 증거로 채택한 사안에서, 검사가 제출한 증인신청서에 휴대전화번호가 기재되어 있고, 수사기록 중 甲에 대한 경찰 진술조서에는 집 전화번호도 기재되어 있으며, 그 이후 작성된 검찰 진술조서에는 위 휴대전화번호와 다른 휴대전화번호가 기재되어 있는데도, 검사가 직접 또는 경찰을 통하여 위 각 전화번호로 甲에게 연락하여 법정 출석의사가 있는지 확인하는 등의 방법으로 甲의 법정 출석을 위하여 상당한 노력을 기울였다는 자료가 보이지 않는 사정에 비추어, 甲의 법정 출석을 위한 가능하고도 충분한 노력을 다하였음에도 부득이 甲의 법정 출석이 불가능하게 되었다는 사정이 증명된 경우라고 볼 수 없어 형사소송법 제314조의 '소재불명 그 밖에 이에 준하는 사유로 인하여 진술할 수 없는 때'에 해당한다고 인정할 수 없다(대판 2013.4.11, 2013도435).
8. 경찰이 증인과 가족의 실거주지를 방문하지 않은 상태에서 전화상으로 증인의 모(母)로부터 법정에 출석케 할 의사가 없다는 취지의 진술을 들었다는 내용의 구인장 집행불능 보고서를 제출하고 있을 뿐이고, 검사가 기록상 확인된 증인의 휴대전화번호로 연락하여 법정 출석의사가 있는지를 확인하는 등의 방법으로 출석을 적극적으로 권유 · 독려하는 등 증인의 법정 출석을 위하여 상당한 노력을 기울이지 않은 경우, 형사소송법 제314조의 '기타 사유로 인하여 진술할 수 없는 때'에 해당하지 않는다(대판 2007.1.11, 2006도7228).
9. 단지 소환장이 주소불명 등으로 송달불능되었다거나 소재탐지촉탁을 하였으나 그 회보가 오지 않은 상태인 것만으로는 제314조 소정의 '공판기일에 진술을 요할 자가 사망, 질병 기타 사유로 인하여 진술할 수 없는 때'에 해당한다고 보기에 부족하다(대판 1996.5.14, 96도575).

10. 증인에 대한 진술조서의 진술내용이 상치되어 어느 것이 진실인지 알 수 없고, 증인으로 채택되어 소환장을 두 번이나 받고도 소환에 불응하고 주소지를 떠나 행방을 감춘 경우라면 동인의 위 진술이 특히 신빙할 수 있는 상태에서 행하여진 것으로 볼 수 없다(대판 1986.2.5, 85도2788).
11. 1심에서 송달불능이 된 증인을 항소심에서 다시 증인으로 채택하여 소환함에 있어서 1심에서 송달불능된 주소로만 소환하고 기록상 용이하게 알 수 있는 다른 주소로 소환하지 아니한 경우 제314조의 적용대상이 아니다(대판 1973.10.31, 73도2124).
12. 소환장이 송달불능된 자에 대하여는 소재탐사도 한 바 없이 또 소환을 받고도 2회나 출석하지 아니한 자에 대하여는 구인신청도 하지 아니한 채 검사가 도리어 양자의 소환신청을 철회함으로써 공판정에서의 신문을 할 수 없게 된 경우에 제314조의 진술을 요할 자가 사망, 질병, 기타 사유로 인하여 진술할 수 없는 경우에 해당된다고 볼 수 없다(대판 1969.5.13, 69도364).

◎ **당연히 증거능력이 있는 서류**(제315조) : 제315조는 당연히 증거능력이 있는 서류를 규정하고 있는데 이는 특히 신용성이 높고 그 작성자를 증인으로 신문함이 부적당하거나 실익이 없기 때문에 증거능력을 인정하도록 한 것이다.

당연히 증거능력이 있는 서류(제315조)

직무상 증명할 수 있는 사항에 관한 공무원 작성 문서	① 가족관계 기록사항에 관한 증명서 08. 순경 3차 · 9급 법원직, 14 · 15. 경찰승진 ② 군의관 작성의 진단서 04 · 05 · 14. 경찰승진, 09. 순경 2차 ▶ 개인병원 의사의 진단서 ⇨ 제315조 적용 ×(진술서 규정인 제313조에 따라 증거능력 인정) 16. 9급 교정 · 보호 · 철도경찰, 24. 해경경위공채 ③ 외국공무원이 직무상 작성한 문서 02 · 04 · 08. 순경 ④ 국립과학수사연구소장 작성의 감정의뢰회보서 11 · 13. 순경 ⑤ 일본하관 세관서 통괄심리관 작성의 범칙물건감정서등본과 분석의뢰서 16 · 19. 경찰승진 ⑥ 등기부등(초)본 13. 경찰간부 ⑦ 세관공무원 시가감정서 12. 교정특채, 14. 수사경과 ⑧ 공정증서등본 08. 9급 법원직 ⑨ 보건복지부장관의 시가보고서 08. 순경 3차 ⑩ 신원증명서 ⑪ 인감증명 19. 경찰간부, 24. 해경경위공채 ⑫ 경찰관이 작성한 전과조회회보 19. 경찰간부 ▶ 수사기관이 작성한 문서 ⇨ 당연히 증거능력이 인정되는 것은 아님. 예 공소장, 수사보고서(외국수사기관 작성 포함), 피의자신문조서, 수사기관검증조서 19. 경찰간부 미연방 범죄수사관이 범죄현장을 확인하고 작성한 보고서는 당연히 증거능력이 인정되는 것에 해당한다. (×) 13. 순경 2차, 16. 경찰승진 미국 연방수사국(FBI)의 수사관이 작성한 수사보고서 ⇨ 제312조 제3항에 의하여 피고인 또는 변호인이 내용을 인정할 때에 한하여 증거능력이 인정(대판 2006.1.13, 2003도6548) 17. 순경 2차

업무상 필요로 작성한 통상문서 (적법·불법 불문)	① 성매매업소에서 고객정보를 입력하여 작성한 메모리카드 13. 순경 2차, 14. 9급 검찰·마약수사, 14·15. 수사경과, 15·19. 경찰승진 ② 상업장부 02. 순경, 03. 여경, 08. 9급 법원직, 16. 9급 교정·보호·철도경찰 ▶ 비밀장부를 만들면서 외부에 보이기 위하여 작성한 표면상의 장부는 제315조 적용 × ③ 항해일지 13. 경찰간부, 16. 9급 교정·보호·철도경찰 ④ 의사의 진료부 09. 순경 2차, 19. 경찰간부 ⑤ 금전출납부 ⑥ 전표 ⑦ 통계표
기타 특히 신용할만한 정황에 의하여 작성된 문서	① 구속적부심에서의 심문조서 09·11. 순경, 13. 순경 2차, 14. 9급 검찰·마약수사, 14·15. 경찰승진 ② 다른 피고사건의 공판조서 08. 순경, 14. 9급 검찰·마약수사, 18. 수사경과, 19. 경찰승진 ③ 사법경찰관작성 새세대 16호(이적표현물)에 대한 수사보고서 08. 순경 3차 ④ 군법회의 판결문 사본 08. 9급 법원직, 11. 순경, 13·19. 경찰간부 ⑤ 공공기록 ⑥ 보고서 ⑦ 역서 ⑧ 정기간행물의 시장가격표 ⑨ 스포츠기록 ⑩ 공무소 작성의 통계와 연감 ▶ 주민들의 진정서 사본 ⇨ 당연히 증거능력이 인정된 것이 아니다(대판). 07·11. 순경, 09. 9급 국가직, 18. 수사경과

관련판례

- **제315조 제1호 관련**

1. 외국공무원이 직무상 증명할 수 있는 사항에 관하여 작성한 문서는 이를 증거로 할 수 있으므로(형사소송법 제315조 제1호), 원심이 이 사건 일본하관 세관서 통괄심리관 작성의 범칙물건감정서 등본과 분석의뢰서 및 분석 회답서등본 등을 증거로 하였음은 적법하다(대판 1984.2.28, 83도3145). 12. 순경 1차, 14. 9급 검찰·마약수사, 15. 순경 3차, 16. 경찰승진, 18. 수사경과
2. 국립과학수사연구소장 작성의 감정의뢰 회보서는 공무원인 위 연구소장이 직무상 증명할 수 있는사항에 관하여 작성한 문서라고 할 것이므로 당연히 증거능력있는 서류라고 할 것이다(대판 1982.9.14, 82도1504). 11. 순경 1차, 13. 순경 2차, 15. 순경 3차
3. 군의관이 작성한 진단서는 직무상 증명할 수 있는 사항에 관하여 작성한 문서이므로 당연히 증거능력이 있다(대판 1972.6.13, 72도922). 04·05·14. 경찰승진, 09. 순경 2차
4. 특별한 자격이 있지는 아니하나 범칙물자에 대한 시가감정업무에 4~5년 종사해온 세관공무원이 세관에 비치된 기준과 수입신고서에 기재된 가격을 참작하여 작성한 감정서는 공무원이 그 직무상 작성한 공문서라 할 것이므로 제315조 제1호에 의하여 당연히 증거능력이 있다(대판 1985.4.9, 85도225). 18. 9급 법원직, 20. 7급 국가직

• 제315조 제2호 관련

1. 업무의 기계적 반복성으로 인하여 허위가 개입될 여지가 적고, 또 문서의 성질에 비추어 고도의 신용성이 인정되어 반대신문의 필요가 없거나 작성자를 소환해도 서면제출 이상의 의미가 없는 것들에 해당하기 때문에 당연히 증거능력이 인정된다는 것이 입법 취지이며, 어떠한 문서가 제315조 제2호가 정하는 업무상 통상문서에 해당하는지를 구체적으로 판단함에 있어서는, 당해 문서가 정규적·규칙적으로 이루어지는 업무활동으로부터 나온 것인지 여부, 당해 문서를 작성하는 것이 일상적인 업무 관행 또는 직무상 강제되는 것인지 여부, 당해 문서에 기재된 정보가 취득된 즉시 또는 그 직후에 이루어져 정확성이 보장될 수 있는 것인지 여부, 당해 문서의 기록이 비교적 기계적으로 행하여지는 것이어서 기록 과정에 기록자의 주관적 개입의 여지가 거의 없다고 볼 수 있는지 여부, 당해 문서가 공시성이 있는 등으로 사후적으로 내용의 정확성을 확인·검증할 기회가 있어 신용성이 담보되어 있는지 여부 등을 종합적으로 고려하여야 한다(대판 2015.7.16, 2015도2625 전원합의체).
2. 성매매업소에 고용된 여성들이 성매매를 업으로 하면서 영업에 참고하기 위하여 성매매 상대방의 아이디와 전화번호 및 성매매방법 등을 메모지에 적어두었다가 직접 메모리카드에 입력하거나 업주가 고용한 다른 여직원이 그 내용을 입력한 경우, 위 메모리카드의 내용은 형사소송법 제315조 제2호의 '영업상 필요로 작성한 통상문서'로서 당연히 증거능력 있는 문서에 해당한다(대판 2007.7.26, 2007도3219). 09. 순경·9급 국가직, 12. 순경 1차, 10·13. 순경 2차, 14. 9급 검찰·마약수사, 15. 순경 3차·7급 국가직, 18. 9급 법원직, 10·13·14·15·23. 경찰승진, 23. 소방간부
3. 상업장부나 항해일지, 진료일지 또는 이와 유사한 금전출납부 등과 같이 범죄사실의 인정 여부와는 관계없이 자기에게 맡겨진 사무를 처리한 내역을 그때그때 계속적, 기계적으로 기재한 문서는 사무처리 내역을 증명하기 위하여 존재하는 문서로서 형사소송법 제315조 제2호에 의하여 당연히 증거능력이 인정된다(대판 2015.7.16, 2015도2625 전원합의체). 12·22. 순경 2차, 22. 9급 교정·보호·철도경찰

• 제315조 제3호 관련

1. 형사소송법 제315조 제3호에서 규정한 '기타 특히 신용할 만한 정황에 의하여 작성된 문서'는 형사소송법 제315조 제1호와 제2호에서 열거된 공권적 증명문서 및 업무상 통상문서에 준하여 '굳이 반대신문의 기회 부여 여부가 문제되지 않을 정도로 고도의 신용성의 정황적 보장이 있는 문서'를 의미한다(대판 2015.7.16, 2015도2625 전원합의체).
2. 구속된 피의자를 심문하고 그에 대한 피의자의 진술 등을 기재한 구속적부심문조서는 형사소송법 제311조가 규정한 문서에는 해당하지 않는다 할 것이나, 특히 신용할 만한 정황에 의하여 작성된 문서라고 할 것이므로 특별한 사정이 없는 한, 피고인이 증거로 함에 부동의하더라도 형사소송법 제315조 제3호에 의하여 당연히 그 증거능력이 인정된다(대판 2004.1.16, 2003도5693). 14. 9급 검찰·마약수사, 18. 순경 3차·수사경과, 13·23. 순경 2차, 14·15·19·24. 경찰승진, 18·24. 9급 법원직
3. 다른 피고인에 대한 형사사건의 공판조서는 형사소송법 제315조 제3호에 정한 서류로서 당연히 증거능력이 있는바, 공판조서 중 일부인 증인신문조서 역시 형사소송법 제315조 제3호에 정한 서류로서 당연히 증거능력이 있다고 보아야 할 것이다(대판 2005.4.28, 2004도4428). 14. 9급 검찰·마약수사, 18. 수사경과
4. 군법회의판결사본(교도소장이 교도소에 보관 중인 판결등본을 사본한 것)은 특히 신용할 만한 정황에 의하여 작성된 문서라고 볼 여지가 있으므로 피고인이 증거로 함에 부동의하거나 그 진정성립의 증명이 없다는 이유로 그 증거능력을 부인할 수 없다(대판 1981.11.24, 81도2591). 08. 9급 법원직, 11. 순경, 13. 경찰간부

5. 사법경찰관 작성의 새세대 16호에 대한 수사보고서는 피고인이 검찰에서 소지 탐독사실을 인정하고 있는 새세대 16호라는 유인물의 내용을 분석하고, 이를 기계적으로 복사하여 그 말미에 그대로 첨부한 문서로서 그 신용성이 담보되어 있어 형사소송법 제315조 제3호 소정의 "기타 특히 신용할 만한 정황에 의하여 작성된 문서"에 해당되는 문서로서 당연히 증거능력이 인정된다(대판 1992.8.14, 92도1211). 08. 순경

- **제315조 적용대상이 아닌 경우**

1. 주민들의 진정서 사본은 피고인이 증거로 함에 동의하지 않고 기록상 원본의 존재나 그 진정성립을 인정할 아무런 자료도 없을 뿐 아니라 형사소송법 제315조 제3호의 규정사유도 없으므로 이를 증거로 할 수 없다(대판 1983.12.13, 83도2613). 02·07. 순경, 09. 9급 국가직, 11. 순경, 18. 수사경과
2. 육군과학수사연구소 실험분석관이 작성한 감정서는 피고인들이 이를 증거로 함에 동의하지 아니하는 경우에는 유죄의 증거로 할 수 있는 증거능력이 없다(대판 1976.10.12, 76도2960). 14. 수사경과, 11·12·15. 순경, 16. 경찰승진, 23. 소방간부
3. 검사의 공소장은 법원에 대하여 형사재판을 청구하는 서류로서 그 기재내용이 실체적 사실인정의 증거자료가 될 수는 없다(대판 1978.5.23, 78도575). 11. 순경, 15·16. 경찰승진
4. 외국수사기관이 수사결과 얻은 정보를 회답하여 온 문서들은 공무원이 직무상 증명할 수 있는 사항에 관하여 작성한 문서 또는 제315조 제3호의 이른바 특히 신용할 만한 정황에 의하여 작성된 문서에 해당한다고 볼 수 없다(대판 1979.9.25, 79도1852). 09. 9급 국가직, 14. 경찰승진
5. 체포·구속인접견부는 유치된 피의자가 죄증을 인멸하거나 도주를 기도하는 등 유치장의 안전과 질서를 위태롭게 하는 것을 방지하기 위한 목적으로 작성되는 서류로 보일 뿐이어서 형사소송법 제315조 제2, 3호에 규정된 당연히 증거능력이 있는 서류로 볼 수는 없다(대판 2012.10.25, 2011도5459). 16. 9급 검찰·마약·교정·보호·철도경찰, 19. 7급 국가직, 22·24. 9급 법원직, 24. 해경경위공채
6. 대한민국 주중국 대사관 영사가 작성한 사실확인서 중 공인 부분을 제외한 나머지 부분이 비록 영사의 공무수행 과정 중 작성되었지만 공적인 증명보다는 상급자 등에 대한 보고를 목적으로 하는 것인 경우, 형사소송법 제315조 제1호의 '공무원의 직무상 증명할 수 있는 사항에 관하여 작성한 문서' 또는 제3호의 '기타 특히 신뢰할 만한 정황에 의하여 작성된 문서'라고 볼 수 없으므로 증거능력이 없다(대판 2007.12.13, 2007도7257). 24. 경찰승진·해경간부·9급 법원직
7. 국가정보원 심리전단 직원의 이메일계정에서 압수한 425지논 파일, 시큐리티 파일은 형사소송법 제315조 제2호 또는 제3호에 정한 당연히 증거능력이 인정되는 문서라고 할 수 없다(대판 2015.7.16, 2015도2625 전원합의체).
8. 보험사기 사건에서 건강보험심사평가원이 수사기관의 의뢰에 따라 보내온 자료를 토대로 입원진료의 적정성에 대한 의견을 제시하는 내용의 '건강보험심사평가원의 입원진료 적정성 여부 등 검토의뢰에 대한 회신'은 형사소송법 제315조 제3호의 '기타 특히 신용할 만한 정황에 의하여 작성된 문서'에 해당하지 않는다(대판 2017.12.5, 2017도12671). 19·22. 경찰승진, 23. 소방간부, 18·22·24. 9급 법원직, 24. 변호사시험·해경경위공채
9. 공소외 1(전 청와대 경제수석비서관)의 업무수첩은 공소외 1이 사무처리의 편의를 위하여 자신이 경험한 사실 등을 기재해 놓은 것에 지나지 않는다. 이것은 '굳이 반대신문의 기회 부여가 문제되지 않을 정도로 고도의 신용성에 관한 정황적 보장이 있는 문서'라고 보기 어려우므로, 형사소송법 제315조 제3호의 '기타 특히 신용할 만한 정황에 의하여 작성된 문서'에 해당하지 않는다(대판 2019.8.29, 2018도14303 전원합의체).

㉢ 전문진술

종래 판례는 피고인을 피의자로 신문한 사법경찰관이 경찰에서 조사받을 때 자백한 피고인의 진술내용을 법정에서 증언하는 경우 제316조 제1항을 적용하지 않고 피의자신문조서의 취지에 비추어 내용까지 인정하여야 증거능력을 인정하였다. 그러나 이와 같이 해석한다면 수사절차에서 사법경찰관이 획득한 피고인의 진술은 피고인이 법정에서 내용을 부인하는 한 일절 증거로 쓸 수가 없어, 결국 검사의 피의자신문이 필수적으로 요구되어(검사의 경우는 내용을 부인해도 증거능력이 있기 때문) 경찰에서 자백한 피의자에 대한 검사의 이중수사로 인한 피의자의 불편이 따랐고, 사법경찰관의 책임 있는 수사를 어렵게 하는 문제가 있을 뿐 아니라, 피의자진술의 확보방안으로 유일한 것이 검사 작성 피의자신문조서이기 때문에 검사 면전에서의 자백을 획득하기 위한 강압수사의 위험성도 없지 않아, 2007년 개정법은 조사자 증언제도를 도입하였다.

ⓐ 제316조 제1항(피고인의 진술을 내용으로 하는 3자의 진술) : 피고인이 아닌 자(공소제기 전에 피고인을 피의자로 조사하였거나 그 조사에 참여하였던 자를 포함한다.)의 공판준비 또는 공판기일에서의 진술이 피고인의 진술을 그 내용으로 하는 것인 때에는 그 진술이 특히 신빙할 수 있는 상태하에서 행하여졌음이 증명된 때에 한하여 이를 증거로 할 수 있다. 09. 순경, 10 · 11 · 12 · 14. 경찰승진, 13. 9급 검찰 · 마약수사, 17. 수사경과, 18. 순경 3차

☎ 공소제기 전에 피고인을 피의자로 조사하였거나, 조사에 참여하였던 자에는 사법경찰관리뿐 아니라 검사와 검찰사무관 등도 포함된다.

☎ 공소제기 전 피고인을 피의자로 신문한 사법경찰관이 그 진술내용을 법정에서 진술한 경우 형사소송법 제316조 제1항의 적용대상이 될 수 없다. (×) 14. 순경 2차

☎ "검거 당시 피고인이 범행사실을 순수히 자백하였다."라는 경찰관의 법정증언은 피고인이 공판정에서 범행을 부인하는 이상 증거능력이 인정되지 않는다. (×) 15. 수사경과, 16. 7급 국가직, 24. 변호사시험

관련판례

1. 전문의 진술을 증거로 함에 있어서는 전문진술자가 원진술자로부터 진술을 들을 당시 원진술자가 증언능력에 준하는 능력을 갖춘 상태에 있어야 할 것인데, 20. 경찰승진, 22. 소방간부, 23. 순경 2차 증인의 증언능력은 증인 자신이 과거에 경험한 사실을 그 기억에 따라 공술할 수 있는 정신적인 능력이라 할 것이므로, 유아의 증언능력에 관해서도 그 유무는 단지 공술자의 연령만에 의할 것이 아니라 그의 지적수준에 따라 개별적이고 구체적으로 결정되어야 함은 물론 공술의 태도 및 내용 등을 구체적으로 검토하고, 경험한 과거의 사실이 공술자의 이해력, 판단력 등에 의하여 변식될 수 있는 범위 내에 속하는가의 여부도 충분히 고려하여 판단하여야 한다. 따라서 사고 당시 만 3년 3개월 내지 3년 7개월 가량의 유아의 증언능력과 진술의 신빙성도 인정된다(대판 2006.4.14, 2005도9561). 17 · 24. 경찰승진 · 경찰간부

☎ 전문의 진술을 증거로 함에 있어서는 전문진술자가 원진술자로부터 진술을 들을 당시 원진술자가 증언능력에 준하는 능력을 갖춘 상태에 있어야 하는 것은 아니다. (×) 18. 경찰승진

2. 형사소송법 제316조 제1항에서 말하는 '그 진술이 특히 신빙할 수 있는 상태하에서 행하여진 때'라 함은 그 진술을 하였다는 것에 허위 개입의 여지가 거의 없고, 그 진술내용의 신빙성이나 임의성을 담보할 구체적이고 외부적인 정황이 있는 경우를 가리킨다(대판 2012.5.24, 2010도5948). 17. 경찰승진·경찰간부
3. 증인 甲의 증언내용이 "피고인이 경찰에서 피의자로서 조사받을 때 담당수사경찰이 없는 자리에서 자기에게 자백진술을 하였다."는 내용이라면 이는 전문증거라고 할 것이므로 원진술자의 진술이 특히 신빙할 수 있는 상태에서 이루어진 것이라고 보기 어렵다면 이러한 증거들을 유죄의 증거로 삼을 수 없다(대판 1980.8.12, 80도1289). 24. 소방간부
4. 공소외 1(전 청와대 경제수석비서관)의 업무수첩 등의 대화 내용 부분이 전직 대통령인 피고인과 개별 면담자 사이에서 대화한 내용을 증명하기 위한 진술증거인 경우에는 전문진술로서 형사소송법 제316조 제1항에 따라 그 진술이 특히 신빙할 수 있는 상태에서 한 것임이 증명된 때에 한하여 증거로 사용할 수 있다. 이 사건에서 공소외 1의 업무수첩 등이 이 요건을 충족하지 못한다. 따라서 공소외 1의 업무수첩 등은 피고인과 개별 면담자가 나눈 대화 내용을 추단할 수 있는 간접사실의 증거로 사용하는 것도 허용되지 않는다(대판 2019.8.29, 2018도14303 전원합의체).
5. 형사소송법 제316조 제1항의 '특히 신빙할 수 있는 상태하에서 행하여졌음에 대한 증명'은 단지 그러할 개연성이 있다는 정도로는 부족하고 합리적인 의심의 여지를 배제할 정도에 이르러야 한다. 형사소송법 제312조 제1항, 제3항에 대한 중대한 예외를 인정하는 것이어서, 이를 폭넓게 허용하는 경우 형사소송법 제312조 제1항, 제3항의 입법취지와 기능이 크게 손상될 수 있기 때문이다(대판 2023.10.26, 2023도7301).
6. 경찰관의 체포행위를 도운 자가 범인의 범행을 목격하였다는 취지의 진술은 그 사람이 경찰정보원이라 하더라도 그 증거능력을 부인할 아무런 이유가 없다 할 것이다(대판 1995.5.9, 95도535).

KEY point 피고인의 진술을 내용으로 하는 3자의 진술에 대한 증거능력 인정요건

특신상태 증명(원진술자인 피고인이 출석하여 진술할 수 있으므로 필요성은 요건이 아니다.)

ⓑ 제316조 제2항(피고인 아닌 자의 진술을 내용으로 하는 3자의 진술) : 피고인 아닌 자의 공판준비 또는 공판기일에서의 진술이 피고인 아닌 타인의 진술을 그 내용으로 하는 것인 때에는 원진술자가 사망, 질병, 외국거주, 소재불명 그 밖에 이에 준하는 사유로 인하여 진술할 수 없고(필요성), 그 진술이 특히 신빙할 수 있는 상태하에서 행하여졌음이 증명된 때(특신상태)에 한하여 이를 증거로 할 수 있다.

여기서 피고인 아닌 자에는 3자는 말할 것도 없고, 공범과 공동피고인 모두 포함된다(대판 1984.11.27, 84도2279). 12·14. 경찰승진, 15. 순경 2차·경찰간부, 19. 수사경과, 23. 순경 1차

원진술자가 사망, 질병, 외국거주, 소재불명 그 밖에 이에 준하는 사유로 인하여 진술할 수 없어야 하므로, 원진술자가 법정에 출석한 경우라면 제316조 제2항 적용이 없다. (○)

공범자의 진술을 내용으로 하는 제3자의 진술 ⇨ 제316조 제2항에 의거 필요성 + 특신상태를 구비하면 증거능력 인정

관련판례

1. 피고인 아닌 자를 조사한 자의 증언이 형사소송법 제316조 제2항에 따라 증거능력이 인정되기 위해서는 원진술자가 사망, 질병, 외국거주, 소재불명 그 밖에 이에 준하는 사유로 진술할 수 없어야 하므로, 원진술자가 법정에 출석하여 수사기관에서 한 진술을 부인하는 취지로 증언한 이상 원진술자의 진술을 내용으로 하는 조사자의 증언은 증거능력이 없다(대판 2008.9.25, 2008도6985). 13. 7급 국가직, 17. 경찰간부, 19. 수사경과, 23. 소방간부 · 9급 검찰 · 마약 · 교정 · 보호 · 철도경찰 · 순경 2차, 14 · 17 · 24. 경찰승진, 24. 9급 법원직

   원진술자가 법정에 출석하여 수사기관에서 한 진술을 부인하는 취지로 증언하더라도 원진술자의 진술을 내용으로 하는 조사자의 증언은 증거능력이 있다. (×)

   형사소송법 제316조 제2항은 제316조 제1항과는 달리 조사자 증언에 대한 규정을 두고 있지 않으나, 판례는 제316조 제2항의 경우에도 조사자 증언의 증거능력을 인정하고 있다. (○)
2. 전문진술의 원진술자가 공동피고인의 경우 형사소송법 제316조 제2항 소정의 '피고인 아닌 타인'에는 해당하나, 법정에서 공소사실을 부인하고 있어서 '원진술자가 사망, 질병 기타 사유로 인하여 진술할 수 없는 때'에는 해당되지 않아 증거능력을 인정할 수 없다(대판 2000.12.27, 99도5679). 10 · 11 · 20. 경찰승진, 23. 소방간부
3. 형사소송법 제314조, 제316조 제2항에서 말하는 '원진술자가 진술을 할 수 없는 때'에는 사망, 질병 등 명시적으로 열거된 사유 외에도 원진술자가 공판정에서 진술을 한 경우라도 증인신문 당시 일정한 사항에 관하여 기억이 나지 않는다는 취지로 진술하여 그 진술의 일부가 재현 불가능하게 된 경우도 포함하는 것이다(대판 2006.4.14, 2005도9561).
4. 형사소송법 제316조 제2항의 '그 진술이 특히 신빙할 수 있는 상태하에서 행하여진 때'라 함은 그 진술을 하였다는 것에 허위개입의 여지가 거의 없고 그 진술내용의 신빙성이나 임의성을 담보할 구체적이고 외부적인 정황이 있는 경우를 말한다(대판 2000.3.10, 2000도159). 12. 경찰간부, 17.경찰승진
5. 원진술자가 제1심법원에 출석하여 진술을 하였다가 항소심에 이르러 진술할 수 없게 된 경우를 위 규정에서 정한 원진술자가 진술할 수 없는 경우에 해당한다고는 할 수 없다(대판 2001.9.28, 2001도3997).
6. 피고인이 증거로 함에 부동의한 사법경찰관직무취급 작성의 甲에 대한 진술조서 중의 진술기재가 乙로부터 들어서 안다는 것이라면 원진술자인 乙이 사망, 질병 기타 사유로 인하여 진술할 수 없는 사유가 있는지의 여부에 대하여 아무런 자료도 찾아볼 수 없는 경우 甲의 증언과 진술조서기재는 유죄의 증거로 삼을 수 없다(대판 1990.12.11, 89도55).
7. 형사소송법 제314조의 '특신상태'와 관련된 법리는 마찬가지로 원진술자의 소재불명 등을 전제로 하고 있는 형사소송법 제316조 제2항의 '특신상태'에 관한 해석에도 그대로 적용된다(대판 2014.4.30, 2012도725). 23. 순경 1차

KEY point 피고인 아닌 자의 진술을 내용으로 하는 3자의 진술에 대한 증거능력 인정 요건

필요성 + 특신상태 증명

ⓩ **재전문증거** : 재전문이란 전문진술을 기재한 조서 또는 타인의 전문진술을 들었다는 진술 또는 그 사실을 기재한 조서와 같이 이중의 전문이 되는 경우를 말한다. 재전문증거에 대하여 현행법상 증거능력을 인정하는 조문이 없으므로 증거능력 인정 여부에 대하여 견해의 대립이 있으나, 대법원 판례에 의하면 원칙적으로 증거능력을 부정하고 있으며, 예외적으로 전문진술이 기재된 조서에 대하여 일정한 요건하에 증거능력을 인정하고 있다.

원본증거, 전문증거, 재전문증거

- A(피해자)가 "甲이 돈을 내놓지 않으면 죽인다고 말하며 현금을 빼앗아갔다."라고 피해사실을 법정에서 증언 ⇨ 원본증거
- 甲의 강도행위를 목격한 B의 증언 ⇨ 원본증거
- 목격자 B로부터 목격사실을 전해들은 C의 증언 ⇨ 전문진술
- 목격자 B에 대하여 검사가 작성한 참고인진술조서 ⇨ 전문서류
- 피해자 A에 대하여 검사가 작성한 참고인진술조서 ⇨ 전문서류
- 목격자 B로부터 전해들은 C에 대하여 검사가 작성한 참고인진술조서 ⇨ 재전문서류(전문진술을 기재한 조서)
- C가 목격자 B로부터 들은 내용을 D에게 전하고 D가 법정에서 증언 ⇨ 재전문진술(타인의 전문진술을 들었다는 진술)
- C로부터 전해들은 D에 대하여 검사가 작성한 참고인진술조서 ⇨ 재재전문서류(타인의 전문진술을 들었다는 진술을 기재한 조서, 재전문진술을 기재한 조서)

관련판례

• 원 칙

형사소송법은 재전문진술이나 재전문진술을 기재한 조서에 대하여는 달리 그 증거능력을 인정하는 규정을 두고 있지 아니하고 있으므로, 피고인이 증거로 하는 데 동의하지 아니하는 한 형사소송법 제310조의 2의 규정에 의하여 이를 증거로 할 수 없다(대판 2000.3.10, 2000도159). 13·14·17·20. 경찰승진, 14·16·17·20. 경찰간부, 15·20. 순경 2차, 22. 검찰·마약수사, 21·24. 9급 법원직, 14·22·24. 순경 1차, 25. 소방간부

피해자가 어머니에게 진술한 내용을 전해들은 아버지가 법정에서 진술한 경우 재전문진술이므로 피해자와 어머니의 진술이 불능하고 특신상태가 증명되더라도 증거능력이 없다. (○) 22. 경찰승진

• 예 외

1. 전문진술이나 전문진술을 기재한 조서는 형사소송법 제310조의 2의 규정에 의하여 원칙적으로 증거능력이 없으나, 다만 피고인 아닌 자의 공판준비 또는 공판기일에서의 진술이 피고인의 진술을 그 내용으로 하는 것인 때에는 형사소송법 제316조 제1항의 규정에 따라 그 진술이 특히 신빙할 수 있는 상태하에서 행하여진 때에 한하여 이를 증거로 할 수 있고, 그 전문진술이 기재된 조서는 제312조 내지 314조의 규정에 의하여 그 증거능력이 인정될 수 있는 경우에 해당하여야 함은 물론 나아가 제316조 제1항의 규정에 따른 위와 같은 조건을 갖춘 때에 예외적으로 증거능력을 인정하여야 할 것이다(대판 2000.9.8, 99도4814). 14. 경찰간부, 22. 9급 교정·보호·철도경찰
2. 전문진술이나 전문진술을 기재한 조서는 형사소송법 제310조의 2의 규정에 의하여 원칙적으로 증거능력이 없는 것인데, 다만 피고인 아닌 자의 공판준비 또는 공판기일에서의 진술이 피고인 아닌

타인의 진술을 내용으로 하는 경우 그 전문진술은 제316조 제2항의 규정에 따라 원진술자가 사망, 질병, 외국거주 기타 사유로 인하여 진술할 수 없고 그 진술이 특히 신빙할 수 있는 상태하에서 행하여진 때에 한하여 예외적으로 증거능력이 있다고 할 것이고, 그 전문진술이 기재된 조서는 제312조 또는 제314조의 규정에 의하여 각 그 증거능력이 인정될 수 있는 경우에 해당하여야 함은 물론 나아가 제316조 제2항의 규정에 따른 위와 같은 요건을 갖추어야 예외적으로 증거능력이 있다(대판 2001.7.27, 2001도2891). 19. 순경 1차, 23. 7급 국가직

---

(4) 진술의 임의성

전문증거는 진술증거의 속성 때문에 아무리 전문법칙의 예외에 해당하더라도 진술의 임의성(서류의 경우에는 작성의 임의성)이 인정되지 않으면 증거능력을 인정할 수 없다. 04. 여경, 10. 9급 법원직 즉, 자백이라는 진술증거는 제309조가 임의성을 요건으로 증거능력을 인정하는 것과 마찬가지로, 전문증거의 경우에도 당해 진술의 성립과정에 대해 임의성을 필요로 한다. 따라서 진술의 임의성을 규정한 제317조는 전문법칙의 예외에 대한 제한규정으로서의 성격을 가진다고 할 수 있다.

(5) 전문법칙의 관련문제

과학기술의 발달과 함께 입법자가 예상하지 못하였던 새로운 형태의 증거방법이 등장하면서 그 증거능력 문제를 둘러싸고 여러 논의들이 대두되고 있다.

① **영상녹화물의 증거능력**

㉠ **영상녹화물의 의의** : 영상녹화물이란 일정한 진술을 청취하는 과정에서 그 진술을 영상녹화장치를 사용하여 영상녹화(녹음포함)한 것을 말하며, 수사기관 이외의 사람이 본인이나 다른 사람의 진술을 녹화해 놓은 기록물은 여기에 해당하지 않는다. 형사소송법은 이러한 경우를 별도로 '녹음테이프', '비디오테이프'라는 표현을 사용하고 있다(제292조의 3).

㉡ **영상녹화물의 사용범위**

ⓐ 수사기관이 촬영한 영상녹화물을 범죄사실을 인정하는 엄격한 증명의 자료로 사용할 수 없다(피의자신문조서나 참고인진술조서를 대체하는 것은 허용되지 않는다). 16. 7급 국가직

관련판례

수사기관이 참고인을 조사하는 과정에서 작성한 영상녹화물은, 특별한 사정이 없는 한, 공소사실을 직접 증명할 수 있는 독립적인 증거로 사용될 수는 없다(대판 2014.7.10, 2012도5041). 20. 순경 1차, 20 · 21. 9급 법원직, 24. 해경경위공채

ⓑ 수사기관의 영상녹화물은 참고인진술조서의 실질적 진정성립을 증명하는 자료로 사용할 수 있다(제312조 제4항).

ⓒ 수사기관의 영상녹화물은 탄핵증거로 사용이 불가능하며, 진술자의 기억을 환기시키기 위한 자료로 사용하는 것은 가능하다(제318조의 2 제2항).

㉢ **영상녹화물과 기타 증거방법과의 관계** : 녹음테이프나 비디오테이프가 수사기관에서 작성한 것인 때에는 영상녹화물에 관한 규정의 적용을 받으므로, 전문법칙에 의한 증거능력 인정문제는 수사기관 이외의 사람이 본인이나 다른 사람의 진술을 녹화한 비디오테이프(녹음테이프 포함)가 문제될 것이다.

② **녹음테이프의 증거능력** : 녹음테이프도 사진의 경우처럼 기록과 재생능력의 정확성 때문에 높은 증거가치를 갖는 과학적 증거방법이라 할 수 있다. 그러나 한편으로는 녹음이나 편집이 조작될 가능성도 있으므로 그 증거능력이 문제로 되는데 진술녹음과 현장녹음으로 나누어 살펴보기로 한다.

㉠ **진술녹음의 증거능력**

ⓐ 의의 : 진술녹음이란 사람의 진술이 녹음되어 있고 그 진술내용의 진실성이 증명의 대상으로 되는 것을 말한다. 진술녹음도 진술증거로서 전문법칙이 적용된다는 점에 견해가 일치되어 있다.

ⓑ 근거규정 : 개정법에 의하면 수사기관의 영상녹화물은 범죄사실을 인정하기 위한 증거로 사용할 수 없으며, 피고인의 진술을 탄핵하기 위한 증거로 사용할 수 없다. 따라서 녹음테이프의 증거능력문제는 수사기관 이외의 사람이 채록한 것만을 대상으로 한다고 보아야 할 것이므로, 진술서에 관한 규정(제313조)이 근거규정으로 되어야 할 것으로 본다. 피고인 아닌 자의 진술이 녹음된 경우 참고인진술서와 같이 성립의 진정이 증명될 것이 요구되므로, 원진술자의 진술에 의하여 그 녹음테이프에 녹음된 내용이 자신들이 한 내용대로 녹음된 것이라는 점이 인정되어야 증거능력이 있다고 볼 것이다.

㉡ **현장녹음의 증거능력**

ⓐ 의의 : 현장녹음이란 범죄현장에서 범행에 수반하여 발성된 말이나 기타 음향을 녹음한 것을 말한다. 현장녹음의 증거능력에 관하여 견해의 대립이 있다.

ⓑ 비진술증거설 : 녹음테이프는 비진술증거이므로 전문법칙이 적용되지 않으며, 범죄사실과의 관련성만 인정되면 증거능력이 인정된다고 한다.

ⓒ 진술증거설 : 녹음테이프도 진술증거이므로 전문법칙이 적용되며, 제312조 제6항의 검증조서에 준하여 증거능력이 인정된다는 견해이다.

ⓓ 검증조서유사설 : 현장녹음은 사람의 내심의 의사를 외부로 표현하는 진술을 녹취한 것이 아니므로 비진술증거이지만 조작 가능성 때문에 검증조서에 준하여 증거능력을 판단해야 한다는 견해이다.

ⓔ 결 : 현장녹음의 경우도 사실을 보고하는 성질을 가지고 있고 녹음과 편집과정에서 조작의 위험성이 있다는 점에서 진술증거설이 타당하다. 따라서 녹음자의 진술에 의해 성립의 진정이 증명되면(제312조 제6항) 증거능력이 인정된다고 하겠다.

㉢ **증거조사의 방법** : 녹음테이프는 형사소송법 제292조에 규정하고 있는 증거조사의 방법 등으로는 불가능하다. 따라서 녹음테이프를 녹음재생기에 걸어서 공판정에서 재현하거나 검증에 의하여 그 결과를 기재하는 방법으로 조사하지 않을 수 없다.

㉣ **비밀녹음의 증거능력**

ⓐ 수사기관에 의한 비밀녹음 : 수사기관이 법령에 의하지 않고 타인의 대화를 감청 내지 비밀녹음한 경우에는 녹음 자체가 위법하므로 증거능력이 부정된다.

관련판례

수사기관이 증거를 확보할 목적으로, 구속수감되어 있던 자에게 그의 압수된 휴대전화를 제공하여 피고인과 통화하고 범행에 관한 통화 내용을 녹음하게 한 행위는 수사기관 스스로가 주체가 되어 수감된 자만의 동의만 받고 상대방인 피고인의 동의가 없는 상태에서 그들의 통화내용을 녹음한 경우로서 불법감청에 해당하므로, 그 녹음 자체는 물론 이를 근거로 작성된 녹취록 첨부 수사보고는 피고인의 증거동의에 상관없이 그 증거능력이 없다(대판 2010.10.14, 2010도9016). 20.경찰승진 · 순경 1차

ⓑ 사인에 의한 비밀녹음 : 제3자가 타인 간의 대화를 비밀녹음한 경우는 그 녹음내용을 증거로 할 수 없다(통신비밀보호법 제14조). 문제는 대화 일방 당사자가 상대방의 동의 없이 녹음한 경우 증거로 할 수 있느냐이다. 판례에 의하면, 이 경우 통신비밀보호법 적용을 받지 않으므로 일정한 요건하에 증거로 사용하는 것이 가능하다는 입장이다.

관련판례

1. 수사기관이 아닌 사인이 피고인 아닌 사람과의 대화내용을 녹음한 녹음테이프는 피고인 아닌 자의 진술을 기재한 서류(제313조 제1항)와 다를 바 없으므로, 피고인이 그 녹음테이프를 증거로 할 수 있음에 동의하지 아니하는 이상 그 증거능력을 부여하기 위하여는 첫째, 녹음테이프가 원본이거나 원본으로부터 복사한 사본일 경우(녹음디스크에 복사할 경우에도 동일하다)에는 복사과정에서 편집되는 등의 인위적 개작 없이 원본의 내용 그대로 복사된 사본일 것, 둘째 형사소송법 제313조 제1항에 따라 공판준비나 공판기일에서 원진술자의 진술에 의하여 그 녹음테이프에 녹음된 진술내용이 자신이 진술한 대로 녹음된 것이라는 점이 인정되어야 할 것이다(대판 1999.3.9, 98도3169). 09. 9급 국가직, 14. 순경 1차, 16 · 17. 경찰간부, 23. 경찰승진

▶ **비교판례** : 녹음테이프에 대한 검증의 내용이 그 진술 당시 진술자의 상태 등을 확인하기 위한 것인 경우에는, 녹음테이프에 대한 검증조서의 기재 중 진술내용을 증거로 사용하는 경우에 관한 전문법칙의 법리는 적용되지 아니하고, 위 검증조서는 법원의 검증결과를 기재한 조서로서 형사소송법 제311조에 의하여 당연히 증거로 할 수 있다(대판 2008.7.10, 2007도10755). 23 · 24. 경찰승진

제313조 제1항 적용대상인 A가 진술당시 술에 취하여 횡설수설하였다는 것을 확인하기 위하여 제출된 A의 진술이 녹음된 녹음테이프는 전문증거에 해당한다. (×) 18. 변호사시험

2. 녹음테이프는 성질상 작성자나 진술자의 서명이나 날인이 없을 뿐만 아니라 녹음자의 의도나 특정한 기술에 의하여 내용이 편집 · 조작될 위험이 있으므로, 그 대화내용을 녹음한 원본이거나 혹은 원본으로부터 복사한 사본일 경우에는 복사과정에서 편집되는 등의 인위적 개작 없이 원본의 내용 그대로

복사된 사본임이 증명되어야만 하고, 16·19. 7급 국가직, 21. 경찰승진 그러한 증명이 없는 경우에는 쉽게 증거능력을 인정할 수 없으며, 녹음테이프에 수록된 대화내용이 이를 풀어쓴 녹취록의 기재와 일치한다거나 녹음테이프의 대화내용이 중단되었다고 볼 만한 사정이 없다는 점만으로는 위와 같은 증명이 있다고 할 수 없다(대판 2014.8.26, 2011도6035). 20. 순경 1차

3. 사인이 피고인의 진술을 녹음한 녹음테이프에 대하여 실시한 법원의 검증의 내용은 녹음테이프에 녹음된 대화의 내용이 검증조서에 첨부된 녹취서에 기재된 내용과 같다는 것에 불과하여 증거자료가 되는 것은 여전히 녹음테이프에 녹음된 대화의 내용이라 할 것인바, 그중 피고인의 진술내용은 피고인의 진술을 기재한 서류와 다를 바 없으므로, 피고인이 그 녹음테이프를 증거로 할 수 있음에 동의하지 않은 이상 그 녹음테이프 검증조서의 기재 중 피고인의 진술내용을 증거로 사용하기 위해서는 형사소송법 제313조 제1항 단서에 따라 공판준비 또는 공판기일에서 그 작성자인 고소인의 진술에 의하여 녹음테이프에 녹음된 피고인의 진술내용이 피고인이 진술한 대로 녹음된 것이라는 점이 증명되고 그 진술이 특히 신빙할 수 있는 상태하에서 행하여진 것으로 인정되어야 한다(대판 2012.9.13, 2012도7461). 24. 7급 국가직

   피고인의 진술을 피고인 아닌 자가 녹음한 경우 피고인이 해당 녹음테이프를 증거로 할 수 있음에 동의하지 않은 이상 녹음테이프에 녹음된 피고인의 진술내용을 증거로 사용하기 위해서는 형사소송법 제313조 제1항 단서에 따라 공판준비 또는 공판기일에서 진술자인 피고인의 진술에 의하여 녹음테이프에 녹음된 진술내용이 자신이 진술한 대로 녹음된 것임이 증명되고 나아가 그 진술이 특히 신빙할 수 있는 상태하에서 행하여진 것임이 인정되어야 한다. (×) 23. 순경 1차

   사인이 녹음한 녹음테이프의 검증조서 기재 중 피고인의 진술내용을 증거로 하기 위해서는 피고인이 내용을 인정하여야 한다. (×) 10. 경찰승진, 16. 9급 교정·보호·철도경찰

4. 디지털 녹음기에 녹음된 내용을 전자적 방법으로 테이프에 전사한 사본인 녹음테이프를 대상으로 법원이 검증절차를 진행하여, 녹음된 내용이 녹취록의 기재와 일치하고 그 음성이 진술자의 음성임을 확인하는데 그치고, 위 녹음 테이프가 인위적 개작없이 원본의 내용 그대로 복사된 것인지 여부에 대하여 별도로 확인하거나 달리 증거조사를 실시하지 아니하였으므로 녹음테이프의 증거능력을 인정할 수 없다(대판 2008.12.24, 2008도9414). 16. 9급 법원직·9급 교정·보호·철도경찰, 18·19. 경찰승진

5. 디지털 녹음기로 피고인과의 대화를 녹음한 후 저장된 녹음파일 원본을 컴퓨터에 복사하고 디지털 녹음기의 파일 원본을 삭제한 뒤 다음 대화를 다시 녹음하는 과정을 반복하여 작성한 녹음파일 사본과 해당 녹취록의 경우 복사 과정에서 편집되는 등의 인위적 개작 없이 원본 내용 그대로 복사된 것으로 대화자들이 진술한 대로 녹음된 것이 인정되고, 제반 상황에 비추어 그 진술이 특히 신빙할 수 있는 상태하에서 행하여진 것으로 인정된다면 그 녹음파일 사본과 녹취록의 증거능력은 인정된다(대판 2012.9.13, 2012도7461). 14. 순경 1차

6. 디지털 녹음기로 녹음한 내용이 콤팩트디스크에 다시 복사되어 그 콤팩트디스크에 녹음된 내용을 담은 녹취록이 증거로 제출된 사안에서, 위 콤팩트디스크가 현장에서 녹음하는 데 사용된 디지털 녹음기의 녹음내용 원본을 그대로 복사한 것이라는 입증이 없는 이상, 그 콤팩트디스크의 내용이나 이를 녹취한 녹취록의 기재는 증거능력이 없다(대판 2007.3.15, 2006도8869). 14. 순경 1차

7. 피고인과 A의 대화를 녹음한 녹취록에 관하여 피고인이 위 녹취록에 대하여 부동의한 사건에서, A가 위 대화를 자신이 녹음하였고 위 녹취록의 내용이 다 맞다고 1심 법정에서 진술하였을 뿐 그 이외에 위 녹취록에 그 작성자가 기재되어 있지 않을 뿐만 아니라 검사는 위 녹취록 작성의 토대가

된 위 대화내용을 녹음한 원본 녹음테이프 등을 증거로 제출하지도 아니하는 경우, 위 녹취록의 기재는 증거능력이 없다(대판 2012.2.9, 2011도17658). 16. 9급 검찰·마약수사

8. 제1심이 검증을 실시한 판시 녹음테이프는 피해자가 피고인과의 대화내용을 디지털 녹음기(보이스펜)에 녹음해 두었다가 그 녹음내용을 카세트테이프에 재녹음한 복제본이고, 위 복제된 녹음테이프나 이를 풀어 쓴 녹취록이 편집 혹은 조작되었다고 주장하면서 그 증거능력을 일관되게 부정하여 왔음을 알 수 있는바, 그렇다면 원본의 녹음내용을 옮겨 복제한 녹음테이프에 수록된 대화내용이 녹취록의 기재와 일치함을 확인한 것에 불과한 제1심의 검증 결과만으로는 녹음의 원본, 즉 디지털 녹음기에 수록된 피고인의 진술내용이 녹취록의 기재와 일치한다고 단정할 수는 없다 할 것이므로, 위 검증조서를 증거로 채택하기 위해서는 피해자가 소지중이라고 하는 위 녹음 원본이 수록된 디지털 녹음기를 제출받아 이를 검증한 다음 작성자인 피해자의 진술 혹은 녹음상태 감정 등의 증거조사를 거쳐 그 채택 여부를 결정하였어야 할 것임에도 이러한 증거조사절차를 거치지도 아니한 채 만연히 위 검증조서에 기재된 피고인의 진술부분을 유죄의 증거로 채택한 조치는 잘못이라 할 것이다(대판 2005.12.23, 2005도2945). 10. 경찰승진
9. 피고인과의 대화내용을 녹음한 보이스펜 자체의 청취 결과 피고인의 변호인이 피고인의 음성임을 인정하고 이를 증거로 함에 동의하였고, 보이스펜의 녹음내용을 재녹음한 녹음테이프, 녹음테이프의 음질을 개선한 후 재녹음한 시디 및 녹음테이프의 녹음내용을 풀어쓴 녹취록 등에 대하여는 증거로 함에 부동의하였으나, 극히 일부의 청취가 불가능한 부분을 제외하고는 보이스펜, 녹음테이프 등에 녹음된 대화내용과 녹취록의 기재가 일치하는 것으로 확인된 경우, 원본인 보이스펜이나 복제본인 녹음테이프 등에 대한 검증조서(녹취록)에 기재된 진술은 그 성립의 진정을 인정하는 작성자의 법정진술은 없었으나, 피고인의 변호인이 보이스펜을 증거로 함에 동의하였고, 보이스펜, 녹음테이프 등에 녹음된 대화내용과 녹취록의 기재가 일치함을 확인하였으므로, 결국 그 진정성립이 인정된다고 할 것이고, 나아가 녹음의 경위 및 대화내용에 비추어 그 진술이 특히 신빙할 수 있는 상태하에서 행하여진 것으로 인정되므로 이를 증거로 사용할 수 있다(대판 2008.3.13, 2007도10804). 20. 경찰간부

☎ 피고인과의 대화내용을 녹음한 보이스펜 자체에 대하여는 증거동의가 있었지만 그 녹음내용을 재녹음한 녹음테이프, 녹음테이프의 음질을 개선한 후 재녹음한 시디 및 녹음테이프의 녹음내용을 풀어 쓴 녹취록 등에 대하여는 증거로 함에 부동의 하였다면, 극히 일부의 청취가 불가능한 부분을 제외하고는 보이스펜, 녹음테이프 등에 녹음된 대화내용과 녹취록의 기재가 일치하는 것으로 확인되고 그 진술이 특히 신빙할 수 있는 상태하에서 행하여진 것으로 인정되더라도 이를 증거로 사용할 수 없다. (×) 14. 순경 1차

10. 피고인의 동료 교사가 학생들과의 사적인 대화 중에 피고인이 수업시간에 학생들에게 북한을 찬양·고무하는 발언을 하였다는 사실에 대한 학생들의 대화 내용을 학생들 모르게 녹음한 녹음테이프에 대하여 실시한 검증의 내용은 녹음테이프에 녹음된 대화의 내용이 검증조서에 첨부된 녹취서에 기재된 내용과 같다는 것에 불과하여 증거자료가 되는 것은 여전히 녹음테이프에 녹음된 대화의 내용이라고 할 것인바, 그중 위와 같은 내용의 학생들의 대화의 내용은 피고인 아닌 자의 진술을 기재한 서류와 다를 바 없으므로, 피고인이 그 녹음테이프를 증거로 할 수 있음에 동의하지 않은 이상 형사소송법 제313조 제1항에 따라 공판준비나 공판기일에서 원진술자인 학생들의 진술에 의하여 이 사건 녹음테이프에 녹음된 각자의 진술내용이 자신이 진술한 대로 녹음된 것이라는 점이 인정되어야 한다(대판 1997.3.28, 96도2417).

11. 피해자가 피고인으로부터 걸려온 전화내용을 비밀녹음한 경우 위법수집증거라고 할 수 없다(대판 1997.3.28, 97도240). 08. 순경, 09. 9급 국가직, 23. 경찰승진·해경승진
12. 전화통화 당사자의 일방이 상대방 모르게 통화내용을 녹음하는 것은 여기의 감청에 해당하지 아니하지만(따라서 전화통화 당사자의 일방이 상대방 몰래 통화내용을 녹음하더라도, 대화 당사자 일방이 상대방 모르게 그 대화내용을 녹음한 경우와 마찬가지로 법 제3조 제1항 위반이 되지 아니한다), 제3자의 경우는 설령 전화통화 당사자 일방의 동의를 받고 그 통화내용을 녹음하였다 하더라도 통신비밀보호법 제3조 제1항 위반이 된다고 해석하여야 할 것이다(대판 2002.10.8, 2002도123). 10·12·16. 경찰승진, 14. 순경 1차
13. 3인 간의 대화에 있어서 그중 한 사람이 그 대화를 녹음하는 경우에 다른 두 사람의 발언은 그 녹음자에 대한 관계에서 '타인 간의 대화'라고 할 수 없으므로, 이와 같은 녹음행위가 통신비밀보호법 제3조 제1항에 위배된다고 볼 수는 없다(대판 2006.10.12, 2006도4981).

PART 04

③ 사진의 증거능력

㉠ **의의** : 사진을 진술증거로 보아 전문법칙 적용을 받게 할 것인가, 비진술증거로 취급할 것인가가 문제되는데 성질과 용법에 따라서 검토해야 한다.

㉡ **구체적 검토**

ⓐ **사본으로서의 사진** : 사본으로서의 사진이란 본래의 증거물에 대한 대용물로 제출되는 경우(예 문서를 촬영한 사진, 범행에 사용된 흉기의 사진)를 말한다. 사본인 사진의 증거능력에 대해서 최량증거법칙에 따라 원본증거를 공판정에 제출할 수 없고, 원본의 정확한 사본임과 사건관련성이 증명되는 경우에 한하여 증거로 할 수 있다.

진술기재서면 원본의 서명·날인이 사진에 찍혀 있는 이상 사진 자체에 서명·날인이 없더라도 무방

관련판례

1. 피고인에 대한 검사 작성 피의자신문조서의 그 내용 중 일부를 가린 채 복사를 한 다음 원본과 상위없다는 인증을 하여 초본의 형식으로 제출된 경우에, 위와 같은 피의자신문조서 초본은 피의자신문조서 원본 중 가려진 부분의 내용이 가려지지 않은 부분과 분리 가능하고 당해 공소사실과 관련성이 없는 경우(관련성이 있는 경우 ×)에만, 그 피의자신문조서의 원본이 존재하거나 존재하였을 것, 피의자신문조서의 원본 제출이 불능 또는 곤란한 사정이 있을 것, 원본을 정확하게 전사하였을 것 등 3가지 요건을 전제로 피고인에 대한 검사 작성의 피의자신문조서 원본과 동일하게 취급할 수 있다(대판 2002.10.22, 2000도5461). 05. 순경
2. 문서의 원물을 법정에 제출함이 곤란한 경우에는 그 문서의 원물의 존재와 이를 촬영한 사진인 것임이 확인되는 이상 그 사진을 증거물로 하여 조사하고 이를 증거로 할 수 있다(대판 1961.3.31, 4293형상440).

ⓑ **진술의 일부인 사진** : 사진이 진술증거의 일부로 사용되는 경우(예 검증조서나 감정서에 사진을 첨부하는 경우)를 말하며, 이 경우에 사진은 진술증거의 일부를 이루는 보조수단에 불과하므로 사진의 증거능력도 진술증거인 검증조서 · 감정서와 일체적으로 판단해야 한다(통설). 판례는 사법경찰관 작성의 검증조서 중 피고인의 범행재연의 사진에 관한 부분에 대하여 성립의 진정성립과 내용인정의 요건이 갖춰진 때 증거능력이 인정된다는 태도를 취하고 있다(대판 1998.3.13, 98도159).

ⓒ **현장사진** : 범행상황과 그 전후 상황을 촬영한 사진(예 은행 폐쇄회로에 찍힌 사진)으로서 독립증거로 이용되는 증거를 말한다. 현장사진의 증거능력에 관하여 견해의 대립이 있는데 판례는 비진술증거설의 입장으로 보인다.

비진술증거로 보게 되면 전문법칙 적용 ×

관련판례

1. 무인장비에 의한 제한속도 위반차량 단속은 이러한 수사활동의 일환으로서 도로에서의 위험을 방지하고 교통의 안전과 원활한 소통을 확보하기 위하여 도로교통법령에 따라 정해진 제한속도를 위반하여 차량을 주행하는 범죄가 현재 행하여지고 있고, 그 범죄의 성질 · 태양으로 보아 긴급하게 증거보전을 할 필요가 있는 상태에서 일반적으로 허용되는 한도를 넘지 않는 상당한 방법에 의한 것이라고 판단되므로, 이를 통하여 운전차량의 차량번호 등을 촬영한 사진을 두고 위법하게 수집된 증거로서 증거능력이 없다고 말할 수 없다(대판 1999.12.7, 98도3329).
2. 피고인의 동의하에 촬영된 나체사진의 존재만으로 피고인의 인격권과 초상권을 침해하는 것으로 볼 수 없고, 가사 사진을 촬영한 제3자가 그 사진을 이용하여 피고인을 공갈할 의도였다고 하더라도 사진의 촬영이 임의성이 배제된 상태에서 이루어진 것이라고 할 수는 없으며, 그 사진은 범죄현장의 사진으로서 피고인에 대한 형사소추를 위하여 반드시 필요한 증거로 보이므로, 공익의 실현을 위하여는 그 사진을 범죄의 증거로 제출하는 것이 허용되어야 하고, 이로 말미암아 피고인의 사생활의 비밀을 침해하는 결과를 초래한다 하더라도 이는 피고인이 수인하여야 할 기본권의 제한에 해당된다. 그리고 피고인이 이 사건 사진의 촬영일자 부분에 대하여 조작된 것이라고 다툰다 하더라도 이 부분은 전문증거에 해당되어 별도로 증거능력이 있는지를 살펴보면 족하다(대판 1997.9.30, 97도1230).
3. 일반음식점영업자인 피고인이 음향시설을 갖추고 손님이 춤을 추는 것을 허용하여 영업자가 지켜야 할 사항을 지키지 않았다는 이유로 식품위생법 위반으로 기소된 사안에서, 경찰관들이 범죄혐의가 포착된 상태에서 그에 관한 증거를 보전하기 위하여, 불특정, 다수가 출입할 수 있는 이 사건 음식점에 통상적인 방법으로 출입하여 음식점 내에 있는 사람이라면 누구나 볼 수 있었던 손님들의 춤추는 모습을 확인하고 이를 촬영한 것은 영장 없이 이루어졌다 하여 위법하다고 볼 수 없다(대판 2023.7.13, 2019도7891). 24. 소방간부

㉢ **증거조사의 방법** : 증거물의 사본인 사진과 현장사진은 이를 제시하여 보여주는 방법으로 증거조사를 하여야 한다. 서증의 사본인 사진에 관해서는 제시와 낭독이 필요하다(제292조,

제292조의 2). 이에 반하여 진술의 일부인 사진은 소송관계인에게 보여줄 것을 요한다고 해야 한다(동조 제5항). 왜냐하면 낭독이나 고지로 증거조사를 할 수 없기 때문이다.

④ **비디오테이프의 증거능력** : 개정법에 의하면 수사기관의 영상녹화물은 범죄사실을 인정하기 위한 증거로 사용할 수 없으며, 피고인의 진술을 탄핵하기 위한 탄핵증거로도 사용할 수 없다. 따라서 비디오테이프의 증거능력문제는 수사기관 이외의 사람이 녹화한 것을 대상으로 검토할 필요가 있다.
수사기관이 아닌 사인이 피고인이나 피고인이 아닌 타인과의 대화내용을 녹화한 비디오테이프는 진술서에 준하여 제313조에 따라 증거능력을 판단하면 될 것이다. 05. 순경

관련판례

1. 수사기관이 아닌 사인(私人)이 피고인 아닌 사람과의 대화내용을 촬영한 비디오테이프는 형사소송법 제311조, 제312조의 규정 이외에 피고인 아닌 자의 진술을 기재한 서류와 다를 바 없으므로, 피고인이 그 비디오테이프를 증거로 함에 동의하지 아니하는 이상 그 진술 부분에 대하여 증거능력을 부여하기 위하여는, 첫째 비디오테이프가 원본이거나 원본으로부터 복사한 사본일 경우에는 복사과정에서 편집되는 등 인위적 개작 없이 원본의 내용 그대로 복사된 사본일 것, 둘째 형사소송법 제313조 제1항에 따라 공판준비나 공판기일에서 원진술자의 진술에 의하여 그 비디오테이프에 녹음된 각자의 진술내용이 자신이 진술한 대로 녹음된 것이라는 점이 인정되어야 할 것인바, 비디오테이프는 촬영대상의 상황과 피촬영자의 동태 및 대화가 녹화된 것으로서, 녹음테이프와는 달리 피촬영자의 동태를 그대로 재현할 수 있기 때문에 비디오테이프의 내용에 인위적인 조작이 가해지지 않은 것이 전제된다면, 비디오테이프에 촬영·녹음된 내용을 재생기에 의해 시청을 마친 원진술자가 비디오테이프의 피촬영자의 모습과 음성을 확인하고 자신과 동일인이라고 진술한 것은 비디오테이프에 녹음된 진술내용이 자신이 진술한 대로 녹음된 것이라는 취지의 진술을 한 것으로 보아야 한다(대판 2004.9.13, 2004도3161). 05. 순경, 12. 9급 국가직, 18. 순경 2차
2. 누구든지 자기의 얼굴 기타 모습을 함부로 촬영당하지 않을 자유를 가지나 이러한 자유도 국가권력의 행사로부터 무제한으로 보호되는 것은 아니고 국가의 안전보장·질서유지·공공복리를 위하여 필요한 경우에는 상당한 제한이 따르는 것이고, 수사기관이 범죄를 수사함에 있어 현재 범행이 행하여지고 있거나 행하여진 직후이고, 증거보전의 필요성 및 긴급성이 있으며, 일반적으로 허용되는 상당한 방법에 의하여 촬영을 한 경우라면 위 촬영이 영장 없이 이루어졌다 하여 이를 위법하다고 단정할 수 없다(대판 1999.9.3, 99도2317).

⑤ **거짓말탐지기 검사결과의 증거능력**

㉠ **의의** : 거짓말탐지기의 검사결과란 피의자 등의 피검자에 대하여 피의사실과 관계있는 질문을 하여 진술하게 하고 그때 피검자의 호흡·혈압·맥박 등에 나타난 생리적 반응을 거짓말탐지기의 검사지에 기록한 후, 이를 관찰·분석하여 피검자의 피의사실에 대한 진술의 허위나 피의사실에 관한 인식의 유무를 판단하는 것을 말한다.

㉡ **검사결과의 증거능력** : 피검자의 동의를 받지 아니한 거짓말탐지기의 사용은 인격권의 침해이자 진술거부권의 침해이므로 검사결과의 증거능력은 인정될 수 없다.
문제는 피검자의 동의를 얻어서 실시한 거짓말탐지기 검사결과의 증거능력을 인정할 것인가에 대하여 견해가 대립되고 있다.

관련판례

1. 검사결과에 대하여 사실적 관련성을 가진 증거로서 증거능력을 인정할 수 있으려면 ① 거짓말을 하면 반드시 일정한 심리상태의 변동이 일어나고, ② 그 심리상태의 변동은 반드시 일정한 생리적 반응을 일으키며, ③ 그 생리적 반응에 의하여 피검사자의 말이 거짓인지 아닌지가 정확히 판정될 수 있다는 세 가지 전제요건이 충족되어야 할 것이다. 특히 마지막의 생리적 반응에 대한 거짓 여부 판정은 거짓말탐지기가 검사에 동의한 피검사자의 생리적 반응을 정확히 측정할 수 있는 장치이어야 하고 질문조항의 작성과 검사의 기술 및 방법이 합리적이어야 하며, 검사자가 탐지기의 측정내용을 객관성 있고 정확하게 판독할 능력을 갖춘 경우라야만 그 정확성을 확보할 수 있는 것이다라고 판시하였으며, 이러한 이유에서 검사결과의 증거능력을 부정하는 것은 대법원의 일관된 판례의 태도라고 할 수 있다(대판 1983.9.13, 83도712). 한편 대법원은 거짓말탐지기의 검사결과가 위에서 들고 있는 요건을 갖추었을 경우에만 감정서(제313조 제2항)에 준하여 증거로 할 수 있으며, 증거능력이 인정되는 경우라 할지라도 그 검사, 즉 감정의 결과는 검사를 받는 사람의 신빙성을 가늠하는 정황증거로서의 기능을 다하는 데 그친다고 하여 그 사용에 신중을 기하고 있다(대판 1987.7.21, 87도968). 07. 경찰승진, 09. 순경
2. 거짓말탐지기 검사 결과, 甲의 진술에 대하여는 거짓으로 진단할 수 있는 특이한 반응이 나타나지 않은 반면, 乙의 진술에 대하여는 거짓으로 진단할 수 있는 현저한 반응이 나타났다. 그러나 거짓말탐지기 검사 결과가 항상 진실에 부합한다고 단정할 수 없을 뿐 아니라, 검사를 받는 사람의 진술의 신빙성을 가늠하는 정황증거로서 기능을 하는 데 그치므로, 그와 같은 검사결과만으로 범행 당시의 상황이나 범행 이후 정황에 부합하는 乙진술의 신빙성을 부정할 수 없다(대판 2017.1.25, 2016도15526). 23. 7급 국가직, 24. 경찰승진

㉢ **검사결과를 토대로 하여 얻은 자백의 증거능력** : 거짓말탐지기를 사용하여 얻은 피의자의 자백이 증거능력이 있는가에 대하여 판례는 거짓말탐지기 검사시 피해자의 옷을 보고 가슴이 떨린다고 한 것이 확인되면 자백을 하기로 약속한 후 그 사실이 확인되자 자백을 한 경우 임의성 없는 자백으로 볼 수는 없다고 하여 증거능력을 긍정하는 입장을 보이고 있다(대판 1983.9.13, 83도712).

증거능력의 인정요건 정리

<table>
<tr><th colspan="3">구 분</th><th>증거능력의 인정요건</th></tr>
<tr><td colspan="3">법원·법관의 면전 작성조서</td><td>무조건 증거능력 인정</td></tr>
<tr><td colspan="3">제315조
(직무상 증명문서, 업무상 통상문서…)</td><td>당연히 증거능력 인정</td></tr>
<tr><td rowspan="2">피의자 신문조서</td><td colspan="2">검사 작성</td><td>적법한 절차와 방식(형식적 진정성립) + 내용인정
▶ 제314조 적용 ×</td></tr>
<tr><td colspan="2">사법경찰관 작성</td><td>적법한 절차와 방식(형식적 진정성립) + 내용인정
▶ 제314조 적용 ×</td></tr>
<tr><td colspan="3">참고인진술조서
(검사·사법경찰관 작성)</td><td>적법한 절차와 방식(형식적 진정성립) + 실질적 진정성립 증명(원진술자가 부인하는 경우 객관적 방법 등에 의한 증명) + 반대신문기회부여 + 특신상태 증명
▶ 제314조 적용</td></tr>
<tr><td rowspan="5">진술서</td><td colspan="2">수사과정 작성</td><td>수사기관이 작성한 조서와 동일하게 취급
▶ 제314조 적용(피고인·피의자 진술서는 제외함이 타당)</td></tr>
<tr><td rowspan="4">그 밖의 과정</td><td>참고인 작성 진술서</td><td>작성자(진술자)의 자필이거나, 서명 또는 날인 + 작성자에 의한 성립의 진정 증명
▶ 작성자가 성립진정 부인 ⇨ 객관적 방법으로 증명+반대신문 기회보장</td></tr>
<tr><td>피고인 작성 진술서</td><td>작성자(진술자)의 자필이거나, 서명 또는 날인 + 작성자 성립의 진정 증명 + 특신정황(대판 2001.9.4, 2000도1743)
▶ 작성자가 성립진정 부인 ⇨ 객관적 방법으로 증명 가능</td></tr>
<tr><td>참고인 진술기재서</td><td>진술자의 서명 또는 날인 + 진술자에 의한 성립의 진정함을 증명</td></tr>
<tr><td>피고인 진술기재서</td><td>작성자의 성립의 진정 증명 + 특신정황</td></tr>
<tr><td colspan="3">감정서</td><td>제313조 제1항 및 제2항과 동일
▶ 제314조 적용</td></tr>
<tr><td colspan="3">검증조서
(검사·사법경찰관 작성)</td><td>적법한 절차와 방식 + 실질적 진정성립 증명
▶ 제314조 적용</td></tr>
<tr><td rowspan="2">전문진술</td><td colspan="2">제316조 제1항</td><td>특신상태 증명</td></tr>
<tr><td colspan="2">제316조 제2항</td><td>필요성 + 특신상태 증명</td></tr>
</table>

CHAPTER

02 기출문제

01 **다음 중 전문증거에 대한 설명으로 가장 옳지 않은 것은?**(다툼이 있는 경우 판례에 의함)

24. 해경승진

① 감금된 피해자 A가 甲으로부터 풀려나는 당일 남동생 B에게 도움을 요청하면서 甲이 협박한 말을 포함하여 공갈 등 甲으로부터 피해를 입은 내용을 문자로 보낸 경우, 이 문자메시지의 내용을 촬영한 사진은 A의 진술서로 볼 수 없다.

② 甲이 수표를 발행하였으나 예금부족으로 지급되지 아니하게 하였다는 부정수표단속법 위반의 공소사실을 증명하기 위하여 제출되는 수표는 증거물인 서면에 해당한다.

③ A가 B에게 행한 진술이 기재된 서류가 A가 그러한 내용의 진술을 하였다는 사실 자체에 대한 정황증거로 사용될 것이라는 이유로 서류의 증거능력을 인정한 다음 그 사실을 다시 A의 B에 대한 진술내용이나 그 진실성을 증명하는 간접사실로 사용하는 경우, 그 서류는 전문증거에 해당한다.

④ A가 피해자들을 흉기로 살해하면서 "이것은 신의 명령을 집행하는 것이다."라고 말하였는데 이 말을 들은 B가 법정에서 A의 정신상태를 증명하기 위해 그 내용을 증언하는 경우 이 진술은 전문증거에 해당하지 않는다.

해설 ① 피해자가 피고인으로부터 당한 공갈 등 피해 내용을 담아 남동생에게 보낸 문자메시지를 촬영한 사진은 형사소송법 제313조에 규정된 '피해자의 진술서'에 준하는 것이다(대판 2010.11.25, 2010도8735).
② 대판 2015.4.23, 2015도2275 ③ 대판 2019.8.29, 2018도14303 전원합의체
④ 진술의 진실성과 관계없는 정신적 상황 등을 증명하기 위한 정황증거로 사용되는 경우이므로 전문법칙 적용이 없다.

02 **사법경찰관이 작성한 조서의 증거능력에 관한 설명으로 가장 적절한 것은?**(다툼이 있는 경우 판례에 의함)

21. 순경 2차

① 검사 이외의 수사기관이 작성한 피의자신문조서의 증거능력에 관한 형사소송법 제312조 제3항은 당해 사건에서 작성한 피의자 신문조서뿐만 아니라 별개 사건에서 작성한 피의자신문조서에 대해서도 적용되므로, 피의자였던 피고인이 별개 사건에서 작성된 피의자신문조서의 내용을 부인하는 이상 그 조서는 당해 사건에 대한 유죄의 증거로 할 수 없다.

② 형사소송법 제312조 제3항은 검사 이외의 수사기관이 작성한 당해 피고인 甲에 대한 피의자신문조서를 유죄의 증거로 하는 경우에만 적용되고 甲과 공범관계에 있는 다른 피의자 乙에 대한 피의자신문조서에는 적용되지 않으므로, 乙에 대한 사법경찰관 작성의 피의자신문조서는 甲이 공판기일에서 그 조서의 내용을 부인하더라도 乙의 법정진술에 의하여 그 성립의 진정이 인정되면 증거로 할 수 있다.

Answer 01. ① 02. ①

③ 사법경찰관이 피의자 아닌 자의 진술을 기재한 조서를 작성함에 있어서 진술자의 성명을 가명으로 기재하였다면 그 이유만으로도 그 조서는 적법한 절차와 방식에 따라 작성되었다고 할 수 없고, 공판기일에 원진술자가 출석하여 자신의 진술을 기재한 조서임을 확인함과 아울러 그 조서의 실질적 진정성립을 인정하고 나아가 그에 대한 반대신문이 이루어졌다고 하더라도 그 증거능력이 인정되지 않는다.

④ 사법경찰관이 피의자를 조사하는 경우와는 달리 피의자가 아닌 자를 조사하는 경우에는 조사과정의 진행경과를 확인하기 위하여 필요한 사항을 조서에 기록하거나 별도의 서면에 기록한 후 수사기록에 편철할 것을 요하지 않으므로, 사법경찰관이 그 조사과정을 기록하지 아니하였더라도 다른 특별한 사정이 없는 한 피의자 아닌 자가 조사과정에서 작성한 진술서는 증거로 할 수 있다.

해설 ① 대판 1995.3.24, 94도2287

② 형사소송법 제312조 제3항은 검사 이외의 수사기관이 작성한 당해 피고인 甲에 대한 피의자신문조서를 유죄의 증거로 하는 경우뿐만 아니라, 甲과 공범관계에 있는 다른 피의자 乙에 대한 피의자신문조서에도 적용된다. 따라서 乙에 대한 사법경찰관 작성의 피의자신문조서는 당해 피고인 甲이 공판기일에서 그 조서의 내용을 부인하면 이를 유죄의 증거로 사용할 수 없다(대판 2009.7.9, 2009도2865).

③ 형사소송법은 조서에 진술자의 실명 등 인적 사항을 확인하여 이를 그대로 밝혀 기재할 것을 요구하는 규정을 따로 두고 있지는 아니하다. 따라서 특정범죄신고자 등 보호법 등에서처럼 명시적으로 진술자의 인적 사항의 전부 또는 일부의 기재를 생략할 수 있도록 한 경우가 아니라 하더라도, 진술자와 피고인의 관계, 범죄의 종류, 진술자 보호의 필요성 등 여러 사정으로 볼 때 상당한 이유가 있는 경우에는 수사기관이 진술자의 성명을 가명으로 기재하여 조서를 작성하였다고 해서 그 이유만으로 그 조서가 '적법한 절차와 방식'에 따라 작성되지 않았다고 할 것은 아니다. 그러한 조서라도 공판기일 등에 원진술자가 출석하여 자신의 진술을 기재한 조서임을 확인함과 아울러 그 조서의 실질적 진정성립을 인정하고 나아가 그에 대한 반대신문이 이루어지는 등 형사소송법 제312조 제4항에서 규정한 조서의 증거능력 인정에 관한 다른 요건이 모두 갖추어진 이상 그 증거능력을 부정할 것은 아니라고 할 것이다(대판 2012.5.24, 2011도7757).

④ 피고인이 아닌 자가 수사과정에서 진술서를 작성하였지만 수사기관이 그에 대한 조사과정을 기록하지 아니하여 형사소송법 제244조의 4 제3항, 제1항에서 정한 절차를 위반한 경우에는, 특별한 사정이 없는 한 '적법한 절차와 방식'에 따라 수사과정에서 진술서가 작성되었다 할 수 없으므로 증거능력을 인정할 수 없다(대판 2015.4.23, 2013도3790).

03 전문법칙에 대한 설명으로 가장 적절한 것은?(다툼이 있는 경우 판례에 의함) 23. 경찰승진

① 성매매업소에 고용된 여성들이 성매매를 업으로 하면서 영업에 참고하기 위하여 성매매 상대방의 아이디와 전화번호 및 성매매 방법 등을 메모지에 적어두었다가 이를 메모리카드에 입력한 경우, 그 메모리카드의 내용은 형사소송법 제315조 제2호의 '업무상 필요로 작성한 통상문서'로서 당연히 그 증거능력이 인정된다.

② 검사가 피고인이 된 피의자의 진술을 기재한 조서는 적법한 절차와 방식에 따라 작성된 것으로서 피고인이 진술한 내용과 동일하게 기재되어 있음이 공판준비 또는 공판기일에서의 피고인의 진술에 의하여 인정되고, 그 조서에 기재된 진술이 특히 신빙할 수 있는 상태에서 행하여졌음이 증명된 때에 한하여 증거로 할 수 있다.

Answer 03. ①

③ 당해 피고인과 공범관계가 있는 다른 피의자에 대한 사법경찰관작성의 피의자신문조서는 그 피의자의 법정진술에 의하여 그 성립의 진정이 인정된다면 당해 피고인이 공판기일에서 그 조서의 내용을 부인하더라도 증거능력이 인정된다.

④ 어떤 진술이 기재된 서류가 그 진술의 진실성과 관계없는 간접사실에 대한 정황증거로 사용되더라도 그 진술이 결국 요증사실을 간접적으로나마 뒷받침하므로 예외 없이 전문법칙이 적용된다.

해설 ① 대판 2007.7.26, 2007도3219

② 검사가 피고인이 된 피의자의 진술을 기재한 조서(피의자신문조서)는 적법한 절차와 방식에 따라 작성된 것으로서 공판준비 또는 공판기일에 그 피의자였던 피고인 또는 변호인이 그 내용을 인정한 때에 한하여 증거로 할 수 있다(제312조 제1항).

③ 당해 피고인과 공범관계가 있는 다른 피의자에 대한 사법경찰관작성의 피의자신문조서는 그 피의자의 법정진술에 의하여 그 성립의 진정이 인정되더라도 당해 피고인이 공판기일에서 그 조서의 내용을 부인하면 이를 유죄 인정의 증거로 사용할 수 없다(대판 2009.7.9, 2009도2865).

④ 어떤 진술이 범죄사실에 대한 직접증거로 사용함에 있어서는 전문증거가 된다고 하더라도 그와 같은 진술을 하였다는 것 자체 또는 그 진술의 진실성과 관계없는 간접사실에 대한 정황증거로 사용함에 있어서는 반드시 전문증거가 되는 것은 아니다(대판 2000.2.25, 99도1252).

04 **형사소송법 제314조의 증거능력 인정요건에 관한 설명 중 가장 적절하지 않은 것은?**(다툼이 있는 경우 판례에 의함) 23. 순경 1차 · 전의경경채

① 형사소송법 제314조의 특신상태의 증명은 참고인의 진술 또는 조서의 작성이 특히 신빙할 수 있는 상태하에서 행하여졌음에 대한 개연성 있는 정도의 증명으로 족하고, 법관으로 하여금 반드시 합리적인 의심의 여지를 배제할 정도에 이르러야 하는 것은 아니다.

② 형사소송법 제314조의 '특신상태'와 관련된 법리는 마찬가지로 원진술자의 소재불명 등을 전제로 하고 있는 형사소송법 제316조 제2항의 '특신상태'에 관한 해석에도 그대로 적용된다.

③ 형사소송법 제314조에서 말하는 '원진술자가 진술을 할 수 없는 때'에는 사망, 질병 등 명시적으로 열거된 사유 외에도, 원진술자가 공판정에서 진술을 한 경우라도 증인신문 당시 일정한 사항에 관하여 기억이 나지 않는다는 취지로 진술하여 그 진술의 일부가 재현 불가능하게 된 경우도 포함한다.

④ 수사기관에서 진술한 참고인이 법정에서 증언을 거부하여 피고인이 반대신문을 하지 못한 경우에는 정당하게 증언거부권을 행사한 것이 아니라도, 피고인이 증인의 증언거부 상황을 초래하였다는 등의 특별한 사정이 없는 한 형사소송법 제314조의 '그 밖에 이에 준하는 사유로 인하여 진술할 수 없는 때'에 해당하지 않는다고 보아야 한다.

해설 ① 법관으로 하여금 반드시 합리적인 의심의 여지를 배제할 정도에 이르러야 한다(대판 2014.2.21, 2013도12652).

② 대판 2014.4.30, 2012도725 ③ 대판 1999.11.26, 99도3786 ④ 대판 2019.11.21, 2018도13945

Answer 04. ①

05 **다음 중 형사소송법 제315조에 의해서 당연히 증거능력이 인정되는 것은 모두 몇 개인가?**(다툼이 있는 경우 판례에 의함) 24. 해경간부

> ㉠ 항해일지
> ㉡ 군의관이 작성한 진단서
> ㉢ 외국수사기관이 작성한 수사보고서
> ㉣ 국립과학수사연구소장 작성의 감정의뢰 회보서
> ㉤ 가족관계기록사항에 관한 증명서
> ㉥ 다른 피고인에 대한 형사사건의 공판조서 중 일부인 증인신문조서
> ㉦ 주민들의 진정서사본
> ㉧ 육군과학수사연구소 실험분석관 작성의 감정서
> ㉨ 건강보험심사평가원의 입원진료 적정성 여부 등 검토의뢰에 대한 회신
> ㉩ 대한민국 주중국 대사관 영사가 작성한 사실확인서 중 공인부분을 제외한 나머지 부분

① 4개 ② 5개 ③ 6개 ④ 7개

해설 ㉠㉡㉣㉤㉥이 당연히 증거능력이 인정된다.

06 **전문진술에 관한 설명으로 가장 적절하지 않은 것은?**(다툼이 있는 경우 판례에 의함) 24. 경찰승진

① 공소제기 전에 피고인 아닌 타인을 조사한 자의 증언은 원진술자가 법정에 출석하여 수사기관에서 한 진술을 부인하는 취지로 증언하였다면 형사소송법 제316조 제2항에 따라 증거능력이 인정되지 않는다.
② 전문의 진술을 증거로 함에 있어서는 전문진술자가 원진술자로부터 진술을 들을 당시 원진술자가 증언능력에 준하는 능력을 갖춘 상태에 있어야 할 것인데, 그 능력의 유무는 단지 공술자의 연령에 의하므로 만 3세 3개월 내지 만 3세 7개월 가량된 유아의 증언능력은 부인된다.
③ 형사소송법 제316조 제2항에서 말하는 '원진술자가 진술을 할 수 없는 때'에는 사망, 질병 등 명시적으로 열거된 사유 외에도 원진술자가 공판정에서 진술을 한 경우라도 증인신문 당시 일정한 사항에 관하여 기억이 나지 않는다는 취지로 진술하여 그 진술의 일부가 재현 불가능하게 된 경우도 포함한다.
④ 형사소송법 제316조 제2항에서 말하는 '그 진술이 특히 신빙할 수 있는 상태하에서 행하여진 때'라 함은 그 진술을 하였다는 것에 허위개입의 여지가 거의 없고, 그 진술내용의 신빙성이나 임의성을 담보할 구체적이고 외부적인 정황이 있는 경우를 가리킨다.

해설 ① 대판 2008.9.25, 2008도6985
② 전문의 진술을 증거로 함에 있어서는 전문진술자가 원진술자로부터 진술을 들을 당시 원진술자가 증언능력에 준하는 능력을 갖춘 상태에 있어야 할 것인데, 사고 당시 만 3세 3개월 내지 만 3세 7개월 가량이던 피해자인 여아의 증언능력 및 그 진술의 신빙성이 인정된다(대판 2006.4.14, 2005도9561).
③ 대판 2006.4.14, 2005도9561 ④ 대판 2000.3.10, 2000도159

Answer 05. ② 06. ②

07 **영상녹화물, 녹음테이프 또는 사진의 증거능력에 대한 설명으로 가장 적절하지 않은 것은?**(다툼이 있는 경우 판례에 의함) **23. 경찰승진**

① 사인(私人)이 피고인 아닌 사람과의 대화내용을 녹음한 녹음테이프에 대해 법원이 그 진술 당시 진술자의 상태 등을 확인하기 위하여 작성한 검증조서는 법원의 검증 결과를 기재한 조서로서 형사소송법 제311조에 의하여 증거로 할 수 있다.

② 사인(私人)이 피고인 아닌 사람과의 대화내용을 녹음한 녹음테이프는 피고인의 증거동의가 없는 이상 그 증거능력을 부여하기 위해서는, 첫째 녹음테이프가 원본이거나 인위적 개작없이 원본 내용 그대로 복사된 사본일 것, 둘째 형사소송법 제313조 제1항에 따라 공판준비나 공판기일에서 원진술자의 진술에 의하여 녹음테이프에 녹음된 각자의 진술내용이 자신이 진술한 대로 녹음된 것이라는 점이 인정되어야 한다.

③ 검증조서에 첨부된 사진은 검증조서와 일체를 이루는 것이므로, 사법경찰관 작성의 검증조서 중 피고인 진술 기재부분 및 범행재연의 사진부분에 대하여 원진술자이며 행위자인 피고인이 그 진술 및 범행재연의 진정함을 인정하지 않는다고 하더라도 검증조서 전체의 증거능력이 인정된다.

④ 피고인 또는 피고인이 아닌 자의 진술을 내용으로 하는 영상녹화물은 공판준비 또는 공판기일에서 피고인 또는 피고인이 아닌 자가 진술함에 있어서 기억이 명백하지 아니한 사항에 관하여 기억을 환기시켜야 할 필요가 있다고 인정되는 때에 한하여 피고인 또는 피고인이 아닌 자에게 재생하여 시청하게 할 수 있다.

해설 ① 대판 2008.7.10, 2007도10755

② 대판 1999.3.9, 98도3169

③ 사법경찰관 작성의 검증조서에 대하여 피고인이 증거로 함에 동의만 하였을 뿐 공판정에서 검증조서에 기재된 진술내용 및 범행을 재연한 부분에 대하여 그 성립의 진정 및 내용을 인정한 흔적을 찾아 볼 수 없고 오히려 이를 부인하고 있는 경우에는 그 증거능력을 인정할 수 없다(대판 1998.3.13, 98도159).

④ 제318조의 2 제2항

08 **증거능력에 관한 다음 설명 중 가장 옳지 않은 것은?** **24. 9급 법원직**

① 체포·구속인접견부는 유치된 피의자가 죄증을 인멸하거나 도주를 기도하는 등 유치장의 안전과 질서를 위태롭게 하는 것을 방지하기 위한 목적으로 작성되는 서류로 보일 뿐이어서 형사소송법 제315조에 규정된 당연히 증거능력이 있는 서류로 볼 수는 없다.

② 구속적부심문조서는 형사소송법 제311조의 법원 또는 법관의 조서에 해당되는 문서로 당연히 그 증거능력이 인정된다.

③ 보험사기 사건에서 건강보험심사평가원이 수사기관의 의뢰에 따라 그 보내온 자료를 토대로 입원진료의 적정성에 대한 의견을 제시하는 내용의 '건강보험심사평가원의 입원진료 적정성 여부 등 검토의뢰에 대한 회신'은 형사소송법 제315조 제3호의 '기타 특히 신용할 만한 정황에 의하여 작성된 문서'에 해당하지 않는다.

Answer 07. ③ 08. ②

④ 대한민국 주중국 대사관 영사가 작성한 사실확인서 중 공인부분을 제외한 나머지 부분이 비록 영사의 공무수행 과정 중 작성되었지만 공적인 증명보다는 상급자 등에 대한 보고를 목적으로 하는 것인 경우, 형사소송법 제315조 제1호의 '공무원의 직무상 증명할 수 있는 사항에 관하여 작성한 문서' 또는 제3호의 '기타 특히 신뢰할 만한 정황에 의하여 작성된 문서'라고 볼 수 없으므로 증거능력이 없다.

해설 ① 대판 2011.10.25, 2011도5459
② 구속적부심문조서는 형사소송법 제311조가 규정한 문서에는 해당하지 않는다 할 것이나, 형사소송법 제315조 제3호에 의하여 당연히 그 증거능력이 인정된다(대판 2004.1.16, 2003도5693).
③ 대판 2017.12.5, 2017도12671
④ 대판 2007.12.13, 2007도7257

09 **피의자신문조서에 관한 설명으로 옳지 않은 것은?**(다툼이 있는 경우 판례에 의함) 24. 경위공채

① 피고인과 공범 관계에 있는 공동피고인에 대해 사법경찰관이 작성한 피의자신문조서는 그 공동피고인이 피의자신문조서에 기재된 것과 같은 내용으로 진술하였다는 취지로 증언하였더라도 당해 피고인이 공판기일에서 그 조서의 내용을 부인하면 증거능력이 부정된다.
② 피고인과 공범 관계에 있는 다른 피의자에 대한 사법경찰관 작성의 피의자신문조서에 대해 사망 등 사유로 인하여 법정에서 진술할 수 없는 때에 예외적으로 증거능력을 인정하는 규정인 형사소송법 제314조가 적용되지 않는다.
③ 행위자가 아닌 법인이 양벌규정에 따라 기소된 경우, 사법경찰관이 행위자에 대하여 작성한 피의자신문조서는 행위자가 그 내용을 인정하면 당해 피고인인 법인이 그 내용을 부인하더라도 증거능력이 있다.
④ 사법경찰관 작성 피의자신문조서는 피고인이 그 내용을 부인하는 이상 증거능력이 없으나, 그것이 임의로 작성된 것이 아니라고 의심할 만한 사정이 없는 한 피고인의 법정에서 진술을 탄핵하기 위한 반대 증거로 사용할 수 있다.

해설 ① 대판 2009.10.15, 2009도1889
② 대판 2004.7.15, 2003도7185 전원합의체
③ 행위자가 아닌 법인이 양벌규정에 따라 기소된 경우, 사법경찰관이 행위자에 대하여 작성한 피의자신문조서는 행위자가 그 내용을 인정하는 경우라도 당해 피고인인 법인이 그 내용을 부인하는 경우에는 증거능력이 없다(대판 2020.6.11, 2016도9367).
④ 대판 1998.2.27, 97도1770

Answer 09. ③

10 **전문증거에 관한 설명으로 가장 적절하지 않은 것은?**(다툼이 있는 경우 판례에 의함) 24. 순경 2차

① 수사기관이 참고인을 조사하는 과정에서 형사소송법 제221조 제1항에 따라 작성한 영상녹화물은 다른 법률에서 달리 규정하고 있는 등의 특별한 사정이 없는 한, 공소사실을 직접 증명할 수 있는 독립적인 증거로 사용될 수 없다.

② 甲은 악덕 사채업자 A와 채무변제 문제로 시비가 붙자 홧김에 A를 살해한 혐의로 기소되었는데, 甲의 친구 B는 공판에서 "甲이 나에게 '악덕 사채업자는 죽어도 싸다. 내가 A를 없애버렸다'고 말한 적이 있습니다."라고 증언하였다면, 甲의 진술이 '특히 신빙할 수 있는 상태에서 행하여졌음'이 증명된 때에 한하여 B의 진술을 증거로 할 수 있다.

③ 사법경찰관이 작성한 실황조서가 사고발생 직후 사고장소에서 긴급을 요하여 판사의 영장없이 시행된 것으로서 형사소송법 제216조 제3항에 의한 검증에 따라 작성된 것이라면 사후에 지체없이 영장을 받지 않는 한 유죄의 증거로 삼을 수 없다.

④ 참고인의 진술을 내용으로 하는 조사자 증언은 그 참고인이 법정에 출석하여 조사 당시의 진술을 부인하는 취지로 증언하였더라도, 그 진술이 '특히 신빙할 수 있는 상태에서 행하여졌음'이 증명되면 증거능력이 인정된다.

해설 ① 대판 2014.7.10, 2012도5041

② 제316조 제1항

③ 대판 1989.3.14, 88도1399

④ 원진술자가 법정에 출석하여 수사기관에서 한 진술을 부인하는 취지로 증언한 이상 원진술자의 진술을 내용으로 하는 조사자의 증언은 증거능력이 없다(대판 2008.9.25, 2008도6985).

Answer 10. ④

5 당사자의 동의와 증거능력

(1) 동의의 의의

① **의의** : 검사와 피고인이 증거로 할 수 있음을 동의한 서류 또는 물건은 진정한 것으로 인정한 때에는 증거로 할 수 있다(제318조 제1항)고 규정하고 있다.

② **인정취지** : 이 규정의 취지는 증거능력이 없는 전문증거일지라도 당사자가 동의한 경우에는 증거로 할 수 있도록 하는 것이 재판의 신속과 소송경제에 부합한다는 점을 고려한 것이라 할 수 있다. 현행법은 비록 당사자가 동의한 증거일지라도 법원이 진정하다고 인정한 것에 한해 증거로 할 수 있도록 규정하고 있어 증거동의제도는 당사자주의와 직권주의를 조화한 제도라 할 수 있다.

③ **동의의 본질** : 증거동의의 본질이 무엇인가(어떻게 보느냐에 따라 동의의 대상이 달라진다)에 대하여 학설이 대립하고 있다.

㉠ **처분권설** : 증거의 증거능력에 대한 당사자의 처분권을 인정하는 것이라고 보는 견해이다. 이에 의하면, 전문증거뿐 아니라 위법한 절차에 의하여 수집된 증거 등 모두가 동의의 대상이 된다.

㉡ **반대신문권포기설** : 동의가 실질적으로 반대신문권의 포기를 의미한다는 견해이다(다수설·판례). 이에 의하면 반대신문권과 관계 없는 것은 동의가 있더라도 증거로 할 수 없게 된다.
예 임의성 없는 자백, 위법수집증거 등 ⇨ 동의대상 ×

관련판례

형사소송법 제318조 제1항은 전문증거금지의 원칙에 대한 예외로서 반대신문권을 포기하겠다는 피고인의 의사표시에 의하여 서류 또는 물건의 증거능력을 부여하려는 규정이므로 피고인의 의사표시가 위와 같은 내용을 적극적으로 표시하는 것이라고 인정되는 경우이면 증거동의로서의 효력이 있다(대판 1983.3.8, 82도2873). 18. 5급 검찰·교정승진, 23. 순경 1차

㉢ **결** : 처분권설에 의하면 형사절차에 당사자처분권주의를 인정하는 결과가 된다는 점에서 반대신문권포기로 보는 견해가 타당하다.

④ **증거동의와 전문법칙과의 관계** : 당사자의 동의가 전문증거에만 적용된다고 해석하는 경우에도 전문법칙과 동의와의 관계에 대하여 견해가 대립되고 있다.

㉠ **전문법칙예외설** : 제318조 '진정한 것으로 인정할 때'의 의미를 '신용성의 정황적 보장'과 같은 의미로 이해하여 이 조문을 전문증거의 예외적 사용을 규정한 제311조 내지 제316조까지 규정의 연장선에 있는 것으로 보는 견해이다(판례).

㉡ **전문법칙배제설** : 제318조는 전문법칙에 의하여 증거능력이 배제되고 제311조 내지 제316조에도 해당하지 않기 때문에 증거능력이 없는 증거가 증거능력을 부여받는 경우이므로 전문법칙이 적용되지 않는 경우라고 해석하는 견해이다(다수설).

㉢ **결** : 제318조를 적용함에 있어서 결론에는 아무런 차이가 없으므로 논의의 실익이 없어 보인다.

(2) 동의의 방법

① 동의의 주체와 상대방

㉠ 동의의 주체는 당사자인 검사와 피고인이다. 그러나 항상 양자의 동의를 구하여야 한다는 것은 아니다. 법원이 직권으로 수집한 증거에 대해서는 양 당사자의 동의가 있어야 하나, 일방 당사자가 신청한 증거에 대해서는 타방 당사자의 동의가 있으면 족하다. 98. 7급 검찰, 07. 9급 법원직 변호인도 동의할 수 있지만, 피고인의 의사에 반할 수 없다는 견해(종속대리권설)와 피고인의 명시한 의사에 반하지 않는 한 동의할 수 있다는 견해(독립대리권설)가 있으며, 판례는 후자의 입장이다. 18. 순경 3차

증거동의의 주체는 법원이다. (×)

관련판례

1. 변호인은 피고인의 명시한 의사에 반하지 아니하는 한 피고인을 대리하여 증거로 함에 동의할 수 있으므로, 18. 9급 법원직, 18. 5급 검찰·교정승진, 19. 9급 검찰·마약수사, 20. 수사경과 피고인이 증거로 함에 동의하지 아니한다고 명시적인 의사표시를 한 경우 이외에는 변호인은 서류나 물건에 대하여 증거로 함에 동의할 수 있고, 이 경우 변호인의 동의에 대하여 피고인이 즉시 이의하지 아니하는 경우에는 변호인의 동의로 증거능력이 인정되고 증거조사 완료 전까지 동의가 취소 또는 철회하지 아니한 이상 일단 부여된 증거능력은 그대로 존속한다(대판 1988.11.8, 88도1628). 11. 9급 법원직, 13. 9급 교정·보호·철도경찰, 16. 순경 2차, 20. 순경 1차, 12·13·24. 경찰승진, 12·16·18·24. 7급 국가직, 12·25. 변호사시험

   일단 증거조사가 완료된 뒤에는 취소 또는 철회가 인정되지 아니하므로 피고인이 증거조사완료 후에 변호인의 증거동의에 관해 이의를 제기하였더라도 이미 취득한 증거능력은 상실되지 않는다.

2. 피고인이 출석한 공판기일에서 증거로 함에 부동의한다는 의견이 진술된 경우에는 그 후 피고인이 출석하지 아니한 공판기일에 변호인만이 출석하여 종전 의견을 번복하여 증거로 함에 동의하였다 하더라도 이는 특별한 사정이 없는 한 효력이 없다고 보아야 한다(대판 2013.3.28, 2013도3). 15. 9급 교정·보호·철도경찰, 17. 해경, 19·20. 9급 법원직, 16·22. 순경 1차, 18·22. 7급 국가직, 22. 경찰승진, 23·25. 변호사시험
3. 피고인이 변호인과 함께 출석한 공판기일의 공판조서에 검사가 제출한 증거에 대하여 동의한다는 기재가 되어 있다면, 이는 피고인이 증거 동의를 한 것으로 보아야 한다(대판 2016.3.10, 2015도19139). 17. 검찰·교정승진, 18. 수사경과, 20. 경찰간부
4. 형사재판에 있어서는 유죄의 자료로 쓸 수 있는 서류는 그 진정성립이 인정되거나 피고인과 검사가 증거로 함에 동의해야만 하게 되어 있으며 이 동의는 법원이 직권으로 증거조사를 할 때에는 양 당사자의 동의가 필요함은 물론이라 하겠으나 당해 서류를 제출한 당사자는 그것을 증거로 함에 동의하고 있음은 명백한 것이므로 상대방의 동의만 얻으면 충분하다. 24. 경찰승진 그리고 피고인이나 변호인이 피고인의 무죄에 관한 자료로 제출한 서증 가운데 도리어 유죄임을 뒷받침하는 내용이 있다 하여도 법원은 상대방의 원용(동의)이 없는 한 당해 서류의 진정성립 여부 등을 조사하고 아울러 당해 서류에 대한 피고인이나 변호인의 의견과 변명의 기회를 준 다음이 아니면 당해 서증을 유죄인정의 증거로 쓸 수 없다(대판 1989.10.10, 87도966). 13·24. 순경 1차

5. 검사가 유죄의 자료로 제출한 증거들이 그 진정성립이 인정되지 아니하고 이를 증거로 함에 상대방의 동의가 없더라도, 이는 유죄사실을 인정하는 증거로 사용하는 것이 아닌 이상 공소사실과 양립할 수 없는 사실을 인정하는 자료로 쓸 수 있다고 보아야 한다(대판 1994.11.11, 94도1159). 13. 순경 1차

ⓛ 동의의 상대방은 법원이어야 한다. 동의는 반대신문권을 포기하여 증거능력 없는 증거에 대하여 증거능력을 부여하는 의사표시이기 때문이다. 따라서 당사자에 대한 증거동의 (예 피고인이 검사에게 동의 의사표시)는 효력이 없다.

피고인이 행하는 동의의 상대방은 검사이다. (×)

② 동의의 대상

㉠ 서류 또는 물건

ⓐ 서류 : 형사소송법은 증거동의 대상으로 서류 또는 물건으로 규정하고 있으나 서류이외에 전문증거가 되는 진술도 동의의 대상이 된다는 점에는 이견이 없다.

판례에 의하면 피의자신문조서, 진술조서, 조서나 서류의 사본과 사진, 재전문증거 등도 동의의 대상으로 보며, 조서의 일부에 대해서도 동의가 가능하다.

관련판례

1. 피고인들이 제1심 법정에서 경찰의 검증조서 가운데 범행부분만 부동의하고 현장상황 부분에 대해서는 모두 증거로 함에 동의하였다면, 위 검증조서 중 범행상황 부분만을 증거로 채용한 제1심판결에 잘못이 없다(대판 1990.7.24, 90도1303).
2. 문서의 사본이라도 피고인이 증거로 함에 동의하였고 진정으로 작성되었음이 인정되는 경우에는 증거능력이 있다(대판 1996.1.26, 95도2526). 07. 순경, 10·24. 경찰승진

ⓑ 물건 : 물건(예 장물, 범행도구 등)이 동의의 대상이 될 수 있는가에 대하여는 이를 포함한다는 적극설(제318조 문언에 입각)과 증거물은 반대신문과 관계가 없을 뿐 아니라 물적증거로서 전문법칙의 제한도 받지 않으므로 증거동의의 대상이 될 수 없다는 소극설(다수설)이 대립한다.

ⓛ **증거능력이 없는 증거** : 동의의 대상이 되는 것은 증거능력이 없는 전문증거에 한한다. 이미 증거능력이 인정된 증거(예 피고인이 성립의 진정을 인정하고, 특신상태가 증명된 검사 작성의 피의자신문조서)는 동의 여부에 불구하고 증거로 삼을 수 있기 때문이다. 98. 7급 검찰 그리고 임의성 없는 자백(제309조)은 언제나 동의의 대상이 되지 않으며, 23. 9급 법원직 위법수집증거 역시 원칙적으로 동의의 대상이 되지 않는다. 판례는 유죄증거에 대하여 반대증거로 제출된 서류는 성립의 진정이 증명되지 않거나 동의가 없더라도 증거판단 자료로 할 수 있기 때문에 동의의 대상이 아니라고 한다. 그러나 피고인이 제출한 증거에 대하여 검사가 행하는 반증은 증거능력이 있는 증거에 의할 것이 요구되므로 동의의 대상이 된다.

관련판례

1. 유죄의 자료가 되는 것으로 제출된 증거의 반대증거 서류에 대하여는 그것이 유죄사실을 인정하는 증거가 되는 것이 아닌 이상 반드시 그 진정성립이 증명되지 아니하거나 이를 증거로 함에 있어서의 상대방의 동의가 없다고 하더라도 증거판단의 자료로 할 수 있다(대판 1981.12.22, 80도1547). 07. 순경, 10·12·13·17. 경찰승진, 12. 9급 법원직, 16·18. 경찰간부, 19. 9급 검찰·마약수사, 20. 해경, 23. 소방간부
   ▶ **비교판례** : 피고인이나 변호인이 무죄에 관한 자료로 제출한 서증 가운데 도리어 유죄임을 뒷받침하는 내용이 있다고 하여도, 법원은 상대방의 원용(동의)이 없는 한 그 서류의 진정성립 여부 등을 조사하고 아울러 그 서류에 대한 피고인이나 변호인의 의견과 변명의 기회를 주지 않았다면 그 서증을 유죄인정의 증거로 쓸 수 없다. 그러나 해당 서류를 제출한 당사자는 그것을 증거로 함에 동의하고 있음이 명백한 것이므로 상대방인 검사의 원용이 있으면 그 서증을 유죄의 증거로 사용할 수 있다(대판 2017.9.21, 2015도12400).
2. 진술증거의 임의성에 관하여 의심할 만한 사정이 나타나 있는 경우에는 법원은 직권으로 그 임의성 여부에 관하여 조사를 하여야 하고, 임의성이 인정되지 아니하여 증거능력이 없는 진술증거는 피고인이 증거로 함에 동의하더라도 증거로 삼을 수 없다(대판 2006.11.23, 2004도7900). 13. 변호사시험, 18. 경찰간부·9급 교정·보호·철도경찰, 19. 9급 법원직, 25. 경찰대편입
3. 긴급체포를 하며 압수한 물건에 관하여 지체 없이 압수영장을 청구하지 않거나 청구하여 이를 발부받지 아니하고도 즉시 반환하지 아니한 압수물은 유죄인정의 증거로 사용할 수 없는 것이고, 피고인이나 변호인이 이를 증거로 함에 동의하였다고 하더라도 증거능력이 없다(대판 2009.12.24, 2009도11401). 16. 순경 2차, 17. 해경, 20. 경찰승진·순경 1차
4. 증거보전절차로 증인신문을 하는 경우에 검사, 피의자 또는 변호인에게 증인신문의 시일과 장소를 미리 통지하여 증인신문에 참여할 수 있는 기회를 주어야 하나 참여의 기회를 주지 아니한 경우라도 피고인과 변호인이 증인신문조서를 증거로 할 수 있음에 동의하여 별다른 이의없이 적법하게 증거조사를 거친 경우에는 위 증인신문조서는 증인신문절차가 위법하였는지의 여부에 관계없이 증거능력이 부여된다(대판 1988.11.8, 86도1646). 23. 변호사시험
5. 형사소송법 제218조는 "사법경찰관은 소유자, 소지자 또는 보관자가 임의로 제출한 물건을 영장 없이 압수할 수 있다"고 규정하고 있는바, 위 규정을 위반하여 소유자, 소지자 또는 보관자가 아닌 자로부터 제출받은 물건을 영장 없이 압수한 경우 그 '압수물' 및 '압수물을 찍은 사진'은 이를 유죄인정의 증거로 사용할 수 없는 것이고, 헌법과 형사소송법이 선언한 영장주의의 중요성에 비추어 볼 때 피고인이나 변호인이 이를 증거로 함에 동의하였다고 하더라도 달리 볼 것은 아니다(대판 2010.1.28, 2009도10092). 20. 수사경과, 23. 경찰승진

KEY point

- **동의본질** : 반대신문권 포기(다수설·판례)
- **동의의 주체와 상대방**
  - 주체 ⇨ 검사와 피고인
  - 상대방 ⇨ 법원(반대당사자에게 행한 동의는 효력 ×)
- **동의 대상**
  - 서류 또는 물건
  - 증거능력 없는 증거
- **변호인의 동의**
  - 독립대리권설(판례)
  - 종속대리권설(다수설)

(3) 동의의 시기와 방식

① **동의의 시기** : 동의는 원칙적으로 증거조사 전에 하여야 한다. 동의는 증거능력의 요건이고 증거능력 없는 증거는 증거조사대상이 되지 않기 때문이다. 다만, 증거조사 후에 동의가 있는 때에도 변론종결시까지는 그 하자가 치유되어 증거능력이 소급하여 인정된다(다수설). 동의는 반드시 공판기일에서 할 것을 요하지 않고 공판준비기일에서 하더라도 상관없다.

② **동의의 방식** : 동의는 서면 또는 구술로 할 수 있다. 98. 7급 검찰 동의는 명시적 의사표시가 있어야 하며, 개개의 증거에 대해서 동의의 의사표시를 하여야 하고 포괄적인 동의는 허용될 수 없다는 견해가 다수설이다. 그러나 판례는 소극적 의사표시나 포괄적 동의도 허용된다는 입장이다.

관련판례

1. 피고인이 신청한 증인의 증언이 피고인 아닌 타인의 진술을 그 내용으로 하는 전문진술이라고 하더라도 피고인이 그 증언에 대하여 별 의견이 없다고 진술하였다면 그 증언을 증거로 함에 동의한 것으로 볼 수 있다(대판 1983.9.27, 83도516). 16. 7급 국가직, 19. 9급 검찰·마약수사, 20. 경찰간부, 24. 9급 법원직
2. 개개의 증거에 대하여 개별적인 증거조사방식을 거치지 아니하고 검사가 제시한 모든 증거에 대하여 피고인이 증거로 함에 동의한다는 방식으로 이루어진 것이라 하여도 증거동의로서의 효력이 있다(대판 1983.3.8, 82도2873). 10. 경찰승진, 18. 순경 3차·5급 검찰·교정승진, 13·16·20·21. 7급 국가직, 20. 순경 1차, 23. 변호사시험·9급 법원직

(4) 동의의 의제

① **피고인의 불출석** : 피고인의 출정 없이 증거조사를 할 수 있는 경우에 피고인이 출정하지 아니한 때에는 피고인의 대리인 또는 변호인이 출정한 때를 제외하고 피고인이 증거로 함에 동의한 것으로 간주한다(제318조 제2항). 12. 순경, 11·19. 9급 법원직, 21·23. 경찰승진, 23. 변호사시험

이 규정은 피고인의 불출석으로 인한 소송지연을 방지하기 위하여 경미사건에 한하여 동의를 의제한 것이다.

피고인의 출정 없이 증거조사가 가능한 경우에 피고인이 출정하지 아니한 때에는 비록 변호인이 출정한 때라도 증거동의가 있는 것으로 간주한다. (×)

관련판례

1. 약식명령에 불복하여 정식재판을 청구한 피고인이 정식재판절차의 제1심에서 2회 불출정하여 형사소송법 제318조 제2항에 따른 증거동의가 간주된 후 증거조사를 완료한 이상, 간주의 대상인 증거동의는 증거조사가 완료되기 전까지 철회 또는 취소할 수 있으나 일단 증거조사를 완료한 뒤에는 취소 또는 철회가 인정되지 아니하는 점, 증거동의 간주가 피고인의 진의와는 관계없이 이루어지는 점 등에 비추어, 비록 피고인이 항소심에 출석하여 공소사실을 부인하면서 간주된 증거동의를 철회 또는 취소한다는 의사표시를 하더라도 그로 인하여 적법하게 부여된 증거능력이 상실되는 것이 아니다(**대판** 2010.7.15, 2007도5776). 12. 변호사시험, 13. 9급 교정·보호·철도경찰, 13·20. 경찰승진, 18·20·23. 9급 법원직

2. 피고인이 공시송달의 방법에 의한 공판기일의 소환을 2회 이상 받고도 출석하지 아니하여 법원이 피고인의 출정 없이 증거조사를 하는 경우에는 형사소송법 제318조 제2항에 따른 피고인의 증거동의가 있는 것으로 간주된다고 할 것이다(대판 2011.3.10, 2010도15977). 15. 9급 교정 · 보호 · 철도경찰, 16 · 20. 9급 법원직, 24. 7급 국가직
3. 필요적 변호사건이라 하여도 피고인이 재판거부의 의사를 표시하고 재판장의 허가 없이 퇴정하고 변호인마저 이에 동조하여 퇴정해 버린 것은 모두 피고인 측의 방어권의 남용 내지 변호인의 포기로 볼 수밖에 없는 것이므로 수소법원으로서는 형사소송법 제330조에 의하여 피고인이나 변호인의 재정 없이도 심리판결할 수 있으며, 피고인과 변호인들이 출석하지 않은 상태에서 증거조사를 할 수밖에 없는 경우에는 제318조 제2항의 규정상 피고인의 진의와는 관계없이 형사소송법 제318조 제1항의 동의가 있는 것으로 간주하게 되어 있다(대판 1991.6.28, 91도865). 13. 변호사시험, 24. 9급 법원직

---

② **간이공판절차에서의 특칙** : 간이공판절차의 결정이 있는 사건의 증거에 관하여는 전문증거에 대하여도 동의가 있는 것으로 간주한다. 다만, 검사나 피고인 또는 변호인이 증거로 함에 이의가 있는 때에는 그러하지 아니하다(제318조의 3). 16. 변호사시험, 24. 7급 국가직

☗ 간이공판절차에서는 전문증거에 대하여 동의가 있는 것으로 간주되므로 증거능력이 부정되는 전문증거라도 증거능력이 인정된다.

(5) 동의의 효과

① 전문증거의 증거능력

㉠ 증거능력 인정

ⓐ 당사자가 동의한 서류 또는 물건은 증거능력 인정요건(제311조 내지 제316조)을 갖추지 못한 경우라도 그 진정성이 인정되면 증거능력(증명력 ×)이 부여된다. 12 · 13. 변호사시험, 13. 경찰승진

☗ 당사자가 증거로 함에 동의한 경우에도 법원이 진정한 것으로 인정한 때에 한하여 증거로 할 수 있는데, 여기서 진정성의 의미에 관하여 "동의의 대상인 전문증거의 신용성을 의심스럽게 하는 유형적 상황(예 진술서에 서명 · 날인이 없는 경우, 진술서 기재내용이 진술과 상이한 경우, 진술내용이 진실과 다른 경우)이 없음을 의미한다."고 보는 견해가 다수설이다.

☗ '진정성' 여부는 자유로운 증명으로 증명이 가능하다.

관련판례

1. 형사소송법 제318조 제1항은 "검사와 피고인이 증거로 할 수 있음을 동의한 서류 또는 물건은 진정한 것으로 인정한 때에는 증거로 할 수 있다."고 규정하고 있을 뿐 진정한 것으로 인정하는 방법을 제한하고 있지 아니하므로, 증거동의가 있는 서류 또는 물건은 법원이 제반 사정을 참작하여 진정한 것으로 인정하면 증거로 할 수 있다(대판 2015.8.27, 2015도3467). 18. 7급 국가직
2. 진술조서말미의 진술자란의 서명 옆에 날인이 없고 진술자란의 서명이 그의 필적이라고 단정하기는 분명하지 않다 하더라도 진술자의 간인이 되어 있고 그 인영이 압수물가환부청구서와 압수물영수증 중의 인영과 동일한 것으로 인정되는 등의 정황에 비추어 위 날인이 없는 것은 단순한 착오에 의한 누락이라고 보여질뿐 위 조서는 진정한 것으로 인정된다(대판 1982.3.9, 82도63).

ⓑ 동의를 한 당사자가 동의한 증거의 증명력을 다툴 수 있는가에 대하여 부정하는 입장도 있으나, 증거능력과 증명력은 구별되어야 하고 증거동의는 증거능력의 인정근거가 되므로 증거동의한 당사자도 그 증거의 증명력을 다툴 수 있다는 견해가 타당하다(다수설).

ⓒ 증거동의의 본질이 반대신문권의 포기에 있으므로, 반대신문을 통해 증명력을 다투는 것은 허용되지 않는다. 따라서 법원이 증거의 진정 여부를 조사·확인하기 위하여 원진술자를 증인으로 신문하는 경우에 당사자는 반대신문을 할 수 없으며, 증거의 증명력을 다투기 위하여 원진술자를 증인으로 신청하는 것은 허용되지 않는다. 동의한 당사자가 증명력을 다투려면 반대신문 이외의 방법을 사용해야 할 것이다.

ⓛ 동의의 효력이 미치는 범위

ⓐ 원칙적으로 동의의 효력은 그 대상인 서류 또는 물건 전체에 미친다. 따라서 일부에 대한 동의는 허용되지 않는다. 다만, 동의한 서류 또는 물건의 내용을 나눌 수 있는 경우에는 일부에 대한 동의도 가능하다. 21. 경찰승진(예 검증조서 가운데 현장상황을 기재한 부분에 대해서만 동의를 한 경우 현장진술 부분에 대해서는 동의효력이 미치지 않음 ; 대판 1990.7.24, 90도1303). 22. 경찰승진

관련판례

1. 검사 작성의 피고인 아닌 자에 대한 진술조서에 관하여 피고인이 공판정진술과 배치되는 부분은 부동의한다고 진술한 것은 조서내용의 특정부분에 대하여 증거로 함에 동의한다는 특별한 사정이 있는 때와는 달리 그 조서를 증거로 함에 동의하지 아니한다는 취지로 해석하여야 한다(대판 1984.10.10, 84도1552). 16. 순경 2차, 23. 9급 검찰·마약·교정·보호·철도경찰
2. 뇌물공여자가 작성한 고발장에 대하여 피고인의 변호인이 증거 부동의 의견을 밝히고, 같은 고발장을 첨부문서로 포함하고 있는 검찰주사보 작성의 수사보고에 대하여는 증거에 동의하여 증거조사가 행하여졌는데, 수사보고에 대한 증거동의가 있다는 이유로 그에 첨부된 고발장까지 증거로 채택해 두었다가 판결을 선고하는 단계에 이르러 이를 유죄인정의 증거로 삼은 것은 실질적 적법절차의 원칙에 비추어 수긍할 수 없다. 결국 이 사건 수사보고에 첨부된 고발장은 유죄의 증거로 삼을 수 없다(대판 2011.7.14, 2011도3809). 18. 7급 국가직, 20. 경찰간부, 22. 순경 1차, 25. 변호사시험

ⓑ 증거동의는 동의한 피고인에 대해서만 그 효력이 미친다. 공동피고인의 경우 1인이 동의한 경우 다른 공동피고인에 대해서는 동의의 효력이 미치지 않는다. 08. 9급 국가직

ⓒ 증거동의 효력은 공판절차의 갱신이 있거나 심급을 달리한 경우에도 소멸되지 않는다 07. 순경, 18. 9급 법원직, 22. 9급 검찰·마약·교정·보호·철도경찰(예 제1심 법정에서 피고인이 경찰작성조서에 대해 증거동의를 하였다면, 항소심에서 피고인이 범행 여부를 다투어도 제1심에서 행한 증거동의의 효력은 계속 유지). 09. 9급 국가직, 10. 경찰승진, 19. 9급 검찰·마약수사

관련판례

1심 공판조서 및 그 조서의 일부를 이루는 증거목록에 **피고인 또는 변호인**이 증거로 함에 동의한다는 의사표시를 한 것으로 기재되어 있고, 증거조사가 완료되기 전까지 그 의사표시를 철회 또는 취소하였다고 볼 흔적을 찾아 볼 수 없는 사법경찰관 사무취급 작성의 참고인 진술조서는 진정한 것으로 인정되는 한 제2심에서 피고인이 증거로 함에 부동의하거나 범행을 부인하였어도 이미 적법하게 부여된 증거능력이 상실되는 것은 아니다(대판 1994.7.29, 93도955). 09. 9급 국가직, 12. 9급 법원직, 13. 7급 국가직, 14. 순경 1차

KEY point

- **증거의 동의 시기** : 증거조사 전까지(완료 후 ⇨ 철회 ×)
- **동의 방식** : 서면 또는 구술(소극적, 포괄적 동의 허용함이 판례)
- **동의 의제** : 피고인 불출석, 간이공판절차
- **동의 효과**
  - 동의 대상에 진정성 인정되면 증거능력 인정
  - 1심에서 한 증거동의는 항소심 · 상고심에서도 그 효력 유지
  - 일부에 대한 동의는 허용 ×(다만, 기재내용이 가분적인 경우에는 일부동의 허용)
  - 공동피고인 중 1인의 동의 ⇨ 동의를 한 피고인에게만 효력 인정

(6) 증거동의의 철회 · 취소

① **철회** : 증거동의를 철회할 수 있다는 점에는 이론이 없다. 언제까지 철회를 허용할 것인가에 대하여 견해의 대립이 있으나, 절차의 확실성과 소송경제를 고려하여 증거조사 완료 전까지 철회가 가능한 것으로 봄이 다수설과 판례의 입장이다. 20. 수사경과 따라서 제1심에서 한 증거동의를 제2심에서 철회할 수 없다. 12. 경찰간부 · 순경, 13. 9급 검찰 · 마약수사, 14. 순경 1차, 15. 순경 2차, 16. 경찰승진, 13 · 14 · 16. 7급 국가직, 11 · 12 · 18. 9급 법원직

피고인이 불출석으로 증거동의가 의제된 경우라도 아직 증거조사가 완료되지 않았다면 차후 공판기일에 피고인이 출석하여 증거동의를 철회할 수 있다. (○) 14. 7급 국가직

관련판례

1. 형사소송법 제318조에 규정된 증거동의의 의사표시는 증거조사가 완료되기 전까지 취소 또는 철회할 수 있으나, 일단 증거조사가 완료된 뒤에는 취소 또는 철회가 인정되지 아니하므로 제1심에서 한 증거동의를 제2심에서 취소할 수 없고, 일단 증거조사가 종료된 후에 증거동의의 의사표시를 취소 또는 철회하더라도 취소 또는 철회 이전에 이미 취득한 증거능력이 상실되지 않는다(대판 2010.7.8, 2008도7546). 17. 해경, 18. 순경 3차, 22. 순경 1차 · 해경간부, 23. 경찰간부, 23 · 24. 변호사시험, 24. 7급 국가직 · 9급 법원직, 25. 소방간부
2. 약식명령에 불복하여 정식재판을 청구한 피고인이 정식재판절차의 제1심에서 2회 불출정하여 증거동의가 간주된 후 증거조사를 완료한 이상, 피고인이 항소심에 출석하여 공소사실을 부인하면서 간주된 증거동의를 철회 또는 취소한다는 의사표시를 하더라도 그로 인하여 적법하게 부여된 증거능력이 상실되는 것이 아니다(대판 2010.7.15, 2007도5776). 19. 9급 법원직, 25. 변호사시험

② **취소** : 증거동의에 대하여 착오나 강박을 이유로 취소할 수 있는가의 문제에 대하여, 증거동의를 취소할 수 없다는 견해(동의의 절차형성행위측면을 강조하는 입장)와 중대한 착오나 수사기관의 강박에 의한 경우 또는 증거동의한 본인의 귀책사유 없이 착오한 경우에는 증거동의를 취소할 수 있다는 견해(동의의 실체형성행위측면을 강조하는 입장)가 대립한다.

관련판례

피고인이 사법경찰관 작성의 피해자진술조서를 증거로 동의함에 있어서 그 동의가 법률적으로 어떠한 효과가 있는지를 모르고 한 것이었다고 주장하더라도 변호인이 그 동의시 공판정에 재정하고 있으면서 피고인이 하는 동의에 대하여 아무런 이의나 취소를 한 사실이 없다면 그 동의에 하자가 있다고 할 수 없다(대판 1983.6.28, 83도1019). 16. 순경 2차

CHAPTER

02 기출문제

01 증거동의에 대한 설명으로 가장 적절하지 않은 것은?(다툼이 있는 경우 판례에 의함) 22. 경찰승진

① 피고인이 출석한 공판기일에서 증거로 함에 부동의한다는 의견을 진술한 후 피고인이 출석하지 아니한 공판기일에 변호인만이 출석하여 종전 의견을 번복하여 증거로 함에 동의하였다면 그 변호인의 증거동의는 원칙적으로 효력이 있다.

② 수사기관이 甲으로부터 피고인의 폭력행위 등 처벌에 관한 법률위반(단체 등의 구성·활동) 범행에 대한 진술을 듣고 추가적인 정보를 확보할 목적으로, 구속수감되어 있던 甲에게 그의 압수된 휴대전화를 제공하여 피고인과 통화하고 위 범행에 관한 통화내용을 녹음하게 한 경우, 그 녹음 자체는 물론 이를 근거로 작성된 녹취록 첨부 수사보고는 설령 피고인의 증거동의가 있는 경우에도 이를 유죄의 증거로 사용할 수 없다.

③ 필요적 변호사건에서 피고인과 변호인이 재판거부의 의사를 표시하고 재판장의 허가 없이 퇴정한 경우에는 증거동의가 있는 것으로 간주된다.

④ 피고인이 제1심 법정에서 경찰의 검증조서 가운데 범행 부분만 부동의하고 현장상황 부분에 대해서는 모두 증거로 함에 동의하였다면, 해당 검증조서 가운데 현장상황 부분만을 증거로 채용한 판결에 잘못이 없다.

해설 ① 피고인이 출석한 공판기일에서 증거로 함에 부동의한다는 의견이 진술된 경우에는 그 후 피고인이 출석하지 아니한 공판기일에 변호인만이 출석하여 종전 의견을 번복하여 증거로 함에 동의하였다 하더라도 이는 특별한 사정이 없는 한 효력이 없다고 보아야 한다(대판 2013.3.28, 2013도3).
② 대판 2010.10.14, 2010도9016
③ 대판 1991.6.28, 91도865
④ 대판 1990.7.24, 90도1303

02 증거동의에 관한 설명으로 가장 적절하지 않은 것은?(다툼이 있는 경우 판례에 의함) 22. 순경 1차

① 피고인이 공소사실을 부인하고 있는 상황에서 검사가 신청한 증인의 법정진술이 전문증거로서 증거능력이 없는 경우, 피고인 또는 변호인에게 의견을 묻는 등의 적절한 방법으로 그러한 사정에 대하여 고지가 이루어지지 않은 채 증인신문이 진행되었다면, 피고인이 그 증거조사 결과에 대하여 별 의견이 없다고 진술하였더라도 증인의 법정증언을 증거로 삼는 데에 동의한 것으로 볼 수 없다.

② 피고인이 출석한 공판기일에서 증거로 함에 부동의한다는 의견이 진술된 경우에는 그 후 피고인이 출석하지 아니한 공판기일에 변호인만이 출석하여 증거로 함에 동의하였더라도 이는 특별한 사정이 없는 한 효력이 없다.

Answer 01. ① 02. ④

③ 증거동의의 의사표시는 증거조사가 완료되기 전까지 취소 또는 철회할 수 있으나, 일단 증거조사가 완료된 뒤에는 취소 또는 철회가 인정되지 아니하므로 이를 취소 또는 철회하더라도 이미 취득한 증거능력은 상실되지 않는다.

④ 피고인의 변호인이 증거 부동의 의견을 밝힌 고발장을 첨부문서로 포함하고 있는 검찰주사보 작성의 수사보고가 수사기관이 첨부한 자료를 통하여 얻은 인식·판단·추론이거나 자료의 단순한 요약에 불과하더라도, 피고인이 증거에 동의하여 증거조사가 행하여졌다면 그 수사보고에 대한 증거동의의 효력은 첨부된 고발장에도 당연히 미친다고 볼 것이므로 이를 유죄의 증거로 삼을 수 있다.

해설 ① 대판 2019.11.14, 2019도11552
② 대판 2013.3.28, 2013도3 ③ 대판 2010.7.8, 2008도7546
④ 고발장을 첨부문서로 포함하고 있는 검찰주사보 작성의 수사보고에 대하여는 증거에 동의하여 증거조사가 행하여졌는데, 수사보고에 대한 증거동의가 있다는 이유로 그에 첨부된 고발장까지 이를 유죄인정의 증거로 삼은 것은 실질적 적법절차의 원칙에 비추어 수긍할 수 없다. 결국 이 사건 수사보고에 첨부된 고발장은 유죄의 증거로 삼을 수 없다(대판 2011.7.14, 2011도3809).

PART 04

03 **증거동의에 대한 설명으로 가장 적절하지 않은 것은?**(다툼이 있는 경우 판례에 의함) 23. 경찰승진

① 소유자, 소지자 또는 보관자가 아닌 피해자로부터 임의로 제출받은 물건을 영장 없이 압수한 경우 그 '압수물' 및 '압수물을 찍은 사진'에 대해 피고인이나 변호인이 증거동의를 하였다 하더라도 이를 유죄 인정의 증거로 사용할 수 없다.

② 피고인의 출정 없이 증거조사를 할 수 있는 경우에 피고인이 출정하지 아니한 때에는 피고인의 대리인 또는 변호인이 출정한 때를 제외하고 피고인이 증거로 함에 동의한 것으로 간주한다.

③ 수사기관이 참고인의 진술을 기재한 조서는 그 내용을 피고인이 부인하고 참고인의 법정출석 및 반대신문이 이루어지지 못하였다면 이를 주된 증거로 하여 공소사실을 인정할 수 없는 것이 원칙이지만 피고인이 이에 대해 증거동의한 경우에는 그렇지 아니하다.

④ 공판준비 또는 공판기일에서 이미 증언을 마친 증인을 검사가 소환한 후 피고인에게 유리한 증언내용을 추궁하여 이를 일방적으로 번복시키는 방식으로 작성한 진술조서는 피고인이 증거로 할 수 있음에 동의하지 아니하는 한 증거능력이 없다.

해설 ① 대판 2010.1.28, 2009도10092 ② 제318조 제2항
③ 수사기관이 참고인의 진술을 기재한 조서는 그 내용을 피고인이 부인하고 참고인의 법정출석 및 반대신문이 이루어지지 못하였다면, 그 조서는 진정한 증거가치(증명력)를 가진 것으로 인정받을 수 없어 이를 주된 증거로 하여 공소사실을 인정하는 것은 원칙적으로 허용될 수 없다. 이는 원진술자의 사망이나 질병 등으로 인하여 원진술자의 법정 출석 및 반대신문이 이루어지지 못한 경우는 물론 수사기관의 조서를 증거로 함에 피고인이 동의한 경우에도 마찬가지이다(대판 2006.12.8, 2005도9730). ▶ 증거능력이 아니라 증명력에 대한 판례임에 주의!
④ 대판 2013.8.14, 2012도13665

Answer 03. ③

04 **증거동의에 관한 설명으로 옳은 것을 모두 고른 것은?**(다툼이 있는 경우 판례에 의함) 24. 경찰승진

> ㉠ 피고인이 증거로 함에 동의하지 않는 명시적인 의사표시를 한 경우 이외에는 변호인은 서류나 물건에 대하여 증거로 함에 동의할 수 있고, 이 경우 변호인의 동의에 대하여 피고인이 즉시 이의하지 않는 경우에는 변호인의 동의로 증거능력이 인정된다.
> ㉡ 증거동의의 대상이 될 서류는 원본에 한하며 그 사본은 포함되지 않는다.
> ㉢ 당사자가 제출한 서류에 대하여 법원이 직권으로 증거조사를 하는 경우에 당해 서류를 제출한 당사자는 그것을 증거로 함에 동의하고 있음이 명백한 것이므로 상대방의 동의만 얻으면 충분하다.

① ㉠, ㉡ ② ㉠, ㉢ ③ ㉡, ㉢ ④ ㉠, ㉡, ㉢

해설 ㉠ ○ : 대판 1988.11.8, 88도1628
㉡ × : 문서의 사본이라도 피고인이 증거로 함에 동의하였고 진정으로 작성되었음이 인정되는 경우에는 증거능력이 있다(대판 1996.1.26, 95도2526).
㉢ ○ : 대판 1989.10.10, 87도966

05 **증거동의에 관한 설명으로 가장 적절하지 않은 것은?**(다툼이 있는 경우 판례에 의함) 24. 순경 1차

① 형사소송법 제318조에 규정된 증거동의는 소송 주체인 검사와 피고인이 하는 것이고, 피고인이 변호인과 함께 출석한 공판기일의 공판조서에 검사가 제출한 증거에 대하여 동의한다는 기재가 되어 있다면 이는 피고인이 증거동의를 한 것으로 보아야 하고, 그 기재는 절대적인 증명력을 가진다.
② 형사소송법 제318조에 규정된 증거동의의 의사표시는 증거조사가 완료되기 전까지 취소 또는 철회할 수 있으나, 일단 증거조사가 완료된 뒤에는 취소 또는 철회가 인정되지 아니하므로 제1심에서 한 증거동의를 제2심에서 취소할 수 없고, 일단 증거조사가 종료된 후에 증거동의의 의사표시를 취소 또는 철회하더라도 취소 또는 철회 이전에 이미 취득한 증거능력이 상실되지 않는다.
③ 피고인이나 변호인이 무죄에 관한 자료로 제출한 서증 가운데 도리어 유죄임을 뒷받침하는 내용이 있다고 하여도, 법원은 그 서류의 진정성립 여부 등을 조사하고 아울러 그 서류에 대한 피고인이나 변호인의 의견과 변명의 기회를 주지 않았다면 상대방의 원용(동의)이 있더라도 그 서증을 유죄인정의 증거로 쓸 수 없다.
④ 피고인의 출정없이 증거조사를 할 수 있는 경우에 피고인이 출정하지 아니한 때에는 형사소송법 제318조 제1항에 의한 증거동의가 있는 것으로 간주한다. 다만, 피고인이 출정하지 아니하더라도 대리인 또는 변호인이 출정한 때에는 예외로 한다.

해설 ① 대판 2016.3.10, 2015도19139
② 대판 2010.7.15, 2007도5776

Answer 04. ② 05. ③

③ 피고인이나 변호인이 무죄에 관한 자료로 제출한 서증 가운데 도리어 유죄임을 뒷받침하는 내용이 있다 하여도 법원은 상대방의 원용(동의)이 없는 한 그 서류의 진정성립 여부 등을 조사하고 아울러 그 서류에 대한 피고인이나 변호인의 의견과 변명의 기회를 준 다음이 아니면 그 서증을 유죄인정의 증거로 쓸 수 없다고 보아야 한다(대판 1989.10.10, 87도966).
④ 제318조 제2항

06 **당사자의 동의에 의한 증거능력의 인정에 관한 다음 설명 중 가장 옳지 않은 것은?**(다툼이 있는 경우 판례에 의하고, 전원합의체 판결의 경우 다수의견에 의함) 24. 9급 법원직

① 형사소송법 제318조에 규정된 증거동의의 의사표시는 증거조사가 완료되기 전까지 취소 또는 철회할 수 있으나, 일단 증거조사가 완료된 뒤에는 취소 또는 철회가 인정되지 아니하므로 취소 또는 철회 이전에 이미 취득한 증거능력은 상실되지 않는다.
② 피고인이 신청한 증인의 증언이 피고인 아닌 타인의 진술을 그 내용으로 하는 전문진술이라고 하더라도 피고인이 그 증언에 대하여 별 의견이 없다고 진술하였다면 그 증언을 증거로 함에 동의한 것으로 볼 수 있으므로 이는 증거능력이 있다.
③ 필요적 변호사건에서 피고인이 재판 거부의 의사를 표시하고 재판장의 허가 없이 퇴정하고 변호인마저 이에 동조하여 퇴정해 버린 경우 법원으로서는 피고인이나 변호인의 재정없이도 심리·판결할 수 있고, 이와 같이 피고인과 변호인이 출석하지 않은 상태에서 증거조사를 할 수밖에 없는 경우에는 형사소송법 제318조 제2항의 규정상 피고인의 진의와는 관계없이 형사소송법 제318조 제1항의 동의가 있는 것으로 간주된다.
④ 피고인이나 그 변호인이 검사 작성의 당해 피고인에 대한 피의자신문조서의 성립의 진정함을 인정하는 진술을 하였다고 하더라도, 그 피의자신문조서에 대하여 증거조사가 완료되기 전에는 최초의 진술을 번복함으로써 그 피의자신문조서를 유죄 인정의 자료로 사용할 수 없도록 할 수 있으나, 그 피의자신문조서에 대하여 위의 증거조사가 완료된 뒤에는 그와 같은 번복의 의사표시에 의하여 이미 인정된 조서의 증거능력이 부정될 여지가 없다.

해설 ① 대판 2010.7.8, 2008도7546
② 대판 1983.9.27, 83도516
③ 대판 1991.6.28, 91도865
④ 피고인이나 그 변호인이 검사 작성의 당해 피고인에 대한 피의자신문조서의 성립의 진정함을 인정하는 진술을 하였다 하더라도, 증거조사가 완료되기 전에는 최초의 진술을 번복함으로써 그 피의자신문조서를 유죄 인정의 자료로 사용할 수 없도록 할 수 있으나, 위의 증거조사가 완료된 뒤에는 그와 같은 번복의 의사표시에 의하여 이미 인정된 조서의 증거능력이 당연히 상실되는 것은 아니다. 다만, 적법절차 보장의 정신에 비추어 성립의 진정함을 인정한 최초의 진술에 그 효력을 그대로 유지하기 어려운 중대한 하자가 있고 그에 관하여 진술인에게 귀책사유가 없는 경우에 한하여 예외적으로 증거조사 절차가 완료된 뒤에도 그 진술을 취소할 수 있고, 그 조서를 유죄인정의 자료에서 제외하여야 할 것이다(대판 2008.7.10, 2007도7760). 현행법에 의하면, '성립의 진정'은 검사작성 피의자신문조서의 증거능력 인정요건이 아니므로 실익이 없는 판례이다.

Answer 06. ④

07 **증거동의에 대한 설명으로 옳지 않은 것은?** 24. 7급 국가직

① 변호인은 피고인의 명시적 의사에 반하지 않는 한 증거동의를 할 수 있고, 이때 변호인의 동의에 대해 피고인이 즉시 이의를 제기하지 않은 경우에는 증거동의의 효력이 인정된다.

② 제1심에서 피고인이 증거동의를 하고 증거조사를 완료한 이상, 항소심에서 위 증거동의를 철회 또는 취소한다는 의사표시를 하더라도 이미 취득한 증거능력이 상실되지 않는다.

③ 제1심에서 피고인이 공시송달에 의한 공판기일 소환을 2회 이상 받고도 출석하지 아니하여 소송촉진 등에 관한 특례법 제23조 본문에 따라 피고인의 출정 없이 증거조사를 하는 경우 증거동의 간주가 허용되지 않는다.

④ 간이공판절차에서는 검사, 피고인 또는 변호인이 증거로 함에 이의가 없는 한 전문증거에 대해서 증거동의가 있는 것으로 간주한다.

해설 ① 대판 1988.11.8, 88도1628

② 대판 2010.7.8, 2008도7546

③ 피고인이 공시송달의 방법에 의한 공판기일의 소환을 2회 이상 받고도 출석하지 아니하여 법원이 피고인의 출정 없이 증거조사를 하는 경우에는 형사소송법 제318조 제2항에 따른 피고인의 증거동의가 있는 것으로 간주된다고 할 것이다(대판 2011.3.10, 2010도15977).

④ 제318조의 3

Answer 07. ③

6 탄핵증거

(1) 탄핵증거의 의의·성질

① 탄핵증거의 의의

㉠ **개념** : 진술의 증명력을 다투기 위한 증거(진술의 증거가치를 깎아내리기 위한 증거)를 가리켜 탄핵증거라 한다. 10. 순경 형사소송법은 "증거로 할 수 없는 전문서류나 전문진술이라도 공판준비 또는 공판기일에서의 피고인 또는 피고인 아닌 자의 진술의 증명력을 다투기 위하여는 이를 증거로 할 수 있다."라고 규정하고 있다(제318조의 2). 23. 경찰승진 여기서 전문법칙에 의하여 증거능력이 없는 전문증거라도 진술의 증명력을 다투기 위하여 탄핵증거로 사용할 수 있음을 밝히고 있다.

예 甲이 乙을 권총으로 살해하였다는 살인피고사건에 대하여 증인 A가 공판정에서 "甲이 乙을 향하여 권총을 쏜 것을 보았다."고 증언한 경우에, "총소리를 듣고 달려가 보니 乙이 쓰러져 있었으며 범인은 보지 못하였다는 말을 그 사건 직후에 A로부터 들었다."는 증인 B의 전문증언은 원진술자인 A가 출석하고 있으므로, 즉 필요성이 없으므로 제316조 제2항에 의해서 증거능력은 없으나 A의 증언의 증명력을 다투기 위한 증거로는 사용될 수 있는바, 이를 탄핵증거라 한다.

구별개념 : 진술의 증명력을 다투는 방법에는 탄핵증거 외에 반대신문과 반증이 있다.

탄핵증거	증거능력 없는 전문증거로서 증인뿐만 아니라 증인 이외의 자의 진술의 증명력을 다투기 위한 증거
반대신문	증언의 증명력을 다투기 위하여 구두로 법관 앞에서 행하여짐
반 증	진술증거의 증명력을 다투는 또다른 방법으로 반증이 있다. 반증은 본증(거증책임을 지는 자가 제출한 증거)에 대하여 반대되는 사실을 증명하는 방법으로서 본증의 경우와 마찬가지로 증거능력이 인정되는 증거방법을 사용하여 법률이 정하는 증거조사절차를 거쳐서 증명이 행해진다. 따라서 증거능력이 부인되는 전문증거를 수단으로 하는 탄핵증거와 구별된다. ▶ 그러나 판례는 유죄증거에 대한 반증은 성립의 진정이 증명되지 않거나 증거동의가 없어도 증거로 할 수 있다는 입장이다(대판 1981.12.22, 80도1547).

㉡ **제도의 존재이유** : 탄핵증거는 범죄사실을 인정하는 데 사용되는 증거가 아니므로, 전문법칙의 취지에 어긋나지 않고 오히려 법관으로 하여금 일정한 증거의 가치를 다시 음미함으로써 법관의 합리적인 증명력 판단을 유도하는 역할을 한다(탄핵증거 ⇨ 영미법상 개념이다).

② 탄핵증거의 성질

㉠ **탄핵증거와 전문법칙** : 탄핵증거가 전문법칙의 예외인가, 그 적용이 없는 경우인가에 관하여 대립되고 있으나, 전문법칙은 원진술자의 진술내용이 범죄사실의 존부를 증명하는 증거가 될 경우에만 적용되는 것이나, 탄핵증거는 범죄사실 등 주요사실의 존부를 증명하는 증거가 아니고, 진술의 증명력을 다투기 위한 증거이므로 전문법칙의 적용이 없는 경우라 해석하여야 한다(통설).

㉡ **탄핵증거와 자유심증주의** : 탄핵증거에 의해 탄핵되는 증거의 증명력은 법관의 자유판단에 의하여 결정된다. 따라서 탄핵증거는 자유심증주의의 예외가 아니며 이를 보강하는 기능을 갖는다.

(2) 탄핵증거의 사용범위

탄핵증거로 사용할 수 있는 증거의 범위에 대하여 한정설(현재 진술자의 과거에 한 자기모순의 진술에 한정하는 견해), 비한정설(탄핵증거의 범위를 제한하지 아니하는 견해), 절충설(자기모순의 진술뿐만 아니라 진술자의 신빙성에 관한 사실, 즉 진술자의 성격, 이해관계, 전과사실, 평판 등을 입증하는 증거도 탄핵증거로 사용될 수 있다는 견해), 이원설(검사와 피고인이 제출할 수 있는 탄핵증거의 범위를 구별하는 견해) 등이 대립하고 있으나, 탄핵증거는 진술자의 신빙성을 다투는 증거이므로 자기모순의 진술이나 증인의 신빙성에 대한 보조사실을 증명하는 것이라면 무방하다 할 것이므로 절충설이 타당하다고 본다.

(3) 탄핵의 대상과 범위

① **대상** : 제318조의 2는 탄핵의 대상으로 '공판준비 또는 공판기일에서의 피고인 또는 피고인 아닌 자의 진술'이라고 규정하고 있다. 여기서 피고인 아닌 자의 진술(예 증인의 증언)이 탄핵의 대상이 됨은 의문의 여지가 없으며 진술에는 진술 자체뿐 아니라 진술을 기재한 서면도 포함된다. 18. 수사경과 그러나 탄핵대상과 관련하여 다음 두 가지가 문제된다.

㉠ **피고인 진술** : 피고인의 진술도 탄핵의 대상이 되는가에 대해서 대립이 있으나, 판례는 적극설을 취하고 있다.

관련판례

1. 사법경찰리 작성의 피고인에 대한 피의자신문조서와 피고인이 작성한 자술서들은 모두 검사가 유죄의 자료로 제출한 증거들로서 피고인이 각 그 내용을 부인하는 이상 증거능력이 없으나, 그러한 증거라 하더라도 그것이 임의로 작성된 것이 아니라고 의심할 만한 사정이 없는 한 피고인의 법정에서의 진술을 탄핵하기 위한 반대증거로 사용할 수 있다(대판 1998.2.27, 97도1770). 20. 9급 검찰 · 마약 · 교정 · 보호 · 철도경찰, 20 · 21. 순경 1차, 21. 경찰승진, 22. 경찰간부, 23. 7급 국가직, 18 · 24. 변호사시험, 24. 해경경위공채, 25. 소방간부
2. 피고인이 내용을 부인하여 증거능력이 없는 사법경찰리 작성의 피의자신문조서에 대하여 비록 당초 증거제출 당시 탄핵증거라는 입증취지를 명시하지 아니하였지만 피고인의 법정 진술에 대한 탄핵증거로서의 증거조사절차가 대부분 이루어졌다고 볼 수 있는 점 등의 사정에 비추어 위 피의자신문조서를 피고인의 법정 진술에 대한 탄핵증거로 사용할 수 있다(대판 2005.8.19, 2005도2617). 15. 경찰승진 · 순경 3차, 18. 변호사시험, 21. 순경 1차

㉡ **자기측 증인의 탄핵** : 자기측 증인의 증언에 대한 탄핵도 가능하다고 보는 견해가 지배적이다. 증인을 자신이 신청했다는 이유로 자신의 기대에 반하는 불리한 내용을 담은 증언을 탄핵할 수 없다는 것은 비합리적인 것이기 때문이다.

② **범위** : 제318조의 2에서 "진술의 증명력을 다투기 위하여는 이를 증거로 할 수 있다."고 규정하고 있는데, '증명력을 다투기 위하여'란 증명력을 감쇄시키기 위한 경우를 의미하고, 처음부터 증명력을 지지 · 보강하는 경우를 의미하지 않는다. 따라서 범죄사실 또는 간접사실을 인정하는 증거로는 사용될 수 없다(대판 2012.10.25, 2011도5459). 11. 순경 1차, 17. 변호사시험, 20. 9급 검찰 · 마약 · 교정 · 보호 · 철도경찰, 18 · 21. 수사경과, 21 · 23. 해경, 19 · 21 · 24. 경찰승진, 24. 9급 법원직 · 해경경위공채

관련판례

검사가 탄핵증거로 신청한 체포 · 구속인접견부 사본은 피고인의 부인진술을 탄핵한다는 것이므로 결국 검사에게 입증책임이 있는 공소사실 자체를 입증하기 위한 것에 불과하므로 형사소송법 제318조의 2 제1항의 피고인의 진술의 증명력을 다투기 위한 탄핵증거로 볼 수 없다(대판 2012.10.25, 2011도5459). 20. 순경 1차, 21. 수사경과, 22. 경찰간부 · 해경간부, 23. 경찰승진 · 7급 국가직

PART 04

(4) 탄핵증거의 자격

① **전문증거** : 탄핵증거로 사용될 수 있는 것은 증거능력이 인정되지 않는 전문증거이다. 이 전문증거에는 서류 및 진술이 포함된다(제318조의 2 제1항).

② **임의성 없는 자백** : 임의성이 없는 자백이나 진술은 탄핵증거로도 사용할 수 없다. 09. 순경, 11. 경찰승진

③ **성립의 진정** : 진술자의 서명 · 날인이 없는 전문서류는 탄핵증거로 사용할 수 없다는 것이 다수설이나, 판례는 반대견해이다. 즉, 탄핵증거에 관하여 성립의 진정을 요구하지 않는다.

관련판례

진정성립이 인정되지 아니하고 이를 증거로 함에 상대방의 동의가 없었기는 하나, 그러한 증거라고 하더라도 유죄사실을 인정하는 증거로 사용하는 것이 아닌 이상 공소사실과 양립할 수 없는 사실을 인정하는 자료로 쓸 수 있다(대판 1994.11.11, 94도1159).

④ **공판정에서 진술 이후의 자기모순 진술** : 증인의 공판정의 증언을 탄핵하기 위하여 증언 이후에 수사기관에서 작성한 진술조서를 제출하는 것은 공판중심주의와 공정한 재판의 이념에 반하기 때문에 허용되지 않는다고 해석함이 타당하다. 10. 7급 국가직, 14. 순경 2차

⑤ **영상녹화물의 탄핵증거 사용 여부** : 피고인 또는 피고인 아닌 자의 진술을 내용으로 하는 영상녹화물은 탄핵증거로 사용할 수 없다(제318조의 2 제2항). 08. 9급 법원직, 09. 7급 국가직, 10 · 11. 경찰승진, 15. 수사경과, 18. 순경 1차, 22. 소방간부

피고인이나 참고인이 수사기관에서의 진술을 번복한 경우에, 수사기관에서 영상녹화하였더라도 이를 가지고 탄핵증거로 사용할 수는 없다. 다만, 피고인이나 참고인이 수사기관에서 조서에 기재된 대로 진술하였는지 잘 기억이 나지 않는다고 할 경우에 기억환기를 위해 영상녹화물을 피고인 또는 피고인 아닌 자에게 재생하여 시청하게 할 수 있다(제318조의 2 제2항).

제318조의 2 제2항의 영상녹화물의 재생은 검사의 신청이 있는 경우에 한하고, 기억의 환기가 필요한 피고인 또는 피고인 아닌 자에게만 재생하여 시청하게 하여야 한다(규칙 제134조의 5 제1항).

(5) 탄핵증거의 조사방식

① 탄핵증거는 공판정에서의 증거조사는 필요하나, 범죄사실을 인정하는 증거가 아니므로 정식의 증거조사절차와 방식(엄격한 증거조사)은 필요치 않다(판례 · 다수설). 09. 경찰승진 · 7급 국가직, 10. 9급 법원직 · 교정특채, 11. 순경, 13. 9급 국가직, 17. 변호사시험, 21. 수사경과, 24. 해경경위공채

관련판례

1. 탄핵증거는 범죄사실을 인정하는 증거가 아니므로 엄격한 증거조사를 거쳐야 할 필요가 없음은 형사소송법 제318조의 2의 규정에 따라 명백하나 24. 9급 법원직 법정에서 이에 대한 탄핵증거로서의 증거조사는 필요한 것이고, 18. 수사경과 · 순경 1차, 19. 경찰승진, 23. 7급 국가직, 17 · 24. 해경간부 탄핵증거의 제출에 있어서도 상대방에게 이에 대한 공격방어의 수단을 강구할 기회를 사전에 부여하여야 한다는 점에서 그 증거와 증명하고자 하는 사실과의 관계 및 입증취지 등을 미리 구체적으로 명시하여야 할 것이므로, 증명력을 다투고자 하는 증거의 어느 부분에 의하여 진술의 어느 부분을 다투려고 한다는 것을 사전에 상대방에게 알려야 한다(대판 2005.8.19, 2005도2617). 17. 변호사시험, 20. 9급 검찰 · 마약 · 교정 · 보호 · 철도경찰, 21. 수사경과, 20 · 23. 7급 국가직, 18 · 20 · 24. 순경 1차, 19 · 21 · 24. 경찰승진, 22 · 24. 해경간부, 24. 해경승진
2. 비록 증거목록에 기재되지 않았고 증거결정이 있지 아니하였다 하더라도 공판과정에서 그 입증취지가 구체적으로 명시되고 제시까지 된 이상 위 각 서증들에 대하여 탄핵증거로서의 증거조사는 이루어졌다고 보아야 할 것이다(대판 2006.5.26, 2005도6271). 13. 9급 검찰 · 마약 · 교정 · 보호 · 철도경찰, 17. 해경간부, 22. 경찰간부, 24. 9급 법원직
3. 법정에서 증거로 제출된 바가 없어 전혀 증거조사가 이루어지지 아니한 채 수사기록에만 편철되어 있는 서류를 탄핵 증거로 사용하였다면 이러한 원심의 조치에는 탄핵증거의 조사방법에 관한 법리오해의 위법이 있다 할 것이다(대판 1998.2.27, 97도1770). 22. 경찰간부

② 주신문 또는 반대신문의 경우에 증언의 증명력을 다투기 위하여 필요한 사항에 관하여 신문을 할 수 있다(규칙 제77조 제1항). 피고인신문은 증인신문에 있어 교호신문의 방식을 준용하므로(제292조의 2 제3항, 제161조의 2), 피고인신문에서도 반대신문은 물론 주신문에서 진술의 증명력을 다투기 위한 신문을 할 수 있다.

KEY point

- **탄핵의 대상** : 피고인 또는 피고인 아닌 자의 진술
- **탄핵증거의 자격**
  - 증거능력 없는 전문증거
  - 임의성 없는 증거는 탄핵증거 사용 ×
  - 성립의 진정 인정되지 않아도 무방(판례)
  - 영상녹화물 ⇨ 탄핵증거로 사용 ×
- **탄핵증거의 증거조사** : 필요(엄격한 방식은 불필요)

CHAPTER

02 기출문제

01 **탄핵증거에 대한 설명으로 옳지 않은 것은?** 23. 7급 국가직

① 사법경찰관 작성의 피고인에 대한 피의자신문조서는 피고인이 그 내용을 부인하면 증거능력이 없을 뿐만 아니라 그것이 임의로 작성된 것이라고 하더라도 피고인의 법정에서의 진술을 탄핵하기 위한 반대증거로 사용할 수 없다.

② 탄핵증거는 범죄사실을 인정하는 증거가 아니어서 엄격한 증거능력을 요하지 않는다.

③ 탄핵증거를 제출할 때에는 증명력을 다투고자 하는 증거의 어느 부분에 의하여 진술의 어느 부분을 다투려고 한다는 것을 사전에 상대방에게 알려야 한다.

④ 검사가 탄핵증거로 신청한 체포·구속인접견부 사본이 피고인의 부인(否認)진술을 탄핵하기 위한 것이라면, 결국 검사에게 입증책임이 있는 공소사실 자체를 입증하기 위한 것에 불과하므로 피고인 진술의 증명력을 다투기 위한 탄핵증거로 볼 수 없다.

해설 ① 사법경찰리 작성의 피고인에 대한 피의자신문조서와 피고인이 작성한 자술서들은 모두 검사가 유죄의 자료로 제출한 증거들로서 피고인이 각 그 내용을 부인하는 이상 증거능력이 없으나 그러한 증거라 하더라도 그것이 임의로 작성된 것이 아니라고 의심할 만한 사정이 없는 한 피고인의 법정에서의 진술을 탄핵하기 위한 반대증거로 사용할 수 있다(대판 1998.2.27, 97도1770).
②③ 대판 2005.8.19, 2005도2617 ④ 대판 2012.10.25, 2011도5459

02 **탄핵증거에 관한 설명으로 가장 적절하지 않은 것은?**(다툼이 있는 경우 판례에 의함) 24. 경찰승진

① 탄핵증거의 제출에 있어서도 상대방에게 이에 대한 공격방어의 수단을 강구할 기회를 사전에 부여하여야 한다는 점에서 증명력을 다투고자 하는 증거의 어느 부분에 의하여 진술의 어느 부분을 다투려고 한다는 것을 사전에 상대방에게 알려야 한다.

② 탄핵증거는 범죄사실을 인정하는 증거가 아니지만 엄격한 증거조사를 요한다.

③ 탄핵증거는 진술의 증명력을 감쇄하기 위하여 인정되는 것이고 범죄사실 또는 그 간접사실의 인정의 증거로는 허용되지 않는다.

④ 내용부인으로 증거능력이 상실된 사법경찰리 작성 피의자신문조서에 문자 전송 내역이 첨부되어 있는 경우 검사는 위 조서가 임의로 작성된 것이 아니라고 의심할 만한 사정이 없는 한 피고인의 법정 진술의 증명력을 다투기 위한 탄핵증거로 사용할 수 있다.

해설 ① 대판 2005.8.19, 2005도2617
② 탄핵증거는 범죄사실을 인정하는 증거가 아니므로 엄격한 증거조사를 거쳐야 할 필요가 없음은 형사소송법 제318조의 2의 규정에 따라 명백하나 법정에서 이에 대한 탄핵증거로서의 증거조사는 필요하다(대판 2005.8.19, 2005도2617).
③ 대판 2012.10.25, 2011도5459 ④ 대판 1998.2.27, 97도1770

Answer 01. ① 02. ②

03 **탄핵증거에 관한 다음 설명 중 가장 옳지 않은 것은?** 24. 9급 법원직

① 검사가 유죄의 자료로 제출한 사법경찰관 작성의 피고인에 대한 피의자신문조서는 피고인이 그 내용을 부인하는 이상 증거능력이 없으나, 그것이 임의로 작성된 것이 아니라고 의심할 만한 사정이 없는 한 피고인의 법정에서의 진술을 탄핵하기 위한 반대증거로 사용할 수 있고, 또한 탄핵증거는 범죄사실을 인정하는 증거가 아니므로 엄격한 증거조사를 거칠 필요는 없다.

② 탄핵증거의 제출에 있어서도 그 증거와 증명하고자 하는 사실과의 관계 및 증명취지 등을 미리 구체적으로 명시하여야 할 것이므로, 증명력을 다투고자 하는 증거의 어느 부분에 의하여 진술의 어느 부분을 다투고자 한다는 것을 사전에 상대방에게 알려야 한다.

③ 설령 공판과정에서 그 증명취지가 구체적으로 명시되고 제시가 되었다고 하더라도 증거목록에 기재되지 않았고 증거결정이 있지 아니하였다면 탄핵증거로 제출된 서증에 대하여 탄핵증거로서의 증거조사가 이루어지지 않은 것으로 볼 수밖에 없다.

④ 탄핵증거는 진술의 증명력을 감쇄하기 위하여 인정되는 것이므로, 간접사실을 인정하는 증거로서는 허용되지 않는다고 할 것이다.

해설 ① 대판 1998.2.27, 97도1770 ; 대판 2005.8.19, 2005도2617

② 대판 2005.8.19, 2005도2617

③ 비록 증거목록에 기재되지 않았고 증거결정이 있지 아니하였다 하더라도 공판과정에서 그 입증취지가 구체적으로 명시되고 제시까지 된 이상 위 각 서증들에 대하여 탄핵증거로서의 증거조사는 이루어졌다고 보아야 할 것이다(대판 2006.5.26, 2005도6271).

④ 대판 2012.10.25, 2011도5459

04 **탄핵증거에 관한 설명으로 가장 적절한 것은?**(다툼이 있는 경우 판례에 의함) 24. 순경 2차

① 공소사실에 부합하는 증거인 피해자의 진술을 탄핵하는 증거로 삼은 변호인 제출의 신용카드 사용내역승인서 사본이 비록 공판과정에서 그 입증취지가 구체적으로 명시되고 제시까지 되었다고 하더라도 증거목록에 기재되지 않았고 증거결정이 있지 아니하였다면, 탄핵증거로서의 증거조사는 이루어졌다고 볼 수 없다.

② 사법경찰리 작성의 피고인에 대한 피의자신문조서는 피고인이 그 내용을 부인하는 이상 증거능력이 없을 뿐만 아니라, 그것이 임의로 작성된 것이라도 피고인의 법정에서의 진술을 탄핵하기 위한 반대증거로 사용할 수 없다.

③ 검사가 A에 대하여 참고인조사를 한 후 그 진술조서를 증거로 제출하였는데, A가 공판정에 나와 참고인진술조서에 기재된 내용과 모순되는 진술을 하면서 그 조서의 진정성립을 부인하는 경우, 그 참고인진술조서는 A의 위 법정진술에 대한 탄핵증거로 사용될 수 있다.

④ 탄핵증거의 제출에 있어서도 상대방에게 이에 대한 공격방어의 수단을 강구할 기회를 사전에 부여하여야 할 것이지만, 증명력을 다투고자 하는 증거의 어느 부분에 의하여 진술의 어느 부분을 다투려고 한다는 것을 사전에 상대방에게 알려야 할 필요는 없다.

Answer 03. ③ 04. ③

해설 ① 비록 증거목록에 기재되지 않았고 증거결정이 있지 아니하였다 하더라도 공판과정에서 그 입증취지가 구체적으로 명시되고 제시까지 된 이상 위 각 서증들에 대하여 탄핵증거로서의 증거조사는 이루어졌다고 보아야 할 것이다(대판 2006.5.26, 2005도6271).
② 사법경찰리 작성의 피고인에 대한 피의자신문조서는 피고인이 그 내용을 부인하는 이상 증거능력이 없으나, 그것이 임의로 작성된 것이 아니라고 의심할 만한 사정이 없는 한 피고인의 법정에서의 진술을 탄핵하기 위한 반대증거로 사용할 수 있다(대판 2014.3.13, 2013도12507).
③ 제318조의 2 제1항
④ 탄핵증거의 제출에 있어서도 상대방에게 이에 대한 공격방어의 수단을 강구할 기회를 사전에 부여하여야 하며, 증명력을 다투고자 하는 증거의 어느 부분에 의하여 진술의 어느 부분을 다투려고 한다는 것을 사전에 상대방에게 알려야 한다(대판 2005.8.19, 2005도2617).

종합문제

01 **전문증거의 증거능력에 대한 설명으로 옳은 것은?** 23. 9급 검찰 · 마약 · 교정 · 보호 · 철도경찰

① 진술이 기재된 서류가 그 진술을 하였다는 사실 자체에 대한 정황증거로 사용될 것이라는 이유로 그 서류의 증거능력이 인정된 다음 그 사실을 다시 진술내용의 진실성을 증명하는 간접사실로 사용하면 그 서류는 전문증거에 해당한다.

② 검사가 작성한 피고인 아닌 자에 대한 진술조서에 관하여 피고인이 공판정 진술과 배치되는 부분은 부동의한다고 진술하였다면, 진술조서 중 부동의한 부분을 제외한 나머지 부분에 대해서는 피고인이 그 조서를 증거로 함에 동의한다는 취지로 해석하여야 한다.

③ 검사의 조사를 받은 참고인이 법정에서 증언을 거부하여 피고인이 반대신문을 하지 못한 경우라도 그 증언거부권 행사가 정당하다면 형사소송법 제314조의 '그 밖에 이에 준하는 사유로 인하여 진술할 수 없는 때'에 해당하므로 특별한 사정이 없는 한 참고인에 대한 검사 작성 조서는 증거능력이 인정된다.

④ 참고인의 진술을 내용으로 하는 조사자의 증언은, 그 참고인이 법정에 출석하여 조사 당시의 진술을 부인하는 취지로 증언하였더라도, 그 진술이 '특히 신빙할 수 있는 상태하에서 행하여졌음'이 증명되면 증거능력이 인정된다.

해설 ① 대판 2019.8.29, 2018도14303 전원합의체

② 검사 작성의 피고인 아닌 자에 대한 진술조서에 관하여 피고인이 공판정 진술과 배치되는 부분은 부동의한다고 진술한 것은 조서내용의 특정부분에 대하여 증거로 함에 동의한다는 특별한 사정이 있는 때와는 달리 그 조서를 증거로 함에 동의하지 아니한다는 취지로 해석하여야 한다(대판 1984.10.10, 84도1552).

③ 정당하게 증언거부권을 행사하여 증언을 거부한 경우에도 형사소송법 제314조의 '그 밖에 이에 준하는 사유로 인하여 진술할 수 없는 때'에 해당하지 아니한다. 따라서 참고인에 대한 검사 작성조서는 특별한 사정이 없는 한 증거능력이 부정된다(대판 2012.5.17, 2009도6788 전원합의체).

④ 참고인의 진술을 내용으로 하는 조사자의 증언에 증거능력이 인정되기 위해서는 원진술자가 사망, 질병, 외국거주, 소재불명, 그 밖에 이에 준하는 사유로 인하여 진술할 수 없어야 하는 것이라서(제316조 제2항) 원진술자가 법정에 출석하여 수사기관에서 한 진술을 부인하는 취지로 증언한 이상 원진술자의 진술을 내용으로 하는 조사자의 증언은 증거능력이 없다(대판 2008.9.25, 2008도6985).

02 **전문법칙의 예외에 관한 설명으로 가장 적절하지 않은 것은?**(다툼이 있는 경우 판례에 의함)

23. 순경 2차

① A가 B와의 개별면담에서 대화한 내용을 피고인 甲에게 불러주었고, 그 내용이 기재된 甲의 업무수첩이 그 대화내용을 증명하기 위한 진술증거인 경우에는 피고인이 작성한 진술서에 대한 형사소송법 제313조 제1항에 따라 증거능력을 판단해야 한다.

Answer 01. ① 02. ①

② 공소제기 전에 피고인을 피의자로 조사했던 사법경찰관이 공판기일에 피고인의 진술을 그 내용으로 하여 한 진술을 증거로 하기 위해서는 사법경찰관이 피의자였던 피고인으로부터 진술을 들을 당시 피고인이 증언능력에 준하는 능력을 갖춘 상태에 있었어야 한다.
③ 피해자가 제1심 법정에서 수사기관에서의 진술조서에 대해 실질적 진정성립을 부인하는 취지로 진술하였다면, 이후 피해자가 사망하였더라도 피해자를 조사하였던 조사자에 의한 수사기관에서 이루어진 피해자의 진술을 내용으로 하는 제2심 법정에서의 증언은 증거능력이 없다.
④ 법원이 구속된 피의자를 심문하고 그에 대한 피의자의 진술 등을 기재한 구속적부심문조서는 형사소송법 제315조 제3호의 '특히 신용할 만한 정황에 의하여 작성된 문서'에 해당하여 피고인이 증거로 함에 부동의하더라도 당연히 그 증거능력이 인정된다.

해설 ① 피고인 甲의 업무수첩 등의 대화 내용 부분이 전 대통령과 개별 면담자 사이에서 대화한 내용을 증명하기 위한 진술증거인 경우에는 전문진술로서 형사소송법 제316조 제2항에 따라 원진술자가 사망, 질병, 외국거주, 소재불명 그 밖에 이에 준하는 사유로 진술할 수 없고 그 진술이 특히 신빙할 수 있는 상태에서 한 것임이 증명된 때에 한하여 증거로 사용할 수 있다(대판 2019.8.29, 2018도13792 전원합의체).
▶ 증인(청와대 경제수석비서관)의 업무수첩 등의 대화 내용 부분이 전직 대통령인 피고인과 개별 면담자 사이에서 대화한 내용을 증명하기 위한 진술증거인 경우에는 전문진술로서 형사소송법 제316조 제1항에 따라 그 진술이 특히 신빙할 수 있는 상태에서 한 것임이 증명된 때에 한하여 증거로 사용할 수 있다(대판 2019.8.29, 2018도14303 전원합의체)
② 대판 2006.4.14, 2005도9561
③ 대판 2001.9.28, 2001도3997
④ 대판 2004.1.16, 2003도5693

03 **전문증거에 관한 설명으로 가장 적절하지 않은 것은?**(다툼이 있는 경우 판례에 의함) 24. 경찰간부

① 현장사진 중 '사진 가운데에 위치한 촬영일자' 부분이 조작된 것이라고 다투는 경우, 위 '현장사진의 촬영일자'는 전문법칙이 적용된다.
② 어떤 진술이 기재된 서류가 그 내용의 진술을 하였다는 사실 자체에 대한 정황증거로 사용되었다 하더라도, 그 서류가 다시 진술내용이나 그 진실성을 증명하는 간접사실로 사용되는 경우에는 전문증거에 해당하므로 전문법칙이 적용된다.
③ 피고인 아닌 자의 공판기일에서의 진술이 피고인 아닌 타인의 진술을 그 내용으로 하는 경우 형사소송법 제316조 제2항이 요구하는 특히 신빙할 수 있는 상태하에서 행하여졌음에 대한 증명은 단지 그러한 개연성이 있다는 정도로 족하며 합리적인 의심의 여지를 배제하는 정도에 이를 필요는 없다.
④ 피고인 아닌 자의 진술이 기재된 조서에 원진술자가 실질적 진정 성립을 부인하더라도 영상녹화물 또는 그 밖의 객관적인 방법에 의하여 증명하는 방법이 있는데, 여기서 '그 밖의 객관적인 방법'이라 함은 영상녹화물에 준할 정도로 피고인의 진술을 과학적·기계적·객관적으로 재현해 낼 수 있는 방법만을 의미하며 조사관 또는 조사과정에 참여한 통역인 등의 증언은 이에 해당한다고 볼 수 없다.

Answer 03. ③

해설 ① 촬영일자 부분에 대하여 조작된 것이라고 다툰다고 하더라도 이 부분은 전문증거에 해당되어 별도로 증거능력이 있는지를 살펴보면 족한 것이다(대판 1997.9.30, 97도1230).
② 대판 2019.8.29, 2018도14303 전원합의체
③ '특히 신빙할 수 있는 상태하에서 행하여졌음에 대한 증명'은 단지 그러할 개연성이 있다는 정도로는 부족하고 합리적인 의심의 여지를 배제할 정도에 이르러야 한다고 할 것이다(대판 2014.2.21, 2013도12652).
④ 대판 2016.2.18, 2015도16586〔검사작성 피의자신문조서 제312조 제2항(현재는 삭제된 조문임)과 관련한 판례이나, 그 취지는 제312조 제4항에도 그대로 적용될 수 있을 것으로 보여진다.〕

04 **전문법칙 또는 그 예외에 관한 설명으로 옳고 그름의 표시(○, ×)가 바르게 된 것은?**(다툼이 있는 경우 판례에 의함) 24. 경찰승진

㉠ 대한민국 영사가 작성한 사실확인서 중 공인 부분을 제외한 나머지 부분이 공적인 증명보다는 상급자 등에 대한 보고를 목적으로 하는 경우에는 형사소송법 제315조 제1호에 정한 '공무원의 직무상 증명할 수 있는 사항에 관하여 작성한 문서'라고 할 수 없다.
㉡ 법원·법관의 공판기일에서의 검증의 결과를 기재한 조서와 수사기관이 작성한 검증조서는 당연히 증거능력이 인정된다.
㉢ 법관의 면전에서 조사·진술되지 않고 그에 대하여 피고인이 공격·방어할 수 있는 반대신문의 기회가 실질적으로 부여되지 않은 진술은 원칙적으로 증거로 할 수 없다.
㉣ 사인(私人)이 피고인 아닌 자의 전화 대화를 녹음한 녹음테이프에 대하여 법원이 실시한 검증의 내용이 그 진술 당시 진술자의 상태 등을 확인하기 위한 것인 경우에는 그 내용을 기재한 검증조서는 형사소송법 제313조 제1항에 따른 요건을 갖추어야 증거능력이 인정될 수 있다.
㉤ 감정의 경과와 결과를 기재한 서류는 공판준비 또는 공판기일에서 그 작성자가 성립의 진정을 부인하면 과학적 분석결과에 기초한 디지털포렌식 자료, 감정 등 객관적 방법으로 성립의 진정함이 증명되더라도 증거로 할 수 없다.

① ㉠(×), ㉡(×), ㉢(○), ㉣(×), ㉤(×)
② ㉠(○), ㉡(×), ㉢(○), ㉣(×), ㉤(×)
③ ㉠(○), ㉡(×), ㉢(○), ㉣(○), ㉤(×)
④ ㉠(×), ㉡(○), ㉢(×), ㉣(×), ㉤(○)

해설 ㉠ ○ : 대판 2007.12.13, 2007도7257
㉡ × : 법원·법관의 공판기일에서의 검증의 결과를 기재한 조서는 당연히 증거능력이 인정된다(제311조). 그러나 수사기관이 작성한 검증조서는 적법한 절차와 방식에 따라 작성된 것으로서 공판준비 또는 공판기일에서의 작성자의 진술에 따라 그 성립의 진정함이 증명된 때에는 증거로 할 수 있다(제312조 제6항).
㉢ ○ : 대판 2014.2.21, 2013도12652
㉣ × : 녹음테이프에 대한 검증의 내용이 그 진술 당시 진술자의 상태 등을 확인하기 위한 것인 경우에는, 녹음테이프에 대한 검증조서의 기재 중 진술내용을 증거로 사용하는 경우에 관한 위 법리는 적용되지 아니하고, 따라서 위 검증조서는 법원의 검증의 결과를 기재한 조서로서 형사소송법 제311조에 의하여 당연히 증거로 할 수 있다(대판 2008.7.10, 2007도10755).

Answer 04. ②

ⓜ ×: 감정의 경과와 결과를 기재한 서류는 공판준비 또는 공판기일에서 그 작성자가 성립의 진정을 부인하면 과학적 분석결과에 기초한 디지털포렌식 자료, 감정 등 객관적 방법으로 성립의 진정함이 증명되는 때에는 증거로 할 수 있다. 다만, 피고인 아닌 자가 작성한 진술서는 피고인 또는 변호인이 공판준비 또는 공판기일에 그 기재내용에 관하여 작성자를 신문할 수 있었을 것을 요한다(제313조 제2항 · 제3항).

05 **전문법칙에 관한 설명으로 옳지 않은 것은?**(다툼이 있는 경우 판례에 의함) 24. 소방간부

① 검사가 작성한 피의자신문조서는 적법한 절차와 방식에 따라 작성된 것으로서 공판준비, 공판기일에 그 피의자였던 피고인 또는 변호인이 그 내용을 인정할 때에 한정하여 증거로 할 수 있다.

② 사법경찰관이 작성한 실황조사서에 피의자이던 피고인이 사법경찰관의 면전에서 자백한 범행내용을 현장에 따라 진술, 재연하고 사법경찰관이 그 진술, 재연의 상황을 기재하거나 이를 사진으로 촬영한 것 외에 별다른 기재가 없는 경우 피고인이 공판정에서 실황조사서에 기재된 진술내용 및 범행재연의 상황을 모두 부인하고 있다면 그 실황조사서는 증거능력이 없다.

③ 현행범을 체포한 경찰관의 진술이라 하더라도 범행을 목격한 부분에 관하여는 증거능력이 있고, 경찰관의 현행범 체포행위를 도운 자가 경찰정보원인 경우 그 자가 범인의 범행을 목격하였다는 취지로 한 진술은 증거능력이 없다.

④ 수사경찰 아닌 경찰관의 증언내용이 피고인이 경찰에서 피의자로서 조사받을 때 담당수사경찰이 없는 자리에서 자기에게 자백진술을 하였다는 내용이라면 이는 전문증거라고 할 것이므로 원진술자의 진술이 특히 신빙할 수 있는 상태에서 이루어진 것이라고 보기 어렵다면 이러한 증거들을 유죄의 증거로 삼을 수 없다.

⑤ 정보통신망을 통하여 공포심을 유발하는 글을 반복적으로 상대방에게 도달하게 하는 행위를 하였다는 공소사실에 대해 휴대전화기에 저장된 문자정보가 그 증거가 되는 경우에는 전문법칙이 적용되지 않는다.

해설 ① 제312조 제1항
② 대판 1984.5.29, 84도378
③ 현행범을 체포한 경찰관의 진술이라 하더라도 범행을 목격한 부분에 관하여는 여느 목격자와 다름없이 증거능력이 있고, 경찰관의 체포행위를 도운 자가 범인의 범행을 목격하였다는 취지의 진술은 그 사람이 경찰정보원이라 하더라도 그 증거능력을 부인할 아무런 이유가 없다(대판 1995.5.9, 95도535).
④ 대판 1980.8.12, 80도1289
⑤ 대판 2008.11.13, 2006도2556

Answer 05. ③

06 **전문법칙에 대한 설명으로 옳지 않은 것은?** 24. 7급 국가직

① 피고인 甲의 건축허가 관련 특정범죄 가중처벌 등에 관한 법률위반(알선수재)죄 피고사건에서 乙이 "내(乙)가 건축허가 담당 공무원에게 사례비 2,000만원을 주기로 甲과 상의하였다." 라고 증언한 경우 위 증언에는 전문법칙이 적용되지 않는다.

② 피고인 甲과 공범관계에 있는 공동피고인 乙에 대해 검사가 작성한 피의자신문조서는 乙이 피의자신문조서에 기재된 것과 같은 내용으로 진술하였다는 취지로 공판정에서 진술하였다면 甲이 공판기일에 그 조서의 내용을 부인하더라도 甲에 대해 증거능력이 인정된다.

③ 수사기관이 아닌 사인이 피고인 아닌 자와의 전화 대화를 녹음한 녹음테이프에 대하여 법원이 실시한 검증의 내용이 그 진술 당시 술에 취한 상태에서 횡설수설 이야기한 것인지 여부 등 진술자의 상태 등을 확인하기 위한 것인 경우에는 그 검증조서는 법원의 검증결과를 기재한 조서로서 당연히 증거로 할 수 있다.

④ 피고인 甲의 범죄사실 인정 진술을 수사기관이 아닌 乙이 녹음하였다면, 그 녹음된 진술 내용은 甲의 진정성립 인정이 없더라도 乙의 증언으로 진정성립이 증명되고, 원진술의 특신상태가 인정된다면 증거로 사용할 수 있다.

해설 ① 대판 2008.11.13, 2008도8007

② 피고인이 공소사실을 부인하는 경우 검사가 작성한 피의자신문조서 중 공소사실을 인정하는 취지의 진술 부분은 그 내용을 인정하지 않았다고 보아야 한다(대판 2023.4.27, 2023도2102). 따라서 증거능력 부정

③ 대판 2008.7.10, 2007도10755

④ 대판 2012.9.13, 2012도7461

Answer 06. ②

제3절 증명력

법원은 적법하게 수집한 증거자료를 기초로 하여 사실의 존부에 관한 심증을 형성하게 된다. 법원은 엄격한 증명을 요하는 사실에 대해서는 증거능력이 있는 증거를 법정된 증거조사 절차를 통하여 수집하며, 그 밖에 자유로운 증명으로 족한 사실에 대해서는 이러한 제한을 받지 않고 여러 가지 형태로 증거를 모으게 된다. 이와 같이 수집된 증거를 바탕으로 법원은 그 증거의 실질가치를 평가하게 되는바, 증거로 사실을 밝히는 것을 증명이라 하며, 증명할 수 있는 증거의 실질적 가치를 증명력이라 부른다. 형사소송법은 자유심증주의(제308조)에 따라 법관의 증명력 판단에 제한을 두지 않음을 원칙으로 하면서도, 오판의 위험을 방지하기 위해 자백의 증명력을 제한하여 보강증거를 요구하고 있고(제310조), 공판절차 진행의 적법성을 둘러싼 논란의 여지를 봉쇄하기 위하여 공판조서의 배타적 증명력(제56조)을 인정하고 있다.

KEY point

증거능력 문제	증명력 문제
• 위법수집증거배제법칙(제308조의 2) • 자백배제법칙(제309조) • 전문법칙(제310조의 2)	• 자유심증주의(제308조) • 자백보강법칙(제310조) • 공판조서의 배타적 증명력(제56조)

1 자유심증주의

(1) 의의 · 연혁

① **의의** : 자유심증주의란 증거의 증명력 평가를 법률로 규정하지 않고 법관의 자유로운 판단에 맡기는 원칙을 말한다(제308조).

형사소송법에서의 자유심증주의는 민사소송법에서의 자유심증주의와 일치하지 않는다. 즉, 민사소송법의 자유심증주의는 법관이 변론의 전체취지와 증거조사의 결과를 참작하여 사실주장의 진실 여부를 판단하는 것을 의미(증거자료 없이 변론의 전체취지에 입각하여 사실인정 가능)하지만, 형사소송에 있어서는 증거를 기초로 한 주장사실의 진부만 문제될 뿐이고, 변론의 전체 취지를 기초로 한 자유심증은 허용되지 않는다.

보충 법정증거주의

증거의 증명력을 법률로 정해 놓은 주의이다. 즉, 각종 증거의 증명력을 미리 법률로 정해 둔 다음 일정한 증거가 존재하면 반드시 일정한 사실의 존재를 인정해야 하고, 그 반대의 경우에 일정한 사실의 존재를 인정할 수 없도록 하는 주의를 말한다(자유심증주의에 대립 개념). 이는 법관의 자의를 방지할 수는 있지만 자백을 얻기 위하여 인권을 침해할 우려가 있다. 우리 형사소송법은 법정증거주의가 아닌 자유심증주의를 채택하고 있다.

② **연혁** : 프랑스 혁명 후 1808년 치죄법이 법정증거주의를 버리고 자유심증주의를 채택한 이래 대륙법계 형사소송법의 기본원칙으로 자리하게 되었다(영미법에서는 자유심증주의라는 용어는 사용하지 않고 있지만, 증거의 증명력 판단에 자유심증주의가 인정되고 있다는 점에 이론이 없음).

③ **제도의 취지** : 증거의 증명력 평가를 법관의 자유판단에 맡겨 사실인정의 합리성을 도모함으로써 실체적 진실발견에 기여하기 위한 제도이다.

(2) 자유심증주의의 내용

① **자유판단의 주체** : 증명력 판단의 주체는 개개의 법관(수소법원인 합의부나 단독판사가 아님)이다. 자유심증주의는 개별 법관을 전제로 하는 것이므로 합의체 법원에 있어서도 그 구성원인 법관은 각자의 합리적인 이성에 의하여 증거의 증명력을 판단하게 된다.

국민참여재판의 경우 ⇨ 개별 배심원이 증명력 판단의 주체

② **자유판단의 대상** : 판단의 대상은 증거의 증명력이다. 여기서 증거라 함은 엄격한 증명을 요하는 사실에 관한 증거뿐 아니라 자유로운 증명을 요하는 사실에 관한 증거도 포함된다.

③ **자유판단의 의미**

㉠ **자유판단** : 증거의 증명력 평가는 법관의 자유판단에 의한다(제308조). 자유판단이란 법관이 증거의 증명력을 판단함에 있어서 법률이 규정해놓은 법칙에 따르지 않고 자신의 합리적 이성에 의하여 사실의 존부에 대한 판단을 행하는 것을 말한다. 따라서 법관은 증거능력이 있는 증거라도 증명력이 없으면 이를 배척할 수 있다. 물론 법관의 자유심증주의에서의 자유가 '자의'를 의미할 수는 없으며, 합리성을 이념으로 한다.

㉡ **구체적인 예**

ⓐ 피고인의 진술 : 자백이 항상 절대적 증거가 되는 것은 아니다. 따라서 법관은 피고인이 자백한 때에도 자백과 다른 사실을 인정할 수도 있다.

ⓑ 증인의 증언 : 법관은 증인의 성년·미성년·책임무능력 여부와 관계 없이 취사선택하여 증명력을 판단한다. 따라서 선서하지 않은 증인의 증언을 선택하고 선서한 증인의 증언을 배척할 수도 있다.

ⓒ 감정인의 의견 : 법관은 감정인의 의견에 구속되지 않는다. 따라서 심신상실의 감정결과에 대하여 유죄판결을 할 수도 있고 그 반대도 가능하다.

ⓓ 증거서류 : 서증의 증명력에 대한 판단도 법관의 자유심증에 의한다. 따라서 공판조서의 내용이 공판정 외에서 작성된 조서보다 반드시 우월한 것도 아니며, 피고인의 공판정 진술이 증거서류에 기재된 내용보다 우월한 증명력을 가진 것도 아니다.

ⓔ 간접증거(정황증거) : 형사재판에서 유죄인정을 위한 심증형성은 반드시 직접증거에 의하여 형성되어야 하는 것은 아니고 간접증거에 의해서도 가능하다(대판 1999.10.22, 99도3273). 18. 9급 검찰·마약수사, 19. 수사경과 간접증거가 개별적으로 완전한 증명력을 갖지 못한 경우라도 전체증거를 종합적으로 고찰할 경우 종합적 증명력이 있는 것으로 판단되면 그에 의하여 범죄사실을 인정할 수도 있다(대판 2000.10.24, 2000도3307). 09. 9급 국가직, 19. 수사경과

관련판례

살인죄와 같이 법정형이 무거운 범죄의 경우에도 직접증거 없이 간접증거만으로도 유죄를 인정할 수 있으나, **그 경우에도** 주요사실의 전제가 되는 간접사실의 인정은 합리적 의심을 허용하지 않을 정도의 증명이 있어야 하고, 그 하나하나의 간접사실이 상호 모순, 저촉이 없어야 함은 물론 논리와 경험칙, 과학법칙에 의하여 뒷받침되어야 한다. 19. 수사경과 **그러므로 유죄의 인정은 여러 간접사실로 보아 피고인이 범행한 것으로 보기에 충분할 만큼 압도적으로** 우월한 증명이 있어야 하고, 22. 순경 1차 **피고인이 고의적으로 범행한 것이라고 보기에 의심스러운 사정이 병존하고 증거관계 및 경험법칙상 고의적 범행이 아닐 여지를 확실하게 배제할 수 없다면 유죄로 인정할 수 없다. 피고인은 무죄로 추정된다는 것이 헌법상의 원칙이고, 그 추정의 번복은** 직접증거가 존재할 경우에 버금가는 **정도가 되어야 한다**(대판 2017.5.30, 2017도1549). 18. 9급 검찰·마약수사, 19. 수사경과

PART 04

ⓕ 동일증거의 일부와 종합증거 : 법관은 하나의 증거의 일부만을 믿을 수 있고, 또한 단독으로는 증명력이 없는 여러 개의 증거가 결합하여 증명력을 가지는 경우 종합증거에 의한 사실인정도 가능하다(대판 2013.6.27, 2013도4172). 09. 경찰승진·9급 국가직, 18. 9급 검찰·마약수사

④ **자유판단의 기준** : 사실인정은 법관의 자유판단에 의하지만, 통상인이면 누구나 의심하지 않을 정도로 보편타당성을 가져야 한다. 이러한 보편타당성을 확보하기 위해서는 법관의 사실인정이 논리와 경험법칙에 위배되지 않아야 한다.

㉠ **논리법칙** : 일정한 증거로부터 일정한 판단을 도출하고 그 판단을 전제로 하여 다시 다른 판단에 도달하는 과정이 모순이 없어야 한다. 따라서 계산착오, 판결이유의 모순 등은 논리법칙에 부합하지 아니한 것이다. 경험법칙과 개념적으로는 구별되나, 양자불가분의 관계에 있다.

㉡ **경험법칙** : 개별적인 체험의 관찰과 그 일반화에 의하여 경험적으로 얻어진 법칙을 의미한다. 법관은 필연적 경험법칙(예 DNA 분석 등 확실한 과학적 지식)에 구속되어 사실관계를 판단해야 하지만, 개연적 경험법칙(일반인들이 통상 취하게 되는 행동이나 생각)에 대해서는 그 확실성의 정도에 따라 법관이 합리적으로 판단이 가능하다.

⑤ **심증의 정도** : 증거의 증명력은 법관의 자유판단에 맡겨져 있으나(형사소송법 제308조) 그 판단은 논리와 경험칙에 합치하여야 하고, 형사재판에 있어서 유죄로 인정하기 위한 심증형성의 정도는 합리적 의심을 할 여지가 없을 정도여야 한다(형사소송법 제307조 제2항). 여기서 합리적인 의심이라 함은 모든 가능한 의심을 배제할 정도에 이를 것까지 요구하는 것은 아니라, 18. 9급 검찰·마약수사, 19. 수사경과, 22. 경찰간부, 22. 해경간부 논리와 경험칙에 기하여 요증사실과 양립할 수 없는 사실의 개연성에 대한 합리성 있는 의문을 의미하는 것으로서, 피고인에게 유리한 정황(불리한 정황 ×)을 사실인정과 관련하여 파악한 이성적 추론에 그 근거를 둔 것이어야 하므로, 단순히 관념적인 의심이나 추상적인 가능성에 기초한 의심은 합리적 의심에 포함된다고 할 수 없다(대판 2008.8.21, 2008도3570). 09. 9급 국가직, 22. 순경 1차

관련판례

[증명력 판단]

● 과학적 증거방법 관련

1. 공소사실을 뒷받침하는 과학적 증거방법은 전제로 하는 사실이 모두 진실인 것이 입증되고 추론의 방법이 과학적으로 정당하여 오류 가능성이 전혀 없거나 무시할 정도로 극소한 것으로 인정되는 경우라야 법관이 사실인정을 하는 데 상당한 정도로 구속력을 가진다 할 것인데, 이를 위해서는 그 증거방법이 전문적인 지식·기술·경험을 가진 감정인에 의하여 공인된 표준 검사기법으로 분석을 거쳐 법원에 제출된 것이어야 할 뿐만 아니라, 채취·보관·분석 등 모든 과정에서 자료의 동일성이 인정되고 인위적인 조작·훼손·첨가가 없었다는 것이 담보되어야 한다(대판 2011.5.26, 2011도1902).
2. 유전자검사나 혈액형검사 등 과학적 증거방법은 그 전제로 하는 사실이 모두 진실임이 입증되고 그 추론의 방법이 과학적으로 정당하여 오류의 가능성이 전무하거나 무시할 정도로 극소한 것으로 인정되는 경우에는 법관이 사실인정을 함에 있어 상당한 정도로 구속력을 가지므로, 비록 사실의 인정이 사실심의 전권이라 하더라도 아무런 합리적 근거 없이 함부로 이를 배척하는 것은 자유심증주의의 한계를 벗어나는 것으로서 허용될 수 없다(대판 2009.3.12, 2008도8486).
3. 마약류관리에 관한 법률 위반사건의 피고인 모발에서 메스암페타민 성분이 검출되었다는 국립과학수사연구소장의 감정의뢰회보가 있는 경우, 그 회보의 기초가 된 감정에 있어서 실험물인 모발이 바뀌었다거나 착오나 오류가 있었다는 등의 구체적인 사정이 없는 한 피고인으로부터 채취한 모발에서 메스암페타민 성분이 검출되었다고 인정하여야 하고, 따라서 논리와 경험의 법칙상 피고인은 감정의 대상이 된 모발을 채취하기 이전 언젠가에 메스암페타민을 투약한 사실이 있다고 인정하여야 한다(대판 2008.2.14, 2007도10937).
4. 피고인 모발에서 메스암페타민 성분이 검출되지 않았다는 국립과학수사연구소장의 감정의뢰회보가 있는 경우, 개인의 연령, 성별, 인종, 영양상태, 개체차 등에 따라 차이가 있으나 모발이 평균적으로 한 달에 1cm 정도 자란다고 볼 때 감정의뢰된 모발의 길이에 따라 필로폰 투약시기를 대략적으로 추정할 수 있으므로, 위 감정의뢰회보는 적어도 피고인은 모발채취일로부터 위 모발이 자라는 통상적 기간 내에는 필로폰을 투약하지 않았다는 유력한 증거에 해당한다(대판 2008.2.14, 2007도10937).
5. 유전자검사 결과 주사기에서 마약성분과 함께 피고인의 혈흔이 확인됨으로써 피고인이 필로폰을 투약한 사정이 적극적으로 증명되는 경우, 반증의 여지가 있는 소변 및 모발검사에서 마약성분이 검출되지 않았다는 소극적 사정에 관한 증거만으로 이를 쉽사리 뒤집을 수 없다(대판 2009.3.12, 2008도8486).
   22. 경찰승진
6. 폐수 수질검사와 같은 과학적 증거방법이 사실인정에 있어서 상당한 정도로 구속력을 갖기 위해서는 감정인이 전문적인 지식·기술·경험을 가지고 공인된 표준 검사기법으로 분석을 거쳐 법원에 제출하였다는 것만으로는 부족하고, 시료의 채취·보관·분석 등 모든 과정에서 시료의 동일성이 인정되고 인위적인 조작·훼손·첨가가 없었음이 담보되어야 하며 각 단계에서 시료에 대한 정확한 인수·인계 절차를 확인할 수 있는 기록이 유지되어야 한다(대판 2010.3.25, 2009도14772).
7. 모발성분분석 결과 40% 오차 이내이면 동일인의 모발로 본다는 감정결과가 있기는 하나 위 40%의 오차에 관하여는 경험상 그렇다는 진술뿐 그 근거를 명확하게 제시하지 못하고 있으므로 피해자의 손에서 수거된 모발이 피고인의 모발과 오차범위 내에 있다는 사정만으로는 피고인을 범인으로 단정할 수 없다(대판 1996.7.26, 96도1144).

8. 모발감정결과만을 토대로 마약류 투약기간을 추정하고 유죄로 판단하는 것은 신중하여야 한다. 甲의 모발에 대한 감정에서 필로폰이 검출되었다는 사정과 甲이 사용하던 차량을 압수·수색하여 발견된 주사기에서 필로폰이 검출된 사정만으로 필로폰 투약 사실을 유죄로 인정한 것은 증거재판주의, 자유심증주의 원칙을 위반한 잘못이 있다(대판 2023.8.31, 2023도8024).

• **범인식별 관련**

1. 범인식별 절차의 경우 용의자와 목격자 및 비교대상자들이 상호 사전에 접촉하지 못하도록 하여야 하나, 범죄 발생 직후 목격자의 기억이 생생하게 살아있는 상황(피해자가 경찰관과 함께 범행 현장에서 범인을 추적하다 골목길에서 범인을 놓친 직후)에서 현장이나 그 부근에서 범인식별 절차를 실시하는 경우에는, 목격자에 의한 생생하고 정확한 식별의 가능성이 열려 있고 범죄의 신속한 해결을 위한 즉각적인 대면의 필요성도 인정할 수 있으므로, 용의자와 목격자의 일대일 대면도 허용된다(대판 2009.6.11, 2008도12111).
2. 범인식별 절차에 있어 목격자의 진술의 신빙성을 높게 평가할 수 있게 하려면, 범인의 인상착의 등에 관한 목격자의 진술 내지 묘사를 사전에 상세히 기록화한 다음, 용의자를 포함하여 그와 인상착의가 비슷한 여러 사람을 동시에 목격자와 대면시켜 범인을 지목하도록 하여야 하고, 용의자와 목격자 및 비교대상자들이 상호 사전에 접촉하지 못하도록 하여야 한다(대판 2008.1.17, 2007도5201).
3. 강간 피해자가 수사기관이 제시한 47명의 사진 속에서 피고인을 범인으로 지목하자 이어진 범인식별 절차에서 수사기관이 피해자에게 피고인 한 사람만을 촬영한 동영상을 보여주거나 피고인 한 사람만을 직접 보여주어 피해자로부터 범인이 맞다는 진술을 받고, 다시 피고인을 포함한 3명을 동시에 피해자에게 대면시켜 피고인이 범인이라는 확인을 받은 사안에서, 위 피해자의 진술은 범인식별 절차에서 목격자 진술의 신빙성을 높이기 위하여 준수하여야 할 절차를 지키지 않은 상태에서 얻어진 것으로서 범인의 인상착의에 관한 피해자의 최초 진술과 피고인의 그것이 불일치하는 점이 많아 신빙성이 낮다(대판 2008.1.17, 2007도5201).

• **음주측정 관련**

1. 호흡측정기에 의한 음주측정치와 혈액검사에 의한 음주측정치가 다른 경우에 혈액검사에 의한 음주측정치가 호흡측정기에 의한 음주측정치보다 측정 당시의 혈중알코올농도에 더 근접한 음주측정치라고 보는 것이 경험칙에 부합한다(대판 2004.2.13, 2003도6905). 11. 순경
2. 음주운전에 있어서 소위 위드마크 공식을 사용하여 수학적 방법에 따른 결과로 운전 당시의 혈중알코올농도를 추정할 수 있고, 이때 위드마크 공식에 의한 역추산 방식을 이용하여 특정 운전시점으로부터 일정한 시간이 지난 후에 측정한 혈중알코올농도를 기초로 하고 여기에 시간당 혈중알코올의 분해소멸에 따른 감소치에 따라 계산된 운전시점 이후의 혈중알코올분해량을 가산하여 운전시점의 혈중알코올농도를 추정함에 있어서는, 피검사자의 평소 음주정도, 체질, 음주속도, 음주 후 신체활동의 정도 등 다양한 요소들이 시간당 혈중알코올의 감소치에 영향을 미칠 수 있으나 그 시간당 감소치는 대체로 0.03%에서 0.008% 사이라는 것은 이미 알려진 신빙성 있는 통계자료에 의하여 인정되는바, 위와 같은 역추산 방식에 의하여 운전시점 이후의 혈중알코올분해량을 가산함에 있어서 시간당 0.008%는 피고인에게 가장 유리한 수치이므로 특별한 사정이 없는 한 이 수치를 적용하여 산출된 결과는 운전 당시의 혈중알코올농도를 증명하는 자료로서 증명력이 충분하다(대판 2001.8.21, 2001도2823). 10. 경찰승진

PART 04

3. 음주종료 후 4시간 정도 지난 시점에서 물로 입 안을 헹구지 아니한 채 호흡측정기로 측정한 혈중알코올농도 수치가 0.05%로 나타난 사안에서, 위 증거만으로는 피고인이 혈중알코올농도 0.05% 이상의 술에 취한 상태에서 자동차를 운전하였다고 인정하기 부족하다(대판 2010.6.24, 2009도1856).
4. 물로 입 안을 헹굴 기회를 달라는 피고인의 요구를 무시한 채 호흡측정기로 측정한 혈중알코올농도 수치가 0.05%로 나타난 사안에서, 피고인이 당시 혈중알코올농도 0.05% 이상의 술에 취한 상태에서 운전하였다고 단정할 수 없다(대판 2006.11.23, 2005도7034).
5. 피고인에 대한 음주측정시 구강 내 잔류 알코올 등으로 인한 과다측정을 방지하게 하기 위한 조치를 전혀 취하지 않았고, 1개의 불대만으로 연속적으로 측정한 점 등의 사정에 비추어, 혈중알코올농도 측정치가 0.058%로 나왔다는 사실만으로는 피고인이 음주운전의 법정 최저기준치인 혈중알코올농도 0.05% 이상의 상태에서 자동차를 운전하였다고 단정할 수 없다(대판 2006.5.26, 2005도7528).
6. 음주운전 시점이 혈중알코올농도의 상승시점인지 하강시점인지 확정할 수 없는 상황에서 사후 측정 수치에 혈중알코올농도 감소치를 가산하는 방법으로 산출한 혈중알코올농도가 처벌기준치를 약간 넘는다고 하여 음주운전시점의 혈중알코올농도가 처벌기준치를 초과한 것이라고 단정할 수 없다(대판 2001.7.13, 2001도1929).

• **판결 관련**

1. 형사재판에서 이와 관련된 다른 형사사건의 확정판결에서 인정된 사실은 특별한 사정이 없는 한 유력한 증거자료가 되는 것이나, 당해 형사재판에서 제출된 다른 증거내용에 비추어 관련 형사사건 확정판결의 사실판단을 그대로 채택하기 어렵다고 인정될 경우에는 이를 배척할 수 있다(대판 2012.6.14, 2011도15653). 14. 경찰승진, 20. 경찰간부, 23. 순경 2차, 15·24. 9급 검찰·마약수사, 24. 해경경위공채, 23·25. 소방간부
2. 형사재판에서 항소심은 사후심 겸 속심의 구조이므로, 제1심이 채용한 증거에 대하여 그 신빙성에 의문은 가지만 그렇다고 직접 증거조사를 한 제1심의 자유심증이 명백히 잘못되었다고 볼 만한 합리적인 사유도 나타나 있지 아니한 경우에는, 비록 동일한 증거라고 하더라도 다시 한번 증거조사를 하여 항소심이 느끼고 있는 의문점이 과연 그 증거의 신빙성을 부정할 정도의 것인지 알아보거나, 그 증거의 신빙성에 대하여 입증의 필요성을 느끼지 못하고 있는 검사에 대하여 항소심이 가지고 있는 의문점에 관하여 입증을 촉구하는 등의 방법으로 그 증거의 신빙성에 대하여 더 심리하여 본 후 그 채부를 판단하여야 하고, 그 증거의 신빙성에 의문이 간다는 사유만으로 더 이상 아무런 심리를 함이 없이 그 증거를 곧바로 배척하여서는 아니 된다(대판 1996.12.6, 96도2461). 11. 7급 국가직, 12. 경찰승진
   항소심법원이 1심에서 채용된 증거의 신빙성에 의문을 가지면 심리 없이 곧바로 그 증거를 배척할 수 있다. (×)
3. 배심원이 증인신문 등 사실심리의 전 과정에 함께 참여한 후 증인이 한 진술의 신빙성 등 증거의 취사와 사실의 인정에 관하여 만장일치의 의견으로 내린 무죄의 평결이 재판부의 심증에 부합하여 그대로 채택된 경우라면, 이러한 절차를 거쳐 이루어진 증거의 취사 및 사실의 인정에 관한 제1심의 판단은 실질적 직접심리주의 및 공판중심주의의 취지와 정신에 비추어 항소심에서의 새로운 증거조사를 통해 그에 명백히 반대되는 충분하고도 납득할 만한 현저한 사정이 나타나지 않는 한 한층 더 존중될 필요가 있다. 따라서 국민참여재판으로 진행된 제1심에서 배심원이 만장일치로 한 평결 결과를 받아들여 강도상해의 공소사실을 무죄로 판단하였으나, 항소심에서는 피해자에 대하여만 증인신문을 추가로 실시한 다음 제1심의 판단을 뒤집어 이를 유죄로 인정한 것은 공판중심주의와 실질적 직접심리주의 원칙의 위반 및 증거재판주의에 관한 법리오해의 위법이 있다(대판 2010.3.25, 2009도14065). 12. 9급 국가직

4. 제1심 증인이 한 진술의 신빙성 유무에 대한 제1심의 판단이 그대로 유지하는 것이 현저히 부당하다고 인정하는 예외적인 경우가 아니라면, 항소심의 판단과 다르다는 이유만으로 이에 대한 제1심의 판단을 함부로 뒤집어서는 안 된다(대판 1991.10.22, 91도1672). 08. 9급 법원직
5. 증거의 취사 선택 및 평가와 이를 토대로 한 사실의 인정은 논리와 경험의 법칙을 위반하여 자유심증주의의 한계를 벗어나지 않는 한 사실심법원의 전권에 속하고 상고법원도 이에 기속된다(대판 2017.1.25, 2016도13489).

• **자백 관련**

1. 피고인이 평소 투약량의 20배에 달하는 1g의 메스암페타민을 한꺼번에 물에 타서 마시는 방법으로 투약하였다는 것은 피고인의 생명이나 건강에 위험이 발생하였을 가능성이 없지 않았을 것으로 보여져, 피고인의 자백을 신빙하기 어렵다(대판 2003.2.11, 2002도6766). 09. 경찰승진
2. 공동피고인 중의 1인이 다른 공동피고인들과 공동하여 범행을 하였다고 자백한 경우, 반드시 그 자백을 전부 믿어 공동피고인들 전부에 대하여 유죄를 인정하거나 그 전부를 배척하여야 하는 것은 아니고, 자유심증주의의 원칙상 법원으로서는 자백한 피고인 자신의 범행에 관한 부분만을 취신하고, 다른 공동피고인들이 범행에 관여하였다는 부분을 배척할 수 있다(대판 1995.12.8, 95도2043). 15. 9급 검찰·마약수사, 20. 7급 국가직
3. 검찰에서의 피고인의 자백 등이 법정진술과 다르다는 사유만으로 그 자백의 신빙성이 의심스럽다고 할 사유로 삼아야 한다고 볼 수 없다(대판 1985.7.9, 85도826). 21. 수사경과·순경 2차, 22. 경찰승진
4. 자백의 신빙성 유무를 판단함에 있어서는 첫째로 자백의 진술내용 자체가 객관적인 합리성을 띠고 있는가, 둘째로 자백의 동기나 이유 및 자백에 이르게 된 경위가 어떠한가, 셋째로 자백 외의 정황증거 중 자백과 저촉되거나 모순되는 것이 없는가 하는 점 등을 고려하여 판단하여야 한다(대판 1983.9.13, 83도712).
5. 검찰에 송치되자마자 검찰에서의 자백은 강요에 의한 것이라고 주장하면서 범행을 부인할 뿐더러 연 4일을 계속하여 매일 한장씩 진술서 등을 작성한다는 것은 부자연하다는 느낌이 드는 등 사정에 비추어 보면 위의 자백은 신빙성이 희박하다(대판 1980.12.9, 80도2656).
6. 검찰에서의 피고인의 자백이 법정진술과 다르다거나 피고인에게 지나치게 불리한 내용이라는 사유만으로는 그 자백의 신빙성이 의심스럽다고 할 수는 없는 것이다(대판 2010.7.22, 2009도1151). 18. 수사경과

• **의료 관련**

1. 상해죄의 피해자가 제출하는 상해진단서는 일반적으로 의사가 당해 피해자의 진술을 토대로 상해의 원인을 파악한 후 의학적 전문지식을 동원하여 관찰·판단한 상해의 부위와 정도 등을 기재한 것으로서 거기에 기재된 상해가 곧 피고인의 범죄행위로 인하여 발생한 것이라는 사실을 직접 증명하는 증거가 되기에 부족한 것이지만, 그 상해에 대한 진단일자 및 상해진단서 작성일자가 상해 발생시점과 시간상으로 근접하고 상해진단서 발급 경위에 특별히 신빙성을 의심할 만한 사정이 없으며 거기에 기재된 상해 부위와 정도가 피해자가 주장하는 상해의 원인 내지 경위와 일치하는 경우에는, 그 무렵 피해자가 제3자로부터 폭행을 당하는 등으로 달리 상해를 입을 만한 정황이 발견되거나 의사가 허위로 진단서를 작성한 사실이 밝혀지는 등의 특별한 사정이 없는 한, 그 상해진단서는 피해자의 진술과 더불어 피고인의 상해 사실에 대한 유력한 증거가 되고, 합리적인 근거 없이 그 증명력을 함부로 배척할 수 없다(대판 2011.1.27, 2010도12728). 14. 경찰승진, 15. 9급 검찰·마약수사

2. 부검의가 사체에 대한 부검을 실시한 후 어떤 것을 유력한 사망원인으로 지시한다고 하여 그 밖의 다른 사인이 존재할 가능성을 가볍게 배제하여서는 아니 되고, 특히 형사재판에서 부검의의 소견에 주로 의지하여 유죄의 인정을 하기 위해서는 다른 가능한 사망원인을 모두 배제하기 위한 치밀한 논증의 과정을 거치지 않으면 아니 된다(대판 2012.6.28, 2012도231). 14. 경찰승진
3. 피고인이 배우자 甲의 목을 졸라 살해하였다는 내용으로 기소된 사안에서, 甲의 사망원인이 손에 의한 목눌림 질식사인지와 범인이 피고인인지에 관하여 치밀한 검증 없이 여러 의문점이 있는 부검소견이나 자료에만 의존하여 유죄를 인정한 원심판결에 법리오해 등 위법이 있다(대판 2012.6.28, 2012도231).
4. 의사에게 의료행위로 인한 업무상 과실치사상죄를 인정하기 위해서는 의료행위 과정에서 공소사실에 기재된 업무상 과실의 존재는 물론 그러한 업무상 과실로 인하여 환자에게 상해·사망 등 결과가 발생한 점에 대하여도 엄격한 증거에 따라 합리적 의심의 여지가 없을 정도로 증명이 이루어져야 한다(대판 2023.1.12, 2022도11163).

• 서증 관련

1. 수사기관이 원진술자의 진술을 기재한 조서는 원본 증거인 원진술자의 진술에 비하여 본질적으로 낮은 정도의 증명력을 가질 수밖에 없다는 한계를 지니는 것이고, 특히 원진술자의 법정 출석 및 반대신문이 이루어지지 못한 경우에는 그 조서에 기재된 진술이 직접 경험한 사실을 구체적인 경위와 정황의 세세한 부분까지 정확하고 상세하게 묘사하고 있어 구태여 반대신문을 거치지 않더라도 진술의 정확한 취지를 명확히 인식할 수 있고 그 내용이 경험칙에 부합하는 등 신빙성에 의문이 없어 조서의 형식과 내용에 비추어 강한 증명력을 인정할 만한 특별한 사정이 있거나, 그 조서에 기재된 진술의 신빙성과 증명력을 뒷받침할 만한 다른 유력한 증거가 따로 존재하는 등의 예외적인 경우가 아닌 이상, 그 조서는 진정한 증거가치(증명력)를 가진 것으로 인정받을 수 없다. 이는 원진술자의 사망이나 질병 등으로 인하여 원진술자의 법정 출석 및 반대신문이 이루어지지 못한 경우는 물론 수사기관의 조서를 증거로 함에 피고인이 동의한 경우에도 마찬가지이다(대판 2006.12.8, 2005도9730). 12·23. 경찰승진
2. 수사보고에 기재된 내용은 원 자료로부터 독립하여 공소사실에 대한 증명력을 가질 수 없고, 첨부문서인 고발장도 공소사실을 뒷받침하는 증명력을 가진 증거가 아니므로 이를 유죄의 증거로 삼을 수 없다(대판 2011.7.14, 2011도3809).
3. 경찰에서의 자술서, 검사 작성의 각 피의자신문조서, 다른 형사사건의 공판조서의 기재와 당해 사건의 공판정에서의 같은 사람의 증인으로서의 진술이 상반되는 경우 반드시 공판정에서의 증언은 믿어야 된다는 법칙은 없다(대판 1986.9.23, 86도1547).
4. 경찰 또는 검찰조서라 할지라도 법정증거능력을 구비한 것이면 법원이 조사한 증거와 동등의 증거가치가 있다 할 것이므로 그의 취사선택은 사실심의 자유심증에 의하여 결정될 것이다(대판 1958.1.24, 4290형상433).
5. 검사의 강제처분에 의한 판사의 신문조서와 공판정에서의 판사의 신문조서와는 그 증거가치에 우열이 없다(대판 1956.3.16, 4288형상184).
6. 피고인이 수사과정에서 공소사실을 부인하였고 그 내용이 기재된 피의자신문조서 등에 관하여 증거동의를 한 경우에는, 형사소송법에 따라 증거능력 자체가 부인되는 것은 아니지만, 전체적 내용이나 진술의 맥락·취지를 고려하지 않은 채 그중 일부만을 발췌하여 유죄의 증거로 사용하는 것은 함부로 허용할 수 없다. 특히 지적능력·판단능력 등과 같이 본질적으로 수사기관이 작성한 진술조서에 나타나기 어려운 피고인의 상태에 대해서는 공판중심주의 및 실질적 직접심리주의 원칙에 따라 검사가

제출한 객관적인 증거에 대하여 적법한 증거조사를 거친 후 이를 인정하여야 할 것이지, 공소사실을 부인하는 취지의 피고인의 진술이 기재된 피의자신문조서 중 일부를 근거로 이를 인정하여서는 아니 된다(대판 2024.1.4, 2023도13081).

• 뇌물 관련

1. 뇌물을 수수하였다는 내용으로 기소된 사안에서, 공소사실을 뒷받침하는 객관적 물증이 없는 상태에서 금품공여의 시기와 방법, 외화의 출처, 환전과정에 관한 금품공여자들의 진술이 전후 일관되지 않거나 서로 모순, 상반되고 객관적 상황과도 일치하지 않는 부분이 있어 금품공여자의 진술을 전적으로 신빙하기 어렵고, 따라서 공소사실에 기재된 금품제공의 일시, 방법, 금액 등 전부에 관한 합리적 의심이 모두 배제되었다고 보기 어려운데도, 금품공여자들의 진술 중 공소사실에 부합하는 부분만 선택적으로 믿고 이에 배치되는 피고인의 주장을 모두 배척함으로써 위 공소사실을 모두 유죄로 인정한 원심판결에 증명의 정도에 관한 법리오해 또는 논리와 경험법칙을 위반하여 합리적인 자유심증의 범위와 한계를 넘어서 사실을 인정한 위법이 있다(대판 2011.4.28, 2010도14487).
2. 수뢰자로 지목된 피고인이 수수사실을 부인하고 있고 이를 뒷받침할 객관적 물증이 없는 경우, 금원을 제공하였다는 사람의 진술만으로 유죄를 인정하기 위해서는 그 사람의 진술이 증거능력이 있어야 함은 물론 합리적인 의심을 배제할 만한 신빙성이 있어야 한다. 여러 차례에 걸쳐 금원을 제공하였다고 주장하는 사람의 진술의 신빙성을 배척하는 경우라면, 나머지 일부 금원제공 진술 부분에 관하여는 이를 그대로 믿을 수 없는 객관적 사정 등이 직접 밝혀지지 않았다고 하더라도, 함부로 인정하는 것은 원칙적으로 허용될 수 없다. 따라서 여러 차례에 걸쳐 금원을 제공하였다는 사람의 진술 중 상당한 액수에 해당하는 부분의 신빙성을 배척하면서도 나머지 적은 액수 부분 진술의 신빙성을 인정한 것은 위법하다(대판 2009.1.15, 2008도8137).
3. 뇌물죄에 있어서 증뢰자의 진술만으로 유죄를 인정하기 위해서는 증뢰자의 진술이 증거능력이 있어야 함은 물론, 신빙성이 있어야 하고, 신빙성을 판단하기 위해서는 그 진술내용의 합리성, 객관적 상당성, 전후의 일관성 등 뿐만 아니라 그의 인간됨, 그 진술로 얻게 되는 이해관계 유무 등도 아울러 살펴보아야 한다(대판 2008.2.14, 2005도4202).

• 기 타

1. 비가 오는 야간에 우연히 지나다가 20~30여명이 몰려 있던 싸움현장을 목격하였음에 불과한 사람이 그로부터 1개월여가 지난 뒤에 단순한 당시의 기억만으로 피해자를 때리려고 한 사람이 바로 피고인이었다고 지목하는 것은 경험칙상 그 확실성 여부가 의심스러운 것이다(대판 1984.12.11, 84도2058). 09. 경찰승진
2. 형벌법규의 해석과 적용은 엄격하여야 하므로, 범행 결과가 매우 중대하고 범행 동기나 방법 및 범행 정황에 비난 가능성이 크다는 사정이 있더라도, 이를 양형에 불리한 요소로 고려하여 형을 무겁게 정하는 것은 별론, 그러한 사정을 이유로 고의를 쉽게 인정할 것은 아니고 이를 인정할 때에는 신중을 기하여야 한다(대판 2015.10.29, 2015도5355).
3. 국회의원인 피고인이 불법정치자금을 수수하였다는 내용으로 기소되었는데, 정치자금 공여자가 검찰의 소환 조사에서는 자금을 조성하여 피고인에게 정치자금으로 제공하였다고 진술하였다가, 제1심 법정에서는 이를 번복하여 자금 조성 사실은 시인하면서도 피고인에게 정치자금으로 제공한 사실을 부인하고 자금의 사용처를 달리 진술한 사안에서, 법정에서 검찰진술을 번복하였다는 이유만으로

조성 자금을 피고인에게 정치자금으로 공여하였다는 검찰진술의 신빙성이 부정될 수는 없다(대판 2015.8.20, 2013도11650 전원합의체).

4. 적외선 분광광도계에 의한 수지성분 및 접착제류 확인시험 등을 통해 피해자의 손을 묶고 입을 막는 데 사용된 접착테이프와 피고인의 집에서 발견된 테이프가 동일한 것이라는 결과가 나왔다하더라도 이를 통해 피고인의 집에서 압수된 테이프가 범행에 사용된 것이라고 단정할 수 없다(대판 1996.7.26, 96도1144).
5. 피고인이 과도를 들이대고 "소리치면 찔러 죽여버려."라고 위협하는 과정의 불과 10분 또는 3초 사이의 당황한 상태에서 피고인의 인상착의 상태, 목소리를 확실히 기억하고 그것도 사건발생 후 약 18일이 지난 후까지 명백하게 기억한다 함은 경험칙상 이례에 속한다(대판 1985.11.12, 85도1974).
6. 증거보전 절차에서의 진술이 법원의 관여하에 행하여지는 것으로서 수사기관에서의 진술보다 임의성이 더 보장되는 것이기는 하나 보전된 증거가 항상 진실이라고 단정지을 수는 없는 것이므로 법원이 그것을 믿지 않을 만한 사유가 있어서 믿지 않는 것에 자유심증주의의 남용이 있다고 볼 수 없다(대판 1980.4.8, 79도2125). 18. 수사경과, 24. 9급 검찰·마약수사
7. 피고인을 유죄로 판단하기 위해서는 진술내용 자체의 합리성과 타당성뿐만 아니라 객관적인 정황과 경험칙에 비추어 피해자의 진술 또는 피해자와 밀접한 관계에 있는 자의 진술이 합리적인 의심을 할 여지가 없을 정도로 공소사실이 진실한 것이라는 확신을 가지게 하고, 피고인의 무죄 주장을 배척하기에 충분할 정도로 신빙성이 있어야 한다(대판 2017.10.31, 2016도21231).
8. 범행 후 피해자의 태도 중 '마땅히 그러한 반응을 보여야만 하는 피해자'로 보이지 않는 사정이 존재한다는 이유만으로 피해자 진술의 신빙성을 함부로 배척할 수 없다(대판 2022.9.29, 2020도11185).
9. '성추행 피해자가 추행 즉시 행위자에게 항의하지 않은 사정'이나 '피해 신고시 성폭력이 아닌 다른 피해사실을 먼저 진술한 사정'만으로 곧바로 피해자 진술의 신빙성을 부정할 것이 아니고, 가해자와의 관계와 피해자의 구체적 상황을 모두 살펴 판단하여야 한다(대판 2020.9.24, 2020도7869). 23. 순경 2차
10. 성범죄 사건을 심리할 때에는 사건이 발생한 맥락에서 성차별 문제를 이해하고 양성평등을 실현할 수 있도록 '성인지적 관점'을 유지하여야 하므로, 개별적·구체적 사건에서 성범죄 피해자가 처하여 있는 특별한 사정을 충분히 고려하지 않은 채 피해자 진술의 증명력을 가볍게 배척하는 것은 정의와 형평의 이념에 입각하여 논리와 경험의 법칙에 따른 증거판단이라고 볼 수 없지만, 이는 성범죄 피해자 진술의 증명력을 제한 없이 인정하여야 한다거나 그에 따라 해당 공소사실을 무조건 유죄로 판단해야 한다는 의미는 아니다(대판 2024.1.4, 2023도13081).
11. 사실상 피해자의 진술만이 유죄의 증거가 되는 경우에는, 피해자 진술의 신빙성을 인정하더라도 피고인의 주장은 물론 피고인이 제출한 증거, 피해자 진술 내용의 합리성·타당성, 객관적 정황과 다양한 경험칙 등에 비추어 피해자의 진술만으로 피고인의 주장을 배척하기에 충분할 정도에 이르지 않아 법관으로 하여금 합리적인 의심을 할 여지가 없을 정도로 공소사실이 진실한 것이라는 확신을 가질 수 없게 되었다면, 피고인의 이익으로 판단하여야 한다(대판 2024.1.4, 2023도13081).

---

⑥ **증명력판단의 합리성 보장** : 현행법상 증명력판단의 합리성은 다음과 같은 제도에 의하여 보장된다.

㉠ **증거요지의 명시** : 유죄판결 이유에 증거의 요지를 명시토록 요구하고(제323조 제1항) 있음은 1차적으로는 증거재판주의의 요청이지만, 증명력판단의 합리성을 유도하는 의미도

지닌다. 유죄판결 이유에 기재된 증거요지를 기초로 당사자 등 소송관계인은 증거평가의 오류를 발견·지적할 수 있기 때문이다.

ⓛ **상소에 의한 구제** : 증명력의 판단이 논리법칙과 경험법칙에 위배된 경우는 판결에 영향을 미친 사실오인(제361조의 5 제14호)에 해당하여 상소이유로 되므로 증명력 평가의 오류는 상소에 의해 구제된다.

ⓒ **증거능력의 제한** : 엄격한 증명의 경우에는 증거능력이 없는 증거는 증명력평가의 대상으로 되지 아니한다.

ⓔ **탄핵증거** : 현행법은 증명력판단의 합리성을 보장하기 위해서 증거의 증명력을 탄핵하는 탄핵증거제도를 채택하고 있다(법 제318조의 2). 이러한 의미에서 탄핵증거는 자유심증주의의 예외가 아니라 이를 보강하는 의미를 가진 제도라 할 수 있다.

(3) 자유심증주의 예외

① **자백의 증명력 제한** : 증거능력 있는 자백에 의해서 법관이 유죄를 확신하는 경우에도 다른 보강증거가 없으면 유죄로 인정할 수 없다는 자백보강의 법칙(제310조)은 자유심증주의에 대한 예외에 해당한다.

② **공판조서의 배타적 증명력** : 공판조서에 기재된 소송절차는 심증여하에 불구하고 이를 인정하여야 되므로(제56조), 자유심증주의에 대한 예외이다.

③ **법률상 추정** : 법률상의 추정은 어떠한 의미에서는 자유심증주의에 대한 예외라고 할 수 있다. 왜냐하면 법률상 추정의 원인으로 된 사실이 인정된 이상 특히 반증이 없는 한 법관은 심증여하를 불문하고 당연히 추정된 사실을 인정하여야 하기 때문이다. 이에 비하여 사실상 추정은 자유심증주의의 적용을 받는 하나의 경우로는 될지언정 그 예외는 아니다.

(4) 자유심증주의와 in dubio pro reo의 원칙

자유심증주의에 의한 증거평가의 결과 법관이 확신을 가질 수 없어 범죄사실의 증명이 되지 아니한 때에 적용되는 원칙이 바로 의심스러운 때에는 피고인의 이익으로(in dubio pro reo)라는 원칙이다. 따라서 이 원칙은 자유심증주의를 제한하는 원칙이 아니라 서로 밀접한 관계를 가진 원칙이라고 해야 한다.

관련판례

형사재판에서 범죄사실의 인정은 법관으로 하여금 합리적인 의심을 할 여지가 없을 정도의 확신을 가지게 하는 증명력을 가진 엄격한 증거에 의하여야 하므로, 검사의 증명이 위와 같은 확신을 가지게 하는 정도에 이르지 못한 경우에는 비록 피고인의 주장이나 변명에 모순되거나 석연치 않은 면이 있는 등 유죄의 의심이 든다고 하더라도 피고인의 이익으로 판단하여야 한다(대판 2015.5.14, 2015도119). 16. 7급 국가직

KEY point

자유심증주의의 제한(○)	자유심증주의의 제한(×)
• 증거의 증거능력 제한 • 상소제도 • 피고인의 진술거부권 행사에 대한 불이익 추정금지 • 논리와 경험법칙 • 법률상 추정 • 공판조서의 배타적 증명력 • 자백보강법칙	• 의심스러운 때에는 피고인의 이익으로 • 탄핵증거 • 사실상 추정 • 직권주의

2 자백보강법칙

(1) 의의 · 근거

① **의의** : 피고인이 임의로 한 자백이 증거능력이 있고 신빙성이 있어서 법관이 유죄의 심증을 얻었다 할지라도, 자백이 유일한 증거이고 다른 보강증거가 없는 경우에는 유죄로 인정할 수 없다는 것을 자백보강의 법칙이라 한다(제310조). 17. 수사경과

✍ 영미법에서 확립된 것으로서 우리 형사소송법도 증명력판단에 자유심증주의를 원칙적으로 채택하면서 한편으로 법관의 심증형성이 자백에 편중됨을 막기 위하여 제310조에서 "피고인의 자백이 피고인에게 불이익한 유일한 증거인 때에는 이를 유죄의 증거로 하지 못한다."라고 규정하여 자백보강법칙을 선언하고 있다(자유심증주의의 예외). 10. 9급 국가직

✍ 자백 이외의 증거는 유일한 유죄증거일지라도 보강증거 불필요(전문증거일지라도 증거능력만 인정되면 보강증거 없이 유죄로 할 수 있다.)

② **근거** : 자백보강법칙의 근거는 자백의 진실성을 담보하여 오판의 위험을 배제하고 자백편중으로 인한 인권침해를 방지하려는 데 있다. 10. 9급 국가직

(2) 보강을 필요로 하는 자백

보강증거에 의해 보강을 필요로 하는 것은 피고인의 자백에 대해서이다. 그러므로 증인의 증언 · 참고인의 진술 등은 보강증거가 없어도 유죄의 증거가 될 수 있다.

피고인의 자백이란 반드시 피고인의 지위에서 행한 자백에 한하지 않는다. 피의자의 지위에서 수사기관에 대한 자백이나 참고인 또는 증인의 지위에서 행한 자백도 그가 후에 피고인이 되었을 때에는 피고인의 자백이 된다. 수사기관 이외의 사인에 대하여 한 자백도 포함된다.

구두에 의한 자백뿐만 아니라, 서면에 기재된 진술서나 일기장 · 수첩 · 비망록 등도 포함된다.

문제는 피고인의 자백과 관련하여 공판정에서의 자백과 공범자의 자백이 포함되는가이다.

① **공판정에서의 피고인의 자백** : 피고인이 공판정에서 행한 자백에도 보강증거가 필요한가에 대해 견해가 나뉘고 있으나 필요하다는 입장이 다수설 · 판례의 태도이다. 17. 9급 법원직

② **공범자의 자백** : 제310조의 '피고인의 자백'이란 피고인 본인의 자백만을 의미하는지 아니면 공범자의 자백도 피고인의 자백에 포함되어 공범자의 자백이 있는 때에도 다른 보강증거가 있어야 유죄로 인정할 것인가에 대하여 견해가 대립되고 있다.

㉠ **보강증거필요설** : 이 설은 공범자의 자백을 피고인의 자백에 포함시키는 견해로서 공범자의 자백이 있더라도 다른 보강증거가 없으면 피고인을 유죄로 인정할 수 없다는 입장이다(다수설). 예 피고인은 부인하고 있고 공범자의 자백이 유일한 증거인 경우에 피고인을 유죄로 인정하려면 다른 보강증거가 필요하다.

㉡ **보강증거불요설** : 이 설은 공범자의 자백을 피고인의 자백에 불포함시키려는 견해로서 공범자의 자백이나 공범인 공동피고인의 자백은 보강증거가 될 수 있다는 입장이다(대판).

PART 04

관련판례

1. 형사소송법 제310조 소정의 "피고인의 자백"에 공범인 공동피고인의 진술은 포함되지 아니하므로 공범인 공동피고인의 진술은 다른 공동피고인에 대한 범죄사실을 인정하는 증거로 할 수 있는 것일 뿐만 아니라, 공범인 공동피고인들의 각 진술은 상호간에 서로 보강증거가 될 수 있다(대판 1990.10.30, 90도1939). 12. 9급 법원직, 13·15. 7급 국가직, 14·16. 순경 1차, 16. 9급 검찰·마약·교정·보호·철도경찰, 17. 해경간부, 13·19. 변호사시험, 14·20·21. 수사경과, 12·17·23. 경찰간부, 11·15·17·24. 경찰승진, 24. 소방간부

   피고인은 부인하고 있고 공범자의 자백이 유일한 증거인 경우에 다른 보강증거가 없다면 공범자의 자백을 가지고 피고인을 유죄로 인정할 수 없다는 것이 판례의 입장이다. (×)

2. 공동피고인의 자백은 이에 대한 피고인의 반대신문권이 보장되어 있어 증인으로 신문한 경우와 다를 바 없으므로 독립한 증거능력이 있고, 18. 순경 3차, 22. 경찰승진 이는 피고인들간에 이해관계가 상반된다고 하여도 마찬가지라 할 것이다(대판 2006.5.11, 2006도1944). 17·23. 9급 법원직, 20·23. 경찰승진

(3) 보강증거의 자격

어떠한 증거가 보강증거가 될 수 있느냐 문제이다. 보강증거도 증거능력 있는 증거일 것을 요하므로 증거능력에 대한 제한이 보강증거에도 적용된다는 점에는 의문이 없다. 따라서 전문증거는 전문법칙의 예외가 되는 경우를 제외하고는 보강증거로 될 수 없다. 00. 9급 검찰, 13. 변호사시험 보강증거는 자백과는 독립된 독립증거일 것을 요한다.

① **독립증거**

㉠ 피고인의 자백을 보강하는 증거가 되기 위해서는 피고인의 자백과는 실질적으로 독립된 증거라야 한다. 따라서 피고인의 공판정에서의 자백을 공판정 외에서의 자백으로 보강하는 것은 허용되지 않는다.

예 • 제1심에서 행한 자백을 기재한 조서는 항소심에서 행한 자백의 보강증거 ×
• 피고인이 범행장면을 재연한 사진도 자백에 대한 보강증거 ×

관련판례

피고인이 범행을 자인하는 것을 들었다는 피고인 아닌 자의 진술내용은 형사소송법 제310조의 피고인의 자백에는 포함되지 아니하나 피고인의 자백을 내용으로 하고 있는 이와 같은 진술기재내용을 피고인의 자백의 보강증거로 삼는다면 결국 피고인의 자백을 피고인의 자백으로서 보강하는 결과가 되어 아무런 보강도 없는 것이니 보강증거가 되지 못하고 오히려 보강증거를 필요로 하는 피고인의 자백과 동일하게 보아야 할 것이다(대판 1981.7.7, 81도1314). 14. 9급 검찰 · 마약수사, 17. 해경간부, 13 · 18. 순경 2차, 15 · 16 · 18 · 19. 수사경과, 19 · 20. 7급 국가직 · 경찰승진, 14 · 17 · 22. 9급 법원직, 12 · 14 · 23. 경찰간부, 14 · 23. 순경 1차

ⓛ 자백과는 별개의 독립증거로서 증거로 할 수 있는 증거인 이상 인증이든 물증이든 증거서류이든 묻지 않고 보강증거가 될 수 있다.

ⓒ 자백에 대한 보강증거는 반드시 직접증거에 한하지 않고 간접증거 내지 정황증거로도 보강증거가 될 수 있고, 자백과 보강증거가 서로 어울려서 전체로서 범죄사실을 인정할 수 있으면 유죄의 증거로 충분하다(대판 2008.11.27, 2008도7883). 12. 순경 3차, 13. 순경 2차, 15. 순경 1차, 18. 7급 국가직, 14 · 20 · 22. 수사경과, 14 · 22. 경찰간부, 16 · 22. 경찰승진, 14 · 23. 9급 법원직, 24. 해경승진 · 소방간부

판례정리

보강증거가 될 수 있는 경우	보강증거가 될 수 없는 경우
• 피고인이 업무추진과정에서 지출한 자금내역을 기록한 수첩의 기재내용이 자백에 대한 독립적인 보강증거가 될 수 있다(대판 1996.10.17, 94도2865). 12. 9급 국가직 · 9급 법원직, 14. 경찰간부, 14 · 15. 수사경과, 16. 9급 검찰 · 마약 · 교정 · 보호 · 철도경찰, 15 · 16 · 17. 경찰승진, 19. 변호사시험 • 자동차등록증에 차량소유자등록은 그 차량을 운전하였다는 자백의 보강증거가 될 수 있고, 결과적으로 무면허 운전이라는 전체 범죄사실의 보강증거로도 충분하다(대판 2000.9.26, 2000도2365). 12. 경찰간부, 16. 순경 2차, 19. 7급 국가직, 19 · 20. 수사경과, 22. 9급 검찰 · 마약 · 교정 · 보호 · 철도경찰, 24. 경찰승진 · 소방간부 • 다세대주택의 여러 세대에서 7건의 절도행위를 한 것으로 기소되었는데, 그중 4건은 범행장소인 구체적인 호수가 특정되지 않았으나, 자백하고 있는 경우, 피고인의 집에서 피해품을 압수한 압수조서와 압수물의 사진은 자백에 대한 보강증거가 된다고 봄이 상당하다(대판 2008.5.29, 2008도2343). 12. 순경 · 경찰간부, 15 · 16. 수사경과, 17. 경찰승진 · 순경 2차, 24. 해경경위공채 • 피고인이 위조신분증을 제시 · 행사하였다고 자백하고 있는 때에 그 신분증의 현존은 간접증거로서 자백을 보강하는 보강증거가 된다(대판 1983.2.22, 82도3107). 06. 순경, 14. 7급 국가직, 15. 경찰승진	• 필로폰 매수대금을 송금한 사실에 대한 증거는 필로폰 매수행위에 대한 보강증거는 될 수 있어도, 그와 실체적 경합관계에 있는 필로폰 투약행위에 대한 보강증거는 될 수 없다(대판 2008.2.14, 2007도10937). 16. 검찰 · 마약 · 교정 · 보호 · 철도경찰, 19. 경찰승진, 16 · 18 · 20. 수사경과, 20. 경찰간부, 24. 소방간부 · 7급 국가직 · 9급 법원직 • 검사가 보강증거로서 제출한 증거의 내용이 피고인과 친구(甲)이 현대자동차 춘천영업소를 점거했다가 甲이 처벌받았다는 것이고, 피고인의 자백내용은 현대자동차 점거로 甲이 처벌받은 것은 학교측의 제보 때문이라 하여 피고인이 그 보복으로 학교총장실을 침입점거했다는 것이라면, 위 보강증거로서 제출한 증거는 주거침입사실과는 관련이 없는 범행의 침입동기에 관한 정황증거에 지나지 않으므로 위 증거는 자백에 대한 보강증거가 될 수 없다(대판 1990.12.7, 90도2010). 14. 7급 국가직, 22. 9급 검찰 · 마약 · 교정 · 보호 · 철도경찰 • 성남시 태평동 자기집 앞에 세워둔 봉고 화물차 1대를 도난당하였다는 사건에서 피고인이 위 차량으로 충주까지 가서 소매치기 범행을 하였다고 자백하고 있는 경우 피고인이 범행장소인 충주까지 가기 위한

- 뇌물공여 상대방이 뇌물공여자를 만났던 사실 및 청탁을 받은 사실을 시인한 것은 뇌물공여자의 자백에 대한 보강증거가 된다(대판 1995.6.30, 94도993). 14. 변호사시험, 16. 순경 2차, 20. 경찰승진, 24. 9급 법원직
- 뇌물수수자가 무자격자인 뇌물공여자로 하여금 건축공사를 하도급 받도록 알선하고 그 하도급계약을 승인받을 수 있도록 하였으며 공사와 관련된 각종의 편의를 제공한 사실을 인정할 수 있는 증거들이 뇌물공여자의 자백에 대한 보강증거가 될 수 있다(대판 1998.12.22, 98도2890). 10. 경찰승진, 17. 순경 2차
- 가정불화로 유아를 살해했다는 공소사실에 대하여 낙태를 시키려 한 정황적 사실은 보강증거가 될 수 있다(대판 1960.3.18, 4292형상880). 15. 경찰승진
- 공동피고인의 자백은 이에 대한 피고인의 반대신문권이 보장되어 있어 증인으로 신문한 경우와 다를 바 없으므로 독립한 증거능력이 있다(대판 2006.5.11, 2006도1944) ∴ 보강증거 가능 17. 경찰승진
- 피고인이 甲과 합동하여 乙의 재물을 절취하려다가 미수에 그쳤다는 내용의 공소사실을 자백한 사안에서, 피고인을 현행범으로 체포한 乙의 수사기관에서의 진술과 현장사진이 첨부된 수사보고서가 피고인 자백의 진실성을 담보하기에 충분한 보강증거가 된다(대판 2011.9.29, 2011도8015). 16. 7급 국가직, 17. 순경 2차, 19. 경찰승진, 22. 9급 검찰·마약·교정·보호·철도경찰
- 피고인으로부터 금반지 1개를 매입하였다는 甲의 진술은 피고인이 성명불상자로부터 반지 1개를 편취한 후 반지를 甲에게 매도하였다는 자백의 진실성을 보강하는 증거가 될 수 있다(대판 1985.11.12, 85도1838). 14. 7급 국가직
- 필로폰을 건네받은 후 피고인이 차량을 운전해 갔다고 한 甲의 진술과 피고인으로부터 채취한 소변에서 나온 필로폰 양성 반응은, 피고인이 필로폰 투약으로 정상적으로 운전하지 못할 우려가 있는 상태에 있었다는 도로교통법위반 공소사실 부분에 대한 자백을 보강하는 증거가 되기에 충분하다(대판 2010.12.23, 2010도11272). 12. 순경 1차, 17. 순경 2차, 18. 변호사시험, 18·19. 수사경과, 24. 경찰승진
- 피고인이 제1심 법정에서 공문서변조 및 동행사의 공소범죄사실을 모두 자백하였고, 제출된 증거자료 중 형사민원사무처리부에 피고인이 변조하였다는 내용이 기재되어 있고 피고인은 제1심에서 위 증거자료를 증교통수단으로 이용하였다는 취지에 불과하여 소매치기 범행과는 직·간접적으로 아무런 관계가 없어 보강증거가 될 수 없다(대판 1986.2.25, 85도2656).
- 검사의 피고인에 대한 피의자신문조서기재에 피고인이 성명불상자로부터 반지 1개를 편취한 후 이 반지를 甲에게 매도하였다는 취지로 진술하고 있고 한편 검사의 甲에 대한 진술조서기재에 위 일시경 피고인으로부터 금반지 1개를 매입하였다고 진술하고 있다면 위 甲의 진술은 피고인이 자백하고 있는 편취물품의 소재 내지 행방에 부합하는 진술로서 형식적으로 피고인의 자백의 진실성을 보강하는 증거가 될 수 있다. 다만, 피고인이 자백한 범죄사실은 성명불상 여자로부터 동인이 끼고 있는 금반지를 편취하였다는 내용이어서 위 참고인 甲에 대한 진술조서기재에 의하면 피고인이 매도한 금반지는 남자용 반지라는 것이므로, 위 甲의 진술조서의 진술은 피고인의 자백한 범죄사실과 저촉되는 내용이어서 그 보강증거가 될 수 없을 것이다(대판 1985.11.12, 85도1838).
- 피고인의 자백을 내용으로 하는 피고인 아닌 자의 진술은 피고인의 자백에 대한 보강증거가 되지 못한다(대판 1981.7.7, 81도1314).
- 피고인이 점포바닥에 타다남은 성냥개비를 버렸다는 자백에 대해서, 점포 내의 상품이 화학성섬유로 되어 있는 의류와 같은 경우에는 훈소현상의 발생이 희박하다는 감정 증인의 증언부분을 아울러 보면 동인의 훈소성 화원에 의한 발화라는 감정내용은 자백에 대한 보강증거로서 미흡하다(대판 1979.7.24, 78도3226).
- 수사기관에서 행한 자백을 공판정에서의 자백에 대한 보강증거로 사용할 수 없다(대판 1978.6.27, 78도743).
- 피고인이 1968. 11.경 군청직원에게 20,000원을 뇌물로 교부한 사실을 자백하였다 하더라도 피고인에게 같은 해 9.경 20,000원을 장사자금으로 대여한 바 있다는 증인의 증언은 위 자백에 대한 보강증거가 될 수 없다(대판 1970.1.27, 69도2200).

PART 04

거로 함에 동의한 사실을 알 수 있으므로, 위 형사민원사무처리부는 피고인의 자백에 대한 보강증거로 삼기에 족하다 할 것이고, 필적감정결과 피고인의 평소 필적과 서로 다른 것으로 판명되었다고 하여 위 형사민원사무처리부가 보강증거가 되지 못한다고 볼 수는 없다(대판 2001.9.28, 2001도4091). 08. 순경, 16. 수사경과

- 상업장부나 항해일지, 진료일지 또는 이와 유사한 금전출납부 등과 같이 범죄사실의 인정 여부와는 관계없이 자기에게 맡겨진 사무를 처리한 사무 내역을 그때그때 계속적·기계적으로 기재한 문서 등의 경우는 별개의 독립된 증거자료이고, 설사 그 문서가 우연히 피고인이 작성하였고, 공소사실에 일부 부합되는 사실의 기재가 있다고 하더라도, 이를 피고인이 범죄사실을 자백하는 문서라고 볼 수는 없다(대판 1996.10.17, 94도2865). ∴ 보강증거 ○ 07. 9급 법원직, 18. 7급 국가직·순경 2차, 22. 해경승진
- 히로뽕, 주사기, 자기앞수표 등에 대한 압수조서는 압수된 양을 넘는 부분의 히로뽕 소지 및 매매사실에 대한 자백의 보강증거가 될 수 있다(대판 1997.4.11, 97도470). 06. 순경
- 기소된 대마 흡연일자로부터 한 달 후 피고인의 주거지에서 압수된 대마 잎이 피고인의 자백에 대한 보강증거가 된다(대판 2007.9.20, 2007도5845). 22. 변호사시험, 24. 9급 법원직
- 자신이 운영하는 게임장에서 미등급 게임기를 판매·유통시켰다는 공소사실에 대하여 경찰 및 제1심법정에서 자백한 후 이를 다시 번복한 사안에서, 미등급 게임기가 설치된 게임장 내부 사진 및 피고인 명의의 게임제공업자등록증 등의 증거가 자백의 진실성을 담보하기에 충분한 보강증거가 된다(대판 2008.9.25, 2008도6045).
- 피고인이 검문당시 버린 주사기에서 메스암페타민염이 검출된 사실 등을 인정할 수 있는 정황증거들은 메스암페타민 투약사실에 대한 피고인의 검찰에서의 자백에 대한 보강증거로 사용할 수 있다(대판 1999.3.23, 99도338).
- 오토바이 시동을 걸려는 것을 보고 오토바이를 압수하였다는 사법경찰관 작성의 압수조서는 무면허운전의 범죄사실의 보강증거로 충분하다(대판 1994.9.30, 94도1146).
- 국가보안법상 회합죄를 피고인이 자백하는 경우 회합당시 상대방으로부터 받았다는 명함의 현존은 보강증거로 될 수 있다(대판 1990.6.22, 90도741). 18. 변호사시험

- 고추를 절취했다는 피고인의 자백과 누가 훔쳐간지는 모르지만 고추를 도난 당했다는 피해자의 진술로 절도공소사실을 인정함은 적법하다(대판 1968.3.26, 68도148).
- 공동피고인 중의 한 사람이 자백하였고 피고인 역시 자백했다면 다른 공동피고인 중의 한 사람이 부인한다 하여도 위 공동피고인 중의 한 사람이 자백은 피고인의 자백에 대한 보강증거가 된다(대판 1968.3.19, 68도43).
- 쉐타(스웨터)가 장물이라는 점을 알면서 운반한 사실을 자백하는 경우, 압수되어 현존하는 쉐타(스웨터)는 자백의 보강증거로 충분하다(대판 1967.12.18, 67도1084).
- 피고인이 향정신성의약품인 러미라를 3회에 걸쳐 甲에게 제공하고, 2회에 걸쳐 스스로 투약하였다고 하여 마약류 관리에 관한 법률 위반으로 기소된 사안에서, 피고인의 수사기관에서 '乙로부터 러미라 약 1,000정을 건네받아 그중 일부는 甲에게 제공하고, 남은 것은 자신이 투약하였다.'고 한 자백에 대하여, 乙은 피고인의 최초 러미라 투약행위가 있었던 시점에 피고인에게 50만원 상당의 채무변제에 갈음하여 '러미라 약 1,000정이 들어있는 플라스틱통 1개를 건네주었다.'고 하고 있고, '甲은 乙에게 피고인으로부터 러미라를 건네받았다는 취지의 카카오톡 메시지를 보냈다.'는 乙에 대한 검찰 진술조서 및 수사보고는 피고인의 자백에 대한 보강증거가 된다(대판 2018.3.15, 2017도20247).
- 범행에 사용된 노루발못뽑이와 손괴된 쇠창살의 모습이 촬영되어 수사보고서에 첨부된 현장사진은 형법 제331조 제1항(야간손괴침입절도)의 죄에 관한 피고인의 자백에 대한 보강증거로 인정될 수 있다(대판 2011.9.29, 2011도8015).
- 피고인이 증거로 함에 동의한 압수조서상에 피고인의 범행장면(휴대폰으로 여성치마속 촬영)을 현장에서 목격한 사법경찰관리가 이를 묘사한 진술내용이 포함된 경우, 이러한 내용은 형사소송법 제312조 제5항에서 정한 '피고인이 아닌 자가 수사과정에서 작성한 진술서'에 준하는 것으로서, 압수절차가 적법하였는지 여부에 영향을 받지 않는 별개의 독립적인 증거에 해당한다. 따라서 이는 지하철역 에스컬레이터에서 휴대전화기로 여성피해자의 치마속을 몰래 촬영하였다는 자백에 대한 보강증거가 된다(대판 2019.11.14, 2019도13290). 22. 9급 검찰·마약·교정·보호·철도경찰, 24. 순경 2차

• 휴대전화에 대한 임의제출서, 압수조서 등은 경찰이 피고인의 범행 직후 범행 현장에서 피고인으로부터 위 휴대전화를 임의제출 받아 압수하였다는 내용으로서 이 사건 휴대전화에 저장된 전자정보의 증거능력 여부에 영향을 받지 않는 별개의 독립적인 증거에 해당하므로, 피고인이 증거로 함에 동의한 이상 유죄의 증거로 사용할 수 있고, 피고인의 자백을 보강하는 증거가 된다고 볼 여지가 많다(대판 2022.11.17, 2019도11967).

② **공범자의 자백** : 피고인과 공범자 모두 자백한 경우 공범자의 자백을 보강증거로 하여 피고인을 유죄로 인정할 수 있는가가 문제된다. 피고인의 자백에 공범자의 자백이 포함되지 않는다는 견해(보강증거불요설)에 의하면, 공범자의 자백은 독립증거가 되므로 당연히 보강증거로 될 수 있다. 이에 반하여 공범자의 자백이 피고인의 자백에 포함된다는 견해(보강증거필요설)에 의하면 공범자의 자백이 보강증거가 될 수 없다고 해야 함이 논리적이다. 그러나 현재 보강증거필요설에 입각한 학자들도 일치하여 공범자의 자백을 피고인의 자백에 대한 보강증거로 사용할 수 있다고 한다.

예 공범인 甲·乙이 모두 범죄사실을 자백하였으나 그 밖에 다른 증거가 없을 경우 공범자들의 자백은 상호보강증거가 되어 甲·乙 모두 유죄판결 가능(다수설·판례) 09. 전의경, 10. 9급 국가직·9급 법원직, 10·11·16. 경찰승진, 20. 해경

(4) 보강증거의 범위

① **보강의 범위** : 보강증거가 어느 범위까지 자백을 보강해야 하는가에 대하여 죄체(罪體)설과 진실성 담보설이 대립하고 있다. 죄체설은 죄체의 전부 또는 중요 부분에 대해서 보강증거가 있어야 한다는 견해이며, 진실성 담보설은 보강증거는 자백의 진실성을 담보할 수 있을 정도이면 족하다는 견해이다. 자백에 보강증거를 요구하는 이유가 오판의 방지에 있으며 자백의 진실성이 담보되면 오판의 위험은 없다 할 것이므로 진실성 담보설이 타당하다고 본다(다수설·판례).

관련판례

1. 자백에 대한 보강증거는 범죄사실의 전부 또는 중요 부분을 인정할 수 있는 정도가 되지 아니하더라도 피고인의 자백이 가공적인 것이 아닌 진실한 것임을 인정할 수 있는 정도만 되면 족할 뿐만 아니라 직접증거가 아닌 간접증거나 정황증거도 보강증거가 될 수 있으며, 또한 자백과 보강증거가 서로 어울려서 전체로서 범죄사실을 인정할 수 있으면 유죄의 증거로 충분하다(대판 2002.1.8, 2001도1897). 16. 7급 국가직, 17. 해경간부, 13·19. 변호사시험, 16·18·19. 순경 2차, 20. 해경, 23. 9급 법원직, 17·19·24. 경찰승진, 20·23·24. 순경 1차, 24. 경위공채·해경경위공채
2. 피고인이 甲과 합동하여 乙의 재물을 절취하려다가 미수에 그쳤다는 내용의 공소사실을 자백한 사안에서, 피고인을 현행범으로 체포한 乙의 수사기관에서의 진술과 현장사진이 첨부된 수사보고서가 피고인 자백의 진실성을 담보하기에 충분한 보강증거가 된다(대판 2011.9.29, 2011도8015). 16. 7급 국가직, 18. 수사경과

3. 자백에 대한 보강증거는 피고인의 임의적인 자백사실이 가공적인 것이 아니고 진실하다고 인정될 정도의 증거이면 직접증거이거나 간접증거이거나 보강증거능력이 있다 할 것이고, 반드시 그 증거만으로 객관적 구성요건에 해당하는 사실을 인정할 수 있는 정도의 것임을 요하는 것이 아니라 할 것이므로, 피고인이 위조신분증을 제시행사한 사실을 자백하고 있고, 위 제시행사한 신분증이 현존한다면 그 자백이 임의성이 없는 것이 아닌한 위 신분증은 피고인의 위 자백사실의 진실성을 인정할 간접증거가 된다고 보아야 한다(대판 1983.2.22, 82도3107). 16. 순경 2차
4. 사람의 기억에는 한계가 있는 만큼 자백과 보강증거 사이에 어느 정도의 차이가 있어도 중요 부분이 일치하고 그로써 진실성이 담보되면 보강증거로서의 자격이 있다(대판 2008.5.29, 2008도2343).

② 보강의 대상

㉠ 보강증거는 자백한 범죄의 객관적 구성사실에 한해서만 인정된다(다수설·판례). 따라서 범죄구성사실 이외의 사실, 즉 범죄의 주관적 요소(고의·목적), 누범가중사유인 전과, 객관적 처벌조건에 관한 사실, 정상, 범행동기, 확정판결의 존부 등은 범죄사실이 아니므로 자백만으로 인정할 수 있고 달리 보강증거를 요하지 않는다.

관련판례

1. 범의, 전과는 보강증거가 필요하지 않고 자백만으로 인정할 수 있다(대판 1961.8.16, 4294형상171 ; 대판 1973.3.20, 73도280). 14·17. 9급 법원직, 18. 변호사시험, 22. 수사경과
2. 확정판결은 엄격한 의미의 범죄사실과는 구별되는 것이어서 피고인의 자백만으로서도 그 존부를 인정할 수 있다(대판 1983.8.23, 83도820). 11. 순경, 13. 경찰승진

㉡ 죄수와 관련하여 경합범의 경우 독립된 범죄에 대하여 별도로 보강증거를 요함은 이론이 없다. 상상적 경합은 실체법상 수죄이므로 각각의 범죄에 대하여 보강증거가 필요하다는 견해가 타당하며, 포괄적 1죄의 경우에는 각 행위가 독립된 의미가 없는 경우이면 보강증거를 필요로 하지 않지만, 구성요건상 독립된 의미를 가지는 경우(상습범·연속범)에는 보강증거를 요한다(다수설). 판례는 상습범에 있어서 개별적인 보강증거를 요구하고 있다.

관련판례

1. 포괄1죄인 상습범에 있어서 각 행위에 관하여 개별적으로 보강증거를 요구하므로, 17. 해경간부, 19. 7급 국가직, 20. 경찰간부·해경, 22. 경찰승진, 23. 순경 1차, 24. 소방간부 투약습성에 관한 정황증거만으로 향정신성의약품관리법위반죄의 객관적 구성요건인 각 투약행위가 있었다는 점에 관한 보강증거로 삼을 수는 없다(대판 1996.2.13, 95도1794). 12. 순경 3차, 13. 경찰승진, 13·15. 경찰간부, 19. 수사경과, 23. 9급 법원직
약 3개월에 걸쳐 8회의 도박을 하였다는 혐의로 검사가 피고인에 대해 상습도박죄로 기소한 경우, 총 8회의 도박 중 3회의 도박사실에 대해서는 피고인의 자백 외에 보강증거가 없는 경우에도 법원은 소위 진설성담보설에 입각하여 8회의 도박행위 전부에 대하여 유죄판결을 할 수 있다. (×) 18. 변호사시험
2. 실체적 경합범은 실질적으로 수죄이므로 각 범죄사실에 관하여 자백에 대한 보강증거가 있어야 한다(대판 2008.2.14, 2007도10937). 16. 경찰승진, 20. 7급 국가직

③ **보강증거의 증명력** : 이는 보강증거는 어느 정도의 증명력이 있는 증거임을 요하는가의 문제로서 보강증거는 그 자체만으로 범죄사실을 증명하여야 한다는 견해와 보강증거 그 자체만으로 범죄사실을 인정할 수 있음을 요하지 않고 자백과 보강증거를 종합해서 범죄사실을 인정할 수 있으면 족하다는 견해가 대립되고 있으나 후설이 타당하며 다수설·판례의 입장이다.

(5) 보강법칙의 배제·위반의 효과

① **배제** : 자백보강법칙은 형사소송법이 적용되는 일반 형사소송절차에 적용된다. 따라서 즉결심판에 관한 절차법의 적용을 받는 즉결심판 12. 9급 법원직, 13. 변호사시험, 19. 7급 국가직, 22. 수사경과 과 소년법의 적용을 받는 소년보호사건 00. 9급 검찰, 10. 9급 법원직에는 보강법칙의 적용이 없다. 12. 순경, 17. 9급 법원직

② **위반의 효과** : 자백을 유일한 증거로 하여 공소사실을 유죄로 인정한 경우는 판결이 헌법 제12조 제7항과 형사소송법 제310조를 위반하였으므로 항소사유(제361조의 5 제1호) 또는 상고이유(제383조 제1호)로 되며, 그 유죄판결이 확정된 경우는 비상상고의 이유(제441조)로 된다. 유죄판결이 보강법칙을 위반한 경우는 무죄의 증거가 새로 발견된 때가 아니므로 재심사유(제420조 제5호)로 되지 아니한다.

관련판례

1. 피고인의 자백이 그 피고인에게 불이익한 유일의 증거인 때에는 이를 유죄의 증거로 하지 못하는 것이므로, 보강증거가 없이 피고인의 자백만을 근거로 공소사실을 유죄로 판단한 경우에는 그 자체로 판결결과에 영향을 미친 위법이 있는 것으로 보아야 한다(대판 2007.11.29, 2007도7835).
2. 제1심법원이 증거의 요지에서 피고인의 자백을 뒷받침할 만한 보강증거를 거시하고 있지 않은 잘못이 있음에도 항소심이 적법하게 증거조사를 마쳐 채택한 각 증거에 의해 피고인의 자백을 뒷받침하기에 충분하므로, 제1심법원의 잘못이 판결 결과에 아무런 영향을 미치지 않았다고 하면서 제1심법원의 판단을 유지하였음은 위법이 있다(대판 2007.11.29, 2007도7835). 22. 해경간부

KEY point

- **공범자 자백**
  - 피고인 유죄 가능(보강증거 필요 × : 판례)
  - 공범자와 피고인 모두 자백 ⇨ 상호 보강증거가 되어 모두 유죄 가능
- 보강증거 ⇨ 증거능력이 있는 증거, 자백과는 별개의 독립증거
- **보강증거의 대상** : 구성요건의 객관적 요소(주관적 요소는 대상 ×)
- **보강범위** : 자백의 진실성 담보(진실성담보설)
- **자백보강법칙의 적용과 배제**
  - 적용 ○ : 형사소송법이 적용되는 절차(예 약식절차, 간이공판절차)
  - 적용 × : 즉결심판절차, 소년법이 적용되는 소년보호사건

3 공판조서의 증명력

(1) 공판조서의 증명력의 의의

① **의의** : 형사소송법 제56조는 "공판기일의 소송절차로서 공판조서에 기재된 것은 그 조서만으로 증명한다."라고 규정하여 공판조서에 배타적 증명력을 인정하고 있다. 여기서 "조서만으로 증명한다."의 의미는 공판조서 이외의 다른 증거를 참작하거나 반증을 허용하지 않고 공판조서의 기재 그대로를 인정한다는 뜻이다. 12. 9급 법원직·경찰간부, 19. 변호사시험, 24. 해경경위공채

관련판례

공판조서의 절대적 증명력을 규정한 형사소송법 제56조는 헌법에 위반되지 아니한다(헌재결 2012.4.24, 2010헌바379).

② **입법취지** : 공판조서에의 배타적인 증명력을 인정한 이유는 공판절차 진행의 적법성 여부를 둘러싼 분쟁 때문에 상소심 심리가 지연되거나 심리의 초점이 흐려지는 것을 방지하기 위한 목적을 가지고 있으며, 원심 공판절차의 위법을 다투기 위해 원심법원의 법관이나 사무관 등을 증인으로 신문해야 한다면 많은 법관이나 직원들이 증인으로 출두해야 하는 결과를 초래하여 재판업무 자체를 마비시킬 수도 있기 때문이다.

③ **자유심증주의와의 관계** : 공판조서에 기재된 소송절차에 관한 사실은 법관의 심증 여하를 불문하고 공판조서에 기재된 대로 인정하여야 하므로, 제56조는 자유심증주의에 대한 예외이다.

(2) 배타적 증명력의 적용범위

① **공판기일의 소송절차**

㉠ **공판기일의 소송절차** : 공판조서의 배타적 증명력은 공판기일의 소송절차에 한하므로 11. 9급 검찰 공판기일 전의 증인신문청구나 증거보전절차는 물론이고 공판준비기일의 증인신문이나 검증의 경우에도 배타적 증명력이 인정되지 않는다.

㉡ **소송절차** : 공판기일의 절차라 하더라도 소송절차에 대해서만 배타적 증명력이 인정되고 실체면에 관한 사항(예 증언)에 대해서는 공판조서는 증거능력만 인정될 뿐(제311조) 다른 증거에 의해 얼마든지 그 증명력을 다툴 수 있다. 96. 행시

배타적 증명력이 인정되는 경우의 예

- 필요적 변호사건에서 변호인의 출석 여부
- 검사의 공소장 낭독의 여부
- 피고인의 모두진술 여부
- 진술거부권의 고지 여부
- 증거조사결과에 대한 피고인의 의견조회 및 피고인에 대한 증거조사신청권의 고지
- 증거동의 여부(대판 2008.4.24, 2007도10058)
- 최후진술권의 기회부여 여부
- 판결선고 유무 및 일자 등

② **공판조서에 기재된 소송절차** : 공판기일의 소송절차로서 공판조서에 기재된 것에 한하여 배타적 증명력이 인정된다. 여기서 공판조서란 당해 사건의 공판조서를 의미하므로 다른 사건의 공판조서는 배타적 증명력이 인정되지 않는다.

예 甲사건에서 증언한 증인이 위증죄로 재판을 받은 경우에 선서를 하였는가를 판단함에 있어서 甲사건의 공판조서가 배타적 증명력을 갖는 것은 아니다.

공판조서에 기재되지 아니한 소송절차라 하더라도 그 존재가 부인되는 것은 아니며 11. 9급 검찰 이에 대하여 다른 자료에 의하여 증명할 수 있다(자유로운 증명).

공판조서에 명백한 오기가 있는 경우에는 정확한 내용에 따라 증명력이 인정되며(대판 1995. 12.22, 95도1289), 공판조서의 기재내용이 동일사항에 관하여 서로 다른 내용인 경우 어느 쪽이 진실한 것으로 보아야 하느냐의 문제는 법관의 자유심증에 따를 수밖에 없다는 것이 판례의 입장이다.

관련판례

1. 동일한 사항에 관하여 두 개의 서로 다른 내용이 기재된 공판조서가 병존하는 경우 양자는 동일한 증명력을 가지는 것으로서 그 증명력에 우열이 있을 수 없다고 보아야 할 것이므로 그중 어느 쪽이 진실한 것으로 볼 것인지는 공판조서의 증명력을 판단하는 문제로서 법관의 자유로운 심증에 따를 수밖에 없다(대판 1988.11.8, 86도1646). 09. 경찰승진, 10. 순경, 11. 9급 검찰, 20. 7급 국가직, 23. 9급 법원직, 24. 9급 교정 · 보호 · 철도경찰
2. 검사 제출의 증거에 관하여 동의 또는 진정성립 여부 등에 관한 피고인의 의견이 증거목록에 기재된 경우에는 그 증거목록의 기재는 공판조서의 일부로서 명백한 오기가 아닌 이상 절대적인 증명력을 가지게 된다(대판 1998.12.22, 98도2890). 07. 9급 법원직, 10. 순경, 18. 경찰승진, 19. 변호사시험, 20. 7급 국가직
3. 피고인이 변호인과 함께 출석한 공판기일의 공판조서에 검사가 제출한 증거에 대하여 동의한다는 기재가 되어 있다면 이는 피고인이 증거 동의를 한 것으로 보아야 하고, 그 기재는 절대적인 증명력을 가진다(대판 2016.3.10, 2015도19139). 16 · 17 · 20. 7급 국가직
4. 공판조서에 제1심법원이 공개금지결정을 선고한 후 위 수사관들에 대하여 비공개 상태에서 증인신문절차를 진행한 것으로 기재된 이상 그 공개금지결정 선고 여부에 대하여 공판조서 이외의 다른 방법에 의한 증명이나 반증은 허용되지 않는다고 할 것이다(대판 2013.7.26, 2013도2511). 14. 경찰간부
5. 공판조서의 기재가 명백한 오기인 경우를 제외하고는, 14. 경찰간부 공판기일의 소송절차로서 공판조서에 기재된 것은 조서만으로써 증명하여야 하고 그 증명력은 공판조서 이외의 자료에 의한 반증이 허용되지 않는 절대적인 것이다. 23. 7급 국가직, 24. 9급 교정 · 보호 · 철도경찰 따라서 피고인에게 판결을 선고한 것으로 기재되어 있음이 명백한 이상 선고를 연기한다고 하였다가 피고인의 재촉에 판결을 선고하면서 연기결정 취소절차를 거치지 아니하였더라도 적법하다(대판 1996.9.10, 96도1252). 07. 9급 법원직
6. 공판조서에 공판절차 갱신절차에 따른 재판장과 소송관계인의 진술, 검사의 항소이유서 진술, 피고인의 진술, 증거관계에 대한 진술 등이 있었던 것으로 기재되어 있다면 그 기재가 명백한 오기라고 볼 만한 자료가 없는 한 공판조서의 기재내용을 다투는 상고이유는 받아들일 수 없다(대판 2010.12.9, 2007도10121).

7. 피고인에게 증거조사결과에 대한 의견을 묻고 증거조사를 신청할 수 있음을 고지하였을 뿐만 아니라 최종의견진술의 기회를 주었는지 여부와 같은 소송절차에 관한 사실은 공판조서에 기재된 대로 공판절차가 진행된 것으로 증명되고 다른 자료에 의한 반증은 허용되지 않는다(대판 1990.2.27, 89도2304). 23. 9급 법원직
8. 공판조서에 피고인에 대하여 인정신문을 한 기재가 없다 하여도 같은 조서에 피고인이 공판기일에 출석하여 공소사실 신문에 대하여 이를 시인하고 있는 기재가 있다면 인정신문이 있었던 사실이 추정된다 할 것이다(대판 1972.12.26, 72도2421). 23. 9급 법원직
9. 공소사실이 최초로 심리된 제1심 제4회 공판기일부터 피고인이 공소사실을 일관되게 부인하여 경찰작성 피의자신문조서의 진술내용을 인정하지 않는 경우, 제1심 제4회 공판기일에 피고인이 위 서증의 내용을 인정한 것으로 공판조서에 기재된 것은 착오 기재 등으로 보아 위 피의자신문조서의 증거능력을 부정하여야 한다(대판 2010.6.24, 2010도5040). 23. 9급 법원직

PART 04

(3) 공판조서의 멸실 및 무효

공판조서의 배타적 증명력은 유효한 공판조서의 존재를 전제로 한다. 공판조서가 멸실되었거나 무효인 경우에 상소심에서 원심판결의 소송절차가 위법함을 주장함에 있어 다른 자료에 의한 증명이 허용되는가에 대해 견해가 나뉘고 있으나 허용된다고 봄이 다수설이다.

관련판례

1. 공판조서의 일부가 된 변호인의 피고인에 대한 신문사항을 기재한 별지가 공판조서에 첨부되지 않은 사실만으로는 그 공판조서가 무효라고 볼 수 없다(대판 1999.11.26, 98도3040).
2. 당해 공판기일에 열석하지 아니한 판사가 재판장으로서 서명날인한 공판조서는 소송법상 무효라 할 것이므로 공판기일에 있어서의 소송절차를 증명할 공판조서로서의 증명력이 없다(대판 1983.2.8, 82도2940). 08. 9급 법원직, 09. 7급 국가직, 10. 경찰승진
3. 간인이 없다는 사유만으로는 공판조서를 무효라고 할 수 없다(대판 1960.1.29, 4292형상747).

KEY point

- **공판조서의 증거능력**
  - 당해 사건 : 제311조에 의거 무조건 증거능력 인정
  - 다른 사건 : 제315조 제3호에 의거 무조건 증거능력 인정(대판)
- **공판조서의 증명력**
  - 공판기일의 소송절차로서 당해 사건의 공판조서에 기재된 것 ⇨ 배타적 증명력 인정
  - 다른 사건의 공판조서 ⇨ 배타적 증명력이 인정되지 않음.

CHAPTER 02

기출문제

01 **자유심증주의에 관한 설명으로 가장 적절하지 않은 것은?**(다툼이 있는 경우 판례에 의함)

23. 순경 2차

① 경찰에서의 진술조서의 기재와 당해 사건의 공판정에서의 같은 사람의 증인으로서의 진술이 상반되는 경우 반드시 공판정에서의 증언에 따라야 한다는 법칙은 없고 그중 어느 것을 채용하여 사실인정의 자료로 할 것인가는 오로지 사실심법원의 자유심증에 속하는 것이다.

② 호흡측정기에 의한 음주측정치와 혈액검사에 의한 음주측정치가 다른 경우에 혈액채취에 의한 검사 결과를 믿지 못할 특별한 사정이 없는 한, 혈액검사에 의한 음주측정치가 호흡측정기에 의한 음주측정치보다 측정 당시의 혈중알코올농도에 더 근접한 음주측정치라고 보는 것이 경험칙에 부합한다.

③ '성추행 피해자가 추행 즉시 행위자에게 항의하지 않은 사정'이나 '피해 신고시 성폭력이 아닌 다른 피해 사실을 먼저 진술한 사정'만으로 곧바로 피해자 진술의 신빙성을 부정할 것은 아니고, 가해자와의 관계와 피해자의 구체적 상황을 모두 살펴 판단하여야 한다.

④ 형사재판에서 이와 관련된 다른 형사사건의 확정판결에서 인정된 사실은 특별한 사정이 없는 한 유력한 증거자료가 되는 것이므로, 당해 형사재판에서 제출된 다른 증거 내용에 비추어 관련 형사사건 확정판결의 사실판단을 그대로 채택하기 어렵다고 인정되는 면이 있다고 하여도 이를 배척할 수는 없다.

해설 ① 대판 1987.6.9, 87도691 ② 대판 2004.2.13, 2003도6905 ③ 대판 2020.9.24, 2020도7869
④ 형사재판에서 이와 관련된 다른 형사사건의 확정판결에서 인정된 사실은 특별한 사정이 없는 한 유력한 증거자료가 되는 것이나, 당해 형사재판에서 제출된 다른 증거 내용에 비추어 관련 형사사건 확정판결의 사실판단을 그대로 채택하기 어렵다고 인정될 경우에는 이를 배척할 수 있다(대판 2012.6.14, 2011도15653).

02 **자유심증주의 또는 그 제한에 관한 설명으로 가장 적절한 것은?**(다툼이 있는 경우 판례에 의함)

24. 경찰승진

① 공소사실을 인정할 증거로 사실상 피해자의 진술이 유일한 경우에 피고인의 진술이 경험칙상 합리성이 없고 그 자체로 모순되어 믿을 수 없다는 사정은 공소사실을 인정하는 직접증거가 될 수 없으며, 이러한 사정은 법관의 자유판단에 따라 피해자 진술의 신빙성을 뒷받침하거나 직접증거인 피해자 진술과 결합하여 공소사실을 뒷받침하는 간접정황도 될 수 없다.

② 범행에 관한 간접증거만이 존재하고 그 간접증거의 증명력에 한계가 있는 경우에 증거의 증명력은 법관의 자유판단에 의하는 것이므로, 범인으로 지목되고 있는 자에게 범행을 저지를 만한 동기가 발견되지 않더라도 만연히 무엇인가 동기가 분명히 있는데 이를 범인이 숨기고 있는 것으로 단정한다고 하여도 형사증거법의 이념에 반하는 것은 아니다.

Answer 01. ④ 02. ④

③ 유죄의 인정은 법관으로 하여금 합리적 의심의 여지가 없을 정도로 공소사실이 진실한 것이라는 확신을 가지게 하는 증명력을 가진 증거에 의하여 하며, 이는 모든 가능한 의심을 배제할 정도에 이를 것을 요한다.
④ 살인죄 등과 같이 법정형이 무거운 범죄의 경우에도 직접증거 없이 간접증거만으로 유죄를 인정할 수 있으나, 그러한 유죄 인정에는 공소사실에 대한 관련성이 깊은 간접증거들에 의하여 신중한 판단이 요구된다.

해설 ① 공소사실을 인정할 증거로 사실상 피해자의 진술이 유일한 경우에 피고인의 진술이 경험칙상 합리성이 없고 그 자체로 모순되어 믿을 수 없다고 하여 그것이 공소사실을 인정하는 직접증거가 되는 것은 아니지만, 이러한 사정은 법관의 자유판단에 따라 피해자 진술의 신빙성을 뒷받침하거나 직접증거인 피해자 진술과 결합하여 공소사실을 뒷받침하는 간접정황이 될 수 있다(대판 2022.12.15, 2021도14234).
② 범행에 관한 간접증거만이 존재하고 더구나 그 간접증거의 증명력에 한계가 있는 경우, 범인으로 지목되고 있는 자에게 범행을 저지를 만한 동기가 발견되지 않는다면, 만연히 무엇인가 동기가 분명히 있는데도 이를 범인이 숨기고 있다고 단정할 것이 아니라 반대로 간접증거의 증명력이 그만큼 떨어진다고 평가하는 것이 형사 증거법의 이념에 부합하는 것이라 할 것이다(대판 2006.3.9, 2005도8675).
③ 형사재판에 있어서 유죄로 인정하기 위한 심증 형성의 정도는 합리적인 의심을 할 여지가 없을 정도여야 하나, 이는 모든 가능한 의심을 배제할 정도에 이를 것까지 요구하는 것은 아니다(대판 2022.3.31, 2018도19037). ④ 대판 2013.9.12, 2013도4381

PART 04

03 **자백의 증거능력과 증명력에 관한 다음 설명 중 옳고 그름의 표시(○, ×)가 바르게 된 것은?**(다툼이 있는 경우 판례에 의함) 23. 순경 1차·전의경경채

㉠ 피고인이 범행을 자인하는 것을 들었다는 피고인 아닌 자의 진술내용은 형사소송법 제310조의 피고인의 자백에 포함되며, 자백을 자백으로 보강할 수 없다는 법리에 따라 그 진술내용을 피고인의 자백의 보강증거로 할 수 없다.
㉡ 일정한 증거가 발견되면 피의자가 자백하겠다고 한 약속이 검사의 강요나 위계에 의하여 이루어졌다던가 또는 불기소나 경한 죄의 소추 등 이익과 교환조건으로 된 것으로 인정되지 않는다면 위와 같은 자백의 약속하에 된 자백이라 하여 곧 임의성 없는 자백으로 증거능력이 부정된다고 단정할 수 없다.
㉢ 상습범은 피고인의 습벽을 구성요건으로 하는 범죄로서 상습범에 있어 피고인의 자백이 있는 경우, 이를 구성하는 각 행위에 관하여 개별적으로 보강증거를 필요로 하는 것은 아니다.
㉣ 자백에 대한 보강증거는 범죄사실의 전부 또는 중요 부분을 인정할 수 있는 정도가 되지 아니하더라도 피고인의 자백이 가공적인 것이 아닌 진실한 것임을 인정할 수 있는 정도만 되면 족할 뿐만 아니라, 직접증거가 아닌 간접증거나 정황증거도 보강증거가 될 수 있다.

① ㉠(×), ㉡(○), ㉢(×), ㉣(○)
② ㉠(×), ㉡(×), ㉢(○), ㉣(×)
③ ㉠(○), ㉡(○), ㉢(×), ㉣(○)
④ ㉠(○), ㉡(×), ㉢(○), ㉣(×)

Answer 03. ①

해설 ㉠ × : 피고인이 범행을 자인하는 것을 들었다는 피고인 아닌 자의 진술내용은 형사소송법 제310조의 피고인의 자백에는 포함되지 아니하나 이는 피고인의 자백의 보강증거로 될 수 없다(대판 1981.7.7, 81도1314).
㉡ ○ : 대판 1983.9.13, 83도712
㉢ × : 상습범은 피고인의 습벽을 구성요건으로 하는 범죄로서 상습범에 있어 피고인의 자백이 있는 경우, 이를 구성하는 각 행위에 관하여 개별적으로 보강증거를 필요로 한다(대판 1996.2.13, 95도1794).
㉣ ○ : 대판 2002.1.18, 2001도1897

04 **자백보강법칙에 관한 다음 설명 중 가장 옳지 않은 것은?**(다툼이 있는 경우 판례에 의하고, 전원합의체 판결의 경우 다수의견에 의함) **23. 9급 법원직**

① 공동피고인의 자백은 이에 대한 피고인의 반대신문권이 보장되어 있어 증인으로 신문한 경우와 다를 바 없으므로 독립한 증거능력이 있으나, 피고인들간에 이해관계가 상반되는 경우에는 독립한 증거로 보기 어렵다.
② 직접증거가 아닌 간접증거나 정황증거도 보강증거가 될 수 있고, 자백과 보강증거가 서로 어울려서 전체로서 범죄사실을 인정할 수 있으면 유죄의 증거로 충분하다.
③ 피고인의 습벽을 범죄구성요건으로 하며 포괄일죄인 상습범에 있어서도 이를 구성하는 각 행위에 관하여 개별적으로 보강증거를 요구하고 있는 점에 비추어 보면 투약습성에 관한 정황증거만으로 향정신성의약품관리법위반죄의 객관적 구성요건인 각 투약행위가 있었다는 점에 관한 보강증거로 삼을 수는 없다.
④ 사람의 기억에는 한계가 있는 만큼 자백과 보강증거 사이에 어느 정도의 차이가 있어도 중요부분이 일치하고 그로써 진실성이 담보되면 보강증거로서의 자격이 있다.

해설 ① 공동피고인의 자백은 이에 대한 피고인의 반대신문권이 보장되어 있어 증인으로 신문한 경우와 다를 바 없으므로 독립한 증거능력이 있고, 이는 피고인들간에 이해관계가 상반된다고 하여도 마찬가지라 할 것이다(대판 2006.5.11, 2006도1944).
② 대판 2008.11.27, 2008도7883 ③ 대판 1996.2.13, 95도1794 ④ 대판 2008.5.29, 2008도2343

05 **자백보강법칙에 관한 설명으로 가장 적절하지 않은 것은?**(다툼이 있는 경우 판례에 의함) **24. 경찰승진**

① 형사소송법 제310조 소정의 '피고인의 자백'에 공범인 공동피고인의 진술은 포함되지 않으므로, 공범인 공동피고인의 진술은 다른 공동피고인에 대한 범죄사실을 인정하는 증거로 할 수 있고, 공범인 공동피고인들의 각 진술은 상호 간에 서로 보강증거가 될 수 있다.
② 자백에 대한 보강증거는 피고인의 자백이 가공적인 것이 아닌 진실한 것임을 인정할 수 있는 정도로는 족하지 않고, 범죄사실의 전부 또는 중요 부분을 인정할 수 있는 정도가 되어야 한다.
③ 자동차등록증에 차량의 소유자가 피고인으로 등록되어 있는 것은 피고인이 그 차량을 운전하였다는 사실의 자백 부분에 대한 보강증거가 될 수 있고, 결과적으로 피고인이 운전면허 없이 운전하였다는 전체 범죄사실의 보강증거로 충분하다.

Answer 04. ① 05. ②

④ 2020. 2. 18. 01 : 35경 자동차를 타고 온 피고인 甲으로부터 필로폰 0.06g을 건네받은 후 甲이 그 차량을 운전해 갔다고 한 공소외인 A의 진술과 2020. 2. 20. 甲으로부터 채취한 소변에서 나온 필로폰 양성 반응은, 甲이 2020. 2. 18. 02 : 00경의 필로폰 투약으로 정상적으로 운전하지 못할 우려가 있는 상태에 있었다는 공소사실 부분에 대한 자백을 보강하는 증거가 되기에 충분하다.

해설 ① 대판 1990.10.30, 90도1939
② 자백에 대한 보강증거는 범죄사실의 전부 또는 중요 부분을 인정할 수 있는 정도가 되지 아니하더라도 피고인의 자백이 가공적인 것이 아닌 진실한 것임을 인정할 수 있는 정도만 되면 족하다(대판 2002.1.8, 2001도1897).
③ 대판 2000.9.26, 2000도2365
④ 대판 2010.12.23, 2010도11272

PART 04

06 자백보강법칙에 관한 설명으로 옳지 않은 것은?(다툼이 있는 경우 판례에 의함) 24. 소방간부

① 필로폰 매수 대금을 송금한 사실에 대한 증거는 필로폰 매수죄와 실체적 경합범 관계에 있는 필로폰 투약행위에 대한 보강증거가 될 수 없다.
② 직접증거가 아닌 간접증거나 정황증거도 보강증거가 될 수 있고, 자백과 보강증거가 서로 어울려서 전체로서 범죄사실을 인정할 수 있으면 유죄의 증거로 충분하다.
③ 피고인의 습벽을 범죄구성요건으로 하는 포괄일죄로서의 상습범에 있어서는 이를 구성하는 각 행위에 관하여 개별적으로 보강증거를 필요로 하지 않는다.
④ 공범인 공동피고인의 진술은 다른 공동피고인에 대한 범죄사실을 인정하는 증거로 할 수 있는 것일 뿐만 아니라 공범인 공동피고인들의 각 진술은 상호 간에 서로 보강증거가 될 수 있다.
⑤ 자동차등록증에 차량의 소유자가 피고인으로 등록·기재된 사실은 피고인이 그 차량을 운전하였다는 사실의 자백 부분에 대한 보강증거가 될 수 있고, 결과적으로 피고인의 무면허운전이라는 전체 범죄사실의 보강증거로 될 수 있다.

해설 ① 대판 2008.2.14, 2007도10937
② 대판 2008.11.27, 2008도7883
③ 피고인의 습벽을 범죄구성요건으로 하는 포괄일죄로서의 상습범에 있어서는 이를 구성하는 각 행위에 관하여 개별적으로 보강증거를 필요로 한다(대판 1996.2.13, 95도1794).
④ 대판 1990.10.30, 90도1939
⑤ 대판 2000.9.26, 2000도2365

Answer 06. ③

07 **공판조서의 증명력에 관한 다음 설명 중 가장 옳지 않은 것은?**(다툼이 있는 경우 판례에 의하고, 전원합의체 판결의 경우 다수의견에 의함) 23. 9급 법원직

① 피고인에게 증거조사결과에 대한 의견을 묻고 증거조사를 신청할 수 있음을 고지하였을 뿐만 아니라 최종의견진술의 기회를 주었는지 여부와 같은 소송절차에 관한 사실은 공판조서에 기재된 대로 공판절차가 진행된 것으로 증명되고 다른 자료에 의한 반증은 허용되지 않는다.

② 동일한 사항에 관하여 두개의 서로 다른 내용이 기재된 공판조서가 병존하는 경우 양자는 동일한 증명력을 가지는 것으로서 그 증명력에 우열이 있을 수 없다고 보아야 할 것이므로 그중 어느 쪽이 진실한 것으로 볼 것인지는 공판조서의 증명력을 판단하는 문제로서 법관의 자유로운 심증에 따를 수 밖에 없다.

③ 공판조서에 기재되지 않은 소송절차는 공판조서 이외의 자료에 의한 증명이 허용되므로 공판조서에 피고인에 대하여 인정신문을 한 기재가 없다면 같은 조서에 피고인이 공판기일에 출석하여 공소사실신문에 대하여 이를 시정하고 있는 기재가 있다 하더라도 인정신문이 있었던 사실이 추정된다고 할 수는 없다.

④ 공소사실이 최초로 심리된 제1심 제4회 공판기일부터 피고인이 공소사실을 일관되게 부인하여 경찰 작성 피의자신문조서의 진술내용을 인정하지 않는 경우, 제1심 제4회 공판기일에 피고인이 위 서증의 내용을 인정한 것으로 공판조서에 기재된 것은 착오 기재 등으로 보아 위 피의자신문조서의 증거능력을 부정하여야 한다.

해설 ① 대판 1990.2.27, 89도2304

② 대판 1988.11.8, 86도1646

③ 공판조서에 피고인에 대하여 인정신문을 한 기재가 없다 하여도 같은 조서에 피고인이 공판기일에 출석하여 공소사실신문에 대하여 이를 시정하고 있는 기재가 있으니 인정신문이 있었던 사실이 추정된다 할 것이고 다만 조서의 기재에 이 점에 관한 누락이 있었을 따름인 것이 인정된다(대판 1972.12.26, 72도2421).

④ 대판 2010.6.24, 2010도5040

08 **자백과 보강증거에 관한 다음 설명 중 가장 옳지 않은 것은?** 24. 9급 법원직

① 피고인이 범행을 자인하는 것을 들었다는 피고인 아닌 자의 진술은 피고인의 자백에 포함되지 아니하므로, 피고인의 자백의 보강증거가 될 수 있다.

② 기소된 대마 흡연일자로부터 한 달 후 피고인의 주거지에서 압수된 대마 잎이 피고인의 자백에 대한 보강증거가 된다.

③ 뇌물공여의 상대방이 뇌물 수수 사실을 부인하면서도 뇌물 공여자를 만났던 사실 및 청탁을 받은 사실을 시인한 것이 뇌물공여자의 자백에 대한 보강증거가 될 수 있다.

④ 필로폰 매수 대금을 송금한 사실에 대한 증거가 필로폰 매수죄와 실체적 경합범 관계에 있는 필로폰 투약행위에 대한 보강증거가 될 수 없다.

Answer 07. ③ 08. ①

해설 ① 피고인이 범행을 자인하는 것을 들었다는 피고인 아닌 자의 진술내용은 형사소송법 제310조의 피고인의 자백에는 포함되지 아니하나 이는 피고인의 자백의 보강증거로 될 수 없다(대판 1981.7.7, 81도1314).
② 대판 2007.9.20, 2007도5845
③ 대판 1995.6.30, 94도993
④ 대판 2008.2.14, 2007도10937

09 자백의 보강법칙에 대한 설명으로 옳은 것은?

24. 7급 국가직

① 피고인이 범행을 자인하는 것을 들었다는 피고인 아닌 자의 진술은 피고인의 자백에 대한 보강증거가 될 수 있다.
② 필로폰 매수 대금을 송금한 사실에 대한 증거는 필로폰 매수죄와 실체적 경합범 관계에 있는 필로폰 투약행위에 대한 자백의 보강증거가 될 수 있다.
③ 피고인이 업무추진 과정에서 지출한 자금내역을 뇌물 자금과 기타 자금을 구별하지 아니하고 그 지출 일시, 금액, 상대방 등 내역을 그때그때 기계적으로 기입한 수첩의 기재 내용은 증뢰사실의 자백에 대한 보강증거가 될 수 있다.
④ 형사소송법 제310조의 '피고인의 자백'에 공범의 자백도 포함되므로 공범의 자백이 피고인의 공소사실에 대한 유일한 증거인 경우에는 보강증거가 필요하다.

해설 ① 피고인이 범행을 자인하는 것을 들었다는 피고인 아닌 자의 진술내용은 형사소송법 제310조의 피고인의 자백에는 포함되지 아니하나 이는 피고인의 자백의 보강증거로 될 수 없다(대판 1981.7.7, 81도1314).
② 필로폰 매수 대금을 송금한 사실에 대한 증거가 필로폰 매수죄와 실체적 경합범 관계에 있는 필로폰 투약행위에 대한 보강증거가 될 수 없다(대판 2008.2.14, 2007도10937).
③ 대판 1996.10.17, 94도2865
④ 형사소송법 제310조 소정의 '피고인의 자백'에 공범인 공동피고인의 진술은 포함되지 아니하므로 공범인 공동피고인의 진술은 다른 공동피고인에 대한 범죄사실을 인정하는 증거로 할 수 있는 것일 뿐만 아니라 공범인 공동피고인들의 각 진술은 상호간에 서로 보강증거가 될 수 있다(대판 1990.10.30, 90도1939).

Answer 09. ③

CHAPTER

03 재 판

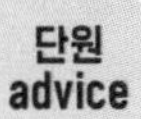

단원 advice

종래에는 각종 시험에서 증거편 이후의 출제비중이 그렇게 높지 않았던 관계로, 수험생들은 증거편 이후부터의 교과 내용에 대하여 별로 관심을 갖지를 않았었다. 그러나 최근에는 이 부분도 주의 깊게 학습을 할 필요가 있으며, 특히 제4편 3장(재판)과 제5편 관련 내용을 잘 정리해두면 용어적인 측면이나 판례를 이해하는 데 많은 도움이 되리라고 본다.

제1절 재판의 기본개념

1 재판의 의의 · 종류

(1) 재판의 의의

재판이란 협의로는 유무죄에 대한 법원의 종국적 판단을 말한다.

그러나 소송법적 의미에 있어서 재판이란 널리 법원 또는 법관의 법률행위적 소송행위를 총칭하는 것이다(예 영장발부, 공소기각, 소송지휘를 위한 처분 등).

한편, 재판은 법률행위적 소송행위라는 점에서 법원 또는 법관의 사실행위적 소송행위(예 증거조사)와도 구별된다.

(2) 재판의 종류

① **기능에 의한 분류**

㉠ **종국재판** : 종국재판이란 당해소송을 그 심급에서 종결시키는 재판을 말한다. 종국재판을 한 법원은 그 재판을 취소·변경할 수 없다. 종국재판은 원칙적으로 상소가 허용된다.

예 유죄판결, 무죄판결, 관할위반판결, 공소기각판결, 공소기각결정, 면소판결, 상소심에서의 파기자판, 파기환송, 파기이송판결, 상소기각재판 등이 종국재판에 해당

㉡ **종국 전 재판** : 종국 전 재판이란 종국재판에 이르기까지 절차상의 문제를 해결하기 위해 행하는 재판을 말하며 중간재판이라고도 한다.

종국재판 이외의 결정과 명령이 여기에 속하는데, 종국 전 재판은 법원 스스로가 취소·변경할 수 있으며 원칙적으로 상소가 허용되지 아니한다(다만, 구금, 보석, 압수나 압수물 환부, 감정유치 결정 등은 예외적으로 상소가능 : 제403조 제2항). 14. 9급 교정·보호·철도경찰

예 보석허가결정, 공소장변경허가결정, 증거신청에 대한 결정 등이 종국 전 재판에 해당

② **내용에 의한 분류**

㉠ **실체재판** : 유무죄의 판결을 말하며 본안재판이라고 한다. 실체재판은 모두 종국재판이고 판결의 형식을 취한다.

㉡ **형식재판** : 형식재판이란 실체재판 이외의 재판, 즉 절차적 법률관계를 판단하는 재판을 말한다.

예 공소기각결정, 공소기각판결, 관할위반판결, 면소판결

③ **형식에 의한 분류**

㉠ **판 결**

ⓐ 판결은 종국재판의 원칙적 형식으로서 가장 중요한 재판이다.

ⓑ 판결은 원칙적으로 구두변론에 의해야 하고(제37조 제1항), 반드시 이유를 명시하여야 하며,96. 7급 검찰 상소방법은 항소 또는 상고이다.

예 유·무죄판결, 관할위반판결, 공소기각판결, 면소판결 등이 있음

판결은 구두변론을 거쳐 행함이 원칙이나 대법원판결에 대한 정정판결은 예외(제401조 제1항)

㉡ **결 정**

ⓐ 결정은 법원이 행하는 종국 전 재판의 기본형식이다. 그러나 종국재판에서도 결정에 의한 경우가 있다.

예 보석허가결정, 공소장변경허가결정, 증거신청에 대한 결정, 공소기각결정

ⓑ 결정은 구두변론에 의하지 아니할 수 있고(제37조 제2항),14. 9급 교정·보호·철도경찰 필요한 경우에는 사실조사를 할 수 있다(동조 제3항).

ⓒ 상소를 불허하는 결정을 제외하고는 원칙적으로 결정에도 이유를 명시하여야 한다(제39조). 결정에 대한 상소방법은 항고이다.

㉢ **명 령**

ⓐ 명령은 법원이 아니라 재판장, 수명법관, 수탁판사 등 개별법관이 행하는 재판을 말하며 모두 종국 전 재판에 해당한다.

예 재판장의 공판기일 지정, 피고인에 대한 퇴정 등이 명령에 해당

ⓑ 형사소송법이 명령이란 표현을 사용하지 않더라도 재판장 또는 법관 1인이 하는 재판은 모두 명령에 해당한다.

ⓒ 명령은 구두변론에 의하지 아니할 수 있고,14. 9급 교정·보호·철도경찰 필요한 경우에는 사실조사를 할 수 있다는 점은 결정의 경우와 같다(제37조 제2항·제3항).

ⓓ 명령에 대한 일반적인 상소방법은 없으며, 특수한 경우에는 이의신청(예 제304조의 재판장의 처분에 대한 이의신청) 또는 준항고, 즉 법관소속 법원에 재판의 취소 또는 변경을 청구할 수 있다(제416조).

약식명령절차란 지방법원의 관할사건에 대하여 검사의 청구가 있을 때에 공판절차를 경유하지 않고 검사가 제출한 자료만에 의하여 약식명령으로 피고인에게 벌금·과료·몰수형을 과하는 간편한 절차를 말하는데 여기서 말하는 명령이 아니라 독립된 형식의 재판이다.

PART 04

구 분	판 결	결 정	명 령
재판기관	법 원	법 원	법 관
기능적 측면	종국재판의 원칙적 형식	종국 전 재판의 원칙적 형식	종국 전 재판
구두변론	원칙적으로 구두변론에 의함	구두변론에 의하지 아니할 수 있음	구두변론에 의하지 아니할 수 있음
이유명시	반드시 이유명시	원칙적으로 이유명시	이유명시 불요함
상소방법	항소, 상고	항 고	일반적 방법 ×
예	• 유무죄판결 • 관할위반판결 • 면소판결 • 공소기각판결	• 보석허가결정 • 증거신청에 대한 결정 • 공소장변경허가결정 • 공소기각결정	재판장의 공판기일지정 ▶ 약식명령 ×

2 재판의 성립과 재판서

(1) 재판의 성립

재판은 내부적으로 의사결정이 있고, 결정된 의사가 외부적으로 표시됨으로써 성립한다. 따라서 재판의 성립을 내부적 성립과 외부적 성립으로 나눌 수 있다.

① 재판의 내부적 성립

㉠ **내부적 성립의 의의** : 재판의 의사표시 내용이 재판기관 내부에서 결정되는 것을 재판의 내부적 성립이라 한다. 심리에 관여하지 않은 법관이 재판의 내부적 성립에 관여하는 것은 허용되지 않는다(절대적 상소이유 : 제361조의 5 제8호). 재판의 내부적 성립 후에는 법관이 경질되어도 공판절차를 갱신할 필요가 없다(제301조).

🚨 내부적 성립시기의 확정은 공판절차의 갱신 여부와 관련하여 중요한 의미를 지닌다.

🚨 재판이 내부적으로 성립한 이상 그에 관여하지 아니한 판사가 재판을 선고하여도 재판의 외부적 성립에 영향이 없다. (○) 14. 9급 교정 · 보호 · 철도경찰

㉡ **내부적 성립의 시기**

ⓐ 합의부의 재판 : 합의부의 재판은 구성원인 법관의 합의에 의하여 내부적으로 성립한다. 합의에 관하여는 재판장을 포함한 모든 법관이 평등한 지위에 서며, 재판의 합의는 공개하지 않는다. 그러나 대법원의 재판서에는 합의에 관여한 대법관의 의견을 표시하여야 한다(법원조직법 제15조).

ⓑ 단독판사의 재판 : 단독판사의 재판은 합의과정이 없으므로, 법관이 재판서를 작성한 때 내부적으로 성립한다고 보아야 한다. 다만, 재판서가 작성되지 않은 재판의 경우에는 재판의 고지 또는 선고에 의하여 내부적 성립과 외부적 성립이 동시에 일어난다고 여겨야 할 것이다.

② **재판의 외부적 성립**

㉠ **외부적 성립의 의의·시기** : 재판은 선고 또는 고지에 의하여 외부에 발표하였을 때 외부적으로 성립한다.

선고와 고지의 차이
선고란 공판정에서 재판의 내용을 구술로 선언하는 행위이고, 고지는 선고 이외의 적당한 방법으로 재판의 내용을 관계인에게 알려주는 행위이다. 고지는 선고보다 훨씬 간편한 재판공표의 방법이다.

㉡ **재판의 선고와 고지의 방법**

ⓐ 판결의 경우에는 반드시 선고에 의해 공표하고, 결정·명령은 극소수를 제외하고는 고지의 방식에 의하여 공표한다.

판결 이외의 재판이 선고형식을 취하는 예 공판 비공개결정(동법 제57조 제2항)

ⓑ 재판의 선고 또는 고지는 재판장이 한다. 판결을 선고함에는 주문을 낭독하고 이유의 요지를 설명하여야 한다(제43조). 재판의 선고 또는 고지는 공판정에서는 재판서에 의하여야 하고 기타의 경우에는 재판서 등본의 송달 또는 다른 적당한 방법으로 하여야 한다. 단, 법률에 다른 규정이 있는 때에는 예외로 한다(제42조).

예 공판기일변경신청에 대한 기각명령 ⇨ 재판서 등본송달 ×(제270조 제2항)

관련판례

1. 재판서 등본을 모사전송의 방법으로 송부하는 것은 형사소송법 제42조에서 정한 재판을 고지하는 '다른 적당한 방법'에 해당한다 할 것이며, 한편 재판을 받는 자가 그 재판의 내용을 알 수 있는 상태에 이른 경우라면 현실적으로 재판의 내용을 알았는지 여부에 관계없이 그 재판이 고지되었다고 보아야 할 것이다. 나아가 재판을 받는 자가 구치소에 수용되어 있는 경우 재판서 등본이 모사전송의 방법으로 구치소장에게 송부되었다면 구치소장에게는 이를 수용 중인 재판을 받는 자에게 전달할 의무가 있으므로 이로써 재판을 받는 자가 그 재판의 내용을 알 수 있는 상태에 이르렀다고 봄이 상당하고, 따라서 재판서 등본이 모사전송의 방법으로 구치소장에게 송부된 때 그 재판이 고지되었다고 보아야 한다(대결 2004.8.12, 2004모208).
2. 형사소송법 제42조는 "재판의 선고 또는 고지는 공판정에서는 재판서에 의하여야 하고 기타의 경우에는 재판서등본의 송달 또는 다른 적당한 방법으로 하여야 한다. 단 법률에 다른 규정이 있는 때에는 예외로 한다."라고 규정하고 있는데, 피고인의 상고에 대하여 형사소송법 제380조 본문에 따라 상고기각결정을 한 경우에는 법률에 다른 규정이 있지 않는 한 형사소송법 제42조 본문의 규정에 의하여 그 등본을 피고인에게 송달하거나 다른 적당한 방법으로 고지하였을 때 그 효력이 생긴다(대판 2023.7.13, 2021도15745).

ⓒ 재판의 선고·고지는 이미 성립한 재판을 대외적으로 공표하는 행위에 불과하므로 내부적 성립에 관여하지 않은 판사가 하여도 효력에는 영향이 없다.

㉢ **외부적 성립의 효력** : 재판이 일단 외부적으로 성립하면 재판이 확정되기 전이라도 아래와 같은 일정한 효력이 발생하게 된다.

ⓐ 재판을 한 법원도 이를 철회·변경할 수 없다(재판의 구속력). 97. 9급 법원직

ⓑ 상소기간이 진행한다(제343조 제2항). 10. 경찰승진

ⓒ 일정한 경우 구속영장의 효력이 상실한다(제331조).

무죄, 면소, 공소기각판결, 벌금, 집행유예, 선고유예, 형면제의 판결 선고 ⇨ 구속영장의 효력 상실 (제331조)

ⓓ 결정이나 명령이 선고 또는 고지되면 집행력이 발생한다.

관련판례

1. 판결의 선고내용과 판결문의 내용이 상이한 경우에는 선고된 내용에 의거하여 판결의 효력이 발생한다(대결 1981.5.14, 81모8). 00. 경찰승진, 16. 경찰간부
2. 재판의 선고는 공판기일에 출석한 피고인에게 주문을 낭독하고 이유의 요지를 설명하여야 하는 것이 원칙으로 되어 있으며, 형을 선고하는 경우에는 재판장은 피고인에게 상소할 기간과 상소할 법원을 고지하여야 한다고 규정하고 있으므로, 법원이 형을 선고받은 피고인에게 재판서를 송달하지 않는다고 하여 국민의 알 권리를 침해한다고 할 수 없고, 상소기간을 재판서 송달일이 아닌 재판선고일로부터 계산하는 것이 과잉으로 국민의 재판청구권을 제한한다고 할 수 없다(헌재결 1995.3.23, 92헌바1).
   판결을 선고한 경우에도 상소기간은 판결서 등본을 송달받은 날로부터 기산한다. (×) 03. 법원주사보
3. 형사소송법 제343조 제2항에서는, "상소의 제기기간은 재판을 선고 또는 고지한 날로부터 진행한다." 고 규정하고 있으므로, 형사소송에 있어서는 판결등본이 당사자에게 송달되는 여부에 관계없이 공판정에서 판결이 선고된 날로부터 상소기간이 기산되며, 이는 피고인이 불출석한 상태에서 재판을 하는 경우에도 마찬가지이다(대결 2002.9.27, 2002모6).

KEY point

- 재판의 내부적 성립 ┌ 합의부 ⇨ 합의시
  └ 단독판사 ⇨ 재판서 작성시(작성 × ⇨ 재판의 고지 or 선고시)
- 재판의 외부적 성립 : 선고 or 고지

(2) 재판서

① **의의** : 재판을 한 때에는 재판서를 작성해야 한다. 다만, 결정 또는 명령을 고지한 때에는 재판서를 작성하지 아니하고 조서에만 기재할 수 있다(제38조). 10 · 21. 9급 법원직 재판서란 재판의 내용을 기재한 문서로서 재판의 형식에 따라서 판결서, 결정서, 명령서로 구분된다.

② **재판서의 기재사항**

㉠ **주문** : 재판서에는 주문과 이유가 기재되어야 한다. 주문이란 재판의 대상이 된 사실에 대한 최종적 결론을 말한다. 형을 선고하는 판결의 주문은 판결의 집행과 전과기록의 기초가 된다.

주문에 기재될 사항 : 선고형, 형의 집행유예, 미결구금일수 산입, 노역장유치기간, 재산형의 가납명령, 소송비용부담, 배상명령(소송촉진 등에 관한 특례법 제31조 제1항), 압수장물의 피해자환부 등

선고유예판결의 주문은 "피고인에 대한 형의 선고를 유예한다."로 되지만 나중에 실효되어 형을 선고할 경우에 대비하여 판결이유에서 선고를 유예한 형의 종류와 양을 명시하게 된다.

㉡ **이유** : 이유는 주문에 이르게 된 논리적 과정을 설명한 것으로서 재판에는 이유를 명시하여야 한다. 다만, 상소를 불허한 결정 또는 명령은 예외로 한다(제39조). 판례에 의하면 이유는 간단히 밝혀도 된다고 판시하고 있다.

재판에 이유를 명시하도록 한 것은 재판의 공정성을 담보하고 상소권자에게 상소제기의 여부에 대한 정당한 판단을 할 수 있게 하며, 상소심이 판결의 당부를 심사할 기초를 마련하고 기판력의 범위를 명백히 하며 집행기관에 수형자의 처우에 대한 기준을 제공한다는 점에 그 이유가 있다.

관련판례

판결 전의 소송절차에 관한 재판에는 재판의 간결성의 원칙에 따라 그 사유의 존부에 관하여 자세하고 구체적인 설명을 생략하고 그 신청의 당부에 대한 이유를 신청의 이유가 있다 또는 그 이유가 없다고 간단히 밝히면 된다(대결 1996.11.14, 96모94).

PART 04

㉢ **그 밖의 기재사항**

ⓐ 재판서에는 법률에 다른 규정이 없으면 재판을 받는 자의 성명, 연령, 직업과 주거를 기재하여야 한다(제40조 제1항). 재판을 받는 자가 법인인 때에는 그 명칭과 사무소를 기재하여야 한다(동조 제2항). 또한 판결서에는 기소한 검사와 공판에 관여한 검사의 관직·성명과 변호인의 성명을 기재하여야 한다(동조 제3항). 21. 9급 법원직

공소제기 검사의 관직·성명 ⇨ ○(2011. 7. 18. 개정법에서 추가됨)

ⓑ 재판서에는 재판을 한 법관이 서명날인하여야 한다(제41조 제1항).
재판장이 서명날인할 수 없는 때에는 다른 법관이 그 사유를 부기하고 서명·날인하여야 하며, 다른 법관이 서명날인할 수 없는 때에는 재판장이 그 사유를 부기하고 서명·날인하여야 한다(동조 제2항). 21. 9급 법원직

공판조서는 법관 전원이 서명날인할 수 없는 때에는 법원사무관 등이 서명날인하는 제도가 있으나(제53조) 재판서에는 그러한 제도가 없음에 주의를 요한다.

관련판례

재판장의 서명날인이 누락되어 있고 재판장이 서명날인을 할 수 없는 사유의 부기도 없는 재판서에 의한 판결은 형사소송법 제383조 제1호 소정의 판결에 영향을 미친 법률위반으로서 파기사유가 된다(대판 1990.2.27, 90도145).

ⓒ 판결서 기타 대법원규칙이 정한 재판서를 제외한 재판서에 대해서는 위 제41조 제1항·제2항의 서명·날인에 갈음하여 기명·날인할 수 있다(제41조 제3항).

반드시 서명·날인 필요 ⇨ 판결문, 각종 영장(규칙 제25조의 2) 10. 7급 국가직

ⓓ 법원이 양형기준을 벗어난 판결을 하는 경우에는 판결서에 양형의 이유를 적어야 한다. 다만, 약식절차 또는 즉결심판절차에 따라 심판하는 경우에는 그러하지 아니하다(법원조직법 제81조의 7). 16. 경찰간부

ⓔ 수소법원이 심판에 필요한 자료의 수집・조사 등의 업무를 담당하는 법원 소속 조사관에게 양형의 조건이 되는 사항을 수집・조사하여 제출하게 하고, 이를 피고인에 대한 정산관계 사실과 함께 참작하여 형을 선고하는 것은 정당하다(대판 2010.4.29, 2010도750). 13. 9급 법원직

③ **재판서의 송부**

㉠ 법원은 피고인에게 판결을 선고한 때에는 선고일로부터 7일 이내(14일 이내 ×)에 피고인에게 그 판결서 등본을 송달하여야 한다. 다만, 피고인이 동의하는 경우에는 그 판결서 초본을 송달할 수 있다(규칙 제148조 제1항). 불구속피고인과 무죄 등이 선고되어 구속영장의 효력이 상실되는 구속피고인에 대해서는 피고인이 송달을 신청하는 경우에 한하여 판결서 등본 또는 판결서초본을 송달한다(규칙 제148조 제2항). 07. 9급 법원직

관련판례

형사소송규칙 제148조 소정의 구속 피고인에 대한 판결서등본 송부기간은 강행규정이 아니라 훈시규정이므로, 판결등본 송부기간 후에 피고인에게 판결등본을 송부하였다는 사유만으로는 적법한 상고이유가 될 수 없다(대판 1995.6.13, 95도826).

㉡ 검사의 집행지휘가 필요한 재판은 재판서 또는 재판을 기재한 조서의 등본 또는 초본을 재판의 선고 또는 고지한 때로부터 10일 이내에 검사에게 송부하여야 하며, 법률에 다른 규정이 있는 때에는 예외로 한다(제44조).

☎ 검사의 집행지휘가 필요한 재판은 재판서 또는 재판을 기재한 조서의 등본 또는 초본을 재판의 선고 또는 고지한 때로부터 14일 이내에 검사에게 송부하여야 한다. (×) 10. 9급 법원직

④ **소송관계인의 재판서 등・초본의 청구** : 피고인 기타 소송관계인은 비용을 납입하고 재판서 또는 재판을 기재한 조서의 등・초본의 교부를 청구할 수 있다(제45조).
재판서 또는 재판을 기재한 조서의 등・초본은 원본에 의하여 작성하나 부득이한 경우에는 등본에 의하여 작성할 수 있다(제46조).

⑤ **재판서의 경정**

㉠ 재판서에 잘못된 계산이나 기재 그 밖에 이와 비슷한 잘못이 있음이 분명한 때에는 법원은 직권으로 또는 당사자의 신청에 따라 경정결정을 할 수 있다(규칙 제25조 제1항). 대법원판결의 경우는 제400조에 특칙(판결로 정정)이 마련되어 있다.

㉡ 경정결정은 재판서의 원본과 등본에 덧붙여 적어야 한다. 다만, 등본에 덧붙여 적을 수 없을 때에는 경정결정의 등본을 작성하여 재판서의 등본을 송달받은 자에게 송달하여야 한다(규칙 제25조 제2항).

㉢ 경정결정에 대해서는 즉시항고할 수 있다. 다만, 적법한 상소가 있는 때에는 즉시항고가 허용되지 아니한다(규칙 제25조 제3항).

CHAPTER 03

기출문제

01 재판서에 관한 다음 설명 중 옳지 않은 것은 모두 몇 개인가? 21. 9급 법원직

㉠ 판결서에는 기소한 검사의 관직, 성명과 변호인의 성명을 기재하여야 하나, 공판에 관여한 검사의 관직과 성명은 기재할 필요가 없다.
㉡ 형사소송법 제38조의 규정에 의하면 재판은 법관이 작성한 재판서에 의하여야 하고, 같은 법 제41조의 규정에 의하면 재판서에는 재판한 법관의 서명날인을 하여야 하나, 재판장이 서명날인할 수 없는 때에는 다른 법관이 서명날인하지 않더라도 형사소송법 제383조 제1호 소정의 판결에 영향을 미친 법률위반에 해당하지 않는다.
㉢ 재판의 선고 또는 고지는 주심 판사가 하고, 판결을 선고함에는 이유의 요지를 설명하고 주문을 낭독하여야 한다.
㉣ 재판은 법관이 작성한 재판서에 의하여야 하나, 결정 또는 명령을 고지하는 경우에는 재판서를 작성하지 아니하고 조서에만 기재하여 할 수 있다.

① 1개 ② 2개 ③ 3개 ④ 4개

해설 ㉠ ×: 판결서에는 기소한 검사와 공판에 관여한 검사의 관직, 성명과 변호인의 성명을 기재하여야 한다(제40조 제3항).
㉡ ×: 재판서에는 재판한 법관의 서명·날인을 하여야 하나, 재판장이 서명·날인할 수 없는 때에는 다른 법관이 사유를 부기하고 서명·날인하도록 되어 있으므로, 재판장의 서명·날인이 누락되어 있고 재판장이 서명·날인을 할 수 없는 사유의 부기도 없는 재판서에 의한 판결은 형사소송법 제383조 제1호 소정의 판결에 영향을 미친 법률위반으로서 파기사유가 된다(대판 1990.2.27, 90도145).
㉢ ×: 재판의 선고 또는 고지는 재판장이 한다. 판결을 선고함에는 이유의 요지를 설명하고 주문을 낭독하여야 한다(제43조).
㉣ ○: 제38조

Answer 01. ③

제2절 종국재판

1 유죄판결

(1) 의 의

유죄판결이란 법원이 피고사건에 대하여 범죄의 증명이 있다고 판단하는 경우에 행하는 종국재판이다. 현행법상 유죄판결에는 형선고판결, 형면제판결, 형의 선고유예판결이 있다.

형의 집행유예, 판결 전 구금의 산입 일수, 노역장 유치기간, 재산형의 가납판결은 형의 선고와 동시에 판결로써 선고하여야 한다(제321조 제2항, 제334조 제2항).

형면제 또는 선고유예는 판결(결정 ×)로써 선고하나 형을 선고하지는 않는다. 10. 경찰승진

선고유예판결의 주문은 "피고인에 대한 형의 선고를 유예한다."로 되지만 나중에 실효되어 형을 선고할 경우에 대비하여 판결이유에서 선고를 유예한 형의 종류와 양을 명시하게 된다. 그 형이 벌금형일 때에는 벌금액뿐만 아니라 환형유치처분까지 해 두어야 한다(대판 2015.1.29, 2014도15120).

관련판례

과형상 1죄 또는 포괄1죄의 일부에 대해서만 유죄를 인정한 경우 주문에는 원칙적으로 유죄만 표시하고, 무죄부분은 판결이유에 설시해야 하나, 무죄부분을 주문에 표시하더라도 위법은 아니다(대판 1999.12.24, 99도3003 ; 대판 1975.12.23, 75도3155).

(2) 유죄판결에 명시할 이유

① 이유의 명시

㉠ 유죄판결에는 반드시 재판의 이유를 명시하여야 한다(제39조). 형을 선고한 때에는 판결이유에 범죄될 사실, 증거의 요지, 법령의 적용을 명시하여야 한다(제323조 제1항).

판결에 이유를 붙이지 않거나 이유에 모순이 있는 때에는 절대적 항소이유(제361조의 5 제11호)가 되며, 판결에 영향을 미친 법령위반(제383조 제1호)으로 상대적 상고이유가 된다.

관련판례

1. 형사소송법 제323조 제1항에 따르면 유죄판결의 판결이유에는 범죄사실, 증거의 요지와 법령의 적용을 명시하여야 하므로, 항소심이 유죄판결을 선고하면서 판결이유에 이 중 어느 하나를 전부 누락한 경우에는 형사소송법 제383조 제1호에 정한 판결에 영향을 미친 법률위반으로서 파기사유가 된다(대판 2009.6.25, 2009도3505). 15. 9급 검찰・마약・교정・보호・철도경찰, 17. 경찰승진, 18. 9급 법원직, 23. 소방간부, 24. 변호사시험
2. 항소심판결은 항소이유에 대한 판단을 기재함으로써 충분하고, 제1심판결을 파기하여 유죄의 판결을 하는 경우 외에는 판결이유에 범죄사실이나 증거의 요지는 물론이고 그에 관한 법령의 적용을 따로이 기재할 필요가 없다(대판 2002.7.12, 2002도2134).

㉡ 법률상 범죄성립을 조각하는 이유 또는 형의 가중・감면의 이유가 되는 사실의 진술이 있는 때에는 이에 대한 판단을 명시하여야 한다(동조 제2항). 23. 경찰승진

판단을 명시하지 않는 경우(제323조 제2항)에는 판결의 법률 위반에 해당되어 상대적 항소이유(제361조의 5 제1호) 및 상대적 상고이유(제383조 제1항)가 된다.

② **범죄될 사실** : 유죄판결에 명시해야 할 범죄될 사실에는 다음과 같은 사실이 포함된다.

㉠ **구성요건해당사실**

ⓐ 구성요건에 해당하는 구체적 사실은 유죄판결에 기재하여야 할 범죄될 사실에 속한다. 고의와 과실도 범죄될 사실에 해당한다. 다만, 고의는 객관적 구성요건요소가 존재하면 그에 상응하여 인정되므로 원칙적으로는 이를 명시할 것을 요하지 않는다.

관련판례

1. 증뢰죄에 있어서 죄로 될 사실의 적시는 공무원의 직무 중 개개의 직무행위에 대한 대가관계에 있는 사실까지를 판시할 필요는 없다 할지라도 적어도 공무원의 어떠한 직무권한의 범위에 관한 것인가에 대하여는 구체적으로 판시할 필요가 있다(대판 1982.9.28, 80도2309). – 따라서 공무원의 직무범위에 대한 기재가 필요 08. 순경, 12. 경찰승진, 17. 해경간부
2. 폭행치사죄는 폭행죄를 범하여 사람을 사망에 이르게 한 죄이므로 이를 유죄로 인정한 판결이유에는 피고인이 폭행의 구체적 사실이 명시되어야 할 것인데, 판결이유에서 범죄사실을 '피고인이 불상의 방법으로 피해자를 가격하여 그 충격으로 피해자가 뒤로 넘어지면서 우측 후두부가 도로 바닥에 부딪쳐 사망에 이르렀다.'고 기재한 것만으로는 피고인이 범한 폭행 사실의 구체적 사실을 기재하였다고 할 수 없다(대판 1999.12.28, 98도4181).
3. 상해죄의 성립에는 상해의 고의와 신체의 완전성을 해하는 행위 및 이로 인하여 발생하는 인과관계 있는 상해의 결과가 있어야 하므로 상해죄에 있어서는 신체의 완전성을 해하는 행위와 그로 인한 상해의 부위와 정도가 증거에 의하여 명백하게 확정되어야 하고, 상해부위의 판시 없는 상해죄의 인정은 위법하다(대판 1982.12.28, 82도2588).
4. 피고인이 상습으로 1975. 9경부터 1980. 7. 29까지의 기간 중 피고인이 교도소에서 복역한 기간을 공제한 나머지 기간 동안에 매달 평균 2, 3회 가량 자기 모와 여동생에게 폭행을 가하였다는 사실의 기재로써는 피고인이 교도소에서 복역한 기간이 얼마인지, 또 입소날짜와 출소날짜가 언제인지 알 수 없어 유죄판결이유에 범죄될 사실을 명시하였다고 볼 수 없다(대판 1981.4.28, 81도809).
5. "면장의 직인을 동 면장의 직인란에 찍혀지게 하고"라는 판시는 동 면장의 직인이 날인된 현상 즉 결과만을 설시하고 그 직인이 인감증명서에 현출되는 과정의 수단, 방법 등 행위나 작위에 관하여는 아무런 설명이 없으므로 범죄된 사실을 명시하였다고 볼 수 없다(대판 1979.11.13, 79도1782).
6. 업무상 과실장물보관죄를 인정함에 있어서 아무런 구체적 내용의 설시 없이 막연히 장물인지의 여부에 대한 업무상 주의를 다하지 아니하였다고 판시한 것은 잘못이다(대판 1974.9.24, 74도1364).

ⓑ 구성요건해당사실은 기본적 구성요건에 해당하는 경우뿐만 아니라 예비, 음모, 미수, 공범 등에 해당하는 경우를 포함한다. 따라서 실행의 착수에 해당하는 사실은 물론 장애미수, 중지미수, 불능미수의 구별을 명시하여야 하고 공범의 경우에 공동정범, 교사범, 종범의 구별을 명확히 하여야 한다. 공범인 교사범과 종범의 범죄사실을 적시함에는 그 전제가 되는 정범의 구성요건사실도 판결이유에 적시하여야 한다. 09. 9급 국가직, 10. 7급 국가직, 12. 경찰승진

관련판례

1. 교사범, 방조범의 범죄사실 적시에 있어서는 그 전제요건이 되는 정범의 범죄구성요건이 되는 사실 전부를 적시하여야 하고, 이 기재가 없는 교사범, 방조범의 사실 적시는 죄가 되는 사실의 적시라고 할 수 없다(대판 1981.11.24, 81도2422). 09. 9급 국가직, 12. 경찰승진
2. 공모공동정범에 있어서의 공모나 모의는 두 사람 이상이 공동의 의사로 특정한 범죄행위를 하기 위하여 일체가 되어 서로가 다른 사람의 행위를 이용하여 각자 자기의 의사를 실행에 옮기는 것을 내용으로 하는 것으로 "범죄될 사실"에 해당하므로 법원이 공모나 모의사실을 인정하는 이상 당해 공모나 모의가 이루어진 일시, 장소 또는 실행방법, 각자 행위의 분담, 역할 등을 구체적으로 상세하게 판시할 것까지는 없더라도 적어도 공모나 모의가 성립되었다는 정도는 판결이유에서 밝혀야 한다(대판 1989.6.27, 88도2381). 14. 7급 국가직, 20. 경찰간부
3. 범죄의 일시·장소와 방법은 범죄의 구성요건이 아닐 뿐만 아니라 이를 구체적으로 명확히 인정할 수 없는 경우에는 개괄적으로 설시하여도 무방한 것이므로 법원이 "피고인은 1984.9.10. 10 : 00경이 지난 이후 피해자 최현식을 부산시내 장소불상 노상에서 만나 함께 있던 중 그 시간부터 같은 날 06 : 00경까지 동안의 시간불상경 부산 또는 경남 김해 일원의 장소 불상지에서 불상의 경위로 위 피해자의 목을 손으로 눌러 질식으로 사망에 이르게 하여 살해하였다."고 범죄사실을 판시하였더라도 범죄사실이 불특정되었다고 할 수 없다(대판 1986.8.19, 86도1073). 10. 7급 국가직

ⓛ **위법성과 책임** : 구성요건에 해당한 때에는 위법성과 책임은 사실상 추정되어 특별한 명시를 요하지 않는다.

ⓒ **처벌조건** : 처벌조건인 사실은 구성요건해당사실은 아니지만 형벌권의 존부를 좌우하는 범죄될 사실이며, 따라서 판결이유에 명시하여야 한다.

ⓔ **죄수의 명시방법** : 경합범의 경우에는 개별범죄마다 범죄될 사실을 명시하여야 하고 과형상 1죄의 경우에도 실체법상으로는 수죄이므로 각개의 범죄마다 범죄사실을 명시해야 한다.

관련판례

포괄일죄에 있어서는 일죄의 일부를 구성하는 개개의 행위에 대하여 구체적으로 특정하지 아니하더라도 그 전체범행의 시기와 종기, 범행방법, 범행횟수 또는 피해액의 합계 및 피해자나 상대방 등을 명시하면 이로써 그 범죄사실은 특정된다 할 것이다(대판 1983.1.18, 82도2572). 09. 9급 국가직

③ 증거의 요지

ⓖ 증거의 요지란 판결이유에 적시된 범죄사실을 인정한 자료된 증거의 요지를 말한다. 유죄판결의 이유에 증거의 요지를 명시할 것을 요구함은 증거재판주의의 요청이다. 증거의 요지는 범죄사실을 증명할 적극적인 증거를 명시하면 족하고, 범죄사실을 인정하는 데 배치되는 증거들에 관하여 이를 배척한다는 취지의 판단이나 이유를 설시할 필요는 없다. 03. 행시, 08. 순경, 12. 경찰승진 증거요지를 기재한다 함은 법원이 인정한 범죄사실의 내용과 적시된 증거의 요지를 대조하여 어떠한 증거자료에 의하여 범죄사실을 인정하였는가를 짐작할 수 있을 정도로 기재함을 의미한다.

㉡ 증거요지의 표목(標目)만을 기재해서는 안 되고, 적어도 어떠한 증거에 의하여 어떠한 범죄사실을 인정하였는가를 알아볼 수 있을 정도로 증거의 중요부분은 표시하여야 한다. 그러나 증거의 어느 부분에 의하여 어느 범죄사실을 인정하였는가를 구체적으로 설시할 필요는 없으며, 증거에 의하여 사실을 인정한 이유나 증거를 취사선택한 이유도 설명할 필요가 없다. 03. 행시

㉢ 고의는 범죄사실의 내용을 이루지만 객관적 구성요건요소에 의하여 그 존재가 인정될 수 있으므로 이를 인정하기 위한 증거적시가 필요하지 않다.

㉣ 범죄의 원인과 동기, 일시와 장소도 범죄사실은 아니므로 증거적시를 요하지 않는다.

관련판례

1. '증거의 요지'는 어느 증거의 어느 부분에 의하여 범죄사실을 인정하였냐 하는 이유 설명까지 할 필요는 없지만 적어도 어떤 증거에 의하여 어떤 범죄사실을 인정하였는가를 알아볼 정도로 증거의 중요부분은 표시하여야 하고, 10. 순경, 14. 7급 국가직, 16. 경찰간부, 17. 경찰승진 · 해경간부 피고인의 자백이 그 피고인에게 불이익한 유일의 증거인 때에는 이를 유죄의 증거로 하지 못하는 것이므로 '피고인의 법정 진술과 적법하게 채택되어 조사된 증거들'로만 기재된 제1심판결의 증거의 요지를 그대로 인용한 항소심판결은 위법하다(대판 2000.3.10, 99도5312). 18. 9급 법원직
2. 범죄사실에 대한 증거를 설시함에 있어서는 어느 증거의 어느 부분에 의하여 어느 범죄사실을 인정한다고 구체적으로 설시할 필요는 없으며, 또 범죄사실에 배치되는 증거들에 관하여 이를 배척한다는 취지의 판단이나 이유를 설시할 필요도 없다(대판 1987.10.13, 87도1240). 17. 7급 국가직, 12 · 17 · 23. 경찰승진
3. 증거를 설시함에 있어 어느 증거의 어느 부분에 의하여 어느 범죄사실을 인정한다고 구체적으로 설시하지 아니하였다 하더라도 그 적시한 증거들에 의하여 판시 범죄사실을 인정할 수 있으면 이를 위법한 증거설시라고 할 수 없다(대판 2001.7.27, 2000도4298). 12. 경찰승진
4. 사실인정에 배치되는 증거에 대한 판단을 반드시 판결이유에 기재하여야 하는 것은 아니므로 피고인이 알리바이를 내세우는 증인들의 증언에 관한 판단을 하지 아니하였다 하여 위법이라 할 수 없다(대판 1982.9.28, 82도1798). 04. 행시, 23. 소방간부
5. 판결이유에서 증거를 설시하면서 '검사 작성의 피의자신문조서 중 판시사실에 부합하는 내용의 진술기재'라고 설시하였다면 이는 증거의 표목만을 열거한 것이 아니고 어떠한 증거의 어떠한 부분을 증거로 하였다는 것을 분명히 한 것이므로 유죄판결의 증거설시에 관한 규정에 위반한 것이 아니다(대판 1969.8.26, 69도1007). 03. 행시
6. 형사재판에 있어서는 처분문서라 하여도 이를 배척하는 이유설시를 하여야 한다는 법칙이 없으며, 경험법칙 내지는 논리측에 위배되지 아니하는 한 그 증거취사는 사실심의 전권에 속한다(대판 1983.3.8, 81도3148).
7. 피고인에 대한 유죄사실이 수개의 범죄사실로 인정되었다 하더라도 그를 인정한 증거의 요지만을 명시한 것은 위법이 아니다(대판 1970.12.29, 70도2376).

④ **법령의 적용** : 유죄판결의 이유에는 법령의 적용을 명시하여야 한다. 이는 인정된 범죄사실에 법이 올바르게 적용되고 정당한 형벌이 과하여졌는가를 알 수 있도록 하기 위함이다.

관련판례

1. 몰수와 압수장물의 환부를 선고하면서 적용법률을 표시하지 않는 경우에도 이 규정을 적용한 취지가 인정되는 이상 위법이라고 할 수 없다(대판 1971.4.30, 71도510). 10 · 11. 경찰승진
2. 적용조문만 기재하고 항을 기재하지 않았다고 하더라도 그것만으로 위법하다고 볼 수 없다(대판 1971.8.21, 71도1334). 11. 경찰승진
3. 공동정범의 성립을 인정한 이상 형법 제30조를 적시하지 않는 잘못만으로 위법하다 할 수 없다(대판 1983.10.11, 83도1942). 11. 경찰승진
4. 경합범의 경우에 경합범 가중을 할 적용법조문만을 나열한 데 그치더라도 위법은 아니다(대판 2000.5.12, 2000도605). 11. 경찰승진
5. 공소장변경의 필요성이 없는 범위에서 법원은 공소장에 기재된 적용법조와 다른 법령을 적용할 수 있다(대판 1972.2.22, 71도2099). 03. 경찰승진
6. 유죄판결이 확정된 甲 · 乙 · 丙 세 개의 죄와 형법 제37조 후단의 경합범 관계에 있는 丁죄에 대한 형을 선고하면서 판결 이유의 '법령의 적용' 부분에서 乙 · 丙죄에 대한 전과 기재를 누락하고 전과의 구체적 내용을 심리하지 아니한 경우, 형법 제37조 후단 경합범에서 당해 사건 범죄와 이미 판결이 확정된 죄를 동시에 판결할 경우와 형평을 고려하여 당해 사건 범죄에 대하여 형을 선고할 것을 요구하는 형법 제39조 제1항을 위반하여 위법하다(대판 2008.10.23, 2008도209).
7. 간접정범으로 공소가 제기된 공소사실에 대하여 이를 유죄로 인정하면서도 그 법령의 적용에 있어서 이를 공동정범에 해당한다고 보아 이에 해당하는 형법 제30조를 적용한 경우, 범행을 주도한 간접정범에 대하여는 어차피 형법 제34조 제1항, 제31조 제1항에 의하여 죄를 실행한 자와 동일한 형으로 처벌하는 것이어서 결국 그 판결에는 판결 결과에 영향을 미친 위법이 있다고 할 수 없다(대판 1997.7.11, 97도1180).
8. 공소장 기재 적용 법조가 명백한 오기인 경우 그와 다른 법조를 적용하여 처벌한 원심의 조치가 위법이라 할 수 없다(대판 1995.12.12, 95도1893).
9. 형사소송법 제323조 제1항에 유죄판결에는 그 판결이유에 범죄사실과 증거의 요지, 법령의 적용을 명시하라고 규정한 취지는 어떠한 범죄사실에 대하여 어떤 법률을 적용하였는지 객관적으로 알 수 있도록 분명하게 기재하라는 뜻임은 동조문 자체에 의하여 명백하다 할 것이다(대판 1974.7.26, 74도1477 전원합의체).
10. 공소사실 아닌 법률적용문제에 있어서는 법원은 검사의 공소장기재 적용법조에 구속받지 않고 그 심리 확정한 사실에 대하여 직권으로써 자유로이 법률을 적용할 수 있다고 할 것이므로 관세법 위반 사건에 있어서 공소장에 기재된 구 관세법조에 해당하는 현행관세법의 각 조항을 비교하여 형이 가벼운 현행법을 적용하였음은 정당하다(대판 1972.2.22, 71도2099).

⑤ **소송관계인의 주장에 대한 판단** : 법률상 범죄의 성립을 조각하는 이유 또는 형의 가중·감면의 이유되는 사실의 진술이 있을 때에는 이에 대한 판단을 명시하여야 한다(제323조 제2항).

㉠ 범죄성립을 조각하는 이유되는 사실이란 구성요건 이외의 사실로서 정당방위·긴급피난·자구행위 등과 같은 위법성조각사유 또는 심신상실, 강요된 행위 등과 같은 책임조각사유를 말한다. 이러한 사유를 피고인이 주장하는 경우 이를 배척한 때에는 이에 대한 판단을 명시하여야 한다. 04. 행시, 08. 순경

범죄사실의 부인, 공소권이 소멸되었다는 주장은 여기에 해당하지 아니한다.

관련판례

1. 유죄판결의 증거는 범죄될 사실을 증명할 적극적 증거를 거시하면 되므로 범죄사실에 배치되는 증거들에 관하여 배척한다는 취지의 판단이나 이유를 설시하지 아니하여도 잘못이라 할 수 없고 증언의 일부분만을 믿고 다른 부분을 믿지 않는다고 하여 채증법칙에 위배된다고 할 수 없다(대판 1986.10.14, 86도1606). 17. 경찰승진
2. 범행 당시 술에 만취하였기 때문에 전혀 기억이 없다는 취지의 진술은 범행 당시 심신상실 또는 심신미약의 상태에 있었다는 주장으로서 형사소송법 제323조 제2항 소정의 법률상 범죄의 성립을 조각하거나 형의 감면의 이유가 되는 사실의 진술에 해당한다(대판 1990.2.13, 89도2364). 08. 순경
3. 변호사들에게 전화 문의하여 본 바 문제가 없다는 말을 듣고, 범행을 하였다는 취지의 진술이 있고, 이를 입증하기 위한 자료까지 제출하였음을 알 수 있는바, 그렇다면 피고인은 형법 제16조 소정의 법률의 착오 주장을 한 것으로 보아야 하고, 이러한 주장은 형사소송법 제323조 제2항에서 규정하고 있는 법률상 범죄의 성립을 조각하는 사유에 관한 진술에 해당한다(대판 2004.10.28, 2003도8238).
4. 공정증서원본부실기재죄 및 그 행사죄로 공소가 제기된 경우 피고인이 당해 등기가 실체적 권리관계에 부합하는 유효한 등기라고 주장하는 것은 공소사실에 대한 적극부인에 해당할 뿐, 범죄의 성립을 조각하는 사유에 관한 주장이라고는 볼 수 없으므로 그 주장이 받아들여지지 아니한다면 그대로 유죄의 선고를 함으로써 족하고 반드시 그에 대한 판단을 판결이유에 명시하여야만 하는 것은 아니다(대판 1997.7.11, 97도1180).
5. 법률상 범죄성립을 조각하는 이유되는 사실의 주장에 대한 판단(제323조 제2항)은 구성요건 이외의 사실로서 범죄성립을 조각하는 이유되는 사실을 말하므로 단순한 범죄사실의 부인은 여기에 해당하지 않는다(대판 1983.10.11, 83도2281).
6. 고의가 없다는 주장도 범죄사실의 부인에 해당되며(대판 83도594), 공소권이 소멸되었다는 주장도 범죄성립을 조각하는 이유되는 사실의 진술이라고 할 수 없어(대판 4286형상186) 제323조 제2항의 적용대상이 아니다.

구성요건해당성 조각사유를 진술하는 것은 범죄부인에 불과하다 할 것이므로 제323조 제2항에 해당하지 않는다고 봄이 타당하다(대판).

㉡ 법률상 가중·감면의 이유가 되는 사실이란 누범·중지미수 등과 같은 필요적 가중·감면의 경우만을 의미한다는 견해(다수설·판례)와 과잉방위, 자수, 작량감경사유와 같은 임의적 가중·감경사유도 포함된다는 견해가 대립되고 있다.

관련판례

1. 자수에 의한 형의 감경은 법원의 재량에 의한 것으로서 자수의 주장은 형사소송법 제323조 제2항 소정의 형의 가중 감면의 이유되는 사실의 진술이라고 할 수 없으므로, 이에 대한 판단을 표시하지 아니하였다고 하더라도 위법이 아니다(대판 1980.6.24, 80도905). 08·10. 순경, 18. 9급 법원직
2. 형사소송법 제323조 제2항은 '법률상 범죄의 성립을 조각하는 이유 또는 형의 가중, 감면의 이유되는 사실의 진술이 있을 때에는 이에 대한 판단을 명시하여야 한다.'고 규정하고 있다. 여기에서 '형의 가중, 감면의 이유되는 사실'이란 형의 필요적 가중, 감면의 이유되는 사실을 말하고 형의 감면이 법원의 재량에 맡겨진 경우, 즉 임의적 감면사유는 이에 해당하지 않는다. 18. 9급 법원직, 20. 경찰간부, 23. 소방간부 따라서 피해회복에 관한 주장이 있었더라도 이는 작량감경 사유에 해당하여 형의 양정에 영향을 미칠 수 있을지언정 유죄판결에 반드시 명시하여야 하는 것은 아니다(대판 2017.11.9, 2017도14769). 18. 9급 법원직

㉢ 단순한 양형사유인 정상에 관한 사실은 명시할 필요가 없다.

관련판례

1. 항소심이 범행의 동기, 범행의 도구 및 수법, 피고인의 성행, 전과, 연령, 직업과 환경 등의 양형의 조건을 참작하면 제1심의 형량이 적절하다고 판단된다고 하여 항소기각의 판결을 선고하였다면, 양형의 조건이 되는 사유에 관하여는 이를 판결에 일일이 명시하지 아니하여도 위법이 아니다(대판 1994.12.13, 94도2584). 10. 7급 국가직, 15. 9급 검찰·마약·교정·보호·철도경찰
2. 피해회복에 관한 주장이 있었더라도 이는 작량감경 사유에 해당하여 형의 양정에 영향을 미칠 수 있을지언정 유죄판결에 반드시 명시하여야 하는 것은 아니다(대판 2017.11.9, 2017도14769).

KEY point

- **유죄판결이유에 명시할 사유** : 범죄될 사실, 증거의 요지, 법령의 적용(제323조 제1항), 범죄성립조각이유(예 위법성조각사유, 책임조각사유) or 형의 가중·감면 이유되는 사실 주장에 대한 판단(동조 제2항)
- **유죄판결이유에 명시할 사유의 구체적 검토**
  - **범죄될 사실** : 구성요건해당사실(고의 제외), 처벌조건 명시(○)
  - **증거요지** : 범죄사실을 증명할 적극적 증거 명시(배척하는 소극적 증거 ×), 어떠한 증거에 의해 어떤 범죄사실을 인정하였는가를 짐작할 수 있을 정도로 중요부분을 기재하면 충분(구체적으로 설시할 필요 ×), 사실인정 이유나 증거취사 선택 이유 설명 불필요)
  - **법령적용** : 항의 불기재는 위법 ×
  - **소송관계인의 주장에 대한 판단** : 위법성조각사유나 책임조각사유 주장을 배척한 때(범행부인 ⇨ 제323조 제2항 적용대상 ×, 필요적 가중·감면의 경우 ⇨ 대상 ○, 임의적 가중·감면사유 ⇨ 대상 ×)

2 무죄판결

(1) 의 의

무죄판결이란 피고사건이 범죄로 되지 않거나 범죄사실의 증명이 없는 경우에 법원이 선고하는 실체적 종국재판을 말한다(제325조). 01. 행시, 19. 경찰승진

① 피고사건이 범죄로 되지 않는 때라 함은 공소사실 자체는 인정되지만 구성요건에 해당하지 않거나, 구성요건에 해당하여도 위법성조각사유나 책임조각사유가 존재하는 것이 실체심리를 거친 후에 밝혀진 경우를 말한다.

- 범죄로 되지 않는 것이 공소장 기재에 의하여 처음부터 명백한 때에는 제328조 제1항 제4호에 의거 공소기각결정을 해야 한다.
- 헌법재판소의 위헌결정으로 형벌법규가 소급하여 효력을 상실한 경우 당해 형벌법규를 적용하여 기소한 사건에 대하여 법원은 '피고사건이 범죄로 되지 아니한 때'에 해당하므로 무죄판결을 한다(대판 1992.5.8, 91도2825). 05. 순경, 18. 9급 검찰・마약수사, 19. 경찰승진, 20. 9급 법원직, 23. 해경승진, 22・24. 7급 국가직 – 면소판결 ×〔재심사건에서 적용해야 할 법령은 재심판결 당시의 법령이므로, 적용법령이 폐지된 경우에는 면소를 선고하여야 하나, 그 '폐지'가 당초부터 헌법에 위배된 법령에 대한 것이었다면 피고인에게 무죄의 선고를 하여야 한다(대판 2010.12.16, 2010도5986 전원합의체).〕 16. 변호사시험, 23. 소방간부
- 헌법불합치결정에서 정한 개정시한까지 법률 개정이 이루어지지 않은 부분은 소급하여 그 효력을 상실한다 할 것이므로, 무죄가 선고되어야 한다(대판 2011.8.25, 2008도10960). 20. 9급 검찰・마약・교정・보호・철도경찰
- 공익근무요원인 피고인이 2009. 1. 13부터 2009. 1. 15까지 3일간, 2009. 9. 17부터 2009. 9. 21까지 3일간, 2009. 9. 23부터 2009. 9. 24까지 2일간 등 정당한 사유 없이 통산 8일 이상 복무를 이탈하여 병역법위반으로 기소되었는데, 별도로 이와 동종의 범죄사실로 유죄판결을 받아 2009. 5. 16. 위 판결이 확정된 사안에서 위 공소사실 중 확정판결 전에 범한 3일간의 복무이탈부분에 대해서는 판결이 확정된 죄와 하나의 범죄를 구성한다는 이유에서 면소를 하고, 나머지 공소사실 부분인 통산 5일간의 복무이탈부분에 대해서는 통산 8일 이상 복무를 이탈하거나 해당 분야에 복무를 하지 아니한 경우에 해당하지 아니함으로써 범죄로 되지 아니한 때에 해당하여 형사소송법 제325조 전단에 의하여 무죄를 선고하여야 할 것이다(대판 2011.3.10, 2010도9317).
- 도로교통법 위반(음주운전)죄로 1회 이상 형사처벌을 받은 전력이 있는 피고인이 음주측정을 요구받고도 이에 응하지 않았다는 도로교통법 위반(음주측정거부)의 공소사실에 대하여, 유죄판결선고 후, 헌법재판소가 위헌결정을 선고한 위 법률조항 부분은 소급하여 효력을 상실하였으므로 해당 법조를 적용하여 기소한 피고사건은 죄가 되지 않는 경우에 해당한다(대판 2022.6.9, 2021도14878).
- 피고인이 화물차를 운전하다가 사고를 낸 후 현장을 이탈하여 소주 1병을 마셨고, 이후 이루어진 음주측정에서 혈중알코올농도가 0.169%로 측정되었는데, 약 두 달 후 경찰이 피고인에게 정상적인 상태에서 소주 1병을 마시도록 한 뒤 음주측정을 실시하여 혈중알코올농도가 0.115%로 측정되자, 피고인이 0.054%의 술에 취한 상태로 화물차를 운전하였다는 공소사실로 기소된 사안에서, 법원은 피고인이 소주 1병을 마셨을 경우 위드마크 공식에 따라 피고인에게 가장 유리한 수치를 적용하여 계산된 결과는 0.141%이고, 이를 사고 이후 음주측정치인 0.169%에서 공제하면 사고 당시 피고인의 혈중알코올농도 추정치는 0.028%가 된다고 보아, 이 사건 공소사실을 무죄로 판단하였다(대판 2023.12.28, 2020도6417).

② 범죄사실의 증명이 없는 때라 함은 공소사실의 부존재가 적극적으로 증명된 경우 또는 그 사실의 존부에 관하여 증거가 불충분하여 법관이 충분한 심증을 얻을 수 없는 경우를 말한다(예 피고인의 자백에 의하여 법관이 유죄의 심증을 얻었다고 하더라도 보강증거가 없는 때에는 범죄사실의 증명이 없는 때에 해당하여 무죄를 선고하여야 한다).

PART 04

③ 무죄판결은 실체적 종국재판이므로 선고에 의해 구속력이 발생하며, 확정에 의해 대외적인 효과인 일사부재리의 효력이 생기지만 대내적인 효과인 집행력은 발생하지 않는다.

(2) 무죄판결의 판시방법

① 죄수론과 무죄판결

㉠ 수개의 범죄사실이 모두 무죄이면 통괄하여 주문에 '피고인은 무죄'라고 기재한다. 경합범인 수개의 범죄사실 중 일부의 범죄사실에 관하여 무죄를 선고한 때에는 그 부분에 대하여 무죄를 선고한다.

㉡ 상상적 경합관계에 있는 부분사실이 무죄에 해당하더라도 주문에는 원칙적으로 유죄부분만 표시하고 무죄부분은 판결이유에 설시하여야 한다. 결합범이나 포괄일죄의 경우도 과형상 일죄의 경우와 동일한 원리가 적용된다.

㉢ 한편 1죄의 일부에 대하여 무죄에 해당하는 부분사실과 면소에 해당하는 부분사실이 상상적 경합관계를 이루고 있는 경우는 물론, 무죄에 해당하는 부분사실과 공소기각에 해당하는 부분사실이 상상적 경합관계를 이루고 있는 경우에는 주문에서 무죄로 판시하고 면소부분이나 공소기각부분은 판결이유에서 기재하면 족하다.

관련판례

1. 상상적 경합범의 관계에 있는 공소사실의 일부에 대하여 무죄를 선고하여야 할 것으로 판단되는 경우에는 이를 판결주문에 따로 표시할 필요가 없으나, 판결주문에 표시하였다 하더라도 판결에 영향을 미친 위법사유가 되는 것은 아니다(대판 1999.12.24, 99도3003).
2. 포괄일죄의 일부분인 상습절도부분에 관하여 유죄로 인정되지 아니한다 하여도 주문에서 특히 무죄를 선고할 필요는 없고 단지 판결이유에서만 이를 설시하면 족하다. 그러나 판결주문에서 이 부분에 관하여 무죄를 선고하였다 하여 판결결과에 어떤 영향을 미친다고는 할 수 없다(대판 1975.12.23, 75도3155). 21. 순경 1차
3. 상상적 경합범의 관계에 있는 두 죄 중 하나의 죄는 사면되어 면소판결의 대상이고, 나머지 죄는 무죄일 경우, 주문에서 따로 면소를 선고하지 아니한다(대판 1996.4.12, 95도2312). 03. 행시

② **무죄판결의 이유설시방법** : 무죄판결은 유죄판결(제323조)과는 달리 판결이유의 설시방법이 명시되어 있지는 않지만, 무죄판결도 재판의 일반원칙에 따라 이유를 명시하지 않으면 안 된다(제39조). 생각건대 무죄판결은 피고인에게 유리한 판결이므로 그 이유의 설시의 정도를 완화해도 무방하리라 본다.

(3) 무죄판결의 선고와 확정

① 무죄판결의 선고

㉠ 무죄판결이 선고되면 선고법원이 그 판결을 변경할 수 없는 구속력이 발생하고, 당해 심급의 사건은 종결된다.

㉡ 뿐만 아니라 선고와 동시에 상소권이 발생하며, 구속된 피고인의 경우라면 구속영장의 효력이 상실된다. 19. 경찰승진

② **무죄판결에 대한 상소**

㉠ 무죄판결에 대하여 검사는 상소할 수 있다.

㉡ 피고인은 상소이익이 없으므로 상소할 수 없다. 무죄의 이유가 무엇인가는 불문한다. 따라서 심신상실을 이유로 한 무죄판결에 대하여 증거불충분을 이유로 무죄를 주장하면서 상소할 수 없다.

포괄일죄의 관계에 있는 범행의 일부에 대하여 약식명령이 확정된 경우에는 그 약식명령의 발령시를 기준으로 하여 그 이전에 이루어진 범행에 대하여는 면소의 판결을 선고하여야 한다(대판 2013.6.13, 2013도4737). 18. 경찰승진

③ **무죄판결 확정 후 치료감호 청구** : 심신상실을 이유로 무죄판결이 확정된 이후에도 피고인의 정신질환 등이 계속되어 재범의 위험이 있는 때에는 독립하여 치료감호만 청구할 수 있다(대판 1999.8.24, 99도1194). 15. 경찰간부

PART 04

3 관할위반의 판결

(1) 의 의

피고사건이 법원의 관할에 속하지 아니한 때에는 판결로써 관할위반의 선고를 하여야 한다(제319조). 이를 관할위반판결이라 한다. 관할위반판결은 형식재판인 동시에 종국재판이다. 형식재판이므로 일사부재리의 효력이 발생하지 아니하며, 종국재판이므로 그 판결이 선고되면 소송은 당해 심급에서 종결된다. 또한 소송행위는 관할위반인 경우에도 그 효력에 영향이 없다(제2조).

예 관할위반판결이 확정된 사건에 대하여 공소제기는 무효이다. (×)

예 관할위반판결을 한 법원에서 작성한 공판조서, 증인신문조서, 검증조서 등은 동일한 사건이 공소제기된 법원의 공판절차에서 증거로 사용할 수 없다. (×)

(2) 관할위반의 사유

관할위반의 판결을 할 수 있는 사유는 피고사건이 해당법원의 관할(토지 · 사물 관할)에 속하지 않는 경우이다. 관할권의 존재는 소송조건이므로 법원은 직권으로 관할유무를 조사하여야 한다. 사물관할은 공소제기시뿐만 아니라 재판시에도 존재하여야 하나 토지관할은 공소제기시에만 존재하면 된다. 예 공소제기 후 피고인이 다른 법원관할로 이사간 경우라도 관할위반판결 ×

(3) 예 외

피고사건이 해당법원의 관할에 속하지 않는 경우에도 관할위반의 판결을 선고할 수 없는 예외가 있다. 법원은 피고인의 신청이 없으면 토지관할에 관하여 관할위반선고를 하지 못한다(제320조 제1항). 관할위반신청은 피고사건에 대한 진술 전에 하여야 한다(동조 제2항). 15. 9급 법원직 여기서 진술은 피고인의 모두진술을 말한다. 따라서 모두진술 후에는 토지관할위반이 치유된다.

(4) 관련문제

관할위반판결은 공소기각판결과는 달리 구속영장의 실효사유로 되지 않는다(제331조). 뿐만 아니라 관할위반판결은 공소기각판결이나 공소기각결정, 면소판결과는 달리 피고인불출석(제277조), 공판절차정지(제306조 제4항)와 관련된 특례규정이 적용되지 않는다.

☗ 공소제기로 인해 정지되었던 공소시효가 관할위반판결의 확정으로 인해 다시 진행된다는 점은 공소기각판결이나 공소기각결정이 확정된 경우와 동일하다(제253조 제1항).

4 공소기각의 재판

(1) 의 의

① **개념** : 공소기각재판은 관할권 이외의 형식적 소송조건이 결여된 경우에 절차상의 하자를 이유로 공소를 부적법하다고 인정하여 사건의 실체에 대한 심리를 하지 않고 소송을 종결시키는 형식재판이다. 공소기각재판에는 공소기각결정(제328조)과 공소기각판결(제327조)이 있다.

② **공소기각판결과 결정의 구분** : 결정에 의한 공소기각은 판결에 의한 공소기각보다 그 절차의 하자가 명백하고 중대한 경우이다. 결정의 재판형식은 구두변론을 거치지 않고 할 수 있으며, 공소기각판결에 대한 상소는 항소와 상고이지만 공소기각결정에 대한 상소는 즉시항고이다.

(2) 공소기각결정

① **공소기각결정사유**(제328조 제1항)

제1호 공소가 취소되었을 때 03. 9급 검찰
제2호 피고인이 사망하거나 피고인인 법인이 존속하지 아니하게 된 경우 03. 9급 검찰, 10·18. 9급 법원직
제3호 관할의 경합(제12조, 제13조)으로 인하여 재판할 수 없는 경우
제4호 공소장에 기재된 사실이 진실하다고 하더라도 범죄가 될 만한 사실이 포함되지 아니한 경우 09. 순경, 09·10. 9급 법원직, 17. 9급 검찰·마약수사

관련판례

1. 부정수표단속법위반 사건에 있어서 수표가 그 제시기일에 제시되지 아니한 사실이 공소사실 자체에 의하여 명백하다면 이 공소사실에는 범죄가 될만한 사실이 포함되지 아니하는 때에 해당하므로 **형사소송법 제328조 제1항 제4호에 의하여 공소기각의 결정을 하여야 한다**(대판 1973.12.11, 73도2173). 08. 경찰승진
2. 형사소송법 제328조 제1항 제4호에 규정된 '공소장에 기재된 사실이 진실하다 하더라도 범죄가 될 만한 사실이 포함되지 아니한 때'란 공소장 기재사실 자체에 대한 판단으로 그 사실 자체가 죄가 되지 아니함이 명백한 경우를 말한다(**대판 2014.5.16, 2012도12867**). 23. 9급 검찰·마약수사

3. 서로 동일성이 없고 실체적 경합관계에 있는 수개의 공소사실 중 일부 공소사실을 삭제한다는 검사의 공소장변경신청이 있는 경우 그 공소장변경신청서 중 공소를 취소하는 취지가 명백하다면 공소취소 신청이라는 형식을 갖추지 아니하였더라도 법원의 그 부분 공소를 기각하여야 할 것이다(대판 1986.9.23, 86도1487).

---

② **관련문제** : 공소기각결정을 하는 경우에 피고인의 출석은 요하지 않으며(제277조), 피고인이 사물변별능력 또는 의사결정능력이 없더라도 공판절차를 정지할 필요가 없다(제306조 제4항). 공소기각결정이 확정되면 그때부터 정지된 공소시효는 다시 진행된다(제253조 제1항).

(3) 공소기각판결

① **공소기각판결사유**(제327조)

제1호 피고인에 대하여 재판권이 없을 때 10·15. 9급 법원직, 17. 경찰간부

제2호 공소제기절차가 법률의 규정에 위반하여 무효일 때 03. 9급 검찰, 17. 경찰간부

▶ 교통사고처리특례법 제3조 제2항 단서에서 정한 사유(신호위반 등)가 없다면 공소제기할 수 없으므로 공소기각판결을 하는 것이 원칙이다. 그런데 사건의 실체에 관한 심리가 이미 완료되어 피고인의 이익을 위하여 교통사고처리특례법 위반의 공소사실에 대하여 무죄의 실체판결을 선고하였더라도 이를 위법이라고 볼 수는 없다(대판 2015.5.14, 2012도11431). 21. 경찰간부

▶ 친고죄에서 공범 중 일부에 대하여만 처벌을 구하고 나머지에 대하여는 처벌을 원하지 않는 내용의 고소를 하였다가 공소제기 전에 고소를 취소한 경우 제327조 제2호에 의거 공소기각판결 선고(○) 17. 9급 검찰·마약수사

제3호 공소가 제기된 사건에 대하여 다시 공소가 제기되었을 때 20. 경찰승진

제4호 공소취소 후 다른 중요한 증거가 발견되지 않았음에도 다시 공소가 제기되었을 때

제5호 친고죄에 대하여 고소가 취소되었을 때(▶ 공소제기 전에 고소취소 ⇨ 동조 제2호에 의해 공소기각판결) 17. 경찰간부

제6호 반의사불벌죄에서 처벌을 원하지 않는 의사표시를 하거나 처벌을 원하는 의사표시를 철회하였을 때 20. 경찰승진

관련판례

- **공소기각판결 사유에 해당** ○

1. 소년법 제32조의 보호처분을 받은 사건과 동일한 사건에 대하여 다시 공소제기가 되었다면 공소제기 절차가 규정에 위배하여 무효인 때에 해당한 경우이므로 공소기각의 판결을 하여야 한다(대판 1996.2.23, 96도47). 18. 9급 검찰·마약수사, 20. 경찰승진, 16·25. 변호사시험
2. 자동차 운전자인 피고인이 고속도로 또는 자동차전용도로가 아닌 일반도로를 후진하여 역주행한 과실로 피해자에게 상해를 입게 하였다고 하여 구 교통사고처리 특례법 위반으로 기소된 사안에서, 일반도로에서 후진하다가 교통사고를 낸 것은 반의사불벌죄에 해당하므로, 피해자가 공소제기 전에 처벌을 희망하는 의사를 철회하였다는 이유로 공소를 기각한 원심의 조치는 정당하다(대판 2012.3.15, 2010도3436).

3. 국회의원인 피고인이, 구 국가안전기획부 내 정보수집팀이 대기업 고위관계자와 중앙일간지 사주 간의 사적 대화를 불법 녹음한 자료를 입수한 후 그 대화 내용과, 전직 검찰간부인 피해자가 위 대기업으로부터 이른바 떡값 명목의 금품을 수수하였다는 내용이 게재된 보도자료를 작성하여 국회 법제사법위원회 개의 당일 국회 의원회관에서 기자들에게 배포한 사안에서, 피고인이 국회 법제사법위원회에서 발언할 내용이 담긴 위 보도자료를 사전에 배포한 행위는 국회의원 면책특권의 대상이 되는 직무부수행위에 해당하므로, 피고인에 대한 허위사실적시 명예훼손 및 통신비밀보호법 위반의 점에 대한 공소를 기각하여야 한다(대판 2011.5.13, 2009도14442).
   ▶ 자신의 인터넷 홈페이지에 게재하였다고 하여 통신비밀보호법 위반으로 기소된 사안에서, 피고인이 위 녹음 자료를 취득하는 과정에 위법이 없었더라도 위 행위는 형법 제20조의 정당행위에 해당한다고 볼 수 없다(대판 2011.5.13, 2009도14442).
4. 부정수표단속법 제2조 제4항에서 부정수표가 회수된 경우 공소를 제기할 수 없도록 하는 취지는 부정수표가 회수된 경우에는 수표소지인이 부정수표 발행자 또는 작성자의 처벌을 희망하지 아니하는 것과 마찬가지로 보아야 한다는 취지로서 부도수표 회수나 수표소지인의 처벌을 희망하지 아니하는 의사의 표시가 제1심판결 선고 이전까지 이루어지는 경우에는 공소기각의 판결을 선고하여야 할 것이다(대판 2005.10.7, 2005도4435). 12. 경찰승진, 16. 9급 법원직, 17. 9급 검찰·마약수사, 24. 7급 국가직
5. 피고인과 친족관계에 있는 피해자에 대한 '흉기휴대 공갈'의 '폭력행위 등 처벌에 관한 법률 위반죄'를 친고죄로 보고, 제1심판결 선고 전에 피고인의 처벌을 바라지 아니하는 의사가 표시된 합의서가 제출되었다는 이유로, 공소를 기각한 원심판결은 정당하다(대판 2010.7.29, 2010도5795).
6. 청소년대상 성범죄의 피해자(13세)를 대신하여 그 법정대리인인 부(父)가 피고인에 대하여 처벌불원의사를 표시한 사안에서, 그 의사표시에 피해자 본인의 의사가 포함되어 있다고 보아 공소를 기각한 원심판결은 정당하다(대판 2010.5.13, 2009도5658).
7. 일반범죄가 반의사불벌죄로 개정된 경우에 개정법률이 피고인에게 더 유리할 것이므로 형법 제1조 제2항에 의하여 피고인에 대하여는 개정법률이 적용되어야 할 것인바, 공소제기 전에 피고인에 대한 처벌을 원하지 아니한다고 진술하였다면 공소제기의 절차가 법률의 규정에 위반된다고 하여 공소기각의 판결을 선고하여야 할 것이다(대판 2005.10.28, 2005도4462).
8. 교통사고처리특례법 제3조 제1항, 제2항 단서 제2호의 사유로 공소제기되었으나 공판절차에서 심리한 결과 피고인이 중앙선을 침범하여 차를 운행한 사실이 없다는 점이 분명하게 되었더라도 무죄를 선고할 것이 아니라, 한편 사고 당시 피고인이 운행하던 차가 교통사고처리특례법 제4조 제1항 본문 소정의 보험에 가입되어 있음이 밝혀졌다면, 공소제기의 절차가 법률의 규정에 위반하여 무효인 때에 해당하므로 공소기각의 판결을 선고하여야 한다(대판 1994.10.14, 94도1818).
   ▶ **비교판례** : 피고인은 진로변경방법 위반의 범칙행위로 교통사고를 일으켰으나 종합보험 가입으로 벌을 받지 아니하게 되었으므로 도로교통법 제162조 제2항 제2호 단서에 따라 통고처분의 대상인 '범칙자'에 해당하고, 통고처분에 따라 범칙금을 납부하면 범칙행위에 대하여 다시 처벌받지 않게 되는데(도로교통법 제164조 제3항), 피고인이 면허벌점 부과가 부당하다는 이유로 이미 납부한 범칙금을 회수한 후 범칙금을 납부하지 아니한 결과 도로교통법과 즉결심판에 관한 절차법에 따라 후속절차가 진행되어 이 사건 공소제기에 이르렀으므로, 이 사건 공소제기 절차는 관련 법령이 정한 요건과 절차에 따라 이루어진 것으로서, 거기에 교통사고처리 특례법의 취지에 반하는 위법이 있다고 보기 어렵다. 그럼에도 불구하고 이 사건 공소제기 절차가 법령에 위반되어 무효라고 판단한 원심의 조치(공소기각판결)에는, 판결에 영향을 미친 잘못이 있다(대판 2024.10.31, 2024도

8903). – 보험가입이 되었더라도 교통사고처리 특례법이 아닌 도로교통법 위반에 대한 공소제기는 가능

9. 가정폭력처벌법에 따른 보호처분의 결정이 확정된 경우에는 원칙적으로 가정폭력행위자에 대하여 같은 범죄사실로 다시 공소를 제기할 수 없으나(가정폭력처벌법 제16조), 보호처분은 확정판결이 아니고 따라서 기판력도 없으므로, 보호처분을 받은 사건과 동일한 사건에 대하여 다시 공소제기가 되었다면 이에 대해서는 면소판결을 할 것이 아니라 공소제기의 절차가 법률의 규정에 위배하여 무효인 때에 해당한 경우이므로 형사소송법 제327조 제2호의 규정에 의하여 공소기각의 판결을 하여야 한다(대판 2017.8.23, 2016도5423). 19. 순경 2차, 23. 경찰승진
10. 피고인이 무전취식을 하고 출동한 경찰관에게 친형의 인적사항을 모용함에 따라 친형 이름으로 경범죄 처벌법상 경찰서장의 통고처분을 받았다가 모용사실이 적발되어 이후 납부 통고 등 후속절차는 중단된 상태에서 무전취식의 범칙행위와 동일성이 인정되는 사기의 공소사실로 재차 기소된 경우, 이미 발령된 통고처분의 효력이 기소된 사기의 공소사실에도 미쳐 이 부분 공소제기의 절차가 법률의 규정을 위반하여 무효인 때에 해당한다(대판 2023.3.16, 2023도751).

PART 04

• 공소기각판결 사유에 해당 ×

1. 피고인이 백화점 내 점포에 입점시켜 주겠다고 속여 피해자로부터 입점비 명목으로 돈을 편취하였다며 사기로 기소된 사안에서, 피고인의 딸과 피해자의 아들이 혼인하여 피고인과 피해자가 사돈지간이라고 하더라도 민법상 친족으로 볼 수 없는데도, 2촌의 인척인 친족이라는 이유로 위 범죄를 친족상도례가 적용되는 친고죄라고 판단한 후 피해자의 고소가 고소기간을 경과하여 부적법하다고 보아 공소를 기각한 것은 위법하다(대판 2011.4.28, 2011도2170). 20. 경찰승진
2. 피고인이 체류자격이 없는 외국인들을 고용하여 구 출입국관리법위반으로 기소되었는데, 당초 위 사건을 입건한 지방경찰청이 지체 없이 관할 출입국관리사무소장 등에게 인계하지 아니한 채 그 고발 없이 수사를 진행하였고, 이후 위 사무소장이 지방경찰청장의 고발의뢰에 따라 고발한 위 고발은 무효로 볼 수 없고, 지방경찰청 및 검찰의 수사가 위법하다거나 공소제기의 절차가 법률의 규정에 위배되어 무효인 때에 해당하지 않는다(대판 2011.3.10, 2008도7724 ∴ 공소기각판결 ×).
3. 법원이 경찰서장의 즉결심판청구를 기각하여 경찰서장이 사건을 관할 지방검찰청으로 송치하였으나 검사가 이를 즉결심판에 대한 피고인의 정식재판청구가 있은 사건으로 오인하여 그 사건기록을 법원에 송부한 경우, 공소제기의 본질적 요소라고 할 수 있는 검사에 의한 공소장의 제출이 없는 이상 기록을 법원에 송부한 사실만으로 공소제기가 성립되었다고 볼 수 없다(대판 2003.11.14, 2003도2735). 따라서 공소제기절차가 법률의 규정에 위반하여 무효인 때에 해당한 것이 아니고 소송행위가 불성립한 경우이므로 공소기각판결을 할 것이 아니다.
4. 공소제기된 피고인의 범죄사실 중 일부에 대하여 검사의 1차 무혐의결정이 있었고, 이에 대하여 그 고소인이 항고 등 아무런 이의를 제기하지 않고 있다가 그로부터 약 3년이 지난 뒤에야 뒤늦게 다시 피고인을 동일한 혐의로 고소함에 따라, 검사가 새로이 수사를 재기하게 된 것이라 하더라도, 검사가 그 수사결과에 터잡아 재량권을 행사하여 공소를 제기한 것은 적법하다고 아니할 수 없으며, 이를 가리켜 공소권을 남용한 경우로서 그 공소제기의 절차가 무효인 때에 해당한다고 볼 수는 없다(대판 1995.3.10, 94도2598 ∴ 공소기각판결 ×).

▶ **비교판례** : 검사가 종전에 기소유예처분을 한 피의사실에 대하여 이를 번복할 만한 사정변경이 없었음에도 4년여가 지난 시점에 다시 기소하였고, 검사가 공소권을 자의적으로 행사하여 소추재

량권을 현저히 일탈하였다고 볼 수 있다면, 공소기각의 판결을 하여야 한다(대판 2021.10.14, 2016도14772). 22. 7급 국가직

5. 조세범처벌법 제6조의 세무공무원의 고발은 공소제기의 요건이고, 수사개시의 요건은 아니므로 수사기관이 고발에 앞서 수사를 하고, 그후 공소제기 전에 고발이 있었다면 피고인에 대한 공소제기의 절차가 법률의 규정에 위반하여 무효라고 할 수 없다(대판 1995.3.10, 94도3373 ∴ 공소기각판결 ×).
6. 불법구금 등 위법사유가 있다 하더라도 그 위법한 절차에 의하여 수집된 증거를 배제할 이유는 될지언정 공소제기절차가 위법하여 무효인 경우에 해당한다고는 볼 수 없다(대판 1990.9.25, 90도1586 ∴ 공소기각판결 ×).
7. 무혐의불기소처분된 사건에 대하여 다시 기소할 수 있음은 법리상 명백하여 일사부재리의 원칙에 위반된 것이라고 할 수 없고 동일한 사건으로 재구속되었다 할지라도 그것만으로 공소제기 자체가 무효라고 할 수 없다(대판 1966.11.22, 66도1288 ∴ 공소기각판결 ×).
8. 공소장에 검사의 간인이 없더라도 그 공소장의 형식과 내용이 연속된 것으로 일체성이 인정되고 동일한 검사가 작성하였다고 인정되는 한 그 공소장을 형사소송법 제57조 제2항에 위반되어 효력이 없는 서류라고 할 수 없다. 이러한 공소장 제출에 의한 공소제기는 그 절차가 법률의 규정에 위반하여 무효인 때(형사소송법 제327조 제2호)에 해당한다고 할 수 없다(대판 2021.12.30, 2019도16259).

---

② **관련문제** : 공소기각판결을 하는 경우에도 피고인의 출석을 요하지 않으며(제277조), 피고인이 사물변별능력 또는 의사결정능력이 없더라도 공판절차를 정지할 필요가 없다(제306조 제4항). 공소기각의 판결이 선고되면 구속영장은 효력을 잃는다(제331조). 또한 공소기각판결이 확정되면 공소제기에 의하여 정지되었던 공소시효는 그때부터 다시 진행된다(제253조 제1항).

5 면소판결

(1) 의 의

면소판결이란 피고사건에 대하여 실체적 소송조건이 결여된 경우에 사건의 실체에 대하여 직접적인 판단 없이 소송을 종결시키는 형식재판을 말한다.

면소판결은 다른 형식재판과는 달리 정지된 공소시효를 다시 진행시키지 않고(제253조 제1항), 고소인 등의 소송비용부담(제188조) 및 재심사유의 판단에서 무죄판결과 대등하게 취급되기 때문에 실체재판에 가까운 성격을 띤다. 그렇기 때문에 통설은 면소판결이 본안에 대한 판결이 아닌데도 실체재판에 인정된 일사부재리의 효력을 인정한다.

(2) 면소판결의 본질

면소판결은 실체심리를 하지 않고 형식적으로 소송을 종결시키는 형식재판이라는 견해이며, 우리나라의 유력설일 뿐 아니라 판례가 취하고 있는 입장이다.

관련판례

무죄판결은 실체적 공소권이 없다는 이유로서 하는 실체적 재판임에 반하여 면소판결은 공소권의 소멸을 이유로 하여 소송을 종결시키는 형식재판으로서 공소사실 유무에 관하여 실체적 심리를 하여 그 사실이

인정되는 경우에 한하여 면소판결을 하는 것이 아니고 공소장에 기재되어 있는 범죄사실에 관하여 면소판결사유(제326조)가 있으면 실체심리를 할 필요없이 면소판결을 하면 된다(대판 1964.3.31, 64도64).

(3) 면소판결의 사유(제326조)

제1호 확정판결이 있은 때 13. 7급 국가직
제2호 사면이 있은 때(일반사면) 19. 9급 검찰·마약수사
제3호 공소시효가 완성된 때 10. 9급 법원직, 11. 교정특채, 23. 경찰승진
제4호 범죄 후 법령개폐로 형이 폐지되었을 때 18. 경찰승진

확정판결(제1호)에 해당하는 경우(면소판결 사유)
- 유죄·무죄뿐만 아니라 면소판결
- 약식명령이나 즉결심판에서 선고된 것
- 경범죄처벌법 및 도로교통법상 범칙금 납부 13. 9급 법원직

확정판결 ×(면소판결 사유 ×)
- 과태료부과처분, 외국확정판결, 공소기각재판, 관할위반판결, 소년법상 보호처분, 검사의 불기소처분

관련판례

• 면소판결 사유에 해당 ○

1. 상습범으로서 포괄적 일죄의 관계에 있는 여러 개의 범죄사실 중 일부에 대하여 유죄판결이 확정된 경우에, 그 확정판결의 사실심판결 선고 전에 저질러진 나머지 범죄에 대하여 새로이 공소가 제기되었다면 그 새로운 공소는 확정판결이 있었던 사건과 동일한 사건에 대하여 다시 제기된 데 해당하므로 이에 대하여는 판결로써 면소의 선고를 하여야 한다. 다만, 이러한 법리가 적용되기 위해서는 전의 확정판결에서 당해 피고인이 상습범으로 기소되어 처단되었을 것을 필요로 하는 것이다(대판 2004.9.16, 2001도3206 전원합의체). 17. 검찰·교정승진, 19. 경찰간부, 24. 7급 국가직

   ▶ **유사판례** : 영리를 목적으로 무면허 의료행위를 업으로 하는 자의 여러 개의 무면허 의료행위가 포괄일죄 관계에 있고 그중 일부 범행이 '의료법 제27조 제1호 위반(무면허의료행위)'으로 기소되어 판결이 확정된 경우, 확정판결의 기판력이 사실심 판결선고 이전에 범한 '보건범죄 단속에 관한 특별조치법 제5조 제1호 위반(영리목적으로 무면허의료행위)' 범행에도 미친다(대판 2014.1.16, 2013도11649). 따라서 나중에 공소제기한 '보건범죄 단속에 관한 특별조치법 제5조 제1호 위반행위'에 대하여 면소판결을 하여야 한다.

   ▶ **비교판례** : 상습범 아닌 기본 구성요건의 범죄로 처단되는 데 그친 경우에는, 그 모두가 상습범으로서의 포괄적 일죄에 해당하는 것으로 판단된다 하더라도 앞서의 확정판결을 상습범의 일부에 대한 확정판결이라고 보아 그 기판력이 그 사실심판결 선고 전의 나머지 범죄에 미친다고 보아서는 아니된다(대판 2004.9.16, 2001도3206 전원합의체). 따라서 단순범죄로 유죄가 확정된 경우에 그 사실심판결선고 전에 행한 포괄일죄의 범행에 대하여 새로이 공소제기할 수 있다. 10. 경찰승진, 14. 9급 법원직·9급 검찰·마약수사, 13·14·15. 9급 교정·보호·철도경찰, 17. 경찰간부

2. 범죄 후 법률이 변경되어 그 행위가 범죄를 구성하지 아니하게 되거나 형이 구법보다 가벼워진 경우에는 신법에 따라야 하고(형법 제1조 제2항), 범죄 후의 법령 개폐로 형이 폐지되었을 때는 판결로써

면소의 선고를 하여야 한다(형사소송법 제326조 제4호). 이러한 형법 제1조 제2항과 형사소송법 제326조 제4호의 적용과 관련하여 대법원은 ' 종전 법령이 범죄로 정하여 처벌한 것이 부당하였다거나 과형이 과중하였다는 반성적 고려에 따라 변경된 것인지 여부를 따지지 않고 원칙적으로 형법 제1조 제2항과 형사소송법 제326조 제4호가 적용된다'라고 판시하므로써, '법률이념의 변경에 따라 종래의 처벌 자체가 부당하였다거나 또는 과형이 과중하였다는 반성적 고려에서 법령을 변경하였을 경우에만 형법 제1조 제2항과 형사소송법 제326조 제4호의 적용된다'고 한 종래의 판결을 변경했다(대판 2022.12.22, 2020도16420 전원합의체). 23. 7급 국가직

3. 범죄 후 법령의 개폐로 그 형이 폐지되었을 경우에는 형사소송법 제326조에 의하여 실체적 재판을 하기에 앞서 면소판결을 하여야 할 것이므로, 무죄로서의 실체적 재판을 한 것은 위법하다(대판 2010.7.15, 2007도7523).
4. 형벌법규가 대통령령, 총리령, 부령과 같은 법규명령이 아닌 고시 등 행정규칙 · 행정명령, 조례 등에 구성요건의 일부를 수권 내지 위임한 경우에도 형법 제1조 제2항과 형사소송법 제326조 제4호가 적용된다(대판 2022.12.22, 2020도16420 전원합의체).
5. 형벌법규 자체 또는 그로부터 수권 내지 위임을 받은 법령이 아닌 이와 관련이 없는 법령의 변경으로 인하여 해당 형벌법규의 가벌성에 영향을 미치게 되는 경우에는 형법 제1조 제2항과 형사소송법 제326조 제4호가 적용되지 않는다(대판 2022.12.22, 2020도16420 전원합의체).
6. 법령이 개정 내지 폐지된 경우가 아니라, 스스로 유효기간을 구체적인 일자나 기간으로 특정하여 효력의 상실을 예정하고 있던 법령이 그 유효기간을 경과함으로써 더 이상 효력을 갖지 않게 된 경우에는 형법 제1조 제2항과 형사소송법 제326조 제4호에서 말하는 법령의 변경에 해당한다고 볼 수 없다(대판 2022.12.22, 2020도16420 전원합의체). – 유효기간 경과 후에도 행위시법으로 처벌
7. 피고인에 대하여 '공인중개사 자격이 없고 중개사무소 개설등록을 하지 않았는데도 甲, 乙과 공모하여 부동산 매매계약을 중개한 대가로 丙에게서 甲, 乙 및 피고인의 수고비 합계 2천만원을 교부받아 중개행위를 하였다.'는 공인중개사의 업무 및 부동산 거래신고에 관한 법률 위반 공소사실로 벌금 500만원의 약식명령이 발령되어 확정되었는데, 그 후 피고인이 '피해자 丙에게서 甲, 乙에 대한 소개비조로 2천만원을 교부받아 丙을 위하여 보관하던 중 임의로 사용하여 횡령하였다.'는 공소사실로 기소된 사안에서, 공소가 제기된 횡령의 공소사실은 확정된 약식명령의 공소사실과 양립할 수 없는 관계에 있고, 양자의 행위 객체인 금품이 丙이 교부한 2천만원으로 동일한 점에 비추어 양자는 행위 태양이나 피해법익 등을 서로 달리하지만 규범적으로는 공소사실의 동일성이 인정되므로, 확정된 약식명령의 기판력이 횡령의 공소사실에 미친다고 보아 면소를 선고하여야 한다(대판 2012.5.24, 2010도3950).
8. 확정된 2008. 7. 29.자 약식명령의 범죄사실은 모두 피고인들이 개설한 디스크 사이트 회원들이 음란한 동영상을 위 사이트에 업로드하여 게시하도록 하고, 다른 회원들로 하여금 위 동영상을 다운받을 수 있도록 하는 방법으로 정보통신망을 통하여 음란한 영상을 배포, 전시하는 것을 용이하게 하여 이를 방조하였다는 것으로서 단일하고 계속된 범의 아래 일정 기간 계속하여 행하고 그 피해법익도 동일한 경우에 해당하므로 포괄일죄의 관계에 있다고 보아 위 확정된 약식명령의 발령 전에 이루어진 피고인들의 이 사건 범죄사실에 각 면소를 선고한 것은 정당하다(대판 2010.11.25, 2010도1588).
9. 징역 또는 벌금에 처하도록 한 구 직업안정법이 1,000만원 이하의 과태료를 부과하는 것으로 개정된 경우 이는 형사소송법 제326조 제4호의 범죄 후의 법령개폐로 형이 폐지되었을 경우에 해당한다(대판 2010.1.28, 2009도882 ∴ 면소판결 사유).

10. 농성 중 인도 위 천막의 설치로 인한 도로법 위반행위에 천막의 강제철거 후 이를 다시 설치하여 이루어진 사정이 있더라도, 그 일부에 대한 확정판결의 기판력이 그 판결선고 전에 범한 도로법위반의 공소사실에 미친다고 보아야 하므로 면소판결을 선고한 것은 정당하다(대판 2009.2.26, 2008도9685).
11. 주식회사의 대표이사가 노조위원장에게 부정한 청탁을 하면서 회사공금을 노조위원장 측에게 송금한 행위로 배임증재죄의 확정판결을 받은 후 같은 송금행위에 대하여 업무상 횡령으로 기소된 경우에, 두개의 공소사실은 하나의 동일한 송금행위에 의하여 실현된 것이므로 동일성이 인정되어 형사소송법 제326조 제1호의 '확정판결이 있는 때'에 해당한다(대판 2008.11.13, 2006도4885). 따라서 업무상 횡령행위에 대해서는 면소판결
12. "유사석유제품을 차량에 보관해 놓고 성명불상의 자동차 운전자 등에게 한통당 판매가 17,000원씩을 받고 하루 평균 약 5통 합계 85,000원 상당을 판매하였다."는 이 사건 공소사실과 이미 판결이 확정된 기존의 석유사업법 위반 사건의 범죄사실은 모두 그 범행수법이나 범행기간, 범행장소, 피해법익 등이 동일 또는 유사한 것으로서, 피고인이 단일하고 계속된 범의하에 동종의 범행을 동일하거나 유사한 방법으로 일정 기간 반복적으로 행한 것으로 볼 수 있으므로 결국 위 각 범죄는 포괄일죄의 관계에 있다고 봄이 상당하고, 이와 같이 포괄일죄의 관계에 있는 범행의 일부에 대하여 판결이 확정된 경우에는 사실심 판결선고시를 기준으로 그 이전에 이루어진 범행에 대하여는 확정판결의 기판력이 미쳐 면소의 판결을 선고하여야 한다(대판 2006.5.11, 2006도1252).
13. 낙찰계를 조직하여 계원들로부터 매월 같은 장소에서 계불입금을 수령하여 이를 편취하였다는 사안에서, 이는 범죄의 시간, 장소범의, 범행방법 등이 동일하고 피해자만 다를 뿐이어서 범죄의 기본사실이 동일하다 할 것이므로, 피고인이 그 피해자 중 3인으로부터 계불입금을 편취하였다는 공소사실로 이미 유죄판결을 받았으니 그 기판력이 나머지 피해자들 중 2명으로부터 계불입금을 편취하였다는 이 사건 공소사실에도 미친다고 하여 피고인에게 형사소송법 제326조 제1호를 적용하여 면소를 선고한 것은 정당하다(대판 1990.1.25, 89도252).
14. 문제되고 있는 물품인 주류(미제깡통 맥주)가 이 사건범죄 후에 특정외래품으로서의 지정에서 제외되었으면 재판 당시의 법원으로서는 면소의 판결을 하는 것이 상당하다(대판 1983.7.12, 83도1296).
15. 무면허의료행위는 일단 공소가 제기되면 이에 대한 재판이 있을 때까지의 동종의 위법행위는 포괄하여 일개의 범죄를 구성하는 것이며 판결이 확정되면 공소장에 적시되지 아니한 개개의 위법행위라 하더라도 그 행위는 모두 재판을 받은 것으로 되어 따로이 공소를 제기할 수 없다. 따라서 1965. 7. 20.에 무면허의료행위로 유죄확정판결을 받았다면 1965. 7. 2.부터 1965. 7. 14.까지 세 차례의 무면허의료행위의 공소사실에 대하여는 면소판결을 하여야 한다(대판 1966.9.20, 66도928).
16. 공소제기 당시의 공소사실에 대한 법정형을 기준으로 하면 공소제기 당시 아직 공소시효가 완성되지 않았으나 변경된 공소사실에 대한 법정형을 기준으로 하면 공소제기 당시 이미 공소시효가 완성된 경우에는 공소시효의 완성을 이유로 면소판결을 선고하여야 한다(대판 2013.7.26, 2013도6182).

• 면소판결 사유에 해당 ×

1. 법원은 형벌에 관한 법령이 헌법재판소의 위헌결정으로 인하여 소급하여 그 효력을 상실하였거나 법원에서 위헌·무효로 선언된 경우, 당해 법령을 적용하여 공소가 제기된 피고사건에 대하여 같은 법 제325조에 따라 무죄를 선고하여야 한다. 22. 7급 국가직 나아가 형벌에 관한 법령이 재심판결 당시 폐지되었다 하더라도 그 '폐지'가 당초부터 헌법에 위배되어 효력이 없는 법령에 대한 것이었다면 같은 법 제325조 전단이 규정하는 '범죄로 되지 아니한 때'의 무죄사유에 해당하는 것이지, 같은

법 제326조 제4호의 면소사유에 해당한다고 할 수 없다(대판 2010.12.16, 2010도5986 전원합의체). 23. 소방간부, 24. 경찰승진

☎ 폐지 또는 실효된 형벌관련 법령이 당초부터 위헌 · 무효인 경우 그 법령을 적용하여 공소가 제기된 피고사건에 대하여 법원은 면소판결을 하여야 한다. (×) 14. 9급 법원직 · 7급 국가직

2. 형사소송법 제326조 제2호 소정의 면소판결의 사유인 사면이 있을 때란 일반 사면이 있을 때를 말하는 것이며, 특별사면을 받았을 경우에는 면소판결의 대상에 해당하지 아니한다(대판 2000.2.11, 99도2983). 12. 경찰간부 · 교정특채, 16. 9급 법원직, 18 · 23. 7급 국가직, 25. 변호사시험
3. 피고인에 대하여 유죄판결이 확정된 '아파트 사전분양'으로 인한 구 주택건설촉진법위반죄 범죄사실과 '아파트를 건축하여 분양할 의사나 능력 없이 피해자들을 기망하여 분양대금을 편취하였다.'는 내용의 특정경제범죄 가중처벌 등에 관한 법률 위반(사기) 공소사실 사이에 동일성이 있다고 보기 어렵고, 또한 두 죄는 행위 태양이나 보호법익에 비추어 1죄 내지 상상적 경합관계에 있다고 볼 수도 없으므로, 피고인이 구 주택건설촉진법 위반죄의 범죄사실에 관하여 확정판결을 받았다고 하여 위 사기 부분 공소사실에 대하여 면소를 선고할 수 없다(대판 2011.6.30, 2011도1651).
4. 약식명령이 확정된 구 성매매알선 등 행위의 처벌에 관한 법률 위반죄의 범죄사실인 '영업으로 성매매에 제공되는 건물을 제공하는 행위'와 위 약식명령 발령 전에 행해진 구 성매매알선 등 처벌법 위반의 공소사실인 '영업으로 성매매를 알선한 행위'가 서로 독립된 가벌적 행위로서 별개의 죄를 구성한다고 보아야 하는데도, 포괄일죄의 관계에 있다고 보아 위 공소사실에 대하여 면소를 선고한 원심판결에 법리오해의 위법이 있다(대판 2011.5.26, 2010도6090).
5. 구 전기용품 안전관리법에 의한 안전인증대상인 전기보온기를 안전인증을 받지 않고 '제조' 및 '판매'하였다는 공소사실 중 안전인증 표시 등이 없는 전기보온기를 '판매'하였다는 부분까지 이미 확정된 약식명령의 '제조' 행위에 대한 범죄사실과 포괄일죄의 관계에 있다고 보고 위 공소사실 전부에 대하여 면소판결을 선고한 것은 위법하다(대판 2007.2.22, 2006도7834).
6. 위탁자로부터 당좌수표 할인을 의뢰받은 피고인이 제3자를 기망하여 당좌수표를 할인받은 다음 그 할인금을 임의소비한 경우, 제3자에 대한 사기죄와 별도로 위탁자에 대한 횡령죄가 성립한다. 따라서 피고인의 행위가 별도로 횡령죄를 구성하지 아니하는 것으로 판단하여 피고인에 대하여 면소판결을 선고한 것은 사기죄의 불가벌적 사후행위에 관한 법리를 오해한 위법이 있다(대판 1998.4.10, 97도3057).
7. 법무사인 피고인이 개인회생 · 파산사건 관련 법률사무를 위임받아 취급하여 변호사법위반으로 기소된 후 개인회생 · 파산사건 신청대리업무를 법무사의 업무로 추가하는 법무사법 개정이 이루어진 경우, 이는 해당 형벌법규 자체 또는 그로부터 수권 내지 위임을 받은 법령이 아닌 별개의 다른 법령에 불과하고, 법무사의 업무범위에 관한 규정으로서 기본적으로 형사법과 무관한 행정적 규율에 관한 내용이므로, 형법 제1조 제2항과 형사소송법 제326조 제4호를 적용하지 아니하고 유죄로 인정한 것은 타당하다(대판 2023.2.23, 2022도6434).
8. '중소기업중앙회장 선거에서 회장으로 입후보한 甲을 당선시킬 목적으로 선거인들에게 식사 등 재산상 이익을 제공하였다'는 취지의 중소기업협동조합법 위반 혐의와 '위와 같이 선거인들에게 식사 등을 제공하면서 그 비용을 자신이 이사장으로 있었던 A협동조합 등의 법인카드로 결제하여, 그 임무에 위배하여 피해자인 A협동조합 등에게 재산상 손해를 가하였다'는 업무상배임의 범죄사실은 실체적 경합관계에 있다고 보아야 하므로, 중소기업협동조합법 위반에 대해 면소를 선고할 수는 없다(대판 2023.2.26, 2020도12431).

9. 피고인이, '2020. 10. 9. 전동킥보드를 운전하여 사람을 상해에 이르게 하였다'는 특정범죄 가중처벌 등에 관한 법률 위반 등의 공소사실로 기소된 사안에서, 특정범죄가중법 제5조의 11 제1항에서의 '원동기장치자전거'에는 전동킥보드와 같은 개인형 이동장치도 포함된다고 판단되고, 다만, 개정 도로교통법이 전동킥보드와 같은 개인형 이동장치에 관한 규정을 신설하면서 이를 "자동차 등"이 아닌 "자전거 등"으로 분류한 것은 입법기술상의 편의를 위한 것으로 보는 것이 타당하므로, 이를 형법 제1조 제2항의 '범죄 후 법률이 변경되어 그 행위가 범죄를 구성하지 아니하게 된 경우'라고 볼 수는 없다(대판 2023.6.29, 2023도3351 전원합의체). 따라서 면소판결 없이 특정범죄 가중처벌 등에 관한 법률 위반 등을 적용하여 처벌가능

(4) 관련문제

① 심리상의 특칙

㉠ 면소판결을 할 것이 명백한 사건에서는 피고인이 출석하지 않아도 상관없다. 다만, 피고인은 대리인을 출석케 할 수 있다(제277조).

㉡ 피고인이 사물변별 또는 의사결정을 할 능력이 없는 상태에 있는 때에는 공판절차를 정지하여야 하지만, 피고사건에 대하여 면소판결을 할 것이 명백한 때에는 피고인의 출정 없이 재판할 수 있다(제306조 제4항). 19. 9급 검찰·마약수사

㉢ 공소시효가 완성되는 등 면소판결사유에 해당하여 유죄의 선고를 할 수 없는 경우에는 별도로 몰수나 추징도 할 수 없다.

관련판례

형법 제49조 단서는 행위자에게 유죄의 재판을 하지 아니할 때에도 몰수의 요건이 있는 때에는 몰수만을 선고할 수 있다고 규정하고 있으므로 몰수뿐만 아니라 몰수에 갈음하는 추징도 위 규정에 근거하여 선고할 수 있다고 할 것이다. 그러나 우리 법제상 공소의 제기 없이 별도로 몰수나 추징만을 선고할 수 있는 제도가 마련되어 있지 아니하므로 몰수나 추징을 선고하기 위하여서는 어디까지나 그 몰수나 추징의 요건이 공소가 제기된 공소사실과 관련되어 있어야 하고, 공소사실이 인정되지 않는 경우에 이와 별개의 공소가 제기되지 아니한 범죄사실을 법원이 인정하여 그에 관하여 몰수나 추징을 선고하는 것은 불고불리의 원칙에 위반되어 불가능하다고 보아야 할 것이다. 뿐만 아니라 몰수나 추징이 공소사실과 관련이 있다 하더라도 그 공소사실에 관하여 이미 공소시효가 완성되어 유죄의 선고를 할 수 없는 경우에는 몰수나 추징도 할 수 없다고 보아야 할 것이다. 19. 9급 검찰·마약수사 만일 그와 같이 보지 않는다면 현행법상 형의 일종으로 규정되어 있는 몰수나 추징에 대하여만은 공소시효의 제도가 적용되지 않는다는 부당한 결과가 되기 때문이다(대판 1992.7.28, 92도700).

② 면소판결의 효력

㉠ 면소판결이 선고된 때에는 구속영장은 효력을 잃는다(제331조).

㉡ 면소판결이 확정되면 일사부재리의 효력이 발생된다.

㉢ 면소판결은 일정한 경우 형사보상을 청구할 수 있다(형사보상 및 명예회복에 관한 법률 제25조 제1항).

㉣ 검사는 면소판결에 대하여 상소할 수 있으나, 피고인은 무죄를 주장하는 상소가 불가능하다.

6 종국재판의 부수효과

(1) 구속영장의 실효

무죄, 면소, 형면제, 형의 선고유예, 형의 집행유예, 15. 9급 법원직 공소기각, 벌금, 과료를 과하는 판결이 선고된 때에는 구속영장은 효력을 잃는다(제331조). 이러한 판결이 선고되면 검사는 판결의 확정을 기다릴 필요 없이 즉시 석방을 지휘하여야 한다.

(2) 압수물의 처분

압수한 서류 또는 물품에 대하여 몰수의 선고가 없는 때에는 압수를 해제한 것으로 간주한다(제332조). 15. 9급 법원직 압수한 장물로서 피해자에게 환부할 이유가 명백한 것은 판결로써 피해자에게 환부하는 선고를 하여야 한다(제333조 제1항). 이 경우에 장물을 처분하였을 때에는 판결로써 그 대가로 취득한 것을 피해자에게 교부하는 선고를 하여야 한다(동조 제2항).

가환부한 장물에 대하여 별단의 선고가 없는 때에는 환부의 선고가 있는 것으로 간주한다. 이러한 경우에 이해관계인이 민사소송절차에 의하여 그 권리를 주장함에 영향을 미치지 아니한다(동조 제3항 · 제4항).

(3) 가납재판

법원은 벌금, 과료 또는 추징의 선고를 하는 경우에 판결의 확정 후에는 집행할 수 없거나 집행하기 곤란한 염려가 있다고 인정하는 때에는 직권이나 검사의 청구에 의하여 그에 상당한 금액의 가납을 명할 수 있다(제334조 제1항). 16. 경찰간부 이 재판은 형의 선고와 동시에 판결로써 선고하여야 한다. 이 판결은 즉시 집행할 수 있으며, 상소에 의해 정지되지 않는다.

약식명령, 벌금 또는 과료를 선고하는 즉결심판에서도 가납명령을 할 수 있으며, 부정수표단속법에 의하여 벌금을 선고하는 경우에는 필수적으로 가납을 명하여야 한다(동법 제6조).

CHAPTER
03 기출문제

01 **유죄판결에 명시될 이유에 관한 설명 중 가장 옳은 것은?**(다툼이 있는 경우 판례에 의함) 20. 경찰간부

① 유죄판결 이유에서 그에 대한 판단을 명시하여야 할 '형의 감면의 이유되는 사실'에는 형의 필요적 감면사유뿐만 아니라 임의적 감면사유도 포함된다.

② 공모공동정범의 공모에 대해서는 모의의 구체적인 일시, 장소, 내용 등을 상세하게 명시할 필요는 없고, 범행에 관하여 의사의 합치가 성립되었다는 것만을 설시하면 된다.

③ 사기죄의 법률적용에 있어서 형법 제347조만을 적시하고 그것이 동조 제1항에 해당하는 범죄인지 제2항에 해당하는 범죄인지를 밝히지 않았다면 위법하다.

④ 피고인이 자수감경에 관한 주장을 하였음에도 판결 이유에서 이에 대하여 판단하지 아니한 것은 위법하다.

해설 ① 필요적 감면사유만 해당하고, 임의적 감면사유는 포함되지 아니한다(대판 2017.11.9, 2017도14769).
② 대판 1989.6.27, 88도2381
③ 사기죄의 법률적용에 있어서 형법 제347조만을 적시하고 그것이 동조 제1항에 해당하는 범죄인지 제2항에 해당하는 범죄인지를 밝히지 않았더라도 위법한 것이라 할 수 없다(대판 1971.8.21, 71도1334).
④ 자수는 임의적 감경사유에 불과하므로, 피고인이 자수감경에 관한 주장을 하였음에도 판결이유에서 판단하지 아니한 것은 위법하다고 할 수 없다(대판 1980.6.24, 80도905).

02 **무죄판결에 대한 설명으로 가장 적절하지 않은 것은?**(다툼이 있는 경우 판례에 의함) 21. 순경 1차

① 포괄일죄의 관계에 있는 공소사실에 대하여는 그 일부가 무죄로 판단되는 경우에도 이를 판결 주문에 따로 표시할 필요가 없으므로, 이를 판결 주문에 표시한 경우에는 판결에 영향을 미친 위법사유에 해당한다.

② 포괄일죄의 일부에 대하여는 유죄의 증거가 없고 나머지 부분에 대하여 공소시효가 완성된 경우, 피고인에게 유리한 무죄를 주문에 표시하고 면소부분은 이유에서만 설시하면 족하다.

③ 헌법재판소법 제47조 제3항 본문에 따라 형벌에 관한 법률조항에 대하여 위헌결정이 선고된 경우 그 조항은 소급하여 효력을 상실하므로, 법원은 당해 조항이 적용되어 공소가 제기된 피고 사건에 대하여 형사소송법 제325조 전단에 따라 무죄를 선고하여야 한다.

④ 피고인에게 가장 유리한 판결인 무죄판결에 대한 피고인의 상고는 부적법하다.

해설 ① 포괄일죄의 일부분인 상습절도부분에 관하여 유죄로 인정되지 아니한다 하여도 주문에서 특히 무죄를 선고할 필요는 없고, 단지 판결이유에서만 이를 설시하면 족하다. 그러나 판결주문에서 이 부분에 관하여 무죄를 선고하였다 하여 판결결과에 어떤 영향을 미친다고는 할 수 없다(대판 1975.12.23, 75도3155). 상상적 경합범의 관계에 있는 경우에도 동일한 원리가 적용된다(대판 1999.12.24, 99도3003).
② 대판 1977.7.12, 77도1320(상상적 경합의 경우도 동일 : 대판 1996.4.12, 95도2312)
③ 대판 1999.12.24, 99도3003 ④ 대판 2020.3.27, 2017도20455

Answer 01. ② 02. ①

03 공소기각의 재판에 관한 다음 설명 중 가장 옳지 않은 것은? 21. 9급 법원직

① 피고인이 사망한 경우 결정으로 공소를 기각하여야 한다.

② 공소장일본주의에 위배된 공소제기라고 인정되는 때에는, 피고인 측의 이의 여부, 공판절차의 진행 정도 등과 무관하게 그 하자의 치유는 인정되지 않으므로, 공소기각의 판결을 선고하여야 한다.

③ 공소사실이 특정되지 아니한 부분이 있다면, 법원은 검사에게 석명을 구하여 특정을 요구하여야 하고, 그럼에도 검사가 이를 특정하지 않는다면 그 부분에 대해서는 공소를 기각할 수밖에 없다.

④ 공소기각 또는 관할위반의 재판이 법률에 위반됨을 이유로 원심판결을 파기하는 때에는 판결로써 사건을 원심법원에 환송하여야 한다.

해설 ① 제328조 제1항 제2호
② 공소장 기재의 방식에 관하여 피고인측으로부터 아무런 이의가 제기되지 아니하였고 법원 역시 범죄사실의 실체를 파악하는 데 지장이 없다고 판단하여 그대로 공판절차를 진행한 결과 증거조사절차가 마무리되어 법관의 심증형성이 이루어진 단계에서는 더 이상 공소장일본주의 위배를 주장하여 이미 진행된 소송절차의 효력을 다툴 수는 없다고 보아야 한다(대판 2009.10.22, 2009도7436 전원합의체).
③ 대판 2019.12.24, 2019도10086
④ 제366조, 제393조, 제395조

04 공소기각의 재판에 대한 설명으로 옳지 않은 것은? 23. 9급 검찰 · 마약수사

① 공소장에 검사의 간인이 없다면, 그 공소장의 형식과 내용이 연속된 것으로 일체성이 인정되고 동일한 검사가 작성하였다고 인정되더라도 공소기각의 판결을 하여야 한다.

② 공소장에 기재된 사실이 진실하다 하더라도 범죄가 될 만한 사실이 포함되지 아니한 때에는 공소기각의 결정을 하여야 한다.

③ 피고인에 대하여 재판권이 없을 때에는 공소기각의 판결을 하여야 한다.

④ 동일사건이 사물관할을 달리하는 여러 개의 법원에 계속된 경우에 사건을 심판하지 못하게 된 법원은 당해 사건에 대해 공소기각의 결정을 하여야 한다.

해설 ① 공소장에 검사의 간인이 없더라도 그 공소장의 형식과 내용이 연속된 것으로 일체성이 인정되고, 동일한 검사가 작성하였다고 인정되는 한 그 공소장을 형사소송법 제57조 제2항에 위반되어 효력이 없는 서류라고 할 수 없다. 이러한 공소장 제출에 의한 공소제기는 그 절차가 법률의 규정에 위반하여 무효인 때(형사소송법 제327조 제2호)에 해당한다고 할 수 없다(대판 2021.12.30, 2019도16259). – 공소기각판결 ×
② 대판 2014.5.16, 2012도12867
③ 제327조 제1호
④ 제328조 제3호

Answer 03. ② 04. ①

05 종국재판에 대한 설명으로 가장 적절하지 않은 것은?(다툼이 있는 경우 판례에 의함) 23. 경찰승진

① 범죄 후 법령개폐로 형이 폐지된 경우에는 판결로써 공소기각의 선고를 하여야 한다.

② 공소취소에 의한 공소기각의 결정이 확정된 때에는 공소취소 후 그 범죄사실에 대한 다른 중요한 증거를 발견한 경우에 한하여 다시 공소를 제기할 수 있다.

③ 피고인에 대하여 유죄판결을 내리는 경우, 법률상 범죄의 성립을 조각하는 이유 또는 형의 가중, 감면의 이유되는 사실의 진술이 있은 때에는 판결 이유에 이에 대한 판단을 명시하여야 한다.

④ 판결의 범죄사실에 대한 증거를 설시함에 있어서는 어느 증거의 어느 부분에 의하여 어느 범죄사실을 인정한다고 구체적으로 설시하지 아니하고, 또 범죄사실에 배치되는 증거들에 관하여 이를 배척한다는 취지의 판단이나 이유를 설시하지 아니하여도 잘못이라 할 수 없다.

해설 ① 범죄 후 법령개폐로 형이 폐지된 경우에는 판결로써 면소의 선고를 하여야 한다(제326조 제4호).
② 제329조
③ 제323조 제2항
④ 대판 1987.10.13, 87도1240

06 면소판결에 대한 설명으로 옳지 않은 것은? 23. 7급 국가직

① 재심대상판결이 확정된 후에 형 선고의 효력을 상실케 하는 특별사면이 있었던 사건에 대하여 재심개시결정이 확정되어 재심심판절차를 진행하는 법원은 면소판결이 아니라 실체에 관한 유·무죄 등의 판단을 해야 한다.

② 법원은 범죄 후 법령의 개폐로 그 형이 폐지되었을 경우 실체적 재판에 앞서 면소판결을 선고하여야 하며, 이에 관하여 무죄로서의 실체적 재판을 하는 것은 위법이다.

③ 면소판결은 유죄의 확정판결이라고 할 수 없으므로 면소판결을 대상으로 한 재심청구는 부적법하다.

④ 공소제기 당시의 공소사실에 대한 법정형을 기준으로 하면 공소시효가 완성되지 않았던 경우, 법원은 공소장변경에 의하여 변경된 공소사실에 대하여 그 법정형을 기준으로 하면 공소제기 당시 이미 공소시효가 완성된 경우에도 공소시효의 완성을 이유로 면소판결을 선고할 수 없다.

해설 ① 대판 2015.5.21, 2011도1932 전원합의체
② 대판 2010.7.15, 2007도7523
③ 대결 2021.4.2, 2020모2071
④ 공소제기 당시의 공소사실에 대한 법정형을 기준으로 하면 공소제기 당시 아직 공소시효가 완성되지 않았으나 변경된 공소사실에 대한 법정형을 기준으로 하면 공소제기 당시 이미 공소시효가 완성된 경우에는 공소시효의 완성을 이유로 면소판결을 선고하여야 한다(대판 2013.7.26, 2013도6182).

Answer 05. ① 06. ④

07 종국재판에 대한 설명으로 옳지 않은 것은? 24. 7급 국가직

① 수표발행 후 예금부족 등으로 수표금이 지급되지 아니하게 한 경우의 처벌규정인 부정수표단속법 제2조 제2항 위반 사건에서 부도수표를 회수하거나 수표소지인의 처벌을 희망하지 아니하는 의사의 표시가 제1심판결 선고 전에 이루어지는 경우에는 판결로 공소를 기각하여야 한다.

② 대법원은 판결 선고 후 그 판결 내용에 오류가 있음을 발견하면 결정으로 이를 정정할 수 있다.

③ 무죄, 면소, 형의 면제, 형의 선고유예, 형의 집행유예, 공소기각 또는 벌금이나 과료를 과하는 판결은 확정 시가 아닌 선고 시에 구속영장이 효력을 잃는다.

④ 헌법재판소의 헌법불합치결정으로 법률조항이 효력을 잃은 경우는 법률조항에 대한 위헌결정에 해당하므로 법원은 그 피고사건에 대하여 형사소송법 제325조 전단(피고사건이 범죄로 되지 아니한 경우)에 따라 무죄를 선고하여야 한다.

해설 ① 대판 2005.10.7, 2005도4435
② 대법원은 판결 선고 후 그 판결 내용에 오류가 있음을 발견하면 판결로써 정정할 수 있다(제400조 제1항).
③ 제331조 ④ 대판 1992.5.8, 91도2825

08 공소기각의 판결에 대한 설명으로 옳지 않은 것은? 24. 9급 교정 · 보호 · 철도경찰

① 검사가 서면인 공소장에 전자문서나 저장매체를 첨부하는 방식으로 공소를 제기한 경우, 서면인 공소장에 기재된 부분만으로는 공소사실이 특정되지 않고 검사가 법원의 특정요구에 응하지 않으면 그 부분에 대해 공소기각의 판결을 선고하여야 한다.

② 공소를 제기할 수 없는 법률상의 사유가 있어 공소기각의 판결을 하여야 할 사건에서 그 사건의 실체에 관한 심리가 이미 완료되어 무죄로 판명된 경우라도 무죄의 실체판결을 선고하는 것은 위법하다.

③ 피고인이 공소를 기각한 제1심판결에 대해 무죄를 주장하며 항소한 경우, 공소기각 판결에 대하여 피고인에게 상소권이 인정되지 않으므로 이 항소는 법률상의 방식에 위반한 것이 명백한 때에 해당한다.

④ 기소 당시에는 이중기소된 위법이 있었다 하여도 그 후 공소사실과 적용법조가 적법하게 변경되어 새로운 사실의 소송계속상태가 있게 된 때에는 공소기각의 판결을 하여야 할 위법상태가 계속 존재한다고 할 수 없다.

해설 ① 대판 2016.12.15, 2015도3682
② 공소를 제기할 수 없는 법률상의 사유가 있어 공소기각의 판결을 하여야 할 사건에서 그 사건의 실체에 관한 심리가 이미 완료되어 무죄로 판명된 경우라도 무죄의 실체판결을 선고하는 것은 위법이라 볼 수는 없다(대판 2015.5.28, 2013도10958).
③ 대판 2008.5.15, 2007도6793
④ 대판 1989.2.14, 85도1435

Answer 07. ② 08. ②

제3절 재판의 확정과 효력

1 재판의 확정

(1) 재판확정의 의의

재판이 통상의 불복방법에 의해서는 다툴 수 없게 되어 그 내용을 변경할 수 없게 된 상태를 재판의 확정이라 하며, 이러한 상태에 있는 재판을 확정재판이라고 한다. 재판은 확정에 의하여 본래의 효력이 발생하고, 확정재판의 본래의 효력이 재판의 확정력이다.

(2) 재판의 확정시기

불복이 허용되지 않는 경우	판결 전 소송절차에 관한 결정	원칙적으로 항고불가(제403조 제1항). 따라서 고지와 동시에 확정
	항고법원·고등법원의 결정	대법원에 즉시항고 가능한 경우를 제외하고 고지와 동시에 확정
	대법원의 결정	불복이 허용되지 않으므로 고지와 동시에 확정
	대법원의 판결	선고와 동시에 확정
불복이 허용되는 경우	불복신청기간의 경과	• 제1심과 항소심판결, 약식명령, 즉결심판의 경우 선고 또는 고지 받은 날로부터 7일 경과로 확정 • 즉시항고가 허용되는 결정은 7일 경과로 확정 • 보통항고가 허용되는 결정은 항고기간 제한이 없으므로 결정을 취소해도 실익이 없게 된 때 확정
	불복신청의 포기·취하	상소의 포기·취하에 의해 확정
	불복신청기각재판의 확정	불복신청기각재판의 확정에 의해 재판확정

2 재판확정의 효력

재판이 확정되면 그 재판의 본래적 효력인 재판의 확정력이 발생한다. 재판의 확정력은 형식적 확정력과 내용적 확정력으로 구분된다.

(1) 형식적 확정력

재판이 통상의 불복신청방법에 의해서 다툴 수 없는 상태에 이른 것을 재판의 형식적 확정이라 하며, 확정재판의 이러한 불가쟁적 효력을 형식적 확정력이라고 한다(재판의 형식적 확정력은 종국재판, 종국 전 재판, 형식재판, 실체재판을 불문하고 모든 재판에 발생함).

⑵ 내용적 확정력

① **의의** : 재판이 형식적으로 확정되면 그와 함께 의사표시의 내용도 확정되는데 이를 내용적 확정이라 하며, 이에 따른 효력을 내용적 확정력(실질적 확정력)이라고 한다.
형식적 확정력이 불가쟁적 효력임에 대하여 내용적 확정력은 불가변적 효력이라 할 수 있다.
재판의 내용적 확정력은 실체재판·형식재판을 불문하고 발생하며, 특히 실체재판의 내용적 확정력을 실체적 확정력이라고 한다.

② **내용적 확정력의 효과**

㉠ **대내적 효과** : 재판이 확정되면 집행력이 발생한다(제459조). 재판의 집행력은 당해사건 자체에 대한 효력이라는 의미에서 내용적 확정력의 대내적 효과라고 한다. 재판의 집행력은 실체재판·형식재판을 불문하고 집행을 요하는 재판에 대해서만 발생한다. 실체재판 가운데 무죄판결은 집행력을 발생시키지 않음에 반해, 형식재판 가운데 보석허가결정, 구속영장발부 등은 집행력이 있다.

재판의 집행력은 재판의 확정에 의해 발생함이 원칙이나, 예외적으로 확정 전에도 인정되는 경우가 있다. 즉, 결정이나 명령은 즉시항고가 허용되는 경우를 제외하고는 원칙적으로 고지에 의해(재판의 외부적 성립에 의해) 집행력이 발생한다. 항고는 즉시항고를 제외하고는 재판의 집행을 정지시키는 효력이 없기 때문이다. 벌금 등의 가납재판도 확정 전에 즉시 집행할 수 있다(제334조).

㉡ **대외적 효과** : 재판이 확정되면 그 표시된 판단내용이 후소법원을 구속하여 후소법원으로 하여금 동일한 사정과 동일한 사항에 대하여 원래의 재판과 다른 판단을 할 수 없는 효력, 즉 내용적 구속력이 발생된다. 내용적 구속력은 확정재판이 다른 법원에 대하여 발휘되는 효과를 의미한다는 점에서 내용적 확정력의 대외적 효과라고 한다. 종국재판인 이상 실체재판, 형식재판을 불문하고 발생한다.

ⓐ 형식재판의 대외적 효과 : 관할위반판결, 공소기각판결, 공소기각결정 등 형식재판이 확정되면 다른 법원은 동일한 사정 및 동일한 사항에 관하여 다른 판단을 할 수 없다. 그러나 사정변경이 있는 경우까지도 그 효력이 있는 것은 아니다.

예 甲 법원이 친고죄에 관하여 고소 없음을 이유로 공소기각판결을 행하고 그 판결이 확정된 경우에, 적법한 고소가 없음에도 불구하고 동일한 범죄사실로 재차 乙 법원에 공소가 제기되었다면 乙 법원은 전의 판단을 무시하고 실체재판을 행할 수 없다. 그러나 새로이 유효한 고소를 받은 경우에는 기소하는 것이 허용되며 실체판결이 가능하다.

ⓑ 유무죄·면소판결의 대외적 효과 : 유무죄 및 면소판결이 확정되면 내용적 확정력의 외부적 효력으로 일사부재리의 효력(협의의 기판력, 고유한 의미의 기판력)이 발생한다. 일사부재리의 효력이란 유·무죄 및 면소판결이 확정되면 동일사건에 대해 후소법원은 다시 심리·판단할 수 없는 것을 말한다. 만일 검사가 잘못하여 다시 공소를 제기하였다면 면소판결을 선고하게 된다.

정리

재판의 확정력
- 형식적 확정력 — 형식재판, 실체재판 모두 발생
- 내용적 확정력
  - 형식재판의 내용적 확정력
    - 대내적 효과 : 집행력
    - 대외적 효과 : 구속력
  - 실체재판의 내용적 확정력(실체적 확정력)
    - 대내적 효과 : 집행력
    - 대외적 효과 : 구속력(일사부재리효력)

3 기판력

(1) 의 의

기판력의 개념에 대해 다양한 견해가 있으나, 전통적으로 고유한 의미의 기판력이란 유죄·무죄의 실체판결과 면소판결이 확정된 경우에 동일사건에 대하여 재차 심리·판결하는 것을 허용하지 않는 일사부재리의 효력을 말한다(통설).

관련판례

헌법은 제13조 제1항에서 "모든 국민은 … 동일한 범죄에 대하여 거듭 처벌받지 아니한다."라고 규정하여 이른바 이중처벌금지의 원칙 내지 일사부재리의 원칙을 선언하고 있다. 이는 한번 판결이 확정되면 그 후 동일한 사건에 대해서는 다시 심판하는 것이 허용되지 않는다는 원칙을 말한다. 여기에서 '처벌'이란 원칙적으로 범죄에 대한 국가의 형벌권 실행으로서의 과벌을 의미하고, 국가가 행하는 일체의 제재나 불이익처분이 모두 여기에 포함되는 것은 아니다(대판 2017.8.23, 2016도5423). 23. 변호사시험
∴ 불처분결정이 확정된 후에 검사가 동일한 범죄사실에 대하여 다시 공소를 제기하였다거나 법원이 이에 대하여 유죄판결을 선고하였더라도 일사부재리의 원칙에 위배 ×

기능 : 피고인의 정신적·물질적 고통방지, 법생활의 안정을 도모, 모순된 판결 방지로 재판에 대한 신뢰보호, 반복적 절차의 방지로 소송경제에 기여

- 기판력이 인정되는 재판에 대하여 다시 공소제기가 되면 면소판결을 선고(제326조 제1호)
- 검사의 불기소처분이 있더라도 공소시효가 완성되기 전이라면 언제나 공소제기 가능 18. 경찰간부, 19. 경찰승진

(2) 기판력이 인정되는 재판

기판력은 원칙적으로 유죄판결, 무죄판결, 면소판결이 확정된 경우에 발생한다. 또한 그 밖에 입법자가 경미사건의 신속한 처리를 위하여 일정한 재판에 확정판결과 동일한 효력을 인정하는 경우가 있다.

① 유·무죄·면소판결

㉠ 유죄·무죄의 실체재판이나 면소판결이 확정되면 일사부재리의 효력이 발생한다. 13. 7급 국가직, 18. 9급 교정·보호·철도경찰

㉡ 약식명령과 즉결심판17. 9급 법원직도 확정되면 유죄판결확정과 동일하므로 일사부재리의 효력이 발생한다. 10 · 13. 9급 국가직 · 경찰간부

일사부재리의 효력이란 형사사건에 대한 재차의 심리를 금지한다는 의미를 가지므로 형사사건 이외의 사건을 대상으로 하는 과태료 등 행정벌이나 행정법상 징계처분, 통고처분에는 일사부재리의 효력이 미치지 않는다.

관련판례

1. 행정법상의 질서벌인 과태료의 부과처분과 형사처벌은 그 성질이나 목적을 달리하는 별개의 것이므로 행정법상의 질서벌인 과태료를 납부한 후에 형사처벌을 한다고 하여 이를 일사부재리의 원칙에 반하는 것이라고 할 수는 없다. 10. 순경, 18. 9급 교정 · 보호 · 철도경찰
2. 주거용으로 사용할 수 없는 지하층과 옥내주차장을 주거용으로 사용하다가 관할관청으로부터 일정 기간 내에 시정하지 아니하였다는 이유로 과태료의 부과처분을 받고 그 과태료를 납부함으로써 그 처분이 이미 확정된 사실이 있다고 하더라도, 이와 같은 과태료부과처분을 피고인이 관할관청의 허가를 받지 아니한 채 이 사건 건축물의 용도를 변경한 것이라는 요지의 이 사건 공소사실에 대한 확정판결과 동일한 효력이 있는 것이라고 볼 수는 없다고 할 것이므로, 일사부재리의 원칙을 위반한 위법이 있다고 볼 수 없다(대판 1992.2.11, 91도2536).
3. 검사가 절도죄에 관하여 일단 기소유예의 처분을 한 것을 그 후 다시 재기하여 기소하였다 하여도 기소의 효력에 아무런 영향이 없는 것이고, 법원이 그 기소사실에 대하여 유죄판결을 선고하였다 하여 일사부재리의 원칙에 반하는 것이라 할 수 없다(대판 1983.12.27, 83도2686). 21. 7급 국가직

② 기 타

㉠ 경범죄처벌법과 도로교통법은 "일정한 범칙행위로 통고처분을 받은 자가 범칙금을 납부한 경우에 그 범칙금 납부자는 그 범칙행위에 대하여 다시 벌을 받지 아니한다."고 규정하고 있다. 이때 "다시 벌을 받지 아니한다."함은 확정판결의 효력에 준하는 효력이 인정된다는 취지이며, 따라서 일사부재리의 효력이 인정된다.

㉡ 관세법 제317조에서 "관세범인이 통고의 요지를 이행한 때에는 동일사건에 대하여 다시 처벌을 받지 아니한다."라고 하여 일사부재리의 효력을 규정하고 있다.

㉢ 소년법상의 보호처분의 결정을 받은 소년에 대하여 다시 공소제기하지 못하도록 규정한 소년법 제53조의 성격에 대하여 견해의 대립이 있으나 판례는 일사부재리의 효력을 인정하는 것이 아니라 단순히 공소를 제기하지 못하도록 하는 규정으로 보고 이에 위반하여 공소제기한 경우에 공소기각판결을 하여야 한다는 입장이다.

관련판례

1. 소년법 제32조의 보호처분을 받은 사건과 동일한 사건에 대하여 다시 공소제기가 되었다면 공소제기 절차가 규정에 위배하여 무효인 때에 해당한 경우이므로 공소기각의 판결을 하여야 한다(대판 1996. 2.23, 96도47). 10. 순경 2차, 12. 경찰간부, 15. 9급 교정 · 보호 · 철도경찰, 16. 9급 법원직 · 7급 국가직, 18. 순경 3차, 22. 경찰승진

▶ **유사판례** : 가정폭력처벌법에 따른 보호처분의 결정이 확정된 경우에는 원칙적으로 가정폭력행위자에 대하여 같은 범죄사실로 다시 공소를 제기할 수 없으나(가정폭력처벌법 제16조), 보호처분은

확정판결이 아니고 따라서 기판력도 없으므로, 보호처분을 받은 사건과 동일한 사건에 대하여 다시 공소제기가 되었다면 이에 대해서는 면소판결을 할 것이 아니라 공소제기의 절차가 법률의 규정에 위배하여 무효인 때에 해당한 경우이므로 형사소송법 제327조 제2호의 규정에 의하여 공소기각의 판결을 하여야 한다(대판 2017.8.23, 2016도5423). 24. 7급 국가직

2. 피고인이 행형법에 의한 징벌을 받아 그 집행을 종료하였다고 하더라도 행형법상의 징벌은 수형자의 교도소 내의 준수사항 위반에 대하여 과하는 행정상의 질서벌의 일종으로서 형법 법령에 위반한 행위에 대한 형사책임과는 그 목적, 성격을 달리하는 것이므로 징벌을 받은 뒤에 형사처벌을 한다고 하여 일사부재리의 원칙에 반하는 것은 아니다(대판 2000.10.27, 2000도3874). 12·13. 경찰간부, 16. 순경 1차, 18. 경찰승진
3. 도로교통법은 범칙금 납부통고서를 받은 사람이 그 범칙금을 납부한 경우 그 범칙행위에 대하여 다시 벌을 받지 아니한다고 규정하고 있는바, 이는 범칙금의 납부에 확정재판의 효력에 준하는 효력을 인정하는 취지로 해석하여야 한다(대판 2002.11.22, 2001도849). 10. 순경, 17. 검찰·교정승진, 22. 해경간부, 23. 경찰승진
4. 특정범죄 가중처벌 등에 관한 법률 제16조에 의하면 위 법 제8조에 해당하는 조세범칙사건에 대한 공소에는 고발을 요하지 아니한다고 규정하고 있어 이 사건에는 세무공무원의 고발이 필요없다고 할 것이며, 또 위 법 제8조 위반의 조세포탈죄에 대하여는 세무공무원이 통고처분을 할 권한이 없으므로 피고인이 세무공무원의 통고처분으로 범칙금을 납부하였다 하여도 이는 이 사건 특정범죄 가중처벌 등에 관한 법률위반(조세포탈죄)의 처단에 영향을 미칠 수 없으니 여기에 일사부재리의 원칙이 적용될 수 없다(대판 1988.11.8, 87도1059).
5. 경찰서장이 범칙행위에 대하여 통고처분을 한 이상, 통고처분에서 정한 범칙금 납부기간까지는 원칙적으로 경찰서장은 즉결심판을 청구할 수 없고, 검사도 동일한 범칙행위에 대하여 공소를 제기할 수 없다(대판 2020.4.29, 2017도13409). 22. 경찰승진

---

③ 당연무효판결과 외국의 판결

㉠ 당연무효판결이란 판결이 성립은 하였으나 중대한 절차위반으로 상소 기타 불복신청을 하지 않아도 그 본래의 효력이 발생하지 않는 재판을 말한다(예 사망자 또는 형사미성년자에 대하여 형을 선고, 동일사건에 대한 이중의 실체판결이 확정된 경우에 나중의 판결, 법률이 인정하지 않는 형벌을 선고 등). 당연무효의 판결의 경우에도 피고인은 처벌의 위험에 처해 있으므로 기판력은 발생한다고 보아야 한다(다수설).

㉡ 피고인이 외국에서 형사처벌을 과하는 확정판결을 받았다고 하더라도 이와 같은 외국의 판결은 우리나라에서는 기판력이 인정되지 않는다(판례).

관련판례

피고인이 동일한 행위에 관하여 외국에서 형사처벌을 과하는 확정판결을 받았다 하더라도 이런 외국판결은 우리나라에서는 기판력이 없으므로 여기에 일사부재리의 원칙이 적용될 수 없다(대판 1983.10.25, 83도2366). 15. 9급 검찰·마약수사, 16. 순경 1차, 16·18. 경찰간부, 20. 9급 검찰·마약·교정·보호·철도경찰, 22. 경찰승진, 23. 해경승진

---

(3) 기판력이 미치는 범위

① **인적 범위**(주관적 범위) : 기판력은 판결을 받은 피고인에게만 미치고, 그 이외의 자는 비록 공동피고인이라 하더라도 미치지 아니한다. 13. 7급 국가직 피고인이 타인의 성명을 모용한 경우 기판력은 피모용자에게 미치지 아니하나, 18. 9급 교정·보호·철도경찰 위장출석의 경우에는 위장출석한 사람에 대해 사실상의 소송계속이 발생하므로 피고인으로 취급된 자에게 기판력이 미친다.

② **물적 범위**(객관적 범위) : 법원의 현실적 심판대상인 공소사실뿐만 아니라 공소사실과 단일성·동일성이 인정되는 모든 사실에 미친다(다수설·판례). 20. 9급 법원직 따라서 포괄1죄 또는 상상적 경합관계의 일부에 대한 확정판결의 효력은 포괄1죄나 상상적 경합 전부에 미치게 된다(※ 물적 범위와 관련한 이론 및 상세한 판례는 공소장변경 부분을 참조).

관련판례

• 기판력이 미치는 경우

1. 단일하고 계속된 범의 아래 같은 장소에서 반복하여 여러 사람으로부터 계불입금을 편취한 경우, 피해자별로 포괄하여 1개의 사기죄가 성립하고 이들 포괄일죄 상호간은 상상적 경합관계에 있다고 볼 것이므로 그중 일부 피해자들로부터 계불입금을 편취하였다는 공소사실에 대하여 확정판결이 있었다면 나머지 피해자들에 대한 이 사건 공소사실에 대하여도 위 판결의 기판력이 미치게 된다고 할 것이다(대판 1990.1.25, 89도252). 17. 9급 법원직
2. 17개월 동안 피해자의 휴대전화로 거의 동일한 내용을 담은 문자메세지를 발송함으로써 이루어진 정보통신망 이용촉진 및 정보보호 등에 관한 법률 위반행위 중 일부 기간의 행위에 대하여 먼저 유죄판결이 확정(상습협박)된 후, 판결확정 전의 다른 일부 기간의 행위가 다시 기소된 사안에서, 이는 판결이 확정된 위 법률 위반죄와 포괄일죄의 관계이므로 확정판결의 기판력이 미친다(대판 2009.2.26, 2009도39). 13. 경찰승진, 19. 경찰간부
3. 하나의 사건에 관하여 한 번 선서한 증인이 같은 기일에 여러 가지 사실에 관하여 기억에 반하는 허위의 진술을 한 경우 이는 하나의 범죄의사에 의하여 계속하여 허위의 진술을 한 것으로서 포괄하여 1개의 위증죄를 구성하는 것이고 각 진술마다 수개의 위증죄를 구성하는 것이 아니므로, 당해 위증 사건의 허위진술 일자와 같은 날짜에 한 다른 허위진술로 인한 위증 사건에 관한 판결이 확정되었다면, 비록 종전 사건 공소사실에서 허위의 진술이라고 한 부분과 당해 사건 공소사실에서 허위의 진술이라고 한 부분이 다르다 하여도 종전 사건의 확정판결의 기판력은 당해 사건에도 미치게 되어 당해 위증죄 부분은 면소되어야 한다(대판 2007.3.15, 2006도9463). 13. 경찰승진

   ▶ **유사판례** : 포괄적 1죄의 관계에 있는 위증죄의 일부 범죄사실에 대한 기판력은 현실적으로 심판대상이 되지 않는 다른 부분에 까지도 미치는 것이므로, 그 일부의 범죄사실에 대하여 공소가 제기된 뒤에 항소심에서 나머지 부분을 추가하였다고 하여 공소사실의 동일성을 해하는 것이라고 볼 수 없다(대판 1992.12.22, 92도2047). 22. 경찰간부
4. 경범죄처벌법위반죄의 범죄사실은 '피고인이 1994. 7. 30. 21 : 00경 경북 봉화군 소재 담배집 마당에서 음주소란을 피웠다.'는 것이고, 한편 이 사건 폭력행위 등 처벌에 관한 법률 위반죄의 공소사실은 '피고인이 같은 일시경 같은 장소에서 피해자와 말다툼을 하다가 도끼 머리 부분으로 피해자의 뒷머

리를 스치게 하여 피해자에게 약 2주간의 치료를 요하는 두부타박상 등을 가하였다.'는 것으로, 이 사건 공소사실과 즉결심판의 범죄사실은 그 기본적 사실관계가 동일한 것이므로 위 즉결심판의 기판력은 이 사건 공소사실에도 미친다(대판 1996.6.28, 95도1270). 11. 경찰승진

5. 피고인이 '2015. 4. 16. 13 : 10경부터 14 : 30경까지 甲 업체 사무실에서 직원 6명 가량이 있는 가운데 직원들에게 행패를 하면서 피해자 乙의 업무를 방해하였다.'는 공소사실과 피고인은 '2015. 4. 16. 13 : 30경부터 15 : 00경 사이에 甲 업체 사무실에 찾아와 피해자 丙, 丁과 일반직원들이 근무를 하고 있음에도 피해자들에게 욕설을 하는 등 큰소리를 지르고 돌아다니며 위력으로 업무를 방해하였다.'는 범죄사실로 이미 유죄판결을 받아 확정된 업무방해죄의 범죄사실은 상상적 경합관계에 있고, 확정판결의 기판력이 업무방해의 공소사실에 미친다(대판 2017.9.21, 2017도11687).
6. 유죄판결이 선고되어 확정된 "피고인이 2013. 5. 12.경 부천시 원미구 소재 새마을금고 앞에서 동네 후배인 이○○로부터 그 명의의 새마을금고 통장과 현금카드를 양수하였다."라는 사실과 "피고인과 성명불상자가 공동하여 통장을 만들어주지 아니하면 위해를 가할 것처럼 행동하며 위협적인 말투로 통장을 만들어 달라고 겁을 주어 2013. 5. 12.경 부천시 원미구 소재 새마을금고에서 피해자 이○○로 하여금 자신들이 원하는 비밀번호를 설정하고 피해자 명의의 새마을금고 통장을 개설하게 하여 위 통장 및 접근매체를 갈취하였다."라는 공소사실은 동일성이 인정되므로 확정판결의 기판력이 미친다(대판 2015.9.10, 2015도708).
7. 무면허의료행위는 그 범죄의 구성요건의 성질상 동종행위의 반복이 예상되는 것이므로 반복된 수개의 행위는 포괄적으로 1개의 범죄를 구성하므로 4개월여(1982. 1. 30 ~ 동년 6. 17)에 걸친 무면허의료행위 중 그 일부에 대하여 약식명령이 확정된 바 있다면 동 약식명령의 효력은 그 고지(1982. 7. 7) 이전의 이 사건 무면허의료행위 전부에 미친다(대판 1983.6.14, 83도939).
8. '금지통고된 집회를 주최하였다.'는 집회 및 시위에 관한 법률 위반 공소사실로 기소되었는데, 선행사건에서 위 집회와 그 이후 계속된 폭력적인 시위에 참가하였다는 이른바 질서위협 집회 및 시위 참가로 인한 같은 법 위반죄 등으로 유죄 확정판결을 받은 사안에서, 위 공소사실과 선행 확정판결의 공소사실은 기본적 사실관계가 동일한 것으로 평가할 수 있어 기판력이 미친다(대판 2017.8.23, 2015도11679).
9. 피고인이 피해자 A에 대한 성폭력범죄의 처벌 등에 관한 특례법위반(통신매체이용음란) 등 범행으로 선행 확정판결, 선행 약식명령을 받았고, 이 사건 공소사실 중 일부가 선행 확정판결 사실심 판결선고시, 약식명령 발령시 이전에 이루어졌으며, 선행 확정판결, 선행 약식명령의 범죄사실과 포괄일죄 관계에 있는 피해자 A에 대한 성폭력범죄의 처벌 등에 관한 특례법위반(통신매체이용음란) 등 범행과 상상적 경합관계에 있으므로, 해당 부분 공소사실에 대하여 선행 확정판결, 선행 약식명령의 기판력이 미친다(대판 2023.6.29, 2020도3705).

• 기판력이 미치지 않는 경우

1. 피고인 A는 '1997. 4. 3. 21 : 50경 서울 용산구 이태원동에 있는 햄버거 가게 화장실에서 피해자 甲을 칼로 찔러 乙과 공모하여 甲을 살해하였다.'는 내용으로 기소되었는데, 선행사건에서 피고인 A는 '1997. 2. 초순부터 1997. 4. 3. 22 : 00경까지 정당한 이유 없이 범죄에 공용될 우려가 있는 위험한 물건인 휴대용 칼을 소지하였고, 1997. 4. 3. 23 : 00경 乙이 범행 후 햄버거 가게 화장실에 버린 칼을 집어 들고 나와 용산 미8군영 내 하수구에 버려 타인의 형사사건에 관한 증거를 인멸하였다.'는 내용

의 범죄사실로 유죄판결을 받아 확정된 사안에서, 살인죄의 공소사실과 선행사건에서 유죄로 확정된 증거인멸죄 등은 범행의 일시, 장소와 행위 태양이 서로 다르고, 보호법익이 서로 다르며 죄질에서도 현저한 차이가 있다. 따라서 이 사건 살인죄의 공소사실과 증거인멸죄 등의 범죄사실 사이에 기본적 사실관계의 동일성을 인정할 수 없다. 따라서 증거인멸죄에 관한 확정판결의 기판력이 살인죄의 공소사실에는 미치지 않는다(대판 2017.1.25, 2016도15526). 17. 순경 1차, 18. 경찰간부

2. 피고인이 경범죄처벌법상 '음주소란' 범칙행위로 범칙금 통고처분을 받아 이를 납부하였는데, 이와 근접한 일시·장소에서 위험한 물건인 과도를 들고 피해자를 쫓아가며 "죽여 버린다."고 소리쳐 협박하였다는 내용의 폭력행위 등 처벌에 관한 법률 위반으로 기소된 사안에서, 피고인에게 적용된 경범죄처벌법 제1조 제25호(음주소란 등)의 범칙행위와 폭력행위 등 처벌에 관한 법률 위반 공소사실인 흉기휴대협박행위는, 범행 장소와 일시가 근접하고 모두 피고인과 피해자의 시비에서 발단이 된 것으로 보이는 점에서 일부 중복되는 면이 있으나, 범죄사실의 내용이나 행위의 수단 및 태양, 각 행위에 따른 피해법익이 다르고, 죄질에도 현저한 차이가 있으며, 범칙행위의 내용이나 수단 및 태양 등에 비추어 그 행위과정에서나 이로 인한 결과에 통상적으로 흉기휴대협박행위까지 포함된다거나 이를 예상할 수 있다고 볼 수 없으므로 기본적 사실관계가 동일한 것으로 평가할 수 없다는 이유로, 범칙행위에 대한 범칙금 납부의 효력이 공소사실에 미치지 않는다(대판 2012.9.13, 2012도6612). 13·23. 7급 국가직
3. 위험물인 유사석유제품을 제조한 제1범죄행위로 경찰에 단속된 후 기소중지되어 1달 이상 범행을 중단하였다가 다시 위험물인 유사석유제품을 제조한 제2범죄행위를 하고, 그 후 제1범죄행위에 대하여 약식명령이 확정된 사안에서, 확정된 약식명령의 기판력이 제2범죄행위에 미치지 않는다(대판 2006.9.8, 2006도3172).-실체적 경합관계 13. 경찰승진
4. 그 전의 확정판결에서 조세범 처벌법 제10조 제3항 각 호의 위반죄(재화 또는 용역을 공급하거나 공급받지 않고 세금계산서 등 발급, 알선, 중개 등)로 처단되는 데 그친 경우에는, 확정된 사건 자체의 범죄사실이 뒤에 공소가 제기된 사건과 종합하여 특정범죄 가중처벌 등에 관한 법률 제8조의 2 제1항 위반(영리목적으로 조세범처벌법 제10조 제3항 및 제4항 위반)의 포괄일죄에 해당하는 것으로 판단된다 하더라도, 뒤늦게 앞서의 확정판결을 포괄일죄의 일부에 대한 확정판결이라고 보아 기판력이 사실심판결 선고 전의 특가법 제8조의 2 제1항 위반 범죄사실에 미친다고 볼 수 없다(대판 2015.6.23, 2015도2207).
5. 폐기물관리법 제8조 제2항 위반죄에서 매립장소는 포괄일죄 여부를 판단하는 중요한 기준이 된다고 하지 않을 수 없다. 그리고 폐기물의 매립과 관련하여 범의의 단일성과 계속성이 인정되는지를 판단하기 위해서는 위와 같은 폐기물 매립장소에 더하여 그 매립의 경위와 기간, 방법, 도구 등은 물론 폐기물위탁처리업체와의 거래경위나 거래방식이 어떠하고 거기에 변경이 있는지 등을 함께 고려하여야 할 것이다. 2012. 12. 13. 유죄판결이 선고되고 같은해 12. 31. 확정된 '2009. 11. 16.부터 2009. 12. 2.까지 ○○산업개발로부터 위탁받은 무기성 오니 약 920톤을 용인시 처인구 양지면 대대리 488 일원의 농경지에 무단으로 매립하였다.'는 사실의 확정판결의 효력은 '2009. 6. 14.경부터 2010. 1. 17.경까지 주식회사와 피고인 운영의 ○○산업개발로부터 위탁받은 사업장폐기물인 무기성 오니 합계 6,720톤을 용인시 처인구 고림동 191-6, 같은 구 유방동 733-1, 2, 같은 구 양지면 대대리 488, 같은 구 운학동 327 일원의 농경지에 무단으로 매립하였다.'라는 공소사실에 미치지 않는다(대판 2013.5.24, 2011도9549).

6. 회사의 대표이사가 업무상 보관하던 회사 자금을 빼돌려 횡령한 다음 그중 일부를 더 많은 장비 납품 등의 계약을 체결할 수 있도록 해달라는 취지의 묵시적 청탁과 함께 배임증재에 공여한 경우, 위 횡령의 범행과 배임증재의 범행은 서로 범의 및 행위의 태양과 보호법익을 달리하는 별개의 행위라고 보아, 위 횡령의 점에 대하여 약식명령이 확정되었다고 하더라도 그 기판력이 배임증재의 점에는 미치지 아니한다(대판 2010.5.13, 2009도13463). 14. 순경 2차, 17. 순경 1차, 22. 경찰승진, 23. 7급 국가직
7. 특정범죄 가중처벌 등에 관한 법률 제5조의 4 제5항은 거기서 정하는 범죄전력 및 누범가중의 요건이 갖추어진 경우에는 상습성이 인정되지 아니하는 때에도 상습범에 관한 같은 조 제1항 내지 제4항 소정의 법정형에 의하여 처벌한다는 취지로서, 위 제5항의 범죄로 기소되어 처벌받은 경우를 상습범으로 기소되어 처벌받은 경우라고 볼 수 없다. 따라서 설사 피고인에게 절도의 습벽이 인정된다고 하더라도 위 법조항으로 처벌받은 확정판결의 기판력은 그 판결의 확정 전에 범한 다른 절도행위에 대하여는 미치지 아니한다고 봄이 상당하다(대판 2010.1.28, 2009도13411). 13. 경찰승진
8. 과실로 교통사고를 발생시켰다는 각 '교통사고처리 특례법 위반죄'와 고의로 교통사고를 낸 뒤 보험금을 청구하여 수령하거나 미수에 그쳤다는 '사기 및 사기미수죄'는 서로 행위 태양이 전혀 다르고, 각 교통사고처리 특례법 위반죄의 피해자는 교통사고로 사망한 사람들이나, 사기 및 사기미수죄의 피해자는 피고인과 운전자보험계약을 체결한 보험회사들로서 역시 서로 다르며, 따라서 위 각 교통사고처리 특례법 위반죄와 사기 및 사기미수죄는 그 기본적 사실관계가 동일하다고 볼 수 없으므로, 위 전자에 관한 확정판결의 기판력이 후자에 미친다고 할 수 없다(대판 2010.2.25, 2009도14263). 14. 순경 2차 · 9급 검찰 · 마약수사, 17. 순경 1차
9. 피고인이 유사석유제품을 판매하였다는 석유 및 석유대체연료 사업법 위반죄의 범죄사실로 유죄판결을 받아 확정되었는데, 위와 같은 유사석유제품을 제조하여 판매하고도 그에 관한 부가가치세 등을 신고 · 납부하지 않고 조세를 포탈하였다는 공소사실로 기소된 사안에서, 석유사업법 위반죄의 범죄사실은 내용이나 행위 태양, 피해법익이 조세 포탈행위로 인한 공소사실과 서로 달라 석유사업법 위반죄의 범죄사실과 공소사실 사이에 기본적 사실관계의 동일성을 인정할 수 없으므로 확정판결의 기판력이 공소사실에 미치지 않는다(대판 2017.12.5, 2013도7649).
10. 인터넷 성형쇼핑몰 형태의 통신판매 사이트를 운영하는 피고인들이 '병원 시술상품을 판매하는 배너광고를 게시하면서 배너의 구매 개수와 시술후기를 허위로 게시하였다.'는 표시 · 광고의 공정화에 관한 법률 위반죄의 범죄사실로 각 벌금형의 약식명령을 받아 확정되었는데, '영리를 목적으로 병원 시술상품을 판매하는 배너광고를 게시하는 방법으로 병원에 환자들을 소개 · 유인 · 알선하고, 그 대가로 환자들이 지급한 진료비 중 일정 비율을 수수료로 의사들로부터 지급받았다.'는 의료법 위반 공소사실로 기소된 사안에서, 공소사실에 따른 의료법 위반죄는 유죄로 확정된 표시 · 광고의 공정화에 관한 법률 위반죄의 범죄사실과 동일성이 없으므로, 표시 · 광고의 공정화에 관한 법률 위반죄의 약식명령이 확정되었다고 하여 그 기판력이 공소사실에까지 미치는 것은 아니다(대판 2019.4.25, 2018도20928).
11. 상습범으로 유죄의 확정판결(선행범죄)을 받은 사람이 그 후 동일한 습벽에 의해 범행을 저질렀는데(후행범죄) 유죄의 확정판결에 대하여 재심이 개시된 경우, 동일한 습벽에 의한 후행범죄가 재심대상판결에 대한 재심판결 선고 전에 저지른 범죄라 하더라도 재심판결의 기판력이 후행범죄에 미치지 않는다(대판 2019.6.20, 2018도20698 전원합의체). 24. 7급 국가직

③ 시간적 범위

㉠ 시간적 범위의 문제는 상습범 등의 경우처럼 확정판결 전후에 걸쳐 범죄가 행해진 경우에 어느 시점에까지 기판력이 미치는가와 관련하여 논의의 실익이 있다. 이에 관하여 변론종결시설, 판결선고시설, 판결확정시설 등의 견해가 대립하고 있으나 현행법이 변론을 종결한 후에도 변론의 재개를 허용하고 있는 점에 비추어 볼 때 사실심리가 가능한 최후 시점인 판결선고시를 기준으로 기판력의 범위를 결정해야 함이 타당하다(대판 2013.5.24, 2011도9549). 12. 경찰승진, 22. 경찰간부

☎ 따라서 포괄1죄의 경우에 일단 그 일부에 대하여 판결이 선고되면 선고 후의 부분은 별개의 범죄로 되어 재차 공소제기가 가능하게 된다.

☎ 포괄일죄의 관계에 있는 범행의 일부에 대하여 판결이 확정된 경우에는 그 판결 확정시를 기준으로 하여 그 이전에 이루어진 범행에 대하여는 확정판결의 기판력이 미쳐 면소판결을 선고하여야 할 것이다. (×) 14. 9급 법원직

☎ 상습범에 있어서 공소제기의 효력은 공소가 제기된 범죄사실과 동일성이 인정되는 범죄사실 전체에 미치는데 이 경우에 공소제기의 효력이 미치는 시적범위는 검사의 공소제기시를 기준으로 삼아야 한다. (×) 17. 경찰간부

☎ 4회(2.1, 2.10, 4.15, 4.30)에 걸친 상습도박행위 중 2.1.과 2.10.의 범행에 대해 상습도박죄로 4.1. 유죄판결이 선고되고 상소기간 경과로 그 판결이 확정된 경우, 그 확정판결의 효력은 4.15.과 4.30.의 범행에는 미치지 않는다. (○) 13. 7급 국가직

㉡ 한편 약식명령의 경우에는 명령의 발령시점이 기판력의 시간적 범위를 결정하는 기준이 된다(대판 2013.6.13, 2013도4737). 15・16. 9급 법원직, 16. 순경 2차, 18. 9급 교정・보호・철도경찰, 19. 경찰간부, 22. 소방간부, 23. 7급 국가직 ∴ 그 이전에 이루어진 범행에 대하여는 면소판결을 선고(대판 2013.6.13, 2013도4737) 18. 순경 3차, 19. 경찰승진

관련판례

1. 확정판결과 그 이전의 범죄

① 상습범으로서 포괄적 일죄의 관계에 있는 여러 개의 범죄사실 중 일부에 대하여 유죄판결이 확정된 경우에, 그 확정판결의 사실심판결 선고 전에 저질러진 나머지 범죄에 대하여 기판력이 미친다. 다만, 이러한 법리가 적용되기 위해서는 전의 확정판결에서 당해 피고인이 상습범으로 기소되어 처단되었을 것을 필요로 한다(대판 2004.9.16, 2001도3206 전원합의체). 17. 검찰・교정승진, 19. 경찰간부, 23. 변호사시험・해경승진

▶ 상습범 아닌 기본 구성요건의 범죄로 처단되는 데 그친 경우에는, 앞서의 확정판결을 상습범의 일부에 대한 확정판결이라고 보아 그 기판력이 그 사실심판결 선고 전의 나머지 범죄에 미친다고 보아서는 아니 된다(대판 2004.9.16, 2001도3206 전원합의체). 20. 경찰승진 따라서 단순사기죄로 기소되어 유죄판결이 확정된 범인은 상습성을 매개로 포괄일죄로 파악되는 여타의 사기범행에 대하여 기판력을 주장하지 못하게 된다(대판 2004.9.16, 2001도3206 전원합의체). 10. 경찰승진, 14. 9급 법원직・9급 검찰・마약수사, 14・15. 9급 교정・보호・철도경찰, 17・22. 경찰간부, 23. 9급 검찰・마약・교정・보호・철도경찰

☎ 포괄일죄의 관계에 있는 죄 중 일부에 대한 유죄판결이 확정된 다음에 확정판결의 사실심 선고 전에 저질러진 범행을 나중에 기소한 경우, 그 확정판결의 죄명이 상습범이었는지의 여부와 무관하게 확정판결의 기판력이 새로 기소된 죄에 미친다. (×)

② 전의 확정판결에서 조세범 처벌법 제10조 제3항 각 호의 위반죄(세금계산서 발급의무 위반 등)로 처단되는 데 그친 경우에는, 설령 확정된 사건 자체의 범죄사실이 뒤에 공소가 제기된 특정범죄 가중처벌 등에 관한 법률 제8조의 2 제1항 위반(세금계산서 교부의무 위반 등 가중처벌)의 포괄일죄에 해당하는 것으로 판단된다 하더라도, 뒤늦게 앞서의 확정판결을 위 포괄일죄의 일부에 대한 확정판결이라고 보아 기판력이 그 사실심판결 선고 전의 특정범죄 가중처벌 등에 관한 법률 제8조의 2 제1항 위반 범죄사실에 미친다고 볼 수 없다(대판 2015.6.23, 2015도2207). 23. 7급 국가직

2. 범행 중간에 확정판결이 끼어 있는 경우

〈동종의 범죄에 관한 확정판결〉

① 공소제기된 범죄사실과 판결이 확정된 범죄사실만이 포괄하여 하나의 상습범을 구성하고, 추가로 발견된 확정판결 후의 범죄사실은 그것과 경합범 관계에 있는 별개의 상습범이 되므로, 검사는 공소장변경절차에 의하여 이를 공소사실로 추가할 수는 없고 어디까지나 별개의 독립된 범죄로 공소를 제기하여야 한다(대판 2000.3.10, 99도2744). 18. 순경 3차, 20. 경찰승진

② 포괄1죄의 관계에 있는 범행 일부에 관하여 약식명령이 확정된 경우, 약식명령의 발령시를 기준으로 하여 그 전의 범행에 대하여는 면소의 판결을 하여야 하고, 그 이후의 범행에 대하여서만 1개의 범죄로 처벌하여야 한다(대판 1994.8.9, 94도1318). 16. 순경 2차

〈별개의 범죄에 관한 확정판결〉

사기죄에 있어서 동일한 피해자에 대하여 수회에 걸쳐 기망행위를 하여 금원을 편취한 경우, 그 범의가 단일하고 범행방법이 동일하다면 사기죄의 포괄1죄만이 성립한다 할 것이고, 포괄1죄는 그 중간에 별종의 범죄에 대한 확정판결이 끼어 있어도 그 때문에 포괄적 범죄가 둘로 나뉘는 것은 아니라 할 것이고, 또 이 경우의 포괄 1죄는 그 확정판결 후인 최종의 범죄행위시에 완성되는 것이다(대판 2002.7.12, 2002도2029). 20·23. 경찰승진

예 甲은 2001. 1. 10. 교통사고처리특례법위반죄로 유죄가 확정되었고, 1998. 6.부터 2001. 4.말경까지 피해자를 카페 등에 취업시키고 그 급여를 대신 교부 받아 편취한 경우 포괄일죄인 위 상습사기는 둘로 분리되는 것이 아니라 그 최종행위인 2001. 4.말경에 이루어진 범죄로 다루어져야 하므로 하나의 형을 선고하여야 한다.

예 甲은 2015. 6. 5. 무전취식 범행을 저질러 2015. 7. 10. 사기죄로 약식명령을 발령받았고 2015. 7. 29. 그 약식명령이 확정되었다. 그런데 이후 甲이 ㉠ 2015. 5. 2, ㉡ 2015. 5. 20, ㉢ 2015. 7. 20, ㉣ 2015. 8. 5. 등 4회에 걸쳐 위와 같은 수법으로 각 무전취식한 사기범행의 경우 약식명령이 확정되기 이전 사기범행과 그 이후의 사기 범행은 상습사기의 포괄일죄이므로 단순사기의 확정판결 전후에 걸쳐서 행하여진 경우 그 죄는 둘로 분리된 것이 아니고 확정판결 후의 최종의 행위시(2015. 8. 5)에 완성되는 것이다. 따라서 법원은 이에 대하여 하나의 형을 선고하여야 한다.

3. 항소심의 유죄확정판결의 기판력의 범위

항소된 경우 유죄확정판결의 기판력의 시적범위는 현행 항소심의 구조에 비추어 사실심리의 가능성이 있는 최후의 시점인 항소심 판결선고시라고 함이 타당하다(대판 1983.4.26, 82도2829). 17·22. 9급 법원직, 18. 순경 3차, 22. 소방간부, 23. 경찰승진·변호사시험

4. 항소기각으로 인한 기판력의 범위

항소이유서를 제출하지 아니하여 결정으로 항소가 기각된 경우에도 형사소송법 제361조의 4 제1항에 의하면 피고인이 항소한 때에는 법정기간 내에 항소이유서를 제출하지 아니하였다 하더라도 판결에 영향을 미친 사실오인이 있는 등 직권조사사유가 있으면 항소법원이 직권으로 심판하여 제1심 판결을 파기하고 다시 판결할 수도 있으므로 사실심리의 가능성이 있는 최후시점은 항소기각 결정시라고 보는 것이 옳다(대판 1993.5.25, 93도836). 10 · 14. 7급 국가직, 18. 경찰간부, 20. 경찰승진, 23. 변호사시험 · 해경승진

---

(4) 기판력의 배제(확정력의 배제)

재판의 확정력, 특히 기판력은 법적 안정성과 피고인의 지위를 보호하고 재판의 권위를 유지하기 위하여 인정되는 것이다. 그러나 이러한 근본목적을 해하지 않는 범위에서 확정판결에 명백한 오류가 있는 경우에는 예외적으로 기판력을 배제할 필요가 있다.

형사소송법은 기판력을 배제하는 예외적인 경우로서 상소권의 회복(제345조), 재심(제420조) 및 비상상고(제441조)를 인정하고 있다.

KEY point

- 기판력 발생 재판 ⇨ 유 · 무죄, 면소판결
- **기판력이 미치는 범위**
  - 인적 범위 ⇨ 공동피고인 ×
  - 물적 범위 ⇨ 공소사실의 동일성이 인정되는 범위
  - 시적 범위 ⇨
    - 판결 : 선고시(통설 · 판례)
    - 약식명령 : 발령시
- 기판력 배제 – 재심, 비상상고, 상소권 회복

CHAPTER

03 기출문제

01 **기판력에 대한 설명으로 가장 적절하지 않은 것은?**(다툼이 있는 경우 판례에 의함) 22. 경찰승진

① 경찰서장이 범칙행위에 대하여 통고처분을 한 경우, 통고처분에서 정한 범칙금 납부기간까지는 원칙적으로 경찰서장은 즉결심판을 청구할 수 없지만, 검사는 통고처분에서 정한 범칙금 납부기간이 지나지 않더라도 동일한 범칙행위에 대하여 공소를 제기할 수 있다고 보아야 한다.

② 소년법 제32조의 보호처분을 받은 사건과 동일한 사건에 대하여 다시 공소제기가 되었다면 면소판결을 할 것이 아니라 공소기각의 판결을 하여야 한다.

③ 피고인이 외국에서 형사처벌을 과하는 확정판결을 받았더라도 그 외국 판결은 우리나라 법원을 기속할 수 없고 우리나라에서는 기판력도 없어 일사부재리의 원칙이 적용되지 않는다.

④ 회사의 대표이사가 업무상 보관하던 회사 자금을 빼돌려 횡령한 다음 그 중 일부를 더 많은 장비 납품 등의 계약을 체결할 수 있도록 해달라는 취지의 묵시적 청탁과 함께 배임증재에 공여한 경우, 횡령의 점에 대하여 약식명령이 확정되었다고 하더라도 그 기판력이 배임증재의 점에는 미치지 아니한다.

해설 ① 경찰서장이 범칙행위에 대하여 통고처분을 한 이상, 통고처분에서 정한 범칙금 납부기간까지는 원칙적으로 경찰서장은 즉결심판을 청구할 수 없고, 검사도 동일한 범칙행위에 대하여 공소를 제기할 수 없다(대판 2020.4.29, 2017도13409).
② 대판 1996.2.23, 96도47
③ 대판 1983.10.25, 83도2366
④ 대판 2008.11.13, 2006도4885

02 **기판력에 대한 설명으로 가장 적절하지 않은 것은?**(다툼이 있는 경우 판례에 의함) 23. 경찰승진

① 가정폭력범죄의 처벌 등에 관한 특례법에 따른 보호처분을 받은 사건과 동일한 사건에 대하여 다시 공소제기가 된 경우 공소기각 판결을 하여야 한다.

② 과태료를 납부한 후에 다시 형사처벌을 하는 것은 일사부재리의 원칙에 반하는 것이 아니다.

③ 사기죄에 있어서 동일한 피해자에 대하여 수회에 걸쳐 기망행위를 하여 금원을 편취한 경우, 그 범의가 단일하고 범행방법이 동일하다면 사기죄의 포괄일죄만이 성립한다고 할 것이나, 포괄일죄의 중간에 별종의 범죄에 대한 확정판결이 끼어 있다면 그로 인해 사기죄의 포괄적 범죄는 둘로 나뉘는 것이다.

④ 판결의 기판력의 기준시점은 사실심리의 가능성이 있는 최후의 시점인 판결선고시이므로, 항소된 경우 그 시점은 항소심 판결선고시이다.

Answer 01. ① 02. ③

해설 ① 대판 2017.8.23, 2016도5423
② 대판 2002.11.22, 2001도849
③ 사기죄에 있어서 동일한 피해자에 대하여 수회에 걸쳐 기망행위를 하여 금원을 편취한 경우, 그 범의가 단일하고 범행방법이 동일하다면 사기죄의 포괄1죄만이 성립한다 할 것이고, 포괄1죄는 그 중간에 별종의 범죄에 대한 확정판결이 끼어 있어도 그 때문에 포괄적 범죄가 둘로 나뉘는 것은 아니라 할 것이고, 또 이 경우의 포괄 1죄는 그 확정판결 후인 최종의 범죄행위시에 완성되는 것이다(대판 2002.7.12, 2002도2029).
④ 대판 1983.4.26, 82도2829

03 기판력에 대한 설명으로 옳은 것만을 모두 고르면? 23. 7급 국가직

㉠ 종전의 확정판결에서 조세범처벌법위반죄로 처단되는 데 그친 사건의 범죄사실이 뒤에 공소가 제기된 사건과 종합하여 특정범죄 가중처벌 등에 관한 법률위반의 포괄일죄에 해당하는 것으로 판단된다면, 조세범처벌법위반에 대한 확정판결의 기판력이 그 사실심판결 선고 전의 특정범죄 가중처벌 등에 관한 법률위반 범죄사실에 미친다.
㉡ 경범죄처벌법상 '음주소란' 범칙행위로 범칙금 통고처분을 받아 이를 납부한 피고인이 이와 근접한 일시·장소에서 위험한 물건인 과도를 들고 피해자를 쫓아가며 "죽여 버린다"라고 소리쳐 협박하였다는 내용의 폭력행위 등 처벌에 관한 법률위반으로 기소된 경우, 위 범칙금 납부의 효력은 공소사실에 미치지 않는다.
㉢ 약식명령의 기판력의 시적 범위는 약식명령의 송달시를 기준으로 한다.
㉣ 회사의 대표이사가 회사자금을 빼돌려 횡령한 다음 그 중 일부를 배임증재에 공여한 경우, 횡령의 점에 대해 확정된 약식명령의 기판력은 배임증재의 점에는 미치지 않는다.

① ㉠, ㉡ ② ㉠, ㉢ ③ ㉡, ㉣ ④ ㉢, ㉣

해설 ㉠ ×: 종전의 확정판결에서 조세범처벌법위반죄로 처단되는 데 그친 사건의 범죄사실이 뒤에 공소가 제기된 사건과 종합하여 특정범죄 가중처벌 등에 관한 법률위반의 포괄일죄에 해당하는 것으로 판단된다 하더라도 조세범처벌법위반에 대한 확정판결의 기판력이 그 사실심판결 선고 전의 특정범죄 가중처벌 등에 관한 법률위반 범죄사실에 미친다고 볼 수 없다(대판 2015.6.23, 2015도2207).
㉡ ○: 대판 2012.9.13, 2012도6612
㉢ ×: 포괄일죄의 관계에 있는 범행의 일부에 대하여 약식명령이 확정된 경우에는 그 약식명령의 발령 시를 기준으로 하여 그 이전에 이루어진 범행에 대하여는 면소의 판결을 선고하여야 한다(대판 2013.6.13, 2013도4737).
㉣ ○: 대판 2010.5.13, 2009도13463

Answer 03. ③

04 **기판력에 대한 설명으로 옳지 않은 것은?** 24. 7급 국가직

① 가정폭력범죄의 처벌 등에 관한 특례법에 따른 보호처분의 결정이 확정된 후 위 보호처분을 받은 사건과 동일한 사건에 대하여 다시 공소가 제기되었다면 면소판결을 선고해야 한다.

② 상습범으로 유죄의 확정판결을 받은 사람이 그 후 동일한 습벽에 의해 범행을 저질렀는데 위 유죄의 확정판결에 대하여 재심이 개시된 경우, 뒤에 저지른 범죄가 재심대상판결에 대한 재심판결 선고 전에 저질러진 범죄라 하더라도 재심판결의 기판력이 뒤에 저지른 범죄에 미치지 않는다.

③ 상습범으로서 포괄일죄의 관계에 있는 여러 개의 범죄사실 중 일부에 대하여 상습범의 유죄판결이 확정된 경우, 그 확정판결의 사실심판결 선고 전에 저질러진 나머지 범죄에 대하여 새로이 공소가 제기되었다면 면소판결을 선고해야 한다.

④ 2개의 죄가 상상적 경합관계에 있는 경우 그 중 1개의 죄에 대한 확정판결의 기판력은 다른 죄에 대하여도 미친다.

해설 ① 면소판결을 할 것이 아니라 공소제기의 절차가 법률의 규정에 위배하여 무효인 때에 해당한 경우이므로 형사소송법 제327조 제2호의 규정에 의하여 공소기각의 판결을 하여야 한다(대판 2017.8.23, 2016도5423).

② 대판 2019.6.20, 2018도20698 전원합의체

③ 대판 2004.9.16, 2001도3206 전원합의체

④ 대판 2017.9.21, 2017도11687

Answer 04. ①

제4절 소송비용부담 및 무죄판결에 대한 비용보상

1 소송비용부담

(1) 소송비용의 의의

형사소송비용이란 소송절차를 진행함에 따라 발생한 비용을 말하며(형벌은 아님), 형사소송비용 등에 관한 법률에 규정되어 있다.

형사소송비용(형사소송비용 등에 관한 법률 제2조)
1. 증인, 감정인, 통역인 또는 번역인의 일당, 여비 및 숙박료
2. 감정인, 통역인 또는 번역인의 감정료, 통역료, 번역료 그 밖의 비용
3. 국선변호인의 일당, 여비, 숙박료 및 보수(사선변호인 ×)

종전의 형사소송비용법과는 달리 국선변호인의 보수를 형사소송비용에 포함시켰고, 무죄 또는 면소판결의 공시에 의한 관보와 신문지에 공고한 비용을 제외시켰다.

(2) 소송비용의 부담자

소송비용은 국가가 부담하는 것이 원칙이다. 그러나 일정한 조건 아래 피고인 기타의 자에게 부담하게 할 수 있고, 형사소송법은 이 경우에 대해서만 명문규정을 두고 있다.

듣거나 말하는 데 장애가 있는 사람을 위한 통역·속기·녹음·녹화 등에 드는 비용은 국고에서 부담하고, 피고인 등에게 부담하게 할 소송비용에 산입하지 아니한다(규칙 제92조의 2 : 신설 2020. 6. 26).

① **피고인 및 공범자의 경우**

㉠ 형을 선고하는 때에는 피고인에게 소송비용의 전부 또는 일부를 부담하게 하여야 한다(제186조 제1항). 02. 9급 법원직 형을 선고하는 때란 형의 집행유예를 포함하나 형의 면제나 선고유예는 여기에 해당하지 않는다.

㉡ 제186조 제1항에 해당하더라도 피고인의 경제적 사정으로 소송비용을 납부할 수 없는 때에는 소송비용부담을 면제할 수 있다(제186조 제1항 단서).

㉢ 형을 선고하지 않는 경우라도 피고인의 책임 있는 사유로 발생된 비용은 피고인에게 부담하게 할 수 있다(제186조 제2항). 09. 9급 법원직

예 피고인이 정당한 사유 없이 법정에 출정하지 아니한 결과 소환된 증인을 공판기일에 신문할 수 없게 되어 발생한 비용

㉣ 공범의 소송비용은 공범인에게 연대하여 부담하게 할 수 있다(제187조).

② **고소인·고발인의 경우** : 고소 또는 고발에 의하여 공소를 제기한 사건에 관하여 피고인이 무죄 또는 면소의 판결을 받은 경우에 고소인 또는 고발인에게 고의 또는 중대한 과실이 있는 때에는 그에게 소송비용의 전부 또는 일부를 부담하게 할 수 있다(제188조). 09. 9급 법원직

③ **상소권자 또는 재심청구권자** : 검사 아닌 자가 상소 또는 재심청구를 하는 경우에 상소 또는 재심청구가 기각되거나 취하된 때에는 그에게 소송비용을 부담하게 할 수 있다(제190조 제1항).

그러나 변호인이 피고인을 대리하여 상소 또는 재심청구를 취하한 때에는 피고인을 대리하여 한 것이므로 변호인에게 소송비용을 부담하게 할 수 없다.

검사만이 상소 또는 재심청구를 한 경우 상소 또는 재심의 청구가 기각되거나 취하된 때에는 그 소송비용을 피고인에게 부담하게 하지 못한다(제189조). 02. 9급 법원직

④ **증인의 경우** : 법원은 소환장을 송달받은 증인이 정당한 사유 없이 출석하지 아니한 때에는 결정으로 당해 불출석으로 인한 소송비용을 부담하도록 명할 수 있다(제151조 제1항).

(3) 소송비용부담의 절차

① 재판으로 소송절차가 종료되는 경우

㉠ 재판으로 소송절차가 종료되는 경우에 피고인에게 소송비용을 부담하게 하는 때에는 직권으로 재판하여야 한다(제191조 제1항). 이 재판에 대하여는 본안의 재판에 관하여 상소하는 경우에 한하여 불복할 수 있다(동조 제2항). 따라서 본안의 재판에 대한 상소가 기각된 경우에는 소송비용부담에 관한 상소도 기각된 것으로 보아야 한다. 여기서 본안의 재판이란 피고사건에 관한 종국재판을 말한다. 실체재판인가 형식재판인가의 여부는 불문한다.

㉡ 피고인이 아닌 자에게 소송비용을 부담하게 하는 때에는 직권으로 결정하여야 하며, 이 결정에 대하여는 즉시항고할 수 있다(제192조). 16. 7급 국가직

관련판례

소송비용의 재판에 대한 불복은 본안의 재판에 대한 상소의 전부 또는 일부가 이유 있는 경우에 한하여 허용되고, 본안의 상소가 그 이유가 없는 경우에는 허용되지 아니하며, 19. 순경 2차 이러한 법리는 형사소송절차에서 소송비용의 재판에 대한 불복이 있는 경우에도 마찬가지로 적용된다. 따라서 본안의 재판과 분리하여 소송비용의 재판에 관하여만 독립하여 다투는 것은 허용되지 아니하고 소송비용의 재판에 대한 불복은 본안의 재판에 대한 상소의 전부 또는 일부가 이유 있는 경우에 한하여 허용되는 것이다(대판 2008.7.24, 2008도4759).

② 재판에 의하지 않고 소송절차가 종료되는 경우

㉠ 재판에 의하지 않고 소송절차가 종료되는 경우에 피고인 아닌 자에게 소송비용을 부담하게 하는 때에는 사건의 최종계속법원이 직권으로 결정을 하여야 한다(제193조 제1항).

㉡ 이 결정에 대하여는 즉시항고를 할 수 있다(동조 제2항). 16. 7급 국가직 재판에 의하지 아니하고 소송절차가 종료되는 경우란 상소・재심 또는 정식재판의 청구를 취하하는 때를 말한다.

③ 소송비용부담액의 산정

㉠ 소송비용의 부담액을 재판에 의하여 구체적으로 명시할 것은 요하지 않는다. 소송비용의 부담을 명하는 재판에 그 금액을 표시하지 아니한 때에는 집행을 지휘하는 검사가 산정한다(제194조). 09. 9급 법원직

㉡ 산정에 이의가 있는 때에는 법원에 이의신청을 할 수 있다(제489조).

④ **소송비용부담재판의 집행**

㉠ 소송비용부담의 재판도 검사의 지휘에 의하여 집행한다(제460조 제1항). 재판집행비용은 집행을 받는 자가 부담한다(제493조).

㉡ 소송비용부담의 재판을 받은 자가 빈곤으로 인하여 이를 완납할 수 없는 때에는 그 재판의 확정 후 10일 이내에 재판을 선고한 법원에 소송비용의 전부 또는 일부에 대한 집행면제를 신청할 수 있다(제487조). 신청기간 내와 그 신청이 있는 때에는 그 신청에 대한 재판이 확정될 때까지 정지된다(제472조).

KEY point

- **소송비용의 범위** : 형사소송비용 등에 관한 법률 제2조
- **소송비용부담자** ┌ 원칙 ⇨ 국가
  └ 예외 ⇨ 피고인(형선고시 or 귀책사유), 고소 · 고발인(피고인이 무죄 · 면소판결+고의 or 중대 과실), 상소권자 또는 재심청구권자(기각 or 취하)
- 소송비용부담재판에서 금액표시가 없는 경우 ⇨ 검사가 산정

2 무죄판결확정과 비용보상

(1) 의 의

무죄판결이 확정된 경우에 국가가 당해 사건의 피고인이었던 자에 대하여 그 재판에 소요된 비용을 보상하도록 하는 제도가 2007년 개정법에 새로이 도입되었다(제194조의 2 이하). 21. 경찰간부

소송비용부담(제186조 이하) 제도는 국가가 부담한 소송비용에 관한 문제인 반면, 무죄판결확정에 대한 비용보상은 피고인이 부담한 소송비용에 관한 것이라는 점에서 구별된다. 뿐만 아니라 무죄판결로 인한 비용보상제도는 무죄가 확정된 경우에 미결구금이나 형집행에 대하여 행하는 형사보상제도와도 구별된다.

(2) 비용보상의 요건

국가는 무죄판결이 확정된 당해사건의 피고인이었던 자에 대하여 그 재판에 소요된 비용을 보상하여야 한다(제194조의 2 제1항). 19. 경찰승진

KEY point **전부 또는 일부를 보상하지 아니할 수 있는 경우**(동조 제2항)

- 피고인이었던 자가 수사 또는 재판을 그르칠 목적으로 거짓 자백을 하거나 다른 유죄의 증거를 만들어 기소된 것으로 인정된 경우
- 1개의 재판으로써 경합범의 일부에 대하여 무죄판결이 확정되고 다른 부분에 대하여 유죄판결이 확정된 경우
- 형법 제9조(형사미성년) 및 제10조 제1항(심신상실)의 사유에 따른 무죄판결이 확정된 경우
- 그 비용이 피고인이었던 자에게 책임지울 사유로 발생한 경우

관련판례

1. '보복의 목적으로 피해자를 폭행하였다.'는 공소사실에 대하여 특정범죄 가중처벌 등에 관한 법률 위반(보복폭행 등)죄로 기소되었는바, 법원은 보복의 목적이 있었다고 인정할 증거가 부족하다는 이유로 그 부분에 대하여 판결 이유에서 무죄 판단을 하면서 그 공소사실에 포함되어 있는 폭행죄에 대하여는 피해자의 처벌불원 의사가 담긴 합의서가 공소제기 전에 수사기관에 제출되었다는 이유로 주문에서 공소기각 판결을 선고한 경우, 판결주문에서 무죄가 선고된 경우뿐만 아니라 판결이유에서 무죄가 선고된 경우에도 재판에 소요된 비용에 관해 보상을 청구할 수 있다(대결 2019.7.5, 2018모906).
2. 형사소송법 제194조의 2 제2항 제1호에 따라 법원이 비용보상청구의 전부 또는 일부를 기각하기 위해서는 피고인이었던 사람이 단순히 거짓 자백을 하거나 다른 유죄의 증거를 만드는 것만으로는 부족하고 그에게 '수사 또는 재판을 그르칠 목적'이 있어야 한다. 여기서 '수사 또는 재판을 그르칠 목적'은 헌법 제28조가 보장하는 형사보상청구권을 제한하는 예외적인 사유임을 감안할 때 신중하게 인정하여야 하고, 형사보상청구권을 제한하고자 하는 측에서 이를 입증하여야 한다(대결 2024.9.10, 2023모1766).

(3) 비용보상의 절차

① 비용의 보상은 피고인이었던 자의 청구에 따라 무죄판결을 선고한 법원의 합의부에서 결정으로 한다(제194조의 3 제1항). 09. 9급 법원직

② 제1항에 따른 청구는 무죄판결이 확정된 사실을 안 날부터 3년, 무죄판결이 확정된 때부터 5년 이내에 하여야 한다(동조 제2항 : 2014. 12. 30. 개정). 09. 9급 법원직, 13. 순경 1차, 20. 9급 검찰·마약·교정·보호·철도경찰

비용보상청구는 무죄판결이 확정된 날부터 6개월 이내에 하여야 한다. (×)

③ 제1항의 결정에 대하여는 즉시항고를 할 수 있다(동조 제3항). 09. 9급 법원직

④ 비용보상청구, 비용보상절차, 비용보상과 다른 법률에 따른 손해배상과의 관계, 보상을 받을 권리의 양도·압류 또는 피고인이었던 자의 상속인에 대한 비용보상에 관하여 이 법에 규정한 것을 제외하고는 형사보상법에 따른 보상의 예에 따른다(제194조의 5).

(4) 비용보상의 범위

① 비용보상의 범위는 피고인이었던 자 또는 그 변호인이었던 자가 공판준비 및 공판기일에 출석하는 데 소요된 여비·일당·숙박료와 변호인이었던 자에 대한 보수에 한한다(제194조의 4 제1항).

관련판례

사선변호인을 선임해 무죄확정판결을 받은 피고인에게 국선변호인의 보수를 기준으로 변호사 비용을 보상하도록 규정한 형사소송법 제194조의 4 제1항은 헌법에 위반되지 아니한다(헌재결 2012.3.29, 2011헌바19).

② 법원은 공판준비 또는 공판기일에 출석한 변호인이 2인 이상이었던 경우에는 사건의 성질, 심리 상황, 그 밖의 사정을 고려하여 변호인이었던 자의 여비·일당 및 숙박료를 대표 변호인이나 그 밖의 일부 변호인의 비용만으로 한정할 수 있다(동조 제2항).

KEY point

- 소송비용보상의 대상 ⇨ 무죄판결이 확정된 피고인
- **비용보상의 예외** : 제194조의 2 제2항
- 비용보상결정 ⇨ 무죄판결을 선고한 법원의 합의부(즉시항고 가능)
- 비용보상결정청구 ⇨ 무죄판결이 확정된 사실을 안 날부터 3년, 무죄판결이 확정된 때부터 5년 이내
- **비용보상의 범위** : 제194조의 4

CHAPTER 03

기출문제

01 **소송비용에 관한 다음 설명 중 가장 옳은 것은?** 21. 9급 법원직

① 소송비용의 부담은 피고인에게 부담을 지우는 것으로 실질적인 의미에서 형에 준하여 평가되어야 하므로 불이익변경금지원칙이 적용된다.

② 피고인의 경제적 사정으로 소송비용을 납부할 수 없는 때에도 형의 선고를 하는 때에는 피고인에게 소송비용의 전부 또는 일부를 부담하게 하여야 한다.

③ 고소 또는 고발에 의하여 공소를 제기한 사건에 관하여 피고인이 무죄 또는 면소의 판결을 받은 경우에 고소인 또는 고발인에게 고의 또는 중대한 과실이 있는 때에는 그 자에게 소송비용의 전부 또는 일부를 부담하게 할 수 있다.

④ 소송비용의 부담을 명하는 재판에 그 금액을 표시하지 아니한 때에는 검사의 신청에 따라 법원이 산정한다.

해설 ① 소송비용의 부담은 형이 아니고 실질적인 의미에서 형에 준하여 평가되어야 할 것도 아니므로 불이익변경금지원칙이 적용되지 않는다(대판 2001.4.24, 2001도872).
② 형의 선고를 하는 때에는 피고인에게 소송비용의 전부 또는 일부를 부담하게 하여야 한다. 다만, 피고인의 경제적 사정으로 소송비용을 납부할 수 없는 때에는 그러하지 아니하다(제186조 제1항).
③ 제188조
④ 소송비용의 부담을 명하는 재판에 그 금액을 표시하지 아니한 때에는 집행을 지휘하는 검사가 산정한다(제194조).

Answer 01. ③

조충환·양건

형사소송법

상소·비상구제절차·특별형사절차·재판의 집행과 형사보상

CHAPTER

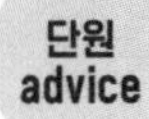

상 소

단원 advice

제4편 제3장에서 언급한 바와 같이 증거편 이후 부분(본 단원 포함)은 수험생들의 취약한 분야 중의 하나이며, 특히 판례의 내용을 이해하는 데 상당한 어려움을 느낄 수 있다. 용어 등을 중심으로 충실히 학습해둔다면 형사소송법 전체를 이해하는 데 많은 도움이 될 것이다.

제1절 상소 일반

1 상소의 의의 · 종류

(1) 상소의 의의

① **상소의 개념** : 상소라 함은 미확정재판에 대하여 상급법원에 구제를 구하는 불복신청제도를 말한다.

구별개념

상 소	재심 · 비상상고	약식명령 · 즉결심판에 대한 정식재판청구	검찰항고 · 재정신청
미확정재판에 대한 불복신청	확정판결에 대한 비상구제 절차		
상급법원에 대한 구제신청		동급 법원에 대한 구제신청	
재판에 대한 불복신청			검사의 불기소처분에 대한 불복신청

② **상소제도의 존재이유** : 오판을 시정함으로써 당사자를 구제하고 법령해석의 통일을 기하기 위하여 인정된 제도이다.

(2) 상소의 종류

상소에는 항소, 상고, 항고가 있다.

① **항소** : 항소는 제1심판결에 대한 상소이다. 14. 9급 교정 · 보호 · 철도경찰 제1심법원의 판결에 대하여 불복이 있으면 지방법원 단독판사가 선고한 것은 지방법원 본원합의부에, 지방법원 합의부가 선고한 것은 고등법원에 항소할 수 있다(제357조).

② **상고** : 상고는 제2심판결에 대한 상소이다. 제2심판결에 대하여 불복이 있으면 대법원에 상고할 수 있다(제371조).

③ **항고** : 항고는 법원의 결정에 대한 상소이다. 14. 9급 교정 · 보호 · 철도경찰, 15. 9급 법원직 항고는 일반항고와 특별항고(재항고)로 구분되며, 일반항고에는 보통항고와 즉시항고가 있다.

2 상소권

(1) 상소권 및 상소권자

상소권이라 함은 형사재판에 대하여 상소할 수 있는 소송법상의 권리를 말한다. 상소권자에는 고유의 상소권자와 상소대리권자가 있다.

① **고유의 상소권자**

㉠ **검사·피고인** : 검사와 피고인은 소송당사자로서 당연히 상소권을 가진다(제338조 제1항).

㉡ **항고권자** : 검사 또는 피고인이 아닌 자가 법원의 결정을 받은 때에는 항고할 수 있다(제339조).

예 • 과태료의 결정을 받은 증인
• 감정인(제151조, 제161조, 제177조)
• 소송비용 부담의 재판을 받은 피고인 이외의 자(제192조, 제193조)

② **그 이외의 상소권자**(상소의 대리권자)

㉠ **피고인의 법정대리인** : 피고인의 법정대리인은 피고인의 명시한 의사에 반하여도 상소할 수 있다(제340조). 09. 9급 법원직, 10. 교정특채, 24. 7급 국가직

㉡ **기타의 자** : 피고인의 배우자·직계친족·형제자매 또는 원심의 대리인(제276조, 제277조)이나 변호인은 피고인의 명시한 의사에 반하지 않는 한 상소할 수 있다(제341조). 10·11. 9급 국가직, 20. 경찰승진

- 법정대리인과 그밖의 상소권자는 모두 피고인의 상소권에 기초한 독립대리권으로서의 상소권을 가지므로 특별한 수권 없이 상소할 수 있지만, 피고인의 상소권이 소멸되면 이들의 상소권도 소멸된다.
- 피고인이 상소를 포기하면 그 변호인도 상소를 제기할 수 없다. 04. 순경, 11. 7급 국가직, 13. 9급 검찰·마약·교정·보호·철도경찰, 14. 경찰간부, 15. 순경 2차, 16. 9급 법원직 또한 상소제기기간 내에 피고인이 사망하면 변호인이 공소기각결정을 구하기 위한 상소를 할 수 없다.
- 원판결 선고 후 상소심 변호를 위해 새로 선임된 변호인도 원판결에 대해 상소 가능
- 피고인의 법정대리인과 변호인은 피고인의 명시한 의사에 반하여도 상소를 제기할 수 있다. (×)

(2) 상소권의 발생·소멸

① **상소권의 발생** : 상소권은 재판의 선고 또는 고지에 의해 발생한다. 물론 상소가 허용되지 않는 재판(결정)은 고지되더라도 상소권이 발생하지 아니한다.

② **상소권의 소멸** : 상소권은 상소기간의 경과, 상소의 포기 또는 취하에 의하여 소멸한다. 피고인이 원판결 선고 후 상소제기기간 내에 사망한 경우에도 상소권이 소멸한다.

㉠ **상소제기기간의 경과** : 상소제기기간은 항소·상고·즉시항고의 경우는 7일이고, 보통항고의 경우에는 항고기간의 제한이 없고 항고이익이 있는 한 언제든지 할 수 있다. 13. 순경 1차, 15. 순경 2차 상소제기기간은 재판을 선고 또는 고지한 날로부터 진행하지만(제343조 제2항), 12. 순경 3차, 14. 경찰간부, 10·20. 경찰승진 기간계산의 일반원칙(제66조)에 의해 초일을 산입하지 않게 되므로 18. 경찰간부 재판의 선고 또는 고지된 날 다음 날부터 기산한다. 또한 기간의 말일이 공휴일 또는 토요일에 해당하면 기간에 산입하지 아니한다.

예 2006년 5월 30일 제1심법원의 판결이 있는 경우, 선고한 날의 다음 날인 5월 31일부터 계산하여 7일째 되는 날까지 상소기간이 되나 만료일이 공휴일(현충일)이므로 6월 7일까지 상소하면 된다.

㉡ 상소의 포기 · 취하

ⓐ 의의 : 상소의 포기라 함은 상소권자가 상소제기기간 내에 법원에 대하여 상소권을 포기한다는 의사표시를 하는 것을 말하며, 소극적으로 상소제기기간 내에 상소권을 행사하지 않는 것과 구별된다. 상소의 취하란 일단 제기한 상소를 철회한다는 의사표시를 법원에 하는 것을 말하며, 상소제기 이후의 소송행위라는 점에서 상소의 포기와 구별된다.

상소포기는 판결이 선고된 날로부터 3일 이내에 하여야 한다. (×)

상소포기는 상소제기 이전에 한하여 할 수 있는 것이므로 피고인이 적법한 상소를 제기한 후에 행하는 상소포기는 효력이 없으며 상소제기의 효력이 존속된다.

ⓑ 포기 및 취하권자

㉮ 검사나 피고인 또는 제339조에 규정한 자(검사나 피고인 아닌 항고권자)는 상소의 포기 또는 취하를 할 수 있다(제349조 본문). 단, 피고인 또는 제341조에 규정한 자(상소대리권자, 즉 피고인의 배우자, 직계친족, 형제자매 또는 원심의 대리인이나 변호인)은 사형 또는 무기징역이나 무기금고가 선고된 판결에 대하여는 상소의 포기를 할 수 없다(제349조 단서). 10. 교정특채, 12. 순경 2차, 14 · 15 · 16. 경찰간부, 16. 9급 법원직, 19. 경찰승진 이는 중형이 선고된 경우에 경솔한 상소포기를 억제함으로써 피고인을 보호하려는 데 있다.

㉯ 법정대리인이 있는 피고인이 상소의 포기 또는 취하를 함에는 법정대리인의 동의를 얻어야 한다. 단, 법정대리인의 사망 기타 사유로 인하여 그 동의를 얻을 수 없는 때에는 예외로 한다(제350조). 12. 순경, 19. 경찰승진

미성년자인 피고인이 법정대리인의 동의 없이 상소를 포기 또는 취하하는 것은 효력이 없다(대판). 07. 순경

㉰ 피고인의 법정대리인 또는 제341조에 규정한 자(상소대리권자, 즉 피고인의 배우자, 직계친족, 형제자매 또는 원심의 대리인이나 변호인)는 피고인의 동의를 얻어 상소를 취하할 수 있다(제351조). 11. 9급 국가직 · 7급 국가직, 12. 순경, 15. 순경 2차 그러나 상소포기는 할 수 없다(제351조 반대해석). 따라서 상소취하권자와 포기권자는 다르게 된다. 11. 경찰승진

피고인의 법정대리인은 피고인의 동의가 없더라도 상소를 취하할 수 있다. (×)

관련판례

1. 상소를 포기한 자는 그 사건에 대하여 다시 상소를 할 수 없으며 피고인의 상소권이 소멸된 후에는 변호인은 상소를 제기할 수 없다(대결 1986.7.12, 86모24). 13. 9급 검찰 · 마약수사, 14. 경찰간부, 15. 순경 2차, 16. 9급 법원직, 19. 경찰승진
2. 변호인의 상소취하에 피고인의 동의가 없다면 상소취하의 효력은 발생하지 아니한다. 한편 변호인이 상소취하를 할 때 원칙적으로 피고인은 이에 동의하는 취지의 서면을 제출하여야 하나, 피고인은 공판정에서 구술로써 상소취하를 할 수 있으므로, 변호인의 상소취하에 대한 피고인의 동의도 공판정에서 구술로써 할 수 있다. 다만, 상소취하에 대한 피고인의 구술 동의는 명시적으로 이루어져야만

한다(대판 2015.9.10, 2015도7821). 16. 9급 법원직, 18·20. 7급 국가직, 19. 경찰승진·순경 2차, 20. 순경 1차·9급 검찰·마약수사

3. 교도관이 내어 주는 상소권포기서를 항소장으로 잘못 믿은 나머지 이를 확인하여 보지도 않고 서명무인한 경우, 항소포기가 유효하다(대결 1995.8.17, 95모49). 19. 법원직
4. 변호인은 독립한 상소권자가 아니고 피감호청구인의 상소권을 대리행사할 수 있을 따름이므로 피감호청구인의 상소권이 소멸한 후에는 상소를 제기할 수 없다 할 것이다(대판 1992.4.14, 92감도10).
5. 피고인이 상고를 취하한 후에는 그 원심변호인은 적법한 상고를 할 수 없는 것이며, 또한 일단 상고를 취하한 피고인은 다시 이를 취하할 수 없다(대판 1974.4.23, 74도762).
6. 변호인이 상소한 후에 피고인이 상소권을 포기하면 변호인이 낸 상소는 취하의 효력이 발생한다(대결 1972.8.31, 72모55).

ⓒ 포기·취하의 방식

㉮ 상소의 포기·취하는 서면으로 하여야 하며, 공판정에서는 구술로써도 할 수 있다(제352조 제1항). 08. 경찰승진 구술로써 상소의 포기 또는 취하를 한 경우에는 그 사유를 조서에 기재하여야 한다(동조 제2항).

㉯ 상소의 포기는 원심법원에, 취하는 상소법원에 해야 한다. 다만, 상소취하의 경우 소송기록이 상소법원에 송부되기 전에는 원심법원에 할 수 있다(제353조). 10. 9급·7급 국가직, 12. 순경, 16. 경찰간부, 19. 9급 법원직, 20. 순경 1차

㉰ 상소의 포기는 상소제기기간 내에 언제든지 할 수 있고, 취하는 상소심의 종국재판이 있기 전까지 가능하다.

㉱ 교도소 또는 구치소에 있는 피고인이 교도소장이나 구치소장 또는 그 직무를 대리하는 자에게 상소포기 또는 취하에 관한 서면을 제출한 때에는 상소의 포기 또는 취하가 있는 것으로 간주한다(제344조, 제355조). 10. 7급 국가직

㉲ 미성년자인 피고인이 항소취하서를 제출하였고, 피고인의 법정대리인 중 어머니가 항소취하 동의서를 제출하였어도 아버지가 항소취하 동의서를 제출하지 않았다면 피고인의 항소취하는 효력이 없다(대판 2019.7.10, 2019도4221). 20. 9급 법원직

ⓓ 포기·취하의 효력 : 상소의 포기나 취하가 있으면 상소권은 소멸하며, 재판은 확정된다. 상소를 포기·취하한 자 또는 상소의 포기나 취하에 동의한 자는 그 사건에 대하여 다시 상소할 수 없다(제354조). 10. 9급 국가직, 14. 경찰간부

상소포기가 착각이라고 하더라도 형사소송법 제354조에 의하여 다시 상소할 수 없다(대결 1980.4.4, 80모11).

ⓔ 상소절차속행신청

㉮ 상소포기 또는 상소취하가 부존재 또는 무효임을 주장하는 자는 포기 또는 취하 당시 소송기록이 있었던 법원에 절차속행의 신청을 할 수 있다(규칙 제154조 제1항). 10. 9급 법원직, 11. 경찰승진

㉯ 상소권회복청구는 상소제기가 없는 상태에서 상소제기기간이 경과한 경우에 대비한 구제방법인 반면, 상소절차속행신청은 상소가 제기된 후 이미 상소포기나 취하가 있었다는 이유로 재판 없이 소송절차가 종결된 경우에 대비하기 위한 제도이다. 따라서 아직 절차가 개시되지 아니한 상태에서 상소절차의 속행을 신청할 수 없다.

관련판례

상소절차속행신청(규칙 제154조)은 상소가 제기된 후 피고인 등이 상소를 포기하거나 취하하는 내용의 서면을 제출하거나 또는 공판정에서 같은 내용의 진술을 하였다는 이유로 재판 없이 상소절차가 종결처리된 경우에 상소포기 또는 취하의 부존재 또는 무효를 주장하여 구제받을 수 있도록 한 제도라고 할 것인바, 피고인이 상고를 포기한 후 상고를 제기한 경우에는 상소절차속행신청을 할 수는 없다(대결 1999.5.18, 99모40).

㉰ 절차속행신청을 기각하는 결정에 대해서는 즉시항고할 수 있다(규칙 제154조 제3항).

KEY point

- **상소권자**
  - 고유 상소권자
  - 상소대리권자
    - 법정대리인 ⇨ 피고인의 명시한 의사에 반하여도 상소 가능
    - 그밖의 자 ⇨ 피고인의 명시한 의사에 반하여 상소 불가
- **상소제기**
  - 항소 · 상고 · 즉시항고 : 7일
  - 보통항고 : 기간제한 ×
- **상소제기방식** : 상소장 원심법원에 제출
- **상소의 포기 · 취하**
  - 시기
    - 포기 : 상소제기기간 내(원심법원에)
    - 취하 : 상소심 종국재판 전까지(상소법원에, 소송기록 송부 전에는 원심법원에 가능)
  - 방식
    - 서면 또는 구술(법정대리인이 있는 피고인 ⇨ 법정대리인의 동의 필요)
    - 법정대리인 · 변호인 등의 상소취하 ⇨ 피고인 동의 필요
    - 피고인 상소포기 or 취하 ⇨ 기타 상소권자는 상소 ×
    - 사형 · 무기형 선고 ⇨ 피고인 상소포기 ×
- **상소절차속행신청** : 상소가 제기된 후 이미 상소포기나 취하가 있었다는 이유로 재판 없이 소송절차가 종결된 경우(상소제기가 없는 상태에서 상소제기기간이 경과한 경우를 대비하기 위한 상소권회복청구와 구별)

(3) 상소권의 회복

① **의의** : 상소권의 회복이란 상소권자 또는 대리인이 책임질 수 없는 사유로 상소기간 내에 상소를 할 수 없었던 경우 법원의 결정에 의하여 소멸된 상소권을 회복시키는 제도를 말한다. 10. 9급 법원직

형사소송법 제345조에서 말하는 대리인 중에는 본인의 보조인으로서 본인의 부탁을 받아 상소에 관한 서면을 작성하여 이를 제출하는 등 본인의 상소에 필요한 사실행위를 대행하는 사람을 포함하며 책임질 수 없는 사유란 상소를 하지 못한 사유가 상소권자 본인 또는 대리인의 고의 또는 과실에 기하지 아니함을 말한다(대결 1986.9.17, 86모46).

② **회복사유** : 상소권자(고유상소권자 · 상소대리권자) 또는 그 대리인이 책임질 수 없는 사유로 상소제기기간 내에 상소하지 못한 경우에 한하여 상소권 회복이 인정된다(제345조). 따라서 상소를 포기했다 하더라도 아직 상소제기기간이 남아 있는 경우에는 상소권회복청구를 할 여지는 없다 하겠으나, 상소포기 후 상소제기기간을 경과한 경우에는 포기의 효력을 다투면서 상소권회복청구를 할 수 있다. 그러나 상소포기로 인하여 적법하게 상소권이 소멸된 경우까지 상소권을 회복할 수 있는 것은 아니라는 것이 판례의 입장이다.

관련판례

1. 상고를 포기한 후 그 포기가 무효라고 주장하는 경우 상고제기기간이 경과하기 전에는 상고를 제기하여 그 상고의 적법 여부에 대한 판단을 받으면 되고, 별도로 상소권회복청구를 할 여지는 없다(대결 1995.5.18, 99모40). 10 · 14 · 22. 9급 법원직
2. 상소권을 포기한 후 그 포기가 무효라고 주장하는 경우, 상소제기기간이 지난 다음에 자기 또는 대리인이 책임질 수 없는 사유로 인하여 상소제기기간 내에 상소를 하지 못하였다고 주장하는 사람은 상소를 제기함과 동시에 상소권회복청구를 할 수 있다(대결 2004.1.13, 2003모451). 19. 9급 법원직
3. 상소권회복은 피고인 등이 책임질 수 없는 사유로 상소제기기간을 경과한 경우일 뿐, 상소의 포기로 적법하게 소멸한 상소권까지 회복하는 것으로는 볼 수 없다(대결 2002.7.23, 2002모180). 21. 9급 법원직

PART 05

관련판례

- **상소권 회복사유에 해당하는 경우**

1. 부적법한 공시송달의 방법으로 하고 피고인의 진술없이 공판절차를 진행하여 판결이 선고되고 동 판결 등본이 공시송달되었다면 피고인은 자기가 책임질 수 없는 사유로 인하여 동 판결에 대하여 항소제기기간 내에 항소를 하지 못한 것이라 할 것이므로 상소권회복청구를 할 수 있다(대결 1984.9.28, 83모55). 15. 9급 검찰 · 마약수사
2. 소송촉진 등에 관한 특례법에 따라 공시송달의 방법으로 공소장부본이 송달되고 피고인이 출석하지 않은 상태에서 재판이 진행되어 유죄판결이 선고된 것을 모른 채 상소기간이 도과한 경우(대결 1986.2.12, 86모3) 14. 9급 법원직, 15. 9급 검찰 · 마약수사, 18. 7급 국가직
3. 상소권회복신청의 요건을 규정한 형사소송법 제345조의 "대리인"이란 피고인을 대신하여 상소에 필요한 행위를 할 수 있는 지위에 있는 자를 말하는 것이고, 교도소장은 피고인을 대리하여 결정정본을 수령할 수 있을 뿐이고 상소권 행사를 돕거나 대신할 수 있는 자가 아니어서 이에 포함되지 아니하므로, 만일 교도소장이 결정정본을 송달받고 1주일이 지난 뒤에 그 사실을 피고인에게 알렸기 때문에 피고인이나 그 배우자가 소정기간 내에 항고장을 제출할 수 없게 된 것이라면 상소권회복신청은 인용할 여지가 있을 것이다(대결 1991.5.6, 91모32). 15. 9급 검찰 · 마약수사, 18. 7급 국가직, 10 · 21. 9급 법원직
4. 피고인이 소송이 계속 중인 사실을 알면서도 법원에 거주지 변경 신고를 하지 않았다 하더라도, 잘못된 공시송달(피고인 주소지에 피고인이 거주하지 아니한다는 이유로 구속영장이 여러 차례에 걸쳐 집행불능)에 터 잡아 피고인의 진술 없이 공판이 진행되고 피고인이 출석하지 않은 기일에 판결이 선고된 이상, 피고인은 책임질 수 없는 사유에 해당한다(대결 2014.10.16, 2014모1557). 21. 9급 법원직, 22. 7급 국가직, 24. 9급 검찰 · 마약 · 교정 · 보호 · 철도경찰

5. 약식명령에 대한 정식재판의 청구를 접수하는 법원공무원이 청구인의 기명날인이 없는데도 이에 대한 보정을 구하지 아니하고 적법한 청구가 있는 것으로 오인하여 청구서를 접수한 경우에도 청구를 결정으로 기각하여야 한다. 다만, 법원공무원의 위와 같은 잘못으로 인하여 적법한 정식재판청구가 제기된 것으로 신뢰한 채 정식재판청구기간을 넘긴 피고인은 자기의 '책임질 수 없는 사유'에 의하여 청구기간 내에 정식재판을 청구하지 못한 때에 해당하여 정식재판청구권의 회복을 구할 수 있을 뿐이다(대결 2008.7.11, 2008모605).
6. 제1심판결에 피고인의 주소를 잘못 기재한 결과 항소심에서 송달불능을 이유로 공시송달절차에 의해 판결이 선고되고, 그 때문에 피고인이 판결사실을 알지 못한 경우(대결 1973.10.20, 73모68)
7. 피고인이 출석한 가운데 제1심 형사재판이 변론종결되어 판결선고기일이 고지되었으나 선고기일에 피고인이 불출석한 후, 소송촉진 등에 관한 특례법 제23조, 같은법 시행규칙 제19조에 의하여 공시송달로 피고인을 소환한 최초의 공판기일에 곧바로 피고인의 불출석 상태에서 판결을 선고한 것이, 피고인의 출석 없이 재판을 하기 위하여는 공시송달의 방법으로 소환받은 피고인이 2회 이상 불출석할 것을 요구하고 있는 위 시행규칙 제19조 제2항의 규정에 위배되는 위법한 조치이므로 피고인의 상소기간 도과가 피고인의 책임질 수 없는 사유로 인한 것이다(대결 1991.12.17, 91모23). 18. 7급 국가직

- **상소권 회복사유에 해당하지 않는 경우**

1. 형사피고사건으로 법원에 재판이 계류 중인 자는 공소제기 당시의 주소지나 그 후 신고한 주소지를 옮긴 때에는 자기의 새로운 주소지를 법원에 제출한다거나 기타 소송진행 상태를 알 수 있는 방법을 강구하여야 하고, 만일 이러한 조치를 취하지 않았다면 소송서류가 송달되지 아니하여 공판기일에 출석하지 못하거나 판결선고 사실을 알지 못하여 상소기간을 도과하는 등의 불이익을 받는 책임을 면할 수 없다(대결 1996.8.23, 96모56). 14. 9급 법원직, 15. 9급 검찰·마약수사
2. 피고인 또는 대리인이 질병으로 입원하거나 기거불능으로 상소를 하지 못하는 경우라면 상소권회복사유에 해당하지 아니한다(대결 1986.9.17, 86모46). 18. 9급 법원직, 24. 9급 검찰·마약·교정·보호·철도경찰
3. 피고인이 이미 확정되어 있던 징역형의 집행유예판결의 선고일을 잘못 안 나머지 상고포기서를 제출한 것이라 하더라도, 그와 같은 사정은 상고포기로 이미 확정된 상소권회복대상판결에 대하여 적법한 상소권회복청구의 사유가 될 수 없다(대결 1996.7.16, 96모44). 04·24. 9급 법원직
4. 피고인으로서는 법원에 신고한 주거지를 옮길 때에는 자기의 신주거지를 법원에 제출하거나 기타 소송진행상태를 알 수 있는 방법을 강구하여야 할 것인데도 이러한 조치를 취하지 아니한 탓으로 상소기간을 도과하였다고 할 것이고, 피고인이 미국인이어서 주민등록이 되어 있지 않으며, 피고인이 이사를 가면서 자신에게 오는 우편물이 도달될 수 있도록 우편집배인에게 부탁을 하였다고 하더라도, 피고인이 상소의 제기기간 내에 상소를 하지 못한 것이 자기 또는 대리인이 책임질 수 없는 사유로 인한 것이라고 볼 수는 없다(대결 1991.8.27, 91모17).
5. 법정이 소란하여 판결주문을 알아들을 수 없어 항소제기기간 내에 항소를 하지 못한 경우라면 항소권회복사유에 해당하지 아니한다(대결 1987.4.8, 87모19).
6. 교도소 담당직원이 상소권자에게 상소권회복청구를 할 수 없다고 하면서 형사소송규칙 제177조에 따른 편의를 제공해 주지 않은 경우(대결 1986.9.27, 86모47) 24. 9급 검찰·마약·교정·보호·철도경찰
7. 법원이나 검찰은 판결의 확정이나 또는 그로 인한 집행 등을 사전에 피고인이었던 사람에게 통지하여야 할 아무런 책임도 없는 것이므로 이와 같은 통지를 받지 못하였다는 사유가 상소의 제기기간

내에 상소를 하지 못한 상소권자 또는 대리인의 책임질 수 없는 사유에 해당한다고 할 수 없다(대결 1985.12.30, 85모43).

8. 기망에 의해 항소권을 포기하였다는 것을 항소제기기간 도과 후에 알게 된 경우(대결 1984.7.11, 84모40) 21·24. 7급 국가직, 24. 9급 검찰·마약·교정·보호·철도경찰
9. 피고인의 진술에 따라 공판조서에 기재된 피고인의 주소로 판결을 송달하였으나 송달이 안 되어 공시송달한 경우에는 피고인의 책임질 수 없는 사유로 상소기간을 도과하였다고 할 수 없다(대결 1970.12.23, 70모50).
10. 와병으로 인하여 사환에게 즉시항고장을 맡겨 제출케 하였으나 사환이 그 즉시항고장을 도난당하였다 하더라도 그것만으로써 곧 즉시항고장 제출기간을 도과한 것이 불가항력에 인한 것이라고는 볼 수 없다(대결 1971.2.20, 71모12).
11. 불구속피고인이 다른 형사사건으로 구속됨으로써 종전 주소에 송달한 법원의 변론기일통지를 받지 못하여 그 기일에 출석하지 못하고 따라서 그 판결에 대한 상소제기기간을 도과한 경우에는 그와 같은 상고제기기간의 도과를 청구인 또는 대리인의 책임질 수 없는 사유에 의한 것이라고는 할 수 없다(대결 1963.11.28, 63로10).
12. 항고인에 대한 각 기일소환장이 동인의 주소가 아닌 다른 곳으로 송달되었다 하더라도 결국 항고인이 연락을 받아 그 내용을 인지하고 그에 대처하여 왔고 그 항고인의 항변인에게는 위 각 기일소환장이 적법히 송달되어온 경우에는 항고인이 상소의 제기기간 내에 상소를 하지 못하였다 하여도 이를 항고인 또는 그 대리인의 책임질 수 없는 사유로 인함이라고 할 수 없다(대판 4291형상1).

PART 05

③ 회복절차

㉠ **청구권자** : 상소권 회복청구권자는 고유의 상소권자와 상소대리권자이다.

상소권회복은 상소권자가 자기 또는 대리인이 책임질 수 없는 사유로 인하여 상소의 제기기간 내에 상소를 하지 못한 경우에 한하여 청구할 수 있으므로(형사소송법 제345조), 재판에 대하여 적법하게 상소를 제기한 자는 다시 상소권회복을 청구할 수 없다(대결 2023.4.27, 2023모350)

㉡ **청구방식**

ⓐ 청구는 사유가 해소된 날로부터 상소제기기간에 해당하는 기간 내에 서면으로 원심법원에 하여야 하며(제346조 제1항), 11. 경찰승진, 20. 경찰간부, 18·22. 9급 법원직·순경 3차 이때 제345조의 책임질 수 없는 사유를 소명하여야 하고(제346조 제2항), 상소권회복청구와 동시에 상소를 제기하여야 한다(제346조 제3항). 00·18·22. 9급 법원직

관련판례

항소심판결이 선고되면 제1심판결에 대한 항소권이 소멸되어 제1심판결에 대한 항소권 회복청구와 항소는 적법하다고 볼 수 없다. 이는 제1심 재판 또는 항소심 재판이 소송촉진 등에 관한 특례법이나 형사소송법 등에 따라 피고인이 출석하지 않은 가운데 불출석 재판으로 진행된 경우에도 마찬가지이다. 따라서 제1심판결에 대하여 검사의 항소에 의한 항소심판결이 선고된 후 피고인이 동일한 제1심판결에 대하여 항소권 회복청구를 하는 경우 이는 적법하다고 볼 수 없다(대결 2017.3.30, 2016모2874). 18. 9급 법원직, 19. 순경 2차

ⓑ 교도소 또는 구치소에 있는 피고인이 상소권회복신청서를 교도소장이나 구치소장 또는 그 직무를 대리한 자에게 제출한 때에는 그 때에 상소권회복청구서가 원심법원에 제출된 것으로 간주한다(제344조, 제355조).

㉢ **법원의 조치**

ⓐ 상소권회복청구가 있는 때에는 법원은 지체 없이 상대방에게 그 사유를 통지하여야 한다(제356조).

ⓑ 청구를 받은 법원은 그 허용 여부에 대한 결정을 하여야 하고 이 결정에 대하여 즉시항고를 할 수 있다(제347조). 11. 경찰승진, 00 · 22. 9급 법원직

ⓒ 상소권회복청구가 있는 때에는 법원은 그 결정이 있을 때까지 재판의 집행을 정지하는 결정을 할 수 있다(제348조 제1항). 00. 9급 법원직, 11. 9급 국가직 · 경찰승진

벌금미납으로 노역장유치 중인 자가 정식재판청구권회복청구를 하여 법원의 형집행정지결정으로 석방된 후 도주하거나, 궐석재판으로 실형이 확정된 자가 나중에 붙잡혀 형이 집행될 경우 상소권회복을 청구하여 법원의 형집행정지로 석방된 후 도주하는 사례가 빈번하여 상소권회복청구시 재판의 집행을 정지하도록 한 필요적 규정을 임의적 규정으로 변경하였다.

상소권회복청구가 있는 때에는 반드시 집행을 정지하는 결정을 하여야 한다. (×)

ⓓ 집행정지결정을 한 경우에 피고인의 구금을 요하는 때에는 구속영장을 발부하여야 한다. 다만, 구속사유(제70조)가 구비될 것을 요한다(제348조 제2항). 00. 9급 법원직

ⓔ 청구를 인용하는 결정이 확정된 때에는 상소권회복청구와 동시에 행한 상소제기는 유효하게 되며 일단 발생한 재판의 확정력은 배제된다. 따라서 일단 발생한 재판은 미확정의 상태로 돌아간다.

KEY point

- **상소권회복사유** : 책임질 수 없는 사유
- **상소권회복절차** ┌ 청구권자 : 상소권자
  └ 청구방식 : 서면으로 원심법원에 상소제기와 함께 청구
- 상소권회복 허용 여부 결정시까지 ⇨ 재판의 집행정지결정을 할 수 있다(임의적).

3 상소의 이익

(1) 상소이익의 의의

① **개념** : 상소권자가 상소를 하기 위하여는 상소의 이익이 있어야 한다. 이러한 의미에서 상소이익은 상소의 적법요건이 된다고 할 수 있다.

상소의 이익은 상소권자에게 상소가 이익이 되는가의 문제로서 원판결의 잘못을 지적하는 상소이유와는 구별되는 개념이다. 다만, 상소의 이익도 상소이유를 고려하여 판단해야 한다는 점에서 양자는 밀접한 관계를 가진다고 할 수 있다.

② **법적 근거** : 현행법상 상소이익을 상소의 적법요건으로 인정하는 명문의 규정은 없다. 학설은 일치하여 이를 인정하고 있으며, 그 법적 근거를 구체적으로 어디에서 찾을 것인가에 대해서는 견해가 나뉜다.

(2) 상소이익의 판단기준

① **검사의 상소이익** : 검사는 공익의 대표자로서 법원에 대한 법령의 정당한 적용을 청구할 직무와 권한을 갖는다. 따라서 검사는 원심판결이 피고인에게 유리한 것인가, 불리한 것인가를 불문하고 원심재판에 오류가 개입하였다고 판단되면 상소를 제기할 이익을 갖는다. 11. 9급 국가직

관련판례

1. 검사는 공익의 대표자로서 법령의 정당한 적용을 청구할 임무를 가지므로 이의신청을 기각하는 등 반대당사자에게 불이익한 재판에 대하여도 그것이 위법일 때에는 위법을 시정하기 위하여 상소로써 불복할 수 있지만 불복은 재판의 주문에 관한 것이어야 하고 재판의 이유만을 다투기 위하여 상소하는 것은 허용되지 않는다(대판 1993.3.4, 92모21). 19. 경찰승진, 20. 7급 국가직·9급 검찰·마약수사
2. 피고인에게 유해화학물질 관리법 위반(환각물질흡입)죄 등으로 징역 1년 6월, 몰수, 치료감호를 선고한 제1심판결에 대하여 검사만이 양형부당을 이유로 항소하였는데, 원심이 제1심판결 중 피고사건을 파기하고 징역 2년 및 몰수를 선고하면서 치료감호청구사건에 대하여 아무런 판단을 하지 않은 사안에서, 제1심에서 피고사건에 대한 유죄판결과 함께 치료감호청구를 인용하는 판결이 선고되었고, 비록 검사만이 제1심판결의 피고사건에 대하여만 양형부당을 이유로 항소하였더라도, 검사는 피고인에게 불이익한 상소만이 아니라 피고인의 이익을 위한 상소도 가능하므로 위 치료감호사건에 대한 항소의 이익이 없다고 할 수 없고, 이 경우 원심으로서는 치료감호법 제14조 제2항에 의하여 치료감호청구사건의 판결에 대하여도 항소가 있는 것으로 보아 피고사건의 판결과 동시에 치료감호청구사건의 판결을 선고하였어야 하는데도, 치료감호청구사건에 대한 판단 및 선고를 누락한 원심판결에 위법이 있다(대판 2011.8.25, 2011도6705).

② **피고인의 상소이익** : 피고인은 자신에게 불이익한 상소를 할 수 없으며 이익인 재판을 구하는 경우에 한하여 상소할 수 있다. 그러나 무엇이 이익이고 불이익인가의 판단기준에 관해서는 견해의 대립이 있으나 법익박탈의 대소라는 객관적 표준을 기준으로 하는 객관설이 다수설이다.

관련판례

1. 피고인이 제1심판결에 대하여 항소권을 포기하였고 검사가 양형이 과경하다(가볍다)는 이유로 항소하였으나 제2심판결이 이를 기각하였다면 피고인은 이 판결에 대하여는 상고권이 없다 할 것이다(대결 1987.8.31,87도1702). 09. 경찰승진·7급 국가직, 15. 7급 국가직
2. 피고인에게 누범에 해당하는 전과가 있음에도 불구하고 형법 제35조 제2항에 의한 누범가중을 하지 아니한 것은 위법하다고 할 것이나, 피고인으로서 위와 같은 위법을 주장하는 것은 자기에게 불이익을 주장하는 것이 되므로 이는 적법한 상고이유가 될 수 없다(대판 1994.8.12, 94도1591). 09. 7급 국가직

3. 포괄일죄에 해당하는 경우 포괄일죄로 처단하기에 앞서 여러 개의 죄 가운데 1죄에 대하여 그 해당법조를 명시하지 않았다 할지라도 결과에 있어서는 이를 명시한 경우와 같은 것이 되어 판결결과에 아무런 영향이 없어 그 위법은 적법한 상고이유가 되지 못한다(대판 1986.5.27, 86도530).
4. 미결구금일수 이상의 일수를 본형에 산입한 위법이 있다 하더라도 이는 피고인의 불이익을 주장하는 것으로서 상고이유가 될 수 없다(대판 1955.3.4, 4288형상17).
5. 판결주문의 형과 판결이유 중의 형이 상이하여 이유 중의 형이 중한 경우에 그의 불일치를 이유로 하는 상고는 피고인에 불이익한 사항을 주장함에 귀착함으로써 적법한 상고이유가 되지 못한다(대판 1952.8.26, 4284형상129).

⑶ 상소이익의 구체적 내용

검사는 공익의 대표자로서 무죄판결에 대한 상소는 물론 유죄판결에 대해서도 상소의 이익을 가지고 있고, 피고인의 이익을 위한 상소도 가능하다. 따라서 아래에서는 피고인의 상소와 관련하여 논의되는 문제점들을 중심으로 살피기로 한다.

① **유죄판결에 대한 피고인의 상소**

㉠ **유죄판결과 상소이익** : 유죄판결은 피고인에게 가장 불리한 재판이므로 피고인이 무죄를 주장하거나 경한 형을 선고할 것을 주장하여 상소하는 경우에는 당연히 상소이익이 있다.

㉡ **형면제 및 선고유예의 판결에 대한 상소** : 형면제판결 및 선고유예의 판결은 유죄판결의 일종이므로 피고인이 무죄를 주장하여 상소를 제기하는 경우 상소이익이 인정된다. 07. 9급 국가직, 10. 7급 국가직

㉢ **제3자의 소유물을 몰수하는 재판에 대한 상소** : 피고인에 대해 몰수형이 선고되는 경우 대상물건이 제3자의 소유물인 때에도 피고인은 상소이익이 있다. 피고인은 점유상실로 사용 · 수익 · 처분을 할 수 없을 뿐 아니라, 제3자로부터 배상청구를 받을 위험도 존재하기 때문이다.

② **무죄판결에 대한 상소** : 무죄판결에 대하여 피고인은 상소이익이 없으므로 상소할 수 없다. 무죄판결에 대하여 유죄판결을 구하는 상소는 물론 면소, 공소기각 또는 관할위반을 구하는 상소도 허용되지 않는다. 무죄판결 그 자체는 받아들이면서 그 이유를 다투는 상소가 허용되는가에 대하여 다툼이 있으나 판례는 부정하고 있다(대결 1993.3.4, 92모21). 09. 경찰승진, 09 · 15. 7급 국가직

③ **형식재판에 대한 피고인의 상소** : 관할위반판결, 공소기각판결, 공소기각결정, 면소판결 등 형식재판이 선고된 경우에 피고인이 무죄를 주장하는 상소를 할 수 있는가에 대하여 견해의 대립이 있으나 상소할 수 있다고 보는 적극설이 다수설의 입장이라 할 수 있다. 소극설은 피고인이 형식재판에 대하여 무죄를 주장하여 상소할 수 없다는 입장이다(대판).

관련판례

1. 공소기각의 판결이 있으면 피고인은 공소의 제기가 없었던 상태로 복귀되어 유죄판결의 위험으로부터 해방되는 것이므로 그 판결은 피고인에게 불이익한 재판이라고 할 수 없으므로 공소기각의 재판에 대하여 피고인은 상소권이 없다(대판 1983.5.10, 83도632). 10. 9급 국가직, 15. 9급 법원직·7급 국가직
2. 피고인에게는 실체판결청구권이 없는 것이므로 면소판결에 대하여 무죄의 실체판결을 구하여 상소를 할 수는 없는 것이다(대판 1984.11.27, 84도2106). 11. 9급 국가직, 14. 9급 교정·보호·철도경찰, 15. 7급 국가직

▶ **비교판례** : 형벌에 관한 법령이 헌법재판소의 위헌결정으로 인하여 소급하여 그 효력을 상실하였거나 법원에서 위헌·무효로 선언된 경우, 당해 법령을 적용하여 공소가 제기된 피고사건에 대하여 같은 법 제325조에 따라 무죄를 선고하여야 한다. 나아가 형벌에 관한 법령이 재심판결 당시 폐지되었다 하더라도 그 '폐지'가 당초부터 헌법에 위배되어 효력이 없는 법령에 대한 것이었다면 같은 법 제325조 전단이 규정하는 '범죄로 되지 아니한 때'의 무죄사유에 해당하는 것이지, 같은 법 제326조 제4호의 면소사유에 해당한다고 할 수 없다. 따라서 면소판결에 대하여 무죄판결인 실체판결이 선고되어야 한다고 주장하면서 상고할 수 없는 것이 원칙이지만, 위와 같은 경우에는 이와 달리 면소를 할 수 없고 피고인에게 무죄의 선고를 하여야 하므로 면소를 선고한 판결에 대하여 상고가 가능하다(대판 2010.12.16, 2010도5986 전원합의체). 12. 순경·9급 법원직

④ **항소기각판결에 대한 상고** : 제1심판결에 대하여 피고인이 항소를 제기하였으나 항소기각의 판결이 선고된 경우에 피고인은 상고이익이 있음은 당연하다.

(4) 상소이익이 없는 상소제기에 대한 재판

① **상소기각결정** : 상소의 이익이 없음이 상소장의 기재에 의해 분명한 경우에는 결정으로 상소를 기각하여야 한다. 원심법원이 하지 아니한 때에는 상소법원이 상소기각결정을 하여야 한다(제362조, 제381조, 제413조). 예 무죄, 면소판결, 공소기각, 관할위반의 재판에 대한 상소

② **상소기각판결** : 상소이익이 없다는 것이 상소이유를 검토하는 과정에서 비로소 밝혀지는 경우가 있다. 이 경우에는 상소이유의 실질적 검토가 행해졌기 때문에 판결로 상소를 기각하여야 한다(제364조 제4항, 제399조, 제414조 제1항). 예 유죄판결에 대한 상소

특히 항소심의 경우에는 항소이유가 없음이 명백한 때에는 항소이유서 기타 소송기록에 의하여 변론 없이 판결로 항소를 기각(무변론 항소기각)할 수 있다(제364조 제5항).

4 상소제기의 방식과 효과

(1) 상소제기의 방식

상소의 제기는 서면으로 하여야 한다(제343조 제1항). 상소의 제기기간은 재판을 선고 또는 고지한 날로부터 진행한다(제343조 제2항). 상소장은 원심법원에 제출해야 하지만(제359조, 제375조, 제406조), 교도소 또는 구치소에 있는 피고인은 상소제기기간 내에 교도소장이나 구치소장 또는 그 직무를 대리한 자에게 상소장을 제출하면 상소제기기간 내에 상소한 것으로 간주한다(제

344조). 04. 법원주사보, 20. 경찰승진 상소제기의 방식이 법령에 위반된 경우에는 원심법원 또는 상소법원은 결정으로 상소를 기각해야 한다.

(2) **상소제기의 효력**

① **정지의 효력** : 상소제기에 의하여 재판의 확정과 그 집행은 정지된다. 재판확정의 정지효력은 상소에 의해 언제나 발생하지만, 집행정지의 효력에 대해서는 일정한 예외가 있다. 즉, 항고는 즉시항고를 제외하고는 재판의 집행을 정지하는 효력이 없고, 가납재판의 집행도 상소제기에 의하여 정지되지 않는다.

② **이심의 효력** : 상소의 제기에 의해 소송계속은 원심을 떠나 상소심으로 옮겨진다. 그러나 이심의 효력이 상소제기와 동시에 발생하는 것이 아니라 상소장과 소송기록이 원심법원으로부터 상소법원에 송부한 때 발생한다(다수설). 따라서 상소제기가 부적법한 경우 상소장과 소송기록이 상소법원에 송부되기 전에는 원심법원이 상소기각의 결정을 하게 된다.

5 일부상소

(1) **일부상소의 의의**

① **개 념**

㉠ 재판의 일부에 대한 상소를 일부상소라 한다(제342조 제1항).

㉡ 여기서 재판의 일부라 함은 1개 사건의 일부를 말하는 것이 아니고 수개의 사건이 병합심판된 경우에 있어서 재판의 일부를 말한다.

예 상해죄와 손괴죄를 경합범으로 기소된 경우에 손괴부분은 무죄, 상해부분은 유죄가 선고된 경우

㉢ 재판의 일부란 재판의 객관적 범위의 일부를 말하며, 주관적 범위, 즉 공동피고인의 일부가 상소하는 경우를 말하는 것이 아니다.

㉣ 재판의 일부에 대한 상소는 그 일부와 불가분의 관계가 있는 부분에 대해서도 그 효력이 미치는데 이를 상소불가분의 원칙이라고 한다(제342조 제2항). 12. 순경 3차, 15. 순경 2차

② **인정이유** : 일부상소는 상소심의 심판대상을 축소시켜 소송경제를 도모하고자 하는 제도이다.

(2) **일부상소의 허용범위**

① **일부상소가 허용되는 경우** : 경합범에 있어서 각 부분별로 각각 다른 수개의 재판이 선고된 때에는 재판의 일부에 대하여 상소를 제기하는 것이 허용된다.

일부상소가 허용되는 예

1. 경합범 관계에 있는 수개의 범죄사실에 대하여 일부는 유죄를, 다른 부분에 대하여 무죄 · 면소 · 공소기각 · 관할위반 또는 형면제판결이 선고된 때
2. 경합범이 각 부분에 관하여 일부는 징역형, 다른 일부는 벌금형이 선고된 경우와 같이 주문에서 2개 이상의 다른 형이 병과된 때
3. 수개의 공소사실이 확정판결 전후에 범한 죄이기 때문에 형법 제37조 후단에 의거 수개의 형이 선고된 때(확정판결을 기준으로 수개의 형이 서로 다른 주문으로 표시되므로)

4. 경합범 관계에 있는 공소사실의 전부에 대하여 무죄가 선고된 때(무죄판결은 각 공소사실에 대한 것이므로)

② 일부상소가 허용되지 않는 경우

㉠ 1죄의 일부

ⓐ 과형상 일죄, 포괄일죄, 단순일죄 등 일죄의 일부에 대한 상소는 허용되지 않는다. 10. 순경·9급 법원직 상소불가분의 원칙에 따라 일죄의 일부에 대한 상소는 그 일부와 불가분의 관계에 있는 부분에 대하여도 효력이 미치기 때문이다. 00·10. 9급 법원직, 11. 7급 국가직 따라서 과형상 일죄의 일부에 대하여 유죄판결이 선고된 경우 피고인만이 항소하였다 하더라도 그 항소는 일죄의 전부에 미친다. 10. 순경, 15. 9급 교정·보호·철도경찰

관련판례

1. 제1심이 단순일죄의 관계에 있는 공소사실의 일부에 대하여만 유죄로 인정한 경우에 피고인만이 항소하여도 그 항소는 그 일죄의 전부에 미쳐서 항소심은 무죄부분에 대하여도 심판할 수 있다 20. 해경간부, 24. 9급 법원직 할 것이고, 그 경우 항소심이 위 무죄부분을 유죄로 판단하였다 하여 그로써 항소심판결에 불이익변경금지원칙에 위반하거나 심판범위에 대한 법리를 오해한 위법이 있다고 할 수 없다(대판 2001.2.9, 2000도5000). 16. 9급 검찰·마약·교정·보호·철도경찰, 10·13·20. 9급 법원직
2. 공소사실 중 일부에 대하여는 유죄를, 실체적 경합관계에 있는 일부에 대하여는 무죄를 각 선고하고, 그 유죄부분과 상상적 경합관계에 있는 다른 일부에 대하여는 무죄임을 판시하면서 주문에 별도의 선고를 하지 않은 항소심판결에 대하여, 검사가 무죄부분 전체에 대하여 상고를 한 경우 그 유죄부분은 형식상 검사 및 피고인 어느 쪽도 상고한 것 같아 보이지 않지만 그 부분과 상상적 경합관계에 있는 무죄부분에 대하여 검사가 상고함으로써 그 유죄부분은 그 무죄부분의 유·무죄 여하에 따라서 처단될 죄목과 양형을 좌우하게 되므로, 결국 그 유죄부분도 함께 상고심의 판단대상이 된다(대판 2007.6.1, 2005도7523).
3. 상상적 경합관계에 있는 두 죄에 대하여 한 죄는 무죄, 한 죄는 유죄가 선고되어 검사만이 무죄부분에 대하여 상고하였다 하여도 유죄부분도 상고심의 심판대상이 되는 것이다(대판 2005.1.27, 2004도7488). 17. 경찰간부, 24. 9급 법원직
4. 포괄적 1죄의 관계에 있는 공소사실의 일부에 대하여만 유죄로 인정하고 나머지는 무죄가 선고되어 검사는 위 무죄부분에 대하여 불복상고하고 피고인은 유죄부분에 대하여 상고하지 않은 경우, 상소불가분의 원칙상 포괄적 1죄의 일부만에 대하여 상고할 수는 없으므로 검사의 무죄부분에 대한 상고에 의해 상고되지 않은 원심에서 유죄로 인정된 부분도 상고심에 이심되어 심판의 대상이 된다고 볼 것이다(대판 1985.11.12, 85도1998). 20. 해경간부, 24. 9급 검찰·마약·교정·보호·철도경찰

• **무죄 ⇨ 유죄 변경 ×**

아래 판례의 경우는 무죄부분에 대하여 다시 유죄를 선고할 수 없다는 견해를 취하여 피고인을 보호하고 있다.

1. 포괄1죄의 일부만이 유죄로 인정된 경우 그 유죄부분에 대하여 피고인만이 상고하였을 뿐 무죄부분에 대하여 검사가 상고를 하지 않았다면 상소불가분의 원칙에 의하여 무죄부분도 상고심에 이심되기는 하나 그 부분은 이미 당사자 간의 공격방어의 대상으로부터 벗어나 사실상 심판대상에서부터도 벗어나게 되어 상고심으로서도 그 무죄부분에까지 나아가 판단할 수 없는 것이고, 상고심이 위 유죄부분에

대한 항소심판결이 잘못되었다는 이유로 사건을 파기환송한 경우에 항소심은 그 무죄부분에 대하여 다시 심리판단하여 유죄를 선고할 수 없다(대판 1991.3.12, 90도2820). 13. 9급 검찰·마약·교정·보호·철도경찰, 18. 순경 3차, 20. 해경간부·9급 법원직

▶ **유사판례** : 포괄일죄의 일부만이 유죄로 인정된 경우 그 유죄부분에 대하여 피고인만이 항소하였을 뿐 공소기각으로 판단된 부분에 대하여 검사가 항소를 하지 않았다면, 상소불가분의 원칙에 의하여 유죄 이외의 부분도 항소심에 이심되기는 하나 그 부분은 이미 당사자 간의 공격·방어의 대상으로부터 벗어나 사실상 심판대상에서부터도 이탈하게 되므로 항소심으로서도 그 부분에까지 판단할 수 없다(대판 2010.1.14, 2009도12934). 20. 경찰간부·해경간부, 24. 9급 검찰·마약·교정·보호·철도경찰, 25. 소방간부

2. 환송 전 원심에서 상상적 경합관계에 있는 수죄에 대하여 모두 무죄가 선고되었고, 이에 검사가 무죄부분 전부에 대하여 상고하였으나 그중 일부 무죄부분(A)에 대하여는 이를 상고이유로 삼지 않은 경우, 비록 상고이유로 삼지 아니한 무죄부분(A)도 상고심에 이심되지만 그 부분은 이미 당사자 간의 공격방어의 대상으로부터 벗어나 사실상 심판대상에서 이탈하게 되므로, 상고심으로서도 그 무죄부분에까지 나아가 판단할 수 없다. 따라서 상고심으로부터 다른 무죄부분(B)에 대한 원심판결이 잘못되었다는 이유로 사건을 파기환송 받은 원심은 그 무죄부분(A)에 대하여 다시 심리·판단하여 유죄를 선고할 수 없다(대판 2008.12.11, 2008도8922).

상상적 경합관계에 있는 수죄에 대하여 모두 무죄가 선고되었고, 이에 검사가 무죄부분 전부에 대하여 상고하였으나 그중 일부 무죄부분에 대하여는 이를 상고이유로 삼지 않았다고 하더라도 상고심에서는 그 무죄부분까지 전부 판단하여야 한다. (×) 15. 9급 교정·보호·철도경찰, 18. 7급 국가직, 20. 경찰간부·해경간부

3. 제1심법원이 공소사실의 동일성이 인정되는 범위 내에서 공소가 제기된 범죄사실에 포함된 보다 가벼운 범죄사실을 유죄로 인정하면서 법정형이 보다 가벼운 다른 법조를 적용하여 피고인을 처벌하고, 유죄로 인정된 부분을 제외한 나머지 부분에 대하여는 범죄의 증명이 없다는 이유로 판결 이유에서 무죄로 판단한 경우, 그에 대하여 피고인만이 유죄부분에 대하여 항소하고 검사는 무죄로 판단된 부분에 대하여 항소하지 아니하였다면, 비록 그 죄 전부가 피고인의 항소와 상소불가분의 원칙으로 인하여 항소심에 이심되었다고 하더라도 무죄부분은 심판대상이 되지 않는다(대판 2008.9.25, 2008도4740). 20. 해경간부, 23. 9급 법원직

[사례] 피고인은 정보통신망을 통하여 공연히 허위의 사실을 적시하여 타인의 명예를 훼손하였다는 요지의 공소사실에 의해 법 제61조 제2항 위반죄로 공소제기되었는데, 제1심은 피고인이 정보통신망을 통하여 공연히 사실을 적시하여 타인의 명예를 훼손한 것으로 보아 법 제61조 제1항 위반의 점만을 유죄로 인정하여 벌금형을 선고하면서, 나머지 허위사실 적시에 의한 명예훼손의 점, 즉 법 제61조 제2항 위반죄 부분에 대하여는 판결에 아무 이유를 기재하지 아니하였고, 이는 필경 제1심이 허위사실 적시에 의한 명예훼손 부분을 무죄로 판단하면서도 판결 이유에서 그 부분의 설시를 누락한 것으로 보이는바, 이에 대해 피고인만이 유죄부분에 대하여 항소하고 검사는 위 무죄부분에 대하여 항소하지 아니하였으므로 결국, 무죄로 판단된 법 제61조 제2항 위반죄 부분은 항소심의 심판대상에서 벗어났다고 할 것임에도, 원심은 제1심이 위 무죄부분에 대하여 판결 이유에서 무죄 사유를 기재하지 아니한 잘못이 있다는 이유만으로 위 무죄부분을 포함한 제1심판결 전체를 직권 파기한 다음, 위 무죄부분에 대하여도 유죄로 인정하면서 법 제61조 제2항을 적용하여 피고인을 처벌하고 있음을 알 수 있는바, 위와 같은 판단은 판결 결과에 영향을 미친 위법이 있다(대판 2008.9.25, 2008도4740).

ⓑ 주위적 · 예비적 공소사실의 일부에 대한 상소제기의 효력은 나머지 공소사실부분에 도 미친다.

관련판례

검사가 주위적으로 뇌물공여죄, 예비적으로 배임증재죄로 기소한 사안에서, 항소심이 뇌물공여죄 부분은 무죄로 판단하고 배임증재죄 부분을 유죄로 인정한 경우, 피고인만 예비적 공소사실 부분에 대하여 상고하였더라도 주위적 공소사실 부분 역시 상고심의 심판대상에 포함된다(대판 2006.5.25, 2006도1146). 13. 9급 검찰 · 마약 · 교정 · 보호 · 철도경찰

㉡ **1개의 형이 선고된 경합범** : 동시적 경합범(형법 제37조 전단)에 대하여 한 개의 형이 선고된 때에도 일부상소는 허용되지 않는다. 10. 순경 · 9급 법원직, 11. 경찰승진

동시적 경합범에 대하여 모두 무죄가 선고된 때 ⇨ 일부상소 가능

1개의 형이 선고된 경합범에서 일부의 죄에 대한 상소의 효력은 상소불가분의 원칙상 피고사건 전부에 미쳐 그 전부가 상소심에 이심된다(대판 2008.11.20, 2008도5596). 18. 순경 3차

㉢ **주형과 일체가 된 부가형** : 주형과 일체가 되어 있는 부가형 · 환형처분 · 집행유예 등은 주형과 분리하여 상소할 수 없다. 13. 9급 검찰 · 마약 · 교정 · 보호 · 철도경찰 소송비용부담의 재판은 본안의 재판에 관하여 상소하는 경우에 한하여 불복할 수 있을 뿐이므로 독립상소는 인정되지 않는다(제191조 제2항). 20. 9급 검찰 · 마약수사 다만, 피고인에게 유죄판결과 동시에 배상명령이 선고된 경우에는 피고인은 배상명령에 대해서만 독립하여 즉시항고할 수 있다(소송촉진 등에 관한 특례법 제33조 제5항). 10. 순경 2차, 11. 경찰승진, 14. 7급 국가직

관련판례

몰수 · 추징에 관한 부분만을 불복대상으로 삼아 상소가 제기되었다 하더라도, 상소심으로서는 이를 적법한 상소제기로 다루어야 하는 것이지, 몰수 또는 추징에 관한 부분만을 불복대상으로 삼았다는 이유로 그 상소의 제기가 부적법하다고 보아서는 아니 되고, 그 부분에 대한 상소의 효력은 그 부분과 불가분의 관계에 있는 본안에 관한 판단 부분까지 미쳐 그 전부가 상소심으로 이심되는 것이다(대판 2008.11.20, 2008도5596 전원합의체). 11. 경찰승진, 10 · 14. 7급 국가직, 10 · 12 · 20. 9급 법원직, 20. 경찰간부 · 순경 1차 · 9급 검찰 · 마약수사, 24. 9급 법원직

▶ 따라서 몰수 · 추징 부분에 대하여 상소하는 것은 허용되지 않으므로 상소를 기각하여야 한다는 종전의 판례(대판 1984.12.11, 84도1502)는 폐기되었다.

▶ 징역과 몰수형 중 몰수형에 대하여 일부상소가 허용된다. (×) ⇨ 몰수형에 대해서만 일부상소는 허용되지 아니한다. 다만, 일부상소를 하더라도 징역 등 불가분의 관계에 있는 부분도 상소심에 이심된다.

(3) 일부상소의 방식과 효력

① **방식** : 일부상소를 함에는 일부상소를 한다는 취지를 명시하고 불복부분을 특정하여야 한다. 불복부분을 특정하지 아니한 상소는 전부상소로 보아야 한다.

관련판례

1. 형법 제37조 전단 경합범 관계에 있는 공소사실 중 일부에 대하여 유죄, 나머지 부분에 대하여 무죄를 선고한 제1심판결에 대하여 검사만이 항소하면서 무죄부분에 대하여는 항소이유를 기재하고 유죄부분에 대하여는 이를 기재하지 않았으나 항소 범위는 '전부'로 표시한 사안의 경우, 제1심판결 전부가 이심되어 원심의 심판대상이 되므로, 원심으로서는 제1심판결 무죄부분을 유죄로 인정하는 이상 제1심판결 전부를 파기하고 경합범 관계에 있는 공소사실 전부에 대하여 하나의 형을 선고하여야 한다(대판 2011.3.10, 2010도17779). 12. 9급 국가직, 16. 경찰간부, 18. 7급 국가직
2. 검사가 불복의 범위란에 아무런 기재를 아니하고 판결주문란에 유죄부분의 형만을 기재하고 무죄의 주문은 기재하지 아니한 항소장을 제출하였으나 항소이유서에 무죄부분에 대하여도 항소이유를 개진한 경우 판결 전부에 대한 항소로 보아야 한다(대판 1991.11.26, 91도1937). 10. 순경

② **효 력**

㉠ **일부상소의 일반적인 경우** : 일부상소가 있으면 상소제기된 부분만 상소심에 소송계속이 발생하고 상소 없는 부분에 대해서는 재판이 확정된다. 10. 9급 법원직, 11. 경찰승진 따라서 상소심은 일부상소된 부분만 심판할 수 있고, 확정된 부분에 대하여는 심판할 수 없다.

관련판례

1. 경합범(예 수개의 마약류 관리에 관한 법률위반) 중 일부에 대하여 무죄, 일부에 대하여 유죄를 선고한 항소심판결에 대하여 검사만이 무죄부분에 대하여 상고한 경우 피고인과 검사가 상고하지 아니한 유죄판결부분은 상고기간이 지남으로써 확정되어 상고심에 계속된 사건은 무죄판결부분에 대한 공소뿐이라 할 것이므로 상고심에서 이를 파기할 때에는 무죄부분만 파기할 수밖에 없다(대판 2010.11.25, 2010도10985). 12 · 13. 9급 법원직, 19 · 20. 경찰간부, 14 · 18 · 24. 7급 국가직, 24. 변호사시험 · 9급 검찰 · 마약 · 교정 · 보호 · 철도경찰, 25. 소방간부

   경합범 중 일부에 대하여 무죄, 일부에 대하여 유죄를 선고한 제1심판결에 대하여 검사만이 무죄부분에 대하여 항소를 한 경우, 피고인과 검사가 항소하지 아니한 유죄판결 부분은 항소기간이 지남으로써 확정되므로, 항소심에서 이를 파기할 때에는 유죄부분만을 파기하여야 한다. (×) 16. 9급 검찰 · 마약 · 교정 · 보호 · 철도경찰
2. 확정판결 전의 공소사실과 확정판결 후의 공소사실에 대하여 따로 유죄를 선고하여 두 개의 형을 정한 제1심판결에 대하여 피고인만이 확정판결 전의 유죄판결 부분에 대하여 항소한 경우, 항소심이 심리 · 판단하여야 할 범위는 확정판결 전의 유죄판결 부분에 한정되고 당사자 쌍방이 상소하지 아니한 부분은 분리 확정된다(대판 2018.3.29, 2016도18553). 20. 7급 국가직

㉡ **일부상소의 특별한 경우**(판례)

관련판례

- **검사만이 유 · 무죄 전체에 대해서 상소한 경우**

형법 제37조 전단의 경합범 관계에 있는 죄에 대하여 일부는 유죄, 일부는 무죄를 선고한 원심판결에 대하여 피고인은 상소하지 아니하고 검사만이 무죄부분에 한정하지 아니하고 전체에 대하여 상소한 경우, 무죄부분에 대한 검사의 상소만 이유 있는 때에도 원심판결의 유죄부분은 무죄부분과 함께 파기

되어야 하므로 상소심으로서는 원심판결 전부를 파기하여야 한다(대판 2012.6.14, 2011도12571). 16. 9급 검찰·마약·교정·보호·철도경찰

▶ **비교판례** : 경합범의 관계에 있는 공소사실이라고 하더라도 위 판례와 같이 하나의 형을 선고하기 위해서 파기하는 경우와는 달리, 1개의 형으로 선고할 수 없는 경우에는 개별적으로 파기되는 부분과 불가분의 관계에 있는 부분만을 파기하여야 한다. 따라서 일부 공소기각, 일부 무죄를 선고한 판결에 대하여 검사가 전부에 대하여 상소를 제기하였고 그 중 공소기각 부분에 대한 상소가 이유가 있어 파기하는 경우 그 부분만 파기하여야 하고 아무 관련이 없는 무죄부분은 파기할 수 없다(대판 2021.1.13, 2021도13108).

• 쌍방의 일부상소가 있는 경우

경합범 중 검사와 피고인이 각각 무죄부분과 유죄부분에 대하여 일부상소를 제기한 경우 유죄부분의 피고인 상고는 이유가 없고, 무죄부분의 검사 상고만 이유가 있는 경우, 항소심이 유죄로 인정한 죄와 무죄로 인정한 죄가 형법 제37조 전단의 경합범 관계에 있다면 항소심판결의 유죄부분도 무죄부분과 함께 파기되어야 한다(대판 2010.12.13, 2010도9110). 12. 9급 검찰, 13. 변호사시험, 14. 7급 국가직, 16. 9급 검찰·마약·교정·보호·철도경찰, 20. 해경간부

PART 05

• 경합범이 일죄로 판명된 경우

원심이 두 개의 공소사실을 경합범 관계에 있다고 판단하여 각각에 대하여 유죄·무죄를 선고하였고, 이에 검사가 무죄부분에 대하여만 상소하여 유죄부분은 확정되었으나 상소심에서 심리결과 두 사실이 과형상 1죄의 관계에 있어 일부상소를 할 수 없음이 판명된 경우 유죄부분도 상소심의 심판대상이 된다(대판 1980.12.9, 80도384 전원합의체). 10. 9급 법원직, 11. 경찰승진, 13. 9급 국가직·변호사시험, 18. 순경 3차, 23. 소방간부

• 무죄 전부 중 일부 무죄부분을 상소하지 아니한 경우

환송 전 원심에서 상상적 경합 관계에 있는 수죄에 대하여 모두 무죄가 선고되었고, 이에 검사가 무죄부분 전부에 대하여 상고하였으나 그중 일부 무죄부분(A)에 대하여는 이를 상고이유로 삼지 않은 경우, 비록 상고이유로 삼지 아니한 무죄부분(A)도 상고심에 이심되지만 그 부분은 이미 당사자 간의 공격방어의 대상으로부터 벗어나 사실상 심판대상에서 이탈하게 되므로, 상고심으로서도 그 무죄부분에까지 나아가 판단할 수 없다. 따라서 상고심으로부터 다른 무죄부분(B)에 대한 원심판결이 잘못되었다는 이유로 사건을 파기환송 받은 원심은 그 무죄부분(A)에 대하여 다시 심리·판단하여 유죄를 선고할 수 없다(대판 2008.12.11, 2008도8922). 15. 9급 교정·보호·철도경찰

KEY point

- 일부상소가 허용되는 경우
  - 경합범 중 각각 다른 재판이 선고
  - 확정판결 전후의 범죄에 대하여 수개 형이 선고
  - 경합범 전부에 대하여 무죄선고
- 일부상소가 허용되지 않는 경우
  - 경합범에 대하여 1개 형 선고
  - 일죄의 일부
  - 주형과 일체인 부가형

• 일부상소의 효력
┌ 일반적인 경우 ⇨ 상소제기된 부분만 상소심에 소송계속이 발생하고 상소 없는 부분은 재판이 확정
└ 특별한 경우 ┌ 검사만이 유·무죄 전체에 대해서 상소한 경우 : 무죄부분 이유 인정 ⇨ 전부 파기
├ 쌍방의 일부상소가 있는 경우 : 검사 상소한 무죄부분 이유인정 ⇨ 전부 파기
└ 경합범이 일죄로 판명된 경우 : 모두 심판대상

6 불이익변경금지의 원칙

(1) 의의 및 법적 근거

① **개념** : 불이익변경금지의 원칙이란 피고인이 항소 또는 상고한 사건이나 피고인을 위하여 항소 또는 상고한 사건에 관하여 상소심은 원판결의 형보다 중한 형을 선고하지 못한다는 원칙을 말한다(제368조, 제396조). 10. 9급 법원직, 16. 순경 2차

② **존재이유** : 피고인이 안심하고 상소권을 행사하도록 하려는 정책적 고려에 의해서 이 원칙을 채택하고 있다.

③ **법적 근거** : 우리 형사소송법은 항소심절차에서 불이익변경금지원칙을 명시하고 있고(제368조), 상고심절차에서는 상고법원이 피고사건에 대하여 직접 판결하는 파기자판의 경우에 이를 준용하고 있다(제396조).

(2) 불이익변경금지원칙의 적용범위

불이익변경금지의 원칙은 피고인이 상소한 사건과 피고인을 위하여 상소한 사건에 적용된다.

① **피고인이 상소한 사건** : 불이익변경금지의 원칙은 피고인이 상소한 사건에 대하여 적용된다(제368조, 제396조 제2항). 이때 피고인이 상소한 사건이란 피고인만이 상소한 사건을 의미하므로 검사만이 상소한 사건이나 검사와 피고인이 모두 상소한 사건에 대해서는 이 원칙이 적용되지 않는다. 09. 9급 국가직·9급 법원직, 11. 경찰승진, 13. 순경 1차

☗ 한미행정협정사건에 있어서는 검사가 상소한 사건이나 검사와 피고인이 상소한 사건에도 적용됨. 02. 경찰승진

관련판례

1. 피고인과 검사 쌍방이 항소하였으나 검사가 항소 부분에 대한 항소이유서를 제출하지 아니하여 결정으로 항소를 기각하여야 하는 경우에는 실질적으로 피고인만이 항소한 경우와 같게 되므로 항소심은 불이익변경금지의 원칙에 따라 제1심판결의 형보다 중한 형을 선고하지 못한다(대판 1998.9.25, 98도2111). 12·15. 경찰간부, 14·19. 순경 2차, 14·19·22. 9급 검찰·마약수사
2. 불이익변경금지의 원칙은, 피고인의 상소권을 보장하기 위하여 피고인이 상소한 사건과 피고인을 위하여 상소한 사건에 있어서는 원심판결의 형보다 중한 형을 선고하지 못한다는 것이므로, 피고인과 검사 쌍방이 상소한 결과 검사의 상소가 받아들여져 원심판결 전부가 파기됨으로써 피고인에 대한 형량 전체를 다시 정해야 하는 경우에는 적용되지 아니하는 것이다(대판 2007.6.28, 2005도7473). 11·12. 7급 국가직, 12. 9급 국가직, 22. 경찰승진

☎ 사건이 경합범에 해당하는 경우에는 개개 범죄별로 불이익변경 여부를 판단해야 한다. (×) 16. 순경 2차

▶ **구체적 사안** : 경합범 중 일부 유죄, 일부 무죄로 판단하여 징역 2년 6월과 집행유예 3년 및 자격정지 1년을 선고하였으며, 그중 유죄부분에 대하여는 피고인이 상고하고 무죄부분에 대하여는 검사가 상고하였는데, 피고인의 상고는 이유 없다고 판단하고 검사의 상고만 받아들여 무죄부분을 유죄의 취지로 파기환송하자, 환송 후 원심은 전부 유죄로 인정하면서 피고인에 대하여 징역 3년과 집행유예 4년 및 자격정지 2년을 선고한 경우 불이익변경금지원칙에 위반되지 아니한다.

3. 징역형의 집행유예를 선고한 제1심판결에 대하여 검사만이 그 양형이 너무 가벼워 부당하다는 취지로 항소한 사안에서, 판결에 영향을 미친 사유에 관하여는 항소이유서에 포함되지 아니한 경우에도 직권으로 심판의 대상이 될 뿐만 아니라,검사만이 항소한 경우 항소심이 제1심의 양형보다 피고인에게 유리한 형을 정할 수 없다는 제한이 있는 것도 아니다. 따라서 법원은 직권으로 제1심의 양형보다 가벼운 형을 정하여 선고할 수 있다(대판 2010.12.9, 2008도1092). 11·12. 9급 법원직, 12. 경찰승진
4. 피고인과 검사 쌍방이 항소하였으나 검사가 부착명령 청구사건에 대한 항소이유서를 제출하지 아니하여 부착명령 청구사건에 대한 검사의 항소를 기각하여야 하는 경우에는 실질적으로 부착명령 청구사건에 대해서는 피고인만이 항소한 경우와 같게 되므로 항소심은 불이익변경금지의 원칙에 따라 부착명령 청구사건에 관하여 제1심판결의 형보다 중한 형을 선고하지는 못한다고 할 것이다(대판 2014.3.27, 2013도9666). 16. 경찰간부
5. 검사가 일부 유죄, 일부 무죄가 선고된 제1심판결 전부에 대하여 항소하면서 유죄부분에 대하여는 아무런 항소이유도 주장하지 않은 경우에는, 유죄부분에 대하여 법정기간 내에 항소이유서를 제출하지 않은 것이 되고, 그 경우 설령 제1심의 양형이 가벼워 부당하다 하더라도 그와 같은 사유는 직권조사사유(제361조의 4 제1항 단서)나 직권심판사항(제364조 제2항)에 해당하지 않으므로, 항소심이 제1심판결의 형보다 중한 형을 선고하는 것은 허용되지 않는다. 이러한 법리는 검사가 유죄부분에 대하여 아무런 항소이유를 주장하지 않은 경우뿐만 아니라 검사가 항소장이나 법정기간 내에 제출된 항소이유서에서 유죄부분에 대하여 양형부당 주장을 하였으나, 그러한 항소이유 주장이 실질적으로 구두변론을 거쳐 심리되지 아니한 경우에도 항소심이 제1심판결의 형보다 중한 형을 선고하는 것은 허용되지 않는다(대판 2015.12.10, 2015도11696).
6. 피고인만 항소한 2심판결에 대하여 검사가 상고한 때에도 상고심에서는 제1심판결의 형보다 중한 형을 선고할 수 없다(대판 1957.10.4, 4290형상1). 18. 9급 검찰·마약·교정·보호·철도경찰
7. 제1심이 실체적 경합범 관계에 있는 공소사실 중 일부에 대하여 재판을 누락한 경우, 항소심으로서는 당사자의 주장이 없더라도 직권으로 제1심의 누락부분을 파기하고 그 부분에 대하여 재판하여야 한다. 다만, 피고인만이 항소한 경우라면 불이익변경금지의 원칙에 따라 제1심의 형보다 중한 형을 선고하지 못한다(대판 2009.2.12, 2008도7848).

---

② **피고인을 위하여 상소한 사건** : 불이익변경금지원칙은 피고인을 위하여 상소한 사건에도 적용된다(제368조, 제396조 제2항). 피고인을 위하여 상소한 경우란 피고인 이외의 상소권자가 피고인을 위하여 상소한 경우를 말한다.

☎ 검사가 피고인의 이익을 위하여 상소한 경우에도 불이익변경금지원칙을 적용할 것인가에 대하여 대립이 있으나 적용된다는 견해가 판례 입장이다(대판 1971.5.24, 71도574). 22. 9급 검찰·마약수사

③ **상소한 사건** : 불이익변경금지의 원칙은 상소사건에 대해서만 적용된다. 상소사건의 범위와 관련하여 문제되는 것은 다음과 같다.

㉠ **항고사건** : 견해의 대립은 있으나, 불이익변경금지원칙은 현행법상 형을 선고하는 항소나 상고의 경우에 제한되어 있으므로, 명문의 규정이 없는 항고심에서는 적용되지 않는다는 견해가 타당하다.

㉡ **정식재판의 청구** : '피고인이 정식재판을 청구한 사건에 대하여는 약식명령의 형보다 중한 형을 선고하지 못한다.'는 불이익변경금지원칙 규정(제457조의 2 제1항)은 '피고인이 정식재판을 청구한 사건에 대하여는 약식명령의 형보다 중한 종류의 형을 선고하지 못한다.'는 형종상향금지 규정으로 개정되었다(2017.12.19). 24. 해경승진 따라서 이제는 약식명령에 대하여 피고인만 정식재판을 청구하더라도 불이익변경금지원칙은 적용되지 않는다. 23. 해경승진

예 1. 개정법에 의하면, 약식명령에 의한 벌금 50만원을 정식재판절차에서 벌금 100만원 선고도 가능하다. 다만, 법원은 판결서에 그 양형의 이유를 적어야 하도록 하였다(제457조의 2 제2항).
2. 불이익변경은 가능하나 형종상향은 금지되므로, 법원은 약식명령의 벌금보다 중한 형에 해당하는 자격정지, 자격상실, 금고, 징역 등은 선고할 수 없다.

약식명령에 대한 불이익변경금지원칙 규정과 관련한 기존의 판례내용도 개정법에 의하면 틀린 내용이 되겠으나, 새로운 판례가 나오기 전까지는 그대로 숙지하고 있을 필요가 있다. 왜냐하면, 비록 개정법에 의하면 적절한 내용은 아닐지라도 그 원리만은 의미가 있는 내용이라면 개정법 이후에도 출제될 가능성이 있으며, 비록 개정법과 불일치하는 판례일지라도 각종의 형사소송법 시험에서 간혹 기존의 판례내용이 그대로 출제되는 경우가 있기 때문이다.

즉결심판절차에 있어서 특별한 규정이 없는 한 그 성질에 반하지 아니한 것은 형사소송법의 규정을 적용한다는 즉결심판절차법 제19조의 규정에 따라 '즉결심판에서도 약식명령의 제457조의 2 규정을 준용하여 즉결심판에서의 형보다도 정식재판절차에서 무거운 형을 선고하지 못한다.'는 대법원 판례(대판 1999.1.15, 98도2550)의 내용 역시 앞으로 변경될 것으로 보인다. 다만, 새로운 판례가 나오기 전까지는 기존 판례대로 숙지하여야 한다.

관련판례

1. 약식절차에서 피고인이 정식재판을 청구한 경우 약식명령보다 더 중한 형을 선고할 수 없도록 한 형사소송법 제457조의 2는 법관의 양형결정권이 침해된다고 볼 수 없다(헌재결 2005.3.31, 2004헌가27). 13. 9급 검찰 · 마약수사
2. 피고인을 벌금 300만원에 처하는 내용의 약식명령에 대하여 피고인만이 정식재판을 청구하자 제1심 법원이 공소사실 중 일부를 유죄로 판단한 후 벌금 100만원을 선고하였는데, 원심이 검사의 항소를 받아들여 제1심판결을 파기하고 벌금 400만원을 선고한 사안에서, 약식명령의 형보다 중한 벌금형을 선고한 원심판결에 불이익변경금지원칙을 위반한 위법이 있다(대판 2017.2.21, 2016도19186).
3. 약식명령에 대하여 피고인만이 정식재판을 청구하였는데, 검사가 당초 사문서위조 및 위조사문서행사의 공소사실로 공소제기하였다가 제1심에서 사서명위조 및 위조사서명행사의 공소사실을 예비적으로 추가한 경우, 피고인에 대하여 사서명위조와 위조사서명행사의 범죄사실이 인정되는 경우에는 비록 사서명위조죄와 위조사서명행사죄의 법정형에 유기징역형만 있다 하더라도 형사소송법 제457조의 2에서 규정한 불이익변경금지원칙이 적용되어 벌금형을 선고할 수 있다(대판 2013.2.28, 2011도14986). 18. 9급 검찰 · 마약 · 교정 · 보호 · 철도경찰

4. 벌금 300,000원의 약식명령을 고지받고, 피고인만이 정식재판을 청구하여 제1심이 피고인에 대해서는 무죄를 선고하자 검사가 항소하여, 항소심에서 제1심판결을 파기하고 피고인을 벌금 700,000원에 처한 것은 불이익변경에 해당한다(대판 2010.10.14, 2010도9151).
5. 즉결심판에 대한 정식재판청구사건에 대하여도 형사소송법 제457조의 2를 준용하여 불이익변경금지원칙이 적용된다(대판 1999.1.15, 98도2550). 12. 순경·경찰간부·9급 검찰·마약·교정·보호·철도경찰, 15. 9급 법원직

㉢ **파기환송 또는 파기이송사건** : 상소법원이 피고인의 상소를 이유 있다고 하여 원심판결을 파기하고 피고사건을 원심법원에 환송하거나 그와 동등한 다른 법원에 이송할 경우 환송 또는 이송받은 법원의 심판절차에서도 불이익변경금지의 원칙이 적용된다(통설·판례). 03. 행시, 16. 경찰간부, 18. 변호사시험·9급 검찰·마약·교정·보호·철도경찰, 19. 경찰승진, 23. 해경승진

관련판례

1. 두 개의 벌금형을 선고한 환송 전 원심판결에 대하여 피고인만이 상고하여 파기 환송되었는데, 환송 후 원심이 징역형의 집행유예와 사회봉사명령을 선고한 것은 불이익변경금지의 원칙에 위배된다(대판 2006.5.26, 2005도8607). 17. 9급 검찰·마약·교정·보호·철도경찰
2. 피고인의 상고에 의하여 상고심에서 원심판결을 파기하고 사건을 항소심에 환송한 경우에 그 항소심에서는 그 파기된 항소심판결의 형보다 더 중한 형을 선고할 수 없으며, 20. 7급 국가직 환송 후에 공소장 변경이 있어 이에 따라 항소심이 새로운 범죄사실을 유죄로 인정하는 경우에도 그 파기된 항소심판결의 형보다 더 중한 형을 선고할 수 없다(대판 1980.3.25, 79도2105). 18. 경찰간부, 20. 9급 법원직, 22. 해경간부, 23. 해경승진

㉣ **재심절차** : 재심사건은 상소사건이 아니면서도 재심절차에 불이익변경금지원칙이 적용된다(제439조). 이는 확정판결의 오류로부터 피고인의 이익을 보호하려는 재심제도의 본질에서 나오는 것이다. 12. 9급 법원직·경찰간부

관련판례

1. 경합범 관계에 있는 수개의 범죄사실을 유죄로 인정하여 1개의 형을 선고한 불가분의 확정판결에서 그중 일부의 범죄사실에 대하여만 재심청구의 이유가 있는 것으로 인정되었으나 형식적으로는 1개의 형이 선고된 판결에 대한 것이어서 판결 전부에 대하여 재심개시의 결정을 한 경우, 재심법원은 재심사유가 없는 범죄에 대하여는 새로이 양형을 하여야 하는 것이므로 이를 헌법상 이중처벌금지의 원칙을 위반한 것이라고 할 수 없고, 다만 재심사건에는 불이익변경의 금지원칙이 적용되어 원판결의 형보다 중한 형을 선고하지 못하는 것이다(대판 2014.11.13, 2014도10193). 21. 9급 검찰·마약·교정·보호·철도경찰
2. 특별사면으로 형 선고의 효력이 상실된 유죄의 확정판결에 대하여 재심개시결정이 이루어져 재심법원이 다시 심판한 결과 유죄로 인정되는 경우에는, 재심심판법원으로서는 '피고인에 대하여 형을 선고하지 아니한다.'는 주문을 선고할 수밖에 없다(대판 2015.10.29, 2012도2938). 따라서 재심피고인에 대하여 종래의 형보다 낮은 형을 선고하는 것은 불이익변경금지원칙에 위배된다. 19. 5급 검찰·교정승진

3. 원판결이 선고한 집행유예가 실효 또는 취소됨이 없이 그 유예기간이 지난 후에 새로운 형을 정한 재심판결이 선고된 경우, 그 재심판결의 형이 원판결의 형보다 중하지 않다면 불이익변경금지원칙이나 이익재심의 원칙에 반한다고 볼 수 없다(대판 2018.2.28, 2015도15782). 20. 7급 국가직, 21. 순경 1차
4. 재심대상사건에서 징역형의 집행유예를 선고하였음에도 재심사건에서 원판결보다 주형을 경하게 하고, 집행유예를 없앤 경우는 형사소송법 제439조에 의한 불이익변경금지원칙에 위배된다(대판 2016.3.24, 2016도1131). 23. 해경간부

ⓜ **판결서 오류시정** : 판결을 선고한 법원이 판결서의 경정을 통하여 당해 판결서의 명백한 오류를 시정하는 것은 피고인에게 유리 또는 불리한 결과를 발생시키거나 피고인의 상소권 행사에 영향을 미칠 수 있는 것이 아니므로, 불이익변경금지원칙이 적용될 여지는 없다(대판 2007.7.13, 2007도3448). 19. 9급 법원직

(3) 불이익변경금지원칙의 내용

① 불이익변경금지의 대상

㉠ 불이익변경이 금지되는 것은 형의 선고에 한한다. 따라서 선고한 형이 중하게 변경되지 않는 한 사실인정, 법령적용, 죄명선택 등 판결의 내용이 원 재판보다 중하게 변경되었다 할지라도 불이익변경금지원칙에 반하지 아니한다.

절도죄로 벌금 600만원을 선고한 원심판결에 대하여 피고인만 항소한 경우에 항소심이 강도죄를 인정하여 벌금 600만원을 선고하여도 불이익변경 ×

관련판례

1. 형사소송법 제368조에 의하여 불이익변경이 금지되는 것은 형의 선고에 한하므로, 살인죄에 대하여 원심이 유기징역형을 선택한 1심보다 중하게 무기징역형을 선택하였다 하더라도 결과적으로 선고한 형이 중하게 변경되지 아니한 이상 불이익변경금지원칙에 반하지 않는다(대판 1999.2.5, 98도4534). 10. 순경, 11 · 13. 7급 국가직, 18. 경찰간부 · 순경 1차
2. 피고인만이 항소한 사건에서 항소심이 피고인에 대하여 제1심이 인정한 범죄사실의 일부를 무죄로 인정하면서도 제1심과 동일한 형을 선고하였다 하여 그것이 형사소송법 제368조 소정의 불이익변경금지원칙에 위배된다고 볼 수 없다(대판 2003.2.11, 2002도5679). 08. 순경, 10 · 22. 경찰승진 · 7급 국가직, 24. 변호사시험
3. 불이익변경금지의 원칙은 피고인만이 상소한 사건에 있어서 원심의 형보다 중한 형을 선고할 수 없다는 것에 불과하고, 그 형이 같은 이상 원심이 인정한 죄보다 중한 죄를 인정하였다 하더라도 위 원칙에 위배되지 아니한다(대판 1981.12.8, 81도2779). 13. 7급 국가직, 16. 순경 2차
4. 정식재판을 청구한 사건에서 그 죄명이나 적용법조가 약식명령의 경우보다 불이익하게 변경되었다고 하더라도 선고한 형이 약식명령과 같거나 약식명령보다 가벼운 경우에는 불이익변경금지의 원칙에 위배된 조치라고 할 수 없다(대판 2013.2.28, 2011도14986). 16. 경찰간부, 18. 변호사시험
5. 피고인의 상고(공소사실 : 강도살인)에 의하여 상고심에서 원심판결을 파기하고 사건을 항소심에 환송한 경우에 환송 후의 원심에서 적법한 공소장변경이 있어 이에 따라 그 항소심이 법정형이 가벼운 새로운 범죄사실(강도치사)을 유죄로 인정하면서 환송 전 원심에서 정한 선고형과 동일한 형을 선고하였다고 하여 불이익변경금지원칙에 위배된다고 할 수 없다(대판 2001.3.9, 2001도192).

6. 불이익변경금지의 원칙이란 일체의 불이익한 변경을 금지하는 것이 아니라 원심판결의 형보다 중한 형으로의 변경을 금지하는 것을 말하는 것으로서 불이익변경이 금지되는 것은 형의 선고에 한하므로 원심이 주류 판매량을 1심보다 많이 인정하였다고 하여 불이익변경금지의 원칙에 위반되는 것은 아니다(대판 1996.3.8, 95도1738).
7. 제1심판결이 그 이유에서 징역 장기 4년, 단기 3년 6월에 처한다고 설시하면서 그 주문에서는 징역 장기 5년, 단기 4년에 처한다고 설시함으로써 원심판결이 이유모순을 이유로 제1심판결을 파기하고 다시 징역 장기 5년, 단기 4년을 선고한 경우, 원심판결은 제1심판결이 주문에서 선고한 형보다 중한 형을 선고한 것이 아님이 분명하므로 불이익변경금지의 규정에 반하는 것이라고 할 수 없다(대판 1989.9.26, 89도1477).
8. 의사 등이 낙태치사상죄를 범한 경우에 자격정지를 필요적으로 병과하게 되어 있는데, 이를 누락하여 필요적 병과형을 간과하고 형을 선고한 경우에, 항소심에서 선고되는 형이 징역형은 제1심보다 감경되었으나 이에 자격정지형이 추가로 병과되었다면 제1심보다 중한 형이 선고되는 불이익변경이 있다할 것이다(대판 1985.6.11, 84도1958).
9. 피고인만이 항소한 경우에 있어서 항소심판결이 검사의 공소장변경신청에 의하여 제1심판결의 적용법조와는 달리 경합죄로 처단하였다 하더라도 항소심판결의 선고형이 제1심 선고형과 동일하다면 불이익변경금지의 원칙에 위배된다고 할 수 없다(대판 1984.4.24, 83도3211).
10. 상소심이 원심의 경합범 인정을 위법이라 파기하고 1죄로 처단하는 경우 반드시 원심보다 경한 형을 선고하여야 하는 것은 아니고 원심과 같은 형을 선고하였다 하여도 위법이 아니다(대판 1966.10.18, 66도567).
11. 항소심이 제1심에서 인정하였던 범죄사실 중 일부사실에 관하여는 면소를 선고하면서 제1심이 선고한 형을 경감하지 아니하고 동일한 형을 선고하였다고 하여 불이익변경금지의 원칙에 위반되는 것은 아니다(대판 1964.6.2, 64도160).

ⓛ 불이익변경금지원칙은 형의 선고가 불이익하게 변경되는 것을 금지하고 있는데, 여기서 형이란 형법 제41조가 규정하고 있는 형의 종류에 엄격히 제한되는 것은 아니다. 실질적으로 피고인에게 형벌과 동일한 불이익을 주는 처분은 모두 불이익변경금지원칙의 적용대상이 된다. 따라서 노역장유치, 미결구금일수산입, 추징 등도 포함된다. 다만, 판례에 의하면 소송비용이나 압수물 환부선고에 대해서는 불이익변경금지원칙의 적용이 없다는 입장이다. 09. 9급 법원직

관련판례

1. 추징도 몰수에 대신하는 처분으로서 몰수와 마찬가지로 형에 준하여 평가하여야 할 것이므로 그에 관하여도 형사소송법 제368조의 불이익변경금지의 원칙이 적용된다(대판 2006.11.9, 2006도4888). 10. 7급 국가직, 11. 9급 법원직, 12. 순경, 14·16. 경찰간부, 16·21. 9급 검찰·마약·교정·보호·철도경찰, 19. 경찰승진
2. 소송비용의 부담은 형이 아니고 실질적인 의미에서 형에 준하여 평가되어야 할 것도 아니므로 불이익변경금지원칙의 적용이 없다(대판 2001.4.24, 2001도872). 12·13. 순경, 14. 경찰간부, 19. 순경 1차, 22. 7급 국가직, 23. 9급 법원직

3. 피고인만이 항소한 사건에서 항소심법원이 제1심판결을 파기하고 새로운 형을 선고함에 있어 피고인에 대한 주형에서 그 형기를 감축하고 제1심판결이 선고하지 아니한 압수장물을 피해자에게 환부하는 선고(형벌 ×)를 추가하였더라도 그것만으로는 피고인에 대한 형이 제1심판결보다 불이익하게 변경되었다고 할 수 없다(대판 1990.4.10, 90도16). 16. 9급 검찰·마약·교정·보호·철도경찰, 18. 경찰간부·순경 1차

② 불이익변경판단의 기준

㉠ 형사소송법은 불이익변경의 판단기준에 대하여 명문규정을 두고 있지 않다. 형법 제50조를 기준으로 삼으면서 전체적으로 피고인의 자유구속과 법익박탈 정도를 실질적으로 고려하여 불이익변경 여부를 판단해야 함이 타당하다(다수설·판례).

관련판례

선고된 형이 피고인에게 불이익하게 변경되었는지에 관한 판단은 형법상 형의 경중을 일응의 기준으로 하되, 병과형이나 부가형, 집행유예, 미결구금일수의 통산, 노역장 유치기간 등 주문 전체를 고려하여 피고인에게 실질적으로 불이익한가의 여부에 의하여 판단하여야 할 것이다(대판 2004.11.11, 2004도6784).

㉡ **구체적 적용례**(판례)

관련판례

1. 아동·청소년 대상 성폭력범죄의 피고인에게 '징역 15년 및 5년 동안의 위치추적 전자장치 부착명령'을 선고한 제1심판결을 파기한 후 '징역 9년, 5년 동안의 공개명령 및 6년 동안의 위치추적 전자장치 부착명령'을 선고한 원심의 조치는 불이익변경금지원칙에 위반하지 않는다(대판 2011.4.14, 2010도16939). 12. 순경·경찰승진·9급 법원직, 13. 7급 국가직, 12·14. 경찰간부, 13·18. 순경 1차
2. 징역 2년에 집행유예 3년 및 금 5억여 원 추징을 항소심에서 징역 1년에 집행유예 2년 및 금 6억여 원 추징으로 변경은 불이익변경금지원칙에 반하지 않는다(대판 1998.5.12, 96도2850). 08. 9급 법원직, 09. 순경, 23. 9급 법원직
3. 징역 2년 6월 및 벌금형 1,500만원에 대한 선고유예와 금 11,461,400원을 추징한 1심판결에 대하여 징역 2년 6월과 벌금 10,000,000원에 처하고 금 11,461,400원을 추징하고 위 각 징역형에 대하여는 4년간 형의 집행을 유예하는 판결선고는 1심의 형보다 중하다 할 수 없으므로 피고인 등에 대하여 불이익하다 할 수 없다(대판 1976.10.12, 74도1785). 09. 순경

   <제1심> <제2심>

   징역 2년 6월 및 벌금 1,500만원(선고유예), 추징 11,461,400원 ⇨ 징역 2년 6월(집행유예 4년), 벌금 1,000만원, 추징 11,461,400원 : 불이익변경 ×
4. 벌금형을 선고한 즉결심판에 대하여 벌금형의 환형유치기간 보다 더 긴 구류형을 선고하더라도 불이익변경금지원칙에 위배된다고 할 수 없다(대판 2002.5.28, 2001도1531). 12. 경찰승진
5. 다른 형은 동일하게 선고하면서 부착명령기간만을 제1심판결보다 장기의 기간으로 부과한 것은 부착명령 청구사건에 관하여 제1심판결의 형을 피고인에게 불이익하게 변경한 것이라고 할 것이다(대판 2014.3.27, 2013도9666). 17. 9급 검찰·마약·교정·보호·철도경찰

6. 벌금 3,000,000원의 약식명령에 대한 정식재판에서 벌금 3,000,000원에 처하는 판결을 선고하면서 성폭력 치료 프로그램 24시간의 이수명령을 병과한 경우, 전체적·실질적으로 볼 때 피고인에게 불이익하게 변경한 것이므로 허용되지 않는다(대판 2015.9.15, 2015도11362).
7. 제1심이 피고인에게 금고 6월을 선고한 데 대하여 피고인만이 항소하였음에도 불구하고 원심이 제1심판결을 파기하고 피고인에 대하여 징역 6월에 집행유예 1년을 선고한 것은 피고인에게 불이익하게 변경되었다고 보아야 한다고 판시(대판 1976.1.27, 75도1543)한 바 있으나, 이는 형기의 변경 없이 집행유예가 선고된 사정을 전체적·실질적으로 고찰하지 않았다는 점에서 대법원 1998. 3. 26. 선고 97도1716 전원합의체 판결의 취지에 반하는 것임이 분명하므로, 이미 위 전원합의체 판결에 의해서 대법원 1967. 11. 21. 선고 67도1185 판결과 대법원 1993. 12. 10. 선고 93도2711 판결 등이 폐기될 때 함께 폐기된 것으로 봄이 상당하다(대판 2013.12.12, 2013도6608).
   [사례] 금고형과 징역형을 선택하여 경합범 가중을 하는 경우에는 형법 제38조 제2항에 따라 금고형과 징역형을 동종의 형으로 간주하여 징역형으로 처벌하여야 하며, 피고인만이 항소한 이 사건에서 피고인에 대하여 형기의 변경 없이 위 금고형을 징역형으로 바꾸어 집행유예를 선고하는 것은 불이익변경금지의 원칙에 위반되지 아니한다(대판 2013.12.12, 2013도6608).
8. 제1심은 피고인에 공소사실을 전부 유죄로 인정하여 피고인에게 징역 1년 6월 및 추징 26,150,000원을 선고하였고, 이에 대하여 항소심은 피고인에게 징역 1년 6월에 집행유예 3년, 벌금 50,000,000원(1일 50,000원으로 환산한 기간 노역장 유치) 및 추징 26,150,000원을 선고한 경우, 집행유예의 실효나 취소 가능성, 벌금 미납시의 노역장 유치 가능성 및 그 기간 등을 전체적·실질적으로 고찰하면 원심이 선고한 형은 제1심이 선고한 형보다 무거워 피고인에게 불이익하다고 할 것이다(대판 2013.12.12, 2012도7198). 18. 변호사시험, 21. 9급 법원직
9. 피고인만이 항소한 경우라도 법원이 항소심에서 처음 청구된 검사의 부착명령 청구에 기하여 부착명령을 선고하는 것이 불이익변경금지의 원칙에 저촉되지 아니한다고 봄이 상당하다(대판 2010.11.25, 2010도9013).
10. 피고인에게 징역 장기 7년, 단기 5년 및 5년 동안의 위치추적 전자장치 부착명령을 선고한 제1심판결을 파기한 후 피고인에 대하여 징역 장기 5년, 단기 3년 및 20년 동안의 위치추적 전자장치 부착명령을 선고한 것이 불이익변경금지의 원칙에 어긋나는 것이라고 할 수 없다(대판 2010.11.11, 2010도7955).
11. 두 개의 벌금형을 선고(벌금 7백만원과 2백만원)한 환송 전 원심판결에 대하여 피고인만이 상고하여 파기 환송되었는데, 환송 후 원심이 징역 1년에 집행유예 2년 및 사회봉사명령 80시간을 선고한 것은 불이익변경금지의 원칙에 위배된다(대판 2006.5.26, 2005도8607).
12. 제1심에서 징역 1년 6월에 집행유예 3년의 형을 선고하였고, 제2심에서 징역 1년의 형을 선고유예하였다. 상고심에서 원심파기 후 환송하자 환송심에서 제1심판결을 파기하고 벌금 40,000,000원과 16,485,250원의 추징을 모두 선고유예하였다면, 비록 추징을 새로이 추가하였다고 하더라도 전체적·실질적으로 볼 때 피고인에게 실질적으로 불이익하게 변경되었다고 볼 수 없다(대판 1998.3.26, 97도1716 전원합의체).
    <제1심> <제2심> <환송심>
    징역 1년 6월(집행유예 3년) ⇨ 징역 1년(선고유예) ⇨ 벌금 4천만원(선고유예), 추징 16,485,250원(선고유예) : 불이익변경 ×

PART 05

13. 불이익변경금지원칙의 적용에 있어서는 이를 개별적, 형식적으로 고찰할 것이 아니라 전체적, 실질적으로 고찰하여 결정하여야 할 것인 바, 제1심이 피고인에게 판시 각 범죄사실을 일괄하여 실체적 경합범으로 보고 징역 4년을 선고한 것을 원심이 위 각 범죄사실이 형법 제37조 후단의 경합범이라는 이유로 제1심판결을 파기하고 3개의 주문(징역 1년, 징역 1년, 징역 6월)으로 처단하고 있다고 하더라도, 피고인에게 불이익하게 변경되었다고 할 수는 없다(대판 1988.7.26, 88도936).
14. 피고인이 군인 신분에서 폭행, 모욕, 군인 등 강제추행, 군용물손괴, 특수폭행으로 기소되어 보통군사법원(제1심)에서 징역 2년에 집행유예 3년의 유죄판결을 선고받고 피고인만이 항소하였는데, 항소심인 고등군사법원은 피고인의 전역을 이유로 군용물손괴 부분만 징역 1년에 집행유예 2년의 판결을 선고하였고, 나머지는 항소심 법원으로 이송하였는데 항소심 법원은 이송받은 공소사실 전부를 유죄로 인정하여 징역 1년에 집행유예 2년을 선고하면서 40시간의 성폭력 치료강의 수강명령을 병과한 경우, 피고인에게 불이익하게 변경한 것이어서 허용되지 않는다(대판 2018.10.4, 2016도15961).
15. 제1심이 징역 5년과 성폭력치료프로그램 이수명령(40시간), 추징(18만원)을 선고하였고, 이에 대하여 항소심에서 제1심과 동일한 형(징역 5년, 40시간의 성폭력치료프로그램 이수명령, 18만원의 추징)과 함께 5년간의 취업제한 명령을 선고한 사안에서, 아동・청소년의 성보호에 관한 법률 개정법 부칙 제4조 또는 제5조의 특례 규정에 따라 별도의 취업제한 명령의 선고가 없더라도 아동・청소년 관련기관 등에 5년간 취업이 제한되므로 이는 피고인에게 특별히 불이익이 없어 불이익변경금지원칙에 반하지 않는다(대판 2018.10.25, 2018도13367, 징역 5년, 성폭력치료프로그램 이수명령(40시간), 추징(18만원) ⇨ 징역 5년과 성폭력치료프로그램 이수명령(40시간), 추징(18만원) 및 5년간의 취업제한 명령 : 불이익변경 ×).
16. 신상정보 제출의무는 법원이 별도로 부과하는 것이 아니라 등록대상 성범죄로 유죄판결이 확정되면 성폭력처벌법의 규정에 따라 당연히 발생하는 것이므로, 법원이 유죄판결을 선고하면서 고지를 누락한 잘못이 있더라도 상급심 법원에서 이와 같이 신상정보 제출의무 등을 새로 고지하더라도 형을 피고인에게 불리하게 변경하는 경우에 해당되지 아니한다(대판 2014.12.24, 2014도13529). 19. 경찰승진
17. 취업제한명령은 범죄인에 대한 사회 내 처우의 한 유형으로서 형벌 그 자체가 아니라 보안처분의 성격을 가지는 것이지만, 실질적으로 직업선택의 자유를 제한하는 것이다. 따라서 원심이 제1심판결에서 정한 형과 동일한 형을 선고하면서 제1심에서 정한 취업제한기간보다 더 긴 취업제한명령을 부가하는 것은 전체적・실질적으로 피고인에게 불리하게 변경한 것이므로, 피고인만이 항소한 경우에는 허용되지 않는다(대판 2019.10.17, 2019도11540). 20. 7급 국가직, 21. 순경 1차

   예 제1심에서 징역 1년과 120시간의 성폭력 치료프로그램 이수명령, 아동・청소년 관련기관 등에 5년간의 취업제한명령을 선고한 경우, 항소심에서 동일한 형 등과 함께 장애인복지시설에 5년간의 취업제한명령을 선고한 경우에는 불이익변경금지원칙에 위반된다(대판 2019.10.17, 2019도11540).
18. 성폭력범죄의 처벌 등에 관한 특례법에 따라 병과하는 수강명령 또는 이수명령은 형벌 자체가 아니라 보안처분의 성격을 가지는 것이지만, 의무적 강의 수강 또는 성폭력 치료프로그램의 의무적 이수를 받도록 함으로써 실질적으로는 신체적 자유를 제한하는 것이 되므로, 원심이 제1심판결에서 정한 형과 동일한 형을 선고하면서 새로 수강명령 또는 이수명령을 병과하는 것은 전체적・실질적으로 볼 때 피고인에게 불이익하게 변경한 것이므로 허용되지 않는다(대판 2018.10.4, 2016도15961). 21. 9급 법원직, 24. 해경간부

> **형법 제50조【형의 경중】** ① 형의 경중은 제41조 각 호의 순서에 따른다. 다만, 무기금고와 유기징역은 무기금고를 무거운 것으로 하고 유기금고의 장기가 유기징역의 장기를 초과하는 때에는 유기금고를 무거운 것으로 한다.
> ② 같은 종류의 형은 장기가 긴 것과 다액이 많은 것을 무거운 것으로 하고 장기 또는 다액이 같은 경우에는 단기가 긴 것과 소액이 많은 것을 무거운 것으로 한다.
> ③ 제1항 및 제2항을 제외하고는 죄질과 범정(犯情)을 고려하여 경중을 정한다.
> [전문개정 2020.12.8] [시행일 2021.12.9]
>
> **형법 제41조【형의 종류】**
> 1. 사 형 2. 징 역 3. 금 고 4. 자격상실 5. 자격정지
> 6. 벌 금 7. 구 류 8. 과 료 9. 몰 수

③ **형의 경중의 비교** : 피고인에게 원심보다 더 중한 형을 인정함은 불이익변경에 해당하므로 불이익변경금지원칙상 허용될 수 없다.

㉠ **형의 추가와 변경**

ⓐ 징역형과 금고형

- 징역형을 금고형으로 변경하면서 형기 단축 ⇨ 불이익변경 ×
- 징역형을 금고형으로 변경하면서 형기 인상 ⇨ 불이익변경 ○
- 형기가 같은 금고형을 징역형으로 변경 ⇨ 불이익변경 ○

ⓑ 자유형과 벌금형

- 자유형을 벌금형으로 변경 ⇨ 불이익변경 ×
- 벌금의 액수는 같고 노역장유치기간이 길어진 경우 ⇨ 불이익변경 ○(대판)
- 벌금액이 감경되면서 노역장유치기간이 길어진 경우 ⇨ 불이익변경 ×(대판) 08. 순경, 10. 경찰승진, 12. 9급 법원직, 14. 경찰간부·9급 검찰·마약수사, 19. 순경 1차
- 자유형을 단축하면서 벌금액수는 같고 벌금형에 대한 환형유치기간이 길어진 경우 ⇨ 불이익변경 ×(대판) 10. 순경, 13. 9급 법원직
- 자유형을 벌금형으로 변경하면서 벌금에 대한 노역장유치기간이 자유형을 초과 ⇨ 불이익변경 ×(대판) 08. 순경, 10. 경찰승진, 21. 9급 검찰·마약·교정·보호·철도경찰
- 벌금형이 감경되고 그 벌금형에 대한 노역장유치기간도 줄었으나 노역장유치 환산기준 금액이 낮아진 경우 ⇨ 불이익변경 ×(대판)
- 자유형을 단축하면서 벌금액수는 같고 벌금형에 대한 노역장유치 환산기준 금액이 낮아진 경우 ⇨ 불이익변경 ×(대판) 예 징역 1년 및 벌금 5,000,000원, 노역장 환형유치 1일 20,000원 ⇨ 징역 10월 및 벌금 5,000,000원, 노역장 환형유치 1일 금 10,000원 선고

ⓒ 부정기형과 정기형 : 부정기형을 정기형으로 변경할 때 불이익변경금지원칙의 위반 여부는 부정기형의 장기와 단기의 중간형을 기준으로 삼아야 한다(대판 2020.10.22, 2020도4140 전원합의체). 21. 9급 검찰·마약·교정·보호·철도경찰, 23. 해경승진·9급 법원직, 22·24. 7급 국가직, 24. 해경간부

예 단기 7년 장기 15년의 경우 중간형인 11년을 기준으로 함. – 대법원은 단기형을 기준으로 삼아야 한다는 종전의 판례를 변경하였다.

ⓛ 집행유예와 선고유예

ⓐ 집행유예와 형의 경중

• 집행유예를 붙인 자유형 판결에 대하여 집행유예만 없애거나 유예기간을 연장 ⇨ 불이익변경 ○(대판) 10. 순경 · 9급 법원직

예 ┌ 징역 10월에 집행유예 2년 ⇨ 징역 10월
   └ 징역 10월에 집행유예 2년 ⇨ 징역 10월에 집행유예 3년

• 징역형을 늘리면서 집행유예를 붙임 ⇨ 불이익변경 ○(대판)

예 징역 6월을 징역 8월에 집행유예 1년

• 징역형을 줄이면서 집행유예를 박탈 ⇨ 불이익변경 ○(대판) 17 · 18. 9급 검찰 · 마약 · 교정 · 보호 · 철도경찰, 18. 순경 1차, 11 · 20 · 21. 9급 법원직

예 징역 1년 6월에 집행유예 3년 ⇨ 징역 1년 선고

• 징역형에 집행유예를 붙이면서 벌금형을 병과 ⇨ 불이익변경 ○(대판)

예 제1심의 징역 6월 선고를 징역 6월에 집행유예 2년 + 벌금 2만원 03. 경찰승진, 09. 전의경

• 형기의 변동 없이 금고형을 징역형으로 바꾸면서 집행유예를 선고 ⇨ 불이익변경 ×(대판)

예 금고 6월을 징역 6월에 집행유예 1년 22. 7급 국가직

• 집행유예를 붙인 자유형에 대하여 형을 가볍게 하면서 유예기간을 길게 한 경우 ⇨ 불이익변경 ×(다수설) 예 징역 1년에 집행유예 2년을 금고 6월에 집행유예 3년

ⓑ 집행유예 · 선고유예 · 벌금형의 경중

• 자유형에 대한 집행유예판결을 벌금형으로 변경 ⇨ 불이익변경 ×(대판) 10. 9급 법원직, 13. 9급 검찰 · 마약수사

• 자유형에 대한 선고유예를 벌금형으로 변경 ⇨ 불이익변경 ○(대판) 09. 전의경, 11. 순경, 12. 교정특채, 12 · 18. 경찰간부, 13 · 20. 9급 법원직

ⓒ 형의 집행유예와 집행면제 : 형집행면제를 집행유예로 변경하는 것은 불이익변경에 해당하지 않는다(형집행면제는 형의 집행만을 면제하는 것이나, 집행유예는 유예기간 경과로 형 선고의 효력이 상실됨). 10. 경찰승진, 16. 순경 2차, 20. 9급 법원직, 23. 해경승진

관련판례

형의 집행유예의 판결은 소정 유예기간을 특별한 사유없이 경과한 때에는 그 형의 선고의 효력이 상실되나 형의 집행면제는 그 형의 집행만을 면제하는데 불과하여, 전자가 후자보다 피고인에게 불이익한 것이라 할 수 없다(대판 1985.9.24, 84도2972 전원합의체). 23. 해경승진

제1심에서 징역 1년에 처하되 형의 집행을 면제한다는 판결을 선고한데 대하여 피고인만이 항소한 경우, 항소심이 위 피고인에 대해 징역 8월에 집행유예 2년을 선고하였다면 이는 위법하다. (×) 18. 변호사시험

㉢ 몰수 · 추징 · 미결구금일수산입

ⓐ 주형과 몰수 · 추징

- 원심의 주형은 그대로 두면서 몰수 또는 추징을 추가하거나 원심보다 무거운 추징을 병과 ⇨ 불이익변경 ○(대판)
  - ▶ 추징 : 불이익변경금지원칙 적용(대판 2006.11.9, 2006도4888) 10. 경찰승진, 12. 순경, 16. 경찰간부
- 추징을 몰수로 변경 ⇨ 불이익변경 ×(대판) 09. 순경 · 9급 국가직, 09 · 11. 경찰승진
- 주형은 가볍게 하고 몰수나 추징을 추가 또는 증가하게 한 경우 ⇨ 견해의 대립은 있으나 피고인에게 실질적 불이익을 초래하느냐의 여부로 결정함이 타당(대판)
  - 예 벌금 18만원 ⇨ 벌금 5만 4천원, 89,583원 상당의 물건 몰수 : 불이익변경 ×(대판 1963.10.10, 63도224)

ⓑ 미결구금일수의 산입 : 본형은 그대로 두고 미결구금일수의 산입을 박탈하거나 감소 ⇨ 불이익변경 ○(대판 1996.1.23, 95도2500) 04. 행시, 10. 순경

관련판례

피고인만이 불복 항소한 경우에 제1심의 미결구금일수의 산입이 잘못되었다 하더라도 항소심으로서는 피고인에게 불이익하게 판결할 수는 없는 것이므로, 항소심이 제1심판결을 취소하고 주형은 제1심판결과 동일하게 선고하면서 제1심판결 선고 전의 구금일수만을 제1심판결보다 줄여서 선고한 것은 불이익변경금지원칙에 반하여 위법하다(대판 1996.1.23, 95도2500). 08. 9급 법원직

▶ **비교판례** : 판결 선고 전의 미결구금일수가 실제 없음에도 이를 산입한 경우에는 재판서에 오기와 유사한 오류가 있음이 명백하여 판결서의 경정으로 이를 시정할 수 있다. 위와 같이 판결을 선고한 법원에서 당해 판결서의 명백한 오류에 대하여 판결서의 경정을 통하여 그 오류를 시정하는 것은 불이익변경금지원칙이 적용될 여지는 없다(대판 2007.7.13, 2007도3448). 12. 9급 법원직, 13. 7급 국가직, 17. 경찰간부

㉣ **형과 치료감호** : 제1심판결에서 치료감호만 선고되고 피고인만 항소한 경우 치료감호를 징역형으로 바꾸는 것은 불이익변경이 된다(대판 1983.6.14, 83도765). 09. 순경

㉤ 병합심리와 형의 경중

ⓐ 동종의 형이 병합된 경우 : 제1심에서 별개의 사건으로 따로 두 개의 형을 선고받고 항소한 피고인에 대하여 항소심에서 사건을 병합심리하여 하나의 형을 선고한 경우, 제1심의 각 형량보다 중할 수는 있으나, 11. 7급 국가직 중한 죄의 장기 2분의 1까지 가중한 형기를 초과해서는 안 된다.

예 도주죄(법정형 : 1년 이하 징역)에 대하여 징역 1년, 모욕죄(법정형 : 1년 이하 징역 또는 200만원 이하 벌금)에 대하여 징역 1년을 각각 선고받고 항소하여 항소심에서 각 1심의 형량보다 중할 수 있으나 법정형의 장기 2분의 1을 가중한 1년 6개월을 초과해서는 안 된다(형법 제38조 제2호).

ⓑ 실형과 집행유예가 병합된 경우 : 제1심에서 징역 1년 6개월의 실형과 징역 1년에 집행유예 2년을 선고받은 각각의 사건에 대해 항소심에서 병합한 경우 징역 2년을 선고할 수 있다는 것이 판례의 입장이다.

관련판례

제1심에서 별개의 사건으로 징역 1년에 집행유예 2년과 추징금 1천만원 및 징역 1년 6월과 추징금 1백만원의 형을 선고받고 항소한 피고인에 대하여 사건을 병합심리한 후 경합범으로 처단하면서 제1심의 각 형량보다 중한 형인 징역 2년과 추징금 1,100만원을 선고한 것이 불이익변경금지의 원칙에 어긋나지 아니한다(대판 2001.9.18, 2001도3448). 10. 9급 국가직, 14. 순경 2차, 19. 경찰간부, 10 · 22. 경찰승진

ⓒ 정식재판청구사건과 다른 사건의 병합

관련판례

2017. 12. 19. 형사소송법 제457조의 2 개정으로, 약식명령에 대하여 피고인이 정식재판을 청구한 경우 불이익변경금지원칙이 형종상향금지원칙으로 변경되었음을 염두에 두면서 아래 판례의 내용을 학습하길 바란다.

1. 약식명령에 대하여 정식재판을 청구한 사건과 공소가 제기된 다른 사건을 병합하여 심리한 결과 형법 제37조 전단의 경합범 관계에 있어 하나의 벌금형으로 선고하면서 약식명령의 벌금보다 중한 벌금을 선고하는 경우에도 제457조의 2에 정하여진 불이익변경금지원칙에 위배되지 않는다(대판 2004.8.20, 2003도4732). 08. 순경, 11. 경찰승진, 14. 순경 2차, 17. 9급 검찰 · 마약 · 교정 · 보호 · 철도경찰
2. 제1심이 피고인의 도로교통법위반(음주운전) 등 사건에, 피고인이 교통사고처리특례법 위반죄에 대하여 벌금 350만원의 약식명령을 고지받아 정식재판을 청구한 사건을 병합심리하여, 위 교통사고처리특례법 위반죄에 대하여는 금고형을 나머지 죄에 대하여는 징역형을 선택하고, 경합범으로 처단하면서 피고인에게 징역 6월을 선고하였는바, 정식재판이 청구된 약식명령의 벌금형을 징역형으로 변경 선고하였음은 전체적 · 실질적으로 고찰하여 볼 때 불이익변경에 해당한다(대판 2004.11.11, 2004도6784) 08. 순경, 11. 경찰승진, 13. 7급 국가직

▶ **비교판례** : 피고인이 정식재판을 청구한 당해 사건이 다른 사건과 병합 · 심리 결과 다른 사건에 대하여 무죄가 선고됨으로써 당해 사건과 다른 사건이 경합범으로 처단되지 않고 당해 사건에 대하여만 형이 선고된 경우에는 다른 사건에 대한 법정형, 선고형 등 피고인의 법률상 지위를 결정하는 객관적 사정까지 고려할 필요는 없으므로 원래대로 돌아가 당해 사건에 대하여 고지받은 약식명령의 형과 그 선고받은 형만 전체적으로 비교하여 피고인에게 실질적으로 불이익한 변경이 있었는지 여부를 판단하면 된다(대판 2009.12.24, 2009도10754).

[사례] 벌금 150만원의 약식명령을 고지받고 정식재판을 청구한 '당해 사건'과 정식 기소된 '다른 사건'을 병합 · 심리한 후 두 사건을 경합범으로 처단하여 벌금 900만원을 선고한 제1심판결에 대해, 피고인만이 항소한 원심에서 다른 사건의 공소사실 전부와 당해 사건의 공소사실 일부에 대하여 무죄를 선고하고 '당해 사건'의 나머지 공소사실은 유죄로 인정하면서 그에 대하여 벌금 300만원을 선고한 경우, 원심판결은 당해 사건에 대하여 당초 피고인이 고지받은 약식명령의 형보다 중한 형을

선고하였음이 명백하므로, 형사소송법 제457조의 2에서 규정한 불이익변경금지의 원칙을 위반한 위법이 있다(대판 2009.12.24, 2009도10754). 11. 9급 국가직, 13. 변호사시험 · 순경 1차

(4) 불이익변경금지원칙의 위반효과

항소심판결이 불이익변경에 해당하는 경우에는 판결내용의 법률위반이 존재하므로 상고이유에 해당한다(제383조 제1항). 한편, 상고심판결이 불이익변경에 해당한 경우에는 확정판결이 법령에 위반한 것을 이유로 비상상고의 대상이 된다(제441조).

KEY point

- 불이익변경금지원칙의 적용대상
  - 피고인 상소사건(검사 상소 or 쌍방 상소 ⇨ 적용대상 ×)
  - ▶ 한미행정협정사건 ⇨ 쌍방 상소의 경우에도 적용
  - 파기환송(이송)사건
  - 재심사건 ▶ 항고사건 ⇨ 적용 여부 견해대립
  - ▶ 약식명령 · 즉결심판에 대한 정식재판사건 ⇨ 형종상향변경금지원칙 적용
- 불이익변경 여부의 구체적 내용 정리

7 파기판결의 구속력

(1) 구속력의 의의

상소심에서 원판결을 파기환송 또는 이송한 경우에 상급심의 판단이 당해 사건에 관하여 환송 또는 이송받은 하급심을 구속하는 효력을 파기판결의 구속력이라 한다.

(2) 구속력의 범위

① 구속력이 미치는 법원

㉠ **하급법원** : 당해 사건의 하급심이 파기판결에 구속되는 것은 당연하다. 또한 상고법원이 제2심판결을 파기하여 제1심에 환송하고 제1심법원이 환송된 사건을 재판하였으나 이에 불복하여 항소한 경우에도 항소법원은 당해 사건에 관하여 하급심에 해당하므로 상고심의 판단에 마찬가지로 구속된다.

몰수형 부분의 위법을 이유로 원심판결 전부가 파기환송된 후, 환송 후 원심이 주형을 변경한 조치가 환송판결의 기속력에 저촉된다고 볼 수는 없다(대판 2004.9.24, 2003도4781). 12. 순경, 15. 9급 검찰 · 마약 · 교정 · 보호 · 철도경찰

㉡ **파기한 상급심** : 파기판결의 구속력은 하급법원뿐만 아니라 파기판결한 상급법원 자신까지도 구속한다. 하급심에서 상급심 의사에 따라 재판을 한 후에 상급심에서 본래의 판단을 변경할 수 있다면 불필요한 절차가 반복되어 파기판결의 구속력을 인정한 취지가 무의미해지기 때문이다.

관련판례

파기환송받은 법원은 그 사건 처리에 있어 상고법원의 파기이유로 한 사실상 및 법률상의 판단에 기속되며 이에 따라 행한 판결에 대하여 재차 상고된 경우 그 상고사건을 재판하는 상고법원도 앞서 한 스스로의 파기이유로 한 판단에 기속되게 되고 이를 변경할 수 없다(대판 1983.4.18, 83도383). 12. 순경, 15. 9급 검찰 · 마약 · 교정 · 보호 · 철도경찰, 13 · 24. 9급 법원직

㉢ **상급법원** : 항소심의 파기판결의 구속력이 상급법원인 상고심에서도 미치는가에 대하여 이를 부정하는 입장이 다수설이다.

② **구속력이 미치는 판단** : 법률판단(법령해석 · 적용)뿐 아니라 사실판단에도 구속력이 미친다(대판 2004.9.24, 2003도4781).

③ **구속력의 배제** : 환송 후에 새로운 사실과 증거에 의해 사실관계가 변경되면 파기판결의 구속력은 배제된다. 따라서 하급심이 환송 후의 새로운 증거를 종합하여 환송 전의 판단을 유지한 경우에는 구속력에 반한다고 볼 수 없다. 파기판결의 구속력은 사실관계와 법령의 동일을 전제로 하는 것이기 때문이다. 파기판결 이후에 법령이 변경된 경우나 판례가 변경된 경우에도 구속력은 배제된다 해야 한다.

관련판례

1. 환송판결의 하급심에 대한 구속력은 파기의 이유가 된 원판결의 사실상 및 법률상의 판단이 정당하지 않다는 소극적인 면에서만 발생하는 것이므로 환송 후의 심리과정에서 새로운 사실과 증거가 제시되어 기속적 판단의 기초가 된 사실관계에 변동이 있었다면 그 구속력은 이에 미치지 아니한다(대판 1983.2.8, 82도2672). 12. 순경 1차, 15. 9급 검찰 · 마약 · 교정 · 보호 · 철도경찰, 24. 9급 법원직
2. 상고심판결의 파기이유가 된 사실상의 판단도 기속력을 가지는 것이며, 이 경우에 파기판결의 기속력은 파기의 직접 이유가 된 원심판결에 대한 소극적인 부정 판단에 한하여 생긴다. 12. 순경 1차
   출판물에 의한 명예훼손의 공소사실을 유죄로 인정한 환송 전 원심판결에 위법이 있다고 한 파기환송판결의 사실판단의 기속력은 파기의 직접 이유가 된 환송 전 원심에 이르기까지 조사한 증거들만에 의하여서는 출판물에 의한 명예훼손의 공소사실이 인정되지 아니한다는 소극적인 부정 판단에만 미치는 것이므로, 24. 9급 법원직 환송 후 원심에서 이 부분 공소사실이 형법 제307조 제2항의 명예훼손죄의 공소사실로 변경되었다면 환송 후 원심은 이에 대하여 새롭게 사실인정을 할 재량권을 가지게 되는 것이고 더 이상 파기환송판결이 한 사실판단에 기속될 필요는 없다(대판 2004.4.9, 2004도340).
   ☎ 환송받은 법원에서 공소사실이 변경된 경우에 환송받은 법원은 파기판결이 한 사실판단에 기속될 필요가 없다. (○) 15. 9급 검찰 · 마약 · 교정 · 보호 · 철도경찰
3. 환송 후 원심에서의 증인들의 각 증언 내용이 환송 전과 같은 취지여서 그들의 종전 진술을 다시 한번 확인하는 정도에 그쳤고, 그 외에 환송 후 원심에서 추가적인 증거조사가 이루어지지 않았다면, '환송 후의 심리 과정에서 새로운 증거가 제시되어 기속적 판단의 기초가 된 증거관계의 변동이 생긴 경우'에 해당한다고 볼 수 없다(대판 2009.4.9, 2008도10572).

4. 상고심으로부터 사건을 환송받은 법원은 그 사건을 재판함에 있어서 상고법원이 파기이유로 한 사실상 및 법률상의 판단에 대하여 환송 후의 심리과정에서 새로운 증거가 제시되어 기속적 판단의 기초가 된 증거관계에 변동이 생기지 않는 한 이에 기속된다(대판 2004.9.24, 2003도4781). 17. 7급 국가직
5. 환송 후의 심리과정에서 새로운 증거가 제시되어 기속적 판단의 기초가 된 증거관계에 변동이 있었다면 그 구속력은 이에 미치지 아니하고 새로운 증거에 따라 환송 전의 판결과 동일한 결론을 낸다고 하여도 위법이 있다고 할 수 없다(대판 1984.9.11, 84도1379).

KEY point

- **상소심의 파기판결** : 상소법원 자신도 구속
- 구속력이 미치는 범위 ⇨ 법률판단 / 사실판단
- **파기판결 구속력 배제** : 새로운 사실과 증거에 의해 사실관계가 변경, 법령변경, 판례변경

CHAPTER

01 기출문제

01 **상소의 취하 및 포기에 관한 다음 설명 중 가장 옳지 않은 것은?** 19. 9급 법원직

① 상소의 취하는 상소법원에 하여야 하지만 소송기록이 상소법원에 송부되지 아니한 때에는 상소취하서를 원심법원에 제출할 수 있다.

② 구금된 피고인이 교도관이 내어 주는 상소권포기서를 항소장으로 잘못 믿고 이를 확인해 보지도 않은 채 자신의 서명무인을 하여 교도관을 통해 법원에 제출하였더라도 이는 항소포기로서 유효하다.

③ 피고인의 동의없이 이루어진 변호인의 상소취하는 효력이 발생하지 않는데 이때 피고인의 동의는 서면으로 하여야 한다.

④ 상소권을 포기한 후에 상소기간이 도과된 상태에서 상소포기의 효력을 다투려는 사람은 상소권회복청구를 할 수 있다.

해설 ① 제352조 ② 대결 1995.8.17, 95모49
③ 변호인의 상소취하에 대한 피고인의 동의도 공판정에서는 구술로 할 수 있다(대판 2015.9.10, 2015도7821).
④ 대결 2004.1.13, 2003모451

02 **상소권회복에 대한 설명으로 옳은 것만을 모두 고르면?**(다툼이 있는 경우 판례에 의함) 21. 7급 국가직

㉠ 피고인이 상피고인의 기망에 의하여 항소권을 포기하였음을 항소제기 기간 도과 이후 비로소 알게 된 경우 이러한 사정은 형사소송법 제345조의 '책임질 수 없는 사유'에 해당한다.
㉡ 제1심판결에 대하여 검사의 항소에 의한 항소심판결이 선고된 후, 피고인이 동일한 제1심판결에 대하여 항소권 회복청구를 하는 경우, 이는 적법하다고 볼 수 없어 법원은 형사소송법 제347조 제1항에 따라 결정으로 이를 기각하여야 한다.
㉢ 상소권을 포기한 자가 상소제기기간이 도과한 다음에 상소포기의 효력을 다투는 한편, 자기 또는 대리인이 책임질 수 없는 사유로 인하여 상소제기기간 내에 상소를 하지 못하였다고 주장하는 경우, 상소를 제기함과 동시에 상소권회복청구를 할 수 있다.
㉣ 피고인이 소송이 계속 중인 사실을 알면서 법원에 거주지 변경 신고를 하지 아니하였더라도, 공시송달을 명하기에 앞서 피고인이 송달받을 수 있는 장소를 찾아보는 조치들을 다하지 아니한 채 공소장 기재의 주거나 주민등록부의 주소로 우송한 공판기일소환장 등이 이사불명·폐문부재 등의 이유로 송달불능되었다는 것만으로 공시송달을 하고, 이에 터 잡아 피고인의 진술없이 공판을 진행하여 피고인이 출석하지 않은 기일에 판결을 선고하였다면 이를 형사소송법 제345조의 '책임질 수 없는 사유'로 볼 수 있다.

① ㉠, ㉢ ② ㉡, ㉢ ③ ㉡, ㉣ ④ ㉡, ㉢, ㉣

Answer 01. ③ 02. ④

해설 ㉠ ×：피고인이 공동피고인의 기망에 의하여 항소권을 포기하였음을 항소제기 기간 도과 이후 비로소 알게 된 경우 이러한 사정은 형사소송법 제345조의 '책임질 수 없는 사유'에 해당한다고 볼 수 없다(대결 1984.7.11, 84모40).
㉡ ○：대결 2017.3.30, 2016모2874
㉢ ○：대결 2004.1.13, 2003모451
㉣ ○：대결 2014.10.15, 2014모1557

03 **상소제기에 관한 설명 중 가장 적절하지 않은 것은?**(다툼이 있는 경우 판례에 의함) 20. 경찰승진

① 상소의 제기기간은 판결등본이 송달된 날부터 진행되며 항소와 상고의 제기기간은 7일이다.
② 교도소 또는 구치소에 있는 피고인이 상소의 제기기간 내에 상소장을 교도소장 또는 구치소장 또는 그 직무를 대리하는 자에게 제출한 때에는 상소의 제기기간 내에 상소한 것으로 간주한다.
③ 상소의 제기기간은 기간계산의 일반원칙에 따라 초일을 산입하지 아니하고, 기간의 말일이 공휴일 또는 토요일에 해당하는 날은 기간에 산입하지 아니한다.
④ 피고인의 배우자, 직계친족, 형제자매 또는 원심의 대리인이나 변호인은 피고인을 위하여 상소할 수 있으나 피고인의 명시한 의사에 반하여 하지 못한다.

해설 ① 상소의 제기기간은 재판의 선고 또는 고지한 날로부터 진행한다(제343조 제2항).
② 제344조 ③ 제66조 제1항·제3항 ④ 제341조 제1항·제2항

04 **일부상소에 대한 설명으로 가장 적절하지 않은 것은?**(다툼이 있는 경우 판례에 의함) 18. 순경 3차

① 종국판결에 대한 상고 없이 추징의 선고부분에 한하여 독립상고는 할 수 없다.
② 1개의 형이 선고된 경합범에서 일부의 죄에 대한 상소의 효력은 상소불가분의 원칙상 피고사건 전부에 미쳐 그 전부가 상소심에 이심된다.
③ 원심이 두개의 죄를 경합범으로 보고 한 죄는 유죄, 다른 한 죄는 무죄를 각 선고하자 검사가 무죄부분만에 대하여 불복상고 하였다면, 설령 위 두죄가 상상적 경합관계에 있다 하더라도 유죄부분은 상고심의 심판대상이 되지 않는다.
④ 포괄일죄의 일부만이 유죄로 인정된 경우 그 유죄부분에 대하여 피고인만이 상고하였을 뿐 무죄로 판단된 부분에 대하여 검사가 상고를 하지 않았다면, 무죄부분도 상고심에 이심되기는 하나 그 부분은 상고심으로서도 판단할 수 없다.

해설 ① 피고사건의 재판 가운데 몰수 또는 추징에 관한 부분만을 불복대상으로 삼아 상소가 제기되었다 하더라도, 상소심으로서는 이를 적법한 상소제기로 다루어야 하는 것이지 몰수 또는 추징에 관한 부분만을 불복대상으로 삼았다는 이유로 그 상소의 제기가 부적법하다고 보아서는 아니 되고, 그 부분에 대한 상소의 효력은 그 부분과 불가분의 관계에 있는 본안에 관한 판단 부분에까지 미쳐 그 전부가 상소심으로 이심되는 것이다(대판 2008.11.20, 2008도5596 전원합의체). '종국판결에 대한 상고 없이 추징의 선고부분에 한하여 독립상고는 할 수 없다.'는 판례(대판 1984.12.11, 84도1502)는 위 전원합의체 판결에 의해 폐기된 바 있다.

Answer 03. ① 04. ③

따라서 '추징의 선고부분에 한하여 독립상고할 수 없다.'는 지문은 판례에 의할 때 적절한 내용으로 볼 수는 없겠으나, 추징부분만을 독립해서 상고하였더라도 이 부분만 상고심으로 이심되는 것이 아니라 전체가 이심되어야 한다는 의미로 새긴다면 상대적으로 맞는 지문으로 처리될 수도 있지 않을까 싶다(출제기관은 확정 정답을 ③으로 하고 있으나, 논란의 여지는 있어 보인다).
② 대판 2008.11.20, 2008도5596 전원합의체
③ 두개의 죄를 경합범으로 보고 한 죄는 유죄, 다른 한 죄는 무죄를 각 선고하자 검사가 무죄부분만에 대하여 불복상고 하였다고 하더라도 위 두죄가 상상적 경합관계에 있다면 유죄부분도 상고심의 심판대상이 된다(대판 1980.12.9, 80도384). ④ 대판 1991.3.12, 90도2820

05 **다음 중 [ ] 부분이 상소심의 심판대상이 되지 않는 것은 모두 몇 개인가?**(다툼이 있는 경우 판례에 의함) **20. 해경간부**

㉠ 단순일죄의 관계에 있는 공소사실의 일부에 대하여만 유죄로 인정한 재판에 대하여 피고인만이 항소한 경우 [무죄부분] ㉡ 형법 제37조 전단의 경합범(판결이 확정되지 아니한 수개의 죄)에 대하여 항소심이 일부유죄, 일부무죄의 판결을 하고 그 판결에 대하여 피고인과 검사 모두 상고하였으나, 무죄부분에 대한 검사의 상고만 이유있는 경우 [유죄부분] ㉢ 포괄일죄의 관계에 있는 공소사실의 일부에 대하여만 유죄로 인정하고 나머지는 무죄가 선고된 재판에 대하여, 검사는 무죄부분에 대하여 불복상고하고 피고인은 유죄부분에 대하여 상고하지 않은 경우 [유죄부분] ㉣ 포괄일죄의 일부만이 유죄로 인정된 재판에 대하여 그 유죄부분에 대하여 피고인만이 상고하였을 뿐 무죄나 공소기각으로 판단된 부분에 대하여 검사가 상고를 하지 않은 경우 [무죄나 공소기각 부분] ㉤ 공소제기된 범죄사실에 포함된 보다 가벼운 범죄사실을 유죄로 인정하고, 유죄로 인정된 부분을 제외한 나머지 부분에 대하여는 판결 이유에서 무죄로 판단한 재판에 대하여 항소하지 않은 경우 [무죄부분] ㉥ 상상적 경합관계에 있는 수죄에 대하여 모두 무죄가 선고된 재판에 대하여 검사가 무죄부분 전부에 대하여 상고하였으나 그중 일부 무죄부분에 대하여는 이를 상고이유로 삼지 아니한 경우 [상고이유로 삼지 않은 무죄부분]

① 1개 ② 2개 ③ 3개 ④ 4개

해설 ㉠ 심판대상 ○ : 대판 2001.2.9, 2000도5000
㉡ 심판대상 ○ : 경합범 중 검사와 피고인이 각각 무죄부분과 유죄부분에 대하여 일부상소를 제기한 경우 유죄부분의 피고인 상고는 이유가 없고, 무죄부분의 검사 상고만 이유가 있는 경우, 항소심이 유죄로 인정한 죄와 무죄로 인정한 죄가 형법 제37조 전단의 경합범 관계에 있다면 항소심판결의 유죄부분도 무죄부분과 함께 파기되어야 한다(대판 2010.12.13, 2010도9110). 따라서 유죄부분도 심판의 대상이 된다.
㉢ 심판대상 ○ : 대판 1985.11.12, 85도1998
㉣ 심판대상 × : 대판 1991.3.12, 90도2820 ; 대판 2010.1.14, 2009도12934
㉤ 심판대상 × : 대판 2008.9.25, 2008도4740
㉥ 심판대상 × : 대판 2008.12.11, 2008도8922

Answer 05. ③

06 **불이익변경금지원칙에 대한 설명으로 옳지 않은 것은?**(다툼이 있는 경우 판례에 의함)

21. 9급 검찰·마약·교정·보호·철도경찰

① 피고인만 항소한 경우 제1심법원이 소송비용의 부담을 명하는 재판을 하지 않았음에도 항소심법원이 제1심의 소송비용에 관하여 피고인에게 부담하도록 재판을 하였다면 불이익변경금지원칙에 위배된다.

② 경합범 관계에 있는 수 개의 범죄사실을 유죄로 인정하여 한 개의 형을 선고한 불가분의 확정판결에서 그중 일부의 범죄사실에 대하여만 재심청구의 이유가 있는 것으로 인정되었으나 그 판결 전부에 대하여 재심개시의 결정을 한 경우, 불이익변경금지원칙이 적용되어 원판결의 형보다 중한 형을 선고하지 못한다.

③ 피고인이 항소심 선고 이전에 19세에 도달하여 제1심에서 선고한 부정기형을 파기하고 정기형을 선고함에 있어 불이익변경금지원칙 위반 여부를 판단하는 기준은 부정기형의 장기와 단기의 중간형이 되어야 한다.

④ 벌금형의 환형유치기간이 징역형의 기간을 초과한다고 하더라도, 벌금형이 징역형보다 경한 형이라고 보아야 한다.

해설 ① 제1심법원이 소송비용의 부담을 명하는 재판을 하지 않았음에도 항소심법원이 제1심의 소송비용에 관하여 피고인에게 부담하도록 재판을 한 경우, 불이익변경금지원칙에 위배되지 않는다(대판 2001.4.24, 2001도872).
② 대판 2018.2.28, 2015도15782
③ 대판 2020.10.22, 2020도4140 전원합의체
④ 대판 1980.5.13, 80도765

07 **불이익변경금지에 관한 다음 설명 중 가장 옳지 않은 것은?**(다툼이 있는 경우 판례에 의하고, 전원합의체 판결의 경우 다수의견에 의함)

21. 9급 법원직

① 제1심이 뇌물수수죄를 인정하여 피고인에게 징역 1년 6월 및 추징 26,150,000원을 선고한 데 대해 피고인만이 항소하였는데, 항소심이 제1심이 누락한 필요적 벌금형 병과규정을 적용하여 피고인에게 징역 1년 6월에 집행유예 3년, 추징 26,150,000원 및 벌금 50,000,000원(미납시 1일 50,000원으로 환산한 기간 노역장 유치)을 선고한 것은 피고인에게 불이익하게 변경한 것이 아니다.

② 성폭력범죄의 처벌 등에 관한 특례법에 따라 병과하는 수강명령 또는 이수명령은 이른바 범죄인에 대한 사회내 처우의 한 유형으로서 형벌 자체가 아니라 보안처분의 성격을 가지는 것이지만, 실질적으로는 신체적 자유를 제한하는 것이 되므로, 항소심이 제1심판결에서 정한 형과 동일한 형을 선고하면서 새로 수강명령 또는 이수명령을 병과하는 것은 피고인에게 불이익하게 변경한 것이다.

Answer 06. ① 07. ①

PART 05

③ 피고인만의 상고에 의하여 상고심에서 원심판결을 파기하고 사건을 항소심에 환송한 경우에는 환송 전 원심판결과의 관계에서도 불이익변경금지의 원칙이 적용되어 그 파기된 항소심판결보다 중한 형을 선고할 수 없으므로, 환송 후 원심판결이 환송전 원심판결에서 선고하지 아니한 몰수를 새로이 선고하는 것은 불이익변경금지의 원칙에 위배된다.

④ 재심대상사건에서 징역형의 집행유예를 선고하였음에도 재심사건에서 원판결보다 주형을 경하게 하고 집행유예를 없앤 경우, 불이익변경금지원칙에 위배된다.

해설 ① 제1심이 뇌물수수죄를 인정하여 피고인에게 징역 1년 6월 및 추징 26,150,000원을 선고한 데 대해 피고인만이 항소하였는데, 원심이 제1심이 누락한 필요적 벌금형 병과규정인 특정범죄 가중처벌 등에 관한 법률 제2조 제2항을 적용하여 피고인에게 징역 1년 6월에 집행유예 3년, 추징 26,150,000원 및 벌금 50,000,000원을 선고한 사안에서, 집행유예의 실효나 취소가능성, 벌금 미납시 노역장 유치 가능성과 그 기간 등을 전체적·실질적으로 고찰할 때 원심이 선고한 형은 제1심이 선고한 형보다 무거워 피고인에게 불이익하다(대판 2013.12.12, 2012도7198).
② 대판 2018.10.4, 2016도15961
③ 대판 1992.12.8, 92도2020
④ 대판 2016.3.24, 2016도1131

08 불이익변경금지의 원칙에 대한 설명으로 가장 적절하지 않은 것은?(다툼이 있는 경우 판례에 의함)

22. 경찰승진

① 불이익변경금지의 원칙은 피고인과 검사 쌍방이 상소한 결과 검사의 상소가 받아들여져 원심판결 전부가 파기됨으로써 피고인에 대한 형량 전체를 다시 정해야 하는 경우에는 적용되지 아니하는 것이며, 사건이 경합범에 해당한다고 하여 개개 범죄별로 불이익변경의 여부를 판단할 것은 아니다.

② 피고인만이 항소한 사건에서 제1심이 인정한 범죄사실의 일부가 제2심에서 무죄로 되었음에도 제2심이 제1심과 동일한 형을 선고한 것은 불이익변경금지의 원칙에 위배된다.

③ 항소심이 제1심에서 별개의 사건으로 따로 두 개의 형을 선고받고 항소한 피고인에 대하여 사건을 병합심리한 후 경합범으로 처단하면서 제1심의 각 형량보다 중한 형을 선고한 것은 불이익변경금지의 원칙에 어긋나지 아니한다.

④ 피고인의 상고에 의하여 상고심에서 원심판결을 파기하고, 사건을 항소심에 환송한 경우에는 환송 전 원심판결과의 관계에서도 불이익변경금지의 원칙이 적용되어 그 파기된 항소심판결보다 중한 형을 선고할 수 없다.

해설 ① 대판 2007.6.28, 2005도7473
② 피고인만이 항소한 사건에서 항소심이 피고인에 대하여 제1심이 인정한 범죄사실의 일부를 무죄로 인정하면서도 제1심과 동일한 형을 선고하였다 하여 그것이 불이익변경금지 원칙에 위배된다고 볼 수 없다(대판 2003.2.11, 2002도5679).
③ 대판 2001.9.18, 2001도3448
④ 대판 2014.8.20, 2014도6472

Answer 08. ②

09 불이익변경금지원칙에 대한 설명으로 옳은 것만을 모두 고르면?(다툼이 있는 경우 판례에 의함)

22. 국가직 7급

㉠ 제1심이 징역형을 선고하고 피고인만이 항소하였는데, 항소심에서는 범죄사실 중 일부를 무죄로 판단하면서 제1심과 동일한 형을 선고하면 불이익변경금지원칙에 위배된다. ㉡ 제1심이 금고형의 실형을 선고하고 피고인만이 항소하였는데, 항소심에서는 형기의 변경 없이 금고형을 징역형으로 바꾸어 집행유예를 선고하면 불이익변경금지원칙에 위배된다. ㉢ 제1심이 소송비용의 부담을 명하는 재판을 하지 아니하고 피고인만이 항소하였는데, 항소심에서 제1심 및 항소심 소송비용의 부담을 명한 조치는 불이익변경금지원칙에 위배되지 않는다. ㉣ 제1심은 소년인 피고인에게 징역 장기 15년, 단기 7년의 부정기형을 선고하고 피고인만이 항소하였는데, 항소심에서 피고인이 성년에 이르러 정기형을 선고하여야 하는 경우, 부정기형의 단기인 징역 7년을 초과한 징역 10년을 선고하더라도 불이익변경금지원칙에 위배되지 않는다.

① ㉠, ㉡ ② ㉠, ㉢ ③ ㉡, ㉣ ④ ㉢, ㉣

해설 ㉠ × : 피고인만이 항소한 사건에서 항소심이 피고인에 대하여 제1심이 인정한 범죄사실의 일부를 무죄로 인정하면서도 제1심과 동일한 형을 선고하였다 하여 그것이 불이익변경금지 원칙에 위배된다고 볼 수 없다(대판 2003.2.11, 2002도5679).
㉡ × : 형기의 변경 없이 금고형을 징역형으로 바꾸어 집행유예를 선고하더라도 불이익변경금지 원칙에 위배되지 않는다(대판 2013.12.12, 2013도6608).
㉢ ○ : 대판 2001.4.24, 2001도872
㉣ ○ : 1심에서 선고한 부정기형 대신 정기형을 선고함에 있어 불이익변경금지 원칙 위반 여부를 판단하는 기준은 부정기형의 장기와 단기의 중간형, 즉 징역 11년이 되어야 한다(대판 2020.10.22, 2020도4140 전원합의체).

10 상소에 대한 설명으로 옳지 않은 것은?

24. 7급 국가직

① 피고인의 법정대리인은 피고인의 명시한 의사에 반하여도 피고인을 위하여 상소할 수 있다.
② 상고심법원이 피고인의 이익을 위하여 원심판결을 파기하는 경우에 파기의 이유가 상고한 공동피고인에게 공통되는 때에는 그 공동피고인에 대하여도 원심판결을 파기하여야 하지만, 적법한 상고이유서를 제출하지 않은 공동피고인에게는 위 법리가 적용되지 않는다.
③ 피고인이 공동피고인의 기망에 의하여 항소권을 포기하였음을 항소 제기기간이 도과한 뒤에야 비로소 알게 되었다 하더라도 이러한 사정은 피고인이 책임질 수 없는 사유에 해당하지 않는다.
④ 검사가 압수·수색영장의 청구 등 강제처분을 위한 조치를 취하지 않은 것은 압수에 관한 처분이라 할 수 없으므로 준항고의 대상이 되지 않는다.

해설 ① 제340조
② 파기의 이유가 상고이유서를 제출하지 아니한 공동피고인에게도 공통되므로 공동피고인들에 대하여도 원심판결을 파기하기로 한다(대판 2000.12.8, 2000도2626).
③ 대결 1984.7.11, 84모40
④ 대판 2007.5.25, 2007도82

Answer 09. ④ 10. ②

11 **상소권회복에 대한 설명으로 옳지 않은 것은?** 24. 9급 검찰·마약·교정·보호·철도경찰

① 피고인이 질병으로 병원에 입원하였거나 기거불능이었기 때문에 상소를 하지 못하였다는 것은 상소권회복의 사유에 해당하지 않는다.

② 피고인이 형사소송이 계속 중인 사실을 알면서도 법원에 거주지 변경신고를 하지 않아서 공시송달절차에 의하여 재판이 진행된 경우, 비록 소송촉진 등에 관한 특례법에 위배된 공시송달에 터 잡아 피고인의 출석없이 판결의 선고가 이루어지고 상소제기 기간이 도과하였더라도 상소권회복청구가 허용될 수는 없다.

③ 교도소 담당직원이 피고인에게 상소권회복청구를 할 수 없다고 하면서 형사소송규칙 제177조에 따른 편의를 제공하지 않았다고 해도, 이것은 상소권자의 책임질 수 없는 사유로 상소하지 못한 것이라고 보기 어렵다.

④ 피고인이 공동피고인의 기망에 의하여 항소권을 포기하였음을 항소제기 기간이 도과한 뒤에야 비로소 알게 되었다 하더라도 이러한 사정은 피고인이 책임질 수 없는 사유에 해당한다고 볼 수 없다.

해설 ① 대결 1986.9.17, 86모46

② 피고인이 소송이 계속 중인 사실을 알면서도 법원에 거주지 변경신고를 하지 않았다 하더라도, 잘못된 공시송달에 터 잡아 피고인의 진술 없이 공판이 진행되고 피고인이 출석하지 않은 기일에 판결이 선고된 이상, 피고인은 자기 또는 대리인이 책임질 수 없는 사유로 상소제기기간 내에 상소를 하지 못한 것으로 봄이 타당하다(대결 2014.10.16, 2014모1557).

③ 대결 1986.9.27, 86모47 ④ 대결 1984.7.11, 84모40

12 **일부상소에 관한 다음 설명 중 가장 옳지 않은 것은?** 24. 9급 법원직

① 몰수나 추징의 선고는 본안 종국판결에 부수되는 처분에 불과한 것이므로, 피고인이 몰수나 추징에 대하여만 항소를 제기하였다면 항소심법원은 항소를 기각하여야 한다.

② 제1심이 단순일죄의 관계에 있는 공소사실의 일부에 대하여만 유죄로 인정한 경우에 피고인만이 항소하여도 그 항소는 그 일죄의 전부에 미쳐서 항소심은 무죄부분에 대하여도 심판할 수 있다.

③ 상상적 경합의 관계에 있는 두 죄에 대하여 한 죄는 무죄, 한 죄는 유죄가 선고되어 검사만이 무죄부분에 대하여 항소하였더라도 유죄부분도 항소심의 심판대상이 된다.

④ 포괄일죄의 일부만이 유죄로 인정된 경우 그 유죄부분에 대하여 피고인만이 항소하였을 뿐이라면, 유죄 이외의 부분도 항소심에 이심되기는 하나 그 부분은 항소심의 심판대상이 되지 않는다.

해설 ① 피고인이 몰수나 추징에 대하여만 상소가 제기되었다 하더라도, 상소심으로서는 몰수 또는 추징에 관한 부분만을 불복대상으로 삼았다는 이유로 그 상소의 제기가 부적법하다고 보아서는 아니 되고, 그 부분에 대한 상소의 효력은 그 부분과 불가분의 관계에 있는 본안에 관한 판단 부분에까지 미쳐 그 전부가 상소심으로 이심되는 것이다(대판 2008.11.20, 2008도5596 전원합의체).

Answer 11. ② 12. ①

② 대판 2001.2.9, 2000도5000
③ 대판 2005.1.27, 2004도7488
④ 대판 1991.3.12, 90도2820

13 **파기판결의 구속력에 관한 다음 설명 중 가장 옳지 않은 것은?** 24. 9급 법원직

① 파기판결의 기속력은 파기의 직접 이유가 된 원심판결에 대한 소극적인 부정 판단에 한하여 생긴다.
② 상고심에서 상고이유의 주장이 이유 없다고 판단되어 배척된 부분은 그 판결 선고와 동시에 확정력이 발생하여 이 부분에 대하여는 피고인은 더 이상 다툴 수 없고, 또한 환송받은 법원으로서도 이와 배치되는 판단을 할 수 없다.
③ 파기환송을 받은 법원은 그 파기이유로 한 사실상 및 법률상의 판단에 기속되지만 그에 따라 판단한 판결에 대하여 다시 상고를 한 경우에 그 상고사건을 재판하는 상고법원은 앞서의 파기이유로 한 판단에 기속되지 않는다.
④ 상고법원으로부터 사건을 환송받아 심리하는 과정에서 상고법원의 기속적 판단의 기초가 된 사실관계에 변동이 생긴 때에는 상고법원이 파기이유로 한 법률적 판단의 기속력은 미치지 않는다.

해설 ① 대판 2004.4.9, 2004도340
② 대판 2022.12.29, 2018도7575
③ 파기환송을 받은 법원은 그 파기이유로 한 사실상 및 법률상의 판단에 기속되며, 그에 따라 판단한 판결에 대하여 다시 상고를 한 경우에도 그 상고사건을 재판하는 상고법원은 앞서의 파기이유로 한 판단에 기속된다(대판 1983.4.18, 83도383).
④ 대판 19832.2.8, 82도2672

PART 05

Answer 13. ③

제2절 항 소

1 항소심의 의의 · 구조

(1) 항소의 의의

항소라 함은 제1심판결에 불복하여 제2심법원에 상소하는 것을 말한다.

항소는 제1심판결에 대한 상소라는 점에서 제2심판결에 대한 상고와 구별되며, 판결에 대한 상소이므로 결정이나 명령에 대하여는 항소할 수 없다. 또한 항소는 제1심판결에 대하여 제2심에 상소하는 것이므로 제1심판결에 대해 대법원에 상소하는 것(비약상고)은 항소가 아니다.

(2) 항소심의 구조

① **유형** : 항소심의 구조에는 복심, 속심, 사후심의 세 가지 유형이 있다.

구 분	복 심	속 심	사후심
의 의	항소심이 원심의 심리·판결을 무효로 하고 처음부터 다시 심리하는 구조를 복심이라고 한다.	속심이란 제1심의 심리를 토대로 항소심의 심리를 속행하는 구조를 말한다. 즉, 항소심에서 원심의 심리절차를 인수하고 새로운 심리와 증거를 보충하여 심판하는 방식으로 마치 제1심법원의 변론이 재개된 것과 같은 형태로 항소심절차가 진행된다.	원심법원의 소송자료만을 토대로 하여 원판결의 당부를 사후적으로 심사하는 구조를 사후심이라 한다.
장 · 단점	복심은 항소심의 심리를 철저히 하여 진실발견과 피고인의 이익보호에 기여하는 장점은 있으나, 소송경제에 반하고 제1심을 경시하게 될 뿐 아니라 남상소로 인한 소송지연을 초래할 위험이 있다.	소송경제에 기여하는 장점은 있지만, 전심의 소송자료에 대한 심증을 이어 받는 것은 구두변론주의와 직접주의에 반한다는 단점이 있다.	판결의 당부만을 심사하므로 소송경제와 신속한 재판의 이념에 부합하는 장점은 있으나, 제1심에서 철저한 심리가 이루어지지 못하면 실체적 진실발견과 피고인의 구제에 취약한 단점이 있다.

② **현행법상 항소심의 구조** : 상고심이 사후심이라는 점에는 의문이 없으나 항소심에 대해서는 견해가 대립되고 있는데, 판례는 항소심은 제1심에 대한 사후심적 성격이 가미된 속심으로 보고 있다.

관련판례

1. 현행 형사소송법상 항소심은 기본적으로 실체적 진실을 추구하는 면에서 속심적 기능이 강조되고 있고, 다만 사후심적 요소를 도입한 형사소송법의 조문들이 남상소의 폐단을 억제하고 항소법원의

부담을 감소시킨다는 소송경제상의 필요에서 항소심의 속심적 성격에 제한을 가하고 있음에 불과하다(대판 1983.4.26, 82도2829).

2. 항소심은 제1심에 대한 사후심적 성격이 가미된 속심으로서 제1심과 구분되는 고유의 양형재량을 가지고 있으므로, 항소심이 자신의 양형판단과 일치하지 아니한다고 하여 양형부당을 이유로 제1심 판결을 파기하는 것이 바람직하지 아니한 점이 있다고 하더라도 이를 두고 양형심리 및 양형판단 방법이 위법하다고까지 할 수는 없다. 그리고 원심의 판단에 근거가 된 양형자료와 그에 관한 판단 내용이 모순 없이 설시되어 있는 경우에는 양형의 조건이 되는 사유에 관하여 일일이 명시하지 아니하여도 법령위반에 해당하지 아니한다(대판 2015.7.23, 2015도3260 전원합의체). 23. 7급 국가직

3. 항소심 심리과정에서 심증 형성에 영향을 미칠 만한 객관적 사유가 새로 드러난 것이 없음에도 불구하고 제1심판단을 재평가하여 사후심적으로 판단하여 뒤집고자 할 때에는, 제1심의 증거가치 판단이 명백히 잘못되었다거나 사실인정에 이르는 논증이 논리와 경험법칙에 어긋나는 등으로 그 판단을 그대로 유지하는 것이 현저히 부당하다고 볼 만한 합리적인 사정이 있어야 하고, 그러한 예외적 사정도 없이 제1심의 사실인정에 관한 판단을 함부로 뒤집어서는 아니 된다(대판 2023.1.12, 2022도14645).

속심제적 요소	사후심적 요소
• 판결 후 형의 폐지나 사면이 있을 때를 항소이유로 하고 있는 점(제361조의 5 제2호) • 재심청구사유가 있을 때를 항소이유로 하고 있다는 점(제361조의 5 제13호) 12. 경찰승진 • 항소이유서에 포함되지 않은 경우에도 항소법원은 일정한 경우 직권으로 심판이 가능하다는 점(제364조 제2항) • 제1심에서 증거로 할 수 있었던 증거는 항소법원에서도 증거로 할 수 있다는 점(제364조 제3항) • 원칙적으로 항소심절차는 제1심공판절차가 준용된다는 점(제370조)	• 항소이유서를 제출해야 한다는 점(제361조의 3) 12. 경찰승진 • 모든 것을 항소이유로 하지 않고, 항소이유를 원칙적으로 원판결의 법령위반 등에 제한하고 있다는 점(제361조의 5) 12. 경찰승진 • 항소이유에 포함된 사유에 관해서만 심판해야 한다는 점(제364조 제1항) • 항소이유가 없음이 명백한 때에는 변론 없이 항소를 기각할 수 있다는 점(제364조 제5항) 12. 경찰승진 • 원판결이유에 모순이 있는 때를 항소이유로 하고 있는 점(제361조의 5 제11호)

③ **관련문제**

㉠ **항소심에서의 공소장변경** : 항소심에서 공소장변경이 허용되는가도 항소심의 구조와 관련된 문제이다. 이에 대하여 견해가 나뉘고 있으나 항소심의 구조를 속심으로 보는 이상 항소심에서도 당연히 공소장변경이 허용된다고 해야 한다(대판 1995.2.17, 94도3297). 18. 순경 3차, 24. 소방간부

㉡ **기판력의 시적 범위** : 항소심에서 원판결의 당부에 관한 판단은 항소심을 속심으로 파악할 경우 원판결시가 아니라 항소심판결 선고시를 기준으로 하여야 한다. 따라서 제1심에서 소년이기 때문에 부정기형을 선고받은 자가 항소심 계속 중에 성년에 달하였을 때에는 원심을 파기하고 정기형을 선고하여야 한다(상고심에서는 정기형 선고 불가).

2 항소이유

제361조의 5 【항소이유】 다음 사유가 있을 경우에는 원심판결에 대한 항소이유로 할 수 있다.
1. 판결에 영향을 미친 헌법·법률·명령 또는 규칙의 위반이 있는 때
2. 판결 후 형의 폐지나 변경 또는 사면이 있는 때
3. 관할 또는 관할위반의 인정이 법률에 위반한 때
4. 판결법원의 구성이 법률에 위반한 때
5. 삭제〈1963. 12. 13〉
6. 삭제〈1963. 12. 13〉
7. 법률상 그 재판에 관여하지 못할 판사가 그 사건의 심판에 관여한 때
8. 사건의 심리에 관여하지 아니한 판사가 그 사건의 판결에 관여한 때
9. 공판의 공개에 관한 규정에 위반한 때
10. 삭제〈1963. 12. 13〉
11. 판결에 이유를 붙이지 아니하거나 이유에 모순이 있는 때
12. 삭제〈1963. 12. 13〉
13. 재심청구의 사유가 있는 때
14. 사실의 오인이 있어 판결에 영향을 미친 때
15. 형의 양정이 부당하다고 인정할 사유가 있는 때

- 절대적 항소이유 : 제2호~제13호, 제15호
- 상대적 항소이유 : 제1호, 제14호

(1) 의의 및 분류

① **의의** : 항소이유란 항소권자가 적법하게 항소를 제기할 수 있는 법률상의 이유를 말한다. 형사소송법은 항소인 또는 변호인에게 항소이유서를 항소법원에 제출하도록 요구하고 있고(제361조의 3 제1항), 항소이유서를 제출하지 않으면 항소기각결정사유가 된다(제361조의 4 제1항). 그리고 제361조의 5에 항소이유를 11가지로 제한하여 열거하고 있다.

② **분류** : 현행법에 규정된 항소이유는 여러 가지 측면에서 분류해 볼 수 있다. 법령위반을 이유로 하는 것(제1호, 제3호 내지 제11호)과 법령위반 이외의 사유를 이유로 하는 것(제2호, 제13호 내지 제15호)으로 구분할 수 있고, 각각에 대하여 절대적 항소이유와 상대적 항소이유가 있다. 절대적 항소이유란 일정한 객관적 사유만 있으면 바로 항소이유가 되는 경우를 말하고(제2호 내지 제13호, 제15호), 상대적 항소이유란 당해 사유가 판결에 영향을 미친 경우에 한하여 항소이유가 되는 경우(제1호, 제14호)를 말한다.

(2) 법령위반

① **상대적 항소이유** : 판결에 영향을 미친 헌법·법률·명령 또는 규칙의 위반이 있는 때(제361조의 5 제1호)이다. 07. 순경 다만, 법령위반이라도 형사소송법 제361조의 5 제3호 내지 제11호에 해당하는 경우에는 절대적 상소이유가 되므로 여기에서 말하는 상대적 상소이유에서 제외된다.

헌법위반에는 판결내용이 헌법에 위반(예 일사부재리원칙위반)한 경우와 판결절차가 헌법에 위반(예 불이익한 진술강요)한 경우, 헌법해석의 착오가 있는 경우를 포함한다. 법령위반에는 실체법규위반과 소송법규위반을 포함한다.

관련판례

1. 선고기일에 변호인 출석 없이 피고인만 출석한 상태에서 재판부 구성의 변경을 이유로 변론을 재개할 것을 결정・고지한 다음, 공판절차를 갱신하고 다시 변론을 종결하여 판결을 선고하였으나, 그 이전의 공판기일까지 적법한 증거조사와 변호인의 변론, 피고인의 최후진술까지 모두 이루어졌다면, 공판절차에 다소의 흠이 있다고 하더라도 그로 인하여 피고인의 방어권, 변호인의 변호권이 본질적으로 침해되어 판결에 영향을 미쳤다고 볼 수는 없다(대판 2005.5.26, 2004도1925).
2. 항소심이 제1심의 양형이 과중하다고 인정하여 피고인의 항소이유를 받아들여 제1심판결을 파기하면서 제1심 그대로의 형을 선고하면, 판결의 이유와 주문이 저촉・모순되는 위법이 있고 이러한 위법은 판결 결과에 영향이 있다. 동일 피고인의 확정판결 전후의 범죄에 대하여 주문 2개를 선고한 제1심의 항소심은 제1심판결의 하나의 주문 관련부분과 그에 대한 항소이유, 또 하나의 주문 관련부분과 그에 대한 항소이유를 살펴 개별적으로 항소이유가 있는지 여부를 판단하여야 하고, 제1심의 양형이 과중하다고 인정하여 제1심판결 전부를 파기한 경우에는 제1심판결의 각 주문보다 개별적으로 가벼운 형을 각 선고하여야 한다(대판 2009.4.9, 2008도11718).
3. 판결내용 자체가 아니고, 다만 피고인의 신병확보를 위한 구속 등 소송절차가 법령에 위반된 경우에는, 그로 인하여 피고인의 방어권이나 변호인의 조력을 받을 권리가 본질적으로 침해되고 판결의 정당성마저 인정하기 어렵다고 보이는 정도에 이르지 않는 한, 그것 자체만으로는 판결에 영향을 미친 위법이라고 할 수 없다(대판 1985.7.23, 85도1003).

② **절대적 항소이유**

㉠ **관할규정위반** : 관할의 인정이나, 관할위반의 선고가 법률에 위반된 경우 절대적 항소이유가 된다(동조 제3호).

- 관할의 인정이 법률에 위반한 경우 : 관할위반의 판결을 해야 할 것임에도 실체심판을 한 경우
- 관할위반의 인정이 법률에 위반한 경우 : 관할이 있어서 피고사건에 대하여 실체심판을 하여야 함에도 불구하고 관할위반판결을 한 경우

㉡ **법원구성의 위법**

ⓐ 판결법원의 구성이 법률에 위반한 때(동조 제4호)

예 합의법원이 구성원을 충족하지 못한 경우

ⓑ 법률상 그 재판에 관여하지 못할 판사가 그 심판에 관여한 때(동조 제7호)

예 제척사유에 해당하는 판사가 심판에 관여한 경우

ⓒ 사건의 심리에 관여하지 아니한 판사가 그 사건의 판결에 관여한 때(동조 제8호)

예 공판심리 도중 판사경질이 있음에도 불구하고 공판절차를 갱신하지 않고 판결(내부적 성립)한 경우(판결의 선고에만 관여한 경우 ⇨ 적용 ×)

㉢ **공판공개에 관한 규정위반** : 재판의 공개에 관한 규정에 위반한 경우(동조 제9호) 08. 9급 법원직

㉣ **이유불비와 이유모순** : 판결에 이유를 붙이지 아니하거나 이유에 모순이 있는 때(동조 제11호)

☗ 이유를 붙이지 않는 때란 이유가 없거나 불충분한 경우를 말하며, 이유에 모순이 있는 때란 주문과 이유 사이 또는 이유와 이유 사이에 모순이 있는 경우를 말한다.

☗ 법령적용이 아예 없는 경우 ⇨ 이유불비(○), 법령해석의 잘못이나 다른 법령의 적용 ⇨ 법령위반(제361조의 5 제1호)

(3) 법령위반 이외의 항소이유

① **상대적 항소이유** : 사실오인이 판결에 영향을 미친 때에는 상대적 항소이유가 된다(동조 제14호). 사실의 오인이란 원심법원이 인정한 사실과 객관적 사실 사이에 차이가 있는 것을 말한다.

☗ 사실오인이라 하더라도 판결이유에 설시된 증거로부터 판결이유에 적시된 사실을 인정하는 것이 불합리한 경우는 이유모순(동조 제11호)에 해당하며, 증거에 의하지 않거나 증거능력이 없는 증거에 의한 사실인정은 사실오인이 아니라 소송절차의 법령위반(동조 제1호)에 해당한다.

관련판례

형사소송법 제361조의 5 제14호에서 항소이유의 하나로 규정된 '사실의 오인이 있어 판결에 영향을 미친 때'라는 것은 사실오인에 의하여 판결의 주문에 영향을 미쳤을 경우와 범죄에 대한 구성요건적 평가에 직접 또는 간접으로 영향을 미쳤을 경우를 의미한다(대판 1996.9.20, 96도1665).

② **절대적 항소이유**

㉠ **판결 후 형의 폐지·변경·사면** : 판결 후 형의 폐지나 변경 또는 사면이 있는 때에는 절대적 항소이유가 인정된다(동조 제2호).

☗ • 법령의 개폐없이 단지 형을 감경하거나 면제할 수 있는 사유가 되는 사실이 발생한 것에 불과한 경우는 포함 ×(대판)
• 형의 집행유예조건이 완화하는 법률개정(항소이유 ○) : 다수설

㉡ **재심청구사유** : 재심사유가 있는 때에는 판결의 확정을 기다려 재심청구를 하도록 함은 소송경제에 반하기 때문에 이를 절대적 항소이유로 하고 있다(동조 제13호).

예 피고인이 항소심에서 유죄판결을 받은 후 진범이 발각되어 그 자에 대한 공소가 제기된 경우(제420조 제5호)

㉢ **양형의 부당** : 형의 양정이 부당하다고 인정할 만한 사유가 있는 때에도 절대적 항소이유가 된다(동조 제15호). 양형부당이란 원판결의 선고형이 구체적 사안의 내용에 비추어 너무 중하거나 너무 경한 경우를 말한다. 양형의 부당은 일정한 처단형의 범위 내에서 형의 양정이 부당한 것을 의미한다.

☗ 법정형이나 처단형의 범위 자체를 벗어난 형의 선고는 양형부당이 아니라 법령위반(동조 제1호)에 해당한다.

☗ 양형의 부당을 상대적 항소이유로 보는 견해도 있음.

3 항소심의 절차

(1) 항소의 제기

① **항소제기의 방식**

㉠ 항소를 함에는 7일의 항소제기기간 이내에 항소장을 항소법원에 제출하지 않고 원심법원에 제출하여야 한다(제359조). 11. 경찰승진, 12. 순경 2차, 14. 경찰간부, 14·15. 9급 법원직, 16. 7급 국가직

항소를 함에는 항소장을 항소법원에 제출하여야 한다. (×)

㉡ 항소법원은 제1심법원이 지방법원(지원) 단독판사인 때에는 지방법원 본원합의부, 지방법원(지원) 합의부인 때에는 고등법원이다.

㉢ 항소장에는 항소를 제기한다는 취지와 항소의 대상인 판결을 기재하면 족하고 항소이유를 기재할 것을 요하지 않는다(다만, 기재를 불허용하는 것은 아님). 그리고 교도소나 구치소에 있는 피고인이 상소제기기간 안에 상소장을 교도소장이나 구치소장에게 제출한 때에는 상소제기기간 내에 상소한 것으로 간주한다(제344조). 16. 경찰간부 이러한 규정을 재소자에 대한 특칙규정이라고 한다.

재소자에 대한 특칙 적용 여부

적용 ○	적용 ×
• 상소제기(제344조) • 상소의 포기·취하·상소권회복청구(제355조) • 재심청구와 그 취하(제430조) • 소송비용집행면제신청과 그 취하(제487조, 제490조) • 재판해석에 대한 의의신청과 그 취하(제488조, 제490조) • 집행에 대한 이의신청과 그 취하(제489조, 제490조) • 상소이유서 제출(제361조의 3 제1항, 제379조 제1항) • 약식명령에 대한 정식재판청구(대결 2006.10.13, 2005모552) • 국민참여재판의사가 기재된 서면제출(국민의 형사재판 참여에 관한 법률 제8조 제2항) • 집행유예취소 결정에 대한 즉시항고회복청구서 제출(대결 2022.10.27, 2022모1004)	구금 중인 고소인이 재정신청서를 기간 안에 교도소장에게 제출하였더라도, 지방검찰청 검사장이나 지청장에게 도달하지 아니하는 한 적법한 제출이라고는 할 수 없다(대결 1998.12.14, 98모127).

② **원심법원과 항소법원의 조치**

㉠ **원심법원의 조치**

ⓐ 원심법원은 항소장을 심사하여 항소제기가 법률상 방식에 위반하거나 항소권이 소멸된 후인 것이 명백한 때에는 결정으로 항소를 기각해야 하며, 11. 경찰승진, 12. 순경 2차 이 결정에 대하여 즉시항고할 수 있다(제360조). 11. 경찰승진·9급 법원직, 12. 순경 2차, 16. 경찰간부

☗ 검사의 항소를 결정으로 기각한 경우에 그 결정에 대하여 검사가 즉시항고를 하면 그 결정은 확정하지 않을 뿐, 피고인의 항소에 대한 판결절차까지 정지하여야 되는 것은 아니다(대판 1966.12.27, 66도1488).

ⓑ 항소기각결정을 하는 경우 이외에는 원심법원은 항소장을 받은 날로부터 14일 이내에 소송기록과 증거물을 항소법원에 송부하여야 한다(제361조). 11. 7급 국가직 · 순경, 12. 9급 법원직, 14. 경찰간부

☗ 검찰청을 경유하지 않음에 주의을 요하며, 14일의 기간은 훈시기간이다(판례).

☗ 소송기록과 증거물을 원심법원에 대응하는 검찰청에 송부하여야 한다. (×)

ⓛ **항소법원의 조치**

ⓐ 항소법원이 기록의 송부를 받은 때에는 즉시 항소인과 상대방에게 그 사유를 통지하여야 한다. 11. 경찰승진, 12. 순경 2차 통지 전에 변호인의 선임이 있는 경우에는 변호인에게도 통지하여야 한다(제361조의 2). 피고인에게 통지한 후에 변호인선임이 있는 경우는 변호인에게 다시 통지할 필요는 없다(대판 2018.11.22, 2015도10651 전원합의체). 17. 9급 법원직, 22. 7급 국가직

☗ 법원의 소송기록접수통지는 서면 이외에 구술 · 전화 · 모사전송 · 전자우편 · 휴대전화 문자전송 그 밖에 적당한 방법으로도 할 수 있고, 통지의 대상자에게 도달됨으로써 효력이 발생한다(대결 2017.9.22, 2017모1680).

☗ 항소한 검사에게 소송기록접수통지를 하지 않고 원심에 대응하는 고등검찰청 검사에게 그 접수통지를 보내었다 하더라도 검사동일체의 원칙에 따라 그 통지는 적법하다(대판 1966.12.27, 66도1488).

☗ 피고인에게 소송기록접수통지가 되기 전에 변호인의 선임이 있는 때에는 변호인에게도 소송기록접수통지를 하여야 하고, 변호인의 항소이유서 제출기간은 변호인이 이 통지를 받은 날로부터 계산하여야 할 것이다(대결 2011.5.13, 2010모1741). 17. 9급 법원직, 22. 경찰승진

☗ **국선변호인의 선정 및 소송기록접수통지**(규칙 제156조의 2)

1. 기록의 송부를 받은 항소법원은 법 제33조 제1항 제1호부터 제6호까지 필요적 변호사건에 있어서 변호인이 없는 경우에는 지체 없이 변호인을 선정한 후 그 변호인에게 소송기록접수통지를 하여야 한다. 법 제33조 제3항에 의하여 국선변호인을 선정한 경우에도 그러하다(제1항).
2. 항소법원은 항소이유서 제출기간이 도과하기 전에 피고인으로부터 법 제33조 제2항의 규정에 따른 국선변호인 선정청구가 있는 경우에는 지체 없이 그에 관한 결정을 하여야 하고, 이때 변호인을 선정한 경우에는 그 변호인에게 소송기록접수통지를 하여야 한다(제2항).
3. 제1항 · 제2항의 규정에 따라 국선변호인 선정결정을 한 후 항소이유서 제출기간 내에 피고인이 책임질 수 없는 사유로 그 선정결정을 취소하고 새로운 국선변호인을 선정한 경우에도 그 변호인에게 소송기록접수통지를 하여야 한다(제3항). 22. 7급 국가직
4. 항소법원이 제2항의 국선변호인 선정청구를 기각한 경우에는 피고인이 국선변호인 선정청구를 한 날로부터 선정청구기각결정등본을 송달받은 날까지의 기간을 법 제361조의 3 제1항이 정한 항소이유서 제출기간에 산입하지 아니한다. 다만, 피고인이 최초의 국선변호인 선정청구기각결정을 받은 이후 같은 법원에 다시 선정청구를 한 경우에는 그 국선변호인 선정청구일로부터 선정청구기각결정등본 송달일까지의 기간에 대해서는 그러하지 아니하다(제4항).

관련판례

1. 국선변호인 선정의 효력은 선정 이후 병합된 다른 사건에도 미치는 것이므로, 항소심에서 국선변호인이 선정된 이후 변호인이 없는 다른 사건이 병합된 경우에는 항소법원은 지체 없이 국선변호인에게 병합된 사건에 관한 소송기록 접수통지를 함으로써 국선변호인이 통지를 받은 날로부터 기산한 소정의 기간 내에 피고인을 위하여 항소이유서를 작성 · 제출할 수 있도록 하여 변호인의 조력을 받을 피고인의 권리를 보호하여야 한다(대판 2010.5.27, 2010도3377). 17. 9급 법원직

   항소법원이 국선변호인 선정 이후 병합된 사건에 대하여 국선변호인에게 소송기록 접수통지를 하지 아니함으로써 항소이유서 제출기회를 주지 않은 채 판결을 선고함은 위법이다. (○) 12. 순경 1차
2. 미성년자인 피고인을 위하여 국선변호인을 선정한 후 국선변호인에게 소송기록수리통지서를 송달하지 아니한 채 선정된 날로부터 20일 전에 항소심판결을 선고한 것은 위법이다(대판 1973.10.10, 73도2142).
3. 국선변호인에게 국선변호인 선정 결정등본만 송달하고 소송기록접수통지서를 송달하지 아니함으로써 항소이유서를 제출할 수 있는 기회를 주지 아니하고 판결을 선고하였음은 위법이다(대판 1973.9.25, 73도1922).
4. 피고인의 항소대리권자인 배우자가 피고인을 위하여 항소한 경우에도 소송기록접수통지는 항소인인 피고인에게 하여야 하는데, 피고인이 적법하게 소송기록접수통지서를 받지 못하였다면 항소이유서 제출기간이 지났다는 이유로 항소기각결정을 하는 것은 위법하다(대결 2018.3.29, 2018모642). 23. 9급 법원직
5. 미성년자인 피고인이 항소하였다가 항소취하서를 제출하며 항소이유서를 제출하지 아니하였고, 피고인의 법정대리인 중 어머니가 항소취하에 동의하는 취지의 서면을 제출하였으나 아버지는 항소취하 동의서를 제출하지 아니하였는데, 원심이 국선변호인을 선정하여 소송기록접수통지를 하였음에도 국선변호인이 항소이유서 제출기간 만료일까지 항소이유서를 제출하지 아니하자 피고인의 어머니가 사선변호인을 선임한 사안에서, 국선변호인의 선정을 취소하고 사선변호인에게 다시 소송기록접수통지를 하여 사선변호인으로 하여금 법정기간 내에 항소이유서를 제출할 수 있도록 기회를 주지 아니한 채 곧바로 피고인의 항소를 기각한 원심판결에 법리오해의 잘못이 있다(대판 2019.7.10, 2019도4221).
6. 제1심 변호인의 사무소는 피고인의 주소 · 거소 · 영업소 또는 사무소 등의 송달장소가 아니고, 제1심에서 한 송달영수인 신고의 효력은 원심(2심)법원에 미치지 않으므로, 피고인에게 소송기록접수통지서가 적법하게 송달되었다고 볼 수 없으며, 이와 같이 피고인에 대한 적법한 소송기록접수통지가 이루어지지 않은 상태에서 사선변호인이 선임되고 국선변호인 선정이 취소되었으므로 원심으로서는 피고인과는 별도로 원심에서 선임된 변호인에게도 소송기록접수통지를 하여야 하는데, 이를 하지 아니한 채 판결을 선고하였으므로, 소송절차의 법령위반으로 인하여 판결에 영향을 미친 위법이 있다(대판 2024.5.9, 2024도3298).

ⓑ 피고인이 교도소 또는 구치소에 있는 경우에는 원심법원에 대응한 검찰청 검사는 위 통지를 받은 날로부터 14일 이내에 피고인을 항소법원 소재지 교도소 또는 구치소에 이송하여야 한다(제361조의 2 제3항). 23. 경찰승진

③ 항소이유서와 답변서의 제출

㉠ **항소이유서 제출** : 항소인 또는 변호인은 항소법원으로부터 소송기록의 접수통지를 받은 날로부터 20일 이내에 항소이유서를 항소법원에 제출하여야 한다(제361조의 3 제1항).

11. 경찰승진·순경, 11·15. 9급 법원직, 19. 변호사시험

재소자에 대한 특칙인정(제361조의 3 제1항) 12·14. 9급 법원직, 18. 순경 3차, 24. 소방간부

항소이유서는 상대방의 수에 2를 가한 수의 부본을 첨부해야 한다(규칙 제156조).

관련판례

1. 필요적 변호사건에서 법원이 정당한 이유 없이 국선변호인을 선정하지 않고 있는 사이에 피고인 스스로 변호인을 선임하였으나 그때는 이미 피고인에 대한 항소이유서 제출기간이 도과해 버린 후여서 그 변호인이 피고인을 위하여 항소이유서를 작성·제출할 시간적 여유가 없는 경우에도 마찬가지로 보호되어야 한다고 할 것이므로, 그 경우에는 법원은 사선변호인에게도 형사소송규칙 제156조의 2를 유추적용하여 소송기록접수통지를 함으로써 그 변호인이 통지를 받은 날로부터 기산하여 소정의 기간 내에 피고인을 위하여 항소이유서를 작성·제출할 수 있는 기회를 주어야 한다(대판 2000.12.22, 2000도4694). 04. 행시, 12·17. 9급 법원직
2. 피고인과 국선변호인이 모두 법정기간 내에 항소이유서를 제출하지 아니하였다고 하더라도, 국선변호인이 항소이유서를 제출하지 아니한 데 대하여 피고인에게 귀책사유가 있음이 특별히 밝혀지지 않는 한, 항소법원은 종전 국선변호인의 선정을 취소하고 새로운 국선변호인을 선정하여 다시 소송기록접수통지를 함으로써 새로운 국선변호인으로 하여금 그 통지를 받은 때로부터 항소이유서 제출기간 내에 피고인을 위하여 항소이유서를 제출하도록 하여야 한다(대결 2012.2.16, 2009모1044 전원합의체). 12·22. 9급 국가직, 24. 9급 법원직, 25. 소방간부
   ▶ 국선변호인이 선정된 경우 국선변호인이 기간 내에 항소이유서를 제출하지 아니한 때에는, 피고인 본인이 적법한 항소이유서를 제출하지 아니한 이상 항소기각의 결정을 하는 것이 상당하다고 판시한 대법원 1966.5.25, 66모31 결정이 변경되었다.
3. 항소법원이 피고인에게 소송기록 접수통지를 함에 있어 2회에 걸쳐 그 통지서를 송달하였다고 하더라도, 항소이유서 제출기간의 기산일은 최초 송달의 효력이 발생한 날의 다음 날부터라고 보아야 한다(대판 2010.5.27, 2010도3377). 23. 경찰승진, 14·24. 7급 국가직
4. 항소이유서 제출기간의 경과를 기다리지 않고는 항소사건을 심판할 수 없으므로, 항소이유서 제출기간 내에 변론이 종결되었는데 그 후 위 제출기간 내에 항소이유서가 제출되었다면, 특별한 사정이 없는 한 항소심법원으로서는 변론을 재개하여 항소이유의 주장에 대해서도 심리를 해 보아야 한다(대판 2015.4.9, 2015도1466). 23. 경찰승진
5. 항소이유서가 제출되었더라도 항소이유서 제출기간의 경과를 기다리지 않고는 항소사건을 심판할 수 없고, 법 제33조 제3항의 규정에 의하여 선정된 국선변호인의 경우에도 국선변호인의 항소이유서 제출기간 만료시까지 항소이유서를 제출하거나 수정·추가 등을 할 수 있는 권리는 마찬가지로 보호되어야 한다(대판 2014.8.28, 2014도4496).
6. 필요적 변호사건이 아니고 형사소송법 제33조 제3항에 의하여 국선변호인을 선정하여야 하는 경우도 아닌 사건에 있어서 피고인이 항소이유서 제출기간이 도과한 후에야 비로소 형사소송법 제33조 제2항의 규정에 따른 국선변호인 선정청구를 하고 법원이 국선변호인 선정결정을 한 경우에는 그

국선변호인에게 소송기록접수통지를 할 필요가 없고, 이러한 경우 설령 국선변호인에게 같은 통지를 하였다고 하더라도 국선변호인의 항소이유서 제출기간은 피고인이 소송기록접수통지를 받은 날로부터 계산된다고 할 것이다(대판 2013.6.27, 2013도4114).

7. 필요적 변호사건에서, 항소법원이 이미 피고인과 국선변호인에게 소송기록접수통지를 하였으나, 피고인과 국선변호인이 항소이유서를 제출하지 않고 있던 중 항소이유서 제출기간 내에 피고인이 사선변호인을 선임함에 따라 국선변호인 선정결정이 취소된 경우 그 사선변호인에게 새로운 소송기록접수통지를 할 필요는 없으며, 사선변호인의 항소이유서 제출기간은 피고인 또는 국선변호인의 소송기록접수통지 수령일로부터 계산하여야 한다(대판 2018.11.22, 2015도10651 전원합의체). 20. 경찰간부, 22·23. 경찰승진, 24. 7급 국가직, 24·25. 소방간부
8. 피고인의 항소이유서 제출기간이 경과되기 이전에 변호인이 제출한 항소이유에 대한 심리만을 마친 채 판결을 선고한 원심의 조치는 위법하다(대판 2004.6.25, 2004도2611).
9. 피고인에게 소송기록접수통지를 함에 있어 제1심판결 등에 나타난 주소로 송달하였으나 수취인 불명으로 송달불능이 되어 공시송달을 한 후, 피고인이 주소를 보정하자 다시 피고인에게 소송기록접수통지서를 교부한 일이 있다 하더라도 항소이유서 제출기간의 기산일은 위 공시송달의 효력이 발생한 날로부터라고 보아야 한다(대결 1985.4.16, 84모72).
10. 변호인이 검사의 양형부당의 항소이유에 대한 답변과 더불어 제1심판결에 대하여 사실오인 내지 채증상 잘못을 들고 무고함을 밝혀달라는 항소이유를 겸하여 주장한 답변서를 항소이유서 제출기간 내에 항소법원에 제출한 경우에는 법정기간 내에 항소이유를 개진한 것으로 볼 수 있다(대판 1976.5.11, 76도580).
11. 항소이유서를 제출하지 않은 때에는 그 제출기간 전에 심리하는 것이 허용되지 않는다(대판 1967.3.7, 67도162).
12. 검사가 일부 유죄, 일부 무죄가 선고된 제1심판결 전부에 대하여 항소하면서 유죄부분에 대하여는 아무런 항소이유도 주장하지 않은 경우에는, 유죄부분에 대하여 법정기간 내에 항소이유서를 제출하지 아니하는 경우에 해당한다(대판 2015.12.10, 2015도11696). 18. 순경 3차
13. 피고인의 변호인이 항소이유서를 제출하였으나 "양형부당 및 사실오인을 이유로 항소하였습니다."라는 항소이유의 요지만 기재되어 있을 뿐 '항소이유 및 정상관계'는 "추후 제출하겠습니다."라고 기재되어 있는 경우, 항소이유서 제출기간이 경과하기 전에 심리를 하여 판결을 선고한 것은 소송절차에 관한 법령위반으로 판결 결과에 영향을 미친 위법이 있다고 할 것이다(대판 2015.12.24, 2015도17051). 19. 경찰간부

㉡ 항소기각결정

ⓐ 항소법원으로부터 소송기록접수통지를 받은 날로부터 20일 이내에 항소이유서를 제출하지 아니한 때에는 항소법원은 결정으로 항소를 기각하여야 한다(제361조의 4 제1항). 다만, 필요적 변호사건의 경우에는 피고인에게 변호인이 없는 때에는 항소이유서 제출이 없다고 하여 바로 항소기각결정을 하여서는 안 된다(판례). 또한 별개의 사건에 대하여 하나의 사건인 것처럼 항소이유서가 하나로 작성되어 항소이유서가 부적법하다고 하더라도 피고인의 방어권 행사에 지장이 초래되지 않고 정상적인 소송행위가 진행된 경우에는 그 사건에 관해서만 하자는 치유되므로 항소기각결정을 해서는 안 된다(판례).

PART 05

관련판례

1. 피고인이 빈곤 등을 이유로 국선변호인의 선정을 청구하면서, 국선변호인의 조력을 받아 항소이유서를 작성·제출하는 데 필요한 충분한 시간 여유를 두고 선정청구를 하였는데도 법원이 정당한 이유 없이 그 선정을 지연하여 항소이유서 제출기간이 경과한 후에야 비로소 국선변호인이 선정됨으로써 항소이유서의 작성·제출에 필요한 변호인의 조력을 받지도 못한 상태로 피고인에 대한 항소이유서 제출기간이 도과해 버렸다면 설사 항소이유서 제출기간 내에 그 피고인으로부터 적법한 항소이유서의 제출이 없었다고 하더라도 그러한 사유를 들어 곧바로 결정으로 피고인의 항소를 기각하여서는 아니된다고 할 것이며, 그와 같은 경우에는 그 국선변호인에게도 별도로 소송기록접수통지를 하여 국선변호인이 그 통지를 받은 날로부터 기산하여 피고인을 위하여 항소이유서를 제출할 수 있는 기회를 주어야 한다(대결 2000.11.28, 2000모66).
2. 전혀 다른 두 개의 사건에 대한 항소이유서가 마치 하나의 사건에 대한 항소이유서인 것처럼 하나로 작성되어 제출되었고, 그 항소이유서에 별개의 두 사건의 피고인들이 하나의 사건의 공동피고인들인 것처럼 기재되어 있다면, 이러한 항소이유서는 법률이 정한 방식에 위배되는 항소이유서로서 부적법하다. 그러나 이러한 부적법한 항소이유서라도 그것이 두 개의 사건 중 어느 하나의 사건에 편철되고 그 사건의 피고인들에게 부본이 송달되어 피고인들의 방어권행사에 아무런 지장을 초래하지 아니한 채 정상적인 소송절차가 진행된 경우에는, 그 사건에 관하여서만 항소이유서의 하자가 치유된다(대결 1998.2.10, 97모101).
3. 필요적 변호사건의 경우 피고인이 항소이유서를 제출하지 않았다 하더라도 국선변호인의 선정 없이 항소기각결정을 하여서는 안 된다(대결 1996.11.28, 96모100).
4. 항소이유서를 제출하였더라도 항소이유를 추가·변경·철회할 수 있으므로, 항소이유서 제출기간의 경과를 기다리지 않고는 항소사건을 심판할 수 없다. 따라서 항소이유서 제출기간 내에 변론이 종결되었는데 그 후 위 제출기간 내에 항소이유서가 제출되었다면, 특별한 사정이 없는 한 항소심법원은 변론을 재개하여 항소이유 주장에 대해서도 심리를 해 보아야 한다(대판 2018.11.29, 2018도12896). 22. 경찰승진, 24. 소방간부

ⓑ 직권조사사유가 있거나 항소장에 항소이유의 기재가 있는 경우에는 항소이유서의 제출이 없더라도 항소기각결정을 하여서는 아니 된다(제361조의 4 제1항 단서). 19. 변호사시험

이는 피고인 보호 규정이므로 검사의 경우는 이 규정이 적용되지 않아 곧바로 항소기각결정의 대상이 된다.

관련판례

항소인이 항소이유서를 그 제출기간 내에 제출하지 아니한 경우에도 직권조사사유가 있는 때에는 항소법원은 항소기각의 결정을 하여서는 아니되고 직권으로 심리하여 법정의 항소이유가 있다고 인정하는 때에는 원심판결을 파기하여야 하는바(형사소송법 제361조의 4 제1항 단서), 여기서 직권조사사유라 함은 법령적용이나 법령해석의 착오 여부 등 당사자가 주장하지 아니한 경우에도 법원이 직권으로 조사하여야 할 사유를 말한다(대결 2003.5.16, 2002모338).

ⓒ 항소기각결정에 대해서는 즉시항고 할 수 있다(제361조의 4 제2항).

㉢ **항소이유서 기재방식** : 항소이유서에는 항소이유를 구체적으로 간결하게 명시하여야 한다(규칙 제155조).

ⓐ 제1심의 변론요지서를 원용(허용 ×)

ⓑ 사실오인 또는 법리오해라고 기재(허용 ×)

관련판례

1. 항소인 또는 변호인이 항소이유서에 추상적으로 제1심판결이 부당하다고만 기재함으로써 항소이유를 특정하여 구체적으로 명시하지 아니하였다고 하더라도 항소이유서가 법정의 기간 내에 적법하게 제출된 경우에는 결정으로 항소를 기각할 수는 없다(대결 2002.12.3, 2002모265). 14. 7급 국가직, 22. 경찰승진·9급 법원직

   ▶ **구체적 사안** : 형사소송법은 상고이유를 엄격히 제한함과 동시에 상고이유서에는 소송기록과 원심법원의 증거조사에 표현된 사실을 인용하여 그 이유를 명시하도록 규정하고 있음에 반하여 항소이유서에 대하여는 그와 같은 규정을 두고 있지 아니할 뿐 아니라, 상고심은 원칙적으로 법률심으로서 사후심인 데 반하여, 항소심은 사후심적 성격이 가미된 속심인 점에 비추어 항소인들이 항소이유서에 '위 사건에 대한 원심판결은 도저히 납득할 수 없는 억울한 판결이므로 항소를 한 것입니다.'라고 추상적으로 기재하였다고 하더라도 항소심으로서는 이를 제1심판결에 사실의 오인이 있거나 양형부당의 위법이 있다는 항소이유를 기재한 것으로 선해하여 그 항소이유에 대하여 심리를 하여야 한다(대결 2002.12.3, 2002모265).

2. 피고인이 제1심판결에 대하여 양형부당만을 항소이유로 내세워 항소하였다가 그 항소가 기각된 경우, 피고인은 원심판결에 대하여 사실오인 또는 법리오해의 위법이 있다는 것을 상고이유로 삼을 수는 없다(대판 2005.9.30, 2005도3345). 07. 순경, 23. 7급 국가직

3. 다른 구체적인 이유의 기재 없이 단순히 항소장의 '항소의 범위'란에 '양형부당'이라는 문구가 기재되어 있다고 하여 이를 적법한 항소이유의 기재라고 볼 수는 없다(대판 2008.1.31, 2007도8117).

4. 항소이유서 또는 답변서에는 항소이유 또는 답변내용을 구체적으로 간결하게 명시하여야 한다고 규정하고 있는바(규칙 제155조), 제1심 무죄판결에 대한 검사의 항소장에는 '항소의 이유'란에 '사실오인 및 법리오해'라는 문구만 기재되어 있을 뿐, 다른 구체적인 항소이유가 명시되어 있지 않음을 알 수 있는바, 위와 같은 항소장의 기재는 적법한 항소이유의 기재에 해당하지 않는다고 봄이 상당하다(대판 2003.12.12, 2003도2219).

5. 양형부당과 사실오인을 이유로 항소한 경우에 항소인이 법원의 석명에 대하여 양형부당의 취지라고 답변한 것만으로는 사실오인의 항소이유를 철회한 것으로 볼 수 없다(대판 1999.6.11, 99도1238).

6. 항소이유를 철회하면 상고심에서 당해 항소이유를 다시 상고이유로 삼을 수 없기 때문에 그 철회는 명백한 의사표시를 요한다(대판 1999.6.25, 98도3927).

㉣ **항소이유서 부본송달** : 항소이유서의 제출을 받은 항소법원은 지체 없이 그 부본 또는 등본을 상대방에게 송달하여야 한다(제361조의 3 제2항). 12. 순경 2차

부본은 항소인 자신이 제출, 등본은 법원사무관이 작성

PART 05

관련판례

1. 항소이유서는 적법한 기간 내에 항소법원에 도달하면 되는 것으로, 그 도달은 항소법원의 지배권 안에 들어가 사회통념상 일반적으로 알 수 있는 상태에 있으면 되고 나아가 항소법원의 내부적인 업무처리에 따른 문서의 접수, 결재과정 등을 필요로 하는 것은 아니다(대판 1997.4.25, 96도3325). 12·22. 9급 법원직
2. 검사의 항소이유서의 부본을 피고인에게 송달하지 아니한 경우에도 피고인이 출석한 항소심공판기일에서 검사가 항소이유서를 낭독함으로써 피고인으로서의 방어의 대상, 범위, 중점 등이 명백하여지고 또 피고인이 항소이유서의 불송달에 대하여 아무 이의 없이 소송의 진행에 협동한 경우에는 하자는 치유되었다고 본다(대판 1963.12.12, 63도304).

㉤ **상대방의 답변서 제출** : 상대방은 송달받은 날로부터 10일 이내에 답변서를 항소법원에 제출하여야 한다(동조 제3항). 11. 순경, 12. 순경 2차, 15. 9급 법원직, 20. 순경 1차 답변서 역시 항소이유서와 마찬가지로 제출받은 항소법원은 지체 없이 그 부본 또는 등본을 항소인 또는 변호인에게 송달해야 한다(동조 제4항).

(2) 항소심의 심리

① 항소법원의 심판범위

㉠ 항소법원은 항소이유에 포함된 사유에 관하여 심판하여야 한다(제364조 제1항).

관련판례

1. 피고인이 양형부당과 함께 사실오인도 항소이유로 주장하였음에도 항소심이 양형부당의 항소이유만 있는 것으로 판단하면서 양형부당을 이유로 제1심판결을 파기·자판한 경우, 항소심은 피고인의 양형부당의 항소이유에 대하여 이유 있다고 인정하고 제1심판결을 파기한 다음 자판하면서 피고인에 대한 범죄사실을 모두 인정함으로써 결국 사실오인의 항소이유에 대하여서는 이를 배척하였다고 할 것이다(대판 2000.5.16, 2000도123). 15. 9급 교정·보호·철도경찰
2. 형법 제37조 전단 경합범 관계에 있는 공소사실 중 일부에 대하여 유죄, 나머지 부분에 대하여 무죄를 선고한 제1심판결에 대하여 검사만이 항소하면서 무죄부분에 관하여는 항소이유를 기재하고 유죄부분에 관하여는 이를 기재하지 않았으나 항소 범위는 '전부'로 표시하였다면, 이러한 경우 제1심판결 전부가 이심되어 원심의 심판대상이 되므로, 원심이 제1심판결 무죄부분을 유죄로 인정하는 때에는 제1심판결 전부를 파기하고 경합범 관계에 있는 공소사실 전부에 대하여 하나의 형을 선고하여야 한다(대판 2014.3.27, 2014도342). 19. 경찰간부
3. 피고인이나 변호인이 항소이유서에 포함시키지 아니한 사항을 항소심 공판정에서 진술한다 하더라도 그 진술에 포함된 주장과 같은 항소이유가 있다고 볼 수 없다(대판 1998.9.22, 98도123).

㉡ 판결에 영향을 미친 사유에 관하여는 항소이유서에 포함되지 아니한 경우에도 직권으로 심판할 수 있다(동조 제2항). 항소심의 직권심판사유는 상고심의 직권심판사유(제384조)와는 달리 법령위반, 사실오인, 양형부당을 모두 포함한다.

상고심의 직권심판사유 ⇨ 사실오인, 양형부당은 제외(제384조)

관련판례

1. 항소심이 항소이유에 포함되지 아니한 사유를 직권으로 심리하여 제1심판결을 파기하고 다시 판결하는 경우에는 항소인이 들고 있는 항소이유의 당부에 관하여 따로 판단한 바가 없다고 하더라도, 항소심이 자판을 함에 있어서 이미 항소이유의 당부는 판단되었다고 보아야 하므로, 항소심이 그 판결에서 피고인의 항소이유에 대한 판단을 따로 설시하지 않았다고 하여 위법이라고 할 수 없다(대판 2008.7.24, 2007도6721). 14. 7급 국가직, 15. 9급 교정·보호·철도경찰
2. 항소법원은 직권조사사유에 관하여는 항소제기가 적법하다면 항소이유서가 제출되었는지 여부나 항소이유서에 포함되었는지 여부를 가릴 필요 없이 반드시 심판하여야 하지만, 직권조사사유가 아닌 것에 관하여는 그것이 항소장에 기재되었거나 항소이유서에 포함된 경우에 한하여 심판의 대상으로 할 수 있고, 다만 판결에 영향을 미친 사유에 한하여 예외적으로 항소이유서에 포함되지 아니하였다 하더라도 직권으로 심판할 수 있으며 한편, 피고인이나 변호인이 항소이유서에 포함시키지 아니한 사항을 항소심 공판정에서 진술한다고 하더라도 그러한 사정만으로 그 진술에 포함된 주장과 같은 항소이유가 있다고 볼 수는 없다(대판 2007.5.31, 2006도8488).
3. 피고인이 정신장애 3급의 장애자로 등록되어 있고, 진료소견서 등에도 병명이 '미분화형 정신분열증 및 상세불명의 간질' 등으로 기재되어 있을 뿐만 아니라, 수사기관에서부터 자신의 심신장애 상태를 지속적으로 주장하여 왔으며, 변호인 또한 공판기일에서 피고인의 심신장애를 주장하는 내용의 진술을 하였다면, 비록 피고인이 항소이유서에서 명시적으로 심신장애 주장을 하지 않았다고 하더라도, 직권으로라도 피고인의 병력을 상세히 확인하여 그 증상을 밝혀보는 등의 방법으로 범행 당시 피고인의 심신장애 여부를 심리하였어야 한다(대판 2009.4.9, 2009도870).
4. 제1심이 실체적 경합범 관계에 있는 공소사실 중 일부에 대하여 재판을 누락한 경우, 항소심으로서는 당사자의 주장이 없더라도 직권으로 그 부분에 대하여 재판하여야 한다. 다만, 피고인만이 항소한 경우라면 불이익변경금지의 원칙에 따라 제1심의 형보다 중한 형을 선고하지 못한다(대판 2009.2.12, 2008도7848). 22. 9급 법원직
5. 판결에 영향을 미친 사유에 관하여는 항소이유서에 포함되지 아니한 경우에도 직권으로 심판할 수 있는데, 검사가 일부 유죄, 일부 무죄가 선고된 제1심판결 전부에 대하여 항소하면서 유죄부분에 대하여는 아무런 항소이유도 주장하지 않은 경우에는 유죄부분에 대하여 법정기간 내에 항소이유서를 제출하지 않은 것이 되고, 설령 제1심의 양형이 가벼워 부당하다 하더라도 그와 같은 사유는 직권조사사유나 직권심판사항에 해당하지 않는다(대판 2008.1.31, 2007도8117).
6. 피고인이 양형부당만을 항소이유로 삼아 항소한 후 항소심 공판에서 새로 사실오인 등을 주장하였다고 하더라도 그 주장이 이유 없어 판결에 영향을 미치지 아니한 경우라면 항소심이 이 점에 대하여 따로 판단하지 아니하고 양형부당에 관하여만 판단한 것은 정당하다(대판 2007.1.25, 2006도7242).
7. 검사의 양형부당이란 항소이유에 대하여 명시적인 표현이 없다고 하더라도 원심이 제1심판결을 파기자판하면서 제1심이 선고한 형보다 중한 형에 처했다면 거기에는 묵시적으로 검사의 양형부당의 주장이 이유있다는 판단이 포함되어 있다(대판 1983.9.13, 83도1709).
8. 형사소송법 제364조 제2항(항소법원은 판결에 영향을 미친 사유에 관해서는 항소이유서에 포함되지 아니한 경우에도 직권으로 심판할 수 있다)의 판결에 영향을 미친 사유라는 것은 널리 항소이유가 될 수 있는 사유 중에서 직권조사사유를 제외한 것으로서 판결에 영향을 미친 경우를 포함하는 것이다(대판 1976.3.23, 76도437).

PART 05

9. 제1심에서 위법한 공시송달 결정에 터잡아 공소장 부본과 공판기일 소환장을 송달하고 피고인 출석 없이 재판절차를 진행한 위법이 있는데도, 항소심에서 직권으로 제1심의 위법을 시정하는 조치를 취하지 않은 채 제1심이 조사·채택한 증거들에 기하여 검사의 항소이유만을 판단한 것은 법리오해의 위법이 있다(대판 2012.4.26, 2012도986). 18. 검찰·마약수사

㉢ 확정판결 전의 공소사실과 확정판결 후의 공소사실에 대하여 따로 유죄를 선고하여 두 개의 형을 정한 제1심판결에 대하여 피고인만이 확정판결 전의 유죄판결 부분에 대하여 항소한 경우, 피고인과 검사가 항소하지 아니한 확정판결 후의 유죄판결 부분은 항소기간이 지남으로써 확정되어 항소심에 계속된 사건은 확정판결 전의 유죄판결 부분뿐이고, 그에 따라 항소심이 심리·판단하여야 할 범위는 확정판결 전의 유죄판결 부분에 한정된다(대판 2018.3.29, 2016도18553). 18. 7급 국가직

② 심리의 특칙

항소심의 심판에 대하여도 제1심 공판절차에 관한 규정이 원칙적으로 준용된다(제370조). 다만, 몇가지 예외가 있다.

㉠ 항소심에서도 진술거부권고지와 인정신문 등 진행 순서가 제1심공판절차와 같으나, 검사의 모두진술과 피고인 모두진술은 항소인의 '항소이유 진술'과 상대방에 의한 '답변진술'의 형태로 전환된다.

㉡ 피고인이 공판정에 출정하지 않은 때에는 다시 기일을 지정해야 한다(제365조 제1항). 피고인이 정당한 사유 없이 다시 정한 기일에 출정하지 아니한 때에는 피고인의 진술 없이 판결할 수 있다(동조 제2항). 15. 9급 교정·보호·철도경찰, 23. 소방간부

관련판례

1. 피고인이 불출석한 상태에서 그 진술 없이 판결하기 위해서는 피고인이 적법한 공판기일 통지를 받고서도 2회 연속으로 정당한 이유 없이 출정하지 않은 경우에 해당하여야 한다. 이때 '적법한 공판기일 통지'란 소환장의 송달(형사소송법 제76조) 및 소환장 송달의 의제(형사소송법 제268조)의 경우에 한정되는 것이 아니라 적어도 피고인의 이름·죄명·출석 일시·출석 장소가 명시된 공판기일 변경명령을 송달받은 경우(형사소송법 제270조)도 포함된다(대판 2022.11.10, 2022도7940). 23. 9급 법원직
2. 법정형이 '500만원 이하의 벌금 또는 과료'에 해당해 중형선고의 가능성이 없는 사건에서는 항소심에서도 피고인의 출석 없이 개정할 수 있다(제277조 제1항, 제370조). 형법 제329조(절도죄)의 법정형은 '6년 이하의 징역 또는 1000만원 이하의 벌금'이므로 항소심에서 불출석재판이 허용되는 사건에 해당하지 않는다(대판 2024.9.13, 2024도8185).

㉢ 제1심법원에서 증거로 할 수 있었던 증거는 항소법원에서도 증거로 할 수 있다(제364조 제3항). 즉 다시 증거조사를 할 필요가 없다. 20. 7급 국가직

㉣ 항소심 법원은 다음 각호의 어느 하나에 해당하는 경우에 한하여 증인을 신문할 수 있다(규칙 제156조의 5 제2항).

ⓐ 제1심에서 조사되지 아니한 데에 대하여 고의나 중대한 과실이 없고, 그 신청으로 인하여 소송을 현저하게 지연시키지 아니하는 경우(제1호)

ⓑ 제1심에서 증인으로 신문하였으나 새로운 중요한 증거의 발견 등으로 항소심에서 다시 신문하는 것이 부득이하다고 인정되는 경우(제2호)

ⓒ 그 밖에 항소의 당부에 관한 판단을 위하여 반드시 필요하다고 인정되는 경우(제3호)

관련판례

1. 위법한 공시송달 방법으로 피고인소환장 등을 송달하고 피고인의 진술 없이 판결을 선고한 제1심의 절차가 위법하다는 이유로 제1심판결을 파기하면서도, 별도의 증거조사를 거치지 아니한 채 피고인의 참여 없이 실시된 제1심 증거조사 결과에 기초하여 공소사실을 유죄로 인정한 원심판결에 법리오해의 위법이 있다(대판 2012.4.26, 2012도986). 13. 9급 법원직
2. 항소심에 이르러 범행을 부인하였다고 하더라도 제1심법원에서 증거로 할 수 있었던 증거는 항소법원에서도 증거로 할 수 있는 것이므로 제1심법원에서 이미 증거능력이 있었던 증거는 항소심에서도 증거능력이 그대로 유지되어 심판의 기초가 될 수 있고 다시 증거조사를 할 필요가 없다(대판 1998.2.27, 97도3421). 24. 해경승진
3. 검사가 공판정에서 구두변론을 통해 항소이유를 주장하지 않았고 피고인도 그에 대한 적절한 방어권을 행사하지 못하는 등 검사의 항소이유가 실질적으로 구두변론을 거쳐 심리되지 않았다고 평가될 경우, 항소심법원이 검사의 항소이유 주장을 받아들여 피고인에게 불리하게 제1심판결을 변경하는 것은 허용되지 않는다(대판 2015.12.10, 2015도11696).

(3) 항소심의 재판

① **공소기각의 결정** : 공소기각결정사유(제328조 제1항)가 있음에도 불구하고 원심법원이 실체판결을 한 경우에는 항소법원은 원심판결을 파기할 필요 없이 결정으로 공소를 기각해야 한다(제363조 제1항). 이 결정에 대하여 즉시항고할 수 있다(동조 제2항).

② **항소기각재판**

㉠ **항소기각결정**

ⓐ 항소제기가 법률상 방식에 위반하거나, 항소권 소멸 후인 것이 명백함에도 불구하고 원심법원이 항소기각결정을 하지 않은 때에는 항소법원은 결정으로 항소를 기각해야 한다(제362조 제1항). 이 결정에 대하여 즉시항고할 수 있다(동조 제2항).

ⓑ 항소인이나 변호인이 기간 내에 항소이유서를 제출하지 아니한 때에는 결정으로 항소를 기각해야 한다. 단, 직권조사사유가 있거나 항소장에 항소이유의 기재가 있는 때에는 예외로 한다(제361조의 4 제1항). 24. 7급 국가직 이 결정에 대하여 즉시항고할 수 있다(동조 제2항).

㉡ **항소기각판결** : 항소가 이유 없다고 인정한 때에는 판결로써 항소를 기각해야 한다(제364조 제4항). 항소기각판결은 구두변론을 거치는 것이 원칙이지만(제37조), 항소가 이유 없음

이 명백한 때에는 변론 없이 판결로써 항소를 기각할 수 있다(제364조 제5항). 20. 9급 법원직 이를 무변론기각이라고 하는데 남상소를 방지하기 위한 규정이다.

☎ 무변론항소기각판결도 판결의 형식이므로 공판정에서 선고할 것을 요하며, 개정 자체를 생략 ×

③ 원심판결파기판결

㉠ 항소법원은 항소이유가 있다고 인정한 때에는 원심판결을 파기하여야 한다(제364조 제6항). 판결에 영향을 미친 사유에 관하여는 항소이유서에 기재하지 아니한 경우에도 직권으로 원판결을 파기할 수 있다(제364조 제2항).

㉡ 피고인을 위하여 원판결을 파기한 경우에 파기의 이유가 항소한 공동피고인에게 공통된 때에는 직권으로 그 공동피고인에 대하여도 원심판결을 파기하여야 한다(제364조의 2). 09. 7급 국가직, 12. 경찰승진

공동파기

1. 공동피고인 상호간의 공평을 도모하기 위함이다.
2. 여기서 공동피고인이란 원심에서의 공동피고인으로서 항소한 자를 말하며, 항소심에서 병합심리될 것을 요하지 아니한다. 20. 9급 법원직
3. 항소를 적법하게 제기한 이상 항소이유서를 제출하지 않거나 항소이유서가 부적법한 경우도 공동파기를 허용하여야 한다(다수설).
4. 원심 공동피고인이 항소하지 않아 원심판결이 이미 확정되어 있다면 파기의 효력이 미치지 않음은 당연하다.
5. 공동피고인이 항소하지 않은 경우에도 검사가 공동피고인 모두에 대하여 항소하면 공동파기의 대상이 될 수 있는가에 대해서는 견해의 대립이 있다.

관련판례

1. 형사소송법 제392조는 "피고인의 이익을 위하여 원심판결을 파기하는 경우에 파기의 이유가 상고한 공동피고인에 공통되는 때에는 그 공동피고인에 대하여도 원심판결을 파기하여야 한다."고 규정하고 있는바, 이 규정은 상고가 법률상 방식에 위반하거나 상고권 소멸 후인 것이 명백한 공동피고인에게는 이를 적용할 수 없다(대판 2004.7.22, 2003도6412).
2. 항소이유서 미제출로 항소기각결정을 받은 피고인이 제1심 공동피고인의 항소와 검사의 피고인들에 대한 항소를 모두 기각한 항소심판결에 대하여 사실오인 내지 법리오해를 이유로 상고한 경우, 피고인이 상고이유서에서 주장하는 상고이유는 적법한 상고이유가 될 수는 없다고 할 것이나, 피고인의 상고 자체가 법률상 방식에 위반하거나 상고권 소멸 후인 것이 명백한 때에 해당하는 부적법한 상고는 아니므로, 피고인은 제1심 공동피고인과 파기의 이유가 공통되는 공동피고인으로서 형사소송법 제392조의 적용을 받는다(대판 2004.7.22, 2003도6412).
3. 형사소송법 제364조의 2 조항에서 정한 '항소한 공동피고인'은 제1심의 공동피고인으로서 자신이 항소한 경우는 물론 그에 대하여 검사만 항소한 경우까지도 포함한다(대판 2022.7.28, 2021도10579). 23. 9급 법원직

㉢ 상소심에서 원심의 주형 부분을 파기하는 경우 부가형인 몰수 또는 추징 부분도 함께 파기하여야 하고, 몰수 또는 추징을 제외한 나머지 주형 부분만을 파기할 수는 없다(대판 2009.6.25, 2009도2807).

④ **파기 후의 조치** : 원심판결이 파기되면 사건은 원심판결 전의 상태로 항소심에 계속된다. 따라서 소송계속을 벗어나기 위하여는 항소심은 자판 · 환송 · 이송의 판결을 하지 아니하면 안 되며, 형사소송법은 파기자판을 원칙으로 하고 있다. 17. 경찰간부

㉠ **파기자판** : 항소법원이 원심판결을 파기하고 직접 다시 판결하는 것을 말한다(제364조 제2항).

관련판례

1. 제1심판결 선고 당시 미성년자였던 피고인이 항소심 선고 당시 성년으로 된 경우 부정기형을 선고한 원판결을 파기하고 정기형을 선고하여야 한다(대판 1990.4.24, 90도539). 18. 순경 3차, 24. 소방간부
2. 항소법원이 제1심판결을 파기하고 다시 판결을 함에 있어서는 변론을 거쳐서 판결하여야 한다(대판 1981.7.28, 81도1482).

㉡ **파기환송의 판결** : 공소기각 또는 관할위반의 재판이 법률에 위반됨을 이유로 원심판결을 파기한 때에는 판결로 사건을 원심법원에 환송하여야 한다(제366조).

㉢ **파기이송의 판결** : 관할인정이 법률에 위반됨을 이유로 원심판결을 파기한 때에는 판결로 사건을 관할법원에 이송하여야 한다(제367조 본문).

예 원심법원이 관할권이 없는데도 관할위반의 판결을 선고하지 않고 실체심리를 진행하여 실체 판결을 한 경우

⑤ **재판서의 기재방식** : 항소법원의 재판서에는 재판서의 일반적인 방식(제38조 이하)에 의하는 이외에 항소이유의 판단을 기재하여야 하며 원심판결에 기재한 사실과 증거를 인용할 수 있다(제369조).

관련판례

1. 항소심이 자신의 양형판단과 일치하지 아니한다고 하여 양형부당을 이유로 제1심판결을 파기하는 것이 바람직하지 아니한 점이 있다고 하더라도 이를 두고 양형심리 및 양형판단 방법이 위법하다고까지 할 수는 없다. 그리고 판단에 근거가 된 양형자료와 그에 관한 판단 내용이 모순 없이 설시되어 있는 경우에는 양형의 조건이 되는 사유에 관하여 일일이 명시하지 아니하여도 위법하다고 할 수 없다(대판 2015.7.23, 2015도3260 전원합의체).
2. 유죄판결이 확정된 甲 · 乙 · 丙 세 개의 죄와 형법 제37조 후단의 경합범 관계에 있는 丁죄에 대한 형을 선고하면서 판결 이유의 '법령의 적용' 부분에서 乙 · 丙죄에 대한 전과 기재를 누락하고 전과의 구체적 내용을 심리하지 아니한 경우, 형법 제37조 후단 경합범에서 당해 사건 범죄와 이미 판결이 확정된 죄를 동시에 판결할 경우와 형평을 고려하여 당해 사건 범죄에 대하여 형을 선고할 것을 요구하는 형법 제39조 제1항을 위반하여 위법하다(대판 2008.10.23, 2008도209).
3. 제369조는 "항소법원의 재판서에는 항소이유에 대한 판단을 기재하여야 하며 원심판결에 기재한 사실과 증거를 인용할 수 있다."고 하고 있으므로, 항소심판결에서 제1심판결에 기재한 범죄될 사실과 증거의 요지는 인용할 수 있으나 법령의 적용은 인용할 수 없다(대판 2000.6.23, 2000도1660).
4. 제1심판결을 파기하여 피고인을 유죄로 인정하면서 그 이유에 범죄사실과 적용법령의 기재만 있을 뿐 그 범죄사실을 증명하는 증거의 요지를 누락시킨 경우라면 잘못이다(대판 1987.2.24, 86도2660).

5. 제1심판결을 파기하여 유죄의 판결을 하는 경우 외에는 판결이유에 범죄사실이나 증거의 요지는 물론이고 그에 관한 법령의 적용을 따로이 기재할 필요가 없다. 양형이 과중하다는 항소이유에 대하여 "이유 없다."고만 판시하여 항소를 기각한 항소심의 판단은 정당하다(대판 1982.12.28, 82도2642).
6. 검사와 피고인 양쪽이 상소를 제기한 경우, 어느 일방의 상소는 이유 없으나 다른 일방의 상소가 이유 있어 원판결을 파기하고 다시 판결하는 때에는 이유 없는 상소에 대해서는 판결이유 중에서 그 이유가 없다는 점을 적으면 충분하고 주문에서 그 상소를 기각해야 하는 것은 아니다(대판 2020.6.25, 2019도17995). 21. 7급 국가직
7. 제1심판결서에 재판한 법관의 서명날인이 누락되어 있고, 항소심이 이를 간과한 채 일부 피고인들의 항소를 기각하는 판결을 선고한 것은 판결에 영향을 미친 법률 위반에 해당한다(대판 2022.7.14, 2022도5129).

---

(4) 상소 등과 구속에 관한 결정

상소 중의 사건에 관한 피고인의 구속, 구속기간갱신, 구속취소, 보석, 보석취소, 구속집행정지와 그 정지의 취소결정은 소송기록이 상소법원에 도달하기까지는 원심법원이 하여야 한다(규칙 제57조 제1항). 이송·파기환송 또는 파기이송 중의 사건에 관한 제1항의 결정은 소송기록이 이송 또는 환송법원에 도달하기까지는 이송 또는 환송한 법원이 이를 하여야 한다(동조 제2항).

KEY point

- 항소장 ⇨ 원심법원에 제출(제1심판결 선고일부터 7일 이내)
- **항소심구조** : 원칙적 속심(판례)
- 항소이유 ⇨ 제361조의 5
- 항소심의 심리특색 ⇨ 검사의 모두진술 ×, 피고인 불출석 재판 허용(2회 불출석)
- **항소심의 재판**
  - 공소기각결정
  - 항소기각의 재판
    - 항소기각결정
    - 항소기각판결
  - 파기판결
    - 자 판
    - 환 송
    - 이 송
- 상소 중 사건에 관한 재판 ⇨ 소송기록이 상소법원에 도달시까지는 원심법원이 함.

CHAPTER 01

기출문제

01 **항소심의 절차에 대한 설명으로 가장 적절하지 않은 것은?**(다툼이 있는 경우 판례에 의함) 22. 경찰승진

① 피고인에게 소송기록접수통지가 되기 전에 변호인의 선임이 있는 때에는 변호인에게도 소송기록접수통지를 하여야 하고, 변호인의 항소이유서 제출기간은 변호인이 이 통지를 받은 날로부터 계산하여야 할 것이다.

② 필요적 변호사건에서 항소법원이 피고인과 국선변호인에게 소송기록접수통지를 하였으나 피고인과 국선변호인이 항소이유서를 제출하지 않고 있는 사이에 항소이유서 제출기간 내에 피고인이 사선변호인을 선임함에 따라 항소법원이 직권으로 기존 국선변호인 선정결정을 취소하였다면, 특별한 사정이 없는 한 새로 선임된 사선변호인에게 소송기록접수통지를 하여 그 변호인에게 항소이유서 작성·제출을 위한 기간을 보장해 주어야 한다.

③ 항소인 또는 변호인이 항소이유서에 추상적으로 제1심판결이 부당하다고만 기재함으로써 항소이유를 특정하여 구체적으로 명시하지 아니하였다고 하더라도 항소이유서가 법정의 기간 내에 적법하게 제출된 경우에는 이를 항소이유서가 법정의 기간 내에 제출되지 아니한 것과 같이 보아 형사소송법 제361조의 4 제1항에 의하여 결정으로 항소를 기각할 수는 없다.

④ 이미 항소이유서를 제출하였더라도 항소이유를 추가·변경·철회할 수 있으므로, 항소이유서 제출기간의 경과를 기다리지 않고는 항소사건을 심판할 수 없다고 보아야 한다.

해설 ① 대결 2011.5.13, 2010모1741
② 필요적 변호사건에서 항소법원이 국선변호인을 선정하고 피고인과 국선변호인에게 소송기록접수통지를 한 다음 피고인이 사선변호인을 선임함에 따라 국선변호인의 선정을 취소한 경우 항소법원은 사선변호인에게 다시 소송기록접수통지를 할 의무가 없다고 보아야 한다(대결 2018.11.22, 2015도10651 전원합의체).
③ 대결 2002.12.3, 2002모265 ④ 대판 2018.11.29, 2018도12896

02 **항소에 대한 설명으로 적절하지 않은 것은 모두 몇 개인가?**(다툼이 있는 경우 판례에 의함) 23. 경찰승진

㉠ 항소를 함에는 항소장을 항소법원에 제출하여야 한다.
㉡ 항소한 피고인이 교도소 또는 구치소에 있는 경우에는 원심 법원에 대응한 검찰청 검사는 항소법원으로부터 그 사유를 통지받은 날부터 14일 이내에 피고인을 항소법원 소재지의 교도소 또는 구치소로 이송하여야 한다.
㉢ 필요적 변호사건에서 항소법원이 국선변호인을 선정하고 피고인과 국선변호인에게 소송기록접수통지를 한 다음 피고인이 사선변호인을 선임함에 따라 국선변호인의 선정을 취소한 경우, 항소법원은 사선변호인에게 다시 소송기록접수 통지를 할 의무가 있다.
㉣ 항소법원이 피고인에게 소송기록 접수통지를 함에 있어 2회에 걸쳐 그 통지서를 송달한 경우, 항소이유서 제출기간의 기산일은 최후 송달의 효력이 발생한 날의 다음날부터이다.

Answer 01. ② 02. ③

① 1개 ② 2개 ③ 3개 ④ 4개

해설 ㉠ × : 항소를 함에는 항소장을 원심법원(제1심법원)에 제출하여야 한다(제359조).
㉡ ○ : 제361조의 2 제3항
㉢ × : 형사소송법은 항소법원이 항소인인 피고인에게 소송기록접수통지를 하기 전에 변호인의 선임이 있는 때에는 변호인에게도 소송기록접수통지를 하도록 정하고 있으므로(제361조의 2 제2항), 피고인에게 소송기록접수통지를 한 다음에 변호인이 선임된 경우에는 변호인에게 다시 같은 통지를 할 필요가 없다. 이는 필요적 변호사건에서 항소법원이 국선변호인을 선정하고 피고인과 그 변호인에게 소송기록접수통지를 한 다음 피고인이 사선변호인을 선임함에 따라 항소법원이 국선변호인의 선정을 취소한 경우에도 마찬가지이다. 이러한 경우 항소이유서 제출기간은 국선변호인 또는 피고인이 소송기록접수통지를 받은 날부터 계산하여야 한다(대판 2018.11.22, 2015도10651 전원합의체).
㉣ × : 항소법원이 피고인에게 소송기록 접수통지를 함에 있어 2회에 걸쳐 그 통지서를 송달하였다고 하더라도 항소이유서 제출기간의 기산일은 최초 송달의 효력이 발생한 날의 다음날부터이다(대판 2010.5.27, 2010도3377).

03 **항소심에 관한 다음 설명 중 가장 옳은 것은?**(다툼이 있는 경우 판례에 의하고, 전원합의체 판결의 경우 다수의견에 의함) 23. 9급 법원직

① 피고인을 위하여 제1심판결을 파기하는 경우에 파기의 이유가 '항소한 공동피고인'에게 공통되는 때에는 그 공동피고인에 대하여도 제1심판결을 파기하여야 하는데, 이때 '항소한 공동피고인'에는 제1심의 공동피고인으로서 자신이 항소한 경우만 해당되고, 제1심의 공동피고인에 대하여 검사만 항소한 경우는 이에 포함되지 않는다.
② 피고인의 항소대리권자인 배우자가 피고인을 위하여 항소한 경우에도 소송기록접수통지는 항소인인 피고인에게 하여야 하는데, 피고인이 적법하게 소송기록접수통지서를 받지 못하였다면 항소이유서 제출기간이 지났다는 이유로 항소기각결정을 하는 것은 위법하다.
③ 항소심에서도 피고인이 불출석한 상태에서 그 진술 없이 판결하기 위해서는 피고인이 적법한 공판기일 통지를 받고서도 2회 연속으로 정당한 이유 없이 출정하지 않은 경우에 해당하여야 하는데, 이때 '적법한 공판기일 통지'란 소환장의 송달(형사소송법 제76조) 및 소환장 송달의 의제(형사소송법 제268조)의 경우에 한정된다.
④ 제1심법원이 공소사실의 동일성이 인정되는 범위 내에서 공소가 제기된 범죄사실에 포함된 보다 가벼운 범죄사실을 유죄로 인정하면서 법정형이 보다 가벼운 다른 법조를 적용하여 피고인을 처벌하고, 유죄로 인정된 부분을 제외한 나머지 부분에 대하여는 범죄의 증명이 없다는 이유로 판결 이유에서 무죄로 판단한 경우, 피고인만이 유죄부분에 대하여 항소하고 검사는 무죄로 판단된 부분에 대하여 항소하지 아니한 경우에도, 그 죄 전부가 피고인의 항소와 상소불가분의 원칙으로 인하여 항소심에 이심되었으므로 무죄부분도 항소심의 심판대상이 된다.

해설 ① '항소한 공동피고인'은 제1심의 공동피고인으로서 자신이 항소한 경우는 물론 그에 대하여 검사만 항소한 경우까지도 포함한다(대판 2022.7.28, 2021도10579).

Answer 03. ②

② 대결 2018.3.29, 2018모642
③ '적법한 공판기일 통지'란 소환장의 송달(형사소송법 제76조) 및 소환장 송달의 의제(형사소송법 제268조)의 경우에 한정되는 것이 아니라 적어도 피고인의 이름·죄명·출석 일시·출석 장소가 명시된 공판기일 변경명령을 송달받은 경우(형사소송법 제270조)도 포함된다(대판 2022.11.10, 2022도7940).
④ 피고인만이 유죄부분에 대하여 항소하고 검사는 무죄로 판단된 부분에 대하여 항소하지 아니하였다면, 비록 그 죄 전부가 피고인의 항소와 상소불가분의 원칙으로 인하여 항소심에 이심되었다고 하더라도 무죄부분은 심판대상이 되지 않는다(대판 2008.9.25, 2008도4740).

04 **피고인은 A사건으로 구속영장이 집행되어 서울구치소에 구금되었다. 그 후 피고인은 2023. 4. 20. 서울중앙지방법원에서 A사건으로 징역형을 선고받고 항소하였다. 항소심법원인 서울고등법원은 2023. 5. 6. 소송기록접수통지서 등을 발송하였고, 서울구치소장은 2023. 5. 7. 이를 송달받았으며, 피고인은 2023. 5. 8. 이를 수령하였다**(2023. 5. 28.은 일요일, 2023. 5. 29.은 임시공휴일이며, 변호인의 존재여부 및 변호인의 기간준수는 고려하지 아니함). **이 사실관계를 바탕으로 한 다음 설명 중 가장 옳지 않은 것은?**(다툼이 있는 경우 판례에 의하고, 전원합의체 판결의 경우 다수의견에 의함) 23. 9급 법원직

① 만일 피고인이 2023. 4. 27. 서울구치소장에게 항소장을 제출하였다면, 그 항소장이 2023. 4. 28. 제1심법원에 도착하였더라도 피고인의 항소는 항소기간(7일) 내에 적법하게 제기된 것이다.
② 구속피고인에 대한 송달은 그 수용 중인 교도소 또는 구치소의 장에게 하여야 하므로, 서울구치소장이 피고인보다 먼저 서울고등법원으로부터 2023. 5. 7. 소송기록접수통지서를 받은 것은 적법하다.
③ 만일 피고인이 2023. 5. 28. 항소이유서를 서울구치소장에게 제출하였으나, 그 날은 일요일이고, 다음 날인 2023. 5. 29.은 임시공휴일인 관계로 2023. 5. 30.에 이르러서야 법원에 항소이유서가 도착되었더라도 항소이유서는 기간(20일) 내에 적법하게 제출된 것이다.
④ 만일 피고인이 제1심판결 선고 이후인 2023. 4. 30. 보석허가결정을 받아 출소하였고 2023. 5. 8. 피고인의 주거지에서 직접 서울고등법원의 소송기록접수통지서를 송달받았는데, 2023. 5. 28. 항소이유서를 발송하였으나 그 날은 일요일이고, 다음 날인 2023. 5. 29.은 임시공휴일인 관계로 2023. 5. 30.에 이르러서야 법원에 항소이유서가 도착되었다면, 항소이유서는 기간(20일)을 도과하여 부적법하게 제출된 것이다.

해설 ① 피고인이 선고일로부터 7일 이내에 항소장을 제출하면 되는데(제358조), 기간의 계산에 관하여는 시(時)로 계산하는 것은 즉시(卽時)부터 기산하고 일(日), 월(月) 또는 연(年)으로 계산하는 것은 초일을 산입하지 아니하므로(제66조 제1항), 2023. 4. 27.까지 항소장을 제출하면 된다. 교도소 또는 구치소에 있는 피고인이 상소의 제기기간 내에 상소장을 교도소장 또는 구치소장 또는 그 직무를 대리하는 자에게 제출한 때에는 상소의 제기기간 내에 상소한 것으로 간주하므로(제344조 제1항), 피고인이 2023. 4. 27. 서울구치소장에게 항소장을 제출하였다면 적법하다.
② 구속피고인에 대한 송달은 그 수용 중인 교도소 또는 구치소의 장에게 하여야 하며 제65조, 민사소송법 제182조), 그 소장에게 송달하면 구속된 자에게 전달된 여부와 관계없이 효력이 생기는 것이다(대판 1995.1.12, 94도2687). 따라서 서울구치소장이 피고인보다 먼저 서울고등법원으로부터 2023. 5. 7. 소송기록접수통지서를 받았더라도 이는 적법하다.

Answer 04. ④

③ 항소인 또는 변호인은 소송기록접수통지를 받은 날로부터 20일 이내에 항소이유서를 항소법원에 제출하여야 한다(제361조의 3 제1항). 교도소 또는 구치소에 있는 피고인이 상소의 제기기간 내에 상소장을 교도소장 또는 구치소장 또는 그 직무를 대리하는 자에게 제출한 때에는 상소의 제기기간 내에 상소한 것으로 간주된다(제344조 제1항, 제361조의 3 제1항). 따라서, 초일 불산입의 원칙에 따라 2023. 5. 28.까지 항소이유서를 제출하면 되는데 기간의 말일이 공휴일(임시공휴일 포함)이거나 토요일이면 그 날은 기간에 산입하지 아니하므로(제66조 제3항), 2023. 5. 30.까지 항소이유서를 제출하였다면 적법하다.
④ 항소이유서는 기간(20일) 내에 적법하게 제출된 것이다.

05 **항소심 절차에 관한 설명으로 옳지 않은 것은?**(다툼이 있는 경우 판례에 의함) **24. 소방간부**

① 제1심판결 선고 당시 미성년자였던 피고인이 항소심 선고 당시 성년으로 된 경우 부정기형을 선고한 원판결을 파기하고 정기형을 선고하여야 한다.
② 이미 항소이유서를 제출하였더라도 항소이유를 추가·변경·철회할 수 있으므로, 항소이유서 제출기간의 경과를 기다리지 않고는 항소사건을 심판할 수 없다.
③ 현행법상 형사항소심의 구조가 오로지 사후심으로서의 성격만을 가지고 있는 것은 아니어서 공소장의 변경은 항소심에서도 할 수 있다.
④ 교도소 또는 구치소에 있는 피고인이 항소이유서의 제출기간 내에 항소이유서를 교도소장 또는 구치소장 또는 그 직무를 대리하는 자에게 제출한 때에는 항소이유서의 제출기간 내에 제출한 것으로 간주한다.
⑤ 필요적 변호사건에서 항소법원이 국선변호인을 선정하고 피고인과 국선변호인에게 소송기록접수통지를 한 다음 피고인이 사선변호인을 선임함에 따라 국선변호인의 선정을 취소한 경우 항소법원은 사선변호인에게 다시 소송기록접수통지를 할 의무가 있다.

해설 ① 대판 1990.4.24, 90도539
② 대판 2018.11.29, 2018도12896
③ 대판 1995.2.17, 94도3297 ④ 제361조의 3 제1항
⑤ 필요적 변호사건에서 항소법원이 국선변호인을 선정하고 피고인과 국선변호인에게 소송기록접수통지를 한 다음 피고인이 사선변호인을 선임함에 따라 국선변호인의 선정을 취소한 경우 항소법원은 사선변호인에게 다시 같은 통지를 할 필요가 없다(대판 2018.11.22, 2015도10651 전원합의체).

06 **소송기록접수통지에 관한 다음 설명 중 가장 옳지 않은 것은?** **24. 9급 법원직**

① 피고인과 국선변호인이 모두 법정기간 내에 항소이유서를 제출하지 않았더라도 국선변호인이 항소이유를 제출하지 않은 것에 피고인의 귀책사유가 있음이 특별히 밝혀지지 않는 한, 항소법원은 종전 국선변호인의 선정을 취소하고 새로운 국선변호인을 선정하여 다시 소송기록접수통지를 하여야 한다.
② 항소심에서 국선변호인이 선정된 이후 변호인이 없는 다른 사건이 병합된 경우, 항소법원은 지체 없이 국선변호인에게 병합된 사건에 관한 소송기록접수통지를 하여야 한다.

Answer 05. ⑤ 06. ④

③ 형사소송법은 항소법원이 항소인인 피고인에게 소송기록접수통지를 하기 전에 변호인의 선임이 있는 때에는 변호인에게도 소송기록접수통지를 하도록 정하고 있으므로, 피고인에게 소송기록접수통지를 한 다음에 변호인이 선임된 경우에는 변호인에게 다시 같은 통지를 할 필요가 없다.

④ 필요적 변호사건에서 항소법원이 피고인과 국선변호인에게 소송기록접수통지를 하였으나 피고인과 국선변호인이 항소이유서를 제출하지 않고 있는 사이에 항소이유서 제출기간 내에 피고인이 사선변호인을 선임함에 따라 항소법원이 직권으로 기존 국선변호인 선정결정을 취소하였다면, 항소법원은 피고인이 소송지연 등을 위하여 새로 변호인을 선임하였다는 등의 특별한 사정이 없는 한 새로 선임된 사선변호인에게 소송기록접수통지를 하여 그 변호인에게 항소이유서 작성·제출을 위한 기간을 보장해 주어야 한다.

해설 ① 대결 2012.2.16, 2009모1044 전원합의체
② 대판 2010.5.27, 2010도3377
③ 제361조의 2, 대판 2018.11.22, 2015도10651 전원합의체
④ 필요적 변호사건에서, 항소법원이 이미 피고인과 국선변호인에게 소송기록접수통지를 하였으나, 피고인과 국선변호인이 항소이유서를 제출하지 않고 있던 중 항소이유서 제출기간 내에 피고인이 사선변호인을 선임함에 따라 국선변호인 선정결정이 취소된 경우 그 사선변호인에게 새로운 소송기록접수통지를 할 필요는 없으며, 사선변호인의 항소이유서 제출기간은 피고인 또는 국선변호인의 소송기록접수통지 수령일로부터 계산하여야 한다(대판 2018.11.22, 2015도10651 전원합의체).

07 항소에 대한 설명으로 옳지 않은 것은?

24. 7급 국가직

① 항소장에 항소이유가 기재되어 있지 않고 적법한 기간 내에 항소이유서도 제출되지 않았다면 직권조사사유가 있는 경우 외에는 항소심법원은 결정으로 항소를 기각하여야 한다.

② 제1심법원이 소년임을 이유로 징역 장기 4년, 단기 2년의 부정기형을 선고한 데 대하여 피고인만 항소한 경우, 항소심법원이 위 피고인이 항소심에 이르러 19세에 도달하였음을 이유로 제1심판결을 파기하고 징역 3년을 선고하였다면 이는 불이익변경금지원칙에 위배되지 않는다.

③ 항소심법원이 피고인에게 소송기록 접수통지를 함에 있어 2회에 걸쳐 그 통지서를 송달하였다고 하더라도, 항소이유서 제출기간의 기산일은 최초 송달의 효력이 발생한 날의 다음 날이다.

④ 경합범 중 일부에 대하여 무죄, 나머지 일부에 대하여 유죄를 선고한 항소심판결에 대하여 검사만 무죄부분을 상고하였는데, 상고심법원이 이를 유죄 취지로 파기할 때에는 상소불가분의 원칙에 따라 상고되지 않은 유죄부분도 함께 파기하여야 한다.

해설 ① 제361조의 4 제1항
② 대판 2020.10.22, 2020도4140 전원합의체 ③ 대판 2010.5.27, 2010도3377
④ 경합범 중 일부에 대하여 무죄, 일부에 대하여 유죄를 선고한 제1심판결에 대하여 검사만이 무죄부분에 대하여 항소를 한 경우, 피고인과 검사가 항소하지 아니한 유죄판결 부분은 항소기간이 지남으로써 확정되어 항소심에 계속된 사건은 무죄판결 부분에 대한 공소뿐이며, 그에 따라 항소심에서 이를 파기할 때에는 무죄부분만을 파기하여야 한다(대판 2010.11.25, 2010도10985).

Answer 07. ④

제3절 상 고

1 상고의 의의 · 구조

(1) 상고의 의의

상고란 2심판결에 불복하여 대법원에 제기하는 상소를 말한다(제371조). 예외적으로 제1심판결에 대해 항소제기 없이 곧바로 상고가 인정되는 경우가 있는데 이를 비약적 상고라고 한다.

(2) 상고심의 기능

상고심의 주된 기능은 법령해석의 통일에 있다. 물론 일정한 범위 안에서 사실오인과 양형부당을 심사할 수도 있어 당사자의 권리구제기능도 가지고 있으나, 이러한 기능은 부수적 기능이라 할 수 있다.

(3) 상고심의 구조

① **법률심** : 상고심은 원심판결의 법률문제만을 판단하는 법률심이 원칙이며, 극히 예외적으로 피고사건의 사실관계에 관한 오류를 심사할 수 있는 사실심의 성격도 가지고 있다.

② **사후심** : 상고심의 구조가 사후심이라는 점에 대하여는 견해가 일치되어 있다. 이에 대한 근거로 상고이유가 원칙적으로 법령위반에 엄격히 제한되어 있을 뿐 아니라(제383조), 상고법원은 변론 없이 서면심리에 의하여 판결할 수 있고, 원심판결을 파기하는 때에는 파기환송, 파기이송하여야 하고 파기자판은 예외적이라는 점(제397조)이다. 따라서 상고심에서 새로운 증거를 제출하거나 증거조사를 하는 것은 허용되지 않으므로 공소장변경이 인정되지 않고, 원판결에 대한 판단은 상고심판결시가 아니라 원판결시가 기준이 된다. 항소심판결 선고 당시 20세 미만자로서 부정기형을 선고받은 피고인이 상고심 계속 중에 성년이 된 경우에 원판결을 파기할 수 없는 이유도 여기에 있다.

관련판례

1. 상고심의 심판대상은 원심판결 당시를 기준으로 하여 그 당부를 심사하는 데 있는 것이므로, 원심판결 당시 피고인이 미성년으로서 부정기형을 선고받은 자가 그 후 상고심 계속 중에 성년으로 되었다 하여 원심의 부정기형 선고가 위법이 될 수 없다. 따라서 상고법원은 원심을 파기하고 정기형을 선고할 수 없다(대판 1990.11.27, 90도2225). 11 · 12. 경찰승진, 13 · 16. 9급 법원직, 16. 7급 국가직
2. 상고심은 항소심판결에 대한 사후심으로서 항소심에서 심판대상으로 되었던 사항에 한하여 상고이유의 범위 내에서 그 당부만을 심사하여야 한다. 그 결과 항소인이 항소이유로 주장하거나 항소심이 직권으로 심판대상으로 삼아 판단한 사항 이외의 사유는 상고이유로 삼을 수 없고 이를 다시 상고심의 심판범위에 포함시키는 것은 상고심의 사후심 구조에 반한다(대판 2019.3.21, 2017도16593 전원합의체). 19. 7급 국가직, 24. 9급 법원직

3. 상고심은 사후심으로서, 원심까지의 소송자료만을 기초로 삼아 원심판결의 당부를 판단하여야 하므로, 직권조사 기타 법령에 특정한 경우를 제외하고는 새로운 증거조사를 할 수 없을뿐더러, 원심판결 후에 나타난 사실이나 증거의 경우 비록 그것이 상고이유서 등에 첨부되어 있다 하더라도 사용할 수 없음이 원칙이다(대판 2010.10.14, 2009도4894).

2 상고이유

형사소송법은 상고이유(제383조)로 4가지를 규정하고 있다.

1. 판결에 영향을 미친 헌법·법률·명령 또는 규칙의 위반이 있을 때
2. 판결 후 형의 폐지나 변경 또는 사면이 있는 때
3. 재심청구의 사유가 있는 때
4. 사형, 무기 또는 10년 이상의 징역이나 금고가 선고된 사건에 있어서 중대한 사실의 오인이 있어 판결에 영향을 미친 때 또는 형의 양정이 심히 부당하다고 인정할 현저한 사유가 있는 때 98. 9급 법원직, 18. 9급 법원직, 23. 해경승진

관련판례

• 제383조 제1호 관련판례

1. 법관에 대한 기피신청이 있는 경우 정지되는 소송진행에 판결의 선고는 포함되지 아니하므로 피고인이 변론 종결 뒤 재판부에 대한 기피신청을 하였지만, 원심이 소송진행을 정지하지 아니하고 판결을 선고한 것은 정당하고, 판결에 영향을 미친 절차위반 등의 위법이 없다(대판 2002.11.13, 2002도4893). 13. 7급 국가직
2. 판결내용 자체가 아니고, 피고인의 신병확보를 위한 구속 등 조치와 공판기일의 통지, 재판의 공개 등 소송절차가 법령에 위반되었음에 지나지 아니한 경우에는, 그것 자체만으로는 판결에 영향을 미친 위법이라고 할 수 없다(대판 2005.5.26, 2004도1925). 07. 순경
3. 선고기일에 변호인 출석 없이 피고인만 출석한 상태에서 재판부 구성의 변경을 이유로 변론을 재개할 것을 결정한 다음, 공판절차를 갱신하고 다시 변론을 종결하여 판결을 선고하였으나, 그 이전의 공판기일까지 적법한 증거조사와 변호인의 변론, 피고인의 최후진술까지 모두 이루어졌다면, 공판절차에 다소의 흠이 있다고 하더라도 그로 인하여 피고인의 방어권, 변호인의 변호권이 본질적으로 침해되어 판결에 영향을 미쳤다고 볼 수는 없다(대판 2005.5.26, 2004도1925).
4. 유죄판결의 판결이유에서 법령을 적용하면서 법정형이 선택적으로 규정된 죄에 대하여 형의 선택을 명시하지 아니하고, 경합범 가중을 하면서도 어느 죄에 정한 형에 가중하는지를 명시하지 아니하였다면 이는 위 법조위반으로 위법이라고 할 것이나, 주문에서 형의 종류와 그 형기를 명기하여 어떠한 법령을 적용하여 주문의 판단을 하게 되었는지를 알 수 있다면 이는 판결에 영향을 미친 법령위반에는 해당하지 아니한다(대판 2004.4.9, 2004도340).
5. 공무원인 의사가 허위의 진단서를 작성한 행위에 대하여 허위공문서작성죄와 허위진단서작성죄의 상상적 경합을 인정한 원심의 판단이 법률 적용을 그르친 잘못이 있다고 할 것이나, 원심이 이와

PART 05

실체적 경합범 관계에 있으며 형이 중한 부정처사 후 수뢰죄에 정한 형에 경합범 가중을 하여 처단형을 정하였으므로, 원심의 죄수 평가의 잘못이 판결 결과에 영향을 미쳤다고 보기 어렵다(대판 2004.4.9, 2003도7762).

6. 죄수평가를 잘못한 결과 처단형의 범위에 차이가 생긴 경우에는 죄수에 관한 법리를 오해함으로써 판결에 영향을 미친 위법이 있다(대판 2003.12.26, 2003도6288).
7. 형사소송법 제182조가 "국어 아닌 문자 또는 부호는 번역하게 하여야 한다."고 규정하고 있으므로 피고인들이 외국어로 작성하여 원심에 제출한 항소이유서를 원심이 번역하게 하지 아니한 것은 잘못이나, 이는 판결내용 자체가 아니라 소송절차가 법령에 위반된 경우로서 그로 인하여 피고인들의 방어권이나 변호권이 본질적으로 침해되어 판결의 정당성이 인정받기 어렵다고 보여지지 아니하는 한 그것 자체만으로는 판결에 영향을 미친 상고이유가 된다고 할 수 없다(대판 1998.6.23, 98도1038).
8. 구속영장의 집행상의 위법, 검사의 구속기간의 연장결정, 법원의 구속갱신절차에 위법이 있다는 등 구속에 관한 절차상의 위법사유는 형사소송법 제383조의 적법한 상고이유로 삼을 수 없다(대판 1983.7.26, 83도1473).
9. 마약류관리법상 이수명령은 마약류를 투약, 흡연 또는 섭취한 사람에 대하여 선고유예 외의 유죄판결을 하는 경우에만 병과할 수 있으므로, 마약류 매매만을 이유로 공소제기된 피고인에게 유죄판결을 선고하면서 이수명령을 병과하는 것은 마약류사범의 의미를 오해하여 판결에 영향을 미친 잘못이 있다(대판 2023.11.16, 2023도12478).
10. 사실심 법원이 자유심증주의의 한계를 벗어나거나 필요한 심리를 다하지 아니하는 등으로 판결 결과에 영향을 미친 경우, 상고심의 심판대상에 해당한다(대판 2023.12.21, 2022도13402).

• 제383조 제2호 관련판례

경합범 중 판결을 받지 아니한 죄에 대하여 형을 감면할 수 있도록 개정된 형법 제39조 제1항이 시행된 후에 항소심판결이 선고되고, 그 후에 별개의 범죄에 대하여 금고 이상의 형을 선고한 판결이 확정되었다면, 항소심판결이 형법 제39조 제1항을 적용하지 않은 것을 위법하다고 볼 수 없는 것이고, 형사소송법 제383조 제2호의 상고이유인 '판결 후 형의 폐지나 변경이 있는 때'는 원심판결 후 법령의 개폐로 인하여 형이 폐지되거나 변경된 경우를 뜻하는 것이고 법령의 개폐 없이 단지 형을 감경하거나 면제할 수 있는 사유가 되는 사실이 발생한 것에 불과한 경우는 이에 포함되지 않는 것이다(대판 2007.1.12, 2006도5696).

• 제383조 제3호 관련판례

甲이 乙을 뒤에 태우고 오토바이를 운전하다가 교통사고를 일으켜 상해를 입히고 도주하였다는 공소사실로 甲이 피고인으로 제소되어 제1, 2심에서 모두 유죄가 선고된 후 재수사과정에서 乙이 자기가 운전하다가 사고를 일으켰음을 자백하여 乙을 교통사고를 일으킨 진범인으로 지목하여 교통사고처리특례법 위반 등으로 공소를 제기한 경우에는 甲에 대한 원심판결에 형사소송법 제420조 제5호 소정의 "유죄의 선고를 받은 자에 대하여 무죄를 인정할 명백한 증거가 새로 발견된 때"에 해당하는 재심사유가 있다고 할 것이므로 같은 법 제383조 제3호 소정의 "재심청구의 사유가 있는 때"에 해당하는 상고이유가 있다고 할 것이다(대판 1990.10.26, 90도1753).

• **제383조 제4호 관련판례**

1. 형사소송법 제383조 제4호는 형의 양정이 심히 부당하다고 인정할 현저한 사유가 있어 상고이유로 삼을 수 있는 경우를 '사형·무기 또는 10년 이상의 징역이나 금고가 선고된 사건'으로 제한하고 있으므로, 이에 해당하지 않는 사건에 대한 양형부당의 상고이유는 부적법할 뿐만 아니라, 이러한 경우 양형조건이 되는 범행의 동기 및 수법이나 범행 전후의 정황 등의 제반 정상에 관하여 심리를 제대로 하지 아니하였음을 들어 상고이유로 삼을 수도 없다(대판 2010.2.11, 2009도12627). 23. 7급 국가직
2. 피고인의 각 범행이 형법 제37조 후단의 경합범에 해당되어 징역 4년, 징역 2년 6월 및 징역 4년의 각 형이 선고된 경우, 이를 합하면 징역 10년 이상이 되므로 형사소송법 제383조 제4호에 기하여 원심의 양형부당을 이유로 상고할 수 있다(대판 2010.1.28, 2009도13411).
3. 형사소송법 제383조 제4호에 따라 사형·무기 또는 10년 이상의 징역·금고가 선고된 사건에서 양형의 당부에 관한 상고이유를 심판하는 경우가 아닌 이상, 사실심법원이 양형의 기초 사실에 관하여 사실을 오인하였다거나 양형의 조건이 되는 정상에 관하여 심리를 제대로 하지 않았다는 주장은 적법한 상고이유가 아니다. 그러나 사실심법원이 피고인에게 공소가 제기된 범행을 기준으로 그 범행의 동기나 결과, 범행 후의 정황 등의 양형조건으로 포섭되지 않는 별도의 범죄사실에 해당하는 사정에 관하여 그것이 합리적인 의심을 배제할 정도의 증명력을 갖춘 증거에 의하여 증명되지 않았음에도 핵심적인 형벌가중적 양형조건으로 삼아 형의 양정을 함으로써 피고인에 대하여 사실상 공소가 제기되지 않은 범행을 추가로 처벌한 것과 같은 실질에 이른 경우에는 단순한 양형판단의 부당성을 넘어 위와 같은 죄형균형의 원칙 내지 책임주의 원칙의 본질적 내용을 침해한 것이 되므로, 그 부당성을 다투는 피고인의 주장은 이러한 사실심법원의 양형심리 및 양형판단 방법의 위법성을 지적하는 취지로 보아 적법한 상고이유로 평가될 수 있다(대판 2008.5.29, 2008도1816). 23. 7급 국가직
4. 수형자를 사회로부터 영구히 격리시켜 그의 자유를 박탈하는 종신자유형인 무기징역형은 유기징역형과는 현저한 차이가 있으므로 양형의 조건을 심리한 결과 무기징역형에 처하는 것이 과중하다고 인정되고 작량감경의 사유가 드러날 경우에는 작량감경한 형기범위 내에서 형을 선고하여야 하며 그런 상황에서 무기징역형을 선고한다면 그 형의 양정은 심히 부당한 경우에 해당하여 위법하게 된다(대판 2002.10.25, 2002도4298).
5. 공소장변경이 이루어졌음에도 판결서의 사건명에 변경 전의 죄명이 여전히 기재되어 있어 피고인이 실질적으로 불이익을 입을 우려가 있으므로 변경 전의 죄명을 삭제하고 인정된 죄명만을 기재하여 달라는 취지의 주장이나, 벌금형이 선고된 이 사건에 있어 형의 양정이 너무 무거워 부당하다는 주장은 모두 형사소송법 제383조에 정한 상고이유로 할 수 있는 사유라고 할 수 없다(대판 2001.4.24, 2001도1052).
6. 징역 1년 6월의 형이 선고된 판결에 대하여는 형의 양정이 부당함을 들어 상고이유로 할 수 없음은 물론 사실심법원이 양형의 조건이 되는 정상에 관하여 심리를 제대로 하지 아니하였음을 들어 상고이유로 할 수도 없다(대판 1994.1.25, 93도3469).
7. 제383조(상고이유) 제4호는 중한 형을 선고받는 피고인의 이익을 위하여 피고인이 상고하는 경우에만 적용되는 규정으로서, 검사는 사실오인 또는 양형부당을 이유로 상고할 수 없다(대판 1968.6.20, 68도449 ; 대판 1982.1.19, 81도2898). 18. 9급 법원직, 19. 7급 국가직

PART 05

8. 중대한 사실의 오인이 있어 판결에 영향을 미친 때라고 함은 상고법원에서 중대한 사실의 오인이 있어 판결에 영향을 미친 것을 확인한 때 뿐만 아니라 판결에 영향을 미칠 중대한 사실의 오인이 있음을 의심함에 족한 현저한 사유가 있을 때를 포함한다고 보아야 할 것이다(대판 1960.5.6, 4293형상1).

• **기타 관련판례**

1. 피고인이 제1심판결에 대하여 양형부당만을 항소이유로 내세워 항소하였다가 그 항소가 기각된 경우, 피고인은 원심판결에 대하여 사실오인 또는 법리오해의 위법이 있다는 것을 상고이유로 삼을 수는 없다(대판 2005.9.30, 2005도3345). 12. 9급 국가직, 18. 9급 법원직
   ▶ **유사판례** : 피고인은 제1심판결에 대하여 항소하면서 양형부당만을 항소이유로 내세웠다가 항소가 기각된 경우 원심판결에 사실오인 내지 법리오해의 위법이 있다는 취지의 주장은 적법한 상고이유가 되지 못한다. 그런데 상고심법원은 상고이유서에 포함되지 아니한 때에도 직권으로 심판할 수 있으므로(제383조 제1호~제3호의 경우), 직권발동을 촉구하는 의미는 있다(대판 2017.4.26, 2017도1799).
2. 상고심에서 상고이유의 주장이 이유 없다고 배척되었으나 경합범 관계에 있는 다른 범죄부분으로 인하여 유죄부분 전부가 파기되어 환송받은 법원에서 다시 경합범으로 형을 정한 경우, 피고인이 종전 상고심에서 배척된 부분에 대한 주장을 다시 상고이유로 삼을 수 없다(대판 2005.10.28, 2005도1247).
3. 상고심에서 상고이유의 주장이 이유 없다고 판단되어 배척된 부분은 그 판결선고와 동시에 확정력이 발생하여 이 부분에 대하여는 피고인은 더 이상 다툴 수 없고, 또한 환송받은 법원으로서도 이와 배치되는 판단을 할 수 없다고 할 것이므로, 피고인으로서는 더 이상 이 부분에 대한 주장을 상고이유로 삼을 수 없다(대판 2005.3.24, 2004도8651).
4. 수개의 범죄행위를 포괄일죄로 본 항소심의 판단에 대한 상고이유는 피고인에게 죄수를 증가하는 불이익을 초래하는 것이 되어 적법한 상고이유가 될 수 없다(대판 2004.7.9, 2004도810).
5. 원심이 피고인에게 누범에 해당하는 전과가 있음에도 불구하고 누범가중을 하지 아니한 것은 위법하다고 할 것이나, 피고인으로서 위와 같은 위법을 주장하는 것은 자기에게 불이익을 주장하는 것이 되므로 이는 적법한 상고이유가 될 수 없다(대판 1994.8.12, 94도1591).
6. 범행에 대한 범의의 부인 내지 위법성의 인식이 없었다고 주장하는 상고이유가 사실심(제1심, 제2심)에서 주장한 바가 없는 새로운 사실에 관한 것이라면 적법한 상고이유가 될 수 없다(대판 1988.1.19, 87도1410).
7. 상고심으로 하여금 증거조사를 하게 하기 위하여 원판결에 불복을 할 수 없는 것이므로 상고심에서 증거조사를 하여 달라는 상고이유는 채용할 수 없다(대판 1968.2.20, 67도1627).

3 상고심의 절차

(1) 상고의 제기

① **상고제기의 방식** : 상고를 할 때에는 상고제기기간 내에 상고장을 원심법원에 제출하여야 한다(제375조). 상고법원은 대법원이 되고 상고기간은 7일이다(제374조).

② **원심법원과 상고법원의 조치**

㉠ **원심법원의 조치**

ⓐ 원심법원은 상고장을 심사하여 상고의 제기가 법률상의 방식에 위반하거나 상고권이 소멸한 후인 것이 명백한 때에는 결정으로 상고를 기각하여야 한다.

ⓑ 상고기각결정을 하는 경우 외에는 원심법원은 상고장을 받은 날로부터 14일 이내에 소송기록과 증거물을 상고법원에 송부하여야 한다(제377조). 21. 9급 법원직 검찰경유제도를 폐지한 점에서 항소심의 경우와 동일하다.

상고기각결정 ⇨ 소송기록, 증거물송부 불필요

㉡ **상고법원의 조치** : 상고법원이 소송기록의 송부를 받은 때에는 즉시 상고인과 상대방에게 그 사유를 통지해야 한다. 통지 전에 변호인의 선임이 있는 때에는 변호인에 대하여도 이를 통지하여야 한다(제378조). 21. 9급 법원직

③ **상고이유서와 답변서의 제출**

㉠ 상고인 또는 변호인은 상고법원으로부터 소송기록의 접수통지를 받은 날로부터 20일 이내에 상고이유서를 상고법원에 제출하여야 한다. 이 경우 재소자의 특칙이 적용된다(제379조 제1항).

관련판례

1. 검사가 상고한 경우에는 상고법원(대법원)에 대응하는 검찰청 소속 검사(대검찰청 검사)가 소송기록 접수통지를 받은 날로부터 20일 이내에 그 이름으로 상고이유서를 제출하여야 한다. 상고를 제기한 검찰청 소속 검사가 그 이름으로 상고이유서를 제출하여도 유효한 것으로 취급되지만, 이 경우 상고를 제기한 검찰청이 있는 곳을 기준으로 법정기간인 상고이유서 제출기간이 형사소송법 제67조에 따라 연장될 수 없다(대결 2003.6.26, 2003도2008). 24. 9급 법원직
2. 상고이유는 상고제기에 불가분적으로 부수하는 것이므로 상고를 제기한 원심변호인은 상고이유서를 제출할 수 있다(대판 1979.11.30, 79도952).

㉡ 상고이유서에는 소송기록과 원심법원의 증거조사에 표현된 사실을 인용하여 그 이유를 명시하여야 한다(제379조 제1항). 이와 같이 상고이유서 작성에 엄격한 방식을 요구한 것은 별다른 방식을 요구하지 않는 항소이유서의 경우(제361조의 3)와 구별된다.

엄격방식요구 ⇨ 사후심·법률심인 상고심의 심리의 집중 도모 취지

관련판례

1. 상고이유서에는 소송기록과 원심법원의 증거조사에 표현된 사실을 인용하여 그 이유를 명시하여야 하므로, 항소이유서에 기재된 항소이유를 그대로 원용하는 것은 적법한 상고이유가 될 수 없다(대판 1996.2.13, 95도2716). 상고이유는 상고이유서에 기재하거나 상고장에 기재하여야 하고, 다른 서면기재를 원용할 수는 없다(대판 1969.3.31, 69도142).
2. 상고이유서에는 소송기록과 원심법원의 증거조사에 표현된 사실을 인용하여 그 이유를 명시하여야 하므로, 원심에서의 변론요지서를 상고이유로 원용하는 것은 적법한 상고이유가 될 수 없다(대판 1987.11.10, 87도1408). 19. 9급 법원직
3. '상고장'에 상고이유의 기재가 없고, '상고이유서'에는 벌금을 감액하여 달라는 뜻이 기재되어 있을 뿐이며, 달리 원심판결에 직권으로 심판할 수 있는 사유가 있다고도 인정되지 아니한 사안에서, 같은 법 제380조에 의하여 결정으로 상고를 기각할 수 있다(대결 2010.4.20, 2010도759 전원합의체).
4. 상고이유서에 구체적이고 명시적인 이유를 설시하지 않고 단순히 원심판결에 사실오인 내지 법리오해의 위배가 있다고만 기재한 경우, 적법한 상고이유가 제출된 것으로 볼 수 없다(대판 2009.4.9, 2008도5634).

㉢ 상고이유서를 제출받은 상고법원은 지체 없이 그 부본 또는 등본을 상대방에게 송달하여야 한다(제379조 제3항). 상대방은 이 송달을 받은 날로부터 10일 이내에 상고법원에 답변서를 제출할 수 있다(동조 제4항). 04. 순경, 12. 9급 검찰 · 마약수사 답변서를 제출받은 상고법원은 지체 없이 그 부본 또는 등본을 상고인 또는 변호인에게 송달하여야 한다(동조 제5항).

상고이유서 제출에 대한 재소자에 대한 특칙(제344조)

- 상고법원에 답변서 제출(제379조 제4항) ⇨ 임의적
- 항소법원에 답변서 제출(제361조의 3 제3항) ⇨ 필요적

(2) 상고심의 심리

특별한 규정이 없는 한 상고심의 심판에는 항소심규정을 준용한다(제399조). 그러나 상고심은 법률심이므로 다음과 같은 특칙이 인정된다.

① 상고심의 변론

㉠ 상고심에서는 변호사 아닌 자를 변호인으로 선임하지 못한다(제386조). 상고심의 변론은 법률문제를 주로 하는 것이기 때문에 전문지식을 가진 자에게 제한한 것이다. 따라서 상고심에서는 특별변호인(제31조 단서)을 인정하지 않는다.

㉡ 상고심의 공판절차는 피고인의 소환을 요하지 아니한다(제389조의 2). 14. 9급 법원직 따라서 피고인에게는 소환장이 아니라 공판기일통지서가 송달된다(규칙 제161조 제1항). 피고인이 출석하였더라도 변론능력이 없으며, 적극적으로 이익사실을 진술하거나 최종의견을 진술할 수 없다.

상고심 공판기일 지정이 있더라도 구속피고인 이감(移監)을 요하지 아니함(규칙 제161조 제2항). 이감(○) ⇨ 검사는 대법원에 통지(규칙 제161조 제3항) : 항소심절차(제361조의 2 제3항)와 다름에 주의!

㉢ 변호인의 선임이 없거나 변호인이 공판기일에 출정하지 아니한 경우에는 필요적 변론사건을 제외하고는 검사의 진술만을 듣고 판결할 수 있다(제389조 제1항). 이때 적법한 상고이유서의 제출이 있는 때에는 그 진술이 있는 것으로 간주한다(동조 제2항).

② **상고심의 심판범위**

㉠ **원칙** : 상고심은 상고이유서에 포함된 사유에 관하여 심판하여야 한다(제384조). 상고심은 원칙적으로 사후심이기 때문이다.

관련판례

1. 포괄1죄의 일부만이 유죄로 인정된 경우 그 유죄부분에 대하여 피고인만이 상고하였을 뿐 무죄나 공소기각으로 판단된 부분에 대하여 검사가 상고를 하지 않았다면, 상소불가분의 원칙에 의하여 유죄 이외의 부분도 상고심에 이심되기는 하나 그 부분은 이미 당사자 간의 공격·방어의 대상으로부터 벗어나 사실상 심판대상에서부터도 이탈하게 되므로, 상고심으로서도 그 부분에까지 나아가 판단할 수 없다(대판 2004.10.28, 2004도5014).
2. 환송 전 원심에서 상상적 경합관계에 있는 수죄에 대하여 모두 무죄가 선고되었고, 이에 검사가 무죄부분 전부에 대하여 상고하였으나 그중 일부 무죄부분에 대하여는 이를 상고이유로 삼지 않은 경우, 비록 상고이유로 삼지 아니한 무죄부분도 상고심에 이심되지만 그 부분은 이미 당사자 간의 공격방어의 대상으로부터 벗어나 사실상 심판대상에서 이탈하게 되므로, 상고심으로서도 그 무죄부분에까지 나아가 판단할 수 없다(대판 2008.12.11, 2008도8922).
3. 제1심법원이 공소사실의 동일성이 인정되는 범위 내에서 공소가 제기된 범죄사실에 포함된 보다 가벼운 범죄사실을 유죄로 인정하면서 법정형이 보다 가벼운 다른 법조를 적용하여 피고인을 처벌하고, 유죄로 인정된 부분을 제외한 나머지 부분에 대하여는 범죄의 증명이 없다는 이유로 판결 이유에서 무죄로 판단한 경우, 그에 대하여 피고인만이 유죄부분에 대하여 항소하고 검사는 무죄로 판단된 부분에 대하여 항소하지 아니하였다면, 비록 그 죄 전부가 피고인의 항소와 상소불가분의 원칙으로 인하여 항소심에 이심되었다고 하더라도 무죄부분은 심판대상이 되지 않는다(대판 2008.9.25, 2008도4740).

㉡ **예외** : 제383조 제1호 내지 제3호의 경우에는 상고이유서에 포함되지 아니한 때에도 직권으로 심판할 수 있다(제384조).

상소이유로 주장하지 않았다 하더라도 상소법원이 직권으로 심리를 해야 하는 직권심판사유로 항소심의 경우는 판결에 영향을 미친 사유 전반(법령위반, 사실오인, 양형부당 등)이 해당되나(제364조 제2항), 이와 달리 상고심의 경우는 사실오인이나 양형부당은 포함되지 않는다(제384조 참조). 19. 9급 법원직

관련판례

상고법원은 판결에 영향을 미친 법률의 위반이 있는 경우에는 상고이유서에 포함되지 아니한 때에도 직권으로 심판할 수 있는바, 이는 법률의 해석·적용을 그르쳐 피고인을 유죄로 잘못 인정한 원심판결에 대하여 피고인은 상고를 제기하지 아니하고 검사만이 다른 사유를 들어 상고를 제기하였고, 검사의 상고가 피고인의 이익을 위하여 제기된 것이 아님이 명백한 경우라 하더라도 상고법원이 직권으로 심판하여 무죄의 취지로 원심판결을 파기할 수 있다(대판 2002.3.15, 2001도6730). 23. 7급 국가직

③ **구두변론의 원칙과 서면심리**

㉠ 형사소송법은 상고심에서의 변론을 구두변론으로 행하도록 하고(제389조 제1항) 예외적으로 서면심리의 방식(제390조 제1항)을 허용하는 체계를 취하고 있다. 그러나 실제는 서면심리가 대부분이고 공판기일에서 변론이 행하여지는 경우는 별로 없다.

㉡ 상고법원은 상고장·상고이유서 기타의 소송기록에 의하여 변론 없이 판결할 수 있다(제390조 제1항). 14. 9급 법원직 상고심의 서면심리는 원심판결파기나 상고기각이나 모두 가능하다는 점에서 항소심과 다르다.

항소심의 서면심리 ⇨ '항소이유 없음'이 명백하다는 이유로 항소기각판결을 하는 경우(제364조 제5항)

㉢ 상고법원은 필요한 경우에는 특정한 사항에 관하여 변론을 열어 참고인의 진술을 들을 수 있다(제390조 제2항). 18. 9급 검찰·마약수사

(3) 상고심의 재판

① **공소기각결정** : 공소기각결정사유(제328조 제1항)가 있음에도 불구하고 원심법원이 실체판결을 한 경우에는 상고법원은 원심판결을 파기할 필요 없이 결정으로 공소를 기각해야 한다(제382조).

② **상고기각재판**

㉠ **상고기각결정** : 상고이유서를 제출기간 안에 제출하지 못하거나(제380조 제1항), 상고제기가 법률의 방식에 위반되거나, 상소권 소멸 후인 것이 명백함에도 불구하고 원심법원이 상고기각결정을 하지 않을 때에는 상고법원은 결정으로 상고를 기각하여야 한다(제381조).

상고장에 상고이유 기재 ○ ⇨ 상고기각결정 ×(제380조 제1항)

상고장 및 상고이유서에 기재된 상고이유의 주장이 제383조(상고이유) 각 호의 어느 하나의 사유에 해당하지 아니함이 명백한 때에는 결정으로 상고를 기각하여야 한다(제380조 제2항).

관련판례

제1심판결에 대하여 피고인은 항소하지 아니하고 검사만이 그 양형이 부당하게 가볍다는 이유로 항소하였으나 항소심이 검사의 항소를 이유 없다고 기각한 경우에 항소심판결은 피고인에게 불이익한 판결이라고 할 수 없어 이에 대하여 피고인은 상소권이 없으므로, 피고인의 상고는 방식에 위배한 부적법한 상고라고 할 것이므로, 형사소송법 제381조, 제376조에 의하여 상고이유에 대한 판단을 할 필요도 없이 기각결정을 하여야 한다(대판 1981.8.25, 81도2110). 18. 9급 법원직

㉡ **상고기각판결** : 상고의 이유가 없다고 인정되면 판결로써 상고를 기각하여야 한다(제399조, 제364조 제4항).

③ **원심판결파기의 판결** : 상고의 이유가 있다고 인정하는 때에는 원심판결을 파기하여야 한다(제391조). 피고인의 이익을 위하여 원심판결을 파기하는 경우에 파기의 이유가 상고한 공동피고인에 공통된 때에는 그 공동피고인에 대하여도 원심판결을 파기하여야 한다(제392조). 14. 9급 법원직 원심판결을 파기한 때에는 파기와 동시에 환송, 이송 또는 자판을 하여야 한다.

관련판례

1. 경합범 관계에 있는 각 죄에 대하여 모두 유죄로 인정하면서 하나의 형을 선고한 경우에 일부에 대해서만 피고인들이 상고하여 상고법원이 환송 전 원심판결을 전부 파기·환송하면서 피고인들이 상고이유로 삼지 아니한 부분에 대한 판단을 따로 한 바 없다면, 이를 환송받은 원심이 그 부분에 대하여 다시 심리·판단하여 그중 일부를 무죄로 선고하였다고 하여 환송판결과 배치되는 판단을 하였다고 볼 수 없다(대판 2009.8.20, 2007도7042).
2. 주형과 몰수 또는 추징을 선고한 항소심판결 중 몰수 또는 추징부분에 관해서만 파기사유가 있을 때에는 상고심이 그 부분만을 파기할 수 있으나, 항소심이 몰수나 추징을 선고하지 아니하였음을 이유로 파기하는 경우에는 항소심판결에 몰수나 추징부분이 없어 그 부분만 특정하여 파기할 수 없으므로, 결국 항소심판결의 유죄부분 전부를 파기하여야 한다(대판 2005.10.28, 2005도5822). 16. 9급 법원직
3. 항소심판결 후 형의 변경이 있는 때에는 상고심은 직권으로 원판결을 파기하여야 한다(대판 1981.7.7, 80도2836).

㉠ **파기환송** : 공소기각 또는 관할위반의 재판이 법률에 위반됨을 이유로 원심판결 또는 제1심판결을 파기한 때에는 판결로써 사건을 원심법원 또는 1심법원에 환송하여야 한다(제393조).

관련판례

1. 파기환송 전의 원심에 관여한 법관이 환송 후의 재판에 관여한 경우 법관이 사건에 관하여 전심재판에 관여한 때에 해당하지 않는다(대판 1979.2.27, 78도3204).
2. 상고심의 환송 전 원심에서 선임된 변호인의 변호권은 사건이 환송된 뒤에는 항소심에서 다시 생긴다(대판 1968.2.27, 68도64).
3. 파기환송을 받은 법원은 그 파기이유로 한 사실상 및 법률상의 판단에 기속되는 것이지만, 그에 따라 판단한 판결에 대하여 다시 상고를 한 경우에 그 상고사건을 재판하는 상고법원은 앞서의 파기이유로 한 판단에 기속된다(대판 1983.4.18, 83도383). 19. 7급 국가직
4. 대법원의 파기환송 판결에 의하여 사건을 환송받은 법원은 형사소송법 제92조 제1항에 따라 2월의 구속기간이 만료되면 특히 계속할 필요가 있는 경우에는 2차(대법원이 형사소송규칙 제57조 제2항에 의하여 구속기간을 갱신한 경우에는 1차)에 한하여 결정으로 구속기간을 갱신할 수 있다(대판 2001.11.30, 2001도5225).5

㉡ **파기이송** : 관할의 인정이 법률에 위반됨을 이유로 원심판결 또는 제1심판결을 파기한 때에는 판결(결정 ×)로써 사건을 관할 있는 법원에 이송하여야 한다(제394조). 13. 경찰승진, 14. 9급 법원직

㉢ **파기자판** : 상고법원이 원심판결을 파기한 경우에 해당 소송기록 그리고 원심법원과 제1심법원이 조사한 증거로 충분히 판결할 수 있다고 인정되면 피고사건에 대하여 직접 판결을 내릴 수도 있다(제396조 제1항). 이를 파기자판이라 한다.

관련판례

항소심이 미성년자에 대하여 부정기형을 선고해야 함에도 불구하고 성년자로 오인하고 정기형 선고의 위법을 저지른 경우, 상고심은 파기환송하든지 아니면 파기자판을 해서 부정기형 선고로 바뀌어야 할 것이다. 그런데 상고심 선고 당시 나이가 성년에 달하였다면 파기환송하게 되더라도 환송심에서 선고당시 나이가 성년에 달하므로 정기형을 선고할 수밖에 없을 것이므로, 상고심에서 파기환송하지 않고 파기자판을 하는 경우 부정기형을 선고한 제1심까지 모두 파기하고 정기형을 선고하여야 한다(대판 1981.12.8, 81도2414).

④ **재판서의 기재방식** : 상고심의 재판서에는 재판서의 일반적 기재사항(제38조 이하) 이외에 상고이유에 관한 판단을 기재하여야 한다. 그 밖에 합의에 관한 대법관의 의견도 기재하여야 한다(법원조직법 제15조).

KEY point

- **상고심 대상**
  - 제2심판결
  - 제1심판결(비약상고)
- **상고심 구조** : 법률심, 사후심
- **제기방식** : 상고장 원심법원에 제출(선고일로부터 7일 이내)
- 상고이유(제383조)
- **상고이유서** : 20일 이내(재소자 특칙 적용 : 판례)
- **상고심 특색**
  - 서면심리에 의한 판결 가능(제390조)
  - 변호인은 변호사에 한함
  - 피고인 출석 ×(공판기일 통지서는 송달)
- **상고심재판**
  - 공소기각결정
  - 상고기각재판
    - 상고기각결정
    - 상고기각판결
  - 파기판결
    - 환 송
    - 이 송
    - 자 판

4 비약적 상고

(1) 의 의

비약적 상고라 함은 상소권자가 제1심판결에 불복하는 경우에 항소를 거치지 않고 직접 대법원에 상고하는 것을 말한다(제372조). 법령해석의 통일에 신속을 기하고 피고인의 이익을 일찍 회복시키기 위하여 인정된 제도이다.

(2) 비약적 상고의 요건

① **대상** : 비약상고의 대상은 제1심판결이므로 결정에 대해서는 비약상고가 허용되지 아니한다.

② **이유**(제372조) : 비약상고의 이유로는 다음 두 가지가 있다.

㉠ 원심판결이 인정한 사실에 대하여 법령을 적용하지 않았거나, 법령의 적용에 착오가 있는 때(동조 제1호), 즉 형법 등 실체법을 적용하지 않았거나 잘못 적용하는 경우를 말한다.

채증법칙(증거를 취사선택함에 있어 지켜야 할 법칙) 위반, 중대한 사실오인 또는 양형부당 ⇨ 비약상고 × 92. 7급 검찰

㉡ 원심판결이 있은 후 형의 폐지나 변경 또는 사면이 있는 때(동조 제2호)

관련판례

1. 형사소송법 제372조에 의하면, 비약적 상고는 제1심판결이 그 인정한 사실에 대하여 법령을 적용하지 아니하였거나 법령의 적용에 착오가 있는 때 또는 제1심판결이 있은 후 형의 폐지나 변경 또는 사면이 있는 때에 한하여 제기할 수 있는데, 여기서 말하는 '제1심판결이 인정한 사실에 대하여 법령을 적용하지 아니하거나 법령의 적용에 착오가 있는 때'라 함은, 제1심판결이 인정한 사실이 옳다는 것을 전제로 하여 볼 때 그에 대한 법령을 적용하지 아니하거나 법령의 적용을 잘못한 경우를 말하는 것이다(대판 2017.2.3, 2016도20069).
2. 적법한 비약적 상고를 제기하였으나 법정기간 내에 상고이유서를 제출치 않고 상고장에도 그 이유의 기재가 없는 경우에는 본법 제380조에 의하여 상고를 기각하여야 한다(대판 1968.3.7, 68도97). 07. 순경
3. 상습성에 관한 판단을 잘못하여 특정범죄 가중처벌 등에 관한 법률 제5조의 4 제1항(2016. 1. 6. 삭제)을 적용한 것은 위법하다는 것이나, 이는 결국 원심의 상습성에 관한 사실인정의 잘못과 법리오해로 말미암아 결과적으로 법령적용을 잘못하였다는 데에 귀착되므로, 이러한 사유는 비약적 상고이유가 되지 못한다(대판 2007.3.15, 2006도9338).
4. 피고인의 행위가 위계에 의한 공무집행방해죄에 해당하는데도 원심이 무죄를 선고하였다는 주장은 사실오인의 잘못이 있거나 위계에 의한 공무집행방해죄에 관한 법리오해의 잘못에 지나지 아니하여 비약적 상고이유에 해당하지 않는다(대판 2006.10.27, 2006도619).
5. 군인의 상해가 구타로 인하여 발생한 것인데도 단순히 물건에 부딪혀 발생한 것으로 허위보고한 것이 군형법 제38조의 '군사에 관한' 허위의 보고에 해당하는데도 무죄를 선고한 것은 법령을 적용하지 아니하였거나 법령적용에 착오가 있는 경우에 해당하여 비약상고사유로 볼 수 있다(대판 2006.8.25, 2006도620).

6. 성명모용에 의한 형사소송사건에서 변론종결 후, 검사로부터 선고기일 전에 제출된 피고인 표시를 모용자로 변경한다는 내용의 공소장변경허가신청이 들어 왔으나, 변론을 재개하여 위 신청을 받아들이는 등 아무런 조치를 취함이 없이 공소기각의 판결을 선고한 원심의 조치는 적법하며, 법률의 적용에 착오가 없으므로 비약적 상고를 기각한다(대판 1991.9.10, 91도1689).
7. 형사소송법 제372조에서 말하는 법령적용에 착오가 있는 때라 함은 1심판결이 인정한 사실을 일응 전제로 하여 놓고 그에 대한 법령의 적용을 잘못한 경우를 뜻한다(대판 1988.3.22, 88도156).

(3) 비약적 상고의 제한

비약상고로 인하여 상대방은 심급의 이익을 박탈당할 우려가 있으므로 상대방의 이익을 보호할 필요가 있는바, 비약상고를 한 사건에 대하여 항소가 제기된 때에는 비약상고는 효력을 잃는다. 21. 9급 법원직

단, 항소의 취하 또는 항소기각 결정이 있는 때에는 예외로 한다(제373조). 14 · 23. 9급 법원직

관련판례

제1심판결에 대하여 피고인은 비약적 상고를, 검사는 항소를 각각 제기하여 이들이 경합한 경우 피고인의 비약적 상고에 상고의 효력이 인정되지는 않더라도, 피고인의 비약적 상고가 항소기간 준수 등 항소로서의 적법요건을 모두 갖추었고, 피고인이 자신의 비약적 상고에 상고의 효력이 인정되지 않는 때에도 항소심에서는 제1심판결을 다툴 의사가 없었다고 볼 만한 특별한 사정이 없다면, 피고인의 비약적 상고에 항소로서의 효력이 인정된다고 보아야 한다(대판 2022.5.19, 2021도17131전원합의체). 23. 9급 법원직, 24. 변호사시험, 25. 소방간부

비약적 상고와 비상상고

구 분	비약적 상고	비상상고
의 의	제1심판결에 대한 항소를 제기하지 않고 곧바로 대법원에 상고하는 경우임	확정판결에 대하여 그 심판의 법령위반을 바로잡기 위해 인정되는 비상구제절차
제도취지	법령해석의 통일에 신속을 기하고, 피고인의 이익을 조기회복	• 법령해석 · 적용의 통일 • 피고인의 불이익 구제
사 유	제372조	제441조
청구권자	상소권자	검찰총장
청구시기	제1심판결 선고 후	판결 확정 후
관할법원	대법원	대법원

5 상고심판결의 정정

(1) 의 의

판결의 정정이란 판결의 내용에 계산 잘못, 오기(誤記), 이와 유사한 잘못이 있어 이를 바로 잡는 것을 말한다. 상고심은 최종심이며 선고와 동시에 확정되므로 정정할 수 없는 것이 원칙이나, 판결의 적정을 위하여 형사소송법은 판결의 정정을 인정하고 있다.

예 미결구금일수 불산입

단순한 오자(誤字)의 정정(판결의 내용이 아닌 성명 등의 정정) ⇨ 경정의 방법에 의해야 하며(규칙 제25조), 판결 정정에 의할 것이 아니다.

(2) 사유 및 대상

① 판결내용에 잘못이 있는 경우를 말하므로, 판결의 결론이 부당하다는 이유로는 정정신청의 사유가 아니고 재심이나 비상상고의 방법에 의해 구제하여야 할 것이다.

판결정정사유 ×

- 유죄판결이 잘못되었으니 무죄로 하여 달라는 주장
- 채증법칙에 위반이 있어 판단을 잘못하였다는 이유로 무죄판결을 주장 06. 9급 법원직

② 상고심판결뿐만 아니라 상고심결정도 정정의 대상이 된다.

예 상고장에 상고이유의 기재가 있었음에도 불구하고 상고이유서의 제출이 없고 또 상고장에 이유의 기재가 없다 하여 상고기각결정을 한 것은 그 결정내용에 오류가 있음이 명백하므로 판결정정을 할 수 있다(대판 1979.11.30, 79도952).

(3) 정정의 절차

상고법원은 직권 또는 검사, 상고인, 변호인의 신청에 의하여 판결을 정정할 수 있다(제400조 제1항). 정정신청은 판결의 선고가 있는 날로부터 10일 이내에 신청이유를 기재한 서면으로 하여야 한다(동조 제2항·제3항). 12. 9급 검찰·마약수사, 15. 순경 1차 정정은 판결에 의하고 변론 없이 할 수 있다(제401조 제1항). 06. 9급 법원직

CHAPTER

01 기출문제

01 **상고심에 대한 설명으로 옳지 않은 것은?**(다툼이 있는 경우 판례에 의함) 19. 7급 국가직

① 항소인이 항소이유로 주장하거나 항소심이 직권으로 심판 대상으로 삼아 판단한 사항 이외의 사유는 상고이유로 삼을 수 없고, 이를 상고심의 심판범위에 포함시키는 것은 상고심의 사후심 구조에 반한다.

② 상고심으로부터 사건을 환송받은 법원은 그 사건을 재판함에 있어서 상고법원이 파기이유로 한 법률상의 판단에는 기속되지만, 사실상의 판단에는 기속되지 않는다.

③ 사형・무기 또는 10년 이상의 징역이나 금고가 선고된 사건에서는 검사가 양형부당을 이유로 피고인에게 불이익한 상고를 제기하는 것이 허용되지 않는다.

④ 항소법원이 판결을 할 당시 피고인이 소년이었기 때문에 부정기형이 선고되었다면, 그 후 상고심에서 성년이 되었다고 하더라도 부정기형을 선고한 항소심 판결을 파기할 사유가 되지 않는다.

해설 ① 대판 2019.3.21, 2017도16593 전원합의체

② 상고심으로부터 사건을 환송받은 법원은 그 사건을 재판함에 있어서 상고법원이 파기이유로 한 법률상・사실상의 판단에 기속된다(대판 1983.4.18, 83도383).

③ 대판 1982.1.19, 81도2898

④ 대판 1990.11.27, 90도2225

02 **비약적 상고에 관한 다음 설명 중 가장 옳지 않은 것은?**(다툼이 있는 경우 판례에 의하고, 전원합의체 판결의 경우 다수의견에 의함) 23. 9급 법원직

① 비약적 상고는 제1심판결이 인정한 사실에 대하여 법령을 적용하지 않았거나 법령의 적용에 착오가 있는 때 또는 제1심판결이 있은 후 형의 폐지나 변경 또는 사면이 있는 때에 제기할 수 있다.

② '제1심판결이 인정한 사실에 대하여 법령을 적용하지 아니하거나 법령의 적용에 착오가 있는 때'라 함은, 제1심판결이 인정한 사실이 옳다는 것을 전제로 하여 볼 때 그에 대한 법령을 적용하지 아니하거나 법령의 적용을 잘못한 경우를 말하는 것이다.

③ 제1심판결에 대한 비약적 상고는 그 사건에 대한 항소가 제기된 때에는 효력을 잃고, 다만 항소의 취하 또는 항소기각의 결정이 있는 때에는 예외로 한다.

④ 피고인이 비약적 상고를 제기한 후 검사가 항소를 제기하면 피고인의 비약적 상고는 효력을 잃는데, 그와 같이 효력이 없어진 비약적 상고에 항소로서의 효력을 부여할 수 없다.

Answer 01. ② 02. ④

해설 ① 제372조 제1호·제2호
② 대판 2017.2.3, 2016도20069
③ 제373조
④ 제1심판결에 대하여 피고인은 비약적 상고를, 검사는 항소를 각각 제기하여 이들이 경합한 경우 피고인의 비약적 상고에 상고의 효력이 인정되지는 않더라도, 피고인의 비약적 상고에 항소로서의 효력이 인정된다고 보아야 한다(대판 2022.5.19, 2021도17131 전원합의체).

03 상고 절차에 관한 다음 설명 중 가장 옳지 않은 것은?

24. 9급 법원직

① 상고를 제기한 검찰청 소속 검사가 그 이름으로 상고이유서를 제출하여도 유효한 것으로 취급되고, 이 경우 상고를 제기한 검찰청이 있는 곳을 기준으로 법정기간인 상고이유서 제출기간이 형사소송법 제67조에 따라 연장된다.
② 상고장 및 상고이유서에 기재된 상고이유의 주장이 형사소송법 제383조 각 호의 어느 하나의 사유에 해당하지 아니함이 명백한 때에는 결정으로 상고를 기각하여야 한다.
③ 상고법원은 필요한 경우에는 특정한 사항에 관하여 변론을 열어 참고인의 진술을 들을 수 있다.
④ 상고심은 사후심으로서, 원심까지의 소송자료만을 기초로 삼아 원심판결의 당부를 판단하여야 하므로, 원심판결 후에 나타난 사실이나 증거의 경우 비록 그것이 상고이유서 등에 첨부되어 있다고 하더라도 사용할 수 없음이 원칙이다.

해설 ① 상고를 제기한 검찰청 소속 검사가 그 이름으로 상고이유서를 제출하여도 유효한 것으로 취급되지만 이 경우 상고를 제기한 검찰청이 있는 곳을 기준으로 법정기간인 상고이유서 제출기간이 형사소송법 제67조에 따라 연장될 수 없다(대결 2003.6.26, 2003도2008).
② 제380조 제2항
③ 제390조 제2항
④ 대판 2019.3.21, 2017도16593 전원합의체

PART 05

Answer 03. ①

제4절 항 고

1 항고의 의의 · 종류

(1) 항고의 의의

항고란 법원의 결정에 대한 상소를 말한다.

항소와 상고가 법원의 판결에 대한 상소방법으로서 피고사건의 종국재판에 대한 것임에 반해, 항고는 법원이 판결에 이르는 과정에서 문제되는 절차상의 사항에 관하여 행한 종국 전의 재판인 결정(공소기각결정과 같이 종국재판도 있다)에 대한 불복수단을 말한다.

(2) 항고의 종류

항고는 일반항고와 특별항고(재항고)로 나누어진다. 형사소송법이 대법원에 즉시항고할 수 있다고 명문으로 규정한 경우를 특별항고라 하며, 그 이외의 항고가 일반항고이다.

일반항고에는 보통항고와 즉시항고가 있다.

① **일반항고**

㉠ **즉시항고** : 즉시항고는 제기기간이 7일(3일 ×)로 제한되어 있다(제405조). 제기기간 내에 항고의 제기가 있으면 재판의 집행이 정지되는 효력을 가지며, 즉시항고는 명문규정이 있을 때에만 허용된다. 15. 9급 법원직

관련판례

형사소송법 제405조는 즉시항고 제기기간(3일)을 지나치게 짧게 정함으로써 실질적으로 즉시항고 제기를 어렵게 하고, 즉시항고 제도를 단지 형식적이고 이론적인 권리로서만 기능하게 함으로써 헌법상 재판청구권을 공허하게 하므로 입법재량의 한계를 일탈하여 재판청구권을 침해하는 규정이므로, 이 조항에 대하여 헌법불합치결정을 선고한다(헌재결 2018.12.27, 2015헌바77).

▶ 헌법재판소의 헌법불합치결정에 따라 즉시항고 제기기간이 3일에서 7일로 변경되었다(형사소송법 제405조<2019. 12. 31. 개정>).

즉시항고허용 규정

1. 상소기각결정(항소기각결정 : 제360조, 항소심법원의 상고기각결정 : 제362조, 항고기각결정 : 제376조) 11. 9급 법원직, 12. 순경 2차, 13 · 16. 7급 국가직, 11 · 17. 경찰승진
2. 기피신청기각결정(제23조) 06 · 10. 순경, 11 · 17. 경찰승진
3. 구속취소결정(제97조) 06 · 10. 순경, 17. 경찰승진
4. 소송비용부담결정(제3자에게 부담하게 하는 경우 : 제192조, 재판에 의하지 아니하고 절차를 종료하는 경우 : 제193조) 06. 순경, 16. 7급 국가직
5. 약식명령, 17. 경찰승진 즉결심판에 대한 정식재판청구기각결정(제455조, 즉결심판에 관한 절차법 제14조) 10. 경찰승진

6. 국민참여재판 배제결정(국민의 형사재판 참여에 관한 법률 제9조) 10. 순경, 22. 해경간부
   ▶ 국민참여재판 개시결정, 14. 9급 검찰·마약수사 통상재판회부결정 ⇨ 항고 ×
7. 재심청구 기각결정, 재심개시결정(제437조) 13. 7급 국가직
8. 재정신청 기각결정(제262조 제4항) 13. 7급 국가직
   ▶ 공소제기결정 ⇨ 불복 ×(제262조 제4항)
9. 상소권회복청구(제347조) 10. 순경, 22. 해경간부
10. 재정신청에 있어서 재정신청인에 대한 비용부담결정(제262조의 3) 10. 순경, 18. 순경 3차
11. 공소기각결정(제328조) 06. 순경, 18. 순경 3차, 22. 해경간부
12. 집행유예취소결정(제335조) 06. 순경
13. 보석조건위반에 대한 과태료부과결정 및 감치처분결정(제102조)
14. 보석출석보증인에 대한 과태료부과결정(제100조의 2)
15. 증인, 감정인, 통역인, 번역인에 대한 과태료부과결정(제161조, 제177조, 제183조)
16. 증인불출석에 따른 소송비용부담, 과태료부과, 감치처분결정(제151조)
17. 배심원후보자의 불출석에 대한 과태료부과결정(국민의 형사재판 참여에 관한 법률 제60조)
18. 소송비용집행면제결정(제491조)
19 재판의 해석에 대한 의의신청결정(제488조)
20. 재판의 집행에 대한 이의신청(제491조)
21. 형의 실효·복권선고 신청을 각하하는 결정(제337조)
22. 무죄판결에 따른 비용보상결정(제194조의 3)
23. 재판서 경정결정(규칙 제25조)
24. 상소절차속행신청기각결정(규칙 제154조 제3항)
25. 배상명령(소송촉진 등에 관한 특례법 제33조 제5항)
26. 형사보상결정, 형사보상청구기각결정(형사보상 및 명예회복에 관한 법률 제20조)

보석결정, 06·10. 순경 구속집행정지결정, 17. 경찰승진, 18. 순경 3차 지방법원판사의 압수영장 발부, 10. 순경 감정유치결정, 19. 경찰간부 관할이전신청 기각결정(대결 2021.4.2, 2020모2561) ⇨ 즉시항고 ×

㉡ **보통항고** : 보통항고는 즉시항고를 제외한 항고를 말한다.

법원의 결정에 대하여 불복이 있으면 항고를 할 수 있는 것이 원칙이지만 특별규정이 있는 경우에는 보통항고가 허용되지 않는다(제402조). 보통항고는 언제든지 할 수 있다. 단, 원심결정을 취소하여도 실익이 없게 된 때에는 예외로 한다(제404조).

보통항고는 다음과 같은 경우에 허용되지 않는다.

ⓐ 판결 전 소송절차에 관한 결정 : 법원의 관할 또는 판결 전의 소송절차에 관한 결정에 대하여는 특히 즉시항고를 할 수 있는 경우 이외에는 항고를 하지 못한다(제403조 제1항). 이러한 결정은 판결을 목표로 하는 절차의 일부이기 때문에 종국판결에 대하여 상소를 허용하면 충분하고 개개의 결정에 대하여 독립한 상소를 허용할 필요가 없기 때문이다.

그러나 구금·보석·압수나 압수물의 환부에 관한 결정 또는 감정하기 위한 피고인의 유치에 관한 결정에 대하여는 보통항고를 할 수 있다(동조 제2항). 이러한 강제처분으로 인한 권리침해의 구제는 종국재판에 의한 상소에 의하여 실효를 거둘 수 없기 때문이다. 10. 7급 국가직

PART 05

판결 전 소송절차에 관한 것으로 항고할 수 없는 경우의 예

1. 위헌제청신청을 기각하는 하급심의 결정
2. 국선변호인의 선임신청을 기각하는 결정 12. 교정특채, 16. 7급 국가직, 20. 9급 법원직
3. 공소장변경 허가결정 12. 교정특채, 16. 7급 국가직
4. 체포·구속적부심사청구에 대한 기각결정이나 인용결정
5. 간이공판절차개시와 취소결정
6. 증거신청에 대한 증거결정
7. 재판의 비공개결정
8. 공판절차의 정지·갱신결정
9. 소송지휘권행사
10. 변론의 분리·병합·재개결정
11. 관할에 관한 결정
12. 국민참여재판 진행결정, 통상절차회부결정

형사피고사건에 대한 법원의 소년부송치 결정은 형사소송법 제403조가 규정하는 판결 전의 소송절차에 관한 결정에 해당하는 것이 아니므로, 이 결정에 대하여 제402조에 의한 항고를 할 수 있다(대결 1986.7.25, 86모9).

관할이전의 신청을 기각한 결정에 대하여 즉시항고할 수 있다는 규정이 없으므로 이 결정에 대하여 불복할 수 없다(대결 2021.4.2, 2020모2561).

ⓑ 성질상 항고가 허용되지 않는 결정 : 대법원의 결정에 대하여는 성질상 항고가 허용되지 않는다. 대법원은 최종심이므로 그 재판에 대한 상소는 있을 수 없기 때문이다. 항고법원 또는 고등법원의 결정에 대하여도 보통항고를 할 수 없다. 단, 재판에 영향을 미친 헌법·법률·명령·규칙위반이 있음을 이유로 대법원에 즉시항고는 가능하다(제415조).

구 분	즉시항고	보통항고
공통점	• 대상은 법원의 결정에 대한 것임 • 절차의 간이(구두변론 생략) • 항고장은 원심법원에 제출	
차이점	• 제기기간은 7일 • 집행정지효력 있음 ▶ 단, 기피신청에 대한 간이기각결정은 즉시항고할 수 있으나 집행정지효력은 없다. ⇨ 1995년 신설(제23조 제2항) • 명문규정 있는 경우에만 허용	• 제기기간 제한 없음 • 집행정지효력 없음 • 원칙적으로 허용되나 특별한 규정이 있는 때에는 인정되지 않음

② **특별항고**(재항고) : 재항고란 항고법원, 고등법원의 결정에 대하여 대법원에 제기하는 항고를 말한다. 항고법원 또는 고등법원의 결정에 대하여는 원칙적으로 항고가 허용되지 않는다. 대법원의 업무부담을 경감시키고자 하는 데 목적이 있다. 다만, 항고법원이나 고등법원의 결정이 재판에 영향을 미친 헌법·법률·명령·규칙의 위반이 있음을 이유로 하는 때에 한

하여 대법원에 즉시항고를 할 수 있도록 하고 있다(제415조). 재항고는 즉시항고이므로 그 절차도 즉시항고와 같다.

관련판례

1. 형사소송법 제415조에서는 “항고법원 또는 고등법원의 결정에 대하여는 재판에 영향을 미친 헌법·법률·명령 또는 규칙의 위반이 있음을 이유로 하는 때에 한하여 대법원에 즉시항고를 할 수 있다”고 규정하고 있는바, 이는 항소법원의 결정에 대하여도 대법원에 재항고하는 방법으로 다투어야만 할 것이다. 따라서, 항소법원이 직권으로 한 판결문 경정결정에 대하여 피고인이 항고를 제기하였으면, 이를 재항고로 보고 기록을 대법원으로 송부하여야 할 것임에도, 항소법원이 이를 새로운 경정신청으로 보아 경정신청을 기각한 결과 이러한 결정에 대하여 피고인이 재항고한 사안에서, 이 사건 재항고는 판결문 경정결정에 대한 재항고로서 처리하여야 한다(대결 2008.4.14, 2007모726).
2. 형사소송법 제415조가 고등법원의 결정에 대한 재항고를 즉시항고로 규정하고 있다고 하여 당연히 즉시항고가 가지는 집행정지의 효력이 인정된다고 볼 수는 없다. 따라서, 고등법원이 한 보석취소결정에 대한 재항고에 대하여는 집행정지의 효력을 인정할 수 없다(대결 2020.10.29, 2020모633).

PART 05

2 항고심의 절차

(1) 항고의 제기

① **항고권자** : 항고권자는 검사, 피고인 또는 변호인, 제3자(과태료처분을 받은 증인 등)이다.

② **항고의 제기방법** : 항고는 항고장을 원심법원에 제출하여야 한다(제406조). 즉시항고의 제기기간은 7일이지만, 보통항고에는 기간의 제한이 없으므로 항고이익이 있는 한 언제든지 할 수 있다.

항소, 상고와는 달리 항고이유서 제출절차가 따로 마련되어 있지 않다. 항고장 자체에 그 이유를 기재하게 된다.

③ **원심법원의 조치**

㉠ **항고기각결정** : 항고의 제기가 법률의 방식에 위배되거나 항고권 소멸 후인 것이 명백한 때에는 원심법원은 결정으로 항고를 기각해야 한다(제407조 제1항).

㉡ **경정결정** : 원심법원은 항고가 이유 있다고 인정한 때에는 결정을 경정하여야 한다(제408조 제1항). 항고의 전부 또는 일부가 이유 없다고 인정한 때에는 항고장을 받은 날로부터 3일 이내에 의견서를 첨부하여 항고법원에 송부하여야 한다(동조 제2항).

원심법원은 항고가 이유 있다고 인정하더라도 심급제의 속성상 사건기록을 항고심법원에 송부하여야 하고, 스스로 결정을 경정할 수는 없다. (×) 23. 9급 법원직

㉢ **소송기록의 송부** : 원심법원이 필요하다고 인정한 때(항고법원이 요청할 수도 있음)에는 소송기록과 증거물을 항고법원에 송부하여야 한다. 항고법원은 이를 송부받은 날로부터 5일 이내에 당사자에게 그 사유를 통지하여야 한다(제411조).

소송기록접수통지가 있다 하더라도 항고이유서 제출의무는 발생하지 않는다. 07. 9급 법원직 그러나 통지를 요하는 것은 항고에 관하여 그 이유서를 제출하거나 의견을 진술하고 유리한 증거를 제출할 기회를 부여하기 위함이다.

④ **항고제기의 효과** : 항고는 즉시항고 외에는 재판의 집행을 정지하는 효력이 없다. 단, 원심법원 또는 항고법원은 결정으로 항고에 대한 결정이 있을 때까지 집행을 정지할 수 있다(제409조).

(2) 항고심의 심판

① **항고심의 심리** : 항고심은 결정을 위한 절차이므로 구두변론에 의하지 않을 수 있다(제37조 제2항).

② **항고심의 재판**

㉠ 항고의 제기가 법률상 방식에 위반하거나 항고권 소멸 후인 것이 명백한 경우에 원심법원이 항고기각결정을 하지 아니한 때에는 항고법원은 결정으로 항고를 기각하여야 한다(제413조).

㉡ 항고를 이유 없다고 인정한 때에는 결정으로 항고를 기각하여야 한다(제414조 제1항).

㉢ 항고를 이유 있다고 인정한 때에는 결정으로 원심결정을 취소하고 필요한 경우에 항고사건에 대하여 직접 재판하여야 한다(제414조 제2항).

관련판례

1. 검사가 제1심결정에 대해 항고하면서 항고이유서를 첨부하였는데 항고심인 원심법원이 검사에게 소송기록접수통지서를 송달한 다음날 항고를 기각한 사안에서, 검사가 항고장에 상세한 항고이유서를 첨부하여 제출함으로써 의견진술을 하였으므로 형사소송법 제412조에 따라 별도로 의견을 진술하지 아니한 상태에서 원심이 항고를 기각하였더라도 그 결정에 위법이 없다(대결 2012.4.20, 2012모459).
   ▶ **유사판례** : 법원은 검사가 청구한 집행유예 취소 청구서 부본을 지체 없이 집행유예를 받은 자에게 송달하여야 하고(형사소송규칙 제149조의3 제2항), 원칙적으로 집행유예를 받은 자 또는 그 대리인의 의견을 물은 후에 결정을 하여야 한다(형사소송법 제335조 제2항). 항고법원은 항고인이 그의 항고에 관하여 이미 의견진술을 한 경우 등이 아니라면 원칙적으로 항고인에게 소송기록접수통지서를 발송하고 그 송달보고서를 통해 송달을 확인한 다음 항고에 관한 결정을 하여야 한다(대결 2023.6.29, 2023모1007).
2. 항고법원이 제1심법원으로부터 소송기록을 송부받고 피고인에게 소송기록접수통지서를 발송한 후 송달보고서를 통해 피고인이 이를 송달받았는지 여부를 확인하지도 않은 상태에서 피고인이 위 통지서를 수령한 다음 날 곧바로 피고인의 즉시항고를 기각한 것은 위법하다(대결 2006.7.25, 2006모389).
3. 검사는 보호관찰이나 사회봉사 또는 수강을 명한 집행유예를 받은 자가 준수사항이나 명령을 위반하고 그 정도가 무거운 경우 보호관찰소장의 신청을 받아 집행유예의 선고 취소청구를 할 수 있는데, 그 집행유예선고 취소사건 심리 도중 집행유예 기간이 경과하면 형의 선고는 효력을 잃기 때문에 더 이상 집행유예의 선고를 취소할 수 없고 취소청구를 기각할 수밖에 없다. 집행유예의 선고 취소결정에 대한 즉시항고 또는 재항고 상태에서 집행유예 기간이 경과한 때에도 같다. 이처럼 집행유예의 선고 취소는 '집행유예 기간 중'에만 가능하다는 시간적 한계가 있다(대결 2023.6.29, 2023모1007).

KEY point

- **항고대상** : 법원의 결정
- **항고제기방법** : 원심법원에 제출
- **항고종류** ┬ 일반항고 ┬ 보통항고
  │　　　　　└ 즉시항고
  └ 특별항고(재항고) : 즉시항고
- **즉시항고와 보통항고의 비교** : 도표 참조
- **즉시항고 허용 규정** : 정리 참조

3 준항고

(1) 준항고의 의의

준항고는 법관(재판장 또는 수명법관)의 일정한 재판이나, 수사기관의 일정한 처분에 대해 불복이 있는 때 그 소속법원 또는 관할법원에 취소 또는 변경을 청구하는 불복신청방법이다.

준항고는 상급법원에 구제를 신청하는 것이 아니므로 엄격한 의미에서의 상소가 아니다. 그러나 실질적으로 항고에 준하는 성격이 있으므로 항고에 관한 규정을 준용하고 있다(제419조).

(2) 준항고의 대상

① **재판장 또는 수명법관의 재판** : 재판장 또는 수명법관이 아래 어느 하나에 해당하는 재판을 고지한 경우에 불복이 있으면 그 법관 소속 법원에 재판의 취소 또는 변경을 청구할 수 있다(제416조 제1항). 따라서 판례에 의하면 수사절차에서 각종 영장을 발부한 판사나 증거보전절차에서 증거보전처분을 기각한 재판 등은 수임판사의 재판이므로 준항고의 대상이 아니라고 한다.

준항고 허용(제416조 제1항)

1. **기피신청을 기각하는 재판**(제1호) : 수명법관이 기피신청의 부적법을 이유로 기피신청을 기각하는 재판(제20조 제1항)에 한해서 준항고의 대상으로 된다.
   ▶ 기피신청을 기각하는 법원의 결정은 즉시항고의 대상(제23조)
2. **구금, 압수 등에 관한 재판**(제2호) : 구금, 보석, 압수 또는 압수물의 환부에 관한 재판은 본래 법원에 의하여 행해지는 재판이므로 항고의 대상이 된다. 따라서 준항고의 대상은 재판장이나 수명법관이 구속 또는 압수하는 경우(제80조, 제136조)에 한한다.
   ▶ 보석이나 압수물 환부에 관한 재판은 법원만이 할 수 있으므로 항고의 대상이고 준항고의 대상이 아니므로 입법의 착오로서 삭제되어야 한다는 것이 일반적인 견해이다.
3. **감정유치를 명하는 재판**(제3호)
4. **증인, 감정인, 통역인 또는 번역인에 대하여 과태료 또는 비용배상을 명한 재판**(제4호)
   ▶ 제416조 제1항 제4호의 재판은 준항고가 있으면 그 집행이 정지된다(제416조 제4항).

관련판례

1. 법원직원에 대한 기피신청을 기각한 판사의 결정에 대하여 준항고 형식으로 불복을 제기한다면 법원은 이를 즉시항고로 보고 처리하여야 한다(대결 1984.6.20, 84모24). 05. 법원주사보
2. 검사의 체포영장 또는 구속영장 청구에 대한 지방법원판사의 재판은 항고의 대상이 되는 '법원의 결정'에 해당하지 아니하고, 준항고의 대상이 되는 '재판장 또는 수명법관의 구금 등에 관한 재판'에도 해당하지 아니한다(대결 2006.12.18, 2006모646). 14. 9급 검찰·마약수사, 23. 9급 법원직
3. 형사소송법 제402조, 제403조에서 말하는 법원은 형사소송법상의 수소법원만을 가리키므로, 같은 법 제205조 제1항 소정의 구속기간의 연장을 허가하지 아니하는 지방법원 판사의 결정에 대하여는 같은 법 제402조, 제403조가 정하는 항고의 방법으로는 불복할 수 없고, 나아가 그 지방법원 판사는 수소법원으로서의 재판장 또는 수명법관도 아니므로 그가 한 재판은 같은 법 제416조가 정하는 준항고의 대상이 되지도 않는다(대결 1997.6.16, 97모1).

② **수사기관의 처분** : 검사 또는 사법경찰관의 구금·압수 또는 압수물의 환부에 관한 처분과 제243조의 2에 따른 변호인의 참여 등에 관한 처분에 대하여 불복이 있으면 그 직무집행지의 관할법원 또는 검사의 소속 검찰청에 대응한 법원에 그 처분의 취소 또는 변경을 청구할 수 있다(제417조). 준항고의 대상이 되는 수사기관의 처분에는 적극적인 처분뿐만 아니라 소극적인 부작위도 포함한다.

사법경찰관이 신청한 영장을 검사가 기각 ⇨ 준항고 대상 ×(판례) – 준항고 청구권자는 처분의 대상인 국민이라는 이유

관련판례

변호인의 구속피의자에 대한 접견이 접견신청일이 경과하도록 이루어지지 아니한 것을 실질적으로 접견불허가처분이 있는 것과 동일시된다(대결 1991.3.28, 91모24). ∴ 준항고 가능 07. 7급 국가직, 10. 순경, 12. 순경 3차, 11·12·13. 경찰승진

㉠ **구금처분에 대한 준항고** : 구금에 대한 처분에는 구속피의자에 대한 변호인접견금지처분, 임의동행된 피내사자에 대한 변호인 접견금지처분 등 포함된다.

㉡ **압수관련 처분에 대한 준항고** : 검사 또는 사법경찰관이 수사단계에서 압수물의 환부에 관하여 권한을 가지고 있을 경우에 그 처분에 불복이 있으면 준항고를 허용한다(압수 및 압수물의 환부에 관한 처분에는 검사 또는 사법경찰관리가 영장의 집행기관으로서 행하는 영장 집행처분도 포함한다). 이에 대해 검사가 법원의 재판에 대한 집행지휘자로서 직무를 수행하는 가운데 행한 처분은 준항고의 대상이 되지 않는다.

관련판례

1. 형사소송법 제417조의 규정은 검사 또는 사법경찰관이 수사단계에서 압수물의 환부에 관하여 처분을 할 권한을 가지고 있을 경우에 그 처분에 불복이 있으면 준항고를 허용하는 취지라고 보는 것이 상당하므로, 몰수선고가 없어 형사소송법 제332조의 규정에 의하여 압수가 해제된 것으로 되었음에도

불구하고 검사가 그 해제된 압수물의 인도를 거부하는 조치에 대해서는 준항고로 불복할 대상이 될 수 없다(대결 1984.2.6, 84모3). 10. 순경, 13. 경찰승진·7급 국가직, 20. 9급 검찰·마약·교정·보호·철도경찰

2. 검사가 압수·수색영장의 청구 등 강제처분을 위한 조치를 취하지 아니한 것 그 자체를 형사소송법 제417조 소정의 '압수에 관한 처분'으로 보아 이에 대해 준항고로써 불복할 수는 없다(대결 2007.5.25, 2007모82). 08·10. 순경, 14. 9급 검찰·마약수사
3. 재판의 집행에 관한 검사의 처분에 불복하면서 준항고장을 제출한 것을 형사소송법 제489조의 이의 신청으로 보아 판단하여야 한다(대결 1993.8.6, 93모55). 10. 순경, 13. 경찰승진
4. 수사기관의 압수물의 환부에 관한 처분의 취소를 구하는 준항고는 일종의 항고소송이므로, 통상의 항고소송에서와 마찬가지로 그 이익이 있어야 하고, 소송 계속 중 준항고로써 달성하고자 하는 목적이 이미 이루어졌거나 시일의 경과 또는 그 밖의 사정으로 인하여 그 이익이 상실된 경우에는 준항고는 그 이익이 없어 부적법하게 된다(대결 2015.10.15, 2013모1970).
5. 사법경찰관이 압수영장 집행으로서 하는 집행처분적 성질을 가진 '압수에 관한 처분' 자체에 대하여 불복이 있는 경우에는 본법 제416조와는 별도로 본조에 의한 준항고를 할 수 있다고 할 것이다(대결 1970.5.12, 70모13).
6. 준항고인이 불복의 대상이 되는 압수 등에 관한 처분을 구체적으로 특정하기 어려운 사정이 있는 경우에는 법원은 석명권 행사 등을 통해 준항고인에게 불복하는 압수 등에 관한 처분을 특정할 수 있는 기회를 부여하여야 하고, 준항고인이 불복의 대상이 되는 압수 등에 관한 처분을 한 수사기관을 제대로 특정하지 못하거나 준항고인이 특정한 수사기관이 해당 처분을 한 사실을 인정하기 어렵다는 이유만으로 준항고를 쉽사리 배척할 것은 아니다(대결 2023.1.12, 2022모1566).

ⓒ **변호인참여권 제한에 대한 준항고** : 변호인의 피의자신문 참여 등에 관한 제243조의 2가 신설(2007. 6. 1)됨에 따라 그에 관한 수사기관의 처분에 대하여 불복할 수 있도록 하였다.

(3) 준항고의 절차

① **준항고의 방식** : 재판장 또는 수명법관의 재판에 대한 준항고의 청구는 서면으로 관할법원(재판장 또는 수명법관 소속법원)에 제출하여야 한다(제418조). 법관의 재판에 대한 준항고의 청구는 재판의 고지가 있은 날로부터 7일(3일 ×) 이내에 하여야 하며(제416조 제3항), 청구를 받은 때에는 합의부에서 결정하여야 한다(동조 제2항). 수사기관의 처분에 대한 준항고 사건은 그 직무집행지의 관할법원 또는 검사의 소속 검찰청에 대응한 법원에 제기할 수 있다(제417조).

법관의 재판에 대한 준항고와는 달리 수사기관 처분에 대한 준항고(제417조)는 청구기간의 제한규정은 없다. 21. 7급 국가직

관련판례

형사소송법 제417조의 준항고에 관하여 같은 법 제419조는 같은 법 제409조의 보통항고의 효력에 관한 규정을 준용하고 있다. 따라서 형사소송법 제417조의 준항고는 항고의 실익이 있는 한 제기기간에 아무런 제한이 없다(대결 2024.3.12, 2022모2352).

---

② **준항고의 상대방** : 수사절차상의 준항고는 당사자주의에 입각한 소송절차와는 달리 대립되는 양당사자의 관여를 필요로 하지 않는다.

관련판례

형사소송법 제417조 소정의 준항고절차는 당사자주의에 입각한 소송절차와는 달리 대립되는 양 당사자의 관여를 필요로 하는 것이 아니므로 원심이 위 제417조 사법경찰관이 아닌 국가안전기획부장을 상대방으로 표시한 잘못이 있다고 하더라도 그것이 형사소송법 제415조의 재항고이유로 되는 위법사유가 된다고 볼 수 없다(대결 1991.3.28, 91모24).

③ **재판의 집행정지** : 준항고는 원칙적으로 집행정지의 효력이 없으나 증인 등에 대한 과태료 또는 비용배상을 명한 재판에 대해서는 준항고청구가 있는 때에 그 재판의 집행이 정지된다(제416조 제4항).

(4) 불 복

준항고 결정에 대해서는 별도의 항고를 거쳐 재항고를 할 수 있는 것이 아니고, 그 자체가 바로 재항고의 대상이 된다(제419조, 제415조). 00. 경찰승진 · 법원주사보

관련판례

형사소송법 제416조, 제417조의 준항고에 관한 결정에 대하여는 재판에 영향을 미친 헌법, 법률, 명령, 규칙의 위반이 있음을 이유로 하는 때에 한하여 대법원에 즉시항고할 수 있는바, 이는 제419조, 제415조에 의한 재항고에 해당한다(대결 1983.5.12, 83모12).

KEY point

- 준항고 대상
  - 재판장, 수명법관의 재판
  - 수사기관의 처분
- 준항고 관할법원
  - 재판장 or 수명법관 재판 ⇨ 소속 법원 합의부
  - 수사기관 처분 ⇨ 직무집행지의 관할법원 또는 검사 소속 검찰청 대응 법원
- 준항고 청구시기
  - 법관 재판 : 재판의 고지일로부터 7일 이내
  - 수사기관 : 명문규정은 없으나 법관의 경우에 준해서 해석
- 불복 : 대법원에 재항고 가능

CHAPTER

01 기출문제

01 **항고에 관한 다음 설명 중 가장 옳은 것은?**(다툼이 있는 경우 판례에 의하고, 전원합의체 판결의 경우 다수의견에 의함) 23. 9급 법원직

① 법원의 관할 또는 판결 전의 소송절차에 관한 결정에 대하여는 특히 즉시항고를 할 수 있는 경우 외에는 항고를 하지 못한다. 그러나 관할이전의 신청을 기각한 결정은 피고인의 방어권을 침해할 가능성이 있는 결정이므로 즉시항고는 불가능하더라도 보통항고로서 불복할 수 있다.
② 원심법원은 항고가 이유 있다고 인정하더라도 심급제의 속성상 사건기록을 항고심법원에 송부하여야 하고, 스스로 결정을 경정할 수는 없다.
③ 항고는 즉시항고 외에는 재판의 집행을 정지하는 효력이 없다. 따라서 원심법원 또는 항고법원은 보통항고의 경우 항고에 대한 결정이 있을 때까지 집행을 정지할 수 없다.
④ 검사의 체포영장 또는 구속영장 청구에 대한 지방법원 판사의 재판은 형사소송법 제402조의 규정에 의하여 항고의 대상이 되는 '법원의 결정'에 해당하지 아니하고, 제416조 제1항의 규정에 의하여 준항고의 대상이 되는 '재판장 또는 수명법관의 구금 등에 관한 재판'에도 해당하지 아니한다.

해설 ① 관할이전의 신청을 기각한 결정에 대하여 즉시항고할 수 있다는 규정이 없으므로 이 결정에 대하여 불복할 수 없다(대결 2021.4.2, 2020모2561).
② 원심법원은 항고가 이유있다고 인정한 때에는 결정을 경정하여야 하며(제408조 제1항), 항고의 전부 또는 일부가 이유없다고 인정한 때에는 항고장을 받은 날로부터 3일 이내에 의견서를 첨부하여 항고법원에 송부하여야 한다(동조 제2항).
③ 항고는 즉시항고 외에는 재판의 집행을 정지하는 효력이 없다. 따라서 원심법원 또는 항고법원은 보통항고의 경우 항고에 대한 결정이 있을 때까지 집행을 정지할 수 있다(제409조).
④ 대결 1997.6.16, 97모1

02 **형사소송법상 항고와 즉시항고에 대한 설명으로 옳은 것만을 모두 고르면?** 23. 7급 국가직

㉠ 제184조 제1항의 증거보전청구를 기각하는 결정에 대하여는 항고가 허용되지 않는다.
㉡ 제433조에 따라 재심의 청구가 법률상의 방식에 위반하거나 청구권의 소멸 후인 것이 명백하여 이를 기각하는 결정에 대하여는 즉시항고가 허용되지 않는다.
㉢ 제266조의 4에 따라 법원이 검사에게 수사서류 등의 열람・등사 또는 서면의 교부를 허용할 것을 명한 결정에 대하여는 항고가 허용되지 않는다.
㉣ 제192조 제1항에 따라 재판으로 소송절차가 종료되는 경우에 피고인 아닌 자에게 소송비용을 부담하게 하는 결정에 대하여는 즉시항고를 할 수 있다.

① ㉠, ㉡　　② ㉠, ㉣　　③ ㉡, ㉢　　④ ㉢, ㉣

Answer 01. ④ 02. ④

해설 ㉠ × : 증거보전청구를 기각하는 결정에 대하여는 3일 이내에 항고할 수 있다(제184조 제4항).
㉡ × : 즉시항고를 할 수 있다(제437조).
㉢ ○ : 대결 2013.1.24, 2012모1393
㉣ ○ : 제192조 제1항 · 제2항

03 **준항고에 대한 설명으로 옳지 않은 것은?**(다툼이 있는 경우 판례에 의함) 21. 7급 국가직

① 준항고는 그 대상이 되는 재판의 고지나 수사기관의 처분이 있는 날로부터 7일 이내에 하도록 형사소송법에 명기하고 있다.

② 형사소송법 제416조, 제417조의 준항고에 관한 결정에 대하여는 재판에 영향을 미친 헌법, 법률, 명령, 규칙의 위반이 있음을 이유로 하는 때에 한하여 대법원에 즉시항고할 수 있는 바, 이는 동법 제419조, 제415조에 의한 재항고에 해당한다.

③ 수사기관의 압수물의 환부에 관한 처분의 취소를 구하는 준항고는 일종의 항고소송이므로, 통상의 항고소송에서와 마찬가지로 그 이익이 있어야 하고, 소송계속 중 준항고로써 달성하고자 하는 목적이 이미 이루어졌거나 시일의 경과 또는 그 밖의 사정으로 인하여 그 이익이 상실된 경우에는 준항고는 그 이익이 없어 부적법하게 된다.

④ 수소법원을 구성하는 재판장 또는 수명법관의 재판에 대한 준항고만이 허용되고 검사의 청구에 의하여 영장을 발부하는 지방법원판사가 한 영장발부의 재판에 대하여는 준항고가 허용되지 않는다.

해설 ① 재판장 또는 수명법관에 대한 준항고는 그 재판의 고지있는 날로부터 7일 이내에 하여야 한다고 형사소송법에 명문으로 규정되어 있으나, 수사기관의 처분에 대한 준항고는 그 제기기간에 관하여 형사소송법에 명기하고 있지 않다(제416조 제3항, 제417조).
② 대결 1983.5.12, 83모12
③ 대결 2015.10.15, 2013모1970
④ 대결 2006.12.18, 2006모646

Answer 04. ①

— CHAPTER —

02 비상구제절차

단원 advice

본장은 확정판결에 대한 비상구제절차로서 사실오인을 시정하기 위한 재심, 법령위반을 바로잡기 위한 비상상고에 대해 다루게 된다. 특히 '재심'은 대단히 중요하므로 확실하게 정리해야 할 부분이다.

제1절 재 심

1 재심의 의의

(1) 개 념

재심이란 유죄의 확정판결에 대하여 사실오인의 오류가 있는 경우에 판결을 받은 자의 이익을 위하여 이를 시정하는 비상구제절차를 말한다(현행법은 이익재심만을 인정하므로 판결을 받은 자에게 불이익이 되는 재심은 허용되지 않음).

(2) 상소 · 비상상고와의 구별

재심은 확정판결에 대한 것이라는 점에서 미확정재판에 대한 불복제도인 상소와 구별되며, 사실오인을 시정하기 위한 비상구제절차라는 점에서 법령위반을 시정하는 구제장치인 비상상고와 구별된다.

2 재심의 대상

재심의 대상은 유죄의 확정판결과 항소 또는 상고의 기각판결이다.

(1) 유죄의 확정판결

재심의 대상은 원칙적으로 유죄의 확정판결에 한정된다(제420조). 11. 경찰승진, 18. 순경 3차

☎ 무죄판결, 면소판결(대결 2018.5.2, 2015모3243), 24. 해경간부 · 소방간부 공소기각판결, 관할위반판결 등은 재심의 대상이 되지 않는다. 확정된 약식명령이나 즉결심판, 11. 경찰승진 경범죄처벌법(제7조 제3항) 및 도로교통법(제119조 제3항)에 의한 범칙금납부 등은 확정된 유죄판결과 동일한 효력이 있으므로 재심의 대상이 된다.

☎ 형면제판결(제322조), 집행유예판결 ⇨ 재심청구(○), 11. 경찰승진 선고유예판결 ⇨ 재심청구(×) ∵ 유예기간 경과로 면소되는 것으로 간주되기 때문

☎ 결정에 대한 재심청구 ⇨ × 07. 순경, 17. 검찰 · 교정승진

☎ 재정신청 기각결정, 기소유예처분은 재심의 대상이다. (×) 11. 경찰승진

관련판례

1. 유죄의 확정판결 또는 유죄판결에 대한 항소 또는 상고의 기각판결에 대하여만 재심을 청구할 수 있도록 규정하고 있는 이상, 제1심판결에 대해 항소심에서 파기한 후 자판하여 확정되었다면, 항소심

에서 파기되어 버린 제1심재판은 이미 효력이 없으므로 제1심의 유죄판결은 재심의 대상이 될 수 없다(대결 2004.2.13, 2003모464). 07 · 08. 순경, 17. 9급 법원직, 11 · 16 · 18. 경찰승진

2. [1] 소송촉진 등에 관한 특례법 제23조(피고인 소재불명시 불출석재판)에 따라 진행된 제1심의 불출석재판에 대하여 검사만 항소하고 항소심도 불출석 재판으로 진행한 후에 제1심판결을 파기하고 유죄판결이 확정된 경우, 같은 법 제23조의 2 제1항(피고인의 귀책사유 없이 불출석재판으로 확정된 경우 재심사유)을 유추적용하여 항소심법원에 재심을 청구할 수 있다. 17. 경찰간부 · 7급 국가직, 22. 해경간부

[2] 재심을 청구하지 않고 피고인이 상고권회복에 의한 상고를 제기하여 위 사유를 상고이유로 주장하는 경우, 형사소송법 제383조 제3호에서 상고이유(재심청구사유가 있는 때)로 정한 원심판결에 '재심청구의 사유가 있는 때'에 해당하므로, 원심판결에 대하여 상고심에서 파기사유가 될 수 있다.

[3] 위 사유로 상고심에서 파기환송된 경우에 이 사건을 파기환송받아 다시 항소심절차를 진행하는 항소심으로서는 제1심판결에 형사소송법 제361조의 5 제13호의 항소이유(재심청구사유가 있는 때)에 해당하는 사유가 있어 직권파기사유에 해당한다고 보고, 다시 공소장 부본 등을 송달하는 등 새로 소송절차를 진행한 다음 새로운 심리 결과에 따라 다시 판결을 하여야 할 것이다(대판 2015.6.25, 2014도17252 전원합의체).

3. 면소판결 사유인 형사소송법 제326조 제2호의 '사면이 있는 때'에서 말하는 '사면'이란 일반사면을 의미할 뿐, 형을 선고받아 확정된 자를 상대로 이루어지는 특별사면은 여기에 해당하지 않으므로, 재심대상판결 확정 후에 형 선고의 효력을 상실케 하는 특별사면이 있었다고 하더라도, 재심개시결정이 확정되어 재심심판절차를 진행하는 법원은 그 심급에 따라 다시 심판하여 실체에 관한 유 · 무죄 등의 판단을 해야지, 특별사면이 있음을 들어 면소판결을 하여서는 아니 된다(대판 2015.5.21, 2011도1932 전원합의체). 따라서 이제는 재심청구의 대상이 될 수 있다. 16 · 17. 순경 1차, 18 · 21. 변호사시험, 18. 순경 3차, 18 · 20 · 23. 7급 국가직, 23. 9급 검찰 · 마약 · 교정 · 보호 · 철도경찰

▶ 이와 달리, 유죄의 확정판결 후 형 선고의 효력을 상실케 하는 특별사면이 있었다면 이미 재심청구의 대상이 존재하지 않게 되어 그러한 판결을 대상으로 하는 재심청구는 부적법하다고 판시한 종래의 대판 1997.7.22, 96도2153과 대결 2010.2.26, 2010모24 등은 변경되었다.

▶ 특별사면으로 형 선고의 효력이 상실된 유죄의 확정판결에 대하여 재심개시결정이 이루어져 재심심판법원이 심급에 따라 다시 심판한 결과 유죄로 인정되는 경우에는, 이미 형 선고의 효력을 상실하게 하는 특별사면을 받은 피고인의 법적 지위를 해치는 결과가 되어 이익재심과 불이익변경금지의 원칙에 반하게 되므로, 재심심판법원으로서는 '피고인에 대하여 형을 선고하지 아니한다.'는 주문을 선고할 수밖에 없다(대판 2015.10.29, 2012도2938). 16. 순경 1차, 17. 9급 검찰 · 마약 · 교정 · 보호 · 철도경찰

▶ **비교판례** : 원판결이 선고한 집행유예가 실효 또는 취소됨이 없이 유예기간이 지난 후에 새로운 형을 정한 재심판결이 선고되는 경우에도, 그 유예기간 경과로 인하여 원판결의 형 선고 효력이 상실되는 것은 원판결이 선고한 집행유예 자체의 법률적 효과로서 재심판결이 확정되면 당연히 실효될 원판결 본래의 효력일 뿐이므로, 이를 형의 집행과 같이 볼 수는 없고, 재심판결의 확정에 따라 원판결이 효력을 잃게 되는 결과 그 집행유예의 법률적 효과까지 없어진다 하더라도 재심판결의 형이 원판결의 형보다 중하지 않다면 불이익변경금지의 원칙에 반한다고 볼 수 없다(대판 2018.2.28, 2015도15782).

〔상해죄와 간통죄로 징역 1년에 집행유예 2년을 선고받았는데 집행유예기간이 경과한 후에 간통죄의 위헌결정으로 재심을 청구한 사건인데 재심법원은 간통에 대해서는 무죄를, 재심사유가 없는 상해에 대해서는 벌금을 선고하였는바, 집행유예기간 경과로 형 선고의 효력이 상실된 상태에서 법원이 벌금형을 선고하였더라도 불이익변경금지의 원칙에 반하지 않는다는 판례임.〕

▶ 위 특별사면의 경우와 비교해볼 때 매우 혼란스러울 것으로 보이나, 단순한 비교암기가 요망된다.

4. 상고심 재판이 계속되던 중 피고인이 사망하여 공소기각결정이 확정되었다면 항소심의 유죄판결은 이로써 당연히 그 효력을 상실하게 되므로, 이러한 경우에는 형사소송법상 재심절차의 전제가 되는 '유죄의 확정판결'이 존재하는 경우에 해당한다고 할 수 없다. 17. 순경 1차·9급 검찰·마약·교정·보호·철도경찰, 18. 9급 법원직 그런데 피고인 등이 이와 같이 공소기각결정으로 효력을 상실한 항소심의 유죄판결을 대상으로 하여 재심을 청구한 경우, 재심개시결정이 확정된 때에는, 재심개시결정에 의하여 재심이 개시된 대상은 항소심의 유죄판결로 확정되고, 재심개시결정에 따라 재심절차를 진행하는 법원이 재심이 개시된 대상을 변경할 수는 없다. 그러나 이 경우 재심개시결정은 재심을 개시할 수 없는 항소심의 유죄판결을 대상으로 한 것이므로, 재심개시결정에 따라 재심절차를 진행하는 법원으로서는 심판의 대상이 없어 아무런 재판을 할 수 없다(대판 2013.6.27, 2011도7931). 14. 9급 법원직
5. 약식명령에 대하여 정식재판 청구가 이루어지고 그 후 진행된 정식재판절차에서 유죄판결이 선고되어 확정된 경우, 효력을 잃은 약식명령이 아니라 유죄의 확정판결을 대상으로 재심을 청구하여야 한다. 그런데도 약식명령에 대하여 재심의 청구를 한 경우, 그 재심개시결정에 따라 재심절차를 진행하는 법원으로서는 심판의 대상이 없어 아무런 재판을 할 수 없다(대판 2013.4.11, 2011도10626). 14·16. 9급 법원직, 16. 9급 검찰·마약·교정·보호·철도경찰

   약식명령에 대한 정식재판절차에서 유죄판결이 선고되어 확정된 경우라도 그 약식명령은 재심청구의 대상이 된다. (×) 17. 검찰·교정승진, 18. 경찰승진·변호사시험, 19. 경찰간부
6. 형사소송법상 재심청구는 유죄의 확정판결에 대하여서만 할 수 있고 결정에 대하여는 재심청구가 허용되지 않는 것이다(대결 1986.10.29, 86모38).
7. 상고심에 계속 중인 미확정판결에 대한 재심청구에 대하여 명백히 법률상의 방식에 위배된 재심청구라 하여 이를 기각결정한 조치는 정당하다 할 것이고, 이 사건 재심청구기각결정 후에 상고를 취하하여 확정되었다 하여 위 재심의 청구가 적법하게 치유되는 것도 아니다(대결 1983.6.8, 83모28).
8. 판결이 위헌·위법 사유로 당연무효라고 하더라도 그것이 성립한 이상 형식적 확정력은 인정되고, 오히려 그러한 중대한 위헌·위법 상태를 바로잡기 위하여 재심의 대상이 될 수 있다(대결 2019.3.21, 2015모2229 전원합의체).
9. 판결서가 작성되지 않았더라도 판결이 선고되고 확정되어 집행된 사실이 인정되는 이상 판결의 성립을 인정하는 데에는 영향이 없으므로, 재심의 대상이 될 수 있다(대결 2019.3.21, 2015모2229 전원합의체).

---

(2) 상소기각의 확정판결

재심은 항소 또는 상고를 기각하는 확정판결도 그 대상으로 한다(제421조 제1항). 01. 법원주사보, 17·21. 9급 법원직, 18. 경찰간부 이는 그 자체가 유죄판결인 것은 아니지만, 그 확정에 의하여 원심의 유죄판결이 확정된다는 점에서 재심대상으로 인정하는 것이다.

3 재심사유

제420조 【재심이유】 재심은 다음 각 호의 어느 하나에 해당하는 이유가 있는 경우에 유죄의 확정판결에 대하여 그 선고를 받은 자의 이익을 위하여 청구할 수 있다.

1. 원판결의 증거가 된 서류 또는 증거물이 확정판결에 의하여 위조되거나 변조된 것임이 증명된 때 08. 9급 법원직, 11. 경찰승진
2. 원판결의 증거가 된 증언, 감정, 통역 또는 번역이 확정판결에 의하여 허위임이 증명된 때 09. 전의경
3. 무고(誣告)로 인하여 유죄를 선고받은 경우에 그 무고의 죄가 확정판결에 의하여 증명된 때
4. 원판결의 증거가 된 재판이 확정재판에 의하여 변경된 때
5. 유죄를 선고받은 자에 대하여 무죄 또는 면소를, 형의 선고를 받은 자에 대하여 형의 면제 또는 원판결이 인정한 죄보다 가벼운 죄를 인정할 명백한 증거가 새로 발견된 때 08. 9급 법원직
6. 저작권, 특허권, 실용신안권, 디자인권 또는 상표권을 침해한 죄로 유죄의 선고를 받은 사건에 관하여 그 권리에 대한 무효의 심결 또는 무효의 판결이 확정된 때
7. 원판결, 전심판결 또는 그 판결의 기초가 된 조사에 관여한 법관, 공소의 제기 또는 그 공소의 기초가 된 수사에 관여한 검사나 사법경찰관이 그 직무에 관한 죄를 지은 것이 확정판결에 의하여 증명된 때. 다만, 원판결의 선고 전에 법관, 검사 또는 사법경찰관에 대하여 공소가 제기되었을 경우에는 원판결의 법원이 그 사유를 알지 못한 때로 한정한다. 08. 9급 법원직

제421조 【동 전】 ① 항소 또는 상고의 기각판결에 대하여는 전조 제1호, 제2호, 제7호의 사유 있는 경우에 한하여 그 선고를 받은 자의 이익을 위하여 재심을 청구할 수 있다.
② 제1심 확정판결에 대한 재심청구사건의 판결이 있은 후에는 항소기각판결에 대하여 다시 재심을 청구하지 못한다.
③ 제1심 또는 제2심의 확정판결에 대한 재심청구사건의 판결이 있은 후에는 상고기각판결에 대하여 다시 재심을 청구하지 못한다.

제422조 【확정판결에 대신하는 증명】 전2조의 규정에 의하여 확정판결로써 범죄가 증명됨을 재심청구의 이유로 할 경우에 그 확정판결을 얻을 수 없는 때에는 그 사실을 증명하여 재심의 청구를 할 수 있다. 단, 증거가 없다는 이유로 확정판결을 얻을 수 없는 때에는 예외로 한다.

(1) 유죄의 확정판결에 대한 재심이유(제420조)

① **동조 제1호** : 원판결의 증거란 원심판결의 증거요지에 인용되어 있는 증거에 한한다. 다만, 원판결의 증거가 진술증거인 경우에는 그 증거능력을 인정하기 위한 증거도 포함된다.

② **동조 제2호** : 원판결의 증거된 증언이란 원판결이유 중에서 증거로 채택되어 죄로 되는 사실을 인정하는 데 인용된 증거를 말하며, 증언이란 법률에 의하여 선서한 증인의 증언을 말하고, 공동피고인의 공판정에서의 진술은 여기에 해당하지 않는다(대결).
'확정판결에 의하여 허위인 것이 증명된 때'라 함은 증인 등이 위증죄로 처벌되어 판결이 확정되는 경우를 말한다(대결).

☎ 증인이 위증죄로 수사 중에 있다는 사실 ⇨ 대상 ×

관련판례

1. 원판결의 증거된 증언이 확정판결에 의하여 허위인 것이 증명된 때라 함은 그 증인이 위증을 하여 위증죄 판결이 확정된 경우를 말하는 것이고, 원판결의 증거된 증언을 한 자가 그 재판 과정에서 자신의 증언과 반대되는 취지의 증언을 한 다른 증인을 위증죄로 고소하였다가 그 고소가 허위임이 밝혀져 무고죄로 유죄의 확정판결을 받은 경우는 위 재심사유에 포함되지 아니한다(대판 2005.4.14, 2004도1080). 13. 순경 1차, 17. 경찰승진
2. 재심대상이 된 피고사건과 별개의 사건에서 증언이 이루어지고 그 증언을 기재한 증인신문조서나 그 증언과 유사한 진술이 기재된 진술조서가 재심대상이 된 피고사건에 서증으로 제출되어 이것이 채용된 경우는 형사소송법 제420조 제2호에 규정된 '원판결의 증거된 증언'에 해당한다고 할 수 없으므로, 그 증언이 확정판결에 의하여 허위인 것으로 증명되었더라도 위 제2호 소정의 재심사유에 포함될 수 없다(대결 1999.8.11, 99모93).
3. 형사소송법 제420조 제2호 소정의 재심사유에 해당하기 위하여는 원판결의 증거된 증언이 확정판결에 의하여 허위인 것이 증명되어야 하는바, 여기에서 말하는 '원판결의 증거된 증언'이라 함은 원판결의 이유 중에서 증거로 채택되어 '죄로 되는 사실'(범죄사실)을 인정하는 데 인용된 증언을 뜻하므로, 원판결의 이유에서 증거로 인용된 증언이 '죄로 되는 사실'과 직접 혹은 간접적으로 관련된 내용의 것이라면 위 법조 소정의 '원판결의 증거된 증언'에 해당한다(대결 1997.1.16, 95모38).
4. 형사소송법 제420조 제2호 소정의 '원판결의 증거된 증언'이 나중에 확정판결에 의하여 허위된 것이 증명된 이상, 그 허위증언 부분을 제외하고서도 다른 증거에 의하여 그 '죄로 되는 사실'이 유죄로 인정될 것인지 여부에 관계없이 형사소송법 제420조 제2호의 재심사유가 있는 것으로 보아야 한다(대결 1997.1.16, 95모38). 05. 법원주사보, 08. 순경, 14. 변호사시험, 20. 9급 검찰·마약·교정·보호·철도경찰, 20·24. 해경간부

③ **동조 제3호** : 무고로 유죄선고를 받은 경우란 허위의 고소장 또는 고소조서의 내용이 원판결의 증거로 된 경우뿐만 아니라 무고의 진술이 유죄의 증거로 된 때를 모두 포함한다.

④ **동조 제4호** : 원판결의 증거된 재판이란 원판결의 이유 중에서 증거로 채택되어 죄로 되는 사실을 인정하는 데 인용된 다른 재판을 말한다. 재판에는 형사재판뿐만 아니라 민사재판을 포함한다(대결 1986.8.28, 86모15). 21. 변호사시험

⑤ **동조 제5호**

㉠ **적용범위** : 제5호는 '유죄의 선고를 받은 자에 대하여 무죄 또는 면소를, 형의 선고를 받은 자에 대하여 형의 면제 또는 원판결이 인정한 죄보다 경한 죄를 인정할 명백한 증거가 새로 발견된 때'를 재심사유로 규정하고 있다. 20. 경찰승진

판결확정 후의 증거변화에 따른 사실인정의 오류에 한하고, 법률적용에 오류가 생긴 경우는 포함되지 않는다. 따라서 법령 개폐나 판례의 변경은 재심사유가 아니다.

형사소송법 제420조 제5호는 명확성원칙에 위반되지 아니한다(헌재결 2014.7.24, 2012헌바277).

ⓐ 유죄의 선고를 받은 자에게 무죄 또는 면소를 인정할 증거발견 : 무죄나 면소를 선고할 경우에 제한하고 있으므로 공소기각을 인정할 명백한 증거가 발견되어도 재심사유가 되지 않는다(대결 1986.8.28, 86모15).

관련판례

조세의 부과처분을 취소하는 행정판결이 확정된 경우 부과처분의 효력은 처분시에 소급하여 효력을 잃게 되어 그에 따른 납세의무가 없으므로 **확정된 행정판결은 조세포탈에 대한 무죄 내지 원심판결이 인정한 죄보다 경한 죄를 인정할 명백한 증거에 해당한다.** 조세심판원이 재조사결정을 하고 그에 따라 과세관청이 후속처분으로 당초 부과처분을 취소하였다면 부과처분은 처분시에 소급하여 효력을 잃게 되어 원칙적으로 그에 따른 납세의무도 없어지므로, 형사소송법 제420조 제5호에 정한 재심사유에 해당한다(대판 2015.10.29, 2013도14716). 20. 9급 법원직

ⓑ 형의 선고를 받은 자에게 형의 면제 또는 원판결이 인정한 죄보다 경한 죄를 인정할 증거발견 : 형의 면제란 필요적 면제만을 의미하고 임의적 면제는 포함되지 않으며(대결 1984.5.30, 84모32), 15. 순경 1차, 19. 9급 법원직, 24. 경찰승진 · 7급 국가직 심신미약이나 종범과 같은 형의 감경사유도 여기에 해당하지 않는다(대판 2007.7.12, 2007도3496). '원판결이 인정한 죄보다 경한 죄를 인정할 경우'란 원판결에서 인정한 죄와는 별개의 가벼운 죄를 말하고, 동일한 죄에 대하여 공소기각을 선고받을 수 있는 경우, 예컨대 담당공무원이 친고죄의 고소취소장을 접수받아 기록에 첨부하지 아니하는 바람에 유죄의 판결이 선고되고 그 판결이 확정되었다고 하더라도 그와 같은 사유는 여기에서의 경한 죄에 해당하지 않는다고 할 것이다(대결 1986.8.28, 86모15). 21. 순경 1차 뿐만아니라 원판결에서 인정한 죄 자체에는 변함이 없고, 다만 양형상의 자료에 변동을 가져올 사유에 불과한 것 역시 여기에 해당하지 않는다(대판 2017.11.9, 2017도14769). 24. 해경간부

ⓛ **증거의 신규성**

ⓐ 제420조 제5호의 재심사유가 인정되기 위해서는 발견된 증거가 새로운 것이어야 한다.

ⓑ 새로 발견된 증거라 함은 "확정된 원판결의 소송절차에서 발견되지 못하였거나 또는 발견되었다 하더라도 이를 제출할 수 없었던 증거를 말한다(대결 2009.7.16, 2005모472 전원합의체). 13 · 15. 순경 1차, 16. 7급 국가직, 17. 9급 법원직 · 순경 2차, 17 · 18. 경찰승진, 18. 5급 검찰 · 교정승진 원판결 당시 원심법원이 고려하지 못하였던 증거들은 증거의 신규성이 인정된다."

ⓒ 증거의 신규성은 법원의 입장에서 새로운 것이어야 한다는 점에는 이론이 없다(예 증언번복은 새로운 증거 ×). 당사자에게도 신규일 것을 요하는가에 대하여는 견해가 대립되나 판례는 고의 · 과실 등의 귀책사유로 인하여 증거를 제출하지 못한 때에는 예외적으로 신규성을 인정할 수 없다고 하는 입장을 취하고 있다. 12. 7급 국가직, 15. 순경 1차

관련판례

증거의 신규성을 누구를 기준으로 판단할 것인지에 대하여 위 조항이 그 범위를 제한하고 있지 않으므로 그 대상을 법원으로 한정할 것은 아니다. 따라서 피고인이 재심을 청구한 경우 재심대상이 되는 확정판결의 소송절차 중에 그러한 증거를 제출하지 못한 데 과실이 있는 경우에는 그 증거는 위 조항에서의 '증거가 새로 발견된 때'에서 제외된다고 해석함이 상당하다(대결 2009.7.16, 2005모472 전원합의체). 16. 7급 국가직, 17. 순경 2차, 10 · 17 · 20. 경찰승진

㉢ 증거의 명백성

ⓐ 제420조 제5호의 재심사유로 증거의 신규성과 함께 명백성을 요건으로 한다. 명백한 증거라 함은 그 증거가치가 확정판결의 사실인정 자료로 사용한 증거보다 경험법칙이나 논리법칙상 객관적으로 우위에 있다고 보여지는 증거를 의미하며, 법관의 자유심증으로 그 증거가치가 좌우되는 증거를 말하는 것은 아니다(대결 1999.8.11, 99모93).

관련판례

1. 무죄를 인정할 명백한 증거가 새로 발견된 때라 함은 확정된 원판결의 소송절차에서 발견되지 못하였거나 발견되었어도 제출 또는 신문할 수 없었던 증거로서 그 증거가치가 다른 증거들에 비하여 객관적으로 두드러지게 뛰어날 정도라야 하고 법관의 자유심증에 의하여 증거가치가 좌우되는 증거를 말하는 것은 아니다(대판 1993.10.12, 93도1512).
2. 형사소송법 제420조 제5호에서 명백한 증거가 새로 발견되었을 때라 함은 신증거의 존재가 본안판결의 전후를 불문하고 판결법원에 현출되지 아니한 당해 사건의 증거자료로서 증거가치가 다른 증거에 비하여 객관적으로 우위성이 인정될 근거가 있는 것을 말하며, 공범자 중 1인에 대하여 무죄, 다른 1인에 대하여 유죄의 확정판결이 있는 경우에 무죄확정판결의 자료를 자기의 증거자료로 하지 못하였고, 또 새로 발견된 것이 아닌 한 무죄확정판결 그 자체만으로는 유죄확정판결에 대한 새로운 증거로서의 재심사유에 해당한다고 할 수 없다(대결 1984.4.13, 84모14). 16. 7급 국가직, 17. 순경 2차, 24. 경찰승진

ⓑ 증거의 명백성을 판단함에 있어서 신증거만으로 판단(단독평가설)하면 되는가, 구증거와 신증거를 종합적으로 판단(종합평가설)하여야 하는가 등 판단기준에 대하여 견해가 나뉘고 있다. 판례는 종래 단독평가설을 취하였으나 최근 대법원은 재심대상이 되는 확정판결을 선고한 법원이 사실인정의 기초로 삼은 증거들 가운데 새로 발견된 증거와 유기적으로 밀접하게 관련되고 모순되는 것들은 함께 고려하여 평가하여야 한다는 제한적 평가설(혹은 종합평가설)의 입장으로 변경하였다. 10·13. 경찰승진

관련판례

형사소송법 제420조 제5호에 정한 '무죄 등을 인정할 명백한 증거'에 해당하는지 여부를 판단할 때에는 법원으로서는 새로 발견된 증거만을 독립적·고립적으로 고찰하여 그 증거가치만으로 재심의 개시 여부를 판단할 것이 아니라, 재심대상이 되는 확정판결을 선고한 법원이 사실인정의 기초로 삼은 증거들 가운데 새로 발견된 증거와 유기적으로 밀접하게 관련되고 모순되는 것들은 함께 고려하여 평가하여야 하고, 그 결과 단순히 재심대상이 되는 유죄의 확정판결에 대하여 그 정당성이 의심되는 수준을 넘어 그 판결을 그대로 유지할 수 없을 정도로 고도의 개연성이 인정되는 경우라면 그 새로운 증거는 위 조항의 '명백한 증거'에 해당한다(대결 2009.7.16, 2005모472 전원합의체). 23. 9급 검찰·마약·교정·보호·철도경찰

▶ **구체적 사안** : 피고인(甲)은 위험한 물건을 휴대하여 강간하였다는 범죄사실로 유죄가 확정되었는데, 이러한 유죄판결은 범인이 무정자증임을 전제로 하고 있었다. 유죄판결이 확정된 이후에 이루어진 정액검사결과 피고인은 무정자증이 아니라는 사실이 밝혀졌다. 따라서 제420조 제5호의 명백한 증거가 새로 발견된 때에 해당한다는 이유로 재심청구를 하였으나, 재심청구법원은 위 정액검사결과는

PART 05

재심대상판결 소송절차에서 제출할 수 없었던 증거라고 볼 수 없을 뿐 아니라 무죄를 인정할 명백한 증거라고 보기 어렵다는 이유로 기각하였다. 이에 불복하여 대법원에 재항고하였는바, 대법원은 무죄 등을 인정할 명백한 증거에 해당하는지는 재심대상판결을 선고한 법원이 사실인정의 기초로 삼은 증거들 중에서 위 정액검사결과와 유기적으로 밀접하게 관련되고 모순되는 증거들을 함께 고려하여 평가하여야 할 것임에도, 이를 제쳐두고 위 정액검사결과의 증거가치만을 기준으로 증거의 명백성 여부를 판단한 것은 잘못이라고 하면서 종래의 단독평가설에서 제한적 평가설(혹은 종합평가설)의 입장으로 변경하였다.

본 사건과 관련하여 대법원은 재심사유로 내세우고 있는 증거, 즉 자신이 무정자증이 아니라는 위 정액검사결과와 유기적으로 밀접하게 관련된 증거로는 피해자의 체내에서 채취한 가검물에서 정액 양성반응이 나타났을 뿐 정자는 검출되지 않았다는 국립과학수사연구소장의 감정의뢰회보와 범인은 무정자증으로 추정된다는 수사보고서인데, 정자가 검출되지 않은 이유에는 무정자증 이외에도 채취한 가검물의 상태나 그 보존 과정 등에서의 여러 가지 요인에 의하여 정자가 소실되는 등의 다른 원인이 있을 수 있으므로, 위 감정의뢰회보만으로 범인이 반드시 무정자증이라고 단정할 수는 없고, 여러 가지 가능성 중의 하나로서 단순히 추측하는 내용에 불과한 위 수사보고 역시 별다른 증거가치를 인정할 수 없다. 따라서 무정자증이 아니라는 사실을 인정할 수 있는 자료에 불과한 위 정액검사결과는 위 증거들을 함께 고려하더라도 이 사건 재심대상판결을 그대로 유지할 수 없을 정도로 고도의 개연성이 인정되는 증거가치를 가지지 못하므로, 결국 이 사건에서 무죄를 인정할 명백한 증거에는 해당하지 않는다고 할 것이므로 제420조 제5호 재심사유에 해당하지 않는다고 판단한 것은 결론에 있어서 정당하다고 판시하였다.

☎ 법원은 새로발견된 증거만을 독립적 · 고립적으로 고찰하여 그 증거가치만으로 재심대상이 되는 확정판결을 그대로 유지할 수 없을 정도로 고도의 개연성이 인정되어야 한다. (×) 13. 순경 1차, 16. 9급 검찰 · 마약 · 교정 · 보호 · 철도경찰 · 7급 국가직, 17. 순경 2차, 13 · 18. 경찰승진

---

⑥ **동조 제6호** : 권리무효의 심결 또는 판결이 확정되면 형벌법규에 의하여 보호할 권리가 처음부터 존재하지 아니한 것으로 되기 때문에 재심사유로 인정된 것이다.

⑦ **동조 제7호**

㉠ 형사사법에 종사하는 공무원이 직무에 관한 죄를 범한 경우에 유죄의 확정판결의 효력을 유지하는 것은 형사사법의 권위와 국민의 신뢰확보를 위하여 용납할 수 없기 때문에 재심사유로 인정된 것이다. 이 경우 원판결의 선고 전에 법관, 검사 또는 사법경찰관에 대하여 공소의 제기가 있는 경우에는 원판결의 법원이 그 사유를 알지 못한 때에 한하여 재심사유로 된다(동호 단서).

관련판례

1. 제420조 제7호의 사법경찰관 등의 직무에 관한 죄는 본 사건과 관계되는 것이 아닌 경우에도 무방하며, 당해 사법경찰관이 직접 피의자에 대한 조사를 담당하였는지의 여부와 상관없이 재심사유가 된다(대결 2006.5.11, 2004모16). 24. 경찰승진

▶ '사법경찰관 등이 범한 직무에 관한 죄'가 사건의 실체관계에 관계된 것인지 여부나 당해 사법경찰관이 직접 피의자에 대한 조사를 담당하였는지 여부도 고려해야 한다. (×) 15 · 17. 순경 1차

2. 일반인에 대한 수사권한이 없는 육군특무부대 소속 수사관들이 피의자신문을 한 행위는 형법 제123조의 죄를 구성하고, 이들 범죄는 모두 형사소송법 제420조 제7호에 정한 사법경찰관의 직무에 관한 죄에 해당한다(대결 2010.10.29, 2008재도11 전원합의체).
3. 영장주의를 배제하는 위헌적 법령인 긴급조치 제9호 제8항에 따라 피고인을 영장 없이 체포·구금한 경우에도 불법체포·감금의 직무범죄가 인정되는 경우에 준하는 것으로 보아 형사소송법 제420조 제7호의 재심사유가 있다고 보아야 한다(대결 2018.5.2, 2015모3243). 19. 경찰승진
4. '직권의 남용'에 해당하는지 그 판단의 대상이 검사의 수사권 행사라면, 수사는 수사의 목적을 달성할 필요가 있는 경우에 한하여 상당하다고 인정되는 방법에 의하여 이루어져야 한다는 수사원칙과 공익의 대표자로서 실체적 진실에 입각한 국가 형벌권의 실현을 위하여 공소를 제기하고 그 과정에서 피고인의 정당한 이익을 옹호하여야 한다는 검사의 의무도 함께 고려되어야 한다(대결 2024.9.19, 2024모179).

ⓛ 한편 유죄선고를 받은 자가 법관, 검사 또는 사법경찰관으로 하여금 직무에 관한 죄를 범하게 한 경우에는 검사가 아니면 재심을 청구하지 못하도록 제약을 가하고 있다(제425조). 이는 유죄판결을 받은 자가 자신에게 유리한 판결을 얻기 위하여 공무원의 위법행위를 유발하는 경우에 재심사유를 전면적으로 인정하는 것은 법의 권위와 형평의 관점에서 타당하지 않기 때문이다.

PART 05

(2) 상소기각의 확정판결에 대한 재심이유(제421조)

① 항소 또는 상고의 기각판결에 대하여는 제420조 제1호(위조·변조된 증거)·제2호(허위증언 등)·제7호(관련 공무원 직무범죄)의 사유가 있는 경우에 한하여 그 선고를 받은 자의 이익을 위하여 재심을 청구할 수 있다(제421조 제1항).

② 하급심판결에 대한 재심청구를 인용하여 재심개시결정에 따라 재심심판절차가 진행되어 판결이 이루어진 후에는 그 하급심판결에 대한 상소를 기각하는 확정판결에 대한 재심청구(제421조 제1항)의 목적은 이미 달성된 것이라고 할 수 있으므로 제1심 확정판결에 대한 재심청구사건의 판결이 있는 후에는 항소기각판결에 대해 다시 재심청구를 하지 못하며(동조 제2항), 18. 5급 검찰·교정승진, 19. 경찰승진 제1심 또는 제2심의 확정판결에 대한 재심청구사건의 판결이 있는 후에는 상고기각판결에 대해 다시 재심청구를 하지 못한다(동조 제3항). 20. 해경간부

관련판례

1. 형사재판에 있어서의 재심은 형사소송법 제420조, 제421조 제1항의 규정에 의하여 유죄의 확정판결 및 유죄판결에 대한 항소 또는 상고를 기각한 확정판결에 대하여만 허용되는 것이고, 환송판결은 유죄의 확정판결이라 할 수 없으므로 환송판결을 대상으로 한 재심청구는 부적법하다 할 것이다(대결 2006.6.27, 2005재도18).
2. 형사소송법상 재심청구는 유죄의 확정판결에 대하여서만 할 수 있고 결정에 대하여는 허용되지 않는 것인바, 재항고기각 결정은 유죄의 확정판결이 아님은 물론 이로 인하여 유죄의 판결이 확정되는 것도 아니어서 재심청구의 대상이 되지 아니한다(대결 1991.10.29, 91재도2).

---

(3) 헌법재판소법상 재심사유

헌법재판소의 위헌결정이 있는 경우 형벌에 관한 법률 또는 법률의 조항은 소급하여 그 효력을 상실한다. 다만, 해당 법률 또는 법률의 조항에 대하여 종전에 합헌으로 결정한 사건이 있는 경우에는 그 결정이 있는 날의 다음 날로 소급하여 효력을 상실한다(헌법재판소법 제47조 제3항). 위헌으로 결정된 법률 또는 법률의 조항에 근거한 유죄의 확정판결에 대하여는 재심을 청구할 수 있다(동조 제4항).

관련판례

1. 대통령긴급조치 제9호가 당초부터 위헌·무효라고 판단된 이상, '유죄의 선고를 받은 자에 대하여 무죄를 인정할 명백한 증거가 새로 발견된 때'에 해당하므로 재심대상판결에 형사소송법 제420조 제5호의 재심사유가 있다(대결 2013.4.18, 2010모363).
2. 위헌결정으로 인하여 형벌에 관한 법률 또는 법률의 조항은 소급하여 그 효력을 상실한다. 다만, 해당 법률 또는 법률의 조항에 대하여 종전에 합헌으로 결정한 사건이 있는 경우에는 그 결정이 있는 날의 다음 날로 소급하여 효력을 상실한다. 합헌결정이 있는 날의 다음 날 이후에 유죄판결이 선고되어 확정되었다면, 비록 범죄행위가 그 이전에 행하여졌더라도 그 판결은 위헌결정으로 인하여 소급하여 효력을 상실한 법률 또는 법률의 조항을 적용한 것으로서 '위헌으로 결정된 법률 또는 법률의 조항에 근거한 유죄의 확정판결'에 해당하므로 이에 대하여 재심을 청구할 수 있다(대결 2016.11.10, 2015모1475). 19. 5급 검찰·교정승진, 20. 9급 법원직

   피고인이 2004. 8. 및 11.경 간통하였다는 공소사실로 공소제기되어 2009. 8. 20. 유죄판결이 확정되었다면, 간통죄에 대한 합헌결정을 한 2008. 10. 30. 이후 유죄판결이 확정된 것이므로 비록 범죄행위는 종전 합헌 결정 이전에 행하여졌다고 하더라도 간통죄 위헌결정(2015.2.26)을 이유로 하여 피고인은 재심을 청구할 수 있다는 판례 사안임.

   ▶ **비교판례** : 피고인이 간통죄로 유죄의 확정판결을 받은 후 헌법재판소가 간통죄에 대하여 2008. 10. 30. 합헌결정을 하였다가 2015. 2. 26. 위헌결정을 하게 되자 무죄가 선고되어야 한다는 취지로 재심을 청구하였는데, 간통죄규정은 위 위헌결정으로 인하여 종전 합헌결정일의 다음 날인 2008. 10. 31.로 소급하여 효력을 상실하므로, 범죄행위 당시 유효한 법률 또는 법률의 조항이 그 이후 폐지된 경우와 마찬가지이므로 법원은 형사소송법 제326조 제4호에 해당하는 것으로 보아 면소판결을 선고하여야 한다(대판 2019.12.24, 2019도15167). 23. 9급 검찰·마약·교정·보호·철도경찰
3. 헌법재판소법 제75조 제7항에서 재심을 청구할 수 있는 사유로서 규정하고 있는 '헌법소원이 인용된 경우'라 함은 법원에 대하여 기속력이 있는 위헌결정이 선고된 경우를 말하는 것인바, 그 주문에서 법률조항의 해석기준을 제시함에 그치는 한정위헌결정은 법원에 전속되어 있는 법령의 해석·적용 권한에 대하여 기속력을 가질 수 없고, 따라서 소송사건이 확정된 후 그와 관련된 헌법소원에서 한정위헌결정이 선고되었다고 하여 위 재심사유가 존재한다고 할 수 없다(대판 2001.4.27, 95재다14).
4. 헌법재판소가 법률 조항 자체는 그대로 둔 채 그 법률 조항에 관한 특정한 내용의 해석·적용만을 위헌으로 선언하는 이른바 한정위헌결정에 관하여는 헌법재판소법 제47조가 규정하는 위헌결정의 효력을 부여할 수 없으며, 그 결과 한정위헌결정은 법원을 기속할 수 없고 재심사유가 될 수 없다(대판 2013.3.28, 2012재두299). 18. 5급 검찰·교정승진

5. 형벌조항에 대하여 헌법재판소의 위헌결정이 있는 경우 헌법재판소법 제47조에 의한 재심은 원칙적인 재심대상판결인 제1심 유죄판결 또는 파기자판한 상급심판결에 대하여 청구하여야 한다. 제1심이 유죄판결을 선고하고, 그에 대하여 불복하였으나, 항소 또는 상고기각판결이 있었던 경우에 헌법재판소법 제47조를 이유로 재심을 청구하려면 재심대상판결은 제1심판결이 되어야 하고, 항소 또는 상고기각판결을 재심대상으로 삼은 재심청구는 법률상의 방식을 위반한 것으로 부적법하다(대결 2022.6.24, 2022모509).

(4) 확정판결에 대신하는 증명(제422조)

① 형사소송법 제420조 및 제421조에 의하여 확정판결로써 범죄가 증명됨을 재심청구의 이유로 할 경우에 그 확정판결을 얻을 수 없을 때에는 그 사실을 증명하여 재심청구를 할 수 있다(제422조 본문). 확정판결을 얻을 수 없다는 것은 유죄판결을 선고할 수 없는 법률상 사실상의 장애를 말하므로, 증거가 없다는 이유로 확정판결을 얻을 수 없는 때에는 여기에 해당하지 아니한다(동조 단서).

확정판결을 얻을 수 없다는 것의 예

1. 범인이 사망하였거나 행방불명인 경우
2. 범인이 현재 심신상실 상태에 있는 경우
3. 공소시효가 완성된 경우
4. 검사의 기소유예처분이 있는 경우
5. 사면이 있었던 경우

관련판례

성범죄를 피하기 위해 상대방의 혀를 끊은 중상해죄 사건에 대한 재심청구 사건에서, 대법원은 불법으로 체포·감금된 상태에서 조사를 받았다고 볼 여지가 충분하므로, 이와 같은 검사의 행위는 형법 제124조의 직권남용에 의한 체포·감금죄를 구성하며, 위 죄에 대하여는 공소시효가 완성되어 유죄판결을 얻을 수 없는 사실상·법률상 장애가 있는 경우로서 형사소송법 제422조의 '확정판결을 얻을 수 없는 때'에 해당한다(대결 2024.12.18, 2021모2650).

② 판례에 의하면, '그 사실을 증명한다.'는 의미는 확정판결을 얻을 수 있다는 사실을 증명한다는 의미가 아니라, 재심이유가 될 범죄가 있다는 사실의 증명이 있어야 한다는 의미라고 판시하고 있다(대결 1966.6.11, 66모24). 다만, 재정신청을 기각하는 경우에는 확정판결을 얻을 수 없는 때로서 '그 사실을 증명한 때'에 해당한다고 한다.

관련판례

1. 공소시효완성을 이유로 한 검사의 불기소처분을 확정판결에 대신하는 증명으로 삼기 위해서는 그와 같은 불기소처분이 있었다는 것만으로는 부족하고 나아가 불기소처분의 대상이 된 범죄사실의 존재가 적극적으로 입증되어야 한다(대결 1994.7.14, 93모66). 13. 경찰승진
2. 불법감금죄로 고소된 사법경찰관에 대한 무혐의결정에 관한 재정신청사건에서 법원이 불법감금사실은 인정하면서 재정신청기각결정을 하여 확정된 경우에는 확정판결에 대신하는 증명이 있다고 할 수 있으므로 제420조 제7호의 재심이유가 된다(대결 1997.2.26, 96모123). 13. 경찰승진

4 재심개시절차

(1) 재심의 관할

재심의 청구는 원판결의 법원이 관할한다(제423조). 04. 순경, 09. 9급 법원직, 11. 경찰승진

원판결이란 재심청구인이 재심청구대상으로 삼은 판결을 의미하므로, 재심청구대상이 제1심판결이면 제1심법원이, 상소기각판결이면 상소법원이 재심청구사건을 관할한다. 대법원이 제2심판결을 파기하고 자판한 판결에 대한 재심청구는 원판결을 선고한 대법원에 하여야 한다.

관련판례

1. 군사법원에서 판결이 확정된 후 군에서 제적된 자에 대하여는 군사법원에 재판권이 없으므로 같은 심급의 일반법원에 관할권이 있다(대판 1985.9.24, 84도2972). 12. 9급 법원직, 21. 7급 국가직
2. 재심청구가 재심관할법원인 항소심법원이 아닌 제1심법원에 잘못 제기된 경우 제1심법원은 그 재심의 소를 부적법하다 하여 각하할 것이 아니라 재심관할법원인 항소심법원에 이송하여야 할 것인데, 제1심법원이 항소심법원으로 이송결정 대신 재심청구기각결정을 하고 이에 대하여 재심청구인으로부터 항고가 제기된 경우라면 항고를 받은 법원이 마침 재심관할법원인 항소심법원인 경우에는 그 법원으로서는 형사소송법 제367조를 유추적용하여 관할권이 없는 제1심결정을 파기하고 재심관할법원으로서 그 절차를 취하여야 한다(대결 2003.9.23, 2002모344).
3. 재심청구를 받은 군사법원은 재판권이 없다고 판단되면 재심개시절차로 나아가지 말고 곧바로 사건을 같은 심급의 일반법원으로 이송하여야 한다. 17. 9급 법원직, 21. 변호사시험 이와 달리 군사법원이 재판권이 없음에도 재심개시결정을 한 후에 비로소 사건을 일반법원으로 이송한다면 이는 위법한 재판권의 행사이다. 다만, 사건을 이송받은 일반법원으로서는 다시 처음부터 재심개시절차를 진행할 필요는 없고 군사법원의 재심개시결정을 유효한 것으로 보아 후속 절차를 진행할 수 있다(대판 2015.5.21, 2011도1932 전원합의체). 17. 7급 국가직, 19. 9급 법원직
4. 대법원(상고법원)이 제2심판결을 파기하고 자판한 경우의 재심관할법원은 파기된 판결선고 법원이 아니라 원판결을 선고한 대법원이 된다(대결 1961.12.4, 4294형항20).

(2) 재심의 청구

① **청구권자**(제424조, 제426조)

㉠ 검사(공익의 대표자로서 유죄선고를 받은 자의 이익을 위하여 재심청구 가능)

㉡ 유죄선고를 받은 자

㉢ 유죄선고를 받은 자의 법정대리인

㉣ 유죄판결을 선고받은 자가 사망하거나, 심신장애가 있는 경우에는 그 배우자, 직계친족 또는 형제자매 09. 9급 법원직

재심의 청구권자는 상소권자와 동일하지 않다. (○) 04. 순경

㉤ 변호인[검사 이외의 자가 재심을 청구하는 경우에는 변호인을 선임할 수 있다(제426조 제1항)]. 따라서 변호인도 재심청구 가능

법관, 검사 또는 사법경찰관의 직무상 범죄를 이유로 재심을 청구하는 경우(제420조 제7호)에 유죄선고를 받은 자가 그 죄를 범하게 한 경우에는 검사가 아니면 재심을 청구하지 못한다(제425조).

② **재심청구시기** : 재심청구시기에 대해서는 제한이 없다. 04. 순경, 11. 경찰승진 따라서 유죄의 선고를 받은 자가 사망한 때에도 재심청구를 할 수 있으며, 형의 집행을 종료하거나 형의 집행을 받지 아니하게 된 때에도 할 수 있다. 03. 경찰승진, 08 · 09 · 10 · 14 · 16. 9급 법원직, 18. 경찰간부

관련판례

형사소송법이나 형사소송규칙에는 재심청구인이 재심의 청구를 한 후 청구에 대한 결정이 확정되기 전에 사망한 경우에 재심청구인의 배우자나 친족 등에 의한 재심청구인 지위의 승계를 인정하거나 형사소송법 제438조와 같이 재심청구인이 사망한 경우에도 절차를 속행할 수 있는 규정이 없으므로, 재심청구절차는 재심청구인의 사망으로 당연히 종료하게 된다(대결 2014.5.30, 2014모739). 16 · 17. 순경 1차, 19. 경찰승진, 17 · 20. 7급 국가직, 18 · 20. 9급 법원직, 24. 소방간부

▶ 이 경우에도 사망자를 위해 유족이 재심을 청구할 수 있음은 물론이다.

③ **재심청구의 방식** : 재심청구를 할 때에는 재심청구의 취지 및 재심청구이유를 구체적으로 기재한 재심청구서에 원판결의 등본 및 증거자료를 첨부하여 관할법원에 제출하여야 한다(규칙 제166조). 즉, 구두에 의한 재심은 허용되지 않는다. 재소자의 경우에는 재심청구서를 교도소장에게 제출하면 재심을 청구한 것으로 간주한다(제430조, 제344조).

④ **재심청구의 효과** : 재심청구는 형집행을 정지하는 효력이 없다. 04. 순경, 10. 9급 법원직, 14. 순경 2차 다만, 관할법원에 대응한 검찰청 검사는 재심청구에 대한 재판이 있을 때까지 형의 집행을 정지할 수 있다(제428조). 04. 순경, 06 · 09 · 10. 9급 법원직, 12. 경찰승진, 14. 순경 2차, 20. 7급 국가직

⑤ **재심청구의 취하** : 재심청구는 취하할 수 있다. 취하는 서면에 의하여야 하나, 공판정에서는 구술로써도 할 수 있다(규칙 제167조 제1항). 재심청구를 취하한 자는 동일한 이유로 다시 재심을 청구하지 못한다(제429조 제2항). 08 · 10. 9급 법원직, 14. 순경 2차, 18. 경찰간부 취하시기에 관하여 견해의 대립이 있으나, 재심법원이 재심판결을 선고한 이후에는 재심청구의 취하가 허용되지 아니한다(대판 2024.4.12, 2023도13707).

(3) 재심청구에 대한 심판

① 재심청구의 심리

㉠ **심리방법** : 재심청구에 대한 심리는 판결절차가 아니라 결정절차이므로 구두변론을 요하지 않고(제37조 제2항) 절차를 공개할 필요도 없다. 그러나 재심청구를 받은 법원은 필요한 때에 사실조사를 할 수 있다(동조 제3항).

㉡ **의견진술 기회부여** : 재심청구에 대한 결정을 내릴 때에는 청구한 자와 상대방의 의견을 들어야 한다(제432조 본문). 04. 순경, 14. 순경 2차

변호인의 의견을 들어야 하는 것은 아님(대판 1956.6.12, 4291형항28)

다만, 유죄의 선고를 받은 자의 법정대리인이 재심을 청구한 경우에는 유죄선고를 받은 자의 의견을 들어야 한다(제432조 단서). 10. 9급 법원직, 12. 경찰승진, 13. 순경 1차, 14. 순경 2차

관련판례

1. 재심절차는 재심개시절차와 재심심판절차로 구별되는 것이므로, 재심개시절차에서는 형사소송법을 규정하고 있는 재심사유가 있는지 여부만을 판단하여야 하고, 나아가 재심사유가 재심대상 판결에 영향을 미칠 가능성이 있는가의 실체적 사유는 고려하여서는 아니 된다(대결 2008.4.24, 2008모77). 12·17. 경찰승진, 19. 9급 법원직, 22. 9급 교정·보호·철도경찰
2. 재심청구에 대하여 결정을 함에는 청구한 자와 상대방의 의견을 들어야 한다는 형사소송법 제432조의 규정은 그 의견을 듣거나 의견을 진술할 기회를 부여하여야 한다는 취지이므로 재심청구인에게 의견요청서를 송달하여 진술의 기회를 주었음에도 불구하고 의견을 진술하지 아니하였다 하여 원심의 심리절차에 위법이 있다고 할 수 없다(대결 1982.11.15, 82모11).
3. 형사소송법 제432조에 의하면 재심청구에 대하여 결정을 함에는 청구한 자와 상대방의 의견을 듣도록 규정하고 있으므로 최소한 재심을 청구한 자와 상대방에게 의견을 진술할 기회를 주어야 하는 것이며, 이는 재심청구서와 별도로 요구되는 절차라고 할 것이므로 재심청구서에 재심청구의 이유가 기재되어 있다고 하여 위와 같은 절차를 생략할 수는 없다(대결 2004.7.14, 2004모86).
4. 재심의 청구를 받은 법원은 재심청구 이유의 유무를 판단함에 필요한 경우 사실을 조사할 수 있고, 공판절차에 적용되는 엄격한 증거조사 방식에 따라야만 하는 것은 아니다(대결 2019.3.21, 2015모2229 전원합의체). 20. 경찰간부·순경 1차, 24. 소방간부
5. 재심의 청구를 받은 법원은 필요하다고 인정한 때에는 형사소송법 제431조에 의하여 직권으로 재심청구의 이유에 대한 사실조사를 할 수 있으나, 소송당사자에게 사실조사신청권이 있는 것이 아니다. 23. 소방간부 그러므로 당사자가 재심청구의 이유에 관한 사실조사신청을 한 경우에도 이는 단지 법원의 직권발동을 촉구하는 의미밖에 없는 것이므로, 법원은 이 신청에 대하여는 재판을 할 필요가 없고, 설령 법원이 이 신청을 배척하였다고 하여도 당사자에게 이를 고지할 필요가 없다(대결 2021.3.12, 2019모3554). 21. 7급 국가직, 23. 소방간부

② 재심청구에 대한 재판

㉠ **청구기각결정** : 법원은 다음의 경우에 청구기각의 결정을 하여야 한다.

ⓐ 재심청구가 부적법한 경우(제433조)

예 방식위반, 청구권 소멸 후인 것이 명백

ⓑ 재심청구가 이유 없는 경우(제434조)

재심청구의 이유가 없다는 이유로 이 결정이 있는 때에는 동일한 이유로 다시 재심을 청구하지 못한다(동조 제2항). 03. 9급 법원직, 10. 7급 국가직

관련판례

1. 원심이 항소심에서 파기된 제1심판결을 대상으로 하는 재심청구가 법률상의 방식에 위반한 경우에 해당함에도 형사소송법 제433조에 따라 재심청구를 기각하지 아니하고 재심청구의 사유가 없다는 이유를 들어 같은 법 제434조 제1항에 따라 재심청구기각결정을 하였더라도 모두 재심청구를 기각한다는 결정을 하는 점에서 주문의 내용에 차이가 없다는 등의 이유로 위와 같은 원심결정의 위법이 재판에 영향을 끼치지 아니하였다고 할 것이다(대결 2004.2.13, 2003모464).

2. 재심대상사건의 기록이 보존기간의 만료로 이미 폐기되었다 하더라도 가능한 노력을 다하여 그 기록을 복구하여야 하며, 부득이 기록의 완전한 복구가 불가능한 경우에는 판결서 등 수집한 잔존자료에 의하여 알 수 있는 원판결의 증거들과 재심공판절차에서 새롭게 제출된 증거들의 증거가치를 종합적으로 평가하여 원판결의 원심인 제1심판결의 당부를 새로이 판단하여야 한다(대판 2004.9.24, 2004도2154). 13. 경찰승진

재심청구기각결정을 하면 안된다는 취지

ⓒ 청구의 경합이 있는 경우 : 상소기각의 확정판결과 그 판결에 의하여 확정된 하급심판결에 대하여 각각 재심청구가 있는 경우에 상소기각판결을 한 법원은 결정으로 하급심 법원의 소송절차가 종료할 때까지 소송절차를 정지하여야 한다(규칙 제169조 제1항). 이때 하급심 법원이 재심의 판결을 한 때에는 상소기각판결법원은 결정으로 재심의 청구를 기각하여야 한다(제436조 제1항). 12. 경찰승진, 14. 경찰간부

㉡ **재심개시결정**

ⓐ 재심청구가 이유 있는 경우

㉮ 재심청구가 이유 있다고 인정되는 때에는 재심개시결정을 하여야 한다(제435조 제1항).

㉯ 재심개시결정을 한 때에는 결정으로 형의 집행을 정지할 수 있다(제435조 제2항). 18. 경찰간부

임의적 정지(필요적 ×)

ⓑ 재심개시결정의 범위 : 경합범의 관계에 있는 수개의 범죄사실을 유죄로 인정하여 1개의 형을 선고한 확정판결에서 그중 일부의 범죄사실에 대해서만 재심청구가 이유 있다고 인정되는 경우 경합범의 전부에 대하여 재심개시결정을 하여야 하며, 모두 재심의 심판대상이 된다는 견해와 전부에 대하여 재심개시결정은 하여야 하나 재심사유가 있는 사실만이 재심의 대상이 된다는 설(판례)이 대립한다.

관련판례

경합범 관계에 있는 수개의 범죄사실을 유죄로 인정하여 한 개의 형을 선고한 불가분의 확정판결에서 그중 일부의 범죄사실에 대하여만 재심청구의 이유가 있는 것으로 인정된 경우에는 형식적으로는 1개의 형이 선고된 판결에 대한 것이어서 그 판결 전부에 대하여 재심개시의 결정을 할 수밖에 없지만, 19. 경찰간부, 23. 9급 검찰·마약·교정·보호·철도경찰 비상구제수단인 재심제도의 본질상 재심사유가 없는 범죄사실에 대하여는 재심개시 결정의 효력이 그 부분을 형식적으로 심판의 대상에 포함시키는 데 그치므로 재심법원은 그 부분에 대하여는 이를 다시 심리하여 유죄인정을 파기할 수 없고, 다만 그 부분에 관하여 새로이 양형을 하여야 하므로 양형을 위하여 필요한 범위에 한하여만 심리를 할 수 있을 뿐이다(대판 1996.6.14, 96도477). 18. 순경 3차, 17·20. 7급 국가직, 20. 경찰승진, 22. 9급 법원직, 24. 9급 검찰·마약·교정·보호·철도경찰

경합범 관계에 있는 수개의 범죄사실을 유죄로 인정하여 한 개의 형을 선고한 불가분의 확정판결에서 그중 일부의 범죄사실에 대해서만 재심청구의 이유가 있는 것으로 인정된 경우에는 그 일부에 대해서만 재심개시

의 결정을 하여야 하고 양형을 위해 필요한 범위에 한하여 나머지 범죄사실을 심리할 수 있다. (×) 17. 9급 검찰 · 마약 · 교정 · 보호 · 철도경찰

③ **결정에 대한 불복** : 재심청구를 기각하는 결정과 재심개시결정에 대하여는 즉시항고할 수 있다(제437조).

관련판례

재심개시결정에 대하여는 즉시항고에 의하여 불복할 수 있고, 이러한 불복이 없이 확정된 재심개시결정의 효력에 대하여는 더 이상 다툴 수 없으므로 설령 재심개시결정이 부당하더라도 이미 확정되었다면 법원은 더 이상 재심사유의 존부에 대하여 살펴볼 필요 없이 형사소송법 제436조(청구의 경합)의 경우가 아닌 한 그 심급에 따라 다시 심판을 하여야 한다(대판 2004.9.24, 2004도2154).

5 재심심판절차

(1) 재심의 공판절차

재심개시의 결정이 확정된 사건에 대하여는 제436조의 경우(청구경합과 청구기각결정) 외에는 법원은 그 심급에 따라 다시 심판하여야 한다(제438조 제1항).

'심급에 따라'의 의미는 제1심의 확정판결에 대한 재심은 제1심의 공판절차에 따라, 항소심에서 파기자판된 확정판결에 대해서는 항소심절차에 따라, 항소기각 또는 상고기각의 확정판결에 대해서는 항소심 또는 상고심 절차에 따라서 각각 다시 심판하게 된다는 것을 말한다.

제1심사건을 다시 심판할 경우 진술거부권고지, 인정신문, 모두진술, 증거조사, 피고인신문, 최후진술 등의 절차가 전부 새로이 실시된다.

재심청구의 대상이 된 원판결의 심리에 관여한 법관이 재심청구사건을 심판하더라도 제척 또는 기피사유에 해당하지 않는다. (○) 17. 9급 검찰 · 마약 · 교정 · 보호 · 철도경찰

관련판례

1. 재심개시결정이 확정된 사건에서 '다시' 심판한다는 것은 재심대상판결의 당부를 심사하는 것이 아니라 피고사건 자체를 처음부터 새로 심판하는 것을 의미하므로, 재심대상판결이 상소심을 거쳐 확정되었더라도 재심사건에서는 재심대상판결의 기초가 된 증거와 재심사건의 심리과정에서 제출된 증거를 모두 종합하여 공소사실이 인정되는지를 새로이 판단하여야 한다. 그리고 재심사건의 공소사실에 관한 증거취사와 이에 근거한 사실인정도 다른 사건과 마찬가지로 그것이 논리와 경험의 법칙을 위반하거나 자유심증주의의 한계를 벗어나지 아니하는 한 사실심으로서 재심사건을 심리하는 법원의 전권에 속한다(대판 2015.5.14, 2014도2946). 24. 해경간부
2. 특별사면으로 형 선고의 효력이 상실된 유죄의 확정판결에 대하여 재심개시결정이 이루어져 재심심판법원이 심급에 따라 다시 심판한 결과 유죄로 인정되는 경우에는, 이미 형 선고의 효력을 상실하게 하는 특별사면을 받은 피고인의 법적 지위를 해치는 결과가 되어 이익재심과 불이익변경금지의 원칙에 반하게 되므로, 재심심판법원으로서는 '피고인에 대하여 형을 선고하지 아니한다.'는 주문을 선고할 수밖에 없다(대판 2015.10.29, 2012도2938). 16. 순경 1차, 17. 9급 검찰 · 마약 · 교정 · 보호 · 철도경찰

(2) 재심심판절차의 특칙

재심심판절차에는 그 심급의 공판절차에 관한 규정이 적용된다. 다만, 재심사건의 특수성에 비추어 다음과 같은 특칙을 두고 있다.

① 공판절차의 정지와 공소기각결정

㉠ 사망자 또는 회복이 불가능한 심신장애인을 위한 재심청구가 있는 때

㉡ 유죄의 선고를 받은 자가 재심판결 전에 사망하거나 회복불가능한 심신장애인으로 된 때에는 공판절차의 정지나 공소기각결정을 할 수 없으며(제438조 제2항), 피고인이 출정하지 아니하여도 심판할 수 있다. 다만, 변호인이 출정하지 아니하면 개정하지 못한다(동조 제3항). 따라서 변호인을 선임하지 아니한 때에는 재판장은 직권으로 변호인을 선임하여야 한다(필요적 변호).

② 공소취소와 공소장변경

㉠ **공소취소** : 공소취소는 제1심판결 선고 전까지 가능하기 때문에(제255조 제1항), 제1심판결이 선고되어 확정된 원심재판을 전제로 하는 재심사건의 경우 재심공판절차에서 공소를 취소하는 것은 불가능하다.

㉡ **공소장변경** : 재심공판절차에서 공소장변경이 허용될 수 있는가에 대해 견해의 대립이 있으나, 생각건대 재심의 공판절차는 사실심을 원칙으로 하는 것이므로 공소장변경은 가능하다고 본다. 그러나 원판결의 범죄사실보다 중한 죄를 인정하기 위하여 행하는 공소장변경은 이익재심의 본질에 비추어 허용되지 않는다고 할 것이다.

관련판례

재심심판절차에서는 특별한 사정이 없는 한 검사가 재심대상사건과 별개의 공소사실을 추가하는 내용으로 공소장을 변경하는 것은 허용되지 않고, 재심대상사건에 일반 절차로 진행 중인 별개의 형사사건을 병합하여 심리하는 것도 허용되지 않는다(대판 2019.6.20, 2018도20698 전원합의체). 20·23. 9급 검찰·마약·교정·보호·철도경찰, 22. 9급 법원직

(3) 재심의 재판

① **증거보전** : 증거보전은 제1심 제1회 공판기일 전에 한하여 허용되는 것이므로 재심청구사건에서는 증거보전절차는 허용되지 아니한다(대결 1984.3.29, 84모15).

② **불이익변경금지** : 재심에는 원판결의 형보다 중한 형을 선고하지 못한다(제439조). 검사가 재심을 청구한 경우에도 불이익변경이 금지된다. 04. 순경, 12. 교정특채, 16. 9급 법원직

관련판례

1. 경합범 관계에 있는 수개의 범죄사실을 유죄로 인정하여 1개의 형을 선고한 불가분의 확정판결에서 그중 일부의 범죄사실에 대하여만 재심청구의 이유가 있는 것으로 인정되었으나 형식적으로는 1개의 형이 선고된 판결에 대한 것이어서 판결 전부에 대하여 재심개시의 결정을 한 경우, 재심법원은 재심

사유가 없는 범죄에 대하여는 새로이 양형을 하여야 하는 것이므로 이를 헌법상 이중처벌금지의 원칙을 위반한 것이라고 할 수 없고, 다만 재심사건에는 불이익변경의 금지원칙이 적용되어 원판결의 형보다 중한 형을 선고하지 못하는 것이다(형사소송법 제439조).

2. 형사소송법은 피고인에게 이익이 되는 이른바 이익재심만을 허용하고 있으며(제420조, 제421조 제1항), 그러한 이익재심의 원칙을 반영하여 제439조에서 "재심에는 원판결의 형보다 중한 형을 선고하지 못한다."라고 규정하고 있는데, 이는 단순히 원판결보다 무거운 형을 선고할 수 없다는 원칙만을 의미하고 있는 것이 아니라 실체적 정의를 실현하기 위하여 재심을 허용하지만 피고인의 법적 안정성을 해치지 않는 범위 내에서 재심이 이루어져야 한다는 취지이다(대판 2018.2.28, 2015도15782).
3. 상해죄와 간통죄로 징역 1년에 집행유예 2년을 선고받았는데 집행유예기간이 경과한 후에 간통죄의 위헌결정으로 재심을 청구한 사건에서, 재심법원은 간통에 대해서는 무죄를, 재심사유가 없는 상해에 대해서는 벌금을 선고하였는바, 집행유예기간 경과로 형 선고의 효력이 상실된 상태에서 법원이 벌금형을 선고하였더라도 불이익변경금지의 원칙에 반하지 않는다(대판 2018.2.28, 2015도15782). 20. 경찰간부
4. 재심대상사건에서 징역형의 집행유예를 선고하였음에도 재심사건에서 원판결보다 주형을 경하게 하고, 집행유예를 없앤 경우는 형사소송법 제439조에 의한 불이익변경금지원칙에 위배된다(대판 2016.3.24, 2016도1131).

---

③ **무죄판결의 공시** : 재심에서 무죄를 선고한 때에는 그 판결을 관보와 그 법원 소재지의 신문에 기재하여 공고하여야 한다(제440조). 다만, 검사, 유죄의 선고를 받은 자, 유죄의 선고를 받은 자의 법정대리인이 재심을 청구한 때에는 재심에서 무죄의 선고를 받은 사람이, 유죄의 선고를 받은 자가 사망하거나 심신장애가 있는 경우에는 그 배우자, 직계친족 또는 형제자매가 재심을 청구한 때에는 재심을 청구한 그 사람이 이를 원하지 아니하는 의사표시를 한 경우에는 그러하지 아니하다(제440조 단서 : 2016. 5. 29. 개정).

▶ 현행법은 재심에서 무죄판결을 선고받은 피고인의 명예회복을 위한 조치로 재심무죄판결을 필요적으로 공고하도록 규정하고 있으나, 그로 인해 오히려 무죄판결을 선고받은 피고인의 사생활이 침해되거나, 인격 · 명예가 훼손되는 경우가 발생한다는 비판이 있으므로 피고인 등 재심을 청구한 사람이 원하지 아니하는 경우에는 재심무죄판결을 공시하지 아니할 수 있도록 개정하였다.

④ **재심판결 당시 법률적용** : 재심이 개시된 사건에서 범죄사실에 대하여 적용하여야 할 법령은 재심판결 당시의 법령이고, 재심대상판결 당시의 법령이 변경된 경우 법원은 범죄사실에 대하여 재심판결 당시의 법령을 적용하여야 하며, 법령을 해석할 때에도 재심판결 당시를 기준으로 하여야 한다.

관련판례

1. 재심이 개시된 사건에서 범죄사실에 대하여 적용하여야 할 법령은 재심판결 당시의 법령이므로, 법원은 재심대상판결 당시의 법령이 변경된 경우에는 그 범죄사실에 대하여 재심판결 당시의 법령을 적용하여야 하고, 22. 9급 교정 · 보호 · 철도경찰 폐지된 경우에는 형사소송법 제326조 제4호를 적용하여 그 범죄사실에 대하여 면소를 선고하는 것이 원칙이다. 12 · 16. 순경 2차, 18. 5급 검찰 · 교정승진

2. 형벌에 관한 법령이 헌법재판소의 위헌결정으로 인하여 소급하여 그 효력을 상실하였거나 법원에서 위헌·무효로 선언된 경우, 당해 법령을 적용하여 공소가 제기된 피고사건에 대하여 같은 법 제325조에 따라 무죄를 선고하여야 한다. 20. 9급 검찰·마약·교정·보호·철도경찰, 24. 소방간부 나아가 형벌에 관한 법령이 재심판결 당시 폐지되었다 하더라도 그 '폐지'가 당초부터 헌법에 위배되어 효력이 없는 법령에 대한 것이었다면 같은 법 제325조 전단이 규정하는 '범죄로 되지 아니한 때'의 무죄사유에 해당하는 것이지, 같은 법 제326조 제4호의 면소사유에 해당한다고 할 수 없다(대판 2010.12.16, 2010도5986 전원합의체).

(4) 재심판결의 효력

① **원판결의 효력상실** : 재심판결이 확정되면 원판결은 당연히 효력을 잃는다(재심개시결정에 의해 원판결이 효력을 잃은 것이 아님). 18. 순경 3차 그러나 재심판결이 확정되었다 하여 원판결에 의한 형의 집행이 무효로 되는 것은 아니다. 따라서 원판결에 의한 자유형의 집행은 재심판결의 자유형에 통산된다.

PART 05

관련판례

1. 재심심판절차는 원판결의 당부를 심사하는 종전 소송절차의 후속절차가 아니라 사건 자체를 처음부터 다시 심판하는 완전히 새로운 소송절차로서 재심판결이 확정되면 원판결은 당연히 효력을 잃는다(대판 2018.2.28, 2015도15782). 20. 경찰승진·9급 법원직·9급 검찰·마약·교정·보호·철도경찰, 24. 소방간부
2. 재심판결이 확정됨에 따라 원판결이나 그 부수처분의 법률적 효과가 상실되고 형 선고가 있었다는 기왕의 사실 자체의 효과가 소멸하는 것은 재심의 본질상 당연한 것으로서, 원판결의 효력 상실 그 자체로 인하여 피고인이 어떠한 불이익을 입는다 하더라도 이를 두고 재심에서 보호되어야 할 피고인의 법적 지위를 해치는 것이라고 볼 것은 아니다(대판 2019.2.28, 2018도13382).

② **재심판결의 기판력이 미치는 범위**

㉠ 상습범으로 유죄의 확정판결(이하 재심의 대상이 된 범죄를 '선행범죄'라 한다)을 받은 사람이 그 후 동일한 습벽에 의해 범행을 저질렀는데(이하 뒤에 저지른 범죄를 '후행범죄'라 한다) 유죄의 확정판결에 대하여 재심이 개시된 경우, 동일한 습벽에 의한 후행범죄가 재심대상판결에 대한 재심판결 선고 전에 저질러진 범죄라 하더라도 재심판결의 기판력이 후행범죄에 미치지 않는다(대판 2019.6.20, 2018도20698 전원합의체). 21. 변호사시험, 22. 경찰간부·9급 법원직

㉡ 유죄의 확정판결을 받은 사람이 그 후 별개의 후행범죄를 저질렀는데 유죄의 확정판결에 대하여 재심이 개시된 경우, 후행범죄가 재심대상판결에 대한 재심판결 확정 전에 범하여졌다 하더라도 아직 판결을 받지 아니한 후행범죄와 재심판결이 확정된 선행범죄 사이에는 형법 제37조 후단에서 정한 경합범 관계가 성립하지 않는다(대판 2019.6.20, 2018도20698 전원합의체).

KEY point

- **무죄확정판결** : 재심 대상 ×
- **재심청구권자** : 제424조, 제426조
- **재심사유** : 제420조, 제421조, 제422조
- **재심관할법원** : 원판결법원
- **형집행정지** ┌ 재심청구 : 형집행 정지효 ×
  └ 재심개시결정 : 형집행을 정지할 수 있음
- **재심청구에 대한 재판**(기각 · 개시결정) : 즉시항고 ○
- **재심청구시기** : 제한 ×
- 재심개시결정 후에도 재심청구 취하 가능
- 재심청구 이유(○) ⇨ 재심개시결정(필요적)
- **재심공판절차** ┌ 공소취소 ⇨ ×
  ├ 공소장변경 ⇨ ○
  ├ 증거보전 ⇨ ×
  ├ 불이익변경금지원칙 ⇨ ○
  └ 사망, 회복 불가능한 심신장애 ⇨ 공소기각결정 ×, 공판절차 정지 ×
- 재심판결 확정 ⇨ 원판결의 효력 상실

CHAPTER

02 기출문제

01 **재심에 대한 설명으로 옳은 것은?** 23. 9급 검찰 · 마약 · 교정 · 보호 · 철도경찰

① 재심사유 중 '무죄 등을 인정할 명백한 증거'에 해당하는지 여부는 새로 발견된 증거만을 독립적 · 고립적으로 고찰하여 그 증거가치만으로 판단하여야 한다.

② 재심심판절차에서는 특별한 사정이 없는 한 재심대상사건과 별개의 공소사실을 추가하는 내용의 공소장변경을 하거나 일반절차로 진행 중인 별개의 형사사건을 병합하여 심리할 수 없다.

③ 특별사면으로 형 선고의 효력이 상실된 유죄확정판결에 대하여 재심개시결정이 확정된 경우, 재심심판절차에서는 그 심급에 따라 다시 심판하여 특별사면을 이유로 면소판결을 하여야 한다.

④ 경합범 관계에 있는 수개의 범죄사실을 유죄로 인정하여 1개의 형을 선고한 불가분의 확정판결에서 그중 일부의 범죄사실에 대하여만 재심청구의 이유가 인정되는 경우, 그 부분에 대해서만 재심개시결정을 하여야 한다.

해설 ① 재심사유 중 '무죄 등을 인정할 명백한 증거'에 해당하는지 여부는 새로 발견된 증거만을 독립적 · 고립적으로 고찰하여 그 증거가치만으로 판단할 것이 아니라, 재심대상이 되는 확정판결을 선고한 법원이 사실인정의 기초로 삼은 증거들 가운데 새로 발견된 증거와 유기적으로 밀접하게 관련되고 모순되는 것들은 함께 고려하여 평가하여야 한다(대결 2009.7.16, 2005모472 전원합의체).
② 대판 2019.6.20, 2018도20698 전원합의체
③ 면소판결 사유인 형사소송법 제326조 제2호의 '사면이 있는 때'에서 말하는 '사면'이란 일반사면을 의미할 뿐, 형을 선고받아 확정된 자를 상대로 이루어지는 특별사면은 여기에 해당하지 않으므로, 재심대상판결 확정 후에 형 선고의 효력을 상실케 하는 특별사면이 있었다고 하더라도, 재심개시결정이 확정되어 재심심판절차를 진행하는 법원은 그 심급에 따라 다시 심판하여 실체에 관한 유 · 무죄 등의 판단을 해야지, 특별사면이 있음을 들어 면소판결을 하여서는 아니 된다(대판 2015.5.21, 2011도1932 전원합의체).
④ 경합범 관계에 있는 수개의 범죄사실을 유죄로 인정하여 한 개의 형을 선고한 불가분의 확정판결에서 그중 일부의 범죄사실에 대하여만 재심청구의 이유가 있는 것으로 인정된 경우에는 형식적으로는 1개의 형이 선고된 판결에 대한 것이어서 그 판결 전부에 대하여 재심개시의 결정을 할 수밖에 없지만, 비상구제수단인 재심제도의 본질상 재심사유가 없는 범죄사실에 대하여는 재심개시결정의 효력이 그 부분을 형식적으로 심판의 대상에 포함시키는데 그치므로 재심법원은 그 부분에 대하여는 이를 다시 심리하여 유죄인정을 파기할 수 없고, 다만 그 부분에 관하여 새로이 양형을 하여야 하므로 양형을 위하여 필요한 범위에 한하여만 심리를 할 수 있을 뿐이다(대판 1996.6.14, 96도477).

02 **다음 중 재심에 대한 설명으로 가장 옳은 것은?**(다툼이 있는 경우 판례에 의함) 24. 해경간부

① '원판결의 증거된 증언'이 나중에 확정판결에 의하여 허위인 것이 증명되더라도 그 허위증언 부분을 제외하고서도 다른 증거에 의하여 그 '죄로 되는 사실'이 유죄로 인정된다면 재심사유가 있다고 볼 수 없다.

Answer 01. ② 02. ②

② 재심사유로서 '원판결이 인정한 죄보다 경한 죄를 인정할 경우'라 함은 원판결에서 인정한 죄와는 별개의 경한 죄를 말하는 것이지, 원판결에서 인정한 죄 자체에는 변함이 없고, 다만 양형상의 자료에 변동을 가져올 사유에 불과한 경우를 말하는 것은 아니다.
③ 형사재판에서 재심은 유죄의 확정판결 및 유죄판결에 대한 항소 또는 상고를 기각한 확정판결 뿐만 아니라 면소판결을 대상으로 한 재심청구도 가능하다.
④ 재심심판절차는 사건 자체를 처음부터 다시 심판하는 완전히 새로운 소송절차가 아니라 원판결의 당부를 심사하는 종전 소송절차의 후속절차이다.

해설 ① 형사소송법 제420조 제2호 소정의 '원판결의 증거된 증언'이 나중에 확정판결에 의하여 허위인 것이 증명된 이상, 그 허위증언 부분을 제외하고서도 다른 증거에 의하여 그 '죄로 되는 사실'이 유죄로 인정될 것인지 여부에 관계없이 형사소송법 제420조 제2호의 재심사유가 있는 것으로 보아야 한다(대결 1997.1.16, 95모38).
② 대판 2017.11.9, 2017도4769
③ 면소판결은 유죄 확정판결이라 할 수 없으므로 면소판결을 대상으로 한 재심청구는 부적법하다(대결 2018.5.2, 2015모3243).
④ 형사소송법 제438조 제1항은 "재심개시의 결정이 확정한 사건에 대하여는 제436조의 경우 외에는 법원은 그 심급에 따라 다시 심판을 하여야 한다."고 규정하고 있다. 여기서 '다시' 심판한다는 것은 재심대상판결의 당부를 심사하는 것이 아니라 피고 사건 자체를 처음부터 새로 심판하는 것을 의미한다(대판 2015.5.14, 2014도2946).

03 **재심사유에 관한 설명으로 가장 적절하지 않은 것은?**(다툼이 있는 경우 판례에 의함) **24. 경찰승진**

① 형사소송법 제420조 제5호는 형의 선고를 받은 자에 대하여 형의 면제를 인정할 명백한 증거가 새로 발견된 때를 재심사유로 들고 있는데, 여기서 '형의 면제'라 함은 형의 필요적 면제의 경우와 임의적 면제의 경우를 불문한다.
② 당해 사건의 증거가 아니고 공범자 중 1인에 대하여 무죄, 다른 1인에 대하여 유죄의 확정판결이 있는 경우에 무죄 확정판결 자체만으로는 무죄 확정판결의 증거자료를 자기의 증거로 하지 못하였고 또 새로 발견된 것이 아닌 한 유죄 확정판결에 대한 새로운 증거로서의 재심사유에 해당한다고 할 수 없다.
③ 형사소송법 제420조 제7호 소정의 '그 공소의 기초가 된 수사에 관여한 검사나 사법경찰관이 그 직무에 관한 죄를 지은 것'에 해당하는지 여부에 판단함에 있어 사법경찰관 등이 범한 직무에 관한 죄가 사건의 실체관계에 관계된 것인지 여부나 당해 사법경찰관이 직접 피의자에 대한 조사를 담당하였는지 여부는 고려할 사정이 아니다.
④ 형사소송법 제420조 제2호 소정의 '원판결의 증거가 된 증언'이라 함은 원판결의 증거로 채택되어 범죄사실을 인정하는 데 사용된 증언을 뜻하는 것이고, 그 '증거가 된 증언'에 단순히 증거조사의 대상이 되었을 뿐 범죄사실을 인정하는 증거로 사용되지 않은 증언은 포함되지 않는다.

Answer 03. ①

해설 ① 형사소송법 제420조 제5호는 형의 선고를 받은 자에 대하여 형의 면제를 인정할 명백한 증거가 새로 발견된 때를 재심사유로 들고 있는바, 여기서 형의 면제라 함은 형의 필요적 면제의 경우만을 말하고 임의적 면제는 해당하지 않는다(대결 1984.5.30, 84모32).
② 대결 1984.4.13, 84모14 ③ 대결 2006.5.11, 2004모16 ④ 대판 2005.4.14, 2003도1080

04 재심에 관한 설명으로 옳지 않은 것은?(다툼이 있는 경우 판례에 의함) 24. 소방간부

① 유죄 확정판결 및 유죄판결에 대한 항소 또는 상고를 기각한 확정판결에 대하여는 재심을 청구할 수 있으나, 면소판결을 대상으로 한 재심청구는 부적법하다.
② 재심청구인이 재심의 청구를 한 후 청구에 대한 결정이 확정되기 전에 사망한 경우 재심청구 절차는 재심청구인의 사망으로 당연히 종료되는 것은 아니다.
③ 재심의 청구를 받은 법원은 재심청구 이유의 유무를 판단하기 위해 필요한 경우에는 사실을 조사할 수 있으며, 공판절차에 적용되는 엄격한 증거조사 방식에 따라야만 하는 것은 아니다.
④ 재심심판절차에서 재심의 판결을 선고하고 그 재심판결이 확정된 때에 종전의 유죄의 확정 판결은 효력을 상실한다.
⑤ 재심이 개시된 사건에 적용되어야 할 형벌에 관한 법령이 헌법재판소의 위헌결정으로 소급하여 그 효력을 상실하였다면, 해당 재심사건에 대하여 무죄를 선고하여야 한다.

해설 ① 대결 2018.5.2, 2015모3243
② 재심청구절차는 재심청구인의 사망으로 당연히 종료하게 된다(대결 2014.5.30, 2014모739).
③ 대결 2019.3.21, 2015모2229 전원합의체
④ 대판 2018.2.28, 2015도15782 ⑤ 대판 2010.12.16, 2010도5986 전원합의체

05 재심에 대한 설명으로 옳은 것만을 모두 고르면? 24. 7급 국가직

㉠ 재심 심판에서 범죄사실에 적용하여야 할 법령은 재심판결 당시의 법령이 아니라, 재심대상판결 당시의 법령이다.
㉡ 형의 선고를 받은 자에 대하여 형의 면제를 인정할 명백한 증거가 새로 발견되었다면 재심사유가 될 수 있는데, 이때 형의 면제란 형의 필요적 면제만을 말한다.
㉢ 재심판결이 선고되어도 확정되기 전까지는 재심대상판결은 그 효력을 잃지 않는다.
㉣ 항소심에서 파기된 제1심판결도 재심 대상이 될 수 있다.

① ㉠, ㉣ ② ㉡, ㉢ ③ ㉡, ㉣ ④ ㉠, ㉡, ㉢

해설 ㉠ × : 재심이 개시된 사건에서 범죄사실에 대하여 적용하여야 할 법령은 재심판결 당시의 법령이다(대판 2013.7.11, 2011도14044).
㉡ ○ : 대결 1984.5.30, 84모32
㉢ ○ : 대판 2018.2.28, 2015도15782
㉣ × : 항소심에서 파기되어버린 제1심판결에 대해서는 재심을 청구할 수 없는 것이다(대결 2004.2.13, 2003모464).

Answer 04. ② 05. ②

PART 05

06 **다음 〈보기〉 중 재심의 대상에 해당하는 것으로 옳은 것은 모두 몇 개인가?**(다툼이 있는 경우 판례에 의함) 24. 해경경위공채

> ㉠ 항소심에서 파기된 제1심판결
> ㉡ 공소기각판결
> ㉢ 집행유예판결
> ㉣ 재정신청기각결정
> ㉤ 특별사면으로 형 선고의 효력이 상실된 유죄의 확정판결
> ㉥ 약식명령에 대한 정식재판 청구에 따라 유죄판결이 확정된 경우의 약식명령
> ㉦ 비상상고에 의하여 법령에 위반한 소송절차가 파기된 경우
> ㉧ 대법원의 파기환송판결

① 4개 ② 3개 ③ 2개 ④ 1개

해설 ㉠ ×: 항소심에서 파기된 제1심판결은 재심대상 ×(대결 2004.2.13, 2003모464)
㉡㉣ ×: 유죄의 확정판결이 아니므로 재심대상이 아니다.
㉢ ○: 집행유예판결도 유죄판결이기 때문에 재심대상이 된다.
㉤ ○: 유죄판결 확정 후에 형 선고의 효력을 상실케 하는 특별사면이 있었다고 하더라도 확정된 유죄판결에 대하여 재심의 대상이 된다(대판 2015.5.21, 2011도1932 전원합의체).
㉥ ×: 약식명령에 대하여 정식재판 청구가 이루어지고 그 후 진행된 정식재판 절차에서 유죄판결이 선고되어 확정된 경우, 재심대상은 효력을 잃은 약식명령이 아니라 유죄의 확정판결을 대상으로 재심을 청구하여야 한다(대판 2013.4.11, 2011도10626).
㉦ ○: 비상상고는 모든 확정판결에 대하여 그 심판의 법령위반을 바로잡기 위하여 인정되는 비상구제절차이다(제441조). 따라서 유죄판결, 무죄판결, 면소판결, 공소기각판결, 관할위반판결은 모두 비상상고의 대상이 된다. 비상상고가 이유가 있다고 인정한 때에는 대법원은 확정판결을 파기하게 되는데 확정판결 자체는 그대로 유지하되 그 위반된 부분만을 파기하게 되는 부분파기가 원칙이다. 비상상고의 목적이 법령해석 및 법령적용에 통일을 기하려는 데에 있기 때문이다(적법한 증거조사 없이 증거능력 없는 증거를 유죄의 증거로 설시한 위법이 있더라도 다른 증거에 의해 범죄사실을 인정할 수 있을 때에는 증거로 거시한 부분만 파기하게 되므로 부분파기는 피고인에게는 영향을 주지 아니한다). 그러나 피고인에게 불이익함을 이유로 파기자판하는 경우에는 예외적으로 확정되었던 원판결이 파기되고 비상상고에 대한 판결의 효력이 피고인에 영향을 주게 된다. 확정된 원판결이 비상상고에 의하여 법령에 위반한 소송절차가 파기된 경우 원판결이 유죄판결인 경우에는 재심의 대상이 될 수 있으나, 그 밖의 판결 즉 무죄판결, 면소판결, 공소기각판결, 관할위반판결 등에 대하여는 비상상고에 의하여 법령에 위반한 소송절차가 파기더라도 재심의 대상이 될 수 없다. 따라서 ㉦에 대한 재심대상 여부는 일률적으로 판단하기는 어려운 측면이 있다 하겠으나, 출제기관에서는 재심의 대상으로 파악하고 있는 것으로 보이며, 정답을 ②로 처리하고 있다.
㉧ ×: 형사재판에 있어서의 재심은 형사소송법 제420조, 제421조 제1항의 규정에 의하여 유죄의 확정판결 및 유죄판결에 대한 항소 또는 상고를 기각한 확정판결에 대하여만 허용되는 것이고, 환송판결은 유죄의 확정판결이라 할 수 없으므로 환송판결을 대상으로 한 재심청구는 부적법하다 할 것이다(대결 2006.6.27, 2005재도18).

Answer 06. ②

제2절 비상상고

1 비상상고의 의의

비상상고는 확정판결에 대하여 그 심판의 법령위반을 바로잡기 위하여 인정되는 비상구제절차이다. 비상상고는 미확정판결에 대한 시정제도인 상소와 구별되며, 법령위반을 이유로 하는 비상구제절차라는 점에서 사실인정의 잘못을 이유로 하는 재심과 구별된다.

2 비상상고의 대상

① 비상상고는 모든 확정판결을 대상으로 한다(제441조). 11. 경찰승진, 15. 9급 법원직 재심의 경우와는 달리 유죄의 확정판결에 한정되지 않는다. 따라서 유죄판결, 무죄판결, 면소판결, 공소기각판결, 관할위반판결은 모두 비상상고의 대상이 된다.

상급심의 파기판결에 의해 효력을 상실한 재판은 비상상고의 대상 ×(대판 2021.3.11, 2019오1) 22. 7급 국가직

② 공소기각결정, 항소기각결정, 상고기각결정 등은 결정의 형식을 취하지만 그 사건에 대한 종국재판이라는 점에서 비상상고의 대상이 된다.

③ 약식명령, 즉결심판도 확정판결과 동일한 효력을 가지므로 비상상고의 대상이 된다.

④ 당연무효인 판결도 비상상고의 대상이 된다(다수설). 판결이 당연무효라 할지라도 형식적으로는 확정되어 존재하므로 비상상고에 의하여 당연무효를 확인할 필요가 있다.

3 비상상고의 이유

① 비상상고는 '판결이 확정된 후 그 사건의 심판이 법령에 위반한 것을 발견한 때'에 이를 이유로 제기할 수 있다(제441조). 이때 그 사건의 심판이란 확정판결에 이르게 된 심리와 재판을 가리킨다. 사건의 심판이 법령에 위반하였다 함은 사건의 심판에 절차법상의 위반이 있거나, 실체법의 적용에 위법이 있는 것을 말한다.

관련판례

1. 형의 선고를 유예할 수 있는 경우는 선고할 형이 1년 이하의 징역이나 금고, 자격정지 또는 벌금의 형인 경우에 한하고, 구류형에 대하여는 그 선고를 유예할 수 없다고 할 것임에도 불구하고, 위 법원이 피고인들에 대하여 각 구류형의 선고를 유예하였음은 위법하다 할 것이므로 이 사건 비상상고는 이유있다(대판 1993.6.22, 93오1). – 판결의 실체법 위반
2. 원판결 및 제1심판결이 성폭력범죄를 범한 피고인에게 형의 집행을 유예하면서 보호관찰을 받을 것을 명하지 않은 채 위치추적 전자장치 부착을 명한 것은 법령 위반으로서 피부착명령청구자에게 불이익한 때에 해당하므로, 형사소송법 제446조 제1호 단서에 의하여 원판결 및 제1심판결 중 부착명령 사건 부분을 파기하고 검사의 부착명령 청구를 기각하여야 한다(대판 2011.2.24, 2010오1 · 2010전오1).

② 비상상고는 원판결의 심판이 법령에 위반한 것을 이유로 하므로 원판결에 사실오인을 이유로 비상상고를 할 수 없다. 다만, 사실오인의 결과로 법령적용의 위반이 있게 된 경우에 비상상고의 이유가 될 수 있는가에 대하여 견해가 대립된다.

사실오인의 결과로 법령위반이 발생한 경우

사실오인의 결과로 법령위반이 발생한 경우에 비상상고의 이유가 될 수 있는가에 대해서는 전면부정설, 전면긍정설, 절충설(소송법적 사실오인 ⇨ 비상상고 인정, 실체법적 사실오인 ⇨ 비상상고 부정) 등의 견해가 대립하고 있다. 판례의 입장이 무엇인지는 분명하지 않으나, 정리하면 아래와 같다.

1. **비상상고 긍정**
   ① 사면된 범죄에 대하여 사면된 것을 간과하고 상고기각의 결정을 한 경우(대판 1963.1.10, 62오4)
   ② 성년을 소년으로 오인하고 부정기형 선고를 한 경우(대판 1963.4.11, 63오2)
   ③ 공소시효가 완성된 사실을 간과한 채 약식명령을 발령한 경우(대판 2006.10.13, 2006오2)
2. **비상상고 부정**
   ① 누범전과가 없음에도 불구하고 이를 간과하여 누범가중을 하는 경우(대판 1962.9.27, 62오1)
   ② 법령 적용의 전제사실을 오인함에 따라 법령위반의 결과를 초래한 경우(대판 2021.3.11, 2018오2)
   ③ 피고인이 사망한 사실을 간과하여 실체판결을 행한 경우(대판 2005.3.11, 2004오2)

4 비상상고의 절차

(1) 비상상고의 신청

① **신청권자와 관할법원** : 검찰총장은 판결이 확정된 후 그 사건의 심판이 법령에 위반한 것을 발견한 때에는 대법원에 비상상고를 할 수 있다(제441조). 11. 경찰승진, 15. 9급 법원직

② **신청의 방식**

㉠ 비상상고를 할 때에는 그 이유를 기재한 신청서를 대법원에 제출하여야 한다(제442조). 상고이유서를 별도로 제출하도록 한 상고의 경우와는 달리, 비상상고의 경우에는 그 신청서 자체에 이유를 기재하도록 하는 차이가 있다.

㉡ 그리고 비상상고의 신청기간에는 제한이 없다. 11. 경찰승진, 15. 9급 법원직

㉢ 비상상고의 취하에 관하여는 명문의 규정이 없으나 검찰총장이 필요하다고 판단하는 경우에는 비상상고의 판결이 있을 때까지 취하할 수 있다고 여기는 것이 타당하다.

(2) 비상상고의 심리

① **공 판**

㉠ 비상상고사건을 심리하기 위해서는 반드시 공판기일을 열어야 한다.

㉡ 공판기일에는 검사가 출석하여야 하며, 검사는 신청서에 의하여 진술하여야 한다(제443조). 공판기일에 피고인의 출석은 요하지 않는다. 비상상고의 공판절차는 제1심의 공판절차에 관한 규정이 준용되지 않고, 보통의 상고사건에도 피고인을 소환할 필요가 없기 때문이다.

② **사실조사** : 대법원은 신청서에 포함된 이유에 한하여 조사하여야 한다(제444조 제1항). 따라서 비상상고에는 직권조사사항이 있을 수 없다. 다만, 법원의 관할, 공소의 수리와 소송절차에 관하여는 사실조사를 할 수 있다(동조 제2항).

(3) 비상상고의 판결

① **기각판결** : 비상상고가 이유 없다고 인정한 때에는 대법원은 판결로써 이를 기각하여야 한다. 비상상고의 신청이 부적법한 경우에도 기각판결을 하여야 한다(예 검찰총장 이외의 자가 비상상고신청을 한 경우).

② **파기판결** : 비상상고가 이유가 있다고 인정한 때에는 대법원은 확정판결을 파기한다. 법령위반의 형태에 따라 다음과 같은 판결을 한다.

㉠ **판결의 법령위반**

ⓐ 부분파기 : 원판결이 법령에 위반한 때에는 그 위반된 부분을 파기하여야 한다(제466조 제1호 본문). 예 적법한 증거조사 없이 증거능력 없는 증거를 유죄의 증거로 설시한 위법이 있더라도 다른 증거에 의해 범죄사실을 인정할 수 있을 때에는 증거로 거시한 부분만 파기한다.

ⓑ 파기자판

㉮ 원판결이 피고인에게 불이익한 때에는 원판결을 파기하고, 피고사건에 대하여 다시 판결한다(제466조 제1호 단서). 따라서 파기자판의 경우는 불이익변경금지원칙이 적용되는 것과 비슷한 효과가 발생한다.

파기자판하는 경우의 예

- 친고죄에서 고소가 취소되었음에도 유죄판결을 한 경우
- 원판결이 불이익변경금지원칙에 위반하여 형을 선고한 경우
- 미결구금일수를 본형에 전혀 산입하지 아니한 경우

㉯ 대법원이 원판결을 파기하고 자판하는 경우의 판결은 유죄·무죄·면소의 판결뿐 아니라 공소기각의 판결을 포함한다.

㉰ 파기자판에서 대법원이 기준으로 삼아야 할 법령에 관하여 견해가 대립되나, 원판결시의 법령을 기준으로 파기자판한다는 견해가 타당하다(다수설).

예 원판결이 확정된 후에 형이 폐지되더라도 파기자판의 자료로 삼을 수 없다.

ⓒ 파기이송판결 : 군복무 중인 피고인에 대하여는 일반법원이 군사법원으로 이송해야 함에도 유죄판결을 선고하고, 그 판결이 확정된 경우 그후 피고인이 군복무를 마쳤다면 대법원은 유죄판결을 파기하면서 사건을 군사법원으로 이송하지 않고 주거지 관할법원에 이송한다(대판 1991.3.27, 90오1).

③ **비상상고에 대한 판결의 효력** : 비상상고의 판결은 원판결이 피고인에게 불이익하여 파기자판하는 경우를 제외하고는 그 효력이 피고인에게 미치지 않는다(제447조). 즉, 부분파기하는 경우에 원판결의 판결주문은 그대로 효력을 가지며, 따라서 비상상고판결은 원칙적으로 이론적 효력이 있을 뿐이다(재판의 옷을 입은 학설).

재심과 비상상고의 비교

구 분	재 심	비상상고
목 적	사실오인 시정	법령의 해석 · 적용 통일
관 할	원판결법원	대법원
청구권자	검사, 피고인, 기타	검찰총장
청구효과	원판결 집행정지효 ×	명문규정은 없으나 재심과 동일
청구기간	제한 없음	제한 없음
대 상	유죄의 확정판결	모든 확정판결

KEY point

- **비상상고의 신청권자와 관할법원 :** 검찰총장이 대법원에
- **비상상고의 목적 :** 법령의 해석 · 적용의 통일
- **비상상고의 대상 :** 모든 확정판결

CHAPTER

02 기출문제

01 비상상고에 관한 다음 설명 중 틀린 것은? 08. 경찰승진

① 사면된 범죄에 대하여 사면된 것을 간과하고 상고기각의 결정을 한 때에는 그 결정은 법령에 위반한 것이 되어 비상상고를 할 수 있다.

② 공소시효가 완성된 사실을 간과한 채 피고인에 대하여 약식명령을 발령한 원판결은 심판의 법령위반이 아니므로 이는 비상상고의 이유가 되지 아니한다.

③ 명예훼손죄에 있어서 제1심판결 선고 후의 처벌희망을 철회하는 의사표시의 효력을 인정하여 공소기각의 판결을 하였음은 형사소송법 제446조 제1호 본문에 이른바 원판결이 법령에 위반한 때에 해당한다.

④ 친고죄에 있어서 고소취소가 있는데도 유죄판결을 한 경우에는 사건의 심판이 법령에 위반된 것이므로 비상상고의 이유에 해당한다.

해설 ① 대판 1963.1.10, 62오4

② 공소시효가 완성된 사실을 간과한 채 피고인에 대하여 약식명령을 발령한 원판결은 법령을 위반한 잘못이 있으므로, 이 사건 비상상고는 이유가 있다(대판 2006.10.13, 2006오2).

③ 대판 1962.3.8, 4294형비상1

④ 대결 1997.1.13, 96모51

02 재심 및 비상상고와 관련하여 가장 옳지 않은 것은? 11. 경찰승진

① 재심은 유죄의 확정판결을, 비상상고는 모든 확정판결을 대상으로 한다는 점에서 차이가 있다.

② 재심은 원판결의 법원이 관할하지만, 비상상고는 대법원이 관할한다.

③ 재심과 비상상고의 청구시기에는 제한이 없다.

④ 위헌결정된 형벌에 관한 법률조항에 근거한 유죄의 확정판결은 재심청구의 대상이 되지 않지만 비상상고의 대상이 된다.

해설 ① 제420조, 제441조

② 제420조, 제441조

③ 재심의 청구는 형의 집행을 종료하거나 형의 집행을 받지 아니하게 된 때에도 할 수 있는 바(제427조)와 같이 재심청구의 시기에는 제한이 없다. 한편 비상상고의 신청에도 시기의 제한이 없다.

④ 위헌결정된 형벌에 관한 법률조항은 소급하여 그 효력을 상실하는데(헌법재판소법 제47조 제2항), 이 경우 위헌으로 결정된 법률조항에 근거한 유죄의 확정판결에 대하여는 재심을 청구할 수 있다(동법 제47조 제3항).

Answer 01. ② 02. ④

CHAPTER
03 특별형사절차

www.pmg.co.kr

단원 advice

약식명령절차와 즉결심판절차는 출제빈도가 대단히 높다. 확실한 정리가 요망된다.

제1절 약식절차

1 약식절차의 의의

(1) 개 념

약식절차란 지방법원의 관할사건에 대하여 검사의 청구가 있는 때에 공판절차를 경유하지 않고 검사가 제출한 자료만을 조사하여(서면심리) 피고인에게 벌금, 과료, 몰수형을 과하는 간편한 재판절차를 말한다. 이러한 약식절차에 의한 재판을 약식명령이라 한다.

약식명령은 판결·결정·명령과는 다른 특별한 형식의 재판이다(다수설). 04. 행시

(2) 구별개념

약식절차는 공판절차를 거치지 않는다는 점에서 공판절차에서 절차만을 간소화한 간이공판절차와 구별되고 01. 행시, 검사의 청구에 의하여 진행된다는 점에서 경찰서장의 청구에 의해 진행되는 즉결심판절차와 다르다.

2 약식명령의 청구

(1) 청구권자

약식명령의 청구권자는 검사이다.

(2) 청구의 대상

약식명령을 청구할 수 있는 사건은 지방법원의 관할에 속하는 사건으로서 벌금·과료·몰수에 처할 수 있는 사건에 한정된다(제448조 제1항). 12. 순경 2차, 16. 9급 법원직, 18. 순경 1차·9급 검찰·마약·교정·보호·철도경찰, 10·12·20·21. 경찰승진

구류(×)

벌금·과료·몰수의 형이 법정형에 선택적으로 규정되어 있으면 족하다. 10. 순경 벌금·과료·몰수에 처할 사건인 한 지방법원 합의부의 사물관할에 속하는 사건도 약식명령청구의 대상이 된다. 20. 9급 법원직

(3) 청구의 방식

약식명령의 청구는 검사가 공소제기와 동시에 서면으로 하여야 한다(제449조). 12. 경찰간부, 13. 9급 법원직, 21. 경찰승진 그러나 실무에서는 하나의 공소장에 약식명령을 청구한다는 취지를 부기하는 방법으로 약식명령을 청구하지만, 약식명령청구와 공소제기는 별개의 소송행위이다. 검사는 약식명령청구와 동시에 약식명령을 하는 데 필요한 증거서류 및 증거물도 함께 법원에 제출하여야 한다(규칙 제170조). 따라서 약식절차에서는 공소장일본주의가 적용되지 않는다. 10. 순경, 12. 경찰간부, 20. 경찰승진

약식명령의 청구
공소장부본을 첨부할 필요 ×(약식절차는 서면심리이므로 피고인에게 공소장부본을 송달하지 않기 때문이다.)

관련판례

원래 공소제기가 없었음에도 피고인의 소환이 이루어지는 등 사실상의 소송계속이 발생한 상태에서 검사가 약식명령을 청구하는 공소장을 제1심법원에 제출하고 위 공소장에 기하여 공판절차를 진행한 경우, 제1심법원으로서는 이에 기하여 유·무죄의 실체판단을 하여야 한다(대판 2003.11.14, 2003도2735).

PART 05

3 약식절차의 심판

(1) 법원의 심사

① **서면심리의 원칙** : 약식명령의 청구가 있으면 법원은 검사가 그 청구와 함께 제출한 증거서류 및 증거물을 토대로 약식명령의 발부를 위한 심리를 행하게 된다.

② **사실조사의 한계** : 서면심리만으로 약식명령의 당부를 결정하기 어려운 경우에 법원이 사실조사를 할 수 있는가가 문제되는바, 약식절차의 특징은 간이·신속·비공개재판이라는 점에 있으므로 이러한 특징을 다치지 아니한 범위 내에서 사실조사가 허용된다고 보아야 할 것이다.

③ **약식절차와 증거법칙** : 약식절차는 공판절차와는 달리 서면심리에 의하므로 공판기일의 심판절차에 관한 규정이 적용되지 아니한다. 따라서 공개주의가 배제됨은 물론이고 직접심리주의 및 전문법칙(제310조의 2)이 약식절차에서는 적용되지 않는다. 10. 순경, 19. 경찰간부, 23. 경찰승진 공소장변경도 공판절차를 전제로 하는 것이므로 허용되지 아니한다. 06. 9급 검찰 그러나 위법수집배제법칙(제308조의 2), 자백배제법칙(제309조)과 자백보강의 법칙(제310조)은 공판기일의 심리와 무관하고 위법수사배제를 위한 법적 장치이므로 약식절차에서도 적용이 된다. 10. 경찰승진·순경, 12. 경찰간부, 18. 9급 검찰·마약·교정·보호·철도경찰

- 적용 × : 전문법칙
- 적용 ○ : 자백배제법칙, 위법수집증거배제법칙, 자백보강법칙

④ **정식재판에의 이행**

㉠ 법원은 약식명령의 청구가 있는 경우에 그 사건이 약식명령으로 할 수 없거나(예 법정형에 벌금이나 과료규정이 없는 경우, 그 사건에 대하여 무죄·면소·공소기각 또는 관할위반의 재판을

선고해야 할 경우), 약식명령으로 하는 것이 적당하지 않다고 인정되는 경우(예 약식명령을 함이 법률상으로는 가능하지만 사건의 성질상 공판절차에서 신중한 심리를 필요로 하는 경우)에는 공판절차에 의하여 심판하여야 한다(제450조). 09. 9급 법원직, 15. 순경 3차, 11 · 20. 경찰승진, 21. 순경 2차 공소장일본주의의 취지에 비추어 볼 때 검사가 약식절차에 제출한 증거서류나 증거물을 검사에게 다시 반환해야 한다는 견해가 다수설이다.

공판절차에 의하여 심판하거나(제450조), 정식재판의 청구(제453조)가 있는 때에는 다시 공소장일본주의가 적용된다(즉결심판에 대하여 정식재판청구의 경우에 공소장일본주의 적용이 없는 것과 대비됨).

약식명령청구사건을 공판절차에 의하여 심판하기로 하는 경우에 특별한 형식의 재판을 할 필요는 없다(대판 2003.11.14, 2003도2735).

약식명령이 청구된 후 치료감호가 청구되었을 때에는 약식명령청구는 그 치료감호가 청구되었을 때부터 공판절차에 따라 심판하여야 한다(치료감호 등에 관한 법률 제10조 제3항).

공판절차 진행 중 상당한 이유가 있는 경우에 공판절차를 중단하고 약식명령으로 피고인을 벌금, 과료 또는 몰수에 처할 수 있다. (×) 10. 9급 법원직

약식명령의 청구가 있는 경우에 그 사건이 약식명령으로 할 수 없거나 약식명령으로 하는 것이 적당하지 아니하다고 인정한 때에는 청구를 기각하여야 한다. (×) 18. 경찰승진

㉡ **이행 후의 절차** : 약식명령을 청구할 때에는 공소장부본이 피고인에게 송달되지 않으므로, 법원이 약식명령청구사건을 공판절차에 의하여 심판하기로 결정한 경우에는 즉시 그 취지를 검사에게 통지하여야 하고(규칙 제172조 제1항), 이 통지를 받은 검사는 5일 이내에 피고인의 수에 상응하는 공소장부본을 법원에 제출하여야 한다(동조 제2항). 21. 순경 2차 또한 법원은 공소장부본을 지체 없이 피고인 또는 변호인에게 송달하여야 한다(동조 제3항).

관련판례

약식명령 청구사건을 공판절차에 의하여 심판할 경우, 공소장 부본을 피고인에게 송달하지 않았다 하더라도 검사와 피고인이 공판기일에 출석하여 피고인을 신문하고 피고인도 이에 대하여 이의를 제기함이 없이 신문에 응하고 변론을 하였다면 이러한 하자는 모두 치유된다(대판 2003.11.14, 2003도2735). 22. 7급 국가직

(2) 약식명령

① 약식명령의 방식

㉠ **약식명령의 발부와 고지** : 법원은 검사의 약식명령청구를 심리한 결과 약식명령으로 하는 것이 적당하다고 인정하는 경우에는 약식명령청구가 있은 날로부터 14일 이내에 약식명령을 하여야 한다(소송촉진 등에 관한 법률 제22조, 규칙 제171조). 16. 7급 국가직, 18. 경찰승진 약식명령의 고지는 검사와 피고인에 대한 재판서 송달에 의하여야 한다(제452조). 07 · 10. 9급 법원직, 12. 경찰승진

관련판례

약식명령의 고지는 검사와 피고인에 대한 재판서의 송달에 의하도록 규정하고 있으므로, 약식명령은 그 재판서를 피고인에게 송달함으로써 효력이 발생하고, 변호인이 있는 경우라도 반드시 변호인에게

약식명령 등본을 송달해야 하는 것은 아니다. 18. 9급 법원직, 18·20. 순경 1차 따라서 정식재판 청구기간은 피고인에 대한 약식명령 고지일을 기준으로 하여 기산하여야 한다(대결 2017.7.27, 2017모1557). 19·21. 순경 2차, 24. 변호사시험·9급 법원직

㉡ **약식명령의 기재사항**

ⓐ 약식명령에는 범죄사실, 적용법조, 주형, 부수처분과 약식명령의 고지를 받은 날로부터 7일 이내에 정식재판을 청구할 수 있다는 사실을 명시하여야 한다(제451조).

증거요지를 기재할 필요는 없음. 04. 행시, 11. 경찰승진, 13. 9급 법원직

ⓑ 부수처분에는 압수물의 환부, 벌금·과료 또는 추징에 대한 가납명령을 포함한다. 약식명령에 의하여 과할 수 있는 형은 벌금·과료·몰수에 한하며, 약식명령에 의하여 무죄·면소·공소기각·형면제 또는 관할위반의 재판을 할 수는 없다. 04. 행시, 10. 경찰승진, 21. 7급 국가직

ⓒ 법원이 양형기준을 벗어난 판결을 하는 경우에는 판결서에 양형의 이유를 적어야 한다. 다만, 약식절차 또는 즉결심판절차에 따라 심판하는 경우에는 그러하지 아니하다(법원조직법 제81조의 7 제2항). 22. 7급 국가직

② **약식명령의 확정과 효력** : 약식명령은 정식재판의 청구기간이 경과하거나, 그 청구의 취하 또는 청구기각결정이 확정된 때에는 확정판결과 동일한 효력이 있다(제457조). 07·09. 9급 법원직, 20. 경찰승진 유죄의 확정판결과 동일한 효력이 있으므로 기판력과 집행력을 발생하며, 재심과 비상상고의 대상이 될 수 있다. 23. 경찰승진, 24. 소방간부

㉠ **기판력의 범위** : 약식명령에 대한 기판력의 시적 범위는 약식명령의 발령시를 기준으로 하여야 하므로(다수설·판례), 24. 9급 법원직 포괄1죄의 일부에 대하여 약식명령이 확정된 때에는 그 명령의 발령시까지 행하여진 행위에 대하여는 기판력이 미치게 된다. 따라서 그 행위에 대하여 공소제기가 있으면 면소판결을 해야 한다(대판 2013.6.13, 2013도4737). 22. 7급 국가직, 24. 변호사시험

㉡ **성명모용과 약식명령의 효력** : 성명이 모용된 자에게 약식명령이 발하여진 경우에 그 약식명령은 어떠한 효력을 가지는가? 예컨대, 甲에 의하여 성명이 모용된 乙에게 약식명령이 송달되어 피모용자(乙)가 정식재판을 청구하였을 경우이다. 乙에게는 공소제기의 효력이 미치지 않으므로 공소기각판결을 하여야 한다고 함이 판례의 태도이다. 09. 순경, 20. 9급 검찰·마약수사 약식명령의 효력은 검사가 약식명령을 청구한 甲에 한하여 발생하므로 乙에게는 공소기각판결을 함이 타당하며, 甲에 대해서는 다시 공소제기할 필요 없이 공소장의 피고인 표시를 乙로부터 甲으로 정정하고 법원은 모용자(甲)에 대하여 약식명령정본과 피고인 표시경정결정을 모용자에게 송달하여야 한다. 이때야 비로소 위 약식명령은 적법한 송달이 있다고 볼 것이고 이에 대하여 정식재판청구가 없으면 이 약식명령은 확정된다(대판 1997.11.28, 97도2215). 03. 행시

4 정식재판의 청구

(1) 의 의

정식재판의 청구란 약식명령이 발하여진 경우 그 재판에 불복이 있는 자가 정식의 재판절차에 의한 심판을 구하는 소송행위를 말한다.

상소가 원심판결에 대해 상급법원에 재판의 시정을 구하는 제도인 반면, 정식재판의 청구는 동일심급의 법원에 대해 원재판의 시정을 구하는 제도라는 점에서 차이가 있다.

(2) 정식재판청구의 절차

① **정식재판청구권**

㉠ **청구권자** : 정식재판의 청구권자는 검사와 피고인이다(제453조 제1항). 10. 9급 법원직

피고인의 법정대리인은 피고인의 의사와 관계없이 정식재판을 청구할 수 있고, 피고인의 배우자, 직계친족, 형제자매, 원심의 대리인 또는 변호인은 피고인의 명시적 의사에 반하지 않는 한 독립하여 정식재판을 청구할 수 있다(제458조, 제340조, 제341조). 따라서 변호인의 정식재판청구권은 독립대리권이라 생각된다.

㉡ **정식재판청구권의 포기** : 피고인은 정식재판청구권을 포기할 수 없지만(제453조 제1항) 18. 9급 법원직, 23. 경찰승진 검사의 포기는 허용된다(제458조 제1항, 제349조). 11 · 13. 9급 법원직, 11. 경찰승진 · 교정특채, 16. 7급 국가직

② **정식재판청구의 방법과 취하**

㉠ **정식재판청구의 방법**

ⓐ 정식재판청구는 약식명령의 고지를 받은 날로부터 7일 이내에 약식명령을 한 법원에 서면으로 하여야 한다(제453조 제1항 본문). 10 · 11. 교정특채, 10 · 11 · 13. 9급 법원직, 16. 7급 국가직, 19. 순경 2차, 21 · 24. 경찰승진

약식명령에 대한 정식재판의 청구기간은 피고인에 대한 약식명령 고지일을 기준으로 하여 기산하여야 한다. (○) 24. 소방간부

구금 중인 피고인이 정식재판청구서를 위 기간 내에 교도소장 · 구치소장 또는 그 직무를 대리하는 자에게 제출하여도 적법한 제출로 보아야 한다(대결 2006.10.13, 2005모552). 07. 9급 법원직

ⓑ 자기 또는 대리인이 책임질 수 없는 사유로 7일의 기간 내에 정식재판을 청구하지 못한 때에는 정식재판청구권의 회복청구를 할 수 있다(정식재판청구와 동시). 정식재판회복청구가 있으면 그 결정이 있을 때까지 재판의 집행을 정지하는 결정을 할 수 있다(제458조, 제348조). 15. 경찰간부

임의적 결정(필요적 ×)

관련판례

1. 공시송달의 요건에 흠결이 있는 경우에도 법원이 명하여 그 절차가 취하여진 이상 송달로서는 유효하다 할 것이므로 약식명령을 공시송달한 경우 공시송달을 한 날로부터 2주일을 경과하면 송달의

효력이 생기고 그때부터 정식재판청구기간을 기산하여야 할 것이며 그러한 기간계산방법에 따라 정식재판청구기간이 도과한 경우에는 정식재판청구권 회복청구와 동시에 정식재판청구를 함은 별론으로 하고 따로 정식재판청구만을 할 수는 없다(대결 1986.2.27, 85모6).

2. 정식재판청구권회복결정에 대하여는 즉시항고에 의하여서만 불복할 수 있고, 이러한 불복이 없이 확정된 정식재판청구권회복결정의 효력에 대하여는 더 이상 다툴 수 없다 할 것이므로, 설령 그 정식재판청구권회복결정이 부당하더라도 이미 그 결정이 확정되었다면 정식재판청구사건을 처리하는 법원으로서는 정식재판청구권회복청구가 적법한 기간 내에 제기되었는지 여부나 그 회복사유의 존부 등에 대하여는 살펴 볼 필요 없이 통상의 공판절차를 진행하여 본안에 관하여 심판하여야 할 것이다(대결 2005.1.17, 2004모351).
3. 변호인이 정식재판청구서를 제출할 것으로 믿고 피고인이 스스로 적법한 정식재판의 청구기간 내에 정식재판청구서를 제출하지 못하였더라도 그것이 피고인 또는 대리인이 책임질 수 없는 사유로 인하여 정식재판의 청구기간 내에 정식재판을 청구하지 못한 때에 해당하지 않는다(대결 2017.7.27, 2017모1557). 18·20. 순경 1차, 24. 소방간부
4. 검사의 벌과금 납부독촉서에 법원 및 검찰 사건번호, 벌금액수, 납부기한 등이 기재되기는 하지만, 재판절차의 종류와 경과, 정식재판 청구기간 등이 기재되어 있지 않고 재판서 등본이 첨부되지 않아 피고인으로서는 공소제기된 죄명과 구체적인 범죄사실을 알 수 없어, 피고인이 벌과금 납부독촉서를 송달받았다는 것만으로 약식명령이 고지된 사실을 알았다고 단정하기 어려우므로, 이로써 피고인이 책임질 수 없는 사유가 해소되어 그날부터 정식재판청구권회복 청구기간이 진행한다고 볼 수 없다(대결 2024.7.18, 2023모2908).

ⓛ **정식재판청구의 취하** : 정식재판의 청구권자는 제1심판결의 선고 전까지는 정식재판청구를 취하할 수 있다(제454조). 10. 교정특채, 12. 순경 2차, 13·16. 9급 법원직, 11·21. 경찰승진 법정대리인이 있는 피고인이 정식재판청구를 취하함에는 법정대리인의 동의를 얻어야 하며(제458조, 제350조), 피고인의 법정대리인 또는 정식재판청구를 할 수 있는 자는 피고인의 동의를 얻어 정식재판청구를 취하할 수 있다(제458조, 제351조). 14. 9급 법원직 정식재판의 취하는 원칙적으로 서면으로 하여야 하나 공판정에서는 구술로서도 할 수 있다. 그리고 정식재판청구를 취하한 자는 다시 정식재판을 청구하지 못한다(제458조 제1항, 제354조). 09. 전의경, 11. 9급 법원직, 10·23. 경찰승진

③ **당사자에의 통지와 공소장부본 송달** : 정식재판의 청구가 있는 때에는 법원은 지체 없이 검사 또는 피고인에게 그 사유를 통지하여야 한다(제453조). 이 경우에는 공판절차로의 이행의 경우와는 달리 공소장부본을 송달할 필요가 없다. 피고인에게 이미 공소장부본과 동일한 내용의 약식명령서가 송달되었으므로 피고인의 방어에 불이익이 없기 때문이다.

정식재판절차로 자동이행되는 경우에 하는 공소장부본송달(규칙 제172조)과 비교

관련판례

검사가 약식명령을 청구하는 때에는 약식명령의 청구와 동시에 약식명령을 하는 데 필요한 증거서류 및 증거물을 법원에 제출하여야 하는바(형사소송규칙 제170조), 이는 약식절차가 서면심리에 의한 재

판이어서 공소장일본주의의 예외를 인정한 것이므로 약식명령의 청구와 동시에 증거서류 및 증거물이 법원에 제출되었다 하여 공소장일본주의를 위반하였다 할 수 없고, 그 후 약식명령에 대한 정식재판청구가 제기되었음에도 법원이 증거서류 및 증거물을 검사에게 반환하지 않고 보관하고 있다고 하여 그 이전에 이미 적법하게 제기된 공소제기의 절차가 위법하게 된다고 할 수도 없다(대판 2007.7.26, 2007도3906). 12. 경찰간부, 22. 7급 국가직, 24. 소방간부 · 9급 법원직

(3) 정식재판청구에 대한 재판

① **기각결정** : 정식재판청구가 법령상의 방식에 위반하거나 정식재판청구권의 소멸 후인 것이 명백한 경우에는 결정으로 기각하여야 한다. 이 기각결정에 대하여 즉시항고할 수 있다(동조 제2항). 10 · 12 · 18. 경찰승진, 20. 9급 검찰 · 마약 · 교정 · 보호 · 철도경찰

관련판례

약식명령에 대한 정식재판의 청구를 접수하는 법원공무원이 청구인의 기명날인이 없는데도 이에 대한 보정을 구하지 아니하고 적법한 청구가 있는 것으로 오인하여 청구서를 접수한 경우에 정식재판의 청구가 법령상의 방식을 위반한 것으로서 그 청구를 결정으로 기각하여야 한다. 다만, 법원공무원의 위와 같은 잘못으로 인하여 정식재판청구기간을 넘긴 피고인은 자기의 '책임질 수 없는 사유'에 의하여 청구기간 내에 정식재판을 청구하지 못한 때에 해당하여 정식재판청구권의 회복을 구할 수 있을 뿐이다(대결 2008.7.11, 2008모605). 23. 9급 법원직

② **공판절차에 의한 심판**

㉠ 정식재판의 청구가 적법한 때에는 공판절차에 의하여 심판하여야 한다(제455조 제3항).

㉡ 약식명령에 대하여 피고인이 정식재판을 청구한 사건에 대하여도 불이익변경금지원칙이 적용된다는 제457조의 2 규정이 **형종상향금지 규정으로 개정되었다**(2017.12.19). 따라서 이제는 약식명령에 대하여 피고인만 정식재판을 청구한 경우에 **불이익변경금지원칙은 적용되지 않으며,** 18. 9급 법원직, 20. 순경 1차 '약식명령의 형보다 중한 종류의 형을 선고하지 못한다(제457조의 2 제1항).'는 **형종상향금지 규정이 적용된다**('불이익변경금지원칙'편 참조). 24. 소방간부 예 벌금 500,000원(약식명령) ⇨ 벌금 10,000,000원(정식재판) 가능

피고인이 정식재판을 청구한 사건에 대하여 약식명령의 형보다 중한 형을 선고하는 경우에는 판결서에 양형의 이유를 적어야 한다(동조 제2항). 18. 순경 1차

관련판례

피고인이 절도죄 등으로 벌금 300만원의 약식명령을 발령받은 후 이에 대해 정식재판을 청구하자, 제1심법원이 위 정식재판청구사건을 다른 점유이탈물횡령 등 사건들과 병합한 후 각 죄에 대해 모두 징역형을 선택한 다음 경합범 가중하여 피고인에게 징역 1년 2월을 선고한 사건에서, 제1심판결에는 형종상향금지의 원칙을 위반한 잘못이 있다(대판 2020.1.9, 2019도15700). 21. 순경 2차, 22. 7급 국가직

☎ 형종 상향 금지의 원칙은 피고인이 정식재판을 청구한 사건과 다른 사건이 병합·심리된 다음 경합범으로 처단되는 경우에도 정식재판을 청구한 사건에 대하여 그대로 적용된다. 이는 피고인이 정식재판을 청구해 벌금형이 선고된 제1심판결에 대한 항소사건에서도 마찬가지이다. (○) 24. 변호사시험

㉢ 약식절차에서의 변호인선임의 효력은 정식재판절차에서도 계속 유지된다.

㉣ 약식명령을 한 판사가 제1심의 정식재판에 관여하였다 하여 제척사유가 되는 것은 아니다.

㉤ 정식재판기일에 피고인이 출정하지 아니한 때에는 다시 기일을 정하여야 하고 피고인이 정당한 이유 없이 다시 정한 기일에 출정하지 아니한 때에는 피고인의 진술 없이 판결할 수 있다(제458조 제2항). 04. 9급 법원직, 09. 순경, 10. 교정특채

③ **약식명령의 실효** : 정식재판청구에 대한 판결이 있으면 약식명령은 효력을 잃는다(제456조). 여기서 판결이란 확정판결을 말한다. 09·11·18. 9급 법원직

☎ 정식재판 청구가 있으면 실효된다. (×) 03. 순경, 10. 9급 법원직

KEY point

- **약식명령의 특징** : 공판절차를 거치지 않음.
- **약식명령청구권자** : 검사
- **약식명령청구 가능사건** : 벌금·과료·몰수에 처할 수 있는 사건
- 약식명령으로 무죄·면소·공소기각·관할위반재판 불가
- **약식절차**
  - 공소장일본주의 적용 ×
  - 직접심리주의, 전문법칙 적용 ×
  - 자백보강법칙, 자백배제법칙 적용 ○
  - 공소장변경 ×
- **공소장부본송달** — 공소장일본주의 적용
  - 법원의 정식재판이행 ⇨ 공소장부본 송달(○)
  - 정식재판청구 ⇨ 공소장부본 송달(×)
- **약식명령의 성질** : 특별한 형식의 재판
- **약식명령의 확정** : 유죄의 확정판결과 동일한 효력
- **정식재판청구의 포기**
  - 약식명령
    - 피고인(×)
    - 검사(○)
  - 즉결심판
    - 피고인(○)
    - 경찰서장(○)
- 정식재판의 확정 ⇨ 약식명령의 효력상실
- **약식명령에 대한 정식재판**
  - 불이익변경금지원칙 적용 ×(형종상향금지 적용)
  - 정식재판을 청구한 피고인이 2회 이상 불출석한 경우 피고인 없이 재판가능
  - 약식명령을 발한 판사의 정식재판 관여 ⇨ 제척 ×
  - 약식절차에서 변호인선임은 정식재판절차에서도 효력유지

CHAPTER 03

기출문제

01 **약식명령에 관한 설명으로 옳은 것을 모두 고른 것은?**(다툼이 있는 경우 판례에 의함) 21. 순경 2차

> ㉠ 지방법원은 그 관할에 속한 사건에 대하여 검사의 청구가 있는 때에는 공판절차없이 약식명령으로 피고인을 벌금, 과료 또는 몰수에 처할 수 있으나, 그 사건이 약식명령으로 할 수 없거나 약식명령으로 하는 것이 적당하지 아니하다고 인정할 때에는 검사의 청구를 기각하여야 한다.
> ㉡ 검사가 약식명령을 청구함에 있어서는 공소장부본을 첨부할 것을 요하지 아니하나, 법원이 약식명령청구사건을 공판절차에 의하여 심판하기로 하고 그 취지를 검사에게 통지한 때에는 5일 이내에 피고인 수에 상응한 공소장부본을 법원에 제출하여야 한다.
> ㉢ 약식명령의 고지는 검사와 피고인에 대한 재판서의 송달에 의하여야 하고 변호인이 있는 경우라도 반드시 변호인에게 약식명령 등본을 송달해야 하는 것은 아니며, 변호인이 있는 피고인의 정식재판 청구기간은 피고인에 대한 약식명령 고지일을 기준으로 하여 기산하여야 한다.
> ㉣ 피고인이 절도죄 등으로 벌금 300만원의 약식명령을 발령받은 후 정식재판을 청구하였는데, 제1심법원이 정식재판청구사건을 통상절차에 의해 공소가 제기된 다른 점유이탈물횡령 등 사건들과 병합한 후 각 죄에 대해 모두 징역형을 선택한 다음 경합범으로 처단하여 징역 1년 2월을 선고하는 것은 형종상향금지의 원칙을 위반하는 것이라고 할 수 없다.

① ㉠, ㉢　　② ㉡, ㉢　　③ ㉡, ㉣　　④ ㉢, ㉣

해설 ㉠ ×: 사건이 약식명령으로 할 수 없거나 약식명령으로 하는 것이 적당하지 아니하다고 인정할 때에는 공판절차에 의하여 심판하여야 한다(제450조).
㉡ ○: 규칙 제172조 제1항·제2항 ㉢ ○: 대결 2017.7.27, 2017모1557
㉣ ×: 피고인만이 정식재판을 청구한 사건인데도 약식명령의 벌금형보다 중한 종류의 형인 징역형을 선택하여 형을 선고하였으므로 여기에 형사소송법 제457조의 2 제1항에서 정한 형종상향금지의 원칙을 위반한 잘못이 있다(대판 2020.1.9, 2019도15700).

02 **약식명령에 대한 설명으로 옳은 것은?** 21. 7급 국가직

① 법원은 약식명령으로 추징을 할 수 없다.
② 약식명령은 법원의 명령에 해당하므로 이에 대한 불복은 이의신청과 준항고에 의한다.
③ 법원사무관 등은 약식명령청구가 있는 사건을 형사소송법 제450조의 규정에 따라 공판절차에 의하여 심판하기로 한 때에는 즉시 그 취지를 검사, 피고인, 변호인에게 통지하여야 한다.
④ 즉결심판의 경우와 달리 약식명령에 의하여는 무죄, 면소, 공소기각을 할 수 없다.

해설 ① 지방법원은 그 관할에 속한 사건에 대하여 검사의 청구가 있는 때에는 공판절차 없이 약식명령으로 피고인을 벌금, 과료 또는 몰수에 처할 수 있다(제448조 제1항). 전항의 경우에는 추징 기타 부수의 처분을 할 수 있다(동조 제2항).

Answer 01. ② 02. ④

② 검사 또는 피고인은 약식명령의 고지를 받은 날로부터 7일 이내에 정식재판의 청구를 할 수 있다(제453조 제1항). ③ 법원사무관 등은 약식명령청구가 있는 사건을 형사소송법 제450조의 규정에 따라 공판절차에 의하여 심판하기로 한 때에는 즉시 그 취지를 검사에게 통지하여야 한다(규칙 제172조 제1항). ④ 제448조 제1항

03 **약식명령에 대한 설명으로 옳지 않은 것은?**(다툼이 있는 경우 판례에 의함) 22. 7급 국가직

① 약식명령에 대하여 정식재판청구가 제기되었음에도 법원이 증거서류 및 증거물을 검사에게 반환하지 않고 보관하고 있다면, 공소장일본주의에 반하여 위법한 공소제기가 된다.

② 형사소송법 제457조의 2 제1항에서 정한 형종 상향의 금지 원칙은 피고인만이 정식재판을 청구한 사건과 다른 사건이 병합·심리된 다음 경합범으로 처단되는 경우에도 정식재판을 청구한 사건에 대하여는 그대로 적용된다.

③ 포괄일죄의 관계에 있는 범행 일부에 관하여 약식명령이 확정된 경우, 약식명령의 발령시를 기준으로 하여 그 전의 범행에 대하여는 면소의 판결을 하여야 하고, 그 이후의 범행에 대하여서만 한 개의 범죄로 처벌하여야 한다.

④ 약식명령 청구사건을 공판절차에 의하여 심판할 경우, 공소장 부본을 피고인에게 송달하지 않았다 하더라도 검사와 피고인이 공판기일에 출석하여 피고인을 신문하고 피고인도 이에 대하여 이의를 제기함이 없이 신문에 응하고 변론을 하였다면 이러한 하자는 모두 치유된다.

해설 ① 약식명령에 대한 정식재판청구가 제기되었음에도 법원이 증거서류 및 증거물을 검사에게 반환하지 않고 보관하고 있다고 하여 그 이전에 이미 적법하게 제기된 공소제기의 절차가 위법하게 된다고 할 수도 없다(대판 2007.7.26, 2007도3906).
② 대판 2020.3.26, 2020도355 ③ 대판 2013.6.13, 2013도4737 ④ 대판 2003.11.14, 2003도2735

04 **약식절차에 대한 설명으로 가장 적절하지 않은 것은?** 23. 경찰승진

① 약식명령이 확정된 때에는 유죄의 확정판결과 동일한 효력을 가지고, 이에 대한 불복은 재심 또는 비상상고에 의한다.

② 위법수집증거배제법칙과 자백배제법칙은 물론 형사소송법 제312조 제3항 및 제313조를 제외한 형사소송법상 전문증거에 대한 규정도 약식절차에 모두 적용된다.

③ 약식절차에서 피고인은 정식재판청구권을 포기할 수 없다.

④ 약식명령에 불복하여 정식재판을 청구하는 경우 제1심 판결 선고 전까지 정식재판청구를 취하할 수 있으며 정식재판을 취하한 자는 그 사건에 대하여 다시 정식재판을 청구하지 못한다.

해설 ① 제420조, 제441조, 제457조 ② 약식절차는 공판절차와는 달리 서면심리에 의하므로 공판기일의 심판절차에 관한 규정이 적용되지 아니한다. 따라서 공개주의가 배제됨은 물론이고 직접심리주의 및 전문법칙(제310조의 2)이 약식절차에서는 적용되지 않는다. 공소장변경도 공판절차를 전제로 하는 것이므로 허용되지 아니한다. 그러나 위법수집증거배제법칙(제308조의 2), 자백배제법칙(제309조), 자백보강의 법칙(제310조)은 약식절차에서도 적용된다. ③ 제453조 제1항 ④ 제454조, 제458조 제1항

Answer 03. ① 04. ②

PART 05

05 **약식명령에 관한 다음 설명 중 가장 옳지 않은 것은?** 24. 9급 법원직

① 약식명령 청구의 대상은 지방법원의 관할에 속하는 벌금, 과료, 몰수에 처할 수 있는 사건이다.

② 포괄일죄의 관계에 있는 범행일부에 관하여 약식명령이 확정되었다면 그 약식명령의 고지시를 기준으로 하여 그 전의 범행에 대하여는 면소의 판결을 하고, 그 이후의 범행에 대하여서만 일개의 범죄로 처벌하여야 할 것이다.

③ 검사의 약식명령 청구와 동시에 증거서류 및 증거물이 법원에 제출되었다고 하여 공소장일본주의를 위반하였다고 할 수 없고, 그 후 약식명령에 대한 정식재판청구가 제기되었음에도 법원이 증거서류 및 증거물을 검사에게 반환하지 않고 보관하고 있다고 하여 그 이전에 이미 적법하게 제기된 공소제기절차가 위법하게 된다고 할 수 없다.

④ 약식명령은 그 재판서를 피고인에게 송달함으로써 효력이 발생하고, 변호인이 있는 경우라도 반드시 변호인에게 약식명령 등본을 송달해야 하는 것은 아니므로 정식재판 청구기간은 피고인에 대한 약식명령 고지일을 기준으로 하여 기산하여야 한다.

해설 ① 제448조 제1항

② 포괄일죄의 관계에 있는 범행의 일부에 대하여 약식명령이 확정된 경우에는 그 약식명령의 발령시를 기준으로 하여 그 이전에 이루어진 범행에 대하여는 면소의 판결을 선고하여야 한다(대판 2013.6.13, 2013도4737).

③ 대판 2007.7.26, 2007도32906

④ 대결 2017.7.27, 2017모1557

Answer 05. ②

제2절 즉결심판절차

1 의 의

(1) 개 념

즉결심판이란 20만원 이하의 벌금 · 구류 · 과료에 처할 경미한 범죄에 대하여 공판절차에 의하지 않고 '즉결심판에 관한 절차법'에 의해 신속하게 처리하는 심판절차를 말한다. 경미한 사건의 신속 · 적절한 처리와 피고인의 이익보호(시간적 · 정신적 부담 경감)를 위한 취지에서이다.

즉결심판에 관한 절차법은 실질적으로 경범죄처벌법에 대한 절차법으로서의 의미를 가지고 있으나 형법상 범죄도 경미사건의 경우는 그 대상이 된다.

(2) 즉결심판절차의 성질

즉결심판절차란 공개된 법정에서 법관이 피고인을 직접 심리하는 절차이다. 그러나 즉결심판절차는 통상의 공판기일에 행하는 형사소송법상의 절차가 아니며 공판 전의 절차라고 할 수 있다. 14. 경찰간부

(3) 약식절차와의 구별

구 분		약식절차	즉결심판절차
차이점	청구권자	검 사	경찰서장
	심리형태	서면심리(피고인 불출석)	공개된 법정에서 피고인 직접신문(원칙적으로 피고인 출석)
	대 상	벌금, 과료, 몰수에 처할 사건	20만원 이하 벌금, 구류, 과료에 처할 사건
	근거규정	형사소송법 제448조 이하	즉결심판에 관한 절차법
유사점		• 경미사건의 신속처리 목적 • 확정판결과 동일한 효력 부여 01. 경찰승진 • 정식재판청구권 보장(7일 이내) 02. 경찰승진 • 정식재판청구에 의한 확정판결이 있을 때 실효 05. 경찰승진 • 정식재판청구 취하시기(제1심판결 선고 전까지) 04. 경찰승진 • 불이익변경금지원칙 적용 ×(단, 즉결심판의 경우 새로운 판례가 나오기 전까지는 불이익변경금지원칙 적용을 인정하는 기존판례 숙지를 요함.)	

2 즉결심판의 청구

(1) 청구권자

즉결심판청구권자는 경찰서장(해양경찰서장)이다. 09 · 11. 경찰승진, 14. 경찰간부 · 9급 교정 · 보호 · 철도경찰, 15. 순경 2차 따라서 검사의 기소독점주의에 대한 예외에 속한다(청구는 공소제기와 동일한 효력을 가지므로 별도의 공소제기 불요함).

(2) 즉결심판의 대상

즉결심판의 대상은 20만원 이하(미만 ×)의 벌금 또는 구류나 과료에 처할 범죄사건이다(법원조직법 제34조 제1항). 09. 경찰승진, 14. 경찰간부 · 순경 2차, 15. 순경 2차 · 3차 법정형이 아니라 선고형을 기준으로 하고 있다는 점에서 특징이 있다. 13 · 14. 경찰간부

법정형에 벌금, 구류 또는 과료가 단일형이 아니라 선택형으로 규정되어 있는 범죄도 즉결심판대상 사건이 될 수 있다. (○) 13. 순경

(3) 청구의 방식

① 즉결심판을 청구함에는 즉결심판청구서를 제출하여야 하며, 즉결심판청구서에는 피고인의 성명 기타 피고인을 특정할 수 있는 사항, 죄명, 범죄사실과 적용법조를 기재하여야 한다(즉결심판에 관한 절차법 제3조 제2항). 12 · 21. 경찰승진 즉결심판청구의 기재사항은 기본적으로 공소장 기재와 동일하다.

약식절차의 경우와는 달리 즉결심판에 의하여 선고할 형량은 기재대상이 되지 않는다. 13. 경찰간부

② 즉결심판을 청구할 때에는 사전에 피고인에게 즉결심판의 절차를 이해하는데 필요한 사항을 서면 또는 구두로 알려주어야 한다(동법 제3조 제3항). 17. 순경 1차, 22. 경찰승진

③ 경찰서장은 즉결심판 청구와 동시에 즉결심판을 함에 필요한 서류와 증거물을 판사(검사 ×)에게 제출하여야 한다(동법 제4조). 09. 경찰승진, 14. 순경 2차

약식절차와 마찬가지로 공소장일본주의가 적용되지 아니한다.

④ 경찰서장이 범칙행위에 대하여 통고처분을 한 이상, 통고처분에서 정한 범칙금 납부기간까지는 원칙적으로 경찰서장은 즉결심판을 청구할 수 없고, 검사도 동일한 범칙행위에 대하여 공소를 제기할 수 없다(대판 2020.4.29, 2017도13409). 24. 변호사시험

(4) 관할법원

① 즉결심판사건의 관할법원은 지방법원, 지방법원지원 또는 시 · 군법원의 판사이다(법원조직법 제34조, 즉결심판에 관한 절차법 제3조의 2). 15. 순경 2차

② 지방법원 또는 그 지원의 판사는 소속 지방법원장의 명을 받아 소속법원의 관할사무와 관계없이 즉결심판청구사건을 심판할 수 있다(동법 제3조의 2). 16. 순경 2차, 17. 순경 1차, 18. 경찰승진

3 즉결심판청구사건의 심리

(1) 판사의 심사와 경찰서장의 송치

① **판사의 심사** : 판사는 먼저 당해 사건이 즉결심판절차에 따라 심판할 것인지의 여부를 심사하여야 한다. 심사결과 사건이 즉결심판으로 할 수 없거나, 즉결심판으로 하는 것이 적당하지 않다고 인정될 경우에는 청구기각결정을 하여야 한다(즉결심판에 관한 절차법 제5조 제1항). 15. 순경 2차, 16. 7급 국가직, 19. 경찰승진, 20. 경찰간부, 24. 경력채용

공판절차로 자동 이행되는 약식명령(제450조)과 구별

② **경찰서장의 송치** : 기각결정이 있는 때에는 경찰서장은 지체 없이 사건을 관할지방검찰청 또는 지청의 장에게 송치하여야 한다(동법 제5조 제2항). 14·15. 경찰승진, 15. 순경 2차 판사가 직접 공판절차로 이행시키지 않고 즉결심판청구를 기각시킴으로써 경찰서장이 검사에게 사건을 송치하도록 하는 점에서 약식명령의 경우와 구별된다. 따라서 사건을 송치받은 검사는 당해 사건에 대해 공소제기 여부를 독자적으로 결정하게 된다. 검사가 공소를 제기하는 때에는 반드시 공소장을 제출하여야 한다.

PART 05

관련판례

법원이 경찰서장의 즉결심판청구를 기각하여 경찰서장이 사건을 관할지방검찰청으로 송치하였으나, 검사가 이를 즉결심판에 대한 피고인의 정식재판청구가 있은 사건으로 오인하여 그 사건기록을 법원에 송부한 경우, 공소제기의 본질적 요소라고 할 수 있는 검사에 의한 공소장의 제출이 없는 이상 기록을 법원에 송부한 사실만으로 공소제기가 성립되었다고 볼 수 없다(대판 2003.11.14, 2003도2735). 13. 순경 2차, 14. 9급 검찰·마약수사, 17. 순경 1차, 21. 경찰간부, 22. 7급 국가직, 24. 해경승진

(2) 심리상의 특칙

① **기일의 심리에서 특칙**

㉠ **심리의 시기** : 즉결심판청구에 대하여 판사가 기각결정을 하지 않는 경우에는 즉시 심판을 하여야 한다(즉결심판에 관한 절차법 제6조). 따라서 공소장부본 송달, 제1회 공판기일 유예기간 등과 같이 통상의 공판절차에서 요구되는 준비절차들은 생략된다.

㉡ **심리장소** : 심리와 선고는 경찰관서(해양경찰관서 포함) 이외의 공개된 법정에서 행한다(동법 제7조 제1항). 13. 순경 2차, 16. 경찰간부, 16·19. 경찰승진

법정은 판사와 법원사무관 등이 열석하여 개정한다(동조 제2항).

경찰관서 ×, 비공개 ×

경찰서장은 출석을 요하지 아니함.

㉢ **개정 없는 심판** : 판사는 상당한 이유가 있는 경우에는 개정 없이 피고인의 진술서와 경찰서장이 송부한 서류 또는 증거물에 의하여 심판할 수 있다(다만, 구류에 처하는 경우는 제외). 04. 순경, 14. 경찰승진, 15·16. 순경 2차

㉣ **피고인의 출석** : 즉결심판에서도 원칙적으로 피고인의 출석은 개정요건이다. 그러나 벌금이나 과료에 해당하는 형을 선고하는 경우에는 피고인이 출석하지 아니한 때 피고인의 진술을 듣지 않고 형을 선고할 수 있다(동법 제8조의 2 제1항). 13. 9급 교정·보호·철도경찰, 13·14. 경찰승진, 15. 순경 3차, 13·16. 순경 2차, 17. 경찰간부

벌금, 과료를 선고하는 경우에 피고인이 불출석심판을 청구하여 법원이 이를 허가한 때에 한하여 출석없이 심판할 수 있다. (×)

벌금 또는 구류를 선고하는 경우에는 피고인이 출석하지 아니하여도 심판할 수 있다. (×) 18. 경찰승진, 20. 경찰간부, 23. 해경승진

㉤ 피고인 또는 즉결심판 출석통지를 받은 자는 법원에 불출석심판을 청구할 수 있고, 법원이 이를 허가한 때에는 피고인이 출석하지 아니하더라도 심판할 수 있다(동조 제2항). 13. 9급 교정·보호·철도경찰

㉥ **심리방법** : 판사는 피고인에게 피고사건의 내용과 진술거부권이 있음을 고지하여야 하고 변명할 기회를 주어야 한다(동법 제9조 제1항). 변호인의 출석은 임의적이며, 개정요건은 아니다.

② **증거에 대한 특칙** : 즉결심판절차의 증거조사에서도 형사소송법 규정이 준용된다. 그러나 다음과 같은 예외가 인정된다.

㉠ 증거조사대상은 즉결심판청구시 경찰서장이 제출한 서류 또는 증거물 그리고 심리기일에 재정하는 증거에 한정된다(동법 제9조 제2항).

㉡ 즉결심판절차에서는 자백보강의 법칙과 전문법칙이 적용되지 않으며, 10. 순경 2차, 16. 경찰간부·9급 검찰·마약·교정·보호·철도경찰 자백배제법칙과 위법수집증거배제법칙은 즉결심판절차에서도 그대로 적용된다. 05. 순경, 10·11·14·16·21. 경찰승진, 24. 변호사시험

전문법칙의 적용이 없는 것은 제312조 제3항과 제313조만이며 나머지는 적용된다(예 사법경찰관 작성 피의자신문조서는 본인이 내용을 인정하지 않아도 증거로 할 수 있고, 피고인 또는 피고인이 아닌 자가 작성한 진술서는 성립의 진정이 인정되지 않아도 증거로 할 수 있다). 20. 9급 법원직, 24. 변호사시험·해경경위공채

(3) 형사소송법의 준용

즉결심판절차에 있어서는 즉결심판에 관한 절차법에 특별한 규정이 없는 한 그 성질에 반하지 않는 것은 형사소송법의 규정이 준용된다(즉결심판에 관한 절차법 제19조). 즉결심판은 신속절차를 본질로 한다는 점에서 필요적 변호와 국선변호에 관한 형사소송법규정은 적용되지 않는다고 보아야 하며, 즉결심판도 공개된 법정에서 구두주의와 직접주의에 의하여 심리가 진행되므로 법관의 제척·기피·회피제도의 규정은 적용된다. 04. 법원주사보, 09. 순경

4 즉결심판의 선고와 효력

(1) 즉결심판의 선고

① **선고할 수 있는 형** : 즉결심판절차에서는 유죄의 선고뿐만 아니라 무죄, 면소 또는 공소기각의 선고를 할 수 있다(즉결심판에 관한 절차법 제11조 제5항). 14. 순경 2차, 16. 경찰간부, 11·17·19. 경찰승진, 20. 경찰간부 이 점에서 벌금·과료·몰수의 선고만 가능한 약식절차와 구별된다.
즉결심판에서 가능한 형의 선고는 20만원 이하의 벌금, 구류 또는 과료이다.

② **선고의 방식** : 즉결심판선고는 피고인이 출석한 경우에는 선고, 피고인 없이 심리한 경우에는 즉결심판서등본의 교부에 의한다. 즉결심판으로 유죄를 선고하는 경우 형, 범죄사실, 적용법조를 명시하고 7일 이내에 정식재판을 청구할 수 있다는 것을 고지하여야 한다(동법 제11조 제1항). 11·12. 순경, 15. 순경 3차, 19. 경찰승진, 22. 7급 국가직

③ **즉결심판서** : 유죄의 즉결심판서에는 피고인의 성명 기타 피고인을 특정할 수 있는 사항, 주문, 범죄사실과 적용법조를 명시하고 판사가 서명·날인하여야 한다(즉결심판에 관한 절차법 제12조 제1항). 피고인이 범죄사실을 자백하고 정식재판의 청구를 포기한 경우에는 즉결심판절차법 제11조의 기록작성을 생략하고 즉결심판서에 선고한 주문과 적용법조를 명시하고 판사가 기명·날인한다(동법 제12조 제2항).

증거요지 ⇨ 기재사항 ×(약식명령 동일 : 법 제451조 참조)

즉결심판청구서 기재사항 ⇨ 피고인의 성명 기타 피고인을 특정할 수 있는 사항, 죄명, 범죄사실과 적용법조(즉결심판에 관한 절차법 제3조 제2항)

④ **유치명령과 가납명령**

㉠ 판사는 구류선고를 받은 피고인이 일정한 주소가 없거나 도망할 염려가 있는 때에는 5일(7일×)을 초과하지 아니한 범위 내에서 경찰서유치장에 유치할 것을 명할 수 있다(동법 제17조 제1항). 10. 경찰승진, 13·14. 순경 2차, 15. 순경 3차, 20. 경찰간부 다만, 이 기간은 구류형의 선고기간을 초과할 수 없다. 15. 순경 3차 이 경우 집행된 유치기간은 본 형의 집행에 산입한다(동조 제2항).

유치명령이 있는 구류가 선고된 경우에는 정식재판을 청구하더라도 피고인은 석방되지 않음. 11. 경찰승진

㉡ 판사가 벌금 또는 과료를 선고할 경우에는 노역장유치기간을 선고하여야 하고(형법 제70조), 가납명령을 할 수 있다. 가납의 재판은 벌금 또는 과료의 선고와 동시에 하여야 하며 그 재판을 즉시 집행할 수 있다(즉결심판에 관한 절차법 제17조 제3항).

㉢ 즉결심판으로 유죄를 선고한 때에는 즉결심판절차에 참여한 법원사무관 등은 즉결심판의 선고내용을 기록하여야 한다(즉결심판에 관한 절차법 제11조 제2항). 피고인이 판사에게 정식재판청구의 의사를 표시하였을 때에는 이를 기록에 명시하여야 한다(동조 제3항). 피고인이 범죄사실을 자백하고 정식재판청구를 포기한 경우에는 그 기록작성을 생략한다(동법 제12조 제2항).

PART 05

(2) 즉결심판의 효력과 형집행

① **즉결심판의 효력** : 즉결심판은 정식재판청구기간의 경과, 정식재판청구권의 포기 또는 그 청구의 취하에 의하여 확정판결과 동일한 효력, 즉 집행력과 기판력이 생긴다. 정식재판청구를 기각하는 재판이 확정된 때에도 같다(즉결심판에 관한 절차법 제16조). 11. 순경, 13. 경찰간부, 15. 순경 2차, 13·16. 경찰승진, 18. 순경 3차, 20. 9급 법원직, 23. 해경승진·해경 3차

② **형의 집행**

㉠ 즉결심판에 의한 형은 경찰서장이 집행하며, 03. 7급 검찰 그 집행결과를 지체 없이 관할 검사에게 보고하여야 한다(동법 제18조 제1항). 02. 순경

㉡ 구류는 경찰서유치장, 구치소 또는 교도소에서 집행하며 구치소 또는 교도소에서 집행할 때에는 검사가 이를 지휘한다(동법 제18조 제2항). 즉결심판에 의한 형의 집행을 정지하고자 하는 때에는 경찰서장은 사전에 검사의 허가를 받아야 한다(동법 제18조 제4항).

㉢ 벌금, 과료, 몰수는 그 집행을 종료하면 지체 없이 검사에게 이를 인계하여야 한다. 다만, 즉결심판확정 후 상당기간 내에 집행할 수 없을 때에는 검사에게 통지하여야 한다. 통지를 받은 검사는 재산형의 집행방법인 제477조에 의하여 집행할 수 있다(동법 제18조 제3항).

㉣ 즉결심판의 판결이 확정된 때에는 즉결심판서 및 관계서류와 증거는 관할경찰서 또는 지방해양경찰관서가 이를 보존한다(동법 제13조). 11. 순경, 20. 경찰간부, 12·18·21. 경찰승진

검사가 보존한다. (×)

5 정식재판의 청구

(1) 정식재판청구의 절차

① **청구권자** : 판사의 즉결심판에 불복이 있는 피고인 또는 경찰서장은 정식재판을 청구할 수 있다. 18. 순경 3차

㉠ **피고인의 정식재판청구**

ⓐ 즉결심판에 의하여 유죄의 선고를 받은 피고인이 정식재판을 청구할 수 있음은 물론이다(즉결심판에 관한 절차법 제14조 제1항). 피고인의 법정대리인 및 피고인의 배우자, 직계친족, 형제자매 또는 즉결심판절차의 대리인이나 변호인은 피고인을 위하여 정식재판을 청구할 수 있다(동법 제14조 제4항).

ⓑ 피고인은 정식재판청구서를 즉결심판의 선고 또는 고지받은 날로부터 7일 이내에 경찰서장에게 제출하여야 한다. 12. 순경 1차, 16. 순경 2차, 16·22. 9급 검찰·마약·교정·보호·철도경찰, 17·24. 경찰승진 정식재판청구서를 받은 경찰서장은 지체 없이 판사(검사 ×)에게 송부하여야 한다(동법 제14조 제1항). 12. 순경, 23. 해경 3차

관련판례

피고인이 즉결심판에 대하여 제출한 정식재판청구서에 피고인의 자필로 보이는 이름이 기재되어 있고 그 옆에 서명이 되어 있다면, 정식재판청구는 적법하다고 보아야 한다. 피고인의 인장이나 지장이 찍혀 있지 않다고 해서 이와 달리 볼 것이 아니다(대결 2019.12.16, 2017모3458). 22·24. 7급 국가직

▶ 본 판례는 "공무원 아닌 자가 작성하는 서류에는 연월일을 기재하고 기명날인하여야 한다."는 구 형사소송법 제59조와 관련한 내용이나, '기명날인 외에 서명도 허용'하는 것으로 개정된 현행 형사소송법 제59조에 의하면 당연한 내용이다.

㉡ **경찰서장의 정식재판청구** : 즉결심판청구에 대해 판사가 무죄, 면소 또는 공소기각을 선고 또는 고지한 경우에 경찰서장은 그 선고 또는 고지를 한 날로부터 7일 이내에 정식재판을 청구할 수 있다. 02. 순경, 10. 경찰승진 이 경우 경찰서장은 관할지방검찰청 또는 지청 검사의 승인을 얻어 정식재판청구서를 판사에게 제출하여야 한다(동법 제14조 제2항). 12. 순경 1차

검사 ⇨ 정식재판청구권 ×

② **정식재판청구 후의 절차** : 판사는 정식재판청구서를 받은 날로부터 7일 이내에 경찰서장에게 정식재판청구서를 첨부한 사건기록과 증거물을 송부하고, 경찰서장은 지체 없이 관할지방검찰청 또는 지청장에게 이를 송부하여야 하며 그 검찰청 또는 지청장은 지체 없이 관할법원에 송부하여야 한다(동법 제14조 제3항). 따라서 공소장일본주의가 적용되지 않는다. 24. 경찰승진 그러나 검사는 공소장일본주의에 비추어 볼 때 정식재판청구서와 즉결심판청구서만을 법원에 송치하고 사건기록과 증거물은 공판기일에 제출하여야 한다는 지적이 있다.

관련판례

1. 즉결심판에 대한 정식재판청구로 제1회 공판기일 전에 사건기록 및 증거물이 경찰서장, 관할지방검찰청 또는 지청의 장을 거쳐 관할 법원에 송부된다고 하여 그 이전에 이미 적법하게 제기된 경찰서장의 즉결심판청구의 절차가 위법하게 된다고 볼 수 없고, 그 과정에서 정식재판이 청구된 이후에 작성된 피해자에 대한 진술조서 등이 사건기록에 편철되어 송부되었더라도 달리 볼 것은 아니다(대판 2011.1.27, 2008도7375). 12. 경찰승진, 21. 순경 2차
2. 즉결심판을 받은 피고인으로부터 적법한 정식재판의 청구가 있는 경우 경찰서장의 즉결심판청구는 공소제기와 동일한 소송행위이므로 별도의 공소제기 없이 공판절차에 의하여 심판하여야 한다(대판 2017.10.12, 2017도10368). 19. 순경 2차, 22·24. 7급 국가직, 23·24. 해경승진
3. 피고인이 정식재판을 청구한 즉결심판 사건에 대하여 검사가 법원에 사건기록과 증거물을 그대로 송부하지 아니하고 즉결심판이 청구된 위반 내용과 동일성 있는 범죄사실에 대하여 약식명령을 청구하였다면, 이는 공소제기 절차가 법률의 규정에 위반하여 무효인 때 또는 공소가 제기된 사건에 대하여 다시 공소가 제기되었을 때에 해당한다(대판 2017.10.12, 2017도10368). 19·21. 순경 2차

③ **정식재판청구의 포기·취하**

㉠ 정식재판청구권자는 정식재판청구권을 포기하거나 취하할 수 있다. 01·16. 경찰승진

피고인·경찰서장 모두 포기 가능(약식명령에 대한 정식재판청구 포기 ⇨ 피고인 ×, 검사 ○)

🚨 일부의 정식재판청구와 정식재판회복청구도 인정된다. 10. 경찰승진

㉡ 포기·취하한 자는 다시 정식재판을 청구할 수 없다(제354조). 09. 경찰승진

㉢ 정식재판청구의 취하는 제1심판결 선고 전까지 할 수 있다(제454조). 24. 경찰승진

(2) 정식재판청구에 대한 심판

① **청구기각결정** : 법령상 방식에 위반된 청구와 청구권 소멸 후의 정식재판청구에 대해서는 기각결정을 하여야 한다. 이 결정에 대하여 즉시항고할 수 있다(제455조).

② **공판절차에 의한 심판**

㉠ 정식재판청구가 적법한 때에는 공판절차에 의하여 심판하여야 한다(제455조 제3항, 즉결심판에 관한 절차법 제14조 제4항). 따라서 공소장변경, 공소취소 등이 허용된다.

㉡ 즉결심판절차법 제19조의 규정에 따라 '즉결심판에서도 약식명령의 제457조의 2 규정을 준용하여 즉결심판에서의 형보다도 정식재판절차에서 무거운 형을 선고하지 못한다.'는 것이 대법원의 입장이었으나(대판 1999.1.15, 98도2550), 약식명령에 대한 정식재판절차에서 불이익변경금지원칙이 형종상향금지원칙으로 개정된 바 있어, 즉결심판절차에서의 불이익변경금지원칙을 인정한 위 판례도 변경될 것으로 보인다('불이익변경금지원칙'편 참조).

㉢ 통상의 공판절차와 마찬가지로 국선변호인 선정에 관한 형사소송법상 규정이 적용된다(대판 1997.2.14, 96도3059). 22. 7급 국가직, 23. 변호사시험

🚨 정식재판절차가 아닌 즉결심판절차에서도 국선변호인에 관한 형사소송법 규정이 적용될 수 있는 것인가에 대하여는 논의가 있으나, 신속절차를 본질로 하는 즉결심판의 성격상 국선변호인제도는 그 적용이 없다고 보아야 한다.

㉣ 즉결심판절차는 새로 개시되는 공판절차에 대하여 전심재판의 관계에 있지 않으므로 즉결심판에 관여한 판사가 공판절차에 관여하더라도 제척사유에 해당되지 아니한다.

㉤ 정식재판청구에 대한 판결이 있으면 즉결심판의 효력은 상실된다(동법 제15조). 18. 순경 3차

🚨 판결 ⇨ 확정판결을 의미함.

KEY point

- **즉결심판청구권자** : 경찰서장
- **대상사건** : 20만원 이하의 벌금, 구류 또는 과료에 처할 사건
- 약식절차와 즉결심판절차의 비교
- 대상사건이 아니거나 즉결심판이 적당 × ⇨ 청구기각결정
- **즉결심판절차**
  - 공개법정에서 진행
  - 피고인 출석(벌금, 과료형 ⇨ 불출석재판 가능)
  - 경찰서장 출석 ×
  - 자백보강법칙, 전문법칙 적용 ×
  - 자백배제법칙, 위법수집증거배제법칙 적용 ○
- **즉결심판의 선고** : 유죄·무죄·면소·공소기각의 선고 가능
- **즉결심판의 선고방식** : 선고 / 즉결심판서 등본 교부

- 즉결심판확정 ⇨ 유죄의 확정판결과 동일한 효력 발생
- 즉결심판의 집행 ⇨ 경찰서장
- **정식재판청구권자** : 피고인, 경찰서장(검사 ×)
- 즉결심판에 관여한 법관이 정식재판에 관여 ⇨ 제척사유 ×
- 정식재판확정 ⇨ 즉결심판 효력상실

즉결심판절차 정리

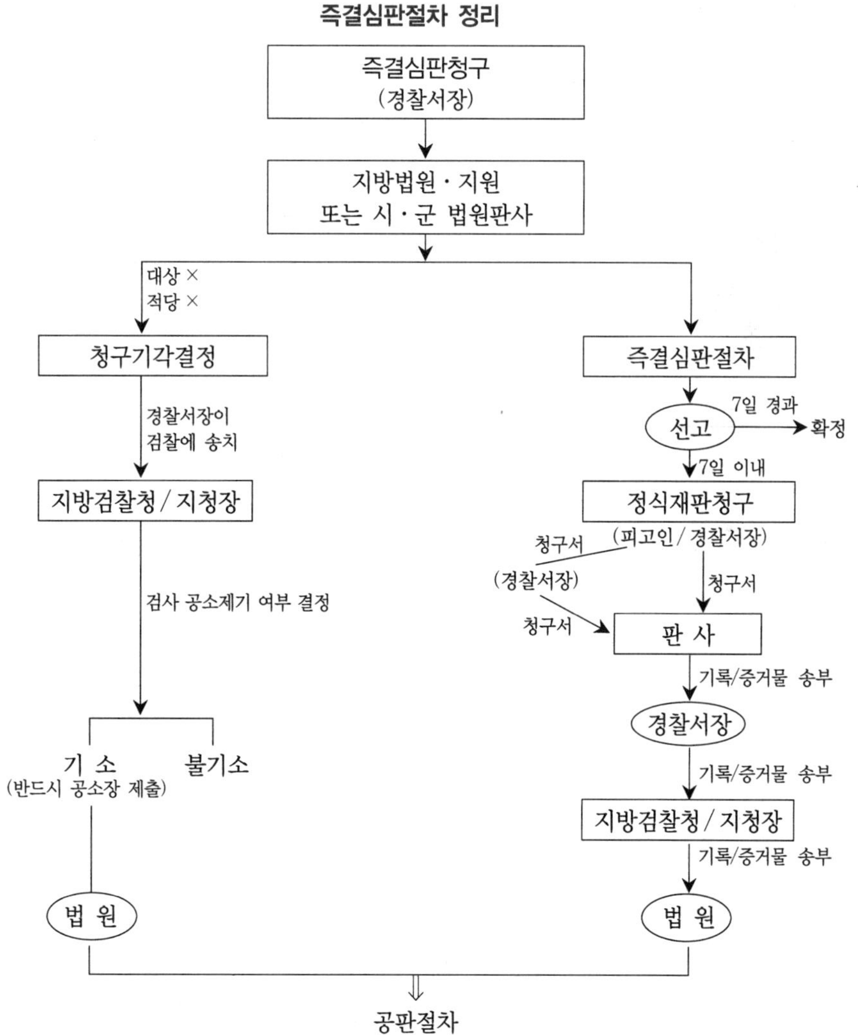

약식절차와 즉결심판절차의 비교

구 분	약식명령	즉결심판
직접주의, 구두변론주의	적용(×)	적용(○)
기소독점주의	적용(○)	적용(×)
자백보강법칙	적용(○)	적용(×)
정식재판절차 이행여부	자동이행	청구기각
공소장일본주의	적용(×)	적용(×)
공소장부본송달	적용(×)	적용(×)
공판기일유예기간	적용(×)	적용(×)
국선변호	적용(×)	적용(×)
공소장변경	적용(×)	적용(×)
배상명령	적용(×)	적용(×)
전문법칙	적용(×)	일부적용(×)
위법수집증거배제법칙	적용(○)	적용(○)
자백배제법칙	적용(○)	적용(○)
국가소추주의	적용(○)	적용(○)
자유심증주의	적용(○)	적용(○)

CHAPTER

03 기출문제

01 **즉결심판에 관한 설명 중 가장 적절하지 않은 것은?**(다툼이 있는 경우 판례에 의함) 21. 순경 2차

① 즉결심판에 대하여 피고인의 정식재판 청구가 있었음에도 검사가 정식재판이 청구된 즉결심판 사건에 대하여 법원에 사건기록과 증거물을 송부하지 아니하고 그와 동일성 있는 범죄사실에 대하여 약식명령을 청구하였다고 하여, 공소제기의 절차가 법률의 규정에 위반하여 무효인 때에 해당하거나 공소가 제기된 사건에 대하여 다시 공소가 제기되었다고 할 수 없다.

② 법원이 경찰서장의 즉결심판 청구를 기각하여 경찰서장이 사건을 관할 지방검찰청으로 송치하였으나 검사가 이를 즉결심판에 대한 피고인의 정식재판청구가 있은 사건으로 오인하여 그 사건기록을 법원에 송부하였다면 적법한 공소제기가 있다고 볼 수 없다.

③ 피고인이 경범죄처벌법위반으로 즉결심판에 회부되었다가 정식재판을 청구한 경우, 정식재판청구로 제1회 공판기일 전에 사건기록 및 증거물이 관할 법원에 송부된다고 하여 그 이전에 이미 적법하게 제기된 경찰서장의 즉결심판청구의 절차가 위법하게 된다고 볼 수 없다.

④ 경범죄처벌법위반죄의 범죄사실과 폭력행위 등 처벌에 관한 법률위반죄의 공소사실이 모두 범행장소가 동일하고 범행일시도 같으며 모두 피해자와의 시비에서 발단한 일련의 행위인 경우, 양 사실은 그 기본적 사실관계가 동일하므로 이미 확정된 경범죄처벌법위반죄에 대한 즉결심판의 기판력은 폭력행위 등 처벌에 관한 법률위반죄의 공소사실에도 미친다.

해설 ① 검사가 정식재판을 청구한 즉결심판 사건에 대하여 법원에 사건기록과 증거물을 그대로 송부하지 아니하고 즉결심판이 청구된 위반 내용과 동일성 있는 범죄사실에 대하여 약식명령을 청구하였다는 이유로, 이 사건 공소제기 절차는 법률의 규정에 위반하여 무효인 때에 해당하거나 공소가 제기된 사건에 대하여 다시 공소가 제기되었을 때에 해당한다(대판 2017.10.12, 2017도10368).
② 대판 2003.11.14, 2003도2735 ③ 대판 2011.1.27, 2008도7375 ④ 대판 1996.6.28, 95도1270

02 **즉심심판절차에 관한 설명 중 옳은 것은 모두 몇 개인가?**(다툼이 있는 경우 판례에 의함) 20. 경찰간부

㉠ 즉심심판절차에서는 유·무죄뿐만 아니라 면소 또는 공소기각을 선고·고지할 수 있다.
㉡ 즉결심판의 판결이 확정된 때에는 즉결심판서 및 관계서류와 증거는 관할지방검찰청에서 보존한다.
㉢ 즉결심판청구를 받은 지방법원 또는 그 지원의 판사는 사건이 즉결심판을 할 수 없거나 즉결심판절차에 의하여 심판함이 적당하지 아니하다고 인정할 때에는 판결로 즉결심판의 청구를 기각하여야 한다.

Answer 01. ① 02. ①

㉣ 벌금 또는 구류를 선고하는 경우에는 피고인이 출석하지 아니하더라도 심판할 수 있다.
㉤ 판사는 구류의 선고를 받은 피고인이 일정한 주소가 없거나 또는 도망할 염려가 있을 때에는 7일을 초과하지 아니하는 기간 경찰서유치장에 유치할 것을 명령할 수 있다. 다만, 이 기간은 선고기간을 초과할 수 없다.
㉥ 즉결심판을 받은 피고인이 정식재판청구를 함으로써 공판절차가 개시된 경우에는 통상의 공판절차와 달리 국선변호인의 선정에 관한 형사소송법 제283조의 규정이 적용되지 않는다.

① 1개　② 2개　③ 3개　④ 4개

해설 ㉠ ○ : 즉결심판절차법 제11조 제1항 · 제5항
㉡ × : 즉결심판의 판결이 확정된 때에는 즉결심판서 및 관계서류와 증거는 관할경찰서 또는 지방해양경찰관서가 이를 보존한다(즉결심판절차법 제13조).
㉢ × : 결정으로 즉결심판의 청구를 기각하여야 한다(즉결심판절차법 제5조 제1항).
㉣ × : 벌금 또는 과료를 선고하는 경우에는 피고인이 출석하지 아니하더라도 심판할 수 있다(즉결심판절차법 제8조의 2 제1항).
㉤ × : 판사는 구류의 선고를 받은 피고인이 일정한 주소가 없거나 또는 도망할 염려가 있을 때에는 5일을 초과하지 아니하는 기간 경찰서유치장에 유치할 것을 명령할 수 있다. 다만, 이 기간은 선고기간을 초과할 수 없다(즉결심판절차법 제17조 제1항).
㉥ × : 국선변호인의 선정에 관한 형사소송법 제283조의 규정이 적용된다(대판 1997.2.14, 96도3059).

03 **즉결심판절차에 대한 설명으로 가장 적절하지 않은 것은?**(다툼이 있는 경우 판례에 의함)

22. 경찰승진

① 즉결심판을 청구할 때에는 사전에 피고인에게 즉결심판의 절차를 이해하는 데 필요한 사항을 서면 또는 구두로 알려주어야 한다.
② 벌금 또는 과료를 선고하는 경우에는 피고인이 출석하지 아니하더라도 심판할 수 있다.
③ 지방법원, 지원 또는 시 · 군 법원의 판사는 정식재판청구서를 받은 날부터 7일 이내에 경찰사정에게 정식재판청구서를 첨부한 사건기록과 증거물을 송부하고, 경찰서장은 지체 없이 관할지방검찰청 또는 지청의 장에게 이를 송부하여야 하며, 그 검찰청 또는 지청의 장은 지체 없이 관할법원에 이를 송부하여야 한다.
④ 즉결심판은 정식재판의 청구기간의 경과, 정식재판청구권의 포기 또는 그 청구의 취하에 의하여 확정판결과 동일한 효력이 생기지만, 정식재판청구를 기각하는 재판이 확정된 때에는 그러하지 아니하다.

해설 ① 즉결심판절차법 제3조 제3항
② 즉결심판절차법 제8조의 2 제1항
③ 즉결심판절차법 제14조 제3항
④ 즉결심판은 정식재판의 청구기간의 경과, 정식재판청구권의 포기 또는 그 청구의 취하에 의하여 확정판결과 동일한 효력이 생긴다. 정식재판청구를 기각하는 재판이 확정된 때에도 같다(즉결심판절차법 제16조).

Answer 03. ④

04 즉결심판에 대한 설명으로 옳지 않은 것은?

22. 9급 검찰·마약·교정·보호·철도경찰

① 즉결심판의 대상은 20만원 이하의 벌금, 구류 또는 과료에 처할 사건이다.

② 즉결심판에 있어서 피고인의 출석은 개정 요건이므로 벌금 또는 과료를 선고하는 경우에 피고인이 출석하지 아니한 때에는 피고인의 진술을 듣지 아니하고 형을 선고할 수 없다.

③ 즉결심판절차에서 피고인이 정식재판을 청구하는 경우, 즉결심판의 선고·고지를 받은 날부터 7일 이내에 정식재판 청구서를 경찰서장에게 제출하여야 하며, 이를 받은 경찰서장은 지체 없이 판사에게 송부하여야 한다.

④ 즉결심판이 확정된 때에는 확정판결과 동일한 효력이 있고, 즉결심판은 정식재판의 청구기간의 경과, 정식재판청구권의 포기 또는 그 청구의 취하에 의하여 확정되며 정식재판청구를 기각하는 재판의 확정된 때에도 같다.

해설 ① 즉결심판절차법 제2조
② 즉결심판에 있어서 벌금 또는 과료를 선고하는 경우에 피고인이 출석하지 아니하더라도 심판할 수 있다(즉결심판절차법 제8조의 2 제1항).
③ 즉결심판절차법 제14조 제1항
④ 즉결심판절차법 제16조

PART 05

05 다음 중 즉결심판절차에 대한 설명으로 가장 옳지 않은 것은?(다툼이 있는 경우 판례에 의함)

24. 해경승진

① 법원은 즉결심판절차에 의하여 심판하는 경우에도 양형기준을 벗어난 판결을 할 때에는 당해 양형을 하게 된 사유를 합리적이고 설득력 있게 표현하는 방식으로 이유를 기재하여야 한다.

② 경찰서장의 청구에 의해 즉결심판을 받은 피고인으로부터 적법한 정식재판의 청구가 있는 경우 경찰서장의 즉결심판 청구는 공소제기와 동일한 소송행위이므로 별도의 공소제기 없이 공판절차에 의하여 심판하여야 한다.

③ 즉결심판을 받은 피고인이 정식재판청구를 함으로써 공판절차가 개시된 경우에는 통상의 공판절차와 마찬가지로 국선변호인의 선정에 관한 형사소송법 제283조의 규정이 적용된다.

④ 법원이 경찰서장의 즉결심판 청구를 기각하여 경찰서장이 사건을 관할 지방검찰청으로 송치하였으나 검사가 이를 즉결심판에 대한 피고인의 정식재판청구가 있는 사건으로 오인하여 그 사건 기록을 법원에 송부한 경우, 공소제기가 성립되었다고 볼 수 없다.

해설 ① 양형을 하게 된 사유를 합리적이고 설득력 있게 표현하는 방식으로 이유를 기재할 필요는 없다(법원조직법 제81조의 7 제1항).
② 대판 2017.10.12, 2017도10368
③ 대판 1997.2.14, 96도3059
④ 대판 2003.11.14, 2003도2735

Answer 04. ② 05. ①

제3절 형사사건의 피해자보호를 위한 절차

종래 형사절차에 관한 법적 규율은 국가형벌권의 행사로부터 피의자·피고인의 자유와 권리를 어느 범위에까지 보장할 것인가에 초점이 모아지고 있었으나, 범죄로부터 국민의 생명·자유·재산을 보호하여야 할 국가의 임무가 다시 강조되면서 범죄피해자의 법적 지위를 강화해야 하는 중요성이 새롭게 인식되고 있다.

형사소송절차상 피해자의 지위

수사절차상 지위	• 고소권(제225조~제228조), 고소취소권(제232조) • 검찰항고권(검찰청법 제10조) • 재정신청권(제260조 제1항) • 압수장물 피해자환부(제134조, 제219조)
공판절차상 지위	• 공판정 진술권(제294조의 2 제1항) • 압수장물 피해자환부(제134조) • 배상명령신청권(소송촉진 등에 관한 특례법 제25조) • 재판서 등본청구권(규칙 제26조, 제27조) • 공판기록열람·등사권(제294조의 4)

아래에서는 범죄피해자의 법적 지위 보장을 위한 여러 규정들 가운데 배상명령제도와 국가에 의한 범죄피해자 보호제도에 관하여 살펴보기로 한다.

1 배상명령제도

(1) 의의·취지

① **의의** : 배상명령이란 법원이 직권 또는 피해자의 신청에 의하여 피고인에게 피고사건의 범죄행위로 인하여 발생한 손해의 배상을 명하는 절차를 말한다. 배상명령절차는 소송촉진 등에 관한 특례법에 규정되어 있다.

② **취지** : 형사절차에서 손해배상까지 판단케 함으로써 피해자가 민사소송에 의한 번잡과 위험을 부담하지 않고 신속히 피해를 변상받게 함이 피해자에게 이익이 될 뿐 아니라 소송경제를 도모하고 판결의 모순을 피할 수 있기 때문이다.

(2) 배상명령의 요건

① **배상명령의 대상**

㉠ 배상명령의 대상이 될 수 있는 피고사건은 제한되어 있다.

> • 형법상 상해죄, 중상해죄, 상해치사죄, 폭행치사상죄(존속폭행치사상은 제외) 11. 경찰승진, 12. 순경 과실치사상죄, 절도죄와 강도죄, 사기와 공갈죄, 횡령과 배임죄, 손괴죄(소송촉진 등에 관한 특례법 제25조 제1항 제1호)

- 성폭력범죄의 처벌 등에 관한 특례법 제10조부터 제14조까지, 제15조(제3조부터 제9조까지의 미수범은 제외한다), 아동·청소년의 성보호에 관한 법률 제12조, 제14조에 규정된 죄(동법 제25조 제1항 제2호)
- 제1호의 죄를 가중처벌하는 죄 및 그 죄의 미수범을 처벌하는 경우 미수의 죄(동법 제25조 제1항 제3호)

이들의 죄 이외 범죄에 대하여도 피고인과 피해자 사이에 손해배상액에 합의가 이루어진 때에는 배상명령을 할 수 있다(소송촉진 등에 관한 특례법 제25조 제2항).

관련판례

피고인이 재판과정에서 배상신청인과 민사적으로 합의하였다는 내용의 합의서를 제출하였고, 합의서 기재 내용만으로는 배상신청인이 변제를 받았는지 여부 등 피고인의 민사책임에 관한 구체적인 합의 내용을 알 수 없다면, 사실심법원으로서는 배상신청인이 처음 신청한 금액을 바로 인용할 것이 아니라 구체적인 합의 내용에 관하여 심리하여 피고인의 배상책임의 유무 또는 그 범위에 관하여 살펴보는 것이 합당하다(대판 2013.10.11, 2013도9616).

PART 05

검사는 배상명령 대상사건의 죄로 공소를 제기한 경우에는 지체 없이 피해자 또는 그 법정대리인(피해자가 사망한 경우에는 그 배우자·직계친족·형제자매를 포함한다)에게 배상신청을 할 수 있음을 통지하여야 한다(소촉법 제25조의 2). 13. 순경, 16. 경찰간부

ⓛ 배상명령은 제1심 또는 제2심의 형사사건으로 유죄판결을 선고하는 경우에 한하여 가능하다(동법 제25조 제1항). 12. 순경 3차, 13. 순경 1차 따라서 무죄, 면소, 공소기각의 재판을 할 때에는 배상명령이 불가능하다. 13. 순경 1차, 13·16. 9급 법원직

긴급을 요하는 경우 유죄판결선고 전에도 할 수 있다. (×) 09. 9급 국가직, 12. 경찰승진

② **배상명령의 범위** : 배상명령의 범위는 피고사건으로 인하여 직접 발생한 물적 손해와 치료비 손해뿐만 아니라 정신적 손해에 대한 위자료도 포함된다. 09. 9급 국가직, 12. 경찰승진, 13. 순경 1차 간접적 손해(예 유리창의 손괴로 감기에 걸린 경우)는 제외되나 서로 합의가 있는 경우에는 가능하다.

생명·신체를 침해하는 범죄로 인하여 발생한 기대이익의 상실 ⇨ 배상명령의 대상 ×(다수설) 13. 9급 법원직

③ **배상명령의 불허사유**(동법 제25조 제3항)

㉠ 피해자의 성명·주소 불분명

ⓛ 피해금액의 불특정

ⓒ 피고인의 배상책임 유무 또는 범위 불명확

ⓔ 공판절차의 현저한 지연 우려 또는 형사소송절차에서 배상명령을 함이 상당하지 아니하다고 인정된 경우 23. 7급 국가직

관련판례

배상명령제도는 범죄행위로 인하여 재산상 이익을 침해당한 피해자로 하여금 당해 형사소송절차 내에서 신속히 그 피해를 회복하게 하려는 데 그 주된 목적이 있으므로 피해자가 이미 그 재산상 피해의

회복에 관한 채무명의를 가지고 있는 경우에는 이와 별도로 배상명령신청을 할 이익이 없다(대판 1982. 7.27, 82도1217). 23. 7급 국가직, 10 · 11 · 24. 경찰승진

(3) 배상명령의 절차

① 배상명령의 신청

㉠ 배상명령은 법원의 직권 또는 피해자나 그 상속인의 신청에 의하여야 한다(소촉법 제25조 제1항). 10. 교정특채

법원의 직권에 의한 배상명령도 가능하다. (○) 11. 경찰승진, 12. 순경 3차, 13. 순경 1차, 15 · 16. 9급 법원직

㉡ 배상신청은 제1심 또는 제2심 공판의 변론종결시까지 사건이 계속된 법원에 신청할 수 있고 이 경우에 인지를 붙일 필요는 없다(동법 제26조 제1항). 13. 순경 · 9급 법원직, 22. 해경간부

즉결심판, 약식명령절차, 상고심에서는 배상명령신청 × 13. 9급 법원직, 11 · 24. 경찰승진

㉢ 배상명령신청은 서면 또는 구두(피해자가 증인으로 법정에 출석한 때)로 할 수 있다.

㉣ 신청은 민사소송에서의 소의 제기와 동일한 효력이 있다(동법 제26조 제8항). 따라서 피해자는 피고사건의 범죄행위로 인하여 발생한 피해에 관하여 다른 절차에 따른 손해배상청구가 법원에 계속 중일 때에는 배상신청을 할 수 없다(동법 제26조 제7항). 11. 9급 법원직, 20. 경찰간부 신청인은 배상명령이 확정되기 전까지는 언제든지 배상신청을 취하할 수 있다(동법 제26조 제6항).

② 신청사건의 심리

㉠ 법원은 배상신청이 있을 때에는 신청인에게 공판기일을 알려야 한다. 그러나 신청인이 통지를 받고도 출석하지 아니하였을 때에는 신청인의 진술 없이 재판할 수 있다(동법 제29조). 12. 순경 3차, 12 · 13. 9급 법원직, 13. 순경, 16. 경찰간부, 24. 경찰승진

신청인이 공판기일을 통지받고도 출석하지 아니한 경우는 제1회에 한하여 반드시 다시 공판기일을 정하여 통지하여야 한다. (×)

㉡ 신청인 및 그 대리인은 공판절차를 현저히 지연시키지 아니하는 범위에서 재판장의 허가를 받아 소송기록을 열람할 수 있고, 공판기일에 피고인이나 증인을 신문할 수 있으며, 그 밖에 필요한 증거를 제출할 수 있다(동법 제30조 제1항). 제1항의 허가를 하지 아니한 재판에 대하여는 불복을 신청하지 못한다(동법 제30조 제2항). 13. 순경 1차, 20. 경찰간부

㉢ 법원은 필요한 때에는 언제든지 피고인의 배상책임 유무와 그 범위를 인정함에 필요한 증거를 조사할 수 있다. 법원은 피고사건의 범죄사실에 관한 증거를 조사할 경우 피고인의 배상책임 유무와 그 범위에 관련된 사실을 함께 조사할 수 있다(소송촉진 등에 관한 특례규칙 제24조 제1항 · 제2항).

③ 배상명령의 재판

㉠ **배상신청의 각하** : 배상신청이 부적법하거나, 그 신청이 이유 없거나, 배상명령을 하는 것이 상당하지 않다고 인정되는 경우(예 피해금액의 불특정, 공판절차의 현저한 지연 우려)에는

법원은 결정으로 이를 각하하여야 한다(소촉법 제32조 제1항). 16. 경찰간부 유죄판결의 선고와 동시에 배상명령의 신청을 각하하는 재판을 할 때에는 이를 유죄판결의 주문에 표시할 수 있다(동법 제32조 제2항).

관련판례

1. 피고인의 배상책임의 유무 또는 그 범위가 명백하지 아니한 때에는 배상명령을 하여서는 아니 되고, 그와 같은 경우에는 같은 법 제32조 제1항이 정하는 바에 따라 법원은 결정으로 배상명령신청을 각하하여야 한다(대판 1996.6.11, 96도945). 10. 경찰승진, 16. 경찰간부, 21. 9급 법원직
2. 사기에 의한 의사표시는 민법상 당연히 무효가 아니라 취소의 대상이 되는 것 뿐이므로 피해자가 피고인들과의 이 사건 토지매매계약을 사기에 의한 의사표시임을 이유로 취소 또는 해제하지 않는 한 그 계약의 효력은 그대로 존속하는 것으로서 특단의 사정이 없는 한 그 대금 전액의 반환을 구하거나 대금 전액 상당의 손해배상을 구할 수는 없다. 결국 이 사건에서는 피고인들의 배상책임의 범위가 명백하지 아니하여 배상명령을 할 수 없다(대판 1985.11.12, 85도1765). 10. 경찰승진
3. 소송촉진법 제26조 제7항에 따르면 피해자는 피고사건의 범죄행위로 발생한 피해에 관하여 다른 절차에 따른 손해배상청구가 법원에 계속 중일 때에는 배상신청을 할 수 없다. 그러한 경우에는 법원은 결정으로 배상명령신청을 각하해야 한다(대판 2022.7.28, 2020도12279).

㉡ **배상명령의 선고** : 배상명령은 유죄판결의 선고와 동시에 하여야 한다(동법 제31조 제1항). 13. 순경, 20. 경찰간부 배상명령은 일정액의 금액의 지급을 명하는 방식으로 하고, 배상의 대상과 금액을 유죄판결의 주문에 표시하여야 하며, 다만 배상명령의 이유는 특히 필요하다고 인정되는 경우가 아니면 이를 적지 아니한다(동법 제31조 제2항). 배상명령은 가집행을 할 수 있음을 선고할 수 있다(동법 제31조 제3항). 배상명령의 절차비용은 원칙적으로 국고부담이지만, 특별히 그 비용을 부담할 자를 정한 경우에는 그 자의 부담으로 한다(동법 제35조).

㉢ **배상명령에 대한 불복**

ⓐ 신청을 각하하거나 그 일부를 인용한 재판에 대해 신청인은 불복을 신청하지 못하며, 다시 동일한 배상신청을 할 수 없다(동법 제32조 제4항). 03. 순경, 09. 9급 국가직, 12. 순경 1차, 13. 9급 법원직, 20. 순경 2차

변론종결 후에 배상명령신청이 접수되었다는 이유로 이를 각하하는 경우 피해자가 더 이상 배상명령 제도를 통해서는 구제받을 수 없다(대판 2022.1.14, 2021도13768).

민사소송에 의한 손해배상은 청구 가능

ⓑ 피고인이 배상명령에 대해 불복하고자 하는 경우에는 피고사건에 대한 상소 또는 배상명령 자체에 대한 즉시항고에 의한 불복이 가능하다. 09. 9급 국가직, 10·13. 순경, 11. 9급 법원직·경찰승진, 23. 7급 국가직 즉시항고 후 상소권자의 상소가 제기된 경우 즉시항고는 취하된 것으로 본다(동법 제33조 제5항). 여기서 상소권자는 검사는 포함되지 않는다. 검사는 배상명령사건의 당사자가 아니기 때문이다.

배상명령에 대해서만 행하는 즉시항고의 제기기간은 상소제기기간인 7일이다(소송촉진 등에 관한 특례법 제33조 제5항).

ⓒ 유죄판결에 대한 상소가 제기된 경우에는 배상명령에 대해 불복하지 않더라도 배상명령은 확정되지 아니하고 피고사건과 함께 상소심으로 이심된다(소촉법 제33조 제1항).

ⓓ 상소심에서 원심의 유죄판결을 파기하고 피고사건에서 무죄, 면소 또는 공소기각의 재판을 할 때에는 원심의 배상명령을 취소하여야 한다. 20. 순경 2차 이 경우 배상명령을 취소하지 않은 경우에는 취소한 것으로 본다(동법 제33조 제2항).

피고인과 피해자 간 합의된 손해배상액에 관한 배상명령 ⇨ 취소 ×(동법 제33조 제3항)

(4) 배상명령확정의 효과

확정된 배상명령 또는 가집행 선고가 있는 배상명령이 기재된 유죄판결서의 정본은 민사소송법에 따른 강제집행에 관하여는 집행력 있는 민사판결정본과 동일한 효력이 있다(동법 제34조 제1항). 20. 순경 2차 따라서 배상명령이 기재된 유죄판결서의 정본만으로 강제집행을 할 수 있다. 소송촉진 등에 관한 특례법에 따라 배상명령이 확정된 경우 피해자는 그 인용된 금액의 범위에서 다른 절차에 따른 손해배상을 청구할 수 없다(동법 제34조 제2항).

KEY point

- **피해자의 지위** : 도표 참조
- **배상명령 대상범죄** : 소송촉진 등에 관한 특례법 제25조 제1항
- **배상명령** ┌ 직권 또는 피해자의 신청
  │ ▶ 상고심 ⇨ 배상명령신청 ×
  └ 피고사건에 의한 직접적인 물적 손해와 치료비, 위자료
- **배상명령불허사유** : 소송촉진 등에 관한 특례법 제25조 제3항
- **피고인의 배상명령불복방법** ┌ 배상명령 자체에 대한 즉시항고
  └ 피고사건에 대한 상소

2 국가에 의한 범죄피해자 보호제도

(1) 의 의

배상명령도 범죄로부터 피해를 입은 경우에 이를 구제하는 제도이지만, 피고인이 무자력인 때에는 아무런 의미가 없다. 여기서 우리 헌법은 범죄피해자 구조청구권을 기본권으로 규정하고 있으며, 이에 근거하여 1987년 제정된 것이 범죄피해자구조법이다.

그러나 범죄피해자를 구조하는 제도는 범죄피해자를 보호・지원하는 제도와 정책 방향이 같으므로 범죄피해자구조법을 범죄피해자보호법에 통합하였다.

(2) 적용대상

① 국가로부터 구조를 받게 되는 범죄피해는 사망하거나 장해 또는 중상해를 입은 경우이다(범죄피해자보호법 제3조 제1항 제4호).

② 사람의 생명 · 신체를 해하는 죄에 해당하는 행위로 인한 범죄피해라 할지라도, 그 피해가 형법상의 정당행위나 정당방위에 해당하여 처벌되지 아니하는 행위 및 과실에 의한 행위로 인한 경우에는 범죄피해자 구조제도의 적용대상이 되지 않는다. 그러나 범죄피해가 형사미성년자, 심신상실, 강요된 행위, 긴급피난 등의 사유로 처벌되지 아니하는 행위에 기인한 경우에는 본 제도의 적용대상에 포함된다(동법 제3조 제1항 제4호).

(3) 범죄피해구조금의 신청과 지급

① 구조금의 지급에 관한 사항을 심의 · 결정하기 위하여 지방검찰청에 범죄피해자 구조심의회를 둔다(동법 제24조 제1항).

② 범죄피해발생을 안 날로부터 3년 또는 발생한 날로부터 10년이 경과한 때에는 지급신청을 할 수 없다(동법 제25조 제2항).

CHAPTER

03 기출문제

01 **배상명령에 대한 설명으로 옳지 않은 것은?** 23. 7급 국가직

① 법원은 배상명령으로 인하여 공판절차가 현저히 지연될 우려가 있다고 인정되는 경우에는 배상명령을 하여서는 아니 된다.

② 범죄행위로 인하여 재산상 이익을 침해당한 피해자가 이미 그 재산상 피해의 회복에 관한 채무명의를 가지고 있는 경우에도 이와 별도로 배상명령을 신청할 이익이 있다.

③ 피고인은 유죄판결에 대하여 상소를 제기하지 아니하고 배상명령에 대하여만 상소제기기간에 형사소송법에 따른 즉시항고를 할 수 있고, 즉시항고 제기 후 상소권자의 적법한 상소가 있는 경우에는 즉시항고는 취하된 것으로 본다.

④ 확정된 배상명령 또는 가집행선고가 있는 배상명령이 기재된 유죄판결서의 정본은 민사집행법에 따른 강제집행에 관하여 집행력있는 민사판결 정본과 동일한 효력이 있다.

해설 ① 소송촉진 등에 관한 특례법 제25조 제3항 제4호 ② 배상명령제도는 범죄행위로 인하여 재산상 이익을 침해당한 피해자로 하여금 당해 형사소송절차 내에서 신속히 그 피해를 회복하게 하려는데 그 주된 목적이 있으므로 피해자가 이미 그 재산상 피해의 회복에 관한 채무명의를 가지고 있는 경우에는 이와 별도로 배상명령 신청을 할 이익이 없다(대판 1982.7.27, 82도1217). ③ 동법 제33조 제5항 ④ 동법 제34조 제1항

02 **배상명령에 관한 설명으로 가장 적절한 것은?**(다툼이 있는 경우 판례에 의함) 24. 경찰승진

① 피해자는 약식절차 또는 즉결심판절차에서 배상신청을 할 수 있다.

② 재산상 이익을 침해당한 피해자가 그 재산상 피해의 회복에 관한 채무명의(집행권원)를 이미 가지고 있는 경우라 하더라도, 이와 별도로 배상신청을 할 이익이 없는 것은 아니다.

③ 피고인이 재판과정에서 배상신청인과 민사적으로 합의하였다는 내용의 합의서를 제출하였다면, 그 합의서 기재 내용만으로는 배상신청인이 변제를 받았는지 여부 등 피고인의 민사책임에 관한 구체적인 합의 내용을 알 수 없다 하더라도 사실심법원은 배상신청인이 처음 신청한 금액을 바로 인용하여야 한다.

④ 법원은 배상신청이 있을 때에는 신청인에게 공판기일을 알려야 하고, 신청인이 공판기일을 통지받고도 출석하지 않은 경우에는 신청인의 진술 없이 재판할 수 있다.

해설 ① 배상명령은 제1심 또는 제2심의 형사사건으로 유죄판결을 선고하는 경우에 한하여 가능하다(소송촉진 등에 관한 특례법 제25조 제1항). 따라서 피해자는 약식절차 또는 즉결심판절차에서 배상신청을 할 수 없다. ② 배상명령제도는 범죄행위로 인하여 재산상 이익을 침해당한 피해자로 하여금 당해 형사소송절차 내에서 신속히 그 피해를 회복하게 하려는데 그 주된 목적이 있으므로 피해자가 이미 그 재산상 피해의 회복에 관한 채무명의를 가지고 있는 경우에는 이와 별도로 배상명령 신청을 할 이익이 없다(대판 1982.7.27, 82도1217). ③ 피고인이 재판과정에서 배상신청인과 민사적으로 합의하였다는 내용의 합의서를 제출하였고, 합의서 기재 내용만으로는 배상신청인이 변제를 받았는지 여부 등 피고인의 민사책임에 관한 구체적인 합의 내용을 알 수 없다면, 사실심법원으로서는 배상신청인이 처음 신청한 금액을 바로 인용할 것이 아니라 구체적인 합의 내용에 관하여 심리하여 피고인의 배상책임의 유무 또는 그 범위에 관하여 살펴보는 것이 합당하다(대판 2013.10.11, 2013도9616). ④ 소송촉진 등에 관한 법률 제29조 제1항 · 제2항

Answer 01. ② 02. ④

제4절 소년법의 형사절차

1 소년형사범의 의의

형사소송법은 일반적인 형사사건의 처리를 규율하는 기본적인 절차법이다. 이에 대하여 소년의 형사사건을 처리하는 절차법으로 소년법이 있다. 여기서 소년이란 19세 미만자를 말한다.
소년에 대한 형사사건의 처리는 원칙적으로 일반형사사건의 예에 따라서 형사소송법이 적용될 것이지만(소년법 제48조), 소년법은 반사회성 있는 소년에 대한 소년의 건전육성을 기하기 위해 형사처분에 관한 특별조치를 규율하고 있다(동법 제1조).

소년의 종류

1. 범죄소년 : 죄를 범한 14세 이상 19세 미만의 소년
2. 촉법소년 : 형벌법령에 저촉되는 행위를 한 10세 이상 14세 미만 소년(형벌 ×, 보호처분 ○)
3. 우범소년 : 형벌법령에 저촉되는 행위를 할 우려가 있는 10세 이상 19세 미만 소년

관련판례

소년법이 적용되는 '소년'이란 심판시에 19세 미만인 사람을 말하므로, 소년법의 적용을 받으려면 심판시에 19세 미만이어야 한다. 따라서 소년법 제60조 제2항의 적용대상인 '소년'인지의 여부도 심판시, 즉 사실심판결 선고시를 기준으로 판단되어야 한다. 20. 순경 2차 이러한 법리는 '소년'의 범위를 20세 미만에서 19세 미만으로 축소한 소년법 개정법률(2007. 12. 21. 법률 제8722호로 공포되어, 2008. 6. 22.에 시행되었다)이 시행되기 전에 범행을 저지르고, 20세가 되기 전에 원심판결이 선고되었다고 해서 달라지지 아니한다(대판 2009.5.28, 2009도2682). 10. 경찰승진

2 소년형사범의 처리절차와 형의 집행

(1) 소년형사범의 수사상 특칙

① **수사진행상 특칙** : 형벌법령에 저촉된 행위를 한 10세 이상 14세 미만인 소년이 있을 때에는 경찰서장이 직접 관할 소년부에 송치하여야 한다(소년법 제4조 제2항). 09. 7급 국가직, 10. 순경, 11. 경찰승진, 19. 경찰간부, 24. 해경승진 그러나 소년형사사건은 일단 검사에게 송치되어 검사의 판단을 받게 되어 있다. 이를 검사선의주의라 한다. 소년범에 대한 형사절차에 있어서 구속영장은 부득이한 경우가 아니면 발부하지 못하며, 10. 순경 소년을 구속하는 경우에는 특별사정이 없으면 다른 피의자나 피고인과 분리수용하여야 한다(동법 제55조 제1항 · 제2항).

② **수사종결처분**

㉠ **소년부 송치** : 검사는 소년에 대한 피의사건을 수사한 결과 보호처분에 해당하는 사유가 있다고 인정한 경우에는 사건을 지방법원 또는 가정법원의 관할소년부에 송치하여야 한다(동법 제49조 제1항). 09. 7급 국가직, 10. 경찰승진 · 순경

검사는 소년에 대한 피의사건을 수사한 결과 벌금 이하의 형에 해당하는 범죄이거나 보호처분에 해당하는 사유가 있다고 인정한 때에는 사건을 관할소년부에 송치하여야 한다. (×)

검사는 보호처분에 해당하는 사유가 있다고 인정한 때에는 사건을 지방법원 또는 가정법원의 관할소년부에 송치할 수 있다. (×)

ⓛ 소년부는 제1항에 따라 송치된 사건을 조사 또는 심리한 결과 그 동기와 죄질이 금고 이상의 형사처분을 할 필요가 있다고 인정할 때에는 결정으로써 해당 검찰청 검사에게 송치할 수 있다(동조 제2항). 10. 경찰승진, 14. 경찰간부

송치 받은 검사는 사건을 다시 소년부에 송치할 수 없다(동조 제3항).

검사에게 송치하여야 한다. (×)

ⓒ **검찰청 송치** : 한편, 소년부는 소년보호사건을 조사 · 심리한 결과 금고 이상의 형에 해당하는 범죄사실이 발견된 경우에 그 동기와 죄질이 형사처분을 할 필요가 있다고 인정한 때, 본인이 19세 이상인 것으로 밝혀진 경우에는 결정으로 관할지방법원에 대응한 검찰청 검사에게 송치하여야 한다(동법 제7조 제1항 · 제2항).

벌금 이상(×) 11. 경찰승진

ⓔ **선도조건부 기소유예** : 검사는 소년의 피의자에 대하여 범죄예방자원봉사위원의 선도 · 소년의 선도 · 교육과 관련된 단체 · 시설에서의 상담 · 교육 · 활동 등의 선도를 받게 하고 피의사건에 대한 공소를 제기하지 아니할 수 있다. 이 경우 소년과 소년의 친권자 · 후견인 등 법정대리인의 동의를 받아야 한다(동법 제49조의 3). 20. 순경 2차 이러한 선도를 조건으로 내리는 기소유예처분을 선도조건부 기소유예라 한다.

ⓜ **공소제기**

ⓐ 검사는 소년피의사건을 조사한 결과 금고 이상의 형에 해당하는 범죄사실이 발견되고 그 동기와 죄질이 형사처분을 필요로 한다고 판단한 경우에는 공소를 제기하게 된다.

ⓑ 소년부판사에 의해 보호처분을 받은 소년에 대하여는 그 심리가 결정된 사건은 다시 공소를 제기하거나 소년부에 송치할 수 없다. 다만, 보호처분이 계속 중일 때에 사건본인이 처분 당시 19세 이상인 것으로 밝혀진 경우에는 공소를 제기할 수 있다(동법 제53조). 19. 경찰간부, 24. 해경승진

관련판례

소년법 제32조의 보호처분을 받은 사건과 동일(상습죄 등 포괄일죄 포함)한 사건에 관하여 다시 공소제기가 되었다면, 이는 공소제기 절차가 법률의 규정에 위배하여 무효인 때에 해당한 경우이므로 형사소송법 제327조 제2호의 규정에 의하여 공소기각의 판결을 하여야 한다(대판 1996.2.23, 96도47). 16 · 22. 7급 국가직

ⓒ 소년부판사가 보호사건을 심리할 필요가 있다고 인정한 때에는 심리개시의 결정을 하게 되는데 그 심리개시결정이 있었던 때로부터 사건에 대한 보호처분의 결정이 확정될 때까지 공소시효는 그 진행이 정지된다(동법 제54조).

(2) 소년형사범의 공판절차상 특칙

소년의 형사범에 대한 공소가 제기되면 원칙적으로 성인에 대한 공소제기의 경우와 같이 형사소송법에 의하여 공판절차가 진행된다.

① **법원의 소년부송치** : 수소법원은 소년에 대한 피고사건을 심리한 결과 보호처분에 해당하는 사유가 있다고 인정하면 결정으로 사건을 관할소년부에 송치하여야 한다(동법 제50조). 09. 7급 국가직, 10. 순경, 11. 경찰승진, 14. 경찰간부

☎ 소년부는 형사법원으로부터 송치받은 사건을 조사·심리한 결과 본인이 19세 이상인 것으로 밝혀지면 결정으로 송치한 법원에 다시 이송하여야 한다(동법 제51조).

② **심리의 특칙**

㉠ 수소법원은 소년에 대한 형사사건에 관하여 그 필요한 사항의 조사를 조사관에게 위촉할 수 있다(동법 제56조). 소년에 대한 형사사건의 심리는 다른 피의자사건과 관련된 경우에도 심리에 지장이 없으면 그 절차를 분리하여야 한다(동법 제57조). 소년보호사건의 심리는 비공개가 원칙이다(동법 제24조). 22. 해경간부

☎ 소년형사사건의 심리 ⇨ 공개(원칙)

㉡ 소년법 제18조 제1항 제3호의 조치가 있었을 때에는 그 위탁기간은 형법 제57조 제1항의 판결선고 전 구금일수로 본다(소년법 제61조). 20. 순경 2차

(3) 소년형사범에 대한 양형상의 특칙

① **사형 또는 무기형의 완화** : 범죄 당시 18세 미만 소년에 대하여는 사형 또는 무기형으로 처할 경우에는 15년의 유기징역으로 한다(동법 제59조). 11. 경찰승진, 13. 9급 법원직, 22. 해경간부

☎ 형을 완화하는 연령의 기준시점 ⇨ 범죄시

☎ 소년이라도 범죄당시 18세 이상이면 무기징역 선고 가능

관련판례

소년법 제53조 소정의 "사형 또는 무기형으로 처할 것인 때에는 15년의 유기징역으로 한다."라는 규정은 소년에 대한 처단형이 사형 또는 무기형일 때에 15년의 유기징역으로 한다는 것이지 법정형이 사형 또는 무기형인 경우를 의미하는 것은 아니다(대판 1986.12.23, 86도2314).

② **부정기형** : 소년이 법정형 장기 2년 이상의 유기형에 해당하는 죄를 범한 때에는 장기 10년, 단기 5년의 범위 내에서 장기와 단기를 정하여 선고한다(동법 제60조 제1항). 06·11. 경찰승진, 13. 9급 법원직

☎ 부정기형을 선고함에 있어 소년의 기준시점 ⇨ 재판시(따라서 소년이었던 피고인이 제1심판결 선고시에 성년에 이를 경우에는 부정기형 선고불가)

☎ 장기는 10년, 단기는 5년 초과 금지 11. 경찰승진, 13. 9급 법원직, 15. 경찰간부

☎ 소년의 경우에도 집행유예, 선고유예를 선고할 수 있으나, 이 경우 부정기형은 선고할 수 없다(소년법 제60조 제3항). 10·11. 경찰승진, 18. 경찰간부

☎ 부정기형을 정기형으로 변경해야 할 경우 불이익변경금지원칙 위반 여부 판단기준 ⇨ 부정기형의 장기와 단기의 중간형(대판 2020.10.22, 2020도4140 전원합의체) 24. 경찰승진

관련판례

1. 상고심에서의 심판대상은 항소심판결 당시를 기준으로 하여 그 당부를 심사하는 데에 있는 것이므로 항소심판결 선고 당시 미성년이었던 피고인이 상고 이후에 성년이 되었다고 하여 항소심의 부정기형의 선고가 위법이 되는 것은 아니다(대판 1998.2.27, 97도3421). 13. 9급 법원직, 16. 7급 국가직, 11 · 24. 경찰승진
2. 제1심에서 부정기형을 선고한 판결에 대한 항소심 계속 중 개정 소년법이 시행되었고 항소심판결 선고시에는 이미 신법상 소년에 해당하지 않게 된 경우, 법원은 정기형을 선고하여야 한다(대판 2008.10.23, 2008도8090).
3. 선고 당시 아직 미성년자인 피고인에 대하여 유기징역형을 선택한 후 경합범가중을 하여 징역 20년을 선고한 것이 소년이 법정형 장기 2년 이상의 유기형에 해당하는 죄를 범한 때에는 장기와 단기를 정하여 선고하되 장기는 10년, 단기는 5년을 초과할 수 없도록 제한한 소년법 제60조 제1항에 위반된다(대판 1991.3.8, 90도2826).
4. 제1심판결 선고 당시 미성년자였던 피고인이 항소심 선고 당시 성년으로 된 경우 부정기형을 선고한 원판결을 파기하고 정기형을 선고하여야 한다(대판 1990.4.24, 90도539).
5. 무기 또는 10년 이상의 징역이 법정되어 있는 죄를 저질렀다고 인정하고 그 법정형 중에서 무기징역을 선택한 후 작량감경한 결과 피고인에게 유기의 징역형을 선고하게 되었을 경우에는 소년법 제54조에 의한 부정기형을 선고할 수 없다(대판 1983.4.26, 83도210).
6. 항소심이 미성년자에 대하여 부정기형을 선고해야 함에도 불구하고 성년자로 오인하고 정기형 선고의 위법을 저지른 경우, 상고심은 파기환송하든지 아니면 파기자판을 해서 부정기형 선고로 바뀌어야 할 것이다. 그런데 상고심 선고 당시 나이가 성년에 달하였다면 파기환송하게 되더라도 환송심에서 선고 당시 나이가 성년에 달하므로 정기형을 선고할 수밖에 없을 것이므로, 상고심에서 파기환송하지 않고 파기자판을 하는 경우 부정기형을 선고한 제1심까지 모두 파기하고 정기형을 선고하여야 한다(대판 1981.12.8, 81도2414). 24. 경찰승진

③ **환형처분의 금지** : 18세 미만인 소년에 대하여 벌금 또는 과료를 선고하는 경우에 벌금액 또는 과료액의 미납에 대비한 노역장 유치의 선고를 하지 못한다. 06 · 10 · 11. 경찰승진 다만, 판결선고 전 구속된 경우에는 그 구속기간에 해당하는 기간은 노역장에 유치된 것으로 보아 형법 제57조를 적용할 수 있다(동법 제62조). 19. 경찰간부

④ **필요적 보호관찰** : 성폭력범죄를 범한 소년에 대하여 형의 선고를 유예하는 경우에는 반드시 보호관찰을 명하여야 한다(성폭력처벌법 제16조 제1항). 10. 경찰승진, 18. 경찰간부

(4) 소년형사범에 대한 형의 집행

① **형의 집행** : 보호처분의 계속 중에 징역, 금고 또는 구류의 선고를 받은 소년에 대하여는 먼저 그 형을 집행한다(소년법 제64조). 19. 경찰간부, 24. 해경승진

징역 또는 금고의 형을 선고받은 소년에 대하여는 특히 설치된 교도소 또는 일반교도소 내에 분계된 장소에서 그 형을 집행한다. 다만, 소년이 형의 집행 중에 23세에 달한 때에는 일반교도소에서 집행할 수 있다(동법 제63조). 20. 순경 2차

② **가석방** : 징역 또는 금고의 선고를 받은 소년에 대하여는 ㉠ 무기형에는 5년, ㉡ 15년의 유기형에는 3년, ㉢ 부정기형에는 단기의 3분의 1이 경과하면 가석방을 허가할 수 있다(동법 제65조). 05. 순경, 10 · 11. 경찰승진, 15. 경찰간부

(5) 자격에 관한 법령의 적용

헌법재판소는, 소년법 제67조는 집행유예보다 중한 실형을 선고받고 집행이 종료되거나 면제된 경우에는 자격에 관한 법령의 적용에 있어 형의 선고를 받지 아니한 것으로 본다고 하여 공무원 임용 등에 자격제한을 두지 않으면서 집행유예를 선고받은 경우에 대해서는 이와 같은 특례조항을 두지 아니하여 불합리한 차별을 야기하고 있으므로 이는 평등원칙에 위반된다는 결정을 내린바 있다(헌재결 2018.1.25, 2017헌가7). 이러한 헌법불합치결정으로 인하여 소년법 제67조가 일부 개정되었다.

소년법 제67조

소년이었을 때 범한 죄에 의하여 형의 선고 등을 받은 자에 대하여 형을 선고받은 자가 그 집행을 종료하거나 면제받은 경우, 형의 선고유예나 집행유예를 선고받은 경우 자격에 관한 법령을 적용할 때 장래에 향하여 형의 선고를 받지 아니한 것으로 본다(소년법 제67조 제1항). 형의 선고유예가 실효되거나 집행유예가 실효 · 취소된 때에는 그 때에 형을 선고받은 것으로 본다(동법 제67조 제2항). 24. 해경승진

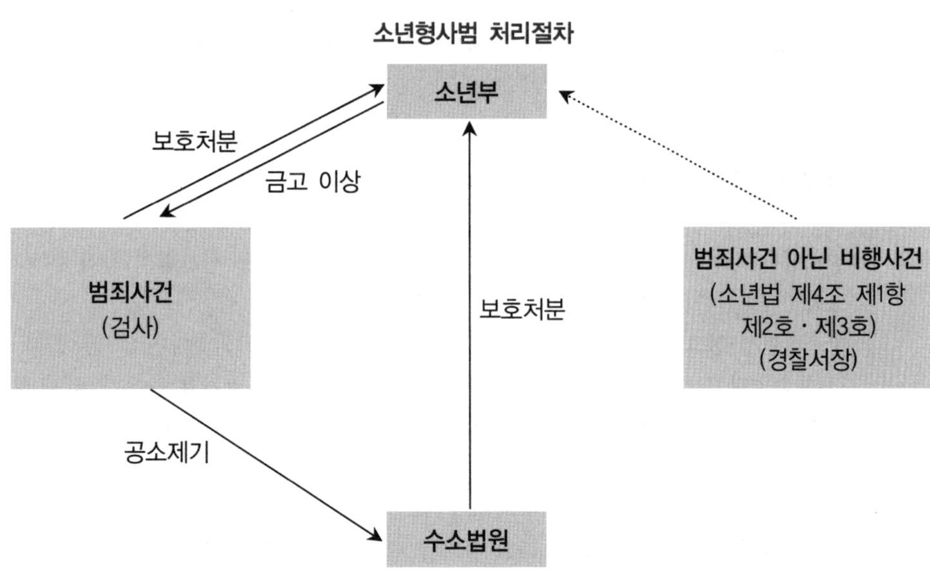

KEY point

- **소년보호사건의 심리** : 비공개심리(원칙)
- **범행시 18세 미만** : 사형 또는 무기형 금지
- **재판시 소년** : 상대적 부정기형 선고(장기 10년, 단기 5년 범위 내)
- **18세 미만 자에 대한 벌금 · 과료 선고** : 환형처분금지

CHAPTER

03 기출문제

01 **다음 중 소년사건의 처리절차에 대한 설명으로 가장 옳지 않은 것은?** **24. 해경승진**

① 형벌 법령에 저촉되는 행위를 한 피의자가 10세 이상 14세 미만의 소년으로 밝혀진 경우 경찰서장은 사건을 직접 관할 소년부에 송치하여야 한다.

② 보호처분이 계속 중일 때에 징역, 금고 또는 구류를 선고받은 소년에 대하여는 먼저 그 형을 집행한다.

③ 소년이었을 때 범한 죄에 의하여 형의 선고유예를 선고받은 경우, 자격에 관한 법령을 적용할 때 장래에 향하여 형의 선고를 받지 아니한 것으로 보는데, 이는 형의 선고유예가 실효된 경우에도 마찬가지이다.

④ 보호처분을 받은 소년에 대하여는 그 심리가 결정된 사건은 다시 공소제기 할 수 없으나, 다만 보호처분 계속 중 본인이 처분 당시에 19세 이상인 것이 판명된 경우에는 공소제기할 수 있다.

해설 ① 소년법 제4조 제2항 ② 동법 제64조
③ 형의 선고유예가 실효되거나 집행유예가 실효 · 취소된 때에는 그 때에 형을 선고받은 것으로 본다(동법 제67조 제2항). ④ 동법 제53조

02 **소년범의 형사절차에 관한 설명으로 가장 적절하지 않은 것은?**(다툼이 있는 경우 판례에 의함) **24. 경찰승진**

① 항소심판결 선고 당시 성년이 되었음에도 불구하고 정기형을 선고함이 없이 부정기형을 선고한 제1심판결을 인용하여 항소를 기각한 것은 적법하다.

② 항소심판결 선고 당시 피고인이 소년이어서 부정기형이 선고되었다면, 그 후에 피고인이 성년이 되었다고 하더라도 부정기형을 선고한 항소심판결을 파기할 사유가 되지 않는다.

③ 공소장의 공소사실 첫머리에 피고인이 전에 받은 소년부송치 처분과 직업 없음을 기재한 경우, 이는 피고인을 특정할 수 있는 사항에 속하는 것이어서 그와 같은 내용의 기재가 있다 하여 공소제기의 절차가 법률의 규정에 위반된 것이라고 할 수 없다.

④ 부정기형과 실질적으로 동등하다고 평가될 수 있는 정기형은 부정기형의 장기와 단기의 정중앙에 해당하는 형이다.

해설 ① 항소심이 미성년자에 대하여 정기형을 선고하였음이 위법이라는 이유로 상고심이 항소심판결을 파기하고 자판하는 경우에 동 피고인이 성년에 달하였다면 부정기형을 선고한 제1심 판결까지 파기하고 정기형을 선고하여야 한다(대판 1981.12.8, 81도2414).
② 대판 1998.2.27, 97도3421 ③ 대판 1990.10.16, 90도1813 ④ 대판 2020.10.22, 2020도4140 전원합의체

Answer 01. ③ 02. ①

CHAPTER 04

재판의 집행과 형사보상

단원 advice

본 단원은 출제빈도가 높지는 않지만 재판의 집행, 미결구금, 형사보상과 관련한 핵심 내용은 관심을 가지고 학습해야 될 부분이다.

제1절 재판의 집행

1 재판집행의 의의 · 기본원칙

(1) 재판집행의 의의

재판의 집행이란 국가의 강제력에 의하여 재판의 의사표시 내용을 실현하는 것을 말한다. 여기에는 형의 집행뿐만 아니라 추징 · 소송비용 등의 부수처분의 집행, 과태료 · 보증금몰수 · 비용배상 등 형 이외의 제재의 집행, 강제처분 내지 영장의 집행 등이 포함된다.

무죄판결, 공소기각재판, 관할위반판결 등은 의사표시만으로 족하고 그 내용을 국가의 강제력에 의해 실현할 필요가 없으므로 재판의 집행이 문제될 여지가 없다.

(2) 재판집행의 기본원칙

① **집행의 시기** : 재판은 확정된 후에 즉시 집행함이 원칙이다(제459조). 그러나 일정한 예외가 있다.

㉠ **확정되기 전의 집행**

ⓐ 결정이나 명령은 즉시항고 또는 이에 준하는 불복신청이 허용되는 경우를 제외하고는 즉시 집행할 수 있다.

ⓑ 벌금, 과료 또는 추징을 선고하는 경우에 가납재판이 있으면 재판의 확정을 기다리지 않고 바로 집행할 수 있다. 16. 경찰간부

㉡ **확정 후 일정기간 경과 후의 집행**

ⓐ 소송비용 부담의 재판은 소송비용 집행면제신청기간 내 또는 그 신청에 대한 재판이 확정될 때까지는 집행할 수 없고(제472조),

ⓑ 노역장유치의 집행은 벌금 또는 과료의 재판이 확정된 후 30일 이내에는 집행할 수 없으며(형법 제69조 제1항),

ⓒ 사형은 법무부장관의 명령 없이는 집행할 수 없다(제463조).

ⓓ 사형선고를 받은 사람과 자유형의 선고를 받은 사람이 심신장애로 의사능력이 없는 상태에 있는 때 및 사형선고를 받은 사람이 임신 중인 때에는 심신장애가 회복되거나 출산할 때까지 형집행을 정지한다(제469조, 제470조).

ⓔ 보석허가결정은 제98조 제1호 · 제2호 · 제5호 · 제7호 및 제8호의 조건의 경우에는 이를 이행한 후가 아니면 집행하지 못하며, 법원은 필요하다고 인정하는 때에는 다른 조건에 관하여도 그 이행 이후 보석허가결정을 집행하도록 정할 수 있다(제100조 제1항).

② **집행의 지휘**

㉠ **검사주의 원칙** : 재판의 집행은 재판을 한 법원에 대응한 검찰청 검사가 지휘한다(제460조 제1항). 19. 경찰간부

상소의 재판 또는 상소의 취하로 하급심법원의 재판을 집행할 경우에는 상소법원에 대응한 검찰청 검사가 지휘한다(동조 제2항). 그러나 소송기록이 하급심법원이나 대응 검찰청에 있는 때에는 그 검찰청 검사가 집행 · 지휘한다.

㉡ **예 외**

ⓐ 명문규정에 의한 법원 · 법관의 집행

㉮ 공판절차에서 구속영장은 급속을 요하는 경우에 재판장, 수명법관 또는 수탁판사가 그 집행을 지휘할 수 있다(제81조 제1항 단서).

㉯ 공판절차에서 압수 · 수색영장은 필요한 경우에 재판장은 법원사무관 등에게 그 집행을 명할 수 있다(제115조 제1항 단서).

ⓑ 성질상 법원 · 법관이 집행해야 하는 경우

㉮ 법원에서 보관하고 있는 압수장물의 환부나

㉯ 법정경찰권에 의한 퇴정명령 등의 경우는 성질상 법원 또는 법관이 지휘할 수밖에 없다.

③ **집행의 방식** : 집행의 지휘는 재판서 또는 재판을 기재한 조서의 등본 또는 초본을 첨부한 서면(재판집행 지휘서)으로 하여야 한다. 다만, 형의 집행을 지휘하는 경우를 제외하고는 재판서의 원본이나 초본 또는 조서의 등본이나 초본에 인정하는 날인으로 대신할 수 있다(제461조).

관련판례

합법적으로 발부된 구속영장이 사법경찰관리에 의하여 집행된 경우 검사의 날인 또는 집행지휘서가 없다 하여 곧 불법집행이 되는 것은 아니다(대결 1985.7.15, 84모22).

2 형의 집행

(1) 집행의 순서

① **중형 우선 집행** : 2개 이상의 형을 집행할 때에는 자격상실, 자격정지, 벌금, 과료, 몰수 외에는 중한 형을 먼저 집행한다(제462조 본문). 07. 9급 법원직, 08. 순경, 12 · 16. 경찰간부, 13. 9급 교정 · 보호 · 철도경찰

② **예외** : 검사는 소속장관의 허가를 얻어 중한 형의 집행을 정지하고 다른 형의 집행을 할 수 있다(동조 단서). 13. 9급 국가직 자유형과 벌금형은 동시집행이 가능하지만, 자유형과 노역장유치가 병존하는 경우에는 검사는 노역장유치의 집행을 위해 자유형의 집행을 정지할 수도 있다.

(2) 형의 집행

① 사형의 집행

㉠ 사형은 법무부장관의 명령에 의하여 집행한다(제463조). 19. 경찰간부 그러나 군형법 및 군사법원법의 적용을 받는 사건의 경우의 사형은 국방부장관의 명령에 의하여 집행한다(군사법원법 제506조).

㉡ 사형집행의 명령은 판결이 확정된 날로부터 6월 내에 하여야 하고(제465조 제1항), 법무부장관이 사형집행을 명한 때에는 5일 이내에 집행하여야 한다(제466조). 19. 경찰간부
사형선고를 받는 자는 구치소 또는 미결수용실에 수용하며, 사형은 교도소 또는 구치소 내에서 교수하여 집행한다. 사형의 집행에는 검사, 검찰청 서기관 또는 검찰사무관, 교도소장 또는 구치소장이나 그 대리자가 참여하여야 한다.

㉢ 검사 또는 교도소장이나 구치소장의 허가를 받지 못한 자는 형집행장에 들어가지 못한다(제467조). 사형집행에 참여한 검찰서기관은 집행조서를 작성하고 검사와 교도소장 또는 구치소장이나 그 대리자와 함께 기명날인 또는 서명하여야 한다(제468조).

㉣ 사형선고를 받은 자가 심신장애로 의사능력이 없는 상태에 있거나, 잉태 중인 여자인 때에는 법무부장관의 명령으로 집행을 정지한다(제469조 제1항). 08. 순경, 13. 9급 교정·보호·철도경찰, 19. 경찰간부 심신장애의 회복 또는 출산 후 법무부장관의 명령에 의하여 형을 집행한다.

② **자유형의 집행** : 자유형, 즉 징역·금고·구류는 교도소에 구치하여 집행하며, 검사가 형집행지휘서에 의하여 지휘하고 자유형의 집행을 위해 형집행장을 발부할 수 있다(제473조). 자유형의 형기는 판결이 확정된 날로부터 기산한다(형법 제84조 제1항).

관련판례

1. 집행유예기간의 시기는 집행유예를 선고한 판결 확정일로 하여야 하고 법원이 판결 확정일 이후의 시점을 임의로 선택할 수는 없다(대판 2002.2.26, 2000도4637). 23. 7급 국가직
2. 형집행장의 집행에 관하여는 피고인의 구속에 관한 규정을 준용한다. 여기서 '피고인의 구속에 관한 규정'은 '피고인의 구속영장의 집행에 관한 규정'을 의미한다고 할 것이므로, 형집행장의 집행에 관하여는 구속의 사유에 관한 형사소송법 제70조나 구속이유의 고지에 관한 형사소송법 제72조가 준용되지 아니한다(대판 2013.9.12, 2012도2349). 23. 7급 국가직

필요적 정지사유	징역·금고 또는 구류의 선고를 받은 자가 심신장애로 의사능력이 없는 상태에 있는 때에는 형을 선고한 법원에 대응한 검찰청 검사 또는 형의 선고를 받은 자의 현재지를 관할하는 검찰청 검사의 지휘에 의하여 회복될 때까지 형의 집행을 정지한다(제470조 제1항).
임의적 정지사유	다음의 사유가 있는 경우에는 검사의 지휘로 형의 집행을 정지할 수 있다(제471조 제1항). 1호 : 형의 집행으로 인하여 현저히 건강을 해치거나 생명을 보전할 수 없는 염려가 있을 때 2호 : 연령이 70세 이상인 때 12. 경찰간부 3호 : 잉태 후 6월 이상인 때 4호 : 출산 후 60일을 경과하지 아니한 때

5호 : 직계존속의 연령이 70세 이상 또는 중병이나 장애인으로 보호할 다른 친족이 없는 때
6호 : 직계비속이 유년으로 보호할 다른 친족이 없는 때
7호 : 기타 중대한 사유가 있는 때
▶ 검사가 집행지휘를 하기 위해서는 소속 고등검찰청검사장 또는 지방검찰청검사장의 허가를 얻어야 한다(동조 제2항).
▶ 형집행정지에 대한 신뢰도와 투명성을 제고하기 위하여 제471조 제1항 제1호의 형집행정지 및 그 연장에 관한 사항을 심의하기 위하여 각 지방검찰청에 형집행정지 심의위원회(위원장 1명을 포함한 10명 이내의 위원으로 구성하며, 기타 사항은 법무부령에 위임)를 설치하도록 하는 근거를 법률에 마련하였다(2015. 7. 31. 신설).

③ **자격형의 집행** : 자격상실 또는 자격정지의 선고를 받은 자에 대하여는 이를 수형자 원부에 기재하고 지체 없이 그 등본을 형 선고를 받은 자의 등록기준지와 주거지의 시 · 읍 · 면장에게 송부하여야 한다(제476조).

④ **재산형의 집행**

㉠ 벌금, 과료, 몰수, 추징, 과태료, 소송비용, 비용배상 또는 가납재판은 검사의 명령에 의하여 집행한다(제477조 제1항). 이 명령은 집행력 있는 채무명의와 동일한 효력이 있다(동조 제2항). 17. 경찰간부 이 재판의 집행에는 민사집행법의 집행에 관한 규정을 준용한다. 단, 집행 전에 재판의 송달을 요하지 아니한다(동조 제3항). 재산형 등의 집행은 국세징수법에 따른 국세체납처분의 예에 따라 집행할 수도 있다(동조 제4항). 18. 9급 법원직

'벌금미납자의 사회봉사 집행에 관한 특례법'은, 벌금형이 확정된 벌금미납자는 검사의 '납부명령일부터 30일 이내에' 사회봉사를 신청할 수 있다고 규정하고 있는데, 그 신청은 벌금형이 확정된 때부터 가능하고, 그 종기(終期)는 검사의 납부'명령일'이 아니라 납부명령이 벌금미납자에게 '고지된 날'로부터 30일이 되는 날이라고 해석하는 것이 옳다(대결 2013.1.16, 2011모16).
사회봉사 신청대상 : 300만원 이하 벌금형이 확정된 미납자(동법 시행령 제2조) 18. 9급 법원직

벌금, 과료, 추징, 과태료, 소송비용 또는 비용배상의 분할납부, 납부연기 및 납부대행기관을 통한 납부 등 납부방법에 필요한 사항은 법무부령으로 정한다(제477조 제6항).

㉡ 몰수 또는 조세, 전매 기타 공과에 관한 법령에 의하여 재판한 벌금 또는 추징은 그 재판을 받은 자가 재판확정 후에 사망한 경우에는 그 상속재산에 대하여 집행할 수 있다(제478조). 13. 9급 교정 · 보호 · 철도경찰, 16 · 17. 경찰간부

㉢ 법인에 대하여 벌금, 과료, 몰수, 소송비용 또는 비용배상을 명한 경우에 법인이 그 재판확정 후에 합병에 의하여 소멸한 때에는 합병 후 존속한 법인 또는 합병에 의하여 설립된 법인에 대하여 집행할 수 있다(제479조). 17. 경찰간부

(3) 형집행을 위한 소환

사형, 징역, 금고 또는 구류의 선고를 받은 자가 구금되지 아니한 때에는 검사는 형을 집행하기 위하여 그 자를 소환해야 한다. 소환에 응하지 아니한 때에는 검사는 형집행장을 발부하여 구인하여야 한다(제473조). 형집행장은 구속영장과 동일한 효력이 있다(제474조 제2항).

형집행장 발부 ⇨ 검사(법관 ×)

관련판례

1. 형집행장의 집행에 관하여 피고인의 구속에 관한 규정을 준용한다. 여기서 '피고인의 구속에 관한 규정'은 '피고인의 구속영장의 집행에 관한 규정'을 의미한다고 할 것이므로, 형집행장의 집행에 관하여는 구속의 사유에 관한 형사소송법 제70조나 구속이유의 고지에 관한 형사소송법 제72조가 준용되지 아니한다(대판 2013.9.12, 2012도2349). 19. 변호사시험
2. 사법경찰관리가 벌금형을 받은 사람을 그에 따르는 노역장유치의 집행을 위하여 구인시 형집행장의 제시 없이 구인할 수 있는 '급속을 요하는 때'란 애초 사법경찰관리가 적법하게 발부된 형집행장을 소지할 여유가 없이 형집행의 상대방을 조우한 경우 등을 가리킨다(대판 2013.9.12, 2012도2349).
3. 사법경찰관리도 검사의 지휘를 받아 벌금미납자에 대한 노역장유치의 집행을 위하여 형 집행장의 집행 등을 할 권한이 있으므로, 이 경우 벌금미납자에 대한 검거는 사법경찰관리의 직무범위에 속한다고 보아야 한다(대판 2011.9.8, 2009도13371). 12. 순경
4. 사법경찰관리가 벌금형에 따르는 노역장유치의 집행을 위하여 구인하려면, 검사로부터 발부받은 형집행장을 그 상대방에게 제시하여야 하므로,16. 경찰간부 경찰관이 벌금형에 따르는 노역장유치의 집행을 위하여 형집행장을 소지하지 아니한 채 임의동행의 형식으로 데리고 가다가, 피고인이 동행을 거부하며 다른 곳으로 가려는 것을 제지하면서 체포·구인하려고 하자 피고인이 이를 거부하면서 경찰관을 폭행한 사안에서, 공무집행방해죄가 성립하지 않는다고 판시하였다(대판 2010.10.14, 2010도8591).

PART 05

(4) 형집행의 부수적 처분

① 미결구금일수의 형기산입

㉠ **의의** : 미결구금일수란 구금당한 날로부터 판결확정 전일까지 실제로 구금된 일수를 말한다.

종래에는 미결구금일수의 본형기에 산입하는 방법에 대하여 형법 제57조에 의한 재정통산(법원의 재량에 따라 산입)을 원칙으로 하면서, 형사소송법 제482조에 법정통산(당연히 미결구금일수를 본형에 전부 산입)규정을 보충적으로 두었다. 그러나 헌법재판소의 위헌결정에 따라 형법과 형사소송법이 개정되어 현재는 법정통산만이 인정된다.

㉡ **미결구금일수가 산입될 형의 종류** : 유기징역, 유기금고, 벌금이나 과료에 관한 유치 또는 구류에 산입한다(형법 제57조 제1항).

㉢ **산입방법** : 법률에 의하여 미결구금일수가 당연히 본형에 산입된다.

- 판결선고 전 미결구금일수 전부 본형에 산입(형법 제57조)
- 판결선고 후 판결확정 전 구금일수(판결선고 당일 구금일 수 포함) 전부 본형산입(형사소송법 제482조 제1항) ∴ 상소제기 후 상소취하시까지의 구금일수 ⇨ 당연히 본형에 산입
- 상소기각결정시에 송달기간이나 즉시항고기간 중의 미결구금일수 전부 본형에 산입(제482조 제2항)

㉣ **구금일수 계산** : 구금일수의 1일을 형기의 1일 또는 벌금이나 과료에 관한 유치기간의 1일로 계산한다(제482조 제3항).

관련판례

1. 형법 제57조 제1항 중 '또는 일부' 부분에 대하여 형법 제57조 제1항은 자유형의 집행과 다를 바 없는 미결구금의 본질을 충실히 고려하지 못하고 법관으로 하여금 미결구금일수 중 일부를 형기에 산입하지 않을 수 있게 허용하였는바, 이는 헌법상 무죄추정의 원칙에 및 적법절차의 원칙 등을 위배하여 합리성과 정당성이 없이 신체의 자유를 지나치게 제한함으로써 헌법에 위반된다(헌재결 2009.6.25, 2007헌바25).
2. 미결구금기간이 확정된 징역 또는 금고의 본형기간을 초과한 결과가 생겼다 하여 위법하다고 할 수 없다(대판 1989.10.10, 89도1711). 04. 순경, 15. 7급 국가직
3. 정식재판청구기간을 도과한 약식명령에 기하여 피고인을 노역장에 유치하는 것은 형의 집행이므로 그 유치기간은 형법 제57조가 규정한 미결구금일수에 해당하지 아니한다. 따라서 비록 정식재판청구권회복결정에 의하여 사건을 공판절차에 의하여 심리하는 경우라 하더라도 법원은 노역장 유치기간을 미결구금일수로 보아 이를 본형에 산입할 수는 없고, 그 유치기간은 나중에 본형의 집행단계에서 그에 상응하는 벌금형이 집행된 것으로 간주될 뿐이다(대판 2007.5.10, 2007도2517). 17. 9급 교정 · 보호 · 철도경찰
4. 형사소송법 제92조 제3항에 의하면 같은 법 제22조에 의한 기피신청으로 인하여 공판절차가 정지된 기간은 구속기간에 산입하지 아니한다고 규정되어 있는바, 그 취지는 본안의 심리기간을 확보하기 위한 것뿐이므로 기피신청으로 인하여 공판절차가 정지된 상태의 구금기간도 판결선고 전의 구금일수에는 산입되어야 하는 것이다(대판 2005.10.14, 2005도4758). 17. 9급 교정 · 보호 · 철도경찰
5. '대한민국 정부와 미합중국 정부 간의 범죄인인도조약'에 따라 체포된 후 인도절차를 밟기 위한 기간은 형법 제57조에 의하여 본형에 산입될 미결구금일수에 해당하지 않는다(대판 2009.5.28, 2009도1446). 16. 경찰간부
6. 형사소송법 제482조의 규정에 의하여 미결구금일수가 법정통산되는 경우에 항소심이 그 법정통산될 일수보다 적은 일수를 산입한다는 판단을 주문에서 선고하였다 하더라도 이는 법률상 의미 없는 조치에 불과하고 이로 말미암아 법정통산이 배제되는 것은 아니므로 위와 같은 사유만으로 원심판결을 파기할 수는 없다(대판 1996.1.26, 95도2263). 07. 순경
7. 형법 제57조 제1항 중 '또는 일부'부분은 위헌결정으로 효력이 상실되었으므로 판결선고 전 미결구금일수는 그 전부가 법률상 당연히 본형에 산입하게 되었으므로 판결에서 별도로 미결구금일수산입에 관한 사항을 판단할 필요가 없다(대판 2009.12.10, 2009도11448). 04. 순경
8. 외국에서 이루어진 미결구금을 형법 제57조 제1항에서 규정한 '본형에 당연히 산입되는 미결구금'과 같다고 볼 수 없다(대판 2017.8.24, 2017도5977 전원합의체). 20. 9급 검찰 · 마약 · 교정 · 보호 · 철도경찰
9. 피고인이 수사기관에 의해 체포되었다가 당일 석방된 경우, 피고인에 대하여 벌금형을 선고하면서 위 미결구금일수를 노역장유치기간에 산입하여야 함에도 이를 산입하지 아니한 것이 위법하다(대판 2007.2.9, 2006도7837).
10. 형의 집행과 구속영장의 집행이 경합하고 있는 경우에는 구속 여부와 관계없이 피고인 또는 피의자는 형의 집행에 의하여 구금을 당하고 있는 것이어서, 구속은 관념상은 존재하지만 사실상은 형의 집행에 의한 구금만이 존재하는 것에 불과하므로 즉, 구속에 의하여 자유를 박탈하는 것이 아니므로, 인권보호의 관점에서 이러한 미결구금 기간을 본형에 통산할 필요가 없다(대판 2001.10.26, 2001도4583).

11. 원심판결 선고 당시에 통산미결구금일수가 원심선고 형기를 초과하는 경우 상고 후의 미결구금일수는 통산 아니한다(대판 1983.3.22, 83도232).
12. 확정된 형을 집행함에 있어서 무죄로 확정된 다른 사건에서의 미결구금일수를 산입하지 않는다고 하여 헌법상의 행복추구권이나 평등권을 침해하였다고 볼 수도 없다(대결 1997.12.29, 97모112). 23. 7급 국가직
13. 구속영장이 발부되어 구금되어 있는 사건과 별개의 다른 사건을 병합심리한 경우, 영장에 의하여 구금된 미결구금일수는 구속영장이 발부되지 아니한 다른 범죄사실에 관한 죄의 형에 산입할 수도 있다(대판 1986.12.9, 86도1875).
14. 형사사건으로 외국 법원에 기소되었다가 무죄판결을 받은 사람은, 설령 그가 무죄판결을 받기까지 상당 기간 미결구금되었더라도 이를 유죄판결에 의하여 형이 실제로 집행된 것으로 볼 수는 없으므로, '외국에서 형의 전부 또는 일부가 집행된 사람'에 해당한다고 볼 수 없고, 그 미결구금 기간은 형법 제7조에 의한 산입의 대상이 될 수 없다(대판 2017.8.24, 2017도5977 전원합의체).

PART 05

② **몰수와 압수물의 처분**

㉠ 몰수물은 검사가 처분하여야 한다(제483조).

구법에는 검사가 공매에 의하여 처분해야 한다고 규정

몰수를 집행한 후 3월 이내에 그 몰수물에 대해 정당한 권리가 있는 자가 몰수물의 교부를 청구한 때에는 검사는 파괴 또는 폐기할 것이 아니면 이를 교부하여야 한다(제484조 제1항).

㉡ 압수물의 환부를 받을 자의 소재가 불분명하거나 기타 사유로 인하여 환부를 할 수 없는 경우에는 검사는 그 사유를 관보에 공고하여야 한다. 공고한 후 3월 이내에 환부의 청구가 없는 때에는 그 물건은 국고에 귀속한다(제486조).

3 재판의 집행에 대한 구제방법

(1) 소송비용의 집행면제신청

소송비용부담의 재판을 받은 자가 빈곤으로 인하여 이를 완납할 수 없는 때에는 그 재판이 확정된 후 10일 이내에 재판을 선고한 법원에 소송비용의 전부 또는 일부에 대한 재판의 집행면제를 신청할 수 있다(제487조).

(2) 재판해석에 대한 의의

형의 선고를 받은 자는 집행에 관하여 재판의 해석에 대한 의의가 있는 때에는 재판을 선고한 법원에 의의신청을 할 수 있다(제488조). 20. 9급 검찰·마약수사 재판의 해석에 대한 '의의'란 재판주문의 취지가 명료하지 않고 그 해석에 의문이 있는 때를 말하며, 판결이유의 모순, 불명확 또는 부당함을 주장하는 경우에는 포함하지 않는다. 16. 경찰간부 신청권자는 형의 선고를 받은 본인만으로 제한되며, 법정대리인이나 검사 등도 신청권이 없다. 의의신청은 형을 선고한 법원에 대하여 하여야 하며, 형을 선고한 법원이 아닌 상소기각결정을 내린 법원은 관할법원이 될 수 없다.

해석에 대한 의의신청은 확정재판에 대해서만 가능하고 집행이 종료된 후에는 실익이 없으므로 허용되지 않는다.

(3) 재판의 집행에 관한 이의신청

재판의 집행을 받은 자 또는 그 법정대리인이나 배우자는 집행에 관한 검사의 처분이 부당함을 이유로 재판을 선고한 법원에 이의신청을 할 수 있다(제489조). 13. 9급 국가직, 21. 경찰간부

이의신청 역시 재판을 선고한 법원에 하며(제489조), 재판을 선고한 법원이란 형을 선고한 법원을 말하고, 형을 선고한 판결에 대한 상소를 기각한 법원을 가리키는 것은 아니다. 이의신청은 확정재판을 전제로 하고 집행이 종료된 후에는 실익이 없으므로 허용되지 않는다.

관련판례

1. 재판의 집행에 관한 검사의 처분에 불복하면서 준항고장을 제출한 것을 형사소송법 제489조의 이의신청으로 보아 판단하여야 한다(대결 1993.8.6, 93모55).
2. 형사소송법 제489조 소정의 이의신청은 재판의 집행을 받은 자 등이 재판의 집행에 관한 검사의 처분이 부당함을 이유로 하는 경우에 신청할 수 있는 것이므로 재판의 집행에 관한 것이 아니고 검사의 공소제기 또는 이를 바탕으로 한 재판 그 자체가 부당함을 이유로 하는 경우에는 신청할 수 없다(대결 1986.9.8, 86모32).
3. 항소심에서 유죄판결을 선고받고 이에 불복하여 상고를 제기한 피고인을 교도소 소장이 검사의 이송지휘도 없이 다른 교도소로 이송처분한 경우 피고인은 이에 대하여 형사소송법 제15조 제1호 소정의 관할이전신청이나 동법 제489조 소정의 이의신청을 할 수 없다(대결 1983.7.5, 83초20).

(4) 즉시항고 및 재소자의 특칙

위 제487조 내지 제489조에 의한 신청에 대한 법원의 결정에 대하여 즉시항고할 수 있으며(제491조 제2항), 신청 및 취하에 대하여 제344조의 규정이 준용된다(제490조 제2항).

제2절 형사보상 및 명예회복

1 형사보상

(1) 형사보상의 의의 · 성질

① **의의** : 형사보상이란 형사절차에서 억울하게 죄인의 누명을 쓰고 구금되거나, 형의 집행을 받은 사람에 대하여 국가가 그 피해를 보상해 주는 제도를 말한다.

헌법 제28조에서 형사보상청구권을 국민의 기본권으로 보장하고 있으며, 이를 구체적으로 실현하기 위하여 제정된 법이 형사보상 및 명예회복에 관한 법률이다.

② **형사보상의 성질**

㉠ **형사보상의 본질** : 형사보상의 본질에 관하여 법률의무설(피해를 입은 자에 대해 국가가 손해를 배상해야 하는 법률적 의무를 진다고 보는 견해)과 공평설(국가가 공평의 견지에서 조절보상이라고 보는 견해)의 대립이 있으며 전자가 다수설이다.

㉡ **형사보상과 손해배상과의 관계** : 형사보상의 청구는 국가배상법 또는 민법에 의한 손해배상청구와 경합하는 경우가 있을 수 있다. 이 경우에 어느 사유에 의하여 배상을 청구하는가는 피해자의 자유이며(형사보상 및 명예회복에 관한 법률 제6조 제1항). 어느 한 사유로 배상을 받은 경우 다른 사유로 인한 청구에 그 액이 공제된다(동조 제2항 · 제3항). 11. 경찰승진 – 형사보상은 공무원의 고의 · 과실을 묻지 않고 배상하여 주는 공법상의 손해배상임. 08. 경찰승진

(2) 형사보상의 요건

형사보상은 피고인으로서 무죄판결을 받은 자나 그에 준하는 자에게 미결구금 및 형집행으로 인한 피해를 보상하는 경우와 피의자로서 불기소처분이나 불송치결정을 받은 자에게 미결구금으로 인한 피해를 보상하는 경우로 나누어진다.

① **피의자보상의 요건**

㉠ **불기소처분 · 불송치결정** : 피의자로서 구금되었던 자 중 검사로부터 불기소처분을 받거나 사법경찰관으로부터 불송치결정을 받은 자에 한한다(종국적인 것이 아니거나 기소유예처분일 경우에는 제외).

㉡ **미결구금의 집행** : 형사보상을 청구할 수 있는 자는 불기소처분이 있기 전까지 사실상 미결구금을 당한 자에 한한다.

㉢ **보상의 배제사유**

ⓐ 수사 또는 재판을 그르칠 목적으로 허위자백을 하거나 다른 유죄의 증거를 만듦으로써 구금된 것으로 인정되는 경우

ⓑ 구금기간 중에 다른 사실에 대하여 수사가 행해지고 그 사실에 관하여 범죄가 성립한 경우

ⓒ 보상함이 선량한 풍속 기타 사회질서에 반한다고 인정할 특별사정이 있는 경우에는 보상의 전부 또는 일부를 하지 아니할 수 있다(동법 제27조 제2항).

② **피고인보상의 요건**

㉠ **무죄판결 및 기타 판결**

ⓐ 무죄판결 : 피고인보상을 청구할 수 있는 자는 형사소송법에 의한 일반절차 또는 상소권회복에 의한 상소, 재심 또는 비상상고절차에서 무죄재판을 받은 자이다(동법 제2조 제1항 · 제2항). 무죄재판을 받은 경우란 무죄재판이 확정된 것을 의미한다.

관련판례

1. 판결 주문에서 경합범의 일부에 대하여 유죄가 선고되더라도 다른 부분에 대하여 무죄가 선고되었다면 형사보상을 청구할 수 있다. 그러나 그 경우라도 미결구금 일수의 전부 또는 일부가 유죄에 대한 본형에 산입되는 것으로 확정되었다면, 그 본형이 실형이든 집행유예가 부가된 형이든 불문하고 그 산입된 미결구금 일수는 형사보상의 대상이 되지 않는다. 그 미결구금은 유죄에 대한 본형에 산입되는 것으로 확정된 이상 형의 집행과 동일시되므로, 형사보상할 미결구금 자체가 아닌 셈이기 때문이다(대결 2017.11.28, 2017모1990).
2. 판결 주문에서 무죄가 선고되지 아니하고 판결 이유에서만 무죄로 판단된 경우에도 미결구금 가운데 무죄로 판단된 부분의 수사와 심리에 필요하였다고 인정된 부분에 관하여는 판결 주문에서 무죄가 선고된 경우와 마찬가지로 보상을 청구할 수 있다. 그러나 미결구금 일수의 전부 또는 일부가 선고된 형에 산입되는 것으로 확정되었다면, 그 산입된 미결구금 일수는 형사보상의 대상이 되지 않는다(대결 2017.11.28, 2017모1990).

ⓑ 면소 및 공소기각의 재판 : 면소 또는 공소기각의 재판을 받는 자라 할지라도 면소 또는 공소기각의 재판을 할 만한 사유가 없었더라면 무죄의 재판을 받을 만한 현저한 사유가 있었을 때에는 형사보상을 청구할 수 있다(동법 제26조 제1항 제1호).

관련판례

긴급조치 제9호는 헌법에 위배되어 당초부터 무효이고, 이와 같이 위헌 · 무효인 긴급조치 제9호를 적용하여 공소가 제기된 경우에는 형사소송법 제325조 전단의 '피고사건이 범죄로 되지 아니한 때'에 해당하므로 법원은 무죄를 선고하였어야 하는데, 이 결정에서 긴급조치 제9호의 위헌 · 무효를 선언함으로써 비로소 면소의 재판을 할 만한 사유가 없었더라면 무죄재판을 받을 만한 현저한 사유가 피고인에게 생겼다고 할 것이므로, 甲은 형사보상 및 명예회복에 관한 법률을 근거로 긴급조치 제9호 위반으로 피고인이 구금을 당한 데 대한 보상을 청구할 수 있다(대판 2013.4.18, 2011초기689).

ⓒ 치료감호청구기각판결 : 치료감호사건이 범죄로 되지 아니하거나 범죄사실의 증명이 없는 때에 해당되어 청구기각의 판결을 받아 확정된 경우 국가에 대한 구금에 대한 보상을 청구할 수 있다(동법 제26조 제1항 제2호). 12. 순경

ⓓ 재심 절차에서 원판결보다 가벼운 형으로 확정됨에 따라 원판결에 의한 형 집행이 재심 절차에서 선고된 형을 초과한 경우 초과하여 집행된 구금에 대하여 형사보상을 청구할 수 있다(동법 제26조 제1항 제3호). 동조 제1항 제3호에 따른 보상청구의 경우에 법원은 재량으로 보상청구의 전부 또는 일부를 기각할 수 있다(동법 제26조 제3항).

㉡ **미결구금 또는 형의 집행** : 피고인보상을 청구할 수 있는 대상은 미결구금과 형의 집행이다.

㉢ **보상의 배제사유**

ⓐ 피고인이 형사미성년자 내지 심신장애의 사유로 무죄판결을 받은 경우

ⓑ 본인이 수사 또는 심판을 그르칠 목적으로 허위의 자백을 하거나 또는 다른 유죄의 증거를 만듦으로써 기소, 미결구금 또는 유죄판결을 받게 된 것으로 인정된 경우

관련판례

군용물손괴죄로 구금된 공군 중사가 수사기관에서 범행을 자백하다가 다시 부인하며 다투어 무죄의 확정판결을 받고 형사보상청구를 한 사안에서, 자신이 범인으로 몰리고 있어서 형사처벌을 면하기 어려울 것이라는 생각과 거짓말탐지기 검사 등으로 인한 심리적인 압박 때문에 허위의 자백을 한 것은 형사보상청구의 기각 요건인 '수사 또는 심판을 그르칠 목적'에 해당하지 않는다(대결 2008.10.28, 2008모577). 11·14. 경찰승진

ⓒ 1개의 재판으로써 경합범의 일부에 대하여 무죄재판을 받고 다른 부분에 대하여 유죄재판을 받았을 경우에는 법원은 재량에 의하여 전부 또는 일부를 기각할 수 있다(동법 제4조).

(3) 형사보상의 내용

① **구금에 대한 보상** : 구금에 대한 보상에는 그 일수에 따라 1일당 보상청구의 원인이 발생한 연도의 '최저임금법'에 따른 일급 최저금액 이상 대통령령으로 정하는 금액 이하의 비율에 의한 보상금을 지급하여야 한다(동법 제5조 제1항). 12. 순경

② **사형집행에 대한 보상** : 사형집행에 대한 보상금은 집행 전 구금에 대한 보상금 이외에도 법원은 모든 사정을 고려하여 상당하다고 인정되는 경우 3천만원 내에서 가산한 금액을 보상할 수 있고 본인의 사망에 의하여 생긴 재산상 손실액이 증명된 경우에는 그 손실액도 보상한다(동법 제5조 제3항).

③ **벌금·과료의 집행에 대한 보상** : 벌금 또는 과료를 집행한 경우에는 이미 징수한 금액과 그 징수한 금액에 대한 이자, 즉 징수일의 익일부터 보상결정일까지의 일수에 따라 민법상의 법정이율인 연 5푼의 이율에 의한 금액을 보상한다(동법 제5조 제4항).

④ **몰수·추징의 집행에 대한 보상** : 몰수의 집행에 대한 보상에 있어서는 그 몰수물을 반환하고 그것이 이미 처분되었을 때에는 보상결정시의 시가를 보상하며, 추징금에 대한 보상에 있어서는 그 액수에 징수한 다음 날부터 보상결정일까지의 일수에 따라 연 5푼의 비율에 의한 금액을 가산한 액을 보상한다(동법 제5조 제7항). 다만, 면소 또는 공소기각의 재판을 받은 자는 구금에 대한 보상만 청구할 수 있으므로(동법 제26조) 몰수 또는 추징에 대한 보상은 청구할 수 없다(대판 1965.5.18, 65도537).

(4) 형사보상의 절차

① **보상의 청구**

㉠ **청구권자** : 형사보상청구권자는 무죄, 면소 또는 공소기각의 재판, 치료감호청구기각판결을 받은 본인과 협의의 불기소처분을 받은 피의자이다. 청구권은 양도 또는 압류할 수 없으나(동법 제23조) 상속될 수는 있다(동법 제3조 제1항). 11·14. 경찰승진, 20. 경찰간부

㉡ **청구절차**

ⓐ 형사보상청구는 무죄, 면소 또는 공소기각의 재판이 확정된 사실을 안 날로부터 3년, 무죄재판 등이 확정된 날로부터 5년 이내, 12. 순경, 14. 경찰승진, 20. 경찰간부, 22. 해경간부 불기소

처분 또는 불송치결정의 고지 또는 통지를 받은 날로부터 3년 이내에 하여야 한다(형사보상 및 명예회복에 관한 법률 제8조, 제26조 제2항, 제28조 제3항). 12. 순경

☎ 개정 전 형사보상법에서 형사보상청구는 무죄, 면소 또는 공소기각의 재판이 확정되거나, 검사로부터 공소를 제기하지 아니하는 처분의 고지 또는 통지를 받은 날로부터 1년 이내에 하여야 한다고 규정(구 형사보상법 제7조, 제25조 제2항, 제27조 제3항)하고 있었다. 그러나 헌법재판소는 무죄재판이 확정된 때로부터 1년 이내에 하도록 규정하고 있는 형사보상법 제7조는 헌법에 합치되지 아니하므로, 위 법률조항은 입법자가 2011. 12. 31.까지 개정하지 아니하면 2012. 1. 1.부터 효력을 상실한다는 헌법불합치결정(헌재결 2010.7.29, 2008헌가4)을 내린 바 있다. 이러한 취지에 따라 법이 개정되었다.

☎ 면소 또는 공소기각의 재판을 받아 확정되었으나, 그 면소 또는 공소기각의 사유가 없었더라면 무죄재판을 받을 만한 현저한 사유가 있음을 이유로 구금에 대한 보상을 청구하는 경우, 보상청구는 면소 또는 공소기각의 재판이 확정된 사실을 안 날부터 3년, 면소 또는 공소기각의 재판이 확정된 때부터 5년 이내에 하는 것이 원칙이다. 다만, 면소 또는 공소기각의 재판이 확정된 이후에 비로소 해당 형벌법령에 대하여 위헌·무효 판단이 있는 경우 등과 같이 면소 또는 공소기각의 재판이 확정된 이후에 무죄재판을 받을 만한 현저한 사유가 생겼다고 볼 수 있는 경우에는 해당 사유가 발생한 사실을 안 날부터 3년, 해당 사유가 발생한 때부터 5년 이내에 보상청구를 할 수 있다(대결 2022.12.20, 2020모627).

ⓑ 피고인의 보상청구는 무죄재판을 한 법원에 하여야 하며(동법 제7조), 피의자보상청구는 불기소처분을 한 검사가 소속하는 지방검찰청의 심의회의에 하여야 한다(동법 제28조 제1항).

② **피고인보상청구에 대한 재판**

㉠ **심리** : 무죄의 재판을 받은 자가 한 보상청구는 법원 합의부에서 재판한다(동법 제14조 제1항). 보상청구에 대하여 법원은 검사와 청구인의 의견을 들은 후에 결정하여야 한다(동조 제2항). 보상청구를 받은 법원은 6개월 이내에 보상결정을 하여야 한다(동조 제3항). <2018. 3. 20. 신설> 보상을 청구한 자가 청구절차 중 사망하거나 또는 상속인의 신분을 상실한 경우에 다른 청구인이 없을 때에는 청구절차는 중단된다. 상속인은 2월 이내에 청구절차를 승계할 수 있다(동법 제19조).

㉡ **법원의 결정**

ⓐ 청구각하결정 : 보상청구절차가 법령상의 방식에 위반하여 보정할 수 없을 때, 청구인이 법원의 보정명령에 응하지 아니할 때, 청구기간 경과 후에 보상을 청구하였을 때에는 이를 각하하여야 한다(동법 제16조). 청구절차가 중단된 후 2월 이내에 승계의 신청이 없는 때에도 법원은 각하결정을 하여야 한다(동법 제19조 제4항).

ⓑ 청구기각결정과 보상결정 : 보상청구가 이유 없는 때에는 청구기각결정을 하고 이유 있는 때에는 보상의 결정을 하여야 한다(동법 제17조). 보상결정이 확정되었을 때에는 법원은 2주일 내에 보상결정의 요지를 관보에 게재하여 공시하여야 한다. 이 경우 보상결정을 받은 자의 신청이 있을 때에는 그 결정의 요지를 신청인이 선택하는 두 종류 이상의 일간신문에 각각 한 번씩 공시하여야 하며 그 공시는 신청일부터 30일 이내에 하여야 한다(동법 제25조 제1항). 14. 9급 법원직

형사보상에 관한 결정을 관할권 없는 법원이 하였다고 하여 당연히 무효가 되는 것은 아니다(대판 1965.5.18, 65다532).

형사재판 공시 관련 정리

- 피해자의 이익을 위하여 필요하다고 인정할 때에는 피해자의 청구가 있는 경우에 한하여 피고인의 부담으로 판결공시의 취지를 선고할 수 있다(형법 제58조 제1항).
- 피고사건에 대하여 무죄판결을 선고할 때에는 무죄 판결공시의 취지를 선고하여야 한다(형법 제58조 제2항).
- 피고사건에 대하여 면소판결을 선고하는 경우에는 면소 판결공시의 취지를 선고할 수 있다(형법 제58조 제3항).
- 재심에서 무죄의 선고를 한 때에는 그 판결을 관보와 그 법원 소재지의 신문지에 기재하여 공고하여야 한다(제440조). – 공고할 수 있다. (×) 14. 9급 법원직

ⓒ 불복신청 : 헌법재판소는 형사보상결정에 대하여 불복을 신청할 수 없다는 개정 전 형사보상법 제19조 제1항에 대하여 위헌결정(헌재결 2010.10.28, 2008헌마514)을 내렸고, 이러한 위헌결정의 취지에 따라 개정 형사보상 및 명예회복에 관한 법률 제20조 제1항에서 보상결정에 대하여 1주일 이내에 즉시항고를 할 수 있다고 규정하였다. 12. 순경, 14. 경찰승진, 20. 경찰간부 한편 형사보상청구기각결정에 대하여 즉시항고를 할 수 있는 것은 법 개정 전후에 변함이 없다(형사보상 및 명예회복에 관한 법률 제20조 제2항).

③ **피의자보상의 결정** : 피의자보상에 관한 사항은 지방검찰청에 둔 피의자보상심의회에서 심사·결정하며 심의회는 법무부장관의 지휘·감독을 받는다(동법 제27조).

④ **보상금지급의 청구** : 보상금지급을 청구하고자 하는 자는 보상을 결정한 법원에 대응한 검찰청에 보상지급청구서를 제출하여야 한다(동법 제21조 제1항). 20. 경찰간부
보상금지급청구서를 제출받은 검찰청은 3개월 이내에 보상금을 지급하여야 한다(동법 제21조의 2 제1항). 보상결정이 송달된 후 2년 이내에 보상지급을 청구하지 아니할 때에는 권리를 상실한다(동법 제21조 제3항).

2 명예회복

(1) 무죄재판서 게재청구 및 방법

① 무죄재판이 확정된 사건의 피고인은 무죄재판이 확정된 때로부터 3년 이내에 확정된 무죄재판사건의 재판서를 법무부 인터넷 홈페이지에 게재하도록 해당사건을 기소한 검사가 소속된 지방검찰청에 청구할 수 있다(형사보상 및 명예회복에 관한 법률 제30조). 면소, 공소기각의 재판을 받아 확정된 경우에 있어서 피고인, 치료감호 독립청구에 대한 기각재판을 받아 확정된 경우에 있어서 피치료감호청구인도 마찬가지로 청구할 수 있다(동법 제34조).

② 무죄재판서 게재청구서에 재판서 등본과 그 재판의 확정증명서를 첨부하여 제출하여야 한다(동법 제31조 제1항).

(2) 청구에 대한 조치

① 무죄재판서 게재청구가 있는 때에는 그 청구를 받은 날로부터 1개월 이내에 무죄재판서를 법무부 인터넷 홈페이지에 게재하여야 한다(동법 제32조 제1항).

② 청구인이 무죄재판서 중 일부의 내용의 삭제를 원하는 의사를 명시적으로 밝힌 경우, 무죄재판서의 공개로 인하여 사건 관계인의 명예나 사생활의 비밀 또는 생명·신체의 안전이나 생활의 평온을 현저히 해칠 우려가 있는 경우에는 무죄재판서의 일부를 삭제하여 게재할 수 있다(동조 제2항).

③ 무죄재판서의 게재기간은 1년으로 한다(동조 제4항).

KEY point

- **재판의 집행지휘** : 재판을 한 법원에 대응한 검찰청 검사(상소취하 등으로 하급심법원 재판집행 ⇨ 상소법원 대응 검찰청 검사가 지휘)
- **형집행장 필요** : 생명형 및 자유형 집행시(검사 발부)
- **형집행 순서** : 제462조
- **자유형 집행시 정지사유** ┌ 필요적
└ 임의적
- 형법 제51조 제1항 ⇨ 위헌결정에 따라 판결선고 전 미결구금일수 전부를 본형에 산입
- 형사소송법 제482조 제1항 · 제2항 ⇨ 헌법불합치결정
- **재판해석에 대한 의의신청** : 주문 취지 불명확
- **재판집행에 대한 이의신청** : 검사의 부당 집행
- **형사보상청구 요건** ┌ 피의자
└ 피고인
- **형사보상청구권** ┌ 양도나 압류(×)
└ 상속(○)
- **형사보상청구와 보상금지급청구시기**
  - ┌ 형사보상청구 ⇨ ┌ 무죄, 면소 또는 공소기각재판이 확정된 사실을 안 날로부터 3년, 무죄 등이 확정된 날로부터 5년 이내
└ 검사 불기소처분 고지 또는 통지를 받은 날로부터 3년 이내
  - └ 보상금지급청구 ⇨ 보상결정이 송달된 후 2년 이내

CHAPTER

04 기출문제

01 **형의 집행에 대한 설명으로 옳지 않은 것은?** 13. 9급 교정·보호·철도경찰

① 2개 이상의 형을 집행하는 경우에는 반드시 중한 형을 먼저 집행하여야 한다.

② 사형의 선고를 받은 자가 심신의 장애로 의사능력이 없는 상태에 있는 때에는 법무부장관은 사형의 집행을 정지하여야 한다.

③ 몰수형의 재판을 받은 자가 재판확정 후에 사망한 경우에는 상속재산에 대하여 몰수형을 집행할 수 있다.

④ 재판의 집행을 받은 자는 집행에 관한 검사의 처분이 부당함을 이유로 재판을 선고한 법원에 이의신청을 할 수 있다.

해설 ① 2 이상의 형의 집행은 자격상실, 자격정지, 벌금, 과료와 몰수 외에는 그 중한 형을 먼저 집행한다. 단, 검사는 소속장관의 허가를 얻어 중한 형의 집행을 정지하고 다른 형의 집행을 할 수 있다(제462조).
② 제469조 제1항 ③ 제478조 ④ 제489조

02 **재판의 집행에 대한 설명으로 옳지 않은 것은?** 23. 7급 국가직

① 재판은 확정한 후에 집행하는 것이 원칙이므로 법원이 징역형의 집행유예를 함에 있어 그 집행유예기간의 시기(始期)는 집행유예를 선고한 판결확정일로 하여야 하고, 법원이 판결확정일 이후의 시점을 임의로 선택할 수는 없다.

② 구금되지 아니한 당사자에 대하여 검사는 그 형의 집행을 위하여 당사자를 소환할 수 있고, 당사자가 소환에 응하지 아니한 때에는 형집행장을 발부하여 구인할 수 있는데, 형집행장의 집행에 관하여는 형사소송법상 구속의 사유(제70조)나 구속이유의 고지(제72조)에 관한 규정이 준용되지 않는다.

③ 2개 이상의 형을 집행하는 경우에 자격상실, 자격정지, 벌금, 과료와 몰수 외에는 무거운 형을 먼저 집행하여야 하지만, 검사는 법원의 허가를 얻어 무거운 형의 집행을 정지하고 다른 형의 집행을 할 수 있다.

④ 검사가 형을 집행함에 있어 무죄로 확정된 사건에서의 미결구금 일수를 유죄가 확정된 다른 사건의 형기에 산입하지 않는다고 하더라도 헌법상의 행복추구권이나 평등권을 침해하였다고 볼 수 없다.

해설 ① 대판 2002.2.26, 2000도4637
② 대판 2013.9.12, 2012도2349
③ 2 이상의 형을 집행하는 경우에 자격상실, 자격정지, 벌금, 과료와 몰수 외에는 무거운 형을 먼저 집행한다. 다만, 검사는 소속 장관의 허가를 얻어 무거운 형의 집행을 정지하고 다른 형의 집행을 할 수 있다(제462조).
④ 대결 1997.12.29, 97모112

Answer 01. ① 02. ③

03 미결구금일수의 산입에 대한 설명으로 옳은 것은?(다툼이 있는 경우 판례에 의함)

17. 9급 교정 · 보호 · 철도경찰

① 정식재판청구기간을 도과한 약식명령에 기하여 피고인을 노역장에 유치한 후 정식재판청구권회복결정에 따라 사건을 공판절차에 의하여 심리하는 경우, 법원은 노역장 유치기간을 미결구금일수로 보아 이를 본형에 산입할 수 있다.

② 판결선고 후 판결확정 전 구금일수는 판결선고 당일의 구금일수를 포함하여 전부를 본형에 산입한다.

③ 기피신청에 의하여 소송진행이 정지된 기간은 미결구금일수에 산입되지 않는다.

④ 피고인에 대한 감정유치기간은 미결구금일수에 산입되지 않는다.

해설 ① 정식재판청구기간을 도과한 약식명령에 기하여 피고인을 노역장에 유치하는 것은 형의 집행이므로 그 유치기간은 형법 제57조가 규정한 미결구금일수에 해당하지 아니한다. 따라서 비록 정식재판청구권회복결정에 의하여 사건을 공판절차에 의하여 심리하는 경우라 하더라도 법원은 노역장 유치기간을 미결구금일수로 보아 이를 본형에 산입할 수는 없고, 그 유치기간은 나중에 본형의 집행단계에서 그에 상응하는 벌금형이 집행된 것으로 간주될 뿐이다(대판 2007.5.10, 2007도2517).
② 제482조 제1항
③ 형사소송법 제92조 제3항에 의하면 같은 법 제22조에 의한 기피신청으로 인하여 공판절차가 정지된 기간은 구속기간에 산입하지 아니한다고 규정되어 있는바, 그 취지는 본안의 심리기간을 확보하기 위한 것뿐이므로 기피신청으로 인하여 공판절차가 정지된 상태의 구금기간도 판결선고 전의 구금일수에는 산입되어야 하는 것이다(대판 2005.10.14, 2005도4758).
④ 감정유치기간도 미결구금일수에 산입에 있어서는 구속으로 간주한다(제172조 제8항).

04 다음 중 형사보상에 관한 설명으로 가장 옳지 않은 것은?

22. 해경간부

① 헌법은 형사피의자 또는 형사피고인으로서 구금되었던 자가 법률이 정하는 불기소처분을 받거나 무죄판결을 받은 때에는 법률이 정하는 바에 의하여 국가에 대한 보상을 청구할 수 있음을 규정한다.

② 보상청구권은 양도하거나 압류할 수 없다.

③ 면소 또는 공소기각의 재판을 받았을 때에도 면소 또는 공소기각의 재판을 할만한 사유가 없었다면 무죄의 재판을 받을 만한 현저한 사유가 있었을 때에는 형사보상을 청구할 수 있다.

④ 피고인의 보상청구는 무죄재판이 확정된 사실을 안 날로부터 3년, 무죄재판이 확정된 때부터 6년 이내에 하여야 한다.

해설 ① 헌법 제28조
② 형사보상법 제23조
③ 형사보상법 제26조 제1항 제1호
④ 보상청구는 무죄재판이 확정된 사실을 안 날부터 3년, 무죄재판이 확정된 때부터 5년 이내에 하여야 한다(형사보상법 제8조).

Answer 03. ② 04. ④

공편저자 약력·저서

조충환

- 중앙대학교 법학박사(형사법전공)

現 • 교재집필 및 연구

前 • 박문각 경찰승진 형사소송법 대표교수
- 중앙대·울산대 출강
- 노량진 남부경찰학원 대표강사
- 노량진 남부행정고시학원 대표강사
- 노량진 한교경찰학원 대표강사
- 노량진 베리타스경찰학원 대표강사
- 법무부 출간 교정지 출제위원
- 경찰청 인터넷방송 초빙교수

주요저서

- SPA 형법
- SPA 형사소송법
- 객관식 테마 형법
- 객관식 테마 형사소송법
- ALL THAT 올댓 형사법 형법 총론
- ALL THAT 올댓 형사법 형법 각론
- ALL THAT 올댓 형사법 수사·증거
- 수사경과 대비 형사법능력평가
- COPSPA 경찰 형법
- COPSPA 경찰 형사소송법
- 3+3 형법
- 3+3 형사소송법
- 논문 다수

상 훈

- 중앙대 강의평가 우수강사 총장 표창(3회)
- 모범강사 전국학원연합회 회장표창

양 건

現 • 박문각 경찰승진 형법 대표교수
- 공무원저널 형사법 판례교실 집필위원
- 법률저널 경찰·교정직 집필위원

前 • 조이에듀경찰학원 형법 대표강사
- 신림동 태학관 법정연구회 강의
- 종로행정고시학원 경찰승진 형법 대표강사
- 중앙경찰고시학원 형법 대표강사
- 경찰승진특강
- 노량진 한교경찰학원 대표강사(형법)
- 노량진 베리타스경찰학원 대표강사(형법)

주요저서

- SPA 형법
- SPA 형사소송법
- 객관식 테마 형법
- 객관식 테마 형사소송법
- ALL THAT 올댓 형사법 형법 총론
- ALL THAT 올댓 형사법 형법 각론
- ALL THAT 올댓 형사법 수사·증거
- 수사경과 대비 형사법능력평가
- COPSPA 경찰 형법
- COPSPA 경찰 형사소송법
- 3+3 형법
- 3+3 형사소송법

SPA

2026 판례·기출 증보판

조충환·양건

형사소송법 Ⅱ

초판인쇄 : 2025년 2월 10일
초판발행 : 2025년 2월 15일
편 저 : 조충환·양건
발 행 인 : 박 용
발 행 처 : (주)박문각출판
등 록 : 2015. 4. 29. 제2019-000137호
주 소 : 06654 서울시 서초구 효령로 283 서경 B/D
전 화 : (02) 6466-7202
팩 스 : (02) 584-2927

저자와의 협의하에 인지생략

정가 69,000원

ISBN 979-11-7262-544-3
ISBN 979-11-7262-542-9(세트)